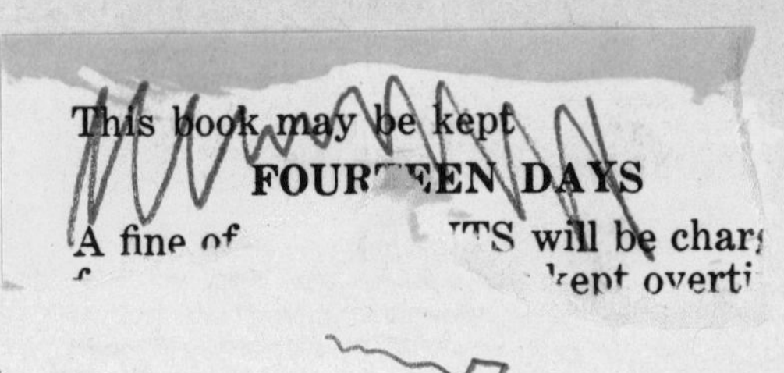

AN ANTHOLOGY OF POLISH LITERATURE

COLUMBIA SLAVIC STUDIES

A SERIES OF THE DEPARTMENT OF SLAVIC LANGUAGES
COLUMBIA UNIVERSITY
ERNEST J. SIMMONS, GENERAL EDITOR

AN ANTHOLOGY OF POLISH LITERATURE

EDITED
WITH ENGLISH COMMENTARY
AND NOTES BY
MANFRED KRIDL

1957
COLUMBIA UNIVERSITY PRESS
NEW YORK

The preparation of this work for publication has been made possible by a grant of the Rockefeller Foundation to the Department of Slavic Languages, Columbia University. The Stanwood Cockey Lodge Foundation has generously provided funds to meet part of the cost of publication.

Published in Great Britain, Canada, India, and Pakistan
by Geoffrey Cumberlege: Oxford University Press
London, Toronto, Bombay, and Karachi

Library of Congress Catalog Card Number: 56–8988

Printed in The Netherlands by H. Veenman & Zonen, Wageningen

PREFACE

THE PRESENT BOOK is the first attempt to compile an extensive anthology of Polish literature in the original, with English introductions, commentaries, and notes. Its purpose is to facilitate the study of Polish literature among American and English students of the language, and to encourage further interest in both the authors and their works, only excerpts from which could be included in the anthology.

Any editor of an anthology such as this faces a difficult problem in selecting the authors and their works, and the excerpts which will best serve the aim of presenting the character and values of a given literature. There are two obvious ways of carrying out this task—one is quantitative and the other is qualitative. The first consists of including as many authors as possible, even if some of them have only a historical significance, in order to give a picture of richness and variety; the second limits the number of writers to really prominent ones but permits more excerpts from works of permanent literary value. The present anthology follows the latter method in the spirit of the Latin maxim, *Non multa sed multum.* The fifty-eight writers included here are only a small percentage of the whole body of authors active during seven and a half centuries of Polish literature. But they form the real elite and their works for the most part are of universal artistic value. Others of some merit are mentioned in the general introductions to the various literary periods.

Another problem connected with selection is that of the concept of literature itself. Without going into this still controversial problem, the editor must state that he conceives of literature in the exact meaning of the term, that is, poetry, fiction, and drama. This was, therefore, the criterion of selection. Historians, moralists, political writers, philosophers, critics, and so on are in principle omitted, with a few exceptions however, necessitated by the superior position of some prose writers, especially in old Polish literature. As a French anthology would be inconceivable without Montaigne, Bossuet, and Pascal, so a Polish anthology cannot leave out such figures as Ostroróg, Rej, Modrzewski, Skarga, Konarski, Staszic, and Kołłątaj. This exception is made in order to give the reader at least a general view of Polish prose.

Since Polish literature reached its highest level of achievement in lyric, epic, and dramatic poetry, the bulk of the anthology consists of poets of all epochs. Fiction is less fully represented, and for the most part by short stories, because only in a few cases was it possible to single out from long novels chapters which retained a certain narrative unity. Of course, the necessity of limiting the size of the book was another decisive factor in the nature of the selection.

The book embraces the entire historical development of Polish literature from its beginning in the Middle Ages to approximately the end of the Second World War. Postwar literature could not, unfortunately, be included because of the limitation of space. It may well be possible and advisable to do so if a second edition of the anthology becomes necessary.

The arrangement of the book follows general chronological lines. It is divided into periods embracing either whole centuries, such as the fifteenth, sixteenth, seventeenth, and eighteenth, or into shorter literary periods within a century, such as Classicism, Pre-Romanticism, Romanticism, Realism, and "Young Poland" of the nineteenth century, and the period between the wars of the twentieth century.

Every period is preceded by an introduction in English containing information about the historical background, the general literary character, and the outstanding authors. Biographical and bibliographical data and a general characterization stressing the main features of each author's work and its role in the development of Polish literature are provided. Excerpts from longer works are preceded by a summary of their content. Finally, there are the Polish texts, lyric poems, and short stories reprinted in full, and longer poems and novels in excerpts.

Special attention has been paid in the commentaries and notes to linguistic, historical, and other relevant data. It is taken for granted that the reader will have a knowledge of contemporary literary Polish, but is less acquainted, or not at all acquainted, with the older language, with idioms, historical facts, and Polish life and customs through the centuries. Consequently, the commentary explains archaic, idiomatic, and rare expressions; proverbs and sayings peculiar to Polish; difficult poetic figures; and historical personages and events. Finally, the so-called *realia*, concerning the immense realm of the Polish *milieu*—buildings, furniture, food, dresses, tools, arms, ceremonies, social customs, and so on—are commented on.

Since it is difficult to know the proficiency in Polish of American and English readers of this book, and it will certainly vary considerably, the editor has been compelled to estimate an average level of understanding. But even such a level may prove too low for some students and too high for others. Accordingly, it seemed safer to adjust the commentary to a lower level, on the principle that a reader who knows the language well will be less annoyed by unnecessary explanations than one who finds them insufficient. Some repetitions in explaining the same words or expressions were unavoidable in view of the scope of the material. Then too, one cannot expect a reader in a foreign language to remember every word once translated. So it seemed in some cases preferable to translate a word again rather than oblige the reader to look for the page on which it first appears.

As for the notes, a method was chosen which is not usual in American publications, but which seems to be practical. The point is that there are—especially in old Polish literature—texts which require so many comments that one line might well be keyed to three or four numbers referring to footnotes. The appearance of such a text would be both discouraging and confusing. To avoid this, I have numbered the lines of the text on the left margin—5, 10, 15, and so forth—and I refer to these figures in the notes.

The properties and peculiarities of the language of every author have been carefully preserved. The orthography of the anthology is that in use previous to the reform of 1936 (since then obligatory in Poland). The main reason for this deviation is that the new spelling changes the phonetic aspect of a number of words and grammatical forms. It is impossible to apply this orthography to modern poetry, because in many cases it would distort the rhymes which were formed by poets according to previous rules (if we printed, for example, zi*e*mi – nasz*y*mi instead of nasz*e*mi, or złot*e*m – o t*y*m instead of o t*e*m).

Although it would be easier to use the new spelling for prose—but even here some inconveniences would arise—I have abstained from this in order not to have in one book two different spellings. The same applies to the commentary.

The preparation of the book required the help and collaboration of many people, to whom the editor expresses his warm gratitude. The anthology came into existence thanks to the initiative of Professor Ernest J. Simmons, General Editor of the Columbia Slavic Studies, to whom it owes many valuable suggestions and advice. Dr. Ludwik Krzyżanowski's help consisted of translating into English the majority of the introductions and biographies, as well as of preparing annotations to a considerable number of texts. Miss Matilda Berg worked carefully on correcting the English of all the introductions and biographies. Professor Francis J. Whitfield's linguistic knowledge was of great assistance in finding English equivalents for Polish idioms and in explaining some grammatical forms; he also very kindly looked over the whole manuscript and smoothed the style of the introductions and a number of commentaries. Mrs. Rulka Langer did considerable editorial work in revising the translation of Polish terms and expressions. Dr. Alfred Berlstein of the Public Library was very helpful in looking up Polish texts and in directing the preparation of photostats. My gratitude is also due to the Rockefeller Foundation for financial support in preparing the material of the book and to the Stanwood Cockey Lodge Foundation for a grant toward its publication.

Now that this work has come to an end, I must confess that I fully realize many of its inadequacies and shortcomings. Because of the limitation of space I had to apply strict and severe criteria as to the selection of authors and works. Such a hard task involves many doubts and hesitations as to whether the choice of one author or work and the omission of others have always been right. Then, too, the selection in some cases had to depend upon materials available in the United States.

A final difficulty has been the character and length of the introductory remarks to individual authors. The choice was either to limit myself to dry bio- and bibliographical data or to try to give concise descriptions of their works. I have attempted to combine bibliographical information with general characterization. The latter, however, could not be, by its very substance, adequate and sufficient.

M. K.

CONTENTS

THE MIDDLE AGES, 3

THE FIFTEENTH CENTURY, 7

THE SIXTEENTH CENTURY, 15

THE NINETEENTH CENTURY, 146

Classicism and Pre-Romanticism, 148

Romanticism, 159

THE ERA OF YOUNG POLAND, 433

AN ANTHOLOGY OF
POLISH LITERATURE

THE MIDDLE AGES

THOUGH the Polish State must have been formed much earlier, its historical (that is, historically documented) existence begins in the middle of the tenth century. At that time it was headed by Prince Mieszko I (960–992), who waged wars against the Germans; accepted Christianity (966) in the Latin rite, a fact which linked Poland to Western European civilization; and consolidated his principality. He was a member of the Piast dynasty, which ruled Poland until 1370. The actual founder of a strong and independent Polish state was Mieszko's son, Bolesław Chrobry (the Brave, 992–1025), who expanded its frontiers to the West and East, made himself independent of German overlordship, and assumed the royal crown. During the eleventh century the Polish state passed through various vicissitudes; it shrank under Mieszko II (1025–1034) and again rose in power under Bolesław Śmiały (the Bold, 1058–1079). In the twelfth century, on the basis of the testament of Bolesław Krzywousty (the Wrymouthed, 1102–1138), the state was divided into four principalities. These were ruled by Bolesław's sons, with the provision that they were to be subject to the sovereign authority of their senior, the Prince of Cracow. This period of division lasted until the beginning of the fourteenth century, when Władysław Łokietek (the Short, 1306–1333) reunited the entire territory under his suzerainty.

Poland was a monarchy organized on the basis of distinct estates. At the top of the social structure stood the prince, or the king, followed by the temporal and spiritual lords, the nobility, the burghers, and the peasants.

The fourteenth century was a period of peace and prosperity. Important reforms were introduced in the reign of Kazimierz Wielki (Casimir the Great, 1333–1370), who codified the laws in the Statute of Wiślica, created a central administration, organized the army, and founded the University of Cracow in 1364 (the second in Central Europe). Another important event toward the close of the century was the union of Poland with Lithuania. This was signaled by the marriage of Władysław Jagiełło, grand duke of Lithuania, with the youthful queen of Poland, Jadwiga, daughter of Louis of Hungary, who had assumed the Polish throne after the childless death of the last of the Piast dynasty,

Kazimierz Wielki. Although this was at first a personal union, it brought about a close association of the two states; Poland was considerably expanded, and thanks to her strengthened position at home and abroad, she formed in the fifteenth century the only great European power in eastern Europe.

The oldest documents written in Poland are the *Roczniki* (Annals), a species of historical calendar in which important events were recorded in Latin. There is evidence that such annals existed as early as the tenth century, but the oldest one preserved (*Rocznik Świętokrzyski*) dates from the twelfth century. Meanwhile another form of historiography appeared, the *Chronicles*, continuous reports of historical events. Thus we have in the twelfth century the chronicle of Gallus Anonymus, in the thirteenth that of Wincenty Kadłubek, a Polish bishop, and in the fourteenth that of Janko z Czarnkowa (Janko of Czarnków). All these chronicles were written in Latin.

The earliest monuments of the Polish language date from the thirteenth and fourteenth century and have a religious character. The hymn *Bogurodzica* (Mother of God) was written and sung probably in the thirteenth century and perhaps earlier, but the oldest copies come from the fifteenth century. *Kazania Świętokrzyskie* (Holy Cross Sermons) originated in the thirteenth century, and *Kazania Gnieznieńskie* (Gniezno Sermons) and *Psałterz Florjański* (The Florian Psalter)—the first Polish translation of David's Psalms—in the fourteenth. The Holy Cross Sermons exist now only in fragments, while the Gniezno Sermons form a part of a Latin manuscript. The Psalter, the first Polish book written on parchment, is adorned with beautiful initials and miniatures. In the same era there also existed many other Polish religious songs and lives of Polish saints written in Latin. There is evidence of the existence of lay poetry: songs in ballad form; folk-songs connected with weddings and other family ceremonies, as well as with harvesting; also conjurations and exorcisms shaped in poetical form.

BOGURODZICA

This is the oldest Polish song. The date of its origin cannot be accurately defined. The older assumption was that it dated from the tenth century and that its author was St. Wojciech (Adalbert), a Czech missionary who was killed by the pagan Prussians. More recent scholars rejected that legend and moved the date of the hymn's origin to the thirteenth century, and even to the beginning of the fourteenth. Lately, however, serious linguists have again moved back the date to the first half of the twelfth century. Be that as it may, it is certain that the hymn was known, sung, and perhaps even written down as early as the thirteenth century. Its popularity and long existence are attested by the number of manuscripts which have been found (four from the fifteenth and fourteen from the sixteenth centuries), and also by the fact that in the course of time it became a national anthem and was sung by the Polish knights at Grunwald in 1410.

As a "literary genre" it is related to the Greek hymns of the sixth to tenth centuries and to later Latin hymns. In the oldest copy it is composed of two stanzas (which, however, may be regarded as one stanza of two "periods") built of hetero-syllabic, mostly tri- or bi-partite, lines. The rhythmic structure is characterized by an artistry astonishing for the early Middle Ages and unequaled in Polish poetry until the time of Kochanowski (sixteenth century). The rhythmicality is strongly enhanced by caesuras and rhymes, not only final but also internal, and sometimes assonant. In the language of the hymn which is characterized by a noble simplicity, there may be distinguished an older stratum (Bogurodzica, dziela, Bożyce) and a younger one (for example, matko), a proof that the text which we possess has not been preserved in its oldest form.

In the later manuscripts we find besides the original stanza (or stanzas) about twenty additional ones; only some of these are connected with the first stanza in subject matter and approach it in poetic value. Their linguistic forms are also in the main later ones.

The author of *Bogurodzica* is unknown. If we knew his name he would certainly figure in the history of Polish literature as the first outstanding Polish poet.

We give below the oldest text in modernized spelling.

Bogurodzica dziewica, Bogiem sławiena Maria,
(U) Twego Syna, Gospodzina, Matko zwolena, Maria,
Zyszczy nam, spuści nam!
Kyrie Eleison!

5 Twego dziela Chrzciciela, Bożycze,
Usłysz głosy, napełń myśli człowiecze,
Słysz modlitwę, jąż nosimy,
A dać raczy, jegoż prosimy,
A na świecie zbożny pobyt,
10 Po żywocie rajski przebyt!
Kyrie Eleison!

BOGURODZICA. **1.** *Bogurodzica* – now *Bogarodzica;* the old dative construction remained in such names as *Bogusław*, in such expressions as *psubrat* (not *psabrat*) or in *ojciec dzieciom* (sometimes used). The forms *Bogurodzica*, *Dziewica* and *Maria* are nominative forms in vocative function frequent in old Polish for feminine soft stem nouns of this declension; *sławiena*, now *sławiona* or *wsławiona* (*błogosławiona*), past pass. part. of *sławić* – to glorify, praise; *Bogiem* – instrum. replacing *przez Boga*. **2.** *Gospodzin* – Lord; of Protoslavic origin, replaced in later Polish by *pan*, however, compare contemp. *gospodyni* – a housewife, mistress of the house. The preposition *u* beginning the second line is considered by some experts as a mistake of the copyist and is therefore omitted, since it obscures the meaning of the sentence (see below). *Zwolena*, past pass. part. of *zwolić*. now *wybrać* – to choose. **3.** *Zyszczy*, old imper. of *zyskać*. *pozyskać*, to obtain, to win over or *ziścić*, to fulfil, now *zyskaj* or *ziść; spuści*, old imper. of *spuścić* – to send down, now *spuść*. The meaning is: Win over for us and send us down Thy Son the Lord; the above mentioned "U" in the second line would leave the sentence unfinished (without complement). **5.** *dziela*, of old Slavic origin, now *dla* – for, in old Polish used after a noun or pronoun; e.g., in a later stanza of *Bogurodzica* we have *Nas dla wstał z martwych Syn Boży*. Here *Twego dziela Chrzciciela* means *Dla Twego Chrzciciela* – for (for the sake of) Thy Baptist. *Bożycze* or *Bożyce* – voc. of *Bożyc*, i.e. *Syn Boga*, as *panic* (*panicz*) is the son of *pan* (lord). **6.** *usłysz*, imper. of *usłyszeć* (*wysłuchać*) – to hear, grant; *napełń*, imper. of *napełnić* – to fill. These later forms of imperative existed in old Polish along with those ending in *y* or *i*. See note 3. **7.** *jąż* – acc. sing. fem. of old *jaże*, now *która*, *którą*; *nosimy* (*zanosimy*) from *nosić* (*zanosić*) – here, to address, to present. **8.** *raczy* old imper. of *raczyć* – to deign, to condescend, now *racz; jegoż* – old gen. sing. neut. of *iże*, now *który; jegoż prosimy* – now *czego* (*o co*) prosimy. **9.** *zbożny pobyt* = *pobożny żywot* – pious life; *zbożny* may also mean prosperous, happy. **10.** *rajski przebvt* = *rajski byt, przebywanie w raju* or *żywot niebieski* – life in paradise.

THE FIFTEENTH CENTURY

In this period Poland was ruled by the Jagellonian dynasty: Jagiełło (1386–1434) and his descendants, Władysław of Varna (1434–1444), Kazimierz (1447–1492), Jan Olbracht (1492–1501); members of that dynasty also occupied the Hungarian and Bohemian thrones. The most important occurrences of the fifteenth century are: the final breaking of the power of the Teutonic Knights; the incorporation of Danzig with Poland; the growth of the gentry in importance, and the beginning of their struggle for power against the magnates; and the development of the parliamentary system, which in the following century transformed Poland into a *de facto* republic ruled by a diet composed of a senate and a house of representatives.

The century is characterized by increased intellectual and literary activity in various fields. The University of Cracow developed and flourished, thanks to distinguished scholars and thousands of students from both Poland and abroad. The Commonwealth of Poland entered the international arena of political and intellectual life. There appeared outstanding statesmen, theologians (Jakób of Paradyż), scientists, historians (Jan Długosz); humanism began to infiltrate into Poland,represented by both Polish (Jan of Ludzisko, Grzegorz of Sanok) and foreign writers (Kallimach, pseudonym of Philip Buonacorsi and Conrad Celtes). Latin was still predominant, but Polish writings were becoming more numerous and diversified. In religious songs and poems a development of poetical language was visible in "The Plaint of the Holy Mother under the Cross," "Song about the Annunciation," and others. The adaptation of the *Legend of St. Alexis* introduces into Polish literature the ideal of the ascetic life.

Although much of the secular poetry of the time, has certainly been lost, we still find several interesting examples: the didactic poem composed by a certain Złota concerning table manners and respect for women; *Satyra na chłopów* (Satire on Peasants); *Pieśń o zamordowaniu Jędrzeja Tęczyńskiego* (Song on the Murder of Jędrzej Tenczyński [by the burghers of Cracow]); and *List miłosny* (*Love letter*), written by a student of Cracow University.

Polish prose includes two linguistically valuable works: *Psałterz Puławski* (the Puławy Psalter), a new version of the *Florian Psalter*, showing the evolution of the language during a century; and the so-called *Biblja Królowej Zofji* (Queen Zofia Bible) a translation of the Scriptures. Moreover we have, from the same period, Polish prayer books, apocrypha, translations of juridical books, as well as the *History of Alexander the Great* and the *History of Three Kings*, the first Polish "romances" translated from Latin.

PIEŚŃ O MĘCE PAŃSKIEJ

This outstanding example of Polish religious poetry of the fifteenth century (c. 1400) is actually a translation of a Latin hymn beginning with the words: "Patris sapientia, veritas divina...," cast in a uniform thirteen-syllable verse, with a regular caesura after the seventh syllable, and a normal feminine rhyme.

Jezus Chrystus, Bóg człowiek, mądrość Oćca swego,
Po czwartkowej wieczerzy czasu jutrzennego
Gdy się modlił w ogrodzie Oćcu, Bogu swemu,
Zdradzon, jęt i wydan jest ludu żydowskiemu.
5 Tę szwę noc policzkowan, plwan, nędzon do świata,
W piątek pirwej godziny wiedzion do Piłata;
Tamo nań powiedziano świadectwo nieskładne:
On stał, jako baranek, zwierzątko pokorne.
Na dzień trzeciej godziny Żydowie niezbedni
10 Wołali, by krzyżowan, pirwy i poślednі.
Piłat ji kazał biczować beze wszej lutości
I cirnim koronować. Tuć miał trudu dości.
Na dzień szóstej godziny na krzyż wiedzion z miasta;
Tej biady rozmaitej płakała niewiasta,
15 Na krzyż wzbiwszy nagicgo, o suknią igrano,
Żółcią z octem napawan, jak prorokowano.
Na dziewiątej godzinie wołał Jezus: "Heli"!
Ci, coż ji krzyżowali Żydowie się śmieli.
Janowi polecona Matka jego miła.
20 Tu się dusza Krystowa z ciałem rozdzieliła.
Włócznią ślepy włodyka bok otworzył jego:
Krew z wodą popłynęła zbawienia naszego.
Z krzyża zjęt o nieszporze, prosiwszy Piłata:
Takoć za nas ucirpiał odkupiciel świata.
25 O kompletnej godzinie ciało grobu dano,
Od miłostnych przyjaciół mirrą pomazano.
W sobotę zwojewała dusza pkielne kocce,
W niedzielę wywiodła jest szwytki święte oćce.
Prze szwę świętą siedm godzin umęczenia Twego,

30 Jeż Chryste wspominamy z nabożstwa naszego,
Racz użyczyć zbawienia, bydlenia dobrego,
A po śmierci domieści stadła niebieskiego,
Daj na śmiertnej pościeli pomnieć Twoję mękę,
Naszę duszę poleci Oćcu Bogu w rękę,
35 Tego świata imienie, srebro, złoto, kamienie,
By się nam nie słodziło rzeczmy wszyscy: Amen!

SKARGA MATKI BOSKIEJ POD KRZYŻEM

(One of the simple yet moving religious songs of the century)

Zamąt ciężki dostał się mnie, ubogiej żenie,
Widząc rozkrwawione me miłe narodzenie.
Czaszka moja miała krwawą godzinę,
Widząc niewiernego Żydowina,
5 Iż on bije, męczy mego miłego Syna.
Synku miły i wybrany,
Rozdziel z matką swoje rany!
A wszakom Cię, Synku miły, w swym sercu nosiła,
A takież Tobie wiernie służyła...
10 Przemów k Matce, bych się ucieszyła,
Bo już idziesz ode mnie, moja nadzieja miła!
Synku! Bych Cię nisko miała,
Nieco-ć bych Cię wspomagała,
Twoja główka krzywo wisa – tę-ćbych ja podparła,
15 Krew po Tobie płynie – tę-ćbych ja utarła.
Picia wołasz – picia-ć bych Ci dała,
Ale nielża dosiądz Twego świętego ciała!...
O, Angiele, Gabryjele,
Gdzie jest ono Twe wesele,
20 Cóżeś mi obiecował tako bardzo wiele?
A ja pełna smutku i żałości!
Spróchniało we mnie ciało i moje wszytki kości!...

KOLENDA

(One of the oldest Polish Christmas Carols)

Chrystus się nam narodził,
Jenż dawno powieszczon był,
W Betleem, żydowskiem mieście,
Z Panny Maryjej czyście.
5 Hallelujah!

Gdy pasterze w nocy paśli,
Stanął przy nich anioł spaśny,
Którzy, widząc jasność Boską,
Bali się bojaźnią ciężką.
10 Hallelujah!

Rzekł im anioł: "Nie bójcie sie,
Ale owszem weselcie sie:
"Narodził się Zbawiciel wam,
"Który rzeczon Krystus Pan."
15 Hallelujah!

Teraz wszyscy śpiewajmy,
A Panu Krystusowi dziękujmy,
Bo przysłusza śpiewać z anioły w radości:
Chwała Tobie na wysokości!
20 Hallelujah!

PIEŚŃ O MĘCE PAŃSKIEJ. **1.** *Oćca* – old gen. sing. of *ociec*, now *ojciec*, *ojca*. **2.** *czas jutrzenny* = *czas ranny* (*wcześnie rano*) – early morning; old Pol. *jutro* now *rano*, early. **4.** *zdradzon*, *jęt i wydan*, nominal forms of past pass. part. *zdradzony*, *jęty* (*wzięty*, fr. *jąć*, *wziąć*), *wydany* – betrayed, seized, and delivered; *ludu* – old dat. now *ludowi*. **5.** *szwę* – older form of *wszę*, acc. of *wsza*, now *wszystka*, *cała; nędzon*, fr. *nędzić*, *dręczyć* – to torment, torture; *do świata* = *do białego dnia* – until daylight. **6.** *pirwej* – from *pirwa*, now *pierwsza*. **7.** *tamo* – now *tam;* comp. *jako*, now *jak*, *tako*, now *tak*, old forms still preserved in *jako tako* – so-so; *nieskładny* – awkward, here, unjust, false. **9.** *Żydowie*, now *Żydzi* – Jews; *niezbedny*, now *obrzydliwy* – abominable. **10.** *by krzyżowan* – scil. *był; krzyżować* – to crucify; *pirwy i pośledni* – refers to *Żydowie*: of higher and lower rank. **11.** *ji* – acc. sing. of old pers. pron. *ji*, now nom. *on*, acc. *go; beze wszej lutości* – now *bez wszelkiej* or *żadnej litości*, pity. **12.** *ciernim*, old instr. of *cierń*, now *cierń*, *cierniem* – thorn; *tuć* = *tu-ci* – so called "dativus ethicus" of *ty*, used for emphasis at the end of words (compare *ż*, *że* at the end of imper.); *dości* – now *dość*, *dosyć*. **14.** *biada*, now *bieda* – woe, now used only as exclamation: *biada!* woe! alas! **15.** *igrać* – now *grać;* refers to the Roman soldiers who cast dice for Christ's garments. **16.** *napawan*, now *pojony*, from *napawać* (*napoić*) – to give to drink; *żółć* – gall. **18.** *coż* = *co*, *którzy*. **19.** *Janowi* – to St. John. **20.** *dusza Krystowa*, nominal form of adjective now *Chrystusowa* – the soul of Christ. **21.** *włodyka* – in early Middle Ages in Poland, a prince, later generally, knight; here, soldier. **23.** *z krzyża zdjęt* = *zdjęty*, from *zdjąć* – to take down, see note 4; *o nieszporze* – loc. of *nieszpór*, now *nieszpory*, vespers; *prosiwszy Piłata* – after having requested Pilate's permission. **24.** *ucirpiał*, now *ucierpiał*, from *cierpieć* – to suffer. **25.** *kompletna godzina*, that is, *godzina* "*komplety*" = *ostatniej modlitwy wieczornej* – the hour of the last evening prayer; *grobu*, old dat. sing. now *grobowi* – tomb. **26.** *miłostny* – now *pełen miłości*, *miłujący; mirra* – myrrh. **27.** *zwojewała*, now *zwojowała*, *zwyciężyła* from *zwojować* – to vanquish, conquer; *pkielne*, now *piekielne*, from *piekło* – hell; *kośce*, from *kociec;* here *zamek, brama* – gate. **28.** *wywiodła jest* – old perf. composed of the past participle and the auxiliary verb: *jeśm, jeś, jest;* hence *wywiodł-jeśm, wywiodł-jeś, wywiodł jest,* later contracted into *wywiodłem, wywiodłeś, wywiodł* (*wywiódł*), from *wywieść* – to lead out; *szwytki* – older form of *wszytki,* now *wszystkie.* **29.** *prze szwę świętą siedm godzin – prze = przez, szwę* refers to *siedm,* now *przez całych siedem świętych godzin.* **30.** *jeż – które,* see *Bogurodzica; nabożstwo,* now *nabożność* – piety. **31.** *bydlenie* – existence, life, from *bydlić = przebywać, żyć.* **32.** *domieści,* old imper. of *domieścić,* now *umieścić* – to place; *stadło niebieskie = stan niebieski* – heavenly status; now *stadło* used only with *małżeńskie.* **33.** *twoję* – old acc. of *twoja,* now *twoją.* **34.** *poleci,* old imp. of *polecić* – to recommend, entrust, now *poleć.* **35.** *imienie,* now *mienie* – property, fortune. **36.** *by sie nam nie słodziło – słodzić się = smakować; aby nam nie smakowało* – that we should not cherish; *rzeczmy* – imp. plur. of *rzec, powiedzieć.*

SKARGA MATKI BOSKIEJ POD KRZYŻEM. **1.** *zamąt,* now *zamęt* – turmoil; here, affliction; *żenie* – dat. sing. of old *żena* (woman) now *żona,* and used only in the meaning of "wife." **2.** *rozkrwawiony,* now *okrwawiony, pokrwawiony,* comp. *krwawić, krew* – bleeding, covered with blood; *narodzenie,* now birth, here *potomstwo* – progeny, son. **4.** *Żydowin – Żyd.* **7.** *rozdziel, rozdzielić,* now *dzielić, podzielić* – to share. **8.** *wszakom nosiła* – old *wszako* + anticipated ending of first pers. sing. *m = wszak* (indeed) *nosiłam.* **9.** *takież – także.* **10.** *k Matce – ku Matce, do Matki; bych* – first pers. sing. of the old aorist of *być: bych, by, by, bychom, byście, bychą* used as conditional, now *bym.* **11.** *nadzieja* – vocative, see *Bogurodzica* note 1. **13.** *niecoć – nieco-ci,* see *Pieśń o Męce Pańskiej,* note 12. **14.** *wisa,* fr. *wisać, zwisać* – to hang, droop. **15.** *tę-ćbych = tę-ci-bych – tę* (*głowę*) *ci-bym.* **16.** *picia-ć bych* – the same form still stressed by another *ci.* **17.** *nielża, nielza* – now *nie można, nie wolno; dosiąc – dosięgnąć* – to reach. **18.** *angiel,* old from Latin *angelus,* now *anioł* – angel. **19.** *ono* – in old Polish *on, ona, ono,* were demonstr. pronouns, now *ów, owa, owo, ten, ta, to.* **20.** *obiecował,* from *obiecować,* now *obiecywać* – to promise.

KOLENDA. **2.** *jenż = który,* see *Bogurodzica,* note 8; *powieszczon,* from *powieścić,* now *obwieścić* (*przepowiedzieć*); *obwieszczony* – announced (see *Pieśń o Męce Pańskiej,* note 4). **4.** *z Panny Maryjej czyście – Maryjej,* old gen. of *Maryja,* now *Marji; czyście = pięknie;* here, purely, immaculately. **6.** *Paśli,* third person plur. past of *paść* – to graze. **7.** *spaśny,* now *jasny, błyszczący* – shining. **14.** *rzeczon – rzeczony,* now *nazwany* – named. **18.** *przysłusza, słusza,* now *przystoi, godzi się* – it behooves.

Jan Ostroróg (c. 1436–1501)

A Palatine (Wojewoda) of Poznań, Jan Ostroróg was the first outstanding Polish lay writer and one of the first political writers. In his Latin treatise *Monumentum pro Reipublicae Ordinatione* (1475), he exhibits the influence of the independent humanistic spirit in criticizing church and state institutions, the privileges of the clergy, and the papal authority. He also demands uniform laws in Poland and proposes reforms in the treasury, army, and judiciary.

TRAKTAT O NAPRAWIE RZECZYPOSPOLITEJ (1475)

O PRAW ROZMAITOŚCI

Taka rozmaitość praw nie jest wcale dobrą, iż innem szlachta, innem plebejusze się sądzą, iż jedno polskiem, drugie niemieckiem się zowie i to znowu jeszcze jest różniącem się, a tak zacięcie bywa zachowywanem, jak gdyby Niemcy sami wyłącznie rozum wszelki 5 posiedli. Takowa mięszanina w jednem państwie nie zgadza się z rozumem. Niech więc będzie jedno prawo, wszystkich obowiązujące, bez żadnej osób różnicy; na rany i zabójstwo kara pieniężna i kryminalna niech będzie taż sama zachowaną, jaka dawnego była zwyczaju. Jeśliby zaś poczytywano za potrzebne prawo odmienne dla 10 plebejuszów, odmienne dla szlachty, dla różności stanów, niech wszelako i tamto cywilnem a nie niemieckiem się zowie, lubo ja mniemam: że jednem i temże samem prawem zarówno wszyscy mieszkańcy kraju mogą i powinni się rządzić.

O POTRZEBIE PRAWA STANOWIONEGO

Prawa stanowione są potrzebne, by nie podług widzimisię poje-15 dyńczej głowy, lecz podług rozwagi wielu osób sądzono. Lepsze zaś prawa nad te nie mogą być wynalezione, które senat i sławni cesarze rzymscy postanowili. Z nich niech się wybierze co potrzeba dla sądów, a niektóre okoliczności można zdać na rozwagę sędziego. Nic nie stanowi zarzut czynić się mogący, iż używanie tych praw jest oznaką 20 uległości, używają ich bowiem i inni, którzy wcale zwierzchnictwa stąd jakowego nad sobą nie uznają i nie są uważani przez to za podległych tym, których prawa się trzymają i podobnież używamy przepisów Arystotelesa i innych filozofów, choć nikomu z nich nie jesteśmy uległymi.

O DAWANIU DZIESIĘCIN

25 Bóg przykazał dawać dziesięciny, przykazał, nie przeczę, Aronowi i Lewitom, którym dał zakon duchowny, lecz nie przykazał wyciskać jej gwałtem na świeckich, jak teraz się dzieje, tak, iż nie bez krzywdy dawców dziesięciny są pobierane. Były one dawane niegdyś od bogatych, nie od ubogich, teraz zaś dają je ubodzy włościanie owym 30 dobrze zaopatrzonym i wypasłym, z dumą je biorącym. Czyż zachowane bywają słowa: miłosierdzia chcę – nie ofiar! Jeżeli zatem chce kto dar przyjąć, niech go bierze wtedy, kiedy się podoba dawcy, nie podług swej, lecz jego woli.

O OBIERANIU BISKUPÓW I ICH URZĘDOWANIU

Gdyby panowie biskupi i całe duchowieństwo istotnie tyle byli 35 duchownymi, jak się być mienią i gdyby często odczytywali, co się wyżej przytoczyło, pochwaliłbym zaiste wtedy to, by żadna władza świecka nie mieszała się w wybory duchowieństwa. Król niechby miał staranie o rzeczach świeckich, a duchowni niechby pilnowali rzeczy duchownych, jako do nich należących, tak iżby władze te, 40 jak przystoi, były odosobnione. Gdy atoli przepisy, dotyczące stanu i nauki duchowieństwa, rozproszone są po obszernych dziełach, jakże są w stanie oneż poznać, gdy niema ani uczących się, ani nauczających. Zastarzały zwyczaj przewodniczy. Złe przyjemne. Przeto dla uniknienia większego złego, lepszy zdaje się wybór biskupów ze strony 45 króla, by nietylko uczeni ale i przyjemni byli, iżby nieobyczajność i niechęć osób nie pobudzała ciągłą nienawiścią jednego stanu przeciw drugiemu.

O OPŁATACH PAPIEŻOWI CZYNIONYCH

Bolesna i nieludzka uciążliwość dręczy także królestwo polskie, ze wszech miar wolne, równie i w tem, że nieustanną chytrością 50 Włochów tak dalece łudzić i zwodzić się dajemy, iż pod pozorem pobożności, co raczej jest fałszem nauki i zabobonem, tak wielkie sumy pieniędzy do dworu, jak nazywają, rzymskiego, corocznie, dozwalamy wyprowadzać w opłacie ogromnej daniny, którą *sacra* czyli *annaty* zowią. Ilekroć w diecezji nowy biskup zostaje obrany, nie 55 odbiera *sacry* jak za opłatą poprzednią papieżowi w Rzymie złożoną kilku tysięcy czerwonych złotych, lubo święte kanony uczą, że nowoobrany biskup powinien być poświęcany i potwierdzany przez arcybiskupa i biskupów. Chytrzy i podstępni Włosi przywłaszczyli sobie tę władzę, gdy my tymczasem poziewamy i zasypiamy. Wiadomo, że 60 niemieccy i polscy panowie tylko do lat kilku stolicy apostolskiej pozwolili na wybieranie *annat* tym celem, aby napastnicy wiary

chrześcijańskiej hamowani byli i okrutny Turczyn w napadach swych wstrzymany został. I to pewna: że te kilka lat wyznaczonych dawno upłynęło i że *annaty* wcale na inne cele, jak były przeznaczone, bywają
65 obracane. Potrzeba więc zaprzestać tej zmyślonej pobożności, a papież nie powinien być tyranem pod płaszczykiem wiary, lecz przeciwnie, łaskawym ojcem, jak ten jest miłościwym, którego on się głosi być namiestnikiem na ziemi.

TRAKTAT O NAPRAWIE RZECZYPOSPOLITEJ. **1.** In Medieval Poland, as well as in other countries, there were separate courts for the nobility, the burghers, and the peasants. Moreover, the burghers, as originally of German descent, were subjected to German, so-called Magdeburg laws. **3.** *się zowie – się zwie, nazywa; zacięcie* – stubbornly. **9.** *poczytywano*, from *poczytywać* – to consider. **11.** *lubo – chociaż, jakkolwiek.* **12.** *mniemać* – to think, believe; *zarówno = narówni* – equally. Subtitle: *prawo stanowione* – codified laws as distinguished from unwritten, custom laws. **14.** *widzimisię* – literally "it seems to me," hence according to whim, caprice. **18.** *okoliczności* – circumstances, here juridical problems. **18–19.** *nic nie stanowi zarzut czynić sie mogący – nic nie znaczy możliwy zarzut.* **20.** *uległość* – subordination. **21.** *jakowego – jakiegoś.* **25.** *dziesięciny* – tithes, various taxes which subjects were obliged to pay to their masters and to the Church. **26.** *zakon – prawa; wyciskać* – to extort. **28.** *dawca* – donor, contributor. **30.** *wypasły* – well fed. **35.** *duchownymi* – spiritual; *mienić się* – to consider oneself. **40.** *atoli – jednak.* **42.** *oneż* (*one*) – old acc. plur. of *on*, now *je* – refers to *przepisy*. **43.** *przeto* – therefore. **44.** *ze strony – przez.* **48.** *uciążliwość* – hardship; *dręczyć* – to oppress. **50.** *łudzić* – to cheat; *zwodzić* – to deceive. **53.** *danina* – tribute; *sacra* – tribute paid by a newly elected bishop to the Pope; *annaty* – tribute for the struggle with the infidels. **55.** *sacra* – here, consecration of the bishop. **56.** *czerwony złoty* – old Polish currency, guilder. **58.** *przywłaszczyć sobie* – to usurp. **61.** *tym celem – w tym celu.* **62.** *Turczyn*, older form for *Turek* – Turk. **65.** *zmyślona pobożność* – pretended piety. **66.** *pod płaszczykiem* – under the cloak. **67.** *on się głosi być* – he claims to be.

THE SIXTEENTH CENTURY

In the sixteenth century Poland's power was maintained and even increased. During the reign of Sigismund the Old (1506–1548), Prussia was secularized and Prince Albert of Hohenzollern, the last grand master of the Teutonic Order, became Poland's vassal. However, the Hungarian and Bohemian thrones were lost to the Habsburgs. The last Jagellonian, Sigismund Augustus (1548–1572), extended Poland's rule over Livonia (on the Baltic) and brought about the final unification of Poland and Lithuania in the Act of the Union of Lublin in 1569. After the extinction of the Jagellons, the gentry elected to the throne Stefan Batory (1576–1586), prince of Transylvania and one of the strongest of the Polish kings. Stefan Batory broke the resistance of Danzig, waged a victorious war with Ivan the Terrible, founded the University of Wilno (1579), reformed the army, and established tribunals, or courts of appeal. In this century the gentry who ruled the state acquired great privileges, which may well have been the envy of other European upper classes. Simultaneously, and obviously, the authority of the kings and their executive power weakened, license increased, the rights of the burghers were more and more restricted, and the peasants were increasingly exploited. A beautiful Act of Tolerance is the so-called Warsaw Confederation (1573) guaranteeing freedom to all religious creeds.

This century is called the Golden Age of Polish culture, because of its high achievements in various fields: material progress; education; scholarship; literature; religious, political, and social thought; and oratorical art. There were three main sources of this intellectual movement: the political activity of the nobility; humanism; and the Reformation. The first of these factors, which resulted in the rise of the nobility to ruling power in the state, gave birth to numerous works concerned with politics, polity, and social and moral problems. Humanism penetrated deeply into the fields of education and literature. Latin became the second tongue of educated Poles. Polish youth studied in Italy, bringing home and spreading humanistic culture. The number of Polish-Latin writers and poets increased. Even when, in mid-century, the native tongue won a victory in poetry and prose, Polish literature remained imbued with the humanistic spirit.

The Reformation, entering by way of Germany and Bohemia, began to spread in Poland in the early sixteenth century. It had soon won a great number of adherents among higher nobility and townspeople. Among the Protestants there were Lutherans, Calvinists, Unitarians, Bohemian Brethren, and others. Some of them, like Jan Seklucjan, Jan Łaski, Szymon Budny, and Szymon Czechowic, were known and appreciated in Western Europe. Religious books, pamphlets, hymnals, prayer books, and the like (all in Polish) appeared in vast quantities. The *Bibliotheca Fratrum Polonorum*, published (in Latin) by the Polish Unitarians, was especially valued abroad. The first Polish translation of the Bible (1551) is credited to a Protestant writer.

From this great number of writers and vast material we can give excerpts only from the most characteristic or prominent representatives of poetry and prose. Among those omitted should be mentioned the poets Mikołaj Hussowski, Klemens Janicki, Sebastjan Klonowicz, and the political writers Łukasz Górnicki and Stanisław Orzechowski.

Mikołaj Rej (1505–1569)

Mikołaj Rej won for himself the title of "father of Polish literature." This is only partly justified, because, as we know, he was not the first to write in Polish. On the other hand, it is a fact that he wrote exclusively in Polish, that he wrote copiously, that his works are distinguished by greater originality than those of his predecessors (though these are often based on foreign models) and were destined for the rank and file of the gentry, and finally that he considered writing to a certain extent a profession.

Both in his life and in his works he was a typical representative of the Polish gentry of the age, although intellectually and morally he rose above the average. He possessed great natural abilities, a vivid and acute mind, an extensive though not thorough education (he did not complete his university studies and never traveled abroad), and a native, raw, but original writing talent. He had not much in common with humanism. However, he showed keen interest in religious questions and became one of the champions of the Reformation in Poland (Calvinism was closest to his thought). He was a very prolific writer. In addition to *Zwierciadło* (The Mirror, 1568), excerpts of which are quoted below, he wrote a number of other works in verse and prose. Among them are: *Krótka Rozprawa* (A Short Discourse, 1543); *Wizerunek* (The Image, 1558); *Żywot Józefa* (The Life of Joseph, 1545) in dialogue form, modeled on a Latin original; the theological works *Postylla* (The Postil, 1557), an exposition of the gospel for Sundays and holidays; and *Apokalipsa* (The Apocalypse, 1565), an exposition of the book of St. John the Evangelist; and a collection of epigrams entitled *Zwierzyniec* (The Bestiary, 1562).

Rej lacked the profound poetic culture and creative imagination to merit the name of a true poet; he did not succeed in making a poetic instrument of his everyday language. Nevertheless, he possessed an indisputable ease of writing, had a sense of rhythm and rhyme, and sometimes achieved truly poetic images. His prose, on the other hand, is colorful, vivid, expressive, and invaluable as a model of the colloquial speech of the time; it is full of forceful and sometimes even rude expressions and comparisons taken from the rural life to which he was addicted. His works in verse or prose, regardless of their subject, are broad pictures of the social life of the period, full of typical characters from all classes of society.

ZWIERCIADŁO
(ŻYWOT CZŁOWIEKA POCZCIWEGO)

This is a collection of six separate works in verse and prose published in 1568. The most important of the collection is "Żywot człowieka poczciwego" (Life of a Nobleman), a prose treatise presenting Rej's complete "philosophy of life" and his ideal of a nobleman. It is the philosophy of a sober, practical man who does not demand too much either from himself or from his fellow men. It is sufficient to be guided in one's life by general Christian principles, to be a good husband and father, an honest and diligent farmer, to show interest in public affairs and in "learning", but above all to live and work in one's village, because this is the natural sphere of the nobleman. Toward that goal, teachings concerning the life of an "honorable man" should be directed. Rej describes this in the three books of a work devoted to childhood, manhood, and old age. In it we often find sound, sometimes progressive, advice (for example, that concerning the education of children), as well as solicitude for moral and intellectual standards and warnings against all kinds of abuses. As in *Wizerunek*, the didactic parts are interlaced with excellent scenes of social life. The qualities of Rej's prose are fully manifested in this, his most mature work.

UBIORY JAKIE MAJĄ BYĆ DZIECINNE I ĆWICZENIE OBYCZAJÓW MŁODYCH

Nie więżyż mu nazbyt z młodu knefliczków, bryżyczków, pstrych
sukienek, jako prosięciu, bo, jako sie tego z młodu nauczy, tak mu
sie to w pamięć wbije i tak sie tego napotem zawżdy będzie chciało,
a stąd mu i swawola napotem i wszeteczeństwo snadnie rość będzie
5 mogło... Potem, gdy już będzie podrastać, nie trzeba go też nazbyt
w grozie chować, bo ona młodość jego, gdyż jeszcze zmysly słabe we
mdłem ciele być muszą, tedy zbytnią grozą a frasunkiem snadnie
może być zgwałcona, iż potem zawżdy straszliwa, tępa a głupia być
musi. Ale bez zbytniej grozy a bez frasunku, nadobnem napomina-
10 niem przedsię mu potroszę trzeba ujmować obroków, aby nie rosło,
jako wirzba, którą jako nachyli, także też róść będzie. Także go też
już będzie trzeba strzec od głupich, a od plugawych chłopiąt, od
zbytniej czeladzi, bo co zmłodu widzi, słyszy, to mu sie snadnie wbije
w onę młodą, pamięć jego i także z nim będzie rosło. Bo i od starszych
15 to słychamy, iż lepiej to więc pamiętają, co sie zmłodu około nich
działo, niżli co przed małym czasem czynili. Być może dzieciątko
czyście sie, igrając, i paciorka i łacińskich słów wiele nauczyć i *a*, *b*, *c*,
d, barzo mu się to snadnie, igrając, w pamięć wbić może. Nie dajże
mu też wiele leda czego szczebiotać, jako to ini barzo radzi widzą,
20 a zową to szpaczkiem, bo, jako mu to w obyczaj wnidzie, tedy potem
z tego wszeteczeństwo uroście, którego go potem trudno oduczyć
będzie. Także też i panie matki około dziewczek swych powinny
takież pilność mieć, gdyż to jest naród mdły, a na wszytko snadnie
nałomny. Abowim wierz mi, iż młode wychowanie roztropne siła
25 potem obyczajów dobrych na starość każdemu umnożyć może.

STAN RYCERSKI JAKI JEST

A jeśliby cie też w stan rycerski albo ten żołnierski myśl wiodła,
wierz mi, i tambyś sie nie prawie źle udał: bo tam znajdziesz i dworstwo i towarzystwo i ćwiczenie, a snadź mało nie potrzebniejsze,
niżli u dwora; bo sie tam nauczysz gospodarstwa, bo sie już swym
30 stanem tam nie inaczej, jako we wsi gospodarstwem, musisz opiekać;
już sie tam nauczysz pomiernego szafarstwa, boć tego będzie potrzeba,
bo tam trudno, jako doma do śpiżarniej. Nauczysz sie cierpliwości,

nauczysz sie spraw rycerskich, nauczysz sie około koni, około sług i
około inych potrzebnych rzeczy sprawy a opatrzności, a snadź mało
35 nie rychlej, niżli w onej dworskiej zgrai, darmo leżącej. Bo, jeśli-ć sie
trefi być w ciągnieniu, tedy już tam wielka rozkosz patrzyć na ludzi,
patrzyć na sprawy, patrzyć na hufy, pięknym porządkiem postępując,
nasłuchać sie onych wdzięcznych trębaczów, bębnów, pokrzyków, aż
ziemia drży, a serce sie od radości trzęsie.

40 Przydziesz do stanu nie trzeba-ć już będzie oliwek, limonji ani
kaparów dla przysmaków, jako onemu doma leżącemu a rozpieszczo-
nemu brzuchowi: bo powiedają, iż to nawdzięczniejszy przysmak
żołądkowi – przegłodzenie. Boć stanie za limonją i za kapary ona
wdzięczna przejażdżka z miłem towarzystwem, że-ć tam smaczniejsza
45 będzie wędzonka a kasza, niżli gdybyś leżał za piecem, na ścianę
nogi wzniósł, a w kobzę grając, czekając, rychło-li obiad dowre,
niżli-ćby przyniesiono bijankę z marcepanem...

Patrzajże zasię, gdy już potrzeby nie będzie, a rozłożą je po leżach,
jakiej tam dopiro rozkoszy i ćwiczenia używać będą! Azaż tam nie
50 rozkosz mają, gdy sie do jednej gospody z potraweczkami nadobnemi
znoszą? Azaż tam nie będą wdzięczne rozmowy a ony poczciwe żarty,
że więc, jako ono powiedają, i gęba sie dobrze nie zakrzywi od
śmiechu? Acz też tam i kofel i żołędny tuz wielkie zachowanie miewają,
ale gdy tak, jakoś słyszał, zachowasz na wszem stateczną pomiarę
55 w sobie, nic to tobie wszytko szkodzić nie będzie; bo trudno tego,
powiedają, do tańca ciągnąć, kto nierad skacze...

A to zawżdy miej na pieczy: gdy tam ujrzysz, ano drapią, biorą
a szarpią niewinne ludzie a ich majętności (bo to jest stary zwyczaj
wojenny), chociaj sie łzy leją, chociaj głosy aż pod niebo o pomstę
60 krzyczą: ale-ć ja radzę, byś miał przemrzeć i ze szkapami, kędy
możesz, ostrzegaj sie tego, a byś miał i jednę suknię przedać, a
w drugiej sie do domu wrócić, tedyć to lepiej będzie, niżli głos
niewinny a przekleństwo na się puścić. Bo wierz mi, iż Pan Bóg na
wielkiej pieczy ma, a jaśnie powieda: "Gdy zawoła do mnie ubo-
65 żuchny o krzywdę swoję, Ja muszę pomścicielem jego być". Bo wierz
mi, iż sie to sowicie oddać musi: albo szkapy pochromieją, abo-ć
potem i z gospodą zgorają, abo cie okradną. Owa ani obaczysz, jako
to Bóg sowito zawetuje, a pomści sie krzywdy onego niewinnego; a
przedsie to i onemu sowito nagrodzi, bo to jest święte przyrodzenie
70 Jego.

RÓWNEMU Z RÓWNYM OŻENIENIE NALEPSZE

Jeśli jużeś tak na tem swą myśl postanowił, iż w tym poczciwym
stanie chcesz żywot swój postanowić, a staniku swego pomiernego,

poważnego, statecznego i bogobojnego użyć, szukajże sobie żonki staniku sobie równego, wychowania a ćwiczenia roztropnego, oby-
75 czajków nadobnych a wstydliwych, a pomocy wżdy takiej, jaka może być, bo powiedają, iż to są przysmaki do dobrego ożenienia: uroda, obyczaje, przyjaciele a pomoc. A nie zawódźże sie na wielkie trudności, na wielkie zgraje, na wielkie koszty, bo-ć mało po tem, iż bęben przed tobą kołace, a surma wrzeszczy, a chłopi sie po płociech
80 wieszają, ukazując sobie, gdzie tu pan młody jedzie. Bo znajdziesz u drugiego, co na tę przejeżdżkę a na przynosiny posagu mu nic nie zostanie i będzie długo sypiał, aż do południa, bo go kurek żadny nie obudzi. Ale ty, nie rozmyślając sie ani na żadne zbytnie miłości, ani na żadne powagi, ani na żadne spadki albo wielkie pomocy, gdy-ć
85 sie już w obyczajoch i w urodzie i w poczciwych przyjaciołoch upodobała poczciwa dzieweczka, miejże ty Pana Boga dziewosłębem, a anioły Jego swaty, a bez wszech wielkich zalotów uczyń powinności swej krześcijańskiej dosyć, wziąwszy z sobą przyjaciela albo dwu, a to, cobyś miał na bębny, na surmy albo na opierzone swaty utracić,
90 lepiej, iż tem sobie podpomożesz gospodarstwa swego. A tam ci już Pan Bóg pozdarzy wedle obietnic swoich, że z onym miłym a wdzięcznym, a sobie równym towarzyszem swoim używiesz długo rozkosznego żywota swego, i wszytko-ć sie sporzyć i mnożyć będzie około ciebie, jako ono powiedają, jako wianki wił.

ROK NA CZTERZY CZĘŚCI ROZDZIELON

95 Iż różne są czasy w roku, też są i różne przypadki w gospodarstwie i w każdej sprawie człowieka poczciwego, gdyż rok jest na czworo rozdzielon: naprzód wiosna, więc lato, potem jesień, więc zima. A w każdym z tych czasów i potrzebnego a różnego gospodarstwa i rozkosznych czasów i krotofil swych w swoim onym pomiernym a w
100 spokojnym żywocie poczciwy człowiek może snadnie użyć. Bo, gdy przypadnie wiosna, azaż owo nie rozkosz z żonką, z czeladką, po sadkoch, po ogródkoch sobie chodzić, szczepków naszczepić, drobne drzewka rozsadzić, niepotrzebne gałązki obcinać, mszyce pozbierać, krzaczki okopać, trzaskowiskiem osypać, bo tego trzeba, aby około
105 młodego drzewka chwast nie rósł. Też, gdy młode drzewka rozsadzasz, niepotrzebne gałązki precz obrzeż i wirzch, jeśliby sie wyniósł wysoko; bo nowo wsadzony korzeń, gdy jeszcze w sobie wilgotności nie ma, gdzie wiele gałęzi na górze, nie może ich używić. Też gdy szczepisz a pniaczek rozbijesz, tedy nożykiem nadobnie gniazdeczka
110 gdzie masz gałązkę wsadzić, wybierz; tedy i gałązka pięknie przystanie, i pniaczek jej nie ściśnie, a nie zmorzy, i wnet ją snadniej sok obleje, iż sie prędko przyjmie.

LATO GDY PRZYDZIE, CO Z NIEM CZYNIĆ

Nuż też, gdy przydzie ono gorące lato, azaż nie rozkosz, gdy ono wszytko, coś na wiosnę robił, kopał, nadobnie-ć doźrze a poroście?
115 ano-ć niosą jabłuszka, gruszeczki, wiśneczki, śliweczki z pirwszego szczepienia twego; więc z ogródków ogóreczki, maluneczki, ogrodne ony ine rozkoszy! Ano młode masłka, syreczki nastaną, jajka świeże; ano kurki gmerzą, ano gąski gęgają, ano jagniątka wrzeszcza, ano prosiątka biegają, ano rybki skaczą; tylko sobie mówić: "Używaj,
120 miła duszo, masz wszytkiego dobrego dosyć!" – a wszakoż z bojaźnią bożą a z wiernem dziękowaniem Jemu. Pojedziesz zasię sobie z krogulaszkiem do żniwa: ano nadobnie żną, dzieweczki sobie śpiewają, drudzy pokrzykawają, snopki w kopy znowu układają; ano im i milej i sporzej robić, kiedy pana widzą, – a wszakoż nie owego, co
125 sie z nimi po polu z maczugą goni albo biczem po grzbiecie kołace. Tamże sobie i przepióreczkę ugonić możesz, ale nie owak, aby proso abo insze zboże ubogim ludkom łamać miał: albowiem on, patrząc na to, nie może bez żałości być, a mówi po cichu: "Bodajż w niej zjadł złego ducha!" Też nie owak, aby wszyscy stali, dziwując sie, a
130 wołali: "Owo padła, panie, padła!" A pan sie przed nimi pyszni, iż chróściela ugonił, a oni stoją, dziwując sie, sirpy porzuciwszy. Abowiem w każdej rzeczy trzeba czasu i miary zawżdy używać.

SPÓLNE NARZEKANIE WSZEJ KORONY NA PORZĄDNĄ NIEDBAŁOŚĆ NASZĘ

Przypatrz sie jedno pilnie sprawam a sprawiedliwościam naszym, jako sie łzy leją ludzi uciśnonych, jakie głosy krzyczą przed majestatem Pańskim na upadek nasz, jako ludzie niewinni narzekają, pragnąc a łaknąc, biegając a szukając sprawiedliwości swojej; ... jako
5 stoją oni mizerni Łazarzowie u drzwi bogaczów onych, którzy wyssali mleko ich, a odarli wełnę ich, a jeszcze je czasem kijem biją, odganiając a powiedając: "Niemasz teraz czasu". A snadź jeszcze rychlej ludzie prości a ludzie k temu mało powinni donoszą im rady i pomocy, jako szczeniętom odrobin, co padają z stołów bogaczów onych a
10 podpomagają, jako mogą, onego nędznego upadku a żałosnej krzywdy ich. Gdyż sprawiedliwość naszę zową pajęczą siecią, którą bąk przebije a nędzna mucha, uplotszy sie, uwikławszy sie, utraciwszy wszystko, nie doczekawszy sie żadnej pociechy w upadku swoim, idzie z kijem, becząc do domu, ręce załomiwszy. Obaczże, jaki tam płacz, a jakie
15 tam narzekanie, przyszedszy do domu swego, uczynić musi z żonką a z dziatkami swemi, wołając o pomstę do Pana swego. A Pan sie

obiecał stać nieomylnie przy krzywdzie jego a mścić sie onego mizernego upadku jego...

A jakoż tu Pan, proszę cie, ma podnieść oczy swoje na wspomo-
20 żenie nasze? Ano, jako sam powiedać raczy, iż "wołacie do mnie a narzekacie, iż was nie chcę wysłuchać, a ręce wasze, które podnosicie do mnie, pomazane krwią, pomazane niesprawiedliwością, a daleko mię muszą oddzielić od was grzechy wasze." ... Już trudno mamy dufać jakim nadziejam albo jakim godnościam swoim do znalezienia
25 łaski u Pana tego, jedno czekać mizernego upadku jakiego! .. Gdyż to jawnie obiecać raczył każdemu narodowi takiemu, iż "dla złości a niesprawiedliwości ludzkich przeniosę królestwa na ine królestwa, a narody w insze narody odmienić muszę". Obaczże sie, smaczno-lićby to było, kiedybyś ujrzał, ano postronny człowiek rozkazuje w
30 domu twoim, a urzędnikać odmienił, a ty z daleka z cirnia wyglądasz, co sie dzieje: ano już iny urzędnik, albo cie w łykach przy koniu wodzą!...

Pomyśl sobie jedno, jeśliby do tego kiedy przyszło (jakoż nieomylnie przyść musi, nie będzieli uznania twego a miłosierdzia Pana
35 twego), gdy obcy a srogi człowiek przyszedł nocą do domu twego, posiadł abo rozproszył wszystkę majętność twoję, zapalił srogim ogniem dom twój i wszytki rozkoszy twoje, posiekałby głowy dziatkom twoim przed oczyma twemi, zelżyłby małżonkę i naród twój a ciebieby jako psa wodził na łańcuchu, przy koniu swoim, tłukąc głowę twoję:
40 jakoby tam żałosna była dusza twoja i serce twoje!

ZWIERCIADŁO. **1.** *więżyż*, imper. sing. of old Polish *więzać*, now *wiązać*, *wiąż*, *wiąż-że* – to tie on, fasten; *knefliczek*, dim. of *kneflik* (German: *Knopf*), now *guzik* – button; *bryżyczek*, dim. of *bryżyk*, now haft, hafcik – embroidery. **3.** *zawżdy* – older form of *zawsze*. **4.** *swawola* – wantonness; *wszeteczeństwo* – vice, wickedness; *snadnie*, now *łatwo* – easily. **5.** *podrastać*, perf. *podrość* – to grow up a bit. **6.** *ona* = ta. **7.** *mdły* – here, feeble; *frasunek* – affliction, calamity, grief. **8.** *straszliwa*, here for *strachliwa* – timorous. **9.** *nadobny* – fair, gentle; *napominanie* – admonition. **10.** *przedsię* = *przecież* – nevertheless; *ujmować obroków* – an old saw: to cut down the feed bag, i.e., to subdue, tame. **11.** *wirzba* – now *wierzba*. **12.** *plugawy* – nasty, filthy; *chłopiąt*, gen. plur. of *chłopię* – boy, lad. **13.** *zbytni* – mischievous; *czeladź* – servants. **15.** *słychamy* – now *słyszymy*. **16.** *przed małym czasem* = *niedawno* – not long ago. **17.** *czyście* – old form for *dobrze, pięknie; paciorek*, dim. of *pacierz* – prayer; *igrając*, from *igrać* – to play. **19.** *leda czego*, now *lada czego* – anything; comp. *ladaco* (noun) – a good-for-nothing; *ini*, plur. of *iny*, now *inny*, *inni*. **20.** *zową*, old form for *zwą* or *zowią* from *zwać*, *nazywać* – to call; *szpaczek*, dim. of *szpak* – starling; *wnidzie* – from old infin. *wniść*, now *wejść*, *wejdzie*; *wejść w obyczaj* – to become a habit. **21.** *uroście* – from *urość*, now *urośnie; oduczyć* – to unteach, here to break. **23.** *takież* for *także* or *takąż* – the same. **24.** *nałomny*, from *nałomać* – to break, bend, hence pliable, prone to; *Abowiem*, now *albowiem* – because; *siła* – basic meaning force, might; in old Polish used also as adverb: much, many. **25.** *umnożyć*, now *pomnożyć* – to accrue. **27.** *nie prawie* – *prawie* means in old Polish *prawdziwie, naprawdę*, truly, indeed, hence *nie prawie* means *nie naprawdę*, in modern Polish *naprawdę nie; dworstwo* – courtliness, from *dwór*, royal or lordly court; *dworak* – courtier. **28.** *snadź*, now *snać* – indeed, probably, likely; *mało nie – ledwie nie;* the whole expression means: probably more necessary. **29.** *gospodarstwo* – husbandry. **30.** *opiekać*, now *opiekować się* – to take care. **31.** *pomierny*, from *miara*, measure, now *umiarkowany* – measured, moderate; *szafarstwo* – management, *szafarz* – steward; *boć = bo ci.* **32.** *doma* – now *w domu*; *spiżarniej* – old gen. sing. of *spiżarnia*, larder. **34.** *opatrzność* – care, now mostly Providence, here used more closely to the etymology of the word *opatrywać, opatrzeć* – to provide. **35.** *zgraja* – gang, band; *jeślić = jeśli ci.* **36.** *trefi się*, from *trefić się* (Germ. treffen) now *trafić się* – to happen; *ciągnienie*, from *ciągnąć* – to draw, be on the move, consequently here, military march. **37.** *huf, hufiec* – troop; *postępując = postępujące;* in old Polish the forms ending in *-ąc* were used in nomin. and accus. **40.** *stan* – here, military quarters; *trzeba-ć = trzeba ci; limonja* – lemon, now *cytryna.* **41.** *kapar, kapary* – capar; *przysmak* – dainty bit. **42.** *nawdzięczniejsza* – the old Polish superlative was formed by adding the prep. *na-*, now *naj-*. **45.** *wędzonka* – smoked salt pork, from *wędzić* – to smoke, cure. **46.** *kobza* – a kind of bag-pipe; *dowre*, from *wrzeć* – to boil, cook; *dowrzeć*, now *ugotować się* – to finish cooking. **47.** *bijanka* – whipped (sour) cream, from *bić* – to beat, whip; *marcepan* – marzipan, a kind of almond cake. **48.** *potrzeba* – lit. need, in old Polish: war; *je* – now *ich*, that is the soldiers; *leże* – encampment, from *leżeć* – to lie. **49.** *dopiro* now *dopiero* has various meanings, here, then; *azaż = czyż.* **52.** *dobrze* – here *prawie* – almost. **53.** *kofel* – now *kufel* – jug; *żołędny tuz* – ace of clubs; *zachowanie = poważanie* – esteem. **54.** *na wszem = na wszystkiem; pomiara = umiar, umiarkowanie* – moderation. **56.** *powiedają* – from *powiedać*, now *powiadać.* **57.** *mieć na pieczy*, now *dbać* – to take care, mind. **58.** *niewinne ludzie* – older (now dial.) accus. for *niewinnych ludzi.* **59.** *chociaj* – now *chociaż.* **60.** *przemrzeć, przemierać*, now *przymierać* (głodem) – to starve; *szkapa* – jade. **61.** *ostrzegaj się*, from *ostrzegać się*, now replaced by *strzec się* – to beware. **63.** *puścić*, here in the meaning of *ściągnąć* – to incur. **64.** *jaśnie*, now *jasno* – clearly; *ubożuchny*, dim. of *ubogi* – poor. **65.** *swoję* – old accus. of *swoja*, now *swoją; pomściciel*, from *pomścić*, to avenge, now *mściciel* – avenger. **66.** *sowicie* – in old Polish twofold, now more generally: generously; *pochromieją*, from *chromać, kuleć*, to limp – will go lame. **67.** *zgorają*, from *zgorzeć* – to burn, now *zgorzeją; Owa*, an exclamation meaning *oto, otóż, słowem* – well, indeed. **68.** *zawetuje*, from *zawetować*, now *oddawać wet za wet odpłacać, mścić* – to repay, reciprocate. **69.** *sowito = sowicie*; see note **66**; *przyrodzenie = przyroda, natura* – nature. **72.** *stan* – condition, estate, here *stan małżeński*, matrimony; *stanik* – dim. of *stan.* **74.** *obyczajki* – dim. of *obyczaje.* **75.** *pomoc*, now *posag* – dowry; *wżdy = przedsię = przecież.* **77.** *zawódźże się*, from *zawodzić się, wystawiać się na* – to expose oneself to. **79.** *surma* – a Turkish trumpet; *płociech* – old loc. plur. of *płot, płoty*, fence, now *płotach.* **81.** *przejeżdżka*, now *przejażdżka* – ride; *przynosiny* – bringing home of the bride; *kurek* dim. of *kur* masc. of *kura* – hen, now *kogut* – rooster. **83.** *rozmyślając się*, now *namyślając się* – considering. **85.** *w obyczajoch* – old loc. plur. now *w obyczajach.* **86.** *dziewosłąb, swat* – matchmaker. **87.** *wszech* – now *wszelkich; uczyń ...dosyć*, now *uczyń zadość*, from *zadośćuczynić* – to fulfill. **89.** *opierzone* – full-fledged, from *opierzyć* (*pierze*) here, equivalent of well-heeled. **90.** *podpomożesz*, from old *podpomóc*, now *pomóc* – to help. **91.** *pozdarzy*, from old Polish *pozdarzyć* – to give, grant. **92.** *towarzyszem swoim* i.e. his wife; *używiesz*, older form of *używać* – to enjoy, now *użyjesz.* **93.** *sporzyć się* – to increase, wax. **94.** *jako wianki wił* – as if weaving wreaths, in an easy and pleasant way. **95.** *przypadek* – event; now, chance, accident. **96.**

czworo – four, collect. numeral (comp. *dwoje, troje*). **97.** *więc* – here, then. **99.** *krotofila* = *krotochwila*, fun, joke. **101.** *azaż owo* = *czyż tedy* (*więc*) – is it not (a delight); *czeladka*, dim. of *czeladź* – servants. **102.** *sadkoch, ogródkoch* – see note 85; *szczepek, szczepki*, dim. of *szczep* – cion, grafting shoot. **103.** *mszyca*, plur. *mszyce* – plant-louse. **104.** *trzaskowisko*, now *trociny* – sawdust. **105.** *chwast* – weed. **106.** *precz* – here, entirely; *obrzeż* – imperat. of *obrzezać*, now used only in the sense of to circumcise; here *obetnij* from *obciąć* – to cut, lop off; *wirzch*, now *wierzch* – top. **108.** *używić*, now *wyżywić* – to nourish. **109.** *pniaczek* – dim. of *pniak, pień* – stem; *gniazdeczka* – usually, nests; here, the cuts in which the graft is inserted. **111.** *zmorzyć* – to choke. **112.** *przyjąć się* – to take root; here, to thrive. **114.** *dożrze, poroście* – older forms of fut. for *dojrzeje, porośnie*, from *dojrzeć*, to ripen, *porosnąć*, attain full growth. **116.** *maluneczki*, dim. of *malun*, y – melon; *ogrodne*, now *ogrodowe* from *ogród* – garden; here, kitchen garden. **117.** *syreczki*, dim. of *syr, syrki*, now *ser, serki* – cheese. **118.** *gmerzą, gmerają*, from *gmerać* – to rummage; *gąski, jagniątka, prosiątka* – dim. of *gęsi, jagnięta, prosięta* **122.** *krogulaszek*, dim. of *krogulec* – sparrow-hawk used in falconry; *żną*, from *żąć* – to reap. **123.** *snopki*, dim. of *snopy* – sheaves. **125.** *maczuga* – mace; *kołace*, now *kołata* from *kołatać* – to rattle. **126.** *przepióreczka*, dim. of *przepiórka* – quail; *nie owak*, now *nie tak, nie w ten sposób* – not so; *proso* – millet. **127.** *on* – that is, the peasant. **128.** *Bodajż* – *bodajże*, from *Bóg daj* – approximately "would to God". **130.** *padła, panie, padła* – refers to the quail which fell; *pysznić się* – to boast. **131.** *chróściel or derkacz* – landrail; *sirpy*, now *sierpy* – sickles.

SPÓLNE NARZEKANIE WSZEJ KORONY NA PORZĄDNĄ NIEDBAŁOŚĆ NASZĘ. (The collective plaint of the entire Kingdom (Crown) against our neglect of Right). **1.** *jedno*, later *jeno*, now *tylko* – only; *sprawam, sprawiedliwościam* – old dat. plur. now ending in *-om*. **4.** *pragnąc a łaknąc*, from *pragnąć, mieć pragnienie* – to thirst, *łaknąć* – to crave, to be hungry. **7.** *powiedając*, from *powiedać*, now *powiadać* – to say. **8.** *k temu* = *ku temu* – *do tego; mało powinni* – not obliged. **9.** *szczenię, -ta* – puppy; *odrobina*, plur. *odrobiny* – literally a mite; here crumbs from the table of the rich. **11.** *pajęcza*, adj. from *pająk* – spider; *bąk* – horse-fly. **12.** *uplotszy się*, from *pleść, upleść*, now *uplątawszy się* from *uplątać, wplątać się* – to become entangled. **14.** *beczeć* – here, to weep; *ręce załomiwszy*, from *załomić*, now *załamać* – to wring one's hands; *przyszedszy* – old spelling, now *przyszedlszy*. **17.** *nieomylnie* – infallibly, without fail. **24.** *dufać*, older form, now *ufać* – to trust. **27.** *królestwa na ine królestwa* – here in the meaning of state (power of the state). **28.** *smacznolićby* = *smaczno li ci by* – the particle *li* gives the preceding word an interrogative meaning. **29.** *postronny, obcy* – alien. **30.** *z cirnia*, from *cirń*, now *cierń* – thorn; here, thorny bush. **31.** *w łykach*, from *łyko*, bast, here figuratively: bound, trussed up. **34.** *uznanie* – consideration; *rozproszył*, from *rozproszyć* – to scatter.

Jan Kochanowski (1530–1584)

Jan Kochanowski was the first genuine and outstanding Polish poet, the greatest in old Slavdom and in Poland up to the time of Mickiewicz. Unlike Rej, he received a careful and many-sided humanistic education, first at Cracow and later in Italy. In addition to ancient literature, he became familiar with both the older and the contemporary literature of Italy and France. Humanism molded his poetic art and created the basis of his "literary program". This was analogous to that of Ronsard and his school, that is, to create poetry in the vernacular, but in the classical spirit.

Kochanowski was above all an artist. He "sang unto himself and the Muses," he freed Polish poetry from the didacticism and moralizing until then predominant in it, and he lent it a more universal character. His significance as a poet rests primarily in his lyrics. They comprise a wide scope—from light, short verses to poems of profound inner experience—expressed in language and verse not again encountered in Polish poetry until long after his time. That language is always "classical", clear, lucid, noble, free from both exaggerated neologisms and from vulgarity and prosaism. It is the language of the contemporary educated classes; it differs from Rej's by being elevated to the height of poetry through new values of sound, meaning, and forcefulness. The epochal significance of Kochanowski's versification consists primarily in the introduction of exact syllabism and stabilization of the rhyme, apart from a number of other amazing innovations of rhythm, caesura, and "intonation."

Kochanowski began, during his stay in Italy, by writing Latin elegies and epigrams. After returning to Poland he spent some time at the royal court as a secretary. In that period he wrote numerous trifles and songs, a short story in verse, *Szachy* (The Game of Chess, c. 1564), a satyrical poem called *Satyr* (c. 1564), and various occasional poems. Eventually he settled in the country and devoted himself entirely to literary work. There, in addition to many shorter poems, he wrote *Treny* (Laments, 1580), *Odprawa posłów greckich* (The Dismissal of the Grecian Envoys, 1578), and a translation of the Psalter, *Psałterz* (1579).

From MUZA

Sobie śpiewam a Muzom! Bo kto jest na ziemi,
    Coby serce ucieszyć chciał pieśniami memi?
Kto nie woli tym czasem zysku mieć na pieczy,
    Łapając grosza zewsząd, a podobno k rzeczy:
5 Bo z rymów co za korzyść krom próżnego dźwięku?
    Ale, kto ma pieniądze, ten ma wszytko w ręku:
Jego władza, jego są prawa i urzędy,
    On gładki, on wymowny, on ma przodek wszędy.
Nie dziw tedy, że ludzie cisną się za złotem,
10 A poeta, słuchaczów próżny, gra za płotem,
Przeciwiając się świerczom, które nad łąkami
    Ciepłe lato witają głośnemi pieśniami,

Jednak mam tę nadzieję, że przedsię za laty
Nie będą moje czułe nocy bez zapłaty,
15 A co mi za żywota ujmie czas dzisiejszy,
To po śmierci nagrodzi z lichwą wiek późniejszy,
I opatrzył to dawno syn pięknej Latony
Że moich kości popiół nie będzie wzgardzony!

FRASZKI

This collection (in English, *Trifles*) first appeared in 1584, but the poet was busy writing it through the whole period of his life after his return to Poland. It is in a genre known in antiquity (as in the works of Anacreon); it was popular in the West during the Renaissance and was cultivated in Poland by Rej, who compiled the *Apophtemagata*, (roughly, jokes), and by others. The "trifles" are characterized by anecdotal compactness, sketchiness in treating characters and events, and solicitude for the final effect. The subjects are manifold: anecdotes, jokes, epigrams, portraits of friends, descriptions of their adventures, love affairs, psychology of women, love confessions, compliments, and so on. There are, however, many poems of a different kind: reflective, lyrical, personal; there are also numerous epitaphs. Many in the collection manifest the poet's mastery in structure, language, and verse.

DO GÓR I LASÓW

Wysokie góry i odziane lasy!
Jako rad na was patrzę, a swe czasy
Młodsze wspominam, które tu zostały,
Kiedy na statek człowiek mało dbały.
5 Gdziem potem nie był? czegom nie skosztował?
Jażem przez morze głębokie żeglował,
Jażem Francuzy, ja Niemce, ja Włochy,
Jażem nawiedził Sibylline lochy.
Dziś żak spokojny, jutro przypasany
10 Do miecza rycerz; dziś między dworzany
W pańskim pałacu, jutro zasię cichy
Ksiądz w kapitule, tylko że nie z mnichy
W szarej kapicy, a z dwojakim płatem;
I to czemu nic? jeśliże opatem.
15 Taki był Proteus, mieniąc się to w smoka,
To w deszcz, to w ogień, to w barwę obłoka.
Dalej co będzie? srebrne w głowie nici,
A ja z tym trzymam, kto co w czas uchwyci.

DO MIŁOŚCI

Gdzie teraz ono jabłko i on klejnot drogi,
Który mógł zahamować nieścignione nogi
Pierzchliwej Atalanty? gdzie taśma szczęśliwa,
Która serce i myśli upornych dobywa?
5 Ciebie na pomoc wzywam, ciebie, o miłości,
Której z wieku używa świat dobrotliwości,
Która spornych żywiołów gniew spinasz łańcuchem,
Dna morskiego i nieba sięgasz swoim duchem,
Lwom srogość odejmujesz i żubrom północnym,
10 Użyte serce dajesz bohatyrom mocnym.
Ty mię ratuj, a swoją strzałą uzłoconą
Ugódź w serce, a okróć myśl nieunoszoną
Zapamiętałej dziewki, której ani skokiem
Człowiek dogonić może, ledwie zajźrzeć okiem.

DO PANIEJ

Imię twe, pani, które rad mianuję,
Najdziesz w mych rymiech często napisane,
A kiedy będzie od ludzi czytane,
Masz przed inszemi, jeśli ja co czuję.
5 Bych cię z drogiego marmuru postawił,
Bych cię dał ulać i z szczerego złota,
(Czego uroda i twa godna cnota)
Jeszczebych cię czci trwałej nie nabawił.
I mauzolea i egipskie grody
10 Ostatniej śmierci próżne być nie mogą;
Albo je ogień, albo nagłe wody,
Albo je lata zazdrościwe zmogą:
Sława z dowcipu sama wiecznie stoi,
Ta gwałtu nie zna, ta się lat nie boi.

DO DZIEWKI

Nie uciekaj przede mną, dziewko urodziwa,
Z twoją rumianą twarzą moja broda siwa
Zgodzi się znamienicie; patrz, gdy wieniec wiją,
Że pospolicie sadzą przy różej leliją.
5 Nie uciekaj przede mną, dziewko urodziwa,
Serceć jeszcze nie stare, chocia broda siwa;
Choć u mnie broda siwa, jeszczem nie zganiony,

Czosnek ma głowę białą, a ogon zielony.
Nie uciekaj, ma rada; wszak wiesz: im kot starszy,
10 Tem, pospolicie mówią, ogon jego twardszy –
I dąb, choć mieścy przeschnie, choć list na nim płowy
Przedsię stoi potężnie, bo ma korzeń zdrowy.

DO SNU

Śnie, który uczysz umierać człowieka,
I okazujesz smak przyszłego wieka:
Uśpi na chwilę to śmiertelne ciało,
A dusza sobie niech pobuja mało.
5 Chceli, gdzie jasny dzień wychodzi z morza,
Chceli, gdzie wieczór gaśnie pozna zorza,
Albo gdzie śniegi panują i lody,
Albo gdzie wyschły przed gorącem wody.
Wolno jej w niebie gwiazdom się dziwować,
10 I spornym biegom z bliska przypatrować.
A jako koła w społecznem mijaniu
Czynią dźwięk barzo wdzięczny ku słuchaniu,
Niech się nacieszy nieboga do woli,
A ciało, które odpoczynek woli,
15 Niechaj tymczasem tesknice nie czuje,
A co to nie żyć, wczas się przypatruje.

NA LIPĘ

Gościu, siądź pod mym liściem, a odpoczni sobie,
Nie dojdzie cię tu słońce, przyrzekam ja tobie,
Choć się nawyższej wzbije, a proste promienie
Ściągną pod swoje drzewa rozstrzelane cienie.
5 Tu zawżdy chłodne wiatry z pola zawiewają,
Tu słowicy, tu szpacy wdzięcznie narzekają.
Z mego wonnego kwiatu pracowite pszczoły
Biorą miód, który potem szlachci pańskie stoły.
A ja swym cichym szeptem sprawić umiem snadnie,
10 Że człowiekowi łacno słodki sen przypadnie.
Jabłek wprawdzie nie rodzę, lecz mię pan tak kładzie,
Jako szczep napłodniejszy w hesperyskim sadzie.

O KOŹLE

Kozieł, kto go zna, piwszy do północy,
Nie mógł do domu trafić o swej mocy;

Ujźrzawszy kogoś: – Słuchaj, panie młody,
Proszę cię, nie wiesz ty mojej gospody?
5 A ten: Niech cię znam, tedy sie dowiewa. –
Jam, pry, jest Kozieł. – Idźże spać do chlewa.

O KAPELANIE

Królowa do mszej chciała, ale kapelana
Doma nie naleziono, bo pilnował dzbana.
Przyjdzie potem nierychło w czerwonym ornacie,
A królowa: Ksze miły, długo to sypiacie.
5 A mój dobry kapelan na ono łajanie:
Jeszczem ci się dziś nie kładł, co za długie spanie?

O DOKTORZE HISZPANIE

Nasz dobry doktór spać się od nas bierze,
Ani chce z nami doczekać wieczerze;
Dajcie mu pokój – najdziem go w pościeli,
A sami przedsię bywajmy weseli.
5 Już po wieczerzy, pódźmy do Hiszpana;
Ba, wierę, pódźmy, ale nie bez dzbana.
Puszczaj doktorze, towarzyszu miły!
Doktór nie puścił, ale drzwi puściły.
Jedna nie wadzi, dajci Boże zdrowie.
10 By jeno jedna, doktór na to powie.
Od jednej przyszło aż więc do dziewiąci,
A doktorowi mózg się we łbie mąci.
Trudny (powiada) mój rząd z tymi pany:
Szedłem spać trzeźwo a wstanę pijany.

From PIEŚNI (SONGS)

The poet wrote these songs in various periods of his life. The collection is composed of two books, which appeared in 1585. It is difficult to find a basic difference of topic between the *Trifles* and *Songs*, because among the former are to be found not only gay and light matters, and among the latter not only "serious" ones. There are, however, certain differences of structure: the songs are usually longer, in stanzaic form, and contain more lyrical elements of religion, patriotism, and love. There are also among them more artistically mature poems in which Kochanowski's talent expressed itself more fully and richly.

(From BOOK I)

PIEŚŃ II

Serce roście, patrząc na te czasy:
Mało przedtem gołe były lasy,

Śnieg na ziemi wyszszej łokcia leżał,
A po rzekach wóz nacięższy zbieżał.

5 Teraz drzewa liście na się wzięły,
Polne łąki pięknie zakwitnęły;
Lody zeszły, a po czystej wodzie
Idą statki i ciosane łodzie.

Teraz prawie świat się wszystek śmieje,
10 Zboża wstały, wiatr zachodny wieje;
Ptacy sobie gniazda omyślają,
A przede dniem śpiewać poczynają.

Ale to grunt wesela prawego,
Kiedy człowiek sumnienia całego,
15 Ani czuje w sercu żadnej wady,
Przeczby się miał wstydać swojej rady.

Temu wina nie trzeba przylewać,
Ani grać na lutni, ani śpiewać:
Będzie wesół, byś chciał, i o wodzie,
20 Bo się czuje prawie na swobodzie.

Ale kogo gryzie mól zakryty,
Nie idzie mu w smak obiad obfity;
Żadna go pieśń, żadny głos nie ruszy,
Wszytko idzie na wiatr mimo uszy.

25 Dobra myśli, której nie przywabi,
Choć kto ściany drogo ujedwabi,
Nie gardź moim chłodnikiem chróścianym,
A bądź ze mną, z trzeźwym i z pijanym.

PIEŚŃ III

Dzbanie mój pisany,
Dzbanie polewany,
Bądź płacz, bądź żarty, bądź gorące wojny,
Bądź miłość niesiesz, albo sen spokojny;

5 Jakokolwiek zwano
Wino, co w cię lano:
Przymkni się do nas, a daj się nachylić,
Chciałbym twym darem gości swych posilić.

I ten cię nie minie,
10 Choć kto mądrym słynie;
Pijali przed tem i filozofowie,
A przedsię mieli spełna rozum w głowie.

Ty zmiękczysz każdego
Nastateczniejszego;
15 Ty mądrych sprawy i tajemną radę,
Na świat wydawasz przez twą cichą zdradę.

Ty cieszysz nadzieją
Serca, które mdleją;
Ty ubogiemu przyprawujesz rogi,
20 Że mu ani król, ani hetman srogi.

Trzymaj się na mocy,
Bo cię całej nocy
Z rąk nie wypuścim, aż dzień, jako trzeba,
Gwiazdy rozpędzi co do jednej z nieba.

PIEŚŃ VII

Trudna rada w tej mierze, przyjdzie się rozjechać,
A przez ten czas wesela i lutnie zaniechać.
Wszystka moja dobra myśl z tobą precz odchodzi,
A z tego mię więzienia nikt nie wyswobodzi,
5 Dokąd cię zaś nie ujźrzę, pani wszech piękniejsza,
Co ich kolwiek przyniosła chwila teraźniejsza.

Już mi z myśli wypadły te obecne twarzy;
Twoje nadobne lice jest podobne zarzy,
Która nad wielkiem morzem rano się czerwieni,
10 A znienagła ciemności nocne w światłość mieni;
Przed nią gwiazdy drobniejsze po jednej znikają,
I tak już przyszłej nocy nieznacznie czekają.

Takaś ty w oczu moich; szczęśliwa to droga,
Po której chodzić będzie tak udatna noga;
15 Zajźrzę wam, gęste lasy i wysokie skały,
Że przede mną będziecie taką rozkosz miały:
Usłyszycie wdzięczny głos i przyjemne słowa,
Po których sobie teskni biedna moja głowa.

Lubeż moje wesele, lubeż me biesiady:
20 Mnie podobno już prózno szukać inszej rady,
Jeno smutnego serca podpierać nadzieją;
W nadzieję ludzie orzą i w nadzieję sieją.
A ty tak srogą nie bądź, ani mię tem karzy,
Bych długo nie miał widzieć twojej pięknej twarzy.

PIEŚŃ IX

Chcemy sobie być radzi?
Rozkaż, Panie, czeladzi,
Niechaj na stół dobrego wina przynaszają,
A przytem w złote gęśli, albo w lutnią grają.

5 Kto tak mądry, że zgadnie
Co nań jutro przypadnie?
Sam Bóg wie przyszłe rzeczy, a śmieje się z nieba,
Kiedy się człowiek troszcze więcej niżli trzeba.

Szafuj gotowym bacznie;
10 Ostatek, jako zacznie,
Tak fortuna niech kona: raczyli łaskawie,
Raczyli też inaczej, – my siedziem w jej prawie.

U fortuny to snadnie,
Że kto stojąc, – upadnie;
15 A który był dopiero u niej pod nogami,
Patrzajże go po chwili, a on gardzi nami.

Wszystko się dziwnie plecie
Na tym tu biednym świecie;
A ktoby chciał rozumem wszystkiego dochodzić,
20 I zginie, a nie będzie umiał w to ugodzić.

Prózno ma mieć na pieczy
Śmiertelny wieczne rzeczy;
Dosyć na tem, kiedy wie, że go to nie minie,
Co z przejźrzenia Pańskiego od wieku mu płynie.

25 A nigdy nie zabłądzi,
Kto tak umysł narządzi,
Jakoby umiał szczęście i nieszczęście znosić,
Temu mężnie wytrzymać, w owem się nie wznosić.

Chwalę szczęście stateczne:
30 Niechceli też być wieczne?
Spuszczę, com wziął, a w cnotę własną się ogarnę,
I uczciwej chudoby bez posagu pragnę.

Nie umiem ja, gdy w żagle
Uderzą wiatry nagle,
35 Krzyżem padać i świętych przenajdować dary,
Aby łakomej wodzie Tureckie towary

Bogactwa nie przydały,
Wpadwszy gdzie między skały;
Tam ja bezpiecznem sercem, i pełen otuchy
40 W równej fuście popłynę przez morskie rozruchy.

PIEŚŃ XXIV

Zegar, słyszę, wybija,
Ustąp, melankolija!
Dosyć na dniu ma statek,
Dobrej myśli ostatek.

5 U Boga każdy błazen,
Choć tu przymówki prazen;
A im się barziej sili,
Tem jeszcze więcej myli.

A ktoby chciał na świecie
10 Uważyć, co się plecie,
Dziwnie to prawdy blizko,
Że człek Boże igrzysko.

Dignitarstwa, urzędy,
Wszystko to jawne błędy;
15 Bo nas równo śmierć sadza,
Ani pomoże władza.

A nad chłopa chciwego
Niemasz nic nędzniejszego,
Bo na drugiego zbiera,
20 A sam głodem umiera.

Więc, by tacy synowie
Byli, jako ojcowie,
Dawnoby z tej przyczyny
Świat się jął żebraniny.

25 Lecz temu Bóg poradził,
Bo co jeden zgromadził,
To drugi wnet rozciska,
Niech świata głód nie ściska.

Po śmierci trudno rządzić;
30 Tyś mógł, ojcze, nie błądzić;
Syn tylko worki zliczy,
W rozumie nie dziedziczy.

Przeto te troski płone
Szatanowi zlecone;
35 Niech, uprzątnąwszy głowę,
Mkną w skrzynię Fokarowę.

A nam wina przynoście,
Z wina dobra myśl rośćie.
A frasunek podlany
40 Taje, by śnieg zagrzany.

(From BOOK II)

PIEŚŃ VII

Słońce pali, a ziemia idzie w popiół prawie,
Świata nie znać w kurzawie;
Rzeki dnem uciekają,
A zagorzałe zioła dżdża z nieba wołają.

5 Dzieci z flaszą do studniej; a stół w cień lipowy,
Gdzie gospodarskiej głowy
Od gorącego lata
Broni list, za wsadzenie przyjemna zapłata.

Lutni moja, ty ze mną, bo twe wdzięczne strony
10 Cieszą umysł trapiony,
A troski nieuśpione
Prędkim wiatrom podają za morze czerwone.

PIEŚŃ

According to tradition Kochanowski wrote this religious song in 1558 during his stay in France.

Czego chcesz od nas, Panie, za Twe hojne dary?
Czego za dobrodziejstwa, którym nie masz miary?
Kościół Cię nie ogarnie, wszędy pełno Ciebie,
I w otchłaniach, i w morzu, na ziemi, na niebie.

5 Złota też, wiem, nie pragniesz, bo to wszytko Twoje,
Cokolwiek na tym świecie człowiek mieni swoje.
Wdzięcznem Cię tedy sercem, Panie, wyznawamy,
Bo nad cię przystojniejszej ofiary nie mamy.

Tyś Pan wszytkiego świata, Tyś niebo zbudował,
10 I złotemi gwiazdami ślicznieś uhaftował.
Tyś fundament założył nieobeszłej ziemi,
I przykryłeś jej nagość zioły rozlicznemi.

Za Twojem rozkazaniem w brzegach morze stoi,
A zamierzonych granic przeskoczyć się boi.
15 Rzeki wód nieprzebranych wielką hojność mają,
Biały dzień, a noc ciemna, swoje czasy znają.

Tobie kwoli rozliczne kwiatki wiosna rodzi;
Tobie kwoli w kłosianym wieńcu lato chodzi;
Wino jesień, i jabłka rozmaite dawa,
20 Potem do gotowego gnuśna zima wstawa.

Z Twej łaski, nocna rosa na mdłe zioła padnie,
A zagorzałe zboża deszcz ożywia snadnie.
Z Twoich rąk wszelkie źwierzę patrza swej żywności,
A Ty każdego żywisz z Twej szczodrobliwości.

25 Bądź na wieki pochwalon, nieśmiertelny Panie,
Twoja łaska, Twa dobroć, nigdy nie ustanie.
Chowaj nas, póki raczysz, na tej niskiej ziemi,
Jedno zawżdy niech będziem pod skrzydłami Twemi.

PIEŚŃ ŚWIĘTOJAŃSKA O SOBÓTCE

This poem, probably written in 1575, consists of twelve songs, mostly love songs, presumably sung by twelve maidens at a so-called "Sobótka", an ancient folk festival held on the night of St. John's feast in June (Midsummer Night) during which young people gather to light bonfires, leap over the flames, dance, and sing. The songs, though dealing mostly with the joys and vicissitudes of love, also depict the delights of country life: work in the field, harvest, pasturing of cattle, and so on. The poem gives a vivid picture of the beauty of the Polish countryside, of its free life, peace, and quiet, although not infrequently it reveals the down-to-earth practical point-of-view of the gentleman farmer. The whole is a purely literary creation showing no trace of influence of genuine folk songs.

Wsi spokojna wsi wesoła!
Który głos twej chwale zdoła?
Kto twe wczasy, kto pożytki
Może wspomnieć zaraz wszytki?

5 Człowiek w twej pieczy uczciwie,
Bez wszelakiej lichwy żywie:
Pobożne jego staranie
I bezpieczne nabywanie.

Inszy sie ciągną przy dworze
10 Albo żeglują przez morze,
Gdzie człowieka wicher pędzi,
A śmierć bliżej, niż na piędzi.

Najdziesz, kto w płat język dawa,
A radę na funt przedawa,
15 Krwią drudzy zysk oblewają,
Gardła na to odważają.

Oracz pługiem zarżnie w ziemię,
Stąd i siebie i swe plemię,
Stąd roczną czeladź i wszytek
20 Opatruje swój dobytek.

Jemu sady obradzają,
Jemu pszczoły miód dawają;
Nań przychodzi z owiec wełna
I zagroda, jagniąt pełna.

25 On łąki, on pola kosi,
A do gumna wszytko nosi.
Skoro też siew odprawiemy,
Komin w koło obsiądziemy.

Tam już pieśni rozmaite,
30 Tam będą gadki pokryte,
Tam trefne plęsy z ukłony,
Tam cenar, tam i goniony.

A gospodarz, wziąwszy siatkę,
Idzie mrokiem na usadkę
35 Albo sidła stawia w lesie:
Jednak zawżdy co przyniesie.

W rzece ma gęste więcierze,
Czasem wędą ryby bierze,
A rozliczni ptacy wkoło
40 Ozywają się wesoło.

Stada igrają przy wodzie,
A sam pasterz, siedząc w chłodzie,
Gra w piszczałkę proste pieśni,
A Faunowie skaczą leśni.

45 Zatem sprzętna gospodyni
O wieczerzej pilność czyni,
Mając doma ten dostatek,
Że się obejdzie bez jatek.

Ona sama bydło liczy,
50 Kiedy, z pola idąc, ryczy,
Ona i spuszczać pomoże:
Męża wzmaga, jako może.

A niedorośli wnukowie,
Chyląc się ku starszej głowie,
55 Wykną przestawać na male,
Wstyd i cnotę chować w cale.

Dzień tu; ale jasne zorze
Zapadłyby znowu w morze,
Niżby mój głos wyrzekł wszytki
60 Wieśne wczasy i pożytki.

From ODPRAWA POSŁÓW GRECKICH

This is the first Polish tragedy in the humanist style represented in the West by Trissino and Jodelle among others. It has nothing to do with medieval dialogues and mysteries, that is, with the dramatic literature hitherto prevailing in Poland, but is modeled on Greek tragedy. The plot of the play turns around the problem of handing over to the Greek envoys, Ulysses and Menelaus, Helen, the wife of Menelaus, abducted by Paris (Alexander), son of the king of Troy. In spite of the fact that reasonable Trojan citizens (headed by Antenor) are ready to comply with the just demands of the Greeks, Paris and his adherents manage to carry through a refusal in the Senate. The Greek envoys leave Troy without accomplishing anything. This means war with Greece. The subject could have been taken from Homer's *Iliad* where, however, it only forms an episode, or from the *Trojan History*, a fantastic novel of adventure popular in the Middle Ages. The play, composed on the Greek model, consists of a prologue, two episodes, and an epilogue, and is interpolated with choruses. It is more of a "dramatic picture" than a tragedy, for it lacks the essential tragic elements of the insolubility of problems, tragic guilt, or the ruin of great values. However, it possesses a number of plastic characters, sketchily treated, a certain dramatic suspense, a few strong dialogues (especially the "stichomythia" between Antenor and Paris), and beautiful choruses. The language of the characters is individualized, the (mostly blank) verse is rhythmically diversified. A characteristic feature of the play (performed at the wedding of Chancellor Jan Zamoyski) are the allusions to Polish affairs, among them the session of the Trojan senate, similar to that of the Polish Diet; Menelaus' words about anarchy; and the summons to get ready for the war (then actually threating with Moscovy). Below we give one of the choruses.

CHORUS

O białoskrzydła, morska pławaczko,
Wychowanico Idy wysokiej,
Łodzi bukowa, któraś gładkiej
Twarzy pasterza Pryjamczyka
5 Mokremi słonych wód ścieżkami
Do przeźrzoczystych Eurotowych
Brodów nosiła!
Coś to zołwicom za bratową,
Córom szlachetnym Pryjamowym,
10 Cnej Poliksenie i Kassandrze
Wieszczej przyniosła?
Za którą oto w tropy prosto,
Jako za zbiegłą niewolnicą,
Prędka pogonia przybieżała.
15 To-li on sławny upominek
Albo pamiętne, którem luby
Sędziemu wyrok ze wszech Wenus
Bogiń piękniejsza zapłaciła,
Kiedy na Idzie stokorodnej
20 Śmierci podległy nieśmiertelne
Uznawca twarzy rozeznawał?
Swar był początkiem i niezgoda
Twego małżeństwa, Pryjamicze!
Nie śmiem źle tuszyć, nie śmiem; ale
25 Ledwie nie takiż koniec będzie.

Niechajże się ja, można Cypry,
Ninacz cudzego nie zapatrzam!
Niech towarzysza życzliwego,
Jednemu łożu przyjaciela
30 Mam z łaski twojej: inszy więcej
Chcą-li, niech proszą.
Oczy łakome siła ludzi
Zawiodły; lecz kto w krygi żądzą
Mógł ująć, w długiem bezpieczeństwie
35 Dni swych używie. Przydą, przydą
Niedawno czasy, że rozbójcę
Rozbójca znidzie; ten mu słodki
Sen z oczu zetrze i bezpieczne
Serce zatrwoży, kiedy trąby
40 Ogromne zagrzmią, a pod mury
Nieprzyjacielskie staną szańce.

PSAŁTERZ DAWIDOWY (PSALMS OF DAVID)

Among all the Polish versions of this inspired work of Hebrew poetry, from the fourteenth to the nineteenth centuries, none can match the translation by Kochanowski. The translation was not made from the Hebrew original but on the basis of the Latin paraphrase by the Scottish humanist Buchanan. Consequently changes and amplifications of the Hebrew text are sometimes to be found. It is not a literal translation, but rather a poetic paraphrase which excellently renders the spirit of the original. Each poem corresponds roughly to one Psalm, expressing its subject and basic motifs. How this was achieved is described by Mickiewicz in his lectures on Slavic literature: Kochanowski is "in his translation of the Psalms inspired, has a noble, clear and lucid style, a bold flow, free and magnificent phrases, everywhere some venerable gravity and priestly solemnity." All the basic characteristics of Kochanowski's language and verse are here fully manifested.

PSALM 7

W Tobie ja samym, Panie, człowiek smutny,
Nadzieję kładę: Ty racz o mnie radzić!
Nieprzyjaciel mój, jako lew okrutny,
Szuka mej dusze aby ją mógł zgładzić;
5 Z jego paszczęki jeśli mię, mój Boże,
Ty sam nie wyrwiesz, nikt mię nie wspomoże.
Jeśli mię, Panie, słusznie oszacował
Zły człowiek, a ma do mnie jaką winę;
Jeślim przyjaźni nieszczyrze zachował,

10 A do złej chęci dał z siebie przyczynę:
Niech nieprzyjaciel górę ma nade mną,
Niech mię w proch zetrze i moję cześć ze mną!
Powstań, o Panie wieczny, w gniewie Twoim
Przeciw złych ludzi niepobożnej radzie,
15 A powstań z pomstą, jakąś prawem swoim
Opisał! Oto lud w wielkiej gromadzie
Wyroku Twego czeka, jeśli złemu,
Czy upaść przed Twym sądem cnotliwemu.
Przeto, o Sędzia, Sędzia wiekuisty,
20 Chciej na wysokiej sieść stolicy swojej,
A jeślim jest praw i przed Tobą czysty,
Osądź mnie wedla niewinności mojej!
Złego złość zniszczy, a człowiek cnotliwy
Jest w Twej opiece, Boże sprawiedliwy!
25 Boże, przed którym tajne być nie mogą
Myśli człowiecze! W Twej stojąc obronie,
Przed żadną nigdy nie uciekę trwogą,
Bo szczyre serce w Twojej jest zasłonie.
O sprawiedliwy Sędzia! Ty każdego
30 Sprawnie oddzielasz wedla zasług jego.
Jeśli się człowiek zły nie pohamuje,
Pan swój miecz ostrzy, Pan łuk nałożony
Na ręku trzyma i strzały gotuje
Śmiertelne; zapadł w zazdrość człowiek płony,
35 Niesprawiedliwość nosi, kłam urodzi,
Dół pod kim kopa, a sam weń ugodzi.
Sam się upęta w chytrem sidle swojem,
Nań się obalą wszystki jego złości,
A ja, podparty miłosierdzim Twojem,
40 Prożen i troski i niebezpieczności,
Sąd sprawiedliwy i Twe imię, Panie,
Wyznawać będę, póki dusze stanie!

PSALM 74

Także nas już na wieki, Boże nasz, opuścisz
I srogim wilkom drapać stado Twe dopuścisz?
Wspomni na swe dziedzictwo i na swój lud wierny,
Z któregoś Ty zdjął jarzmo w jego czas mizerny!
5 Wspomni na piękną skałę, poświęconą Tobie
Syjońską, gdzieś Ty obrał był mieszkanie sobie;

Powstań kiedy, a rozgrom swe nieprzyjaciele,
Od których tak wiele szkód widzisz w swym Kościele!
Pełne twoje bóżnice huku, pełne zbroje,
10 Wpośrzód placu chorągwie roztoczyli swoje,
Ozdobę domu Twego, kosztowne roboty,
Obuchami potłukli i twardymi młoty.
Ściany padną, ziemia grzmi, jako kiedy walą
W lesie surowe dęby twardą, ostrą stalą;
15 Świątnica Twoja gore, namiot roztargany
Leży w prochu, szkaradzie nogami wdeptany.
Całego nic zostawić nie chcą; ogień srogi
Wszytki w popiół obrócił Pańskie synagogi.
Co gorsza, znaków żadnych, żadnego nie znamy
20 Proroka, żeby widzieć, póki w tem trwać mamy.
Długoż się pastwić będą ci sprosni poganie
Nad nami? długoż mają Ciebie bluźnić, Panie?
Czemu tak długo kurczysz możną rękę swoję?
Podnieś wżdam kiedy wzgórę, podnieś prawą Twoję!
25 O Panie! Jeszcze z wieku znaczna zawżdy była
Twoja łaska nad nami, znaczna Twoja siła:
Tyś wpośrzód morza drogę szyroką osuszył,
A srogim smokom w wodzie harde głowy skruszył.
Skruszyłeś i samemu łeb wielorybowi
30 I dałeś go na pastwę górnemu sępowi;
Na Twoje rozkazanie zdrój wyskoczył z skały,
A rzeki nieprzebyte wody ostradały.
Twój dzień jest i noc Twoja; światło niezgaszone
Słońca górolotnego przez Cię jest stworzone;
35 Tyś morze z ziemią spoił i mocnie ustawił,
Tyś lato swym dowcipem i zimę naprawił!
Pomni swe urąganie, pomni, wieczny Panie,
Jako imię Twe lżyli nieszczęsni poganie!
Synogarlice swojej bestyjom nie dawaj,
40 Stada swego w niepamięć wieczną nie podawaj!
Wejźrzy na swe przymierze! Nie mamy, ubodzy,
Głów gdzie skłonić: posiedli wszytko ludzie srodzy;
Nie daj, aby upadły wstyd odniósł na sobie,
Owszem mógł za Twą łaskę podziękować Tobie.
45 Wstań, Panie, a weźmi się za swą krzywdą! Pomni,
Jako Cię lżą każdy dzień bluźnierce nieskromni,
Nie zamilczaj przegróżek i wszetecznej mowy,
Na co Twój nieprzyjaciel zawżdy jest gotowy!

PSALM 91

Kto się w opiekę poda Panu swemu,
A całem prawie sercem ufa Jemu,
Śmiele rzec może: "Mam obrońcę Boga,
"Nie będzie u mnie straszna żadna trwoga!"
5 Ciebie on z łowczych obierzy wyzuje
I w zaraźliwem powietrzu ratuje,
W cieniu swych skrzydeł zachowa cię wiecznie,
Pod jego pióry ulężesz bezpiecznie.
Stateczność Jego – tarcz i puklerz mocny,
10 Za którym stojąc, na żaden strach nocny,
Na żadną trwogę, ani dbaj na strzały,
Któremi sieje przygoda w dzień biały.
Stąd wedla ciebie tysiąc głów polęże,
Stąd drugi tysiąc: ciebie nie dosięże
15 Miecz nieuchronny; a ty przedsię swemi
Oczyma ujźrzysz pomstę nad grzesznemi.
Iżeś rzekł Panu: "Tyś nadzieja moja",
Iż Bóg nawyższy jest ucieczka twoja, –
Nie dostąpi cię żadna zła przygoda,
20 Ani się najdzie w domu twoim szkoda.
Aniołom swoim każe cię pilnować,
Gdziekolwiek stąpisz, którzy cię piastować
Na ręku będą, abyś, idąc drogą,
Na ostry krzemień nie ugodził nogą.
25 Będziesz po żmijach bezpiecznie gniewliwych
I po padalcach deptał niecierpliwych,
Na lwa srogiego bez obrazy wsiędziesz
I na ogromnym smoku jeździć będziesz.
Słuchaj, co mówi Pan: "Iż mię miłuje,
30 "A przeciwko mnie szczyrze postępuje,
"Ja go też także w jego każdą trwogę
"Nie zapamiętam, i owszem – wspomogę.
"Glos jego u mnie nie będzie wzgardzony,
"Ja z nim w przygodzie, ode mnie obrony
35 "Niech pewien będzie, pewien i zacności
"I lat szedziwych i mej życzliwości".

TRENY

This is one of the most personal and at the same time most universal of Kochanowski's works. The impulse for writing this cycle of nineteen poems was the death of the poet's daughter, Orszula, in the third year of her life. Here he tells of the suffering which overwhelms man's entire being and of the manifold aspects and stages of that suffering: pain and despair, numbness and prostration, momentary regaining of consciousness, tormenting memories, consolation sought in pictures of the past, new attacks of grief, bitter realization of the futility of the Stoic philosophy of life, finally calm and resignation.

These well-known states of mind, frequently described since antiquity, assume here a new character and meaning, thanks to their original treatment and thanks to the transformation, peculiar to all great lyric poetry, of individual feelings into objective, universal poetic values. The artistic expression of these experiences belongs to the highest achievements in Kochanowski's poetry. The noble, simple, but highly poetic language is full of "formulations," definitions, phrases, and images, striking in their pertinence and forcefulness. The richness of intonation is manifested in exclamations, apostrophies, rhetorical questions, statements, and reflections. The versification is distinguished by a great variety of rhythmic and stanzaic structures, from five-syllable to thirteen-syllable lines in various combinations. The rhymes are mostly in couplets (aa-bb).

TREN V

Jako oliwka mała pod wysokim sadem
Idzie z ziemie ku górze macierzyńskim szladem,
Jeszcze ani gałązek, ani listków rodząc,
Sama tylko dopiro szczupłym prątkiem wschodząc;
5 Tę, jeśli ostre ciernie lub rodne pokrzywy
Uprzątając, sadownik podciął ukwapliwy,
Mdleje zaraz, a zbywszy siły przyrodzonej,
Upada przed nogami matki ulubionej:
Takci się mej namilszej Orszuli dostało.
10 Przed oczyma rodziców swoich rostąc, mało
Od ziemie się co wzniówszy, duchem zaraźliwym
Srogiej śmierci otchniona, rodzicom troskliwym
U nóg martwa upadła. O, zła Persephono,
Mogłażeś tak wielu łzam dać upłynąć płono?

TREN VIII

Wielkieś mi uczyniła pustki w domu moim,
Moja droga Orszulo, tem zniknieniem swoim.
Pełno nas, a jakoby nikogo nie było:
Jedną maluczką duszą tak wiele ubyło.
5 Tyś za wszytki mówiła, za wszytki śpiewała,
Wszytkiś w domu kąciki zawżdy pobiegała:
Nie dopuściłaś nigdy matce się frasować,
Ani ojcu myśleniem zbytniem głowy psować,
To tego, to owego wdzięcznie obłapiając
10 I onym swym uciesznym śmiechem zabawiając.

Teraz wszytko umilkło, szczere pustki w domu,
Niemasz zabawki, niemasz rozśmiać się nikomu.
Z każdego kąta żałość człowieka ujmuje,
A serce swej pociechy darmo upatruje.

TREN IX

Kupićby cię, mądrości, za drogie pieniądze,
Która (jeśli prawdziwie mienią) wszytki żądze,
Wszytki ludzkie frasunki umiesz wykorzenić,
A człowieka tylko nie w anioła odmienić,
5 Który nie wie co boleść, frasunku nie czuje,
Złym przygodam nie podległ, strachom nie hołduje.
Ty wszytki rzeczy ludzkie masz za fraszkę sobie,
Jednaką myśl, tak w szczęściu, jako i w żałobie
Zawżdy niesiesz; ty śmierci namniej się nie boisz:
10 Bezpieczna, nieodmienna, niepożyta stoisz.
Ty bogactwa nie złotem, nie skarby wielkiemi,
Ale dosytem mierzysz i przyrodzonemi
Potrzebami; ty okiem swym nieuchronionym
Nędznika upatrujesz pod dachem złoconym,
15 A uboższym nie zajźrzysz szczęśliwego mienia,
Ktoby jedno chciał słuchać twego upomnienia.
Nieszczęśliwy ja człowiek, którym lata swoje
Na tem strawił, żebych był ujźrzał progi twoje.
Terazem nagle z stopniów ostatnich zrzucony
20 I między insze, jeden z wiela policzony.

TREN XI

Fraszka cnota, powiedział Brutus porażony,
Fraszka, kto się przypatrzy, fraszka z każdej strony.
Kogo kiedy pobożność jego ratowała?
Kogo dobroć przypadku złego uchowała?
5 Nieznajomy wróg jakiś miesza ludzkie rzeczy,
Nie mając ani dobrych, ani złych na pieczy.
Kędy jego duch wienie, żaden nie ulęże,
Prawli, krzywli, bez braku każdego dosięże.
A my rozumy swoje przed się udać chcemy,
10 Hardzi między prostaki, że nic nie umiemy.
Wspinamy się do nieba, Boże tajemnice
Upatrując; ale wzrok śmiertelnej źrzenice

Tępy na to: sny lekkie, sny płoche nas bawią,
Które się nam podobno nigdy nie wyjawią.
15 Żałości, co mi czynisz? owa już oboje
Mam stracić: i pociechę i baczenie swoje?

TREN XVIII

My nieposłuszne, Panie, dzieci Twoje
W szczęśliwe czasy swoje
Rzadko Cię wspominamy,
Tylko rozkoszy zwykłych używamy.
5 Nie baczym, że to z Twej łaski nam płynie,
A także prędko minie,
Kiedy po nas wdzięczności
Nie uznasz, Panie, za Twe życzliwości.
Miej nas na wodzy, niech nas nie rozpycha
10 Doczesna rozkosz licha;
Niechaj na Cię pomniemy
Przynamniej w kaźni, gdy w łasce nie chcemy.
Ale ojcowskim nas karz obyczajem,
Boć przed Twym gniewem stajem
15 Tak, jako śnieg niszczeje,
Kiedy mu słońce niebieskie dogrzeje.
Zgubisz nas prędko, wiekuisty Panie,
Jeśli nad nami stanie
Twa ciężka Boska ręka;
20 Sama niełaska jest nam sroga męka.
Ale od wieku Twoja lutość słynie,
A pierwej świat zaginie,
Niż Ty wzgardzisz pokornym,
Chocia był długo przeciw Tobie spornym.
25 Wielkie przed Tobą są występy moje,
Lecz miłosierdzie Twoje
Przewyższa wszytki złości,
Użyj dziś, Panie, nademną litości!

MUZA. **1.** *a* = *i.* **4.** *k rzeczy* – *ku rzeczy*, here *słusznie* – rightly. **5.** *krom*, now *oprócz* – except, apart from. **8.** *gładki* = *piękny*, beautiful; *mieć przodek* = *być na przodzie*, *mieć pierwszeństwo* – to be foremost, occupy the first place. **10.** *słuchaczów próżny* = *pozbawiony słuchaczów* – deprived of an audience. **13.** *za laty*, old instr. now *latami*, here *po latach* – after years. **14.** *czułe nocy* – now *noce; czuły* in old Polish *bezsenny* (sleepless); now, tender, affectionate; here it means: nights spent at work (poetry). **16.** *lichwa* – usury; *nagrodzi z lichwą* – will reward abundantly. **17.** *opatrzyć*, here *przewidzieć*, *zapewnić* – to foresee, decree; *syn pięknej Latony* – Apollo.

DO GÓR I LASÓW. **1.** *lasy* – old instr. now *lasami;* see below *między dworzany, z mnichy; odziane,* from *odziać* – to clothe. **4.** *statek,* now *stateczność* – sedateness, gravity. **6.** *jażem – ja+ż+em = jaż żeglowałem.* **8.** *Sibylline lochy* – the caverns of Sibyl; *Sibylline* – nom. and acc. plur. of the old adj. *Sibylin,* now *Sybiliński, -ie.* **9.** *żak* – student. **13.** *płat,* here *szkaplerz* – scapulary; *dwojaki* – double, in the front and in the back. **14.** *I to czemu nic,* now *I to czemu nie* – and why not? **15.** *mienić się,* now *przemienić się* – to change.

DO MIŁOŚCI. **3.** *pierzchliwa Atalanta, pierzchliwa* from *pierzchać* – to flee, refers to the legendary heroine who challenged her suitors to a race; she was defeated by Hippomenes who, during the race, dropped three golden apples which Atalanta stooped to pick up; *taśma szczęśliwa* – refers to the belt of Venus, a symbol of all her charms. **6.** *z wieku,* now *od wieków* – since centuries. **9.** *żubr* – aurochs. **10.** *Użyte serce = dające się użyć, wrażliwe* – accessible, sensitive. **12.** *okróć = ukróć,* from *ukrócić* – to shorten, to bridle, check; *myśl nieunoszona* now *nieukrócona, nieokiełzana* – unchecked, unbridled. **13.** *zapamiętała dziewka* – headstrong, frantic maiden, wench; *dziewka* has now a rather derogatory meaning. **14.** *zaźrzyć = zajrzeć,* here *dojrzeć.*

DO PANIEJ. (*paniej* – old gen. sing., now *pani*). **1.** *mianuję,* from *mianować,* now *nazywać, wymieniać* – to name, quote. **2.** *najdziesz,* from *naleść,* now *znaleść* – to find; *rymiech,* old loc. of *rymy,* now *rymach* – rhymes. **4.** *masz przed inszemi* – refers to *imię,* your name will be foremost among all others; *jeśli ja co czuję* – if I feel (or foresee) correctly. **5.** *bych = bym, gdybym.* **10.** *Ostatniej śmierci = ostatecznej* – final; *prózne,* here *wolne od śmierci* – free of death. **12.** *zazdrościwe,* now *zazdrosne* – jealous. **13.** *dowcip* – in old Polish spirit, genius (French *esprit*); now, wit; *Sława z dowcipu* – glory acquired by poetic genius.

DO DZIEWKI. **3.** *znamienicie = znakomicie* – perfectly, wonderfully. **4.** *różej* – old loc. sing. of *róża,* now *róży; leliją* – old accus. sing. of *lelija,* now *lilia, lilię.* **8.** *czosnek* – garlic. **10.** *twardszy,* compar. from *twardy* – hard, tough. **11.** *mieścy,* instr. plur. of *mieśce, mieśćce,* now *miejsce, miejscami* – in spots; *list,* now *liść* – leaf; *płowy* – yellowish-brown, tawny.

DO SNU. **2.** *wieka* – old gen. sing. of *wiek,* now *wieku.* **3.** *uśpi* – old imper. of *uśpić,* now *uśpij* – to lull to sleep. **4.** *pobuja,* from *bujać* – to flit, rove on the wing; *mało = trochę* – a little. **6.** *wieczór = wieczorem; pozna zorza = późna zorza* – late twilight. **10.** *spornym biegom* (*gwiazd*), *sporny* here *w różnych kierunkach* – diverse courses; *przypatrować,* now *przypatrywać* – to look on, watch. **11.** *w społecznym mijaniu = w wspólnym mijaniu się* – as they pass each other. **12.** *czynią dzwięk* – produce a sound, refers to Pythagoras' "harmony of spheres"; *ku słuchaniu = dla słuchu.* **15.** *tesknice* – old gen. sing. of *tesknica,* now *tęsknicy.* **16.** *a co to nie żyć = a co to znaczy nie żyć* – and what it means not to live.

NA LIPĘ. **1.** *liściem* – instr. sing. of old *to liście,* neutr. collective noun, foliage; *odpoczni* – old imper. of *odpocząć,* to rest, now *odpocznij.* **3.** *nawyższej,* now *najwyżej* – highest. **4.** *rozstrzelane, = rozproszone,* from *rozproszyć* – to scatter. **6.** *słowicy, szpacy,* old personal plur. of *słowik, szpak,* now *słowiki, szpaki* – nightingales, starlings; *narzekają,* from *narzekać,* now complain, here *gwarzyć* – to chatter. **8.** *szlachci,* from *szlachcić* (cf. *szlachcic* – nobleman, *szlachta* – nobility) – to ennoble, adorn. **10.** *łacno,* now *łatwo* – easily. **11.** *kładzie,* from *kłaść,* to put, here *szanować, poważać* – to respect, hold in esteem. **12.** *hespery(j)ski sad*-the legendary garden guarded by the nymphs Hesperides where golden apples grew.

O KOŹLE. **1.** *Kozieł* – a surname common in Poland means also "goat", now *kozioł*. **5.** *się dowiewa*, old dual, now *dowiemy się*, from *dowiedzieć się* – to learn. **6.** *pry* – old abbr. of *prawi*, from *prawić* – to tell, here *rzecze*, from *rzec*; *chlew* – stable, pen.

O KAPELANIE. **1.** *do mszej*, old gen. sing. of *msza* – mass, now *do mszy*. **2.** *doma* – older form for *w domu; pilnował dzbana* – was minding the pitcher, was drinking. **4.** *Ksze*, old abbr. of *księże*, voc. of *ksiądz* – priest. **5.** *łajanie*, from *łajać* – to scold. **6.** *jeszczem ci się dziś nie kładł* = *jeszcze się dziś nie kładłem; "ci"* – dativus ethicus, see *Pieśń o męce Pańskiej*, note 12.

O DOKTORZE HISZPANIE. **1.** *spać się bierze* = *zabiera się do spania* - is going to bed. **2.** *wieczerze*, old gen. sing. of *wieczerza*, now *wieczerzy* – supper. **3.** *najdziem* – now *znajdziem(y)*. **4.** *przedsię*, here *jednak* – nevertheless. **5.** *pódźmy* – now *pójdźmy*, from *pójść*. **6.** *wierę* = *zaiste, istotnie* – indeed. **9.** *nie wadzi*, from *wadzić, zawadzać, szkodzić* – to harm. **11.** *do dziewiąci* – old gen. of *dziewięć*, now *dziewięciu*. **13.** *rząd*, here *porządek* – order, dealings.

BOOK I

PIEŚŃ II. **1.** *roście* – from *rość* (*róść*), now *rośnie*. **2.** *mało przedtem* = *niedawno* – not long ago. **3.** *wyższej* = *wyżej*. **4.** *zbieżał*, from *zbieżeć, zbiegać* – to run. **8.** *ciosane*, from *ciosać* – to hew; boats were then hewn out of tree trunks. **9.** *prawie* = *prawdziwie*. **11.** *omyślają*, from *omyślać*, now *obmyślać* – to plan. **13.** *prawy* – old form for *prawdziwy*. **14.** *sumienia całego* – *cały*, whole, unimpaired; here, pure, clean. **16.** *przeczby* – composed of *przecz*, now *dlaczego*, and *by; wstydać się*, now *wstydzić się* – to be ashamed; *rada, y* – basic meaning council, advice, here *myśl, rozum* – thought, mind. **17.** *przylewać* or *dolewać* – to pour more, add, refill. **20.** *prawie* – see note 9. **21.** *gryzie mól* – proverb: *każdy ma swego mola* (moth) *co go gryzie* – everybody has his own sorrow. **24.** *mimo uszy*, now *mimo uszu*, idiamat. *puszczać coś mimo uszu* – not to pay attention to. **25.** *dobra myśl* = *dobry humor, wesołość* – cheerfulness, good mind. **28.** *chłodnik*, from *chłodny* – cool, fresh; here *altana* – arbor, bower; *chróściany*, from *chróst*, twigs – made of bark-covered wood.

PIEŚŃ III. **1.** *pisany*, from *pisać* older term for *malować* – to paint. **2.** *polewany*, from *polewać* – glazed. **3.** *bądź... bądź* – now... now. **5.** *jakokolwiek*, composed of *jako*, now *jak*, and *kolwiek* – however, howsoever. **6.** *cię* = *ciebie*. **7.** *przymknąć się* – to draw near; *nachylić* – to tip. **9.** *nie minie*, from *mijać, minąć*, – here, to avoid, neglect. **12.** *spełna rozumu*, preserved now in *niespełna rozumu* – not quite right in the head, therefore here quite sensible. **15.** *tajemna rada* – secret thought. **16.** *wydawasz*, from *wydawać*, now *wydajesz* – to bring forth; *cicha zdrada* – literally silent treason, refers to the "silent pitcher." **19.** *przyprawujesz rogi*, from *przyprawować*, now *przyprawiasz* from *przyprawiać* – to afix, fasten on (horns), hence, to buck up, give heart. **21.** *na mocy*, now *w mocy* = *trzymaj się mocno* – summon all your strength. **24.** *co do jednej* (*gwiazdy*) – until the last star.

PIEŚŃ VII. **2.** *lutnie* or *lutniej*, old gen. sing. of *lutnia*, now *lutni* – lute; *zaniechać* – to abandon, drop. **6.** *co ich kolwiek*, inversion for *cokolwiek ich* (scil. *pań*) – whatever women... **7.** *obecny* – present, older meaning also *pospolity*, *zwykły*, common, average. **8.** *zarza* = *zorza.* **10.** *znienagła* – *z nie+nagła* = *nie nagle* – not at once, hence gradually. **12.** *nieznacznie* = *niewidocznie* – invisibly, out of sight. **13.** *w oczu moich* – old dual, now *w oczach.* **15.** *zajźrzę wam*, from *zajźrzeć*, now *zazdrościć* – to envy. **19.** *lubeż* – *lube+ż*, *luby, a, e* – dear, beloved. **21.** *smutnego serca* – old accus. instead of *smutne serce.* **22.** *w nadzieję* – in hope, hoping for. **23.** *karzy* – old imper. of *karać*, now *karz.*

PIEŚŃ IX. **1.** *być radym* – to rejoice, from *rad*, pleased with, glad of. **3.** *przynaszają*, from *przynaszać*, now *przynosić* – to bring. **4.** *gęśli*, plur. of *gęśl* – a kind of lute; *w lutnią* – old acc. for *lutnię*, now *grać na lutni.* **9.** *szafuj*, imper. of *szafować* – to dispose of, manage. **11.** *kona*, from *konać* – to die, here *kończyć* – to end; *raczyli* = *raczy+li* (interrog.) from *raczyć* – to deign, grant, bestow. **12.** *my siedziem w jej prawie* – *siedziem*, now *siedzim* (*siedzimy*), i.e., we are subject to its (Fate's) laws. **20.** *ugodzić w coś* – literally to hit, strike; here *trafić*, to hit the mark, or *zrozumieć*, to comprehend. **24.** *przejźrzenie*, now *przejrzenie*, anticipation, here *Opatrzność, dopust Boży* – Providence. **26.** *narządzi*, now *urządzi*, from *urządzić* – to prepare, organize. **28.** *temu* – refers to *nieszczęście; w owem* – refers to *szczęście.* **31.** *spuszczę*, from *spuścić* = *opuścić, porzucić, odstąpić* – to abandon, give up; *orgarnąć się* – here, to clothe. **32.** *chudoba* – property, belongings. **35.** *przenajdować* = *zjednać sobie, zapewnić, postarać się* – to procure. **37.** *przydały*, from *przydać* – to add. **38.** *wpadwszy* or *wpadszy*, old spelling of the past participle *wpadłszy*, from *wpadać* – to fall in. **40.** *fuście*, from *fusta*, now *statek* – boat; *rozruchy* – now, riots; here, turmoil.

PIEŚŃ XXIV. **2.** *melankolija* – now *melancholja.* **4.** *dobrej myśli ostatek* = *ostatek należy się dobrej myśli* (*wesołości*) – what remains (of the day) should be devoted to gaiety; cf. the preceding line; the whole day is enough for seriousness. **5.** *błazen* – clown, fool; here *głupiec*, fool. **6.** *przymówki prazen* – *przymówka* = *przygana, nagana*, blame; *prazen, prozen* = *prożny, wolny od nagany* – blameless. **11.** *blizko* = *bliskie* – near, close. **12.** *igrzysko*, from *igrać*, now *grać* – plaything. **14.** *błędy* – now, errors; here, transitory things, delusions. **17.** *chłop* – here generally, man (not peasant). **21.** *by* = *gdyby* – if. **24.** *jąć się* = *wziąć się do...* – to turn to. **27.** *rozciska*, from *rozciskać, rozrzucać* – to scatter. **32.** *w rozumie nie dziedziczy* = *nie dziedziczy rozumu* – does not inherit wisdom. **34.** *zlecone* = *oddane.* **35.** *uprzątnąwszy*, from *uprzątnąć* – to clear, remove; here, to be swept clear out of the mind. **36.** *skrzynię Fokarowę* – it is not clear what the poet had in mind; there were German merchants and bankers called Fugers, Fokars, or Fokiers; the expression means perhaps: let the bankers worry about that. **39.** *frasunek or frasunk* (Ger. origin) – grief, affliction; cf. the proverb: *na frasunek dobry trunek.*

BOOK II

PIEŚŃ VII. **2.** *kurzawa*, from *kurz* – cloud of dust. **3.** *uciekają*, from *ciec* – to trickle. **4.** *zagorzałe*, from *zagorzeć, zgorzeć* – to be burned, now *spalone*, here, sered; *dżdża* – old gen. sing. od *deżdż*, now *deszcz, deszczu* or *dżdżu.* **8.** *list* = *liść; wsadzenie* = *posadzenie* – planting. **9.** *strony, stróny, struny* – chords, strings. **12.** *morze czerwone* – Red Sea.

PIEŚŃ (Czego chcesz od nas Panie). **2.** *ogarnie*, from *ogarnąć, objąć* – to encompass, contain; *wszędy* – now *wszędzie*. **6.** *swoje* – old accus., now rather *swojem*. **7.** *wyznawamy*, now *wyznajemy*, from *wyznawać* – to profess. **8.** *nad cię* – the probable meaning of this line is: *nie mamy nikogo nad Ciebie* (*Boga*) *komubyśmy mogli składać godniejszą* ("*przystojniejszą*") *ofiarę; nad cię* may be a misprint instead of *nad nie*, referring to *serce;* in this case the meaning would be: *nie mamy godniejszej ofiary nad nasze serce*, which sounds more logical. **10.** *uhaftował*, from *haftować* – to embroider. **11.** *nieobeszłej* = *której nie można obejść* – too vast to circle. **14.** *zamierzonych granic* = *odmierzonych* from *mierzyć, odmierzać* – to measure. **17.** *Tobie kwoli* = *ku woli – dla Ciebie*. **18.** *kłosiane*, adj. from *kłos* – ear. **19.** *dawa* – old form of *dawać*, now *daje*. **21.** *mdłe – mdły, a, e* – here, weak. **23.** *patrza*, from *patrzać*, now *patrzeć* (*patrzyć*), *patrzy*. **24.** *szczodrobliwość* – generosity, bounty.

PIEŚŃ ŚWIĘTOJAŃSKA O SOBÓTCE. **2.** *zdoła*, from *zdołać, podołać* – to be equal to. **3.** *wczasy* – ease, rest. **5.** *w twej pieczy* = *pod twoją opieką* – under your care. **6.** *lichwa* – usury. **9.** *inszy* – now *inny, inni; się ciągną przy dworze* – hang on at dignitaries courts. **12.** *piędzi*, from *piędź* – span; *na piędzi* – within a span. **13.** *w płat język dawa* – puts a price on his tongue (refers probably to lawyers). **14.** *dawa, przedawa* – now *daje*, (*s*)*przedaje*. **16.** *gardło* – throat, here, life; *odważają*, from *odwaga*, now rather *odważać się na coś* – to risk, venture. **20.** *dobytek* – property, possessions. **26.** *gumno* – barn. **27.** *odprawiemy*, now *odprawimy*, from *odprawić*, – here, to carry out, complete. **28.** *komin* – chimney, here fireplace. **30.** *gadki pokryte, gadka* – tale, *pokryta* = *ukryta, zakryta* – hidden, concealed, now *zagadka* – riddle. **31.** *trefne pięsy*, now *pląsy* from *pląsać* – dances; *trefne* = *wesołe* – merry. **32.** *cenar, goniony* – names of dances. **33.** *siatka*, dim. of *sieć* – net. **34.** *usadka*, now *zasiadka* – ambush, trap. **37.** *więcierze*, plur. of *więcierz* – fishing net. **38.** *węda* = *wędka* – angling rod. **40.** *ozywają się*, now *odzywają się* – they give voice, sing out. **43.** *piszczałka* – fife. **45.** *sprzętna*, now *skrzętna* – industrious, diligent. **46.** *o wieczerzej* – old loc. sing. of *wieczerza*, now *o wieczerzy*. **48.** *jatki, jatek* – shamble, butcher shop; *że się obejdzie bez jatek* – that she can do without the butcher shop. **51.** *spuszczać* scil. *bydło z powroza, z łańcucha* – to unleash or to unchain. **52.** *męża wzmaga* = *mężowi pomaga* – helps her husband. **54.** *starsza głowa* – elder. **55.** *wykną* = *przywykają* – they get used, learn to; *przystawać na male*, now *na małem* – to be satisfied with little. **56.** *chować w cale*, now *w całości* – to preserve intact. **59.** *niżby*, now *zanimby* – before. **60.** *wieśne*, from *wieś*, now *wiejskie* – rural.

ODPRAWA POSŁÓW GRECKICH. **1.** *pławaczko*, from *pławać, plywać – okręt*, boat; *białoskrzydła* – white-winged (sails). **2.** *Ida* – a mountain near Troy famed for its beech-trees of which boats were built. **3.** *gładkiej twarzy pasterza Pryjamczyka* = *pasterza Pryjamczyka o gładkiej twarzy*, Priam's son the handsome shepherd; *Pryjamczyk* – dim. of *Pryjam*, here son of Priam; Priam was king of Troy, and father of Paris also called Alexander. The whole sentence refers to the abduction of Menelaus' wife, Helen, by Paris. **5.** *słone wody* = *morze* – sea. **6.** *Eurotowe brody* – the Eurotas river in Laconia where Menelaus reigned; *bród, brody* – literally ford, here banks or waters, floods. **8.** *zołwica, żołwica* – in old Polish sister-in-law; Paris' sisters were Helen's "*zołwice*". **10.** *cnej* = *zacnej, szlachetnej* – noble. **12.** *tropy* – plur. of. *trop, trail; iść w tropy* – to track. **14.** *pogonia*, now *pogoń* – pursuit. **15.** *To-li* = *czyż to jest* – is this? **16.** *pamiętne* – formerly remuneration of judges, in general *pamiątka*, souvenir. **17.** *luby sędziemu wyrok...* – *luby* – pleasant refers to *wyrok*, decision, decree, *sędziemu* to

Paris who, according to legend, chose Venus as the most beautiful of the three goddesses he met on Mount Ida. The whole sentence would read in prose: *Czyż to jest ten sławny upominek albo pamiętne, które Wenus, z wszystkich bogiń najpiękniejsza, zapłaciła sędziemu za luby (jej) wyrok?* **19.** *stokorodnej*, from *stok* – spring and *rodzić* – to give birth, hence spring-bearing. **20.** *śmierci podległy uznawca* – refers again to Paris; *śmierci podległy* – literally subject to death, i.e., mortal; *uznawca*, old Polish noun from *uznawać, rozeznawać* – appraiser, judge. **21.** *nieśmiertelne twarzy*, now *twarze* – that is, the goddesses. **23.** *Pryjamicze* – old voc. of *Pryjamicz*, see note 3. **24.** *tuszyć* – to hope or apprehend, to expect; *źle tuszyć* – to apprehend evil. **25.** *ledwie nie takiż koniec będzie* – i.e., this marriage may end by "*swar i niezgoda*", a war between the Greeks and Troy. **26.** *Cypry* – Greek voc. of Cyprys, that is, Venus whose temple stood on the island of Cyprus, her birthplace. **27.** *ninacz* – old form composed of *ni-na-cz(so), ni-na-co*, now *na nic; zapatrzam*, from *zapatrzać*, now *zapatrywać się, zapatrywam* or *zapatruję* – to stare (covetously) at "*cudze*" (that which belongs to someone else). **32.** *siła ludzi* – a great many people. **33.** *kto w krygi żądzą mógł ująć* – *ująć w krygi* (*karby*) or *trzymać w karbach* – to curb; *żądzą*, old accus. now *żądzę* – passion, desire. **35.** *używie*, now *użyje*, from *używać* – to enjoy. **36.** *niedawno*, now *niebawem, niezadługo* – ere long. **37.** *znidzie*, from old *zniść*, now *zdybać, dopaść* – to meet with, come upon. **40.** *pod mury* – old instr. for *pod murami.*

PSALM 7. **4.** *dusze* – old gen. sing., now *duszy.* **5.** *paszczęki*, plur. of *paszczęka, paszcza* – jaws (mouth). **7.** *oszacował*, from *oszacować*, – to appraise, estimate, here *osławić* – to defame. **8.** *mieć winę* = *winować, obwiniać, winić* – to accuse, charge. **9.** *nieszczyrze*, now *nieszczerze* – insincerely. **17.** *jeśli* = *czy.* **19.** *sędzia* old vocat. **20.** *sieść*, now *siąść, siedzieć* – to sit; *stolica*, now capital, here *stolec* – throne. **22.** *wedla*, now *wedle, podług* – according to. **26.** *w Twej stojąc obronie* = *będąc pod Twoją obroną* – standing under Thy protection. **27.** *nie uciekę*, now *nie ucieknę*, from *uciec* – to flee. **28.** *zasłonie* – from *zasłona;* now, curtain; here, shelter, protection. **30.** *sprawnie oddzielasz* = *sprawiedliwie obdzielasz* – Thou meteth out justly. **34.** *płony*, here *próżny* – vain, conceited. **36.** *kopa* – from *kopać*, now *kopie; ugodzi*, here *upadnie, wpadnie* – will fall in. **39.** *miłosierdzim*, now *miłosierdziem* – mercy. **40.** *próżen* = *próżny, wolny od.* **42.** *póki dusze stanie*, now *duszy stanie* – as long as I live.

PSALM 74. **4.** *mizerny* – poor, miserable; *czas mizerny* – period of misery. **5.** *skała Syjońska* – *Syjon*, Zion, a hill in Jerusalem, the site of the Temple. **9.** *zbroje*, old gen. sing. of *zbroja*, now *zbroi* – arms. **12.** *obuch* – the back of an axe. **15.** *świątnica*, now *świątynia* – temple, shrine. **16.** *szkaradzie*, adv. now *szkaradnie* – abominably. **20.** *póki* = *jak długo* – how long. **21.** *pastwić się* – to torment, torture; *sprosny* – obscene, filthy. **22.** *bluźnić Ciebie*, old syntax, now *Tobie* – to blasphem. **23.** *kurczyć* – to tighten; here, to hold back. **24.** *wżdam* or *wżdy*, now *przecie, nakoniec* – finally; *prawą Twoję* – scil. *rękę.* **25.** *jeszcze z wieku* = *od wieków.* **30.** *górny sęp* = *wysoko latający* – high soaring vulture. **32.** *ostradały*, from *ostradać*, now *postradać* – to lose. **36.** *dowcip* – here, genius. **37.** *swe urąganie* = *urąganie Tobie* – scoffing, derision. **38.** *lżyli*, from *lżyć* – to insult. **39.** *Synogarlice*, now *synogarlicy* – dove, here figuratively, the chosen people, the Hebrews. **41.** *przymierze* – refers to the covenant between God and the people of Israel. **43.** *upadły* – scil. *człowiek; odnosić wstyd* = *wystawić się na wstyd* – to be exposed to shame. **44.** *owszem* – here, on the contrary. **45.** *weźmi się za swoją krzywdą* now *ujmij się*, from *ująć się* – to intercede, take side of; *krzywdę* – wrong. **47.** *przegróżka*, now *pogróżka* – threat.

PSALM 91. **5.** *z łowczych obierzy, łowczy,* from *łowić* – to catch, hunt; *obierz,* old Polish for *sieć, sidła* – snare; *wyzuje,* from *wyzuć* – to set free. **8.** *ulężesz* – old 2d. pers. of *ulęgnąć;* here, to lie. **9.** *tarcz,* now *tarcza, puklerz* – shield, shelter, protection. **13.** *wedla,* now *wedle;* here *obok; polęże,* from *polegnąć, polec,* now *polegnie* – will fall in battle. **14.** *dosięże,* from *dosięgnąć,* now *dosięgnie* – will reach. **17.** *Iżeś* = *ponieważ-eś.* **19.** *dostąpi,* from *dostąpić* = *dosięgnąć.* **22.** *piastować* – to nurse, hold carefully. **24.** *krzemień* – flint, stone. **26.** *padalec* – adder. **30.** *przeciwko mnie,* now *wobec mnie* – toward me; *szczyrze* – now *szczerze.* **32.** *nie zapamiętam* – now *nie zapomnę.* **36.** *szedziwy,* now *sędziwy* – old; *lata szedziwe* – old age.

TREN V. **1.** *oliwka* – olive tree; *pod wysokim sadem* = *pod wysokiemi drzewami.* **2.** *z ziemie* – old gen. sing., now *z ziemi; macierzyńskim,* from *macierz* = *matka* – maternal; *szladem* – from *szlad,* now *ślad; macierzyńskim szladem* – following its "mother". **4.** *dopiro* – now *dopiero; szczupłym prątkiem,* from *prątek* or *pęd* – rod, shoot; *szczupły* – thin, slim. **5.** *rodne* = *bujne,* from *rodzić* – fecund, fast multiplying; *pokrzywa* – nettle. **6.** *sadownik* – gardener, from *sad,* orchard, garden; *ukwapliwy,* old adj. from *kwapić się* – to hasten, hence – hasty. **7.** *zbywszy,* past partic. of *zbyć, stracić* – to lose. **10.** *rostąc,* old pres. partic. of *rość* (*róść, rosnąć*) – to grow, now *rosnąc.* **11.** *wznióswszy* (*się*), now *wzniósłszy, podniósłszy się,* from *wznosić się* – to rise. **12.** *otchniona,* from *otchnąć, tchnienie* – breath, breathed upon; *troskliwy,* here *stroskany* – distressed. **14.** *łzam,* old dat. of *łzy* – tears, now *łzom; płono* = *próżno, daremnie* – in vain, from *płony, płonny.*

TREN VIII. **2.** *zniknienie,* now *zniknięcie* – disappearance. **4.** *maluczka,* one of the numerous diminutives of *mały* – small. **6.** *pobiegać,* older form of *biegać, przebiegać* – to run around. **7.** *frasować się* – to worry, be despondent. **8.** *psować* old infin. now *psuć* – literally to spoil; here, to trouble, torment. **9.** *obłapiając,* from *obłapiać, obejmować, ściskać* – to hug, embrace. **10.** *onym* = *tym; uciesznym* = *sprawiającym uciechę* – giving pleasure. **11.** *szczery* – here, complete. **12.** *zabawki,* dim. plur. of *zabawa* – play, frolic.

TREN IX. **2.** *mienią,* from *mienić,* here *sądzić, myśleć* – to judge, think. **4.** *tylko nie* = *ledwie nie, niemal* – almost, well nigh. **7.** *mieć za fraszkę* – to look upon as trifling. **8.** *jednaką myśl,* equivalent of the Latin *aequa mens* – equanimity. **10.** *niepożytą,* now *niespożytą* – never-failing, perennial. **12.** *dosytem,* instr. of *dosyt, dostatek* from *sycić* – to satiate; hence, satisfaction; *przyrodzone potrzeby* – natural needs. **13.** *okiem nieuchronionym,* from *chronić, uchronić* – an eye before which nothing can be concealed. **14.** *nędznik* – a poor, unhappy man, a wretch. **15.** *zajźrzysz,* from *zajźrzyć,* now *zazdrościć* – to envy. **16.** *jedno* = *jeno, tylko* – only. **20.** *jeden z wiela* – now *jeden z wielu; policzony* = *zaliczony* – numbered, included; here, leveled (put on one level) with the crowd (of average men).

TREN XI. **1.** *porażony,* from *porazić* – to smite, defeat; refers to Brutus defeated in the battle of Philippi after the assasination of Ceasar. **4.** *przypadku złego* – now *od przypadku złego.* **7.** *wienie* now *wionie,* from *wionąć,* – to blow, waft; *nie ulęże,* see Psalm 91, 8, now *ulegnie,* here *nie ostoi się,* from *ostać się* – to hold one's own, keep one's ground. **8.** *prawli, krzywli* – whether he be just or unjust; *bez braku* = *bez wyboru, bez różnicy; dosięże,* same form as *ulęże,* from *dosięgnąć,* – see Psalm 91, line 14. **9.** *udać* = *udawać* – to feign, pretend, here *zachwalać* – to praise. **12.** *upatrywać* = *wypatrywać* – to peer into; *źrzenice,* now *źrenice* – pupils of the eye. **14.** *nie wyjawią*, from *wyjawić* – to reveal, disclose. **15.** *owa* – an exclamation meaning here *czy*, *czyż więc*. **16.** *baczenie* – mind, discernment, reason.

TREN XVIII. **8.** *nie uznasz* = *nie doznasz*, from *uznać*, *doznać* – to obtain, experience. **9.** *miej nas na wodzy* – keep us in check; *wodze* – reins. **11.** *pomniemy*, from *pomnieć na co*, *pamiętać o czemś* – to be mindful of, to remember; *rozpychać* – to puff up, inflate. **12.** *w kaźni*, from *kaźń*, *kara* – punishment. **14.** *stajem*, 1st pers. plur. future of *stajać* (*tajać*) = *stopić*, *roztopić się* – to melt away. **21.** *lutość*, now *litość* – pity. **24.** *chocia* = *chociaż* – although; *sporny*, now *oporny* – recalcitrant, resistant. **25.** *występy*, now *występki*, from *występek* – vices, crimes.

Mikołaj Sęp Szarzyński (c. 1550–1581)

A very gifted lyric poet was Mikołaj Sęp Szarzyński, who died at approximately the age of thirty, and whose works are known only in part. The most distinguished among them are lyric poems, some of them sonnets, devoted to love, religious feelings, and general reflections. They are characterized by an ability to grasp essential problems, an original poetic language, and a considerable skill in versification. The short poems quoted below are taken from his *Rytmy abo wiersze polskie* (Polish Verses, 1601).

FRASZKA O KASI I ANUSI

Kasia z Anusią, wdzięcznych i pięknych oboje,
Jednakimi płomieńmi trapią serce moje;
Obyczaje, w obudwu godne pochwalenia,
Też wielką są przyczyną mego udręczenia.
5 A gdy czasem pospołu wedla siebie siedzą,
Na którą pilniej patrzać, oczy me nie wiedzą:
Anusia zda mi się być piękniejszą nad Kasię,
Kasia zda się piękniejszą nad Anusię zasię;
Tamta nad tę, a ta też nad tamtę wdzięczniejsza,
10 W rozmowie, ja nie wiem, która przyjemniejsza.
To jedno wiem, że obie bez miary miłuję:
Jak to może być, nie wiem, ale miłość czuję!

O WOJNIE NASZEJ, KTÓRĄ WIEDZIEMY Z SZATANEM, ŚWIATEM I CIAŁEM

Pokój – szczęśliwość; ale bojowanie –
Byt nasz podniebny: on srogi ciemności
Hetman i świata łakome marności
O nasze pilno czynią zepsowanie.
5 Nie dosyć na tem, o nasz możny Panie!
Ten nasz dom – ciało, dla zbiegłych lubości
Niebacznie zajźrząc duchowi zwierzchności,
Upaść na wieki żądać nie przestanie.
Cóż będę czynił w tak straszliwym boju,
10 Wątły, niebaczny, rozdwojony w sobie?
Królu powszechny, prawdziwy pokoju
Zbawienia mego, jest nadzieja w Tobie!
Ty mnie przy sobie postaw, a prześpiecznie
Będę wojował i wygram statecznie!

O NIETRWAŁEJ MIŁOŚCI RZECZY ŚWIATA TEGO

I nie miłować ciężko, i miłować
Nędzna pociecha, gdy żądzą zwiedzione
Myśli cukrują nazbyt rzeczy one,
Które i mienić i muszą się psować.
5 Komu tak będzie dostatkiem smakować
Złoto, sceptr, sława, rozkosz i stworzone
Piękne oblicze, by ten nasycone
I mógł mieć serce i trwóg się warować?
Miłość jest własny bieg bycia naszego;
10 Ale z żywiołów utworzone ciało,
To chwaląc, co zna początku równego,
Zawodzi duszę, której wszystko mało,
Gdy Ciebie, wiecznej i prawej Piękności
Samej nie widzi, celu swej miłości.

FRASZKA O KASI I ANUSI. **1.** *oboje* – coll. num. from *oba*, in this case now *obie.* **2.** *płomieńmi*, from *płomień* – flame, now *płomieniami.* **3.** *w obudwu* – old loc. dual, now *w obydwu.* **5.** *pospołu* = *razem; wedla siebie* = *obok siebie.* **9.** *wdzięczniejsza*, comp. of *wdzięczna* – charming.

O WOJNIE NASZEJ, KTÓRĄ WIEDZIEMY Z SZATANEM, ŚWIATEM I CIAŁEM. **3.** *hetman* – refers to the devil; *łakome*, plur. of *łakomy* – covetous or coveted, here in the latter meaning; *marność* – vanity. **4.** *zepsowanie* = *zepsucie*, *zguba* – perdition, ruin. **6.** *zbiegłe lubości* = *doczesne rozkosze* – temporal pleasures, transitory delights. **7.** *zajźrząc* = *zazdroszcząc.* **13.** *prześpiecznie*, now *bezpiecznie* – safely.

O NIETRWAŁEJ MIŁOŚCI RZECZY ŚWIATA TEGO. **3.** *cukrować* – to sugar-coat. **4.** *mienić się* = *zmieniać się* – to change. **5.** *dostatkiem* = *pod dostatkiem*, *dostatecznie* – sufficiently. **6.** *sceptr*, now *berło* – scepter. **8.** *warować się*, now *strzec się*, *wystrzegać się* – to beware. **9.** *własny* = *właściwy* – proper. **11.** *co zna początku równego* = *co uważa za równe* – what it considers equal.

Andrzej Frycz Modrzewski (1503–1572)

Andrzej Frycz Modrzewski was a political writer and a moralist who in his works advocated ideas reaching far into the future. He studied at the University of Cracow and in Germany, where he acquired extensive knowledge of ancient literature, philosophy, and theology and established contacts with various prominent men, with Melanchton, among others. He wrote exclusively in Latin, and his works were widely known (some were even published) abroad. In them he dealt with juridical, political, moral, and religious problems from a broad, humanistic viewpoint. In his study ("oratio") *De poena homicidii* (1543) he argued against the unjust law according to which a nobleman was punished with a heavy fine and imprisonment for the killing of a nobleman but with only a small fine for the killing of a peasant, whereas a peasant who killed a nobleman suffered capital punishment. Modrzewski demanded the death penalty for any homicide, regardless of the social status of either the killer or his victim. In another pamphlet, *De decreto conventus* (1545), Modrzewski opposed a decree which forbade burghers to purchase landed estates and ordered them to sell those they already possessed. His most extensive work was *De Republica emendanda*, the first three books of which appeared in 1551, while a new edition in five books was published in 1554 in Basle. The five books deal respectively with the mores, laws, war, the church, and schools. The author has pertinent and new things to say about each of these subjects. He makes Christian morality the basis of the life not only of individuals but also of societies and states. Law is to be the guardian and regulator of that life, and it also is to restrict individual freedom. All people should be equal before the law, while unjust laws such as those concerning homicide, attachment of the peasant to the soil, submission of the peasant to the jurisdiction of the master, and so on must be abolished. Wars are an absolute evil which must be combated. Only defensive wars are justified, but even these should be avoided by means of a proper foreign policy, of preserving peaceful relations with neighbors, and of submitting disputes between states to international arbitration. To put an end to religious dissension Modrzewski suggested the creation of a single, universal Christian church which would combine the main principles of the Catholic and Protestant doctrines. Finally, Modrzewski laid great stress on education, considering it one of the main tasks of the state. He pointed out the necessity of organizing public education and assuring to the teachers an appropriate social standing and improved economic condition. The projects of his reforms embraced also the treasury, national defense, and the establishment of supreme courts, of supervisors of the poor, and of "guardians of public morals."

The excerpt given here is from a sixteenth-century Polish translation.

O NAPRAWIE RZECZYPOSPOLITEJ

1. Praw ten ma być warunek, aby wszystko ku uczciwości a pospolitemu pożytkowi stanowiono tak, aby jednakie zapłaty cnotom a zasię też jednakie karania złościom ustanowione były.

2. A żadne wolności nie mają być tak wielce ważone, aby kto,
5 broniąc się niemi, miał karania uchodzić, abo niejednakość karania odnosić. Bo prawdziwa wolność należy w powściąganiu złych myśli

i występków, nie w swowolności brojenia, co się komu podoba, ani w lekcejszem karaniu występnych.

3. Jeśliże dla jednakiego występku różność karania ma być zachowana, tedy ma być obracana nie na rozpuszczenie wodze złościom, ale na hamowanie. A przetoż mocarze, szlachta i osoby na urzędziech będące mają być cięższej karani, niźli ubóstwo, chłopstwo i ludzie od urzędów wolni, a jeszcze cięższej ci, którzy przeciwko urzędowi grzeszą, niźli ci, którzy przeciwko prostym osobom.

Niech przeto pierwsze staranie zakonodawcy to będzie, aby w postanowieniu praw nic nie odstępował od rozumu albo od baczności, a iżby wszystkie prawa (co i sam rozum rozkazuje) tak do uczciwości, jako też do pospolitego pożytku obracał. Bo jako to lekarstwo bywa chwalone, które albo wszystkiemu ciału pomaga, albo jeśli tylko jednej części, tedy ją tak uzdrawia, że drugiej nic nie zaszkodzi; tak też i to prawo ma być pochwalone, które jednakie cnoty jednakiemi zapłatami nagradza a niemocom i występkom jednakim jednakie lekarstwa i jednakie karania stanowi. Bo a kto rad takiego lekarstwa używa, coby od wątroby gorącość odganiało, a do żołądka zimno przywodziło? – mam za to, że żaden, bo gdzie żołądek jest zimny, tam żadne trawienie pokarmów nie może być, a stąd i wątroba i insze członki naruszone będą. Jakoż tedy to prawo może być chwalone, które jednakie cnoty niejednakiemi zapłatami nagradza, ani tejże złości, której się różni jednako dopuszczają, nie jednakiem karaniem karze, ale jednym nazbyt folgując rozpuszcza wodze do występków, a na drugie srogie karanie stanowiąc, odejmuje im moc bronić się od krzywdy? Bo mówię (dając na przykład) o prawie, którem na jedne bardzo srogie, a na drugie bardzo lekkie karanie za mężobojstwo jest postanowione. Ale co o jednem prawie rzeczone, to się i o drugich im podobnych niechaj rozumie. Trafiło się w niektórym powiecie, iż dwa człowieki, jeden prostego stanu a drugi szlacheckiego, oba bogaci i rolej mieli dosyć, ci srodze zranili jednego człowieka, acz nie tak bogatego, jako sami, ale przedsię szlachcica. Onego ranionego wzięto do balwierza, ale iż niektóre rany były w nim śmiertelne, przeto w miesiąc abo we dwa umarł. Ci, którzy go z strony powinności przyjacielskiej nawiedzali, albo też i ci, którzy na oglądanie ran od urzędu przysłani byli, pytali, któremuby z onych dwu, co go bili, większą w tem winę dawał? Odpowiedział, że szlachcic swaru bitwy początkiem był, ale bijąc oba mu zarówno byli cięży, iż zgoła nie wiedział, od którego z nich szkodliwsze rany podjął. Tedy oni pytając dokuczali mówiąc, iż o rany oba oni, co bili, mają być karani, ale jeśli z tych ran śmierć przyszła, tedy jeden z nich tylko o głowę ma być obwinion, bo dwa o jedno zamordowanie wedle naszych praw nie mogą być na gardle karani. Na to on raniony odpowiedział, że o swem zdrowiu zwątpił, ale na sumieniu swem, które wrychle ma sądu bożego doznać, nie może tego u siebie pewnie postanowić, na któregoby wina o morderstwo kładziona być miała, gdyż od tych ran, które oba jednako zadali, schodzi z tego świata. Skoro tedy on ranny umarł, wnet poczęto szukać onego prostego stanu człowieka, a gdy postawion przed sędzią, winę mu dano a potem go ścięto. Bo statut jest, iż człowiek prostego stanu jeśliby szlachcica (któryby przyczyny z siebie najścia nie dał) zabił, albo ochromił, albo srodze ranił, da gardło. To tedy jest karanie, które prostego stanu mężobójca za występek już podjął – lecz on szlachcic jeszcze żyw i mieszka między ludźmi, powiedają, że z osiadłości ma być do sędziego pozwan, a wedle postępku prawa polskiego albo za rany albo za głowę pieniężną winą ma być karan. Izali dla Boga! ta sprawa nie jest takowa, która dwu rzeczypospolitych potrzebuje dla tych dwojga rodzajów ludzi, a tak daleko od siebie oddalonych, iż z jednej do drugiej przystęp żadny nie może być, że też jedna od drugiej pomocy nie potrzebuje tak, że się ich obywatele między sobą ani pojmują, ani się znają, naostatek, że też ani wody, ani powietrza, ani słońca nie mają wspólnego?

Bo to, co jest u nas w obyczaju, iż oboje ludzie, mieszkające w jednej rzeczypospolitej, dla jednej przyczyny, jedne ścinają a drugim folgują, aza nie poszło na dziw? Nie trzeba się w tej rzeczypospolitej, w której takie prawa panują, spodziewać onego końca, ku któremu ludzkie zgromadzenia bywają: aby wszyscy obywatele spokojnie a szczęśliwie żyć mogli, w której tenże jest żywota twego i śmierci twej pan, a ty bojąc się śmierci musisz szkody i sromoty albo łajanie od niego cierpieć, w tejże rzeczypospolitej jemu jest żart a jakoby igrzysko, zabić ciebie, a tobie to za główny występek mają, jeśli go zabijasz albo ranisz.

Staranie wszelakim sposobem ma być czynione, aby wojna była oddalona. A jeśliby nie mogła być oddalona, co czynić? czasu pokoju o co się starać? i o uczynieniu obrony jakiej na ukrainie.

A iżby wojny wieść nigdy nie była potrzeba, przeto pokój najwięcej, ile być może, ze wszystkiemi ludźmi postronnemi ma być zachowan, a nie trzeba się tego nigdy dopuszczać, aby mieli przyczynę jaką, dla którejby co nieprzyjacielskiego przeciwko nam dumali. Co jeśliby się z trefunku jakie krzywdy albo z tej albo z owej strony wszczęły, ma być pilność czyniona, żeby to albo prawem, albo dobrych ludzi rozsądkiem było rozstrzygnione. Zwykli pospolicie pograniczni narodowie i panowie dla tego spólne przymierze między sobą miewać, którzy iż sędziego żadnego nie mają, przeto z swej dobrej woli obierają

90 z obu stron sędzie do rozstrzygnienia różnic – a to albo z obcych ludzi, albo też z poddanych swoich, które póki sąd trwa, wolnymi czynią od przysięgi (którą się podobno sobie obowięzują), aby oni tem wolniej wedle sprawiedliwości o wszystkich prawach między sobą rozbierali i stanowili. A iż takowe sprzymierzenia nietylko ludziom jednej religji 95 albo jednej wiary, ale też i różnej godzi się między sobą mieć, przykładem ojców świętych może się to pokazać: jako gdy Abraham najpierwej, a potem Izaak z Abimelechem przymierze uczynili i przysięgą je potwierdzili. Owszem, trzeba się starać o pokój ze wszystkiemi ludźmi, o pokój mówię, któryby był stateczny i trwały, a któryby 100 w sobie żadnej podsady nie miał. Bo jeśli kto pod zasłoną pokoju gotuje przeciwko nam wojnę, z tymci nie jest prawdziwy pokój, ale czem dłuższej jemu od wojny przewłoki popuszczają, tem gotowszy i potężniejszy na wojnę będzie. Przeto czasu pokoju trzeba pilnie obaczać, co czynią oni ludzie, z któremi mamy jaką sprawę, czem sie bawią, 105 z któremi ludy rady znaszają? A jeśli się to będzie znaczyło, że rady i sprawy ich będą się ściągały ku wojnie, trzeba w tem wszelakiemi sposoby, by jedno uczciwemi, przekażać. A tak i wszelka materja z której potrzeby wojenne robią, ma im być z naszych ziem zabroniona, co się łacno sprawić może, jeśli powiemy, że my sami tego potrze- 110 bujemy. A granice nasze niech bedą jako żołnierzmi, tak innemi obronami opatrzone, która rzecz jako ustrasza sąsiady, a zwłaszcza na korzyść chciwe, możem baczyć po Tatarzech, którzy gdy słyszą, że żołnierze nasi na granicy leżą, doma mieszkają, a naszych ziem nie wojują. Stara jest przypowieść, że okazja czyni złodzieje – co i na drugie 115 rzeczy obrócić można, bo zły umysł nie tylko do złodziejstwa, ale i do każdej złości bywa przez okazją przyciągnion. Wszystkie przeto przyczyny, ile być może, trzeba onym odjąć, których wierność i przyjaźń u nas jest podejźrana.

O NAPRAWIE RZECZYPOSPOLITEJ. **3.** *złość* – now anger, here rather, evil-doing, vice. **4.** *wolności* – here, privileges; *tak wiele ważone*, from *ważyć*, here *tak wielkiej wagi* – considered so weighty. **5.** *karania uchodzić = unikać* – to escape punishment; *niejednakość karania odnosić*, now *ponosić* – to suffer not the same punishment. **7.** *swowolność*, now *swawola* – willfulness; *brojenie* – from *broić*, to do mischief – mischief making. **8.** *lekcejsze*, old compar. of *lekki* (*lekce* preserved in *lekceważyć*) – now *lżejszy*. **10.** *rozpuszczenie wodze złościom* – now *popuszczenie wodzów; wodze* – rein, bridle, hence, to give free rein to, indulge vices; *przetoż = dlatego*. **13.** *przeciwko urzędowi grzeszą, grzeszyć* – to sin, here, to abuse the office. **16.** *baczność* – here, watchfulness. **22.** *niemoc = choroba*. **24.** *gorącość*, now *gorączka* – fever. **25.** *mam za to = sądzę, uważam* – I believe, think. **30.** *folgując*, from *folgować* – to indulge. **33.** *mężobójstwo* – homicide. **34.** *rzeczone*, from *rzec* (*powiedzieć*), *powiedziane* – said. **35.** *dwa człowieki* – old plural of *człowiek*, now *dwaj ludzie, dwóch ludzi*. **36.** *rolej*, old gen. sing. of *rola* – land, now *roli*. **38.** *balwierz* – basic meaning: barber, in that period at the same time a surgeon.

40. *powinność* = *obowiązek* – duty. **43.** *swaru bitwy* – kind of tautology, *swar* – quarrel, *bitwa* – fight, battle. **45.** *dokuczali*, from *dokuczać* – to annoy, bother. **47.** *obwinion*, nominal form of *obwiniony* – accused. **49.** *na gardle karani*, *gardło* – throat; here, sentenced to death. **50.** *wrychle*, older form for *rychło* – soon. **55.** *postawion* = *postawiony*, from *postawić* – to set, place; here, brought before the judge; *ścięto*, from *ściąć* – to cut (scil. the head), behead. **57.** *najście*, from *najść* – to invade, attack; *ochromić*, from *chromać* (comp. *chromy*) – to make lame; *podjął*, from *podjąć*, now *ponieść* (*karę*), see note 5. **61.** *pieniężną winę*, *wina* – guilt; here, fine; *izali* = *czyż*. **62.** *dwu rzeczypospolitych* – two republics (states). **67.** *oboje* – instead of *dwaj*. **70.** *nie poszło na dziw*, *dziw* (comp. *dziwić*, *dziwować się*) – wonder; hence, did it not awake astonishment? **71.** *końca* = *celu*. **73.** *tenże* = *ten sam* – the same. **74–77.** This whole (somewhat obscure) sentence shows the contrast between existing Polish laws and the future ideal of equality; *oddalona* – from *oddalić* – to remove. **79.** *czasu pokoju* = *w czasie pokoju*. **80.** *ukraina*, earlier meaning – borderland, hence the name of Ukraine on the eastern frontier of Poland; *wojny wieść* = *wojny prowadzić*. **83.** *dopuszczać się* = to commit. **85.** *trefunek* or *trafunek* – accident, now rather *przypadek*. **86.** *ma być pilność czyniona*, *czynić pilność* = *starać się usilnie* (*pilnie*) – to try hard. **87–88.** *Zwykli... miewać* = *mają zwyczaj* – they use to have... **92.** *podobno sobie* = *jednakowo* – equally; *obowięzują*, now *obowiązują* – bind themselves. **93.** *rozbierają*, from *rozbierać* – to analyze. **100.** *podsada*, now *podstęp* – stratagem, trickery. **102.** *przewłoka*, now *zwłoka* – delay. **103.** *obaczać* = *baczyć*, *patrzeć* – to see, watch. **105.** *rady znaszają* = *prowadzą narady*, *naradzają się*, from *naradzać się* – to hold counsel. **107.** *przekażać*, now *przeszkadzać* – to hinder, prevent. **110.** *żołnierzmi* – now *żołnierzami*. **111.** *ustrasza*, now *przestrasza* (*straszy*) – frightens. **112.** *Tatarzech* – old locat., now *Tatarach*. **115.** *obrócić* = *użyć* – to use, apply.

Piotr Skarga Powęski (1536–1612)

One of the greatest Polish preachers and a prominent writer, Piotr Skarga Powęski belonged to the Jesuit order, was engaged in ardent fights against Protestantism and schism, and wrote a number of pamphlets characterized by intolerance. His other works are of religious character: *Żywoty Świętych* (Lives of Saints, 1579), collections of sermons (*Kazania na niedziele i święta*, 1595, *Kazania przygodne*, 1600, and so on). His most important work, however, from the literary point of view, is the so-called *Kazania Sejmowe* (Sermons before the Diet, 1597), in which Skarga speaks about general moral and political problems. These sermons are characterized by an unusual strength of feeling and of expression in presenting all the evils of contemporary Poland: class-egoism of the gentry, internal quarrels, weakness of royal power, and oppression of the peasants. There are also gloomy prophecies about the future of Poland. Skarga's prose attained the highest level in old Polish literature.

From KAZANIA SEJMOWE

O MIŁOŚCI KU OJCZYŹNIE

...O Wielmożni Panowie, o ziemscy bogowie, miejcie wspaniałe i szerokie serce na dobre braci swoich, i narodów swoich, wszystkich dusz, które to królestwo z swemi państwy w sobie zamyka. Nie cieśnijcie ani kurczcie miłości w swoich domach, i pojedynkowych pożytkach, 5 nie zamykajcie jej w komorach i skarbnicach swoich. Niech się na lud wszytek z was, gór wysokich, jako rzeka w równe pola wylewa. Naśladujcie onego Chrześcijańskiego króla, który z wojskiem wyciągnąwszy, na chorągwi swojej namalować kazał ptaka, który swoją krwią ptaszęta od węża zarażone ożywia. Dając znać, iż za swój lud 10 rad umrzeć chce, sobie śmierć, a im żywot obiecując.

Są drudzy co mówią: Co mnie po królestwie i Rzeczypospolitej, kiedy się ja mam źle, a tego nie mam, czego pragnę? To złodziejskie serce, które z szkodą drugich chce być bogate. Rób sobie niestatku, a Pana Boga proś o potrzeby swe, a przestaj na swym stanie, a nie 15 bądź utratnikiem i próżnującym, a dla siebie jednego tysiąc tysięcy ludzi, braci swych nie gub. Boże, aby się takich jako monstrów jakich, mało znajdowało, którzy srożsi niźli bestje, nieludzkości i krwi rozlania pełni są.

Takich podobno więcej, którzy służyć Rzeczypospolitej nie chcą, 20 gdy się pożytku swego nie spodziewają, albo gdy im za to nie płacą. Ci są dziwnie głupi, którzy nie wiedzą, iż cnota nie patrzy na zapłatę, jedno na swoję przystojność, nie widzą, iżby tak nikt nigdy dobrym nie był, nie widzą, iż tak wiele nie tylko u króla, ale i Monarchy świata wszystkiego bogactwa nie masz, aby każdemu dobry jego uczynek

25 mógł płacić. Sam tak możny i bogaty Pan Bóg jest, do którego zapłatę naszę odkładać mamy...

Kto ojczyźnie swej służy, sam sobie służy, bo w niej jego wszystko się dobre, jako się rzekło, zamyka. Nikt nie mówi: Płać mi, iż swego zdrowia, i domu swego, żony i dziatek moich bronię, sama obrona 30 zapłatą tobie jest, czegoż się upominasz? gdy jesz, pijesz, zdrowie swoje opatrujesz; iżali za to zapłaty chcesz?...

O PRAWACH NIESPRAWIEDLIWYCH

...Lecz wszystko na tem zależy, aby Prawa były sprawiedliwe, wszystkim pożyteczne, cnoty, a najwięcej bogobojność szczepiące, chwały i czci boskiej ochraniające, a nakoniec, dobrą egzekucją i karnością opatrzone. Bo które ustawy sprawiedliwości w sobie nie mają, 5 a jaką krzywdą ludzką pokrzywione są, nie są Prawa, ale złość szczera, gdyż sprawiedliwość jest fundamentem wszystkiej Rzeczypospolitej. Które jej królestwa nie mają, mówi ś. Augustyn, nie królestwami, ale rozbójstwem nazwane być słusznie mogą.

Które też prawo jednej stronie, albo jednemu stanowi służy, a 10 drugiemu wadzi i psuje, nie ma być Prawem nazwane. Bo powszechne na pożytek wszystkich obywatelów mają być ustawy. Jako głowa nic jednej ręce nie rozkazuje, coby drugiej szkodzić miało, ale co obiema pożyteczno jest, jako mówi Apostoł: "Członek w ciele o drugi członek staranie ma; i co jeden cierpi, wszystkie z nim cierpią". Tak i 15 w Rzeczypospolitej która jest jedno ciało, nie ma nic jednemu stanowi pomagać, coby drugiemu szkodzić miało; boby się tak wszystko ciało samo od siebie psowało.

Dotknąćby i onego złego prawa, którem kmiecie i wolne ludki, Polaki i wierne Chrześcijany, poddane i ubogie, niewolnikami czynią, 20 jakoby *mancipia* kupieni albo na wojnie sprawiedliwej pojmani byli: i czynią z nimi drudzy co chcą, na majętności i na zdrowiu i gardle, żadnej im obrony i *forum* żadnego o krzywdy ich, drugdy nieznośne, nie dając, i na nich *supremum dominium*, na które się sami wzdrygamy, stawiąc.

25 Co jeźli się godzi i jeźli to prawo takie ma jaką odrobinę sprawiedliwości, spytaćby praw i obyczajów wszystkiego świata Chrześcijańskiego, duchownych, i świeckich. Jeźli nie kupni ani pojmańcy, jeźli Polacy tejże krwie, nie Turcy ani Tatarzy, jeźli Chrześcijanie, czemuż w tej niewoli stękają? Czemu ich nie jako niewolników, ale jako 30 najemników używać nie mamy? Na twej roli siedzi, a źleć się zachowa, spędź go z swej roli, a wrodzonej i Chrześcijańskiej wolności mu nie bierz i nad jego zdrowiem i żywotem panem się najwyższym, sam bez sędziego, nie czyń. Starzy Chrześcijanie, którzy za pogaństwa

niewolniki kupne mieli, wszystkim wolność dawali, jako bracia w
35 Chrystusie, gdy się świętym chrztem z niewoli djabelskiej wyzwalali. A my wierne i święte Chrześcijany, Polaki tegoż narodu, którzy nigdy niewolnikami nie byli, bez żadnego prawa mocą zniewalamy i jako okupione bydło, gdy dla swej nędze uciekać muszą, pozywamy, i gdy żywności swej indzie ubodzy i nędzni szukają, okup na nich jako
40 Turcy za więźnie wyciągamy. Czego we wszystkiem Chrześcijaństwie nie słychać. Acz wiem, iż tego nie wszyscy u nas czynią, ale, według złego i dzikiego jakiegoś a niesprawiedliwego prawa, czynić na swoje potępienie, uchowaj Boże, mogą. Jakoż się z takiem prawem wszystkiego na świecie Chrześcijaństwa nie wstydzić? Jako się o taką tyrańską
45 krzywdę na oczy Boskie ukazać? Jako się nie bać, aby nad nami na pomstę od Boga poganie takiej mocy i *absolutum dominium* nie używali?

Dla Boga, uchodźmy tego przeklęctwa i tej biedy, którą nam Pan Bóg przez Proroki grozi. Zepsujcie złe, niesprawiedliwe i do sprawiedliwości przeszkadzające prawa, wszak wiecie, iż koniec ich jest pożytek
50 pospolity, któremu gdy szkodzą, odmienić się mają. Nie mówi się tylko o tych, które zawsze złe były i szkodziły, które żadnej nigdy sprawiedliwości w sobie nie miały, ale i o tych, które mogły być starym ojcom naszym dobre, ale nam czasu tego szkodliwe.

Są czasy jedne różne od drugich, dla odmiany ludzkich obyczajów
55 odmieniać się też prawa ludzkie mają, aby miasto pożytku, szkody wielkiej nie czyniły.

O MIŁOŚCI KU OJCZYŹNIE. **2.** *dobre*, noun, now *dobro* – good. **3.** *państwy* – instr. plur. *państwami*; *cieśnijcie*, from *cieśnić*, now *ścieśniać* – to limit, confine. **4.** *kurczcie*, from *kurczyć* – to contract, tighten; *pojedynkowy*, now *pojedyńczy*, *osobisty* – individual, personal. **5.** *komora*, *skarbnica* (from *skarb*, treasure) – rooms in old Polish homes where valuable objects were kept; *skarbnica*, *skrzynia*, *kufer* – treasure chest. **9.** *ptaszę*, *ptaszęta* – dimin. of *ptak; zarażone*, from *zarażać* – to infect; *dając znać*, scil. *tym obrazem* – meaning thereby. **13.** *rób sobie niestatku*, *robić niestatek*, *niedostatek* – to cause poverty, hence here, *nie zdobywaj zbyt wielkich dóbr* – do not acquire too much. **15.** *utratnik* = *utracjusz*, *rozrzutnik* – spendthrift. **19.** *podobno* – perhaps, probably; *jedno* = *lecz*, *tylko* – only. *przystojność* – decency. **28.** *dobre* – see note 2. **31.** *iżali* = *czy*.

O PRAWACH NIESPRAWIEDLIWYCH. **2.** *bogobojność* – literally, fear of God; hence, piety; *szczepiące*, from *szczepić* – to graft. **3.** *egzekucja* = *wykonanie* – execution, enforcement; *karność* now *karalność*, *moc karania* (from *kara* – penalty, punishment) – power of punishment. **5.** *jaką* = *jakąś; szczera* – here *prawdziwa*. **8.** *rozbójstwo* = *rozbój* – robbery. **10.** *wadzić* = *przeszkadzać*, *szkodzić* – to hamper, hurt. **12.** *obiema* – dual, refers to "*ręce*." **13.** *pożyteczno*, old adv., now *pożytecznie* – usefully. **15.** *stan* – here, estate, social class. **18.** *wolne ludki*, dim. of *ludzie* – small freemen. **19.** *Polaki* – old plur. of *Polak*, now *Polacy*. **20.** *mancipia* – Lat., a form of selling people in ancient Rome. **21.** *gardło* – here *życie*. **22.** *forum*, Lat. here *sąd*, *sprawiedliwość* – court, justice;

drugdy, now *niekiedy* – sometimes. **23.** *supremum dominium* – Lat. supreme power (scil. of the landlord over the peasant); *wzdrygać się* – to recoil, shudder. **24.** *stawiąc*, refers to *supremum dominium* – *stawiając*, *ustanawiając* (from *ustanawiać*) – to establish. **25.** *jeźli* – now *jeśli.* **27.** *pojmaniec* – captive, prisoner, from *pojmać* (to seize). **28.** *krwie*, old gen. sing. of *krew* – now *krwi.* **30.** *najemnik* – hireling, hired hand, from *najmować*, *nająć* – to hire; *źleć* = *źle ci.* **34.** *kupny* – acquired by purchase, comp. *kupno*, *kupiec.* **38.** *nędze* – old gen. sing. now *nędzy; pozywamy*, scil. *do sądu*, from *pozywać* – to sue, summon; **39.** *indzie*, now *indziej*, *gdzieindziej* – elsewhere. **39-40.** *okup wyciągać* – to extort ransom. **43.** *uchowaj Boże* – God forbid! **46.** *absolutum dominium*, Lat. – unrestricted power. **47.** *przeklęctwo*, now *przekleństwo* – malediction, curse. **48.** *zepsujcie*, here *zniszczcie*, from *zniszczyć* – to destroy. **49.** *koniec*, here *cel* – aim, goal. **53.** *czasu tego* = *w tym czasie*, *obecnie* – at present. **54.** *dla* = *z powodu* – because of. **55.** *miasto* = *zamiast* – instead of.

THE SEVENTEENTH CENTURY

THE SEVENTEENTH CENTURY witnessed the reign of Sigismund III, Władysław IV, and John Casimir of the Swedish Vasa dynasty, and the "national" kings Michał Wiśniowiecki and Jan III Sobieski. To a large extent it was filled with long and hard wars against the Cossacks, Tartars, Swedes, Turks, and Wallachians. There were moments when the end of Poland seemed near. Nevertheless, the nation emerged victorious from all these trials and even inflicted major defeats upon the enemy, as in the battle of Chocim against the Turks, at Beresteczko against the Cossacks and Tatars, and in the defense of Częstochowa against the Swedes. The greatest triumph was the victory in 1683 of Jan Sobieski over the Turks at Vienna, which won him the name of the savior of Christendom. However, as the final result, Poland was weakened. She lost some territories—Livonia, part of the Ukraine, Kamieniec Podolski—the country itself was devastated, and economic conditions in general, and the material and social situation of the lower classes in particular, deteriorated. The ill functioning of the Diets, together with the chaos and strife during the election of kings, did not contribute to internal stabilization.

Polish literature of the early seventeenth century is a continuation of the humanistic traditions of the Golden Age. There were still poets and prose writers writing exclusively in Latin or both in Latin and Polish, but in the classic spirit. Around the middle of the century this trend began to wane, as a result of both external and internal circumstances. Protracted and ruinous wars made Poland's contact with other cultures difficult. Moreover, the brilliant French literature of this century did not stimulate Polish writers. On the other hand, one of the sources of intellectual movement in the preceding century, the Reformation, waned and was replaced by a victorious but rather backward Catholicism. Another stimulus, the political activity of the nobility, ceased to function because the nobility had attained full political power in the sixteenth century and were now resting on their laurels.

Literature, therefore, became quite different in character. It took on more local tinge in respect to subject matter and literary expression. Historical epic poems became one of the popular genres, characterized by a new poetic language, now artificial, exaggerated, and affected, full of "macaronism" (Latin words and sentences) and elaborated poetical figures, now prosaic and even vulgar. This poetry possesses, however, its own character, a charm, an impetus, and an originality; by ignoring classic models and mixing together different genres and "moods," it produces striking effects through sharp contrasts.

The Polish prose of this epoch is, in general, on a lower level than that of the sixteenth century. But there are still interesting prose writers like the "poly-historian" Szymon Starowolski, the preacher Fabian Birkowski, or the self made author of *Memoirs*, Jan Pasek.

A characteristic literary genre of the seventeenth century is the so-called burgher literature (*literatura mieszczańska*), that is, lyric poetry, *fraszki* and satires written by townspeople. Only a part of this vast production is now available. Its literary level is for the most part rather low, but it is a valuable cultural document enabling us to get an insight into the life of the Polish *tiers état* as well as to see the Polish nobility through the eyes of the burghers. Other classes and types represented in this literature are artisans, students, huckstresses, peasants, and soldiers.

Szymon Szymonowicz (1558–1629)

Szymon Szymonowicz was one of the last outstanding Polish humanists, a connoisseur of Greek and Latin literature, known in Western Europe for his poems and tragedies. He was called the "Polish Pindar" for his odes in Latin which praised great Polish warriors and their victories. Among his Polish works the best is *Sielanki* (Eclogues, 1614), written under the influence of both Theocritus and Vergil. The eclogues are distinguished by a charming simplicity, humor, a highly artistic style, and versification; some of them, like the two given below in abridged form contain "realistic" pictures of Polish life.

KOŁACZE

PANNY

Sroczka krzekce na płocie, – będą goście nowi:
Sroczka czasem omyli, czasem prawdę powié.
Gdzie gościom w domu rado, sroczce zawsze wierzą
I nie każą się kwapić kucharzom z wieczerzą.
5 Sroczko! umiesz ty mówić? Powiedz: gdzieś latała?
Z którejeś strony goście jadące widziała?
Sroczka krzekce na płocie; pannie się raduje
Serduszko, bo miłego przyjaciela czuje.
Jedzie z swoją drużyną panic urodziwy,
10 Panic z dalekiej strony; pod nim koń chodziwy,
Koń łysy, białonogi, rząd na nim ze złota:
Panno! gotuj się witać, już wjeżdża we wrota.
Już z koni pozsiadali, wszystko się po dworze
Rozśmiało, jako niebo od wesołej zorze!
15 Witamy cię, panicze, dawno pożądany!
Czeka cię upominek, tobie obiecany,
Obiecany od Boga i od domu tego;
Po obietnicę trzeba wsiadać na rączego,
A ty się gdzieś zabawiasz! Już nam nie stawało
20 Oczu, wyglądając cię; winieneś nie mało
Sam sobie, a pogonić trudno i godziny!
Cobyś rzekł, gdyby to był otrzymał kto iny?
Barzoś się ubezpieczył! Czyli tak urodzie
Dufasz swojej? Kto dufa nawiętszej pogodzie,
25 Deszcz go zlewa; nie trzeba spać i w pewnej rzeczy:
I Bóg nie dźwignie, kto się sam nie ma na pieczy,

Często zazdrość o tobie złe powieści siała,
Ale cnota zazdrości wiary nie dawała.
Trudno stateczność ruszyć; niechaj zły wiatr wieje,
30 Jako chce, przedsię ona nie traci nadzieje.
Kędyś się nam zabawiał mój panicze drogi?
Serce przez ciebie mdlało i te piękne progi
Pustkami się widziały. Czyliś na jelenie
Z myślistwem jeździł? wami, wami, leśne cienie,
35 Świadczymy, jakośmy wam częstokroć łajały,
Jako częste zabawy wasze przeklinały.
Lubo sroga Dyjanna w surowej karności
Drużynę swoję chowa, ale przy gładkości
Trudna przestroga! Były insze obawiania,
40 Bo i harap ma swoje przykre dojeżdżania,
I od płochego zwierza urośnie nowina.
Jeszcze po dziś dzień płacze swego Adonina
Wenus żałosna: "Ach, ach! młodzieńcze ubogi!
"Jako cię dzikiej świnie ząb uranił srogi!"
45 I tyś, drugi młodzieńcze, w uściech naszych bywał;
Nazbyteś, ach, nędzniku, w lesiech przemieszkiwał;
Daleko cię nieszczęsne łowy unosiły,
Aż cię nakoniec łają właściwą skarmiły.
Pełna jest trwogi miłość i w każdy kąt ucha
50 Przykłada; raz ją bojaźń, raz cieszy otucha.
Czyli cię krotofile jakie zabawiały?
Nam tu bez ciebie ani dzień widział się biały,
Ani słoneczko jasne. Komuż do wesela
Przyjść może, gdzie miłego niemasz przyjaciela?
55 Czyli nie każdy serce ma jednakie? czyli,
Co z oczu, to i z myśli? a czasem omyli
Oko jasne. O tobie tego nie trzymamy,
I owszem się pociechy wszelkiej spodziewamy.
Sokół wysoko buja, a bujawszy siła,
60 Jedno mu drzewko, jedna mu gałęzka miła.
Młodość przestrono patrzy i daleko strzela
Z myślami, aż Bóg na wet każdego oddziela
Własną cząstką; kto na niej przestawa spokojnie,
Wszystkiego ma dostatek, wszystkiego ma hojnie.
65 I ty myśli uspokój, mój panicze drogi!
Nie darmo cię tu przyniósł twój koń białonogi.
Pryskał, we wrota wchodząc: znać, żeśmy-ć tu radzi,
Radziśmy wszyscy tobie i twojej czeladzi.

Już i matka i panna witać cię wychodzi;
70 Poprzedź ich ręką: tobie poprzedzić się godzi!
I czołem nizko uderz; jest dla czego czołem
Uderzyć; a nie chciej sieść za gościnnym stołem,
Aż otrzymasz, co pragniesz! Wszystko z czasem płynie, –
Co ma być jutro, niechaj będzie w tej godzinie!
75 I ty, matko, nie zwłaczaj, czyń, coś umyśliła:
Żadna rzecz się nie kończy, gdzie rozmysłów siła.
Panno! czas już rozpuścić warkocze rozwite,
Czas oblec szaty, takiej sprawie przyzwoite.
Strójcie pannę do ślubu, sąsiady życzliwe!
80 Ślub święty jest i wasze prace świętobliwe;
Wszak też wam tę przysługę przedtem oddawano,
Toż i za matek waszych w obyczaju miano.
Kapłanie! gotuj stułę! Zbladłeś nam, panicze!
Ba! i pannie łza za łzą płynie przez oblicze.
85 Przelękłeś się, panicze! – bojaźń ta od Boga:
Szczęście tam bywa, kędy bywa taka trwoga.
Nie płacz, panno! bo rzeką, że płaczesz z radości,
Pomyśli kto i gorzej, bo siła zazdrości.
Nie pierwsza ty od matki wychodzisz z opieki!
90 Aboś chciała na łonie jej mieszkać na wieki?
I ona przy matce swej nie wiecznie mieszkała,
I tyś się nie dla tego tak tu wychowała.
Jużeście w stadle świętem! Wszyscy wam dajemy
Na szczęście i miłego życia winszujemy:
95 Bodajeście długi wiek z sobą pomieszkali,
Bodajeście wszelakich pociech doczekali!
Potrawy postawiono: do stołu siadajcie,
W pośrodku mieśce pannie z panem młodym dajcie!
Jem-ci z sobą być; tak więc dwa szczepy zielone
100 Stoją w nadobnym sadu pospołu sadzone.
Panna nie wzniesie oka: serduszko w niej taje,
A pan młody długiemu obiadowi łaje.
Niech kucharze potrawy dziwne wymyślają,
Niechaj win rozmaitych hojno nalewają:
105 Kołacze grunt wszystkiemu, a może rzec śmiele,
Bez kołaczy jakoby nie było wesele.
Laską w próg uderzono: już kołacze dają.
A przed kołaczmi panie nadobne śpiewają
I taniec prędki wiodą i kleszczą rękami.
110 Zabawmy oczy tańcem, a uszy pieśniami!...

ŻEŃCY

OLUCHNA

Już południe przychodzi, a my jeszcze żniemy!
Czy tego chce urzędnik, że tu pomdlejemy?
Głodnemu, jako żywo, syty nie wygodzi!
On nad nami z maczugą, pokrząkając, chodzi,
5 A nie wie, jako ciężko z sierpem po zagonie
Ciągnąć się; oraczowi insza, insza wronie:
Chociaj i oracz chodzi za pługiem i wrona,
Insza sierp w ręce, insza maczuga toczona.

PIETRUCHA

Nie gadaj głosem, aby nie usłyszał tego!
10 Albo nie widzisz bicza za pasem u niego?
Prędko nas nim namaca! Zły frymark – za słowa
Bicz na grzbiecie, a jam nań nie barzo gotowa.
Lepiej złego nie drażnić: ja go abo chwalę,
Abo mu pochlebuję – i tak grzbiet mam w cale.
15 I teraz mu zaśpiewam, acz mi nie wesoło:
Niesmaczno idą pieśni, gdy się poci czoło!

Słoneczko, śliczne oko, dnia oko pięknego!
Nie jesteś ty zwyczajów starosty naszego!
Ty wstajesz, kiedy twój czas: jemu zda się mało,
20 Chciałby on, żebyś ty od północy wstawało;
Ty bieżysz od południa zawsze twoim torem:
A onby chciał ożenić południe z wieczorem...

Słoneczko, śliczne oko, dnia oko pięknego,
Nie jesteś ty zwyczajów starosty naszego!
25 Ty dzień po dniu prowadzisz, aż długi rok minie:
A on wszystko porobić chce w jednej godzinie;
Ty czasem pieczesz, czasem wionąć wietrzykowi
Pozwolisz i naszemu dogadzasz znojowi:
A on zawsze: "Pożynaj! nie postawaj" woła,
30 Nie pomnąc, że przy sierpie trój pot idzie z czoła...

Słoneczko, śliczne oko, dnia oko pięknego!
Nie jesteś ty zwyczajów starosty naszego!
Ciebie czasem pochmurne obłoki zasłonią,
Ale ich prędko wiatry pogodne rozgonią:

35 A naszemu staroście nie patrz w oczy śmiele, –
Zawsze u niego chmura i kozieł na czele;
Ty rosę hojną dajesz po ranu, wstawając,
I drugą także dajesz wieczór, zapadając:
U nas post do wieczora zawsze od zarania, –
40 Nie pytaj podwieczorku, nie pytaj śniadania!

Starosto! Nie będziesz ty słoneczkiem na niebie!
Ni panienka, ni wdowa nie pójdzie za ciebie:
Wszędzie cię, bo nas bijasz, wszędzie osławiemy,
Babę, boś tego godzien, babę-ć narajemy,
45 Babę o czterech zębach! Miło będzie na cię
Patrzyć, gdy przy niej siędziesz, jako w majestacie,
A ona cię nadobnie będzie całowała,
Jakoby cię też żaba chropawa lizała!

OLUCHNA

Szczęście twoje, że odszedł starosta na stronę:
50 Wzięłabyś była pewnie na buty czerwone
Albo na grzbiet upstrzony za to winszowanie!
Słyszysz! jakie Maruszce daje tam śniadanie?
A słaba jest nieboga: dziś trzeci dzień wstała
Z choroby, a przedsię ją na żniwo wygnała
55 Niebaczna gospodyni. Takci służba umie!
Rzadko czeladnikowi kto dziś wyrozumie.
Patrz, jako ją katuje: za głowę się jęła
Nieboga; przez łeb ją ciął, krwią się oblinęła;
Podobno mu coś rzekła; każdemu też rada
60 Domówi. Tak to bywa, gdy kto siła gada!
Dobrze mieć, jako mówią, język za zębami:
I my mu dajmy pokój, choć żartuje z nami!
Żart pański stoi za gniew i w gniew się obraca:
Ty go słówkiem, a on cię korbaczem namaca.

PIETRUCHA

65 Dobrze radzisz. Mnie się on, widzę, nie przeciwi,
Ale lepszy z nim pokój. Co się często krzywi,
Złomić się może, – przyjdzie jedna zła godzina,
A częstokroć przyczyną bywa nieprzyczyna.
Dobry on bardzo człowiek, by go nie psowała
70 Domowa swacha: ta go właśnie osiodłała

I rządzi nim, jako chce, a on się jej daje
Za nos wodzić; podczas mu ledwie nie nałaje.
Na kogo ona chrap ma, może i od niego
Spodziewać się, że go co potka niesmacznego.
75 Więc mu nie wierzy, – to już zawsze fasoł w domu,
I przemówić do niego nie wolno nikomu.

OLUCHNA

To prawda! Niedawnośmy len w dworze czosały;
On stał nad nami; to się z nim coś rozmawiały
Dwie komornice; ona kędyś podsłuchała
80 Za ścianą, jako nędza, do nas przybieżała,
Ni z tego, ni z owego poczęła bić one
Komornice; sam zaraz ustąpił na stronę;
Potem wszystkim łajała, drugie rozegnała,
Nam, cośmy pozostały, jeść przedsię nie dała.

PIETRUCHA

85 By też co było, coby ludźmi nazwać słusza, –
Ale też siostra nasza – także w ciele dusza!
A już jej brózdy dobrze lice przeorały
I przez włosy gęsto się przebija śron biały;
A przedsię wymuskać się, przedsię z pstrocinami
90 Czepczyk na głowie, przedsię fartuch z forbotami.
Najśmieszniejsza, gdy owo chce się pieścić z mową;
Świni krząkać, a babie przystoi trząść głową!...

OLUCHNA

Co mi za gospodyni! Jako żywo krowy
Ręką swą nie doiła! gadać o tem słowy
95 Tylko umie, a stroić po domu fasoły,
Kucharkom łajać! Z pustej nie wyjdzie stodoły,
Jedno sowa! Ogórki wczora kwasić chciała:
Tak to robiła, że się wszystka czeladź śmiała!
A w karczmie albo w tańcu ptak jej nie doleci:
100 Gdy podołek rozpuści, wymiecie i śmieci!...

PIETRUCHA

Ale starosta do nas znowu przystępuje,
Kwaśno patrzy, z nahajką do nas się gotuje.
Zaśpiewam ja mu przedsię, – rad on pieśni słucha:
Patrzy na nas i stanął i nadkłada ucha.

105 Słoneczko, śliczne oko, dnia oko pięknego!
Naucz swych obyczajów starostę naszego!
Ty piękny dzień promieńmi swoimi oświecasz
I wzajem księżycowi noc ciemną polecasz;
Jako ty bez pomocy nie żyjesz na niebie,
110 Niechaj i nasz starosta przykład bierze z ciebie:
Na niebie wszystkie rzeczy dobrze są zrządzone;
Księżyc u ciebie żoną: niech on też ma żonę!

Słoneczko, śliczne oko, dnia oko pięknego!
Naucz swych obyczajów starostę naszego!
115 Gdy ty na niebo wchodzisz, gwiazdy ustępują,
Gdy księżyc wschodzi, z nim się gwiazdy ukazują.
Siła gospodarz włada, siła w domu czyni:
Ale czeladka lepiej słucha gospodyni.
Niechaj ma żonę: będzie się domu trzymała
120 Czeladka, nie będzie się często odmieniała;
I nam do dwora będą otworzone wrota, –
Wszystkich do siebie wabi przyjemna ochota.

Słoneczko, śliczne oko, dnia oko pięknego!
Naucz swych obyczajów starostę naszego!
125 Ty nas ogrzewasz, ty nam wszystko z nieba dajesz,
Bez ciebie noc, z tobą dzień jasny, gdy ty wstajesz;
Niech i on na nas zawsze patrzy jasnem okiem,
Niech nas z pola wczas puszcza, nie z ostatnim mrokiem!

STAROSTA

Pietrucho! Prawieś mi się sianem wykręciła!
130 Ta nahajka mocno się na twój grzbiet groziła,
Kładźcie sierpy, kupami do jedła siadajcie,
W kupach jedzcie, po chróstach się nie rozchadzajcie!

KOŁACZE. (*kołacz* – a kind of cake served at wedding feasts). **1.** *sroczka*, dimin. of *sroka* – magpie; *krzekce*, from *krzektać*, now *skrzeczeć* – to croak, shriek; the shrieks of a magpie were regarded as announcing the arrival of guests. **3.** *rado* – now *radośnie*, *miło*, *chętnie;* now used in plural *gdzie gościom radzi* (*ludzie*) – where guests are welcome. **6.** *z któryjeś strony... widziała* – *z której strony widziałaś*. **8.** *przyjaciel* – here, betrothed. **9.** *panic* – now *panicz*, son of *pan*, young master. **10.** *chodziwy* = *wytrzymały w biegu* – sturdy. **11.** *łysy* – bald; here, with a white mark on the forehead; *rząd* – trappings, caparison. **15.** *panicze* – old vocat. of *panicz*, now *paniczu*. **18.** *na rączego*, scil. *konia* – on a fleet horse. **19.** *nie stawało oczu*, *czegoś nie staje* – something is lacking; the meaning here is, we nearly stared our eyes out. **21.** *a pogonić trudno i godziny* – *trudno cofnąć czas nawet o* *godzinę.* **22.** *iny* – now *inny.* **23.** *barzo* = *bardzo; ubezpieczyć się* – to make secure, insure oneself. **24.** *dufać* = *ufać* – to trust; *nawiętszej*, now *największej.* **25.** *nie trzeba spać i w pewnej rzeczy – nie trzeba zaniedbywać* (neglect). **29.** *stateczność* – steadiness. **32.** *przez* – now *bez.* **33.** *pustkami się widziały, widzieć się, zdawać się* – to seem; hence: seemed to be empty. **35.** *wami świadczymy (się), świadczyć się kimś* – to call upon someone as witness; *łajać* – to scold. **39.** *przestroga* – warning, admonition; *gładkość* = *piękność.* **40.** *harap* – hunting whip; here, hunting on horseback; *dojeżdżanie* from *dojeżdżać* – to close upon (here, upon the game), hence *dojeżdżacz* – master of the hounds. **41.** *płochy zwierz* – here, shy (*płochliwy*); *urośnie nowina* – *nowość, osobliwość;* meaning that even small (shy) game may cause trouble. **42.** *Adonin* – Adonis, loved by Venus, killed by a wild boar (*dzika świnia*). **43.** *ubogi* – here *nieszczęsny.* **45.** *drugi młodzieńcze* – refers to Actaeon, a passionate hunter who – transformed by the goddess Artemis into a deer – was torn to pieces by his own hounds; *w uściech* – old dual of *usta*, now *w ustach.* **46.** *w lesiech* – now *w lasach.* **48.** *łaja* or *złaja* (scil. *psów*), now *sfora* – a pack of hounds; *właściwy* = *własny* – own; *skarmić* = *pożreć* – to devour. **50.** *ucha przykładać* – to put one's ear to, to listen. **51.** *krotofile* = *krotochwile* – fun, joke, farce. **57.** *trzymać* – here *myśleć.* **59.** *siła* = *dużo.* **61.** *przestrono*, now *przestronnie* – widely, broadly. **62.** *na wet* – *na ostatek; oddzielać* – now *obdzielać.* **67.** *pryskać* = *parskać* – to snort; *żeśmy-ć* = *żeśmy ci.* **70.** *poprzedź*, imp. of *poprzedzić* – to precede; *poprzedź ich ręką* – greet them first with a motion of your hand, bow to them first. **72.** *sieść* = *usiąść.* **75.** *nie zwłaczaj* – imp. of *zwłaczać*, now *zwlekać* – to delay; *umyśliła*, from *umyślić, postanowić* – to decide. **76.** *rozmysły* now *rozmyślania* – considerations, deliberations. **77.** *czas rozpuścić warkocze rozwite* – *rozpuścić, rozwijać* – to unbraid; *warkocz* – braid. **78.** *przyzwoity* – decent; here, becoming, fitting. **79.** *sąsiady* – plur. from *sąsiada*, now *sąsiadki.* **80.** *świętobliwy* – pious, saintly. **83.** *stuła* – stole, maniple. **86.** *kędy* = *gdzie.* **87.** *rzeką* – from *rzec*, now rather *rzekną, powiedzą.* **90.** *aboś* = *alboś* – *czyś* (*chciała*). **93.** *dajemy na szczęście* – *dajemy podarunki* (gifts) *na szczęście.* **95.** *bodajeście* – composed of *bodaj* (*Bóg daj*) and the second pers. plur. ending – *ście.* **98.** *mieśce* = *miejsce.* **99.** *jem-ci* = *im-ci* – dat. plur. of *oni*, combined with the stressing suffix -*ci* (dativus ethicus); *szczep, y* – graft, in general shoot, young tree. **100.** *w sadu* – old loc. of *sad*, now *w sadzie.* **101.** *serduszko ...taje*, from *tajać* – to melt. **105.** *a może rzec* = *a można rzec.* **108.** *kołaczmi* – old abbrev. form of instr. plur. now *kołaczami.* **109.** *klcszczą*, from *kleskać*, now *klaskać, klaszczą* – to clap.

ŻEŃCY. **1.** *żniemy*, from *żąć* – to cut with a sickle. **2.** *urzędnik* – in general, official; here *ekonom* – land steward, overseer. **3.** *jako żywo* – really, indeed; *nie wygodzi* – *wygodzić komu* (comp. *wygoda*) – to give comfort, accomodate. **4.** *maczuga* – mace, club; *pokrząkając* from *krząkać* – to hawk. **6.** *insza* = *inna* scil. *rzecz.* **7.** *chociaj* – now *chociaż.* **8.** *toczona*, from *toczyć* – to turn; *tokarz* – turner. **9.** *głosem* = *głośno* – loudly. **11.** *frymark* – from Ger. *Freimarkt* – barter. **14.** *mam w cale* = *mam w całości.* **18.** *starosta* – *ekonom*, see note 2. **19.** *zda się* = *wydaje się.* **21.** *bieżysz*, from *bieżeć* (*biegać*) – to run. **28.** *dogadzasz znojowi, dogadzać* – to humor, gratify; here, to soothe; *znój* – drudgery, toil. **30.** *trój pot* – literally treble sweat, i.e., heavy perspiration. **34.** *pogodne* – here *pomyślne.* **36.** *kozieł na czele* = *chmura na czole* – knit brow, frown. **37.** *po ranu*, from *rano* (*ranek*) – morning, now *rankiem.* **40.** *podwieczorek* – afternoon luncheon. **43.** *bijasz* – from *bijać, bić; osławić* – to defame (*sława* – fame). **44.** *naraić* from *raić* – to procure. **46.** *w majestacie, majestat* – majesty. **48.** *chropawy* – rough; *lizać* – to lick. **50–51.** *wziąć na buty czerwone, na grzbiet upstrzony* – idiom. to get a sound beating. **55.** *takci służba umie – tak postępuje (zła) służba panów (gospodyni, starosta)*. **56.** *wyrozumieć komu = być wyrozumiałym* – to be indulgent. **57.** *jęła* – from *jąć się*, now *wziąć się*. **58.** *oblinęła – oblinąć się*, now *oblać się*. **60.** *domówić, przymówić* (comp. *przymówka*), *dociąć* – to taunt, jeer. **61.** *mieć (trzymać) język za zębami* – proverb: to hold one's tongue. **64.** *korbacz* – kind of whip. **65.** *przeciwiać, sprzeciwiać się* – to oppose. **67.** *złomić* – now *złamać*. **68.** *przyczyną bywa nieprzyczyna* – a play on words: *nieprzyczyna (mała przyczyna lub brak przyczyny) może być też przyczyną*. **70.** *swacha*, now *swatka* – matchmaker; here rather, a shrew; *osiodłać* – to saddle (comp. *siodło*), fig. to get hold of someone. **72.** *za nos wodzić* – proverb "to lead by the nose"; *podczas = czasami.* **73.** *mieć chrap (chrapkę) na kogo* – here, to bear a person a grudge. **75.** *fasoł* now *kłótnia, burda* quarrel, scuffle. **77.** *czosać len*, now *czesać* – to comb flax. **79.** *komornica* (masc. *komornik*) – tenant, farmhand. **80.** *nędza* – literally, misery; here, probably a paltry woman. **85.** *słusza* – now *słuszna* (scil. *rzecz*); allusion to the "*gospodyni*": if she were only someone important! **87.** *brózda, y* – furrow; *lice, lico* – face. **88.** *śron*, now *szron* – hoarfrost. **89.** *pstrociny*, from *pstry* – piebald, mottled. **90.** *forbot*, now *koronka* – lace. **93.** *jako żywo* – see note 3. **95.** *z pustej stodoły...* – the meaning of the sentence: *w pustej stodole* (barn) *niema nic prócz sowy* (owl) i.e., *owa gospodyni jest do niczego niezdatna* (good for nothing). **97.** *ogórki kwasić* – to pickle cucumbers. **100.** *podołek* – hem of the skirt. **102.** *nahajka* – kind of Russian *knut* (knout). **104.** *nadkłada ucha = podsłuchuje*, from *podsłuchiwać* – to eavesdrop. **108.** *polecasz*, from *polecać* – to commend, entrust. **122.** *ochota*, here *wesołość, uprzejmość, gościnność* – cheerfulness, kindness, hospitality. **128.** *z ostatnim mrokiem* – at night-fall, deep dusk. **129.** *wykręcić się sianem* – proverb: to wriggle out of a difficulty. **131.** *jedło, a* now *jadło* – food. **132.** *rozchadzajcie się* from *rozchadzać się*, now *rozchodzić się, rozchodźcie się* – break up, disperse; *chróst = krzak* – bush.

Szymon Zimorowicz (c. 1608–1629)

A burgher of Lwów, Szymon Zimorowicz was the author of only one book, published posthumously in 1654. This was the *Roxolanki*, or "Ruthenian girls," from "Roxolania," the Latin name of Ruthenia. A collection of love songs (69 in all) sung by young girls, it shows an amazing variety and richness of emotional nuances in presenting one and the same topic. Zimorowicz owes, of course, much to Kochanowski, Szymonowicz, and Italian poets, as well as to poets of antiquity, but his verse is original both in style and meter.

LICYDYNA

Moje miłe rówiennice!
Powiem wam swą tajemnicę:
Żałosna, nie mała Szkoda mię potkała.

Nie we złocie, ni w dostatku,
5 Ale w naprzedniejszym statku:
Pół roka minęło, Serce mi zginęło.

Nie był nikt czasu tej zguby,
Tylko mój jedyny luby,
Przecię z tej przyczyny Nie daję mu winy,

10 Bo nie brał on serca mego,
Gdyż samo zbiegło do niego,
Aż z swej dobrej woli Zostało w niewoli.

Jeszcze mu dziękuję za tę
Uczynność, że moję stratę
15 W tak znacznej potrzebie Przytulił do siebie.

Inszej mu nie dam nagrody,
Tylko połowicę szkody;
Na czem mało-li ma, Niechaj wszytko trzyma.

Nie zechce-li przestać na tem,
20 Wiem, co ja uczynię zatem:
Bym nie zbyła dusze, Za sercem pójść muszę.

Żadna panna, ani pani,
Wierzę, tego nie nagani.
Ile białejgłowie, Miłe mi jest zdrowie;

25 Choćbym nie rada, ja tuszę,
Przecię tak uczynić muszę:
Bez serca, wszak wiecie, Trudno żyć na świecie.

CYCERYNA

Widziałam cię z okieneczka, kiedyś przechodził,
Rozumiałam, żeś się ze mną obaczyć godził,
Aleś ty pokoje I mieszkanie moje
Prędkim minął skokiem,
5 A na mnie nędznicę, Twoję niewolnicę,
Aniś rzucił okiem.

Żal mię przejął niesłychany, gdym to ujźrzała,
Bóg strzegł, martwą zaraz w oknie żem nie została,
Lecz to niebaczeniu, Albo też niechceniu
10 Twemu przyczytałam,
A wieczornej chwile, Tusząc sobie mile,
Tylko wyglądałam.

Przyszedł wieczór, mrok mię nocny w okienku zastał,
Trwałam przecię, dokąd księżyc pełny nie nastał,
15 A ciebie nie było, Ani cię zoczyło
Oko moje smutne.
Aniś listkiem cisnął, Aniś słówka pisnął,
O serce okrutne!

Kędy teraz twe usługi, kędy ukłony?
20 Kędy lutniej słodkobrzmiącej głos upieszczony,
Który bez przestanku Zmierzchem do poranku
Słyszecieś mi dawał?
Przy nim winszowania I ciche wzdychania
Lekuchnoś podawał.

25 Niemasz teraz dawnych zabaw, nie słychać pienia,
Pełne serce tesknic, uszy pełne milczenia.
Gdzie zwyczajne śmiechy? Gdzie dawne uciechy?
Niebaczny człowiecze!
Nie wiesz, że pogoda I godzina młoda
30 Prędziuchno uciecze.

Przeto, żeś mi nie winszował szczęśliwej nocy,
Nie uznały snu miłego biedne me oczy;

Także ty wzajemnie Łaskawej przezemnie
Nocy nie zakusisz,
35 Lecz przykre niespania I częste wzdychania
Co noc cierpieć musisz.

PAWENCJA

Piękna dziewico, Moja siestrzyco!
W twoim ogrodzie
Gdy ja do roże Palce położę,
Ciernie mię bodzie.
5 Dla tego strachu Nie chcę zapachu
Więcej zakuszać,
Nie chcę i kwiata Przez wszytkie lata
Ślicznego ruszać.
Wenery synie, Cny Kupidynie!
10 Rozkoszne dziecię,
Gdy z swego łuku Czasem bez huku
Strzelasz po świecie;
Sztuczny kozaku, Co masz w sajdaku,
Puszczasz znienagła,
15 Alić zarazem Za słodkim razem
Śmierć idzie nagła.

BOHYMNJA

Patrzaj, jak ogniem niebieskim dotknione
Przemieniają się śniegi w rzeki wrone;
Kędy po lodzie wóz przejechał brzegi,
Naładowane pływają komiegi.

5 Dąbrowa, nocnej napojona rosy,
Ogołocone z drzew rozwija włosy,
Słowik w selinach, gdy zorza zakwita,
Gardłeczkiem ranem młodą wiosnę wita;

Już i zezula w głośnym gaju huka,
10 Z radości skóra na drzewach się puka,
Same fijołki głowy wynarzają
Z ziemie, a na dni piękne poglądają.

A któż, podobny do martwych kamieni,
Kłopotów w piękną radość nie odmieni,
15 Zwłaszcza tej chwili, gdy same godziny
Niosą wdzięcznego wesela przyczyny?

A tak przybywaj co prędzej, mój luby!
Bowiem dla ciebie samego me śluby
Chowam gotowe; oprócz ciebie zasię
20 Nie mam wesela w naweselszym czasie.

LICYDYNA. **1.** *rówiennica, e,* now *rówieśnica* – person of the same age. **3.** *potkała,* from *potkać,* now *spotkać* – to meet, happen. **5.** *naprzedniejszy,* superl. of *przedni* – excellent, first-rate; *statek,* here *mienie, majątek* – property, fortune. **6.** *pół roka* – now *pół roku.* **7.** *nie był nikt* – *nie było nikogo; czasu* – *w czasie.* **9.** *przecie, przecież* – however; *nie dawać winy* = *nie winić* – not to accuse, blame. **14.** *moję stratę* – now *moją stratę* (*zgubę* – loss, see line 7). **17.** *połowica* = *połowa; szkoda* refers to *strata, zguba* (*serca*). **18.** *na czem mało-li ma* = *jeżeli mało mu tego* – if this is not enough for him. **19.** *przestać* or *poprzestać na czem* – to be satisfied with. **21.** *zbyć, stracić* – to lose; *dusze* – old genet., now *duszy;* **23.** *nagani,* from *ganić,* – to blame, censure. **24.** *białejgłowie,* from *białagłowa* (*białogłowa*) – woman (from white kerchiefs worn by women).

CYCERYNA. **2.** *godził,* from *godzić,* here *zamierzać* – to intend. **5.** *nędznica,* from *nędza* – misery; here, a wretch. **9.** *niebaczenie* = *nieuwaga, zapomnienie* – disregard, forgetfulness. **10.** *przyczytać* – now *przypisać* – to ascribe. **11.** *chwile* – old genet., now *chwili.* **14.** *nastać, nastąpić* – to appear, come. **15.** *zoczyć* = *zobaczyć, ujrzeć.* **17.** *cisnął* – from *ciskać, rzucać.* **20.** *lutniej* – now *lutni* (gen. sing.). **21.** *zmierzchem* – *od zmierzchu.* **22.** *słyszecieś mi dawał* – *dawałeś mi słyszeć.* **24.** *lekuchno* – dimin. of *lekko.* **26.** *tesknic* – gen. plur. of *tesknica,* now *tęsknica.* **29.** *godzina młoda* – *wiek młody.* **30.** *prędziuchno,* dimin. of *prędko* – very quickly. **31.** *przeto* = *dlatego że, ponieważ.* **33.** *łaskawej,* refers to *nocy* – kind, restful. **34.** *zakusisz,* from *zakusić* (*zakąsić*), here *zakosztować* – to taste.

PAWENCJA. **1.** *siestrzyca* – now *siostrzyca, siostra.* **3.** *do roże* – old genet. of *roża,* now *róża* (rose), *do róży.* **4.** *ciernie,* old neutr., now *cierń* (masc.) – thorn; *bodzie,* from *bodzić* – to prod, prick. **6.** *zakuszać* – see *Cyceryna,* note 34. **7.** *kwiata* – old genet. now *kwiatu.* **9.** *synie* – old vocat. now *synu.* **13.** *sztuczny* – now, artificial; here, *pełen sztuk* – artful, wily; *kozaku* – imp.; scamp, rascal (not necessarily a Cossack); *sajdak* – quiver. **14.** *znienagła, znienacka* – unexpectedly, all of a sudden. **15.** *razem* – instr. of *raz, cios* – blow, thrust.

BOHYMNJA. **1.** *dotknione,* from *dotknąć* – to touch, now *dotknięte.* **2.** *wrony, e* – from *wrona* (crow) – dark gray. **4.** *kamięga,i,* or *komiega* – a grain barge. **5.** *dąbrowa,* from *dąb* – oak wood; *nocnej napojona rosy* – now *nocną napojona rosą; napojona* from *poić, napajać, napawać* – to quench, drench, soak. **7.** *w selinach,* from *selina, szelina* – copse, now *gaj.* **9.** *zezula* or *zazula, kukułka* – cuckoo. **10.** *się puka,* from *pukać,* now *pękać* – to burst. **11.** *wynarzają* – from *wynarzać,* now *wynurzać* – to emerge. **12.** *z ziemie* – now *z ziemi.* **16.** *wesele* – *radość.* **18.** *śluby* – vows. **19.** *zasię* = *jednak.*

Wacław Potocki (1625–1696)

Wacław Potocki is the most representative poet of the second half of the century and of the changed character of Polish literature. He was an ardent Unitarian, but at the same time a typical "Sarmatian," attached to the Polish past and the Polish way of life. His great native talent was not shaped by the Renaissance and classicism and is therefore the more original and interesting in both its achievements and failures. He wrote a great deal (about 300,000 lines) and in various fields: religious poems, tales in verse, long historical epic poems (including *Wojna chocimska* [The Battle of Chocim], finished in 1670 but not published until 1850), as well as anecdotes and stories collected in two immense volumes, *Moralia* and *Ogród* (abbreviated titles), containing more than 100,000 lines; it is here that Potocki's talent in depicting old Polish life reached its summit.

W KOŚCIELE GWIZDAĆ

"Łżesz! – chłopu w karczmie rzekł chłop. A na tejże ławie
Siedząc, ksiądz: "Azaż to mówią tak plugawie?
"Jakoż, kiedy nieprawda, tylko – rzecze – gwiźni!
Tak wszetecznych słów słuchać nie powinien bliźni!"
5 Wrychle potem ksiądz kazał: "Kiedy Pan Bóg z błota
Stworzył człeka zdrowego, postawił u płota,
Żeby usechł; jako się chytry szatan skradzie,
Ospy, odry i różnych wrzodów weń nakładzie".
A tu chłop, znający się na tej robociznie,
10 W ławce siedząc z drugimi, co ma pary gwiźnie.
Tu ksiądz: "Cóż? Czy nieprawda?" – "Tylko, ojcze, rzekę,
Kiedy chłopa nie było, któż grodził pasiekę?"
Stąd-ci miejsce przypowieść staroświecka ściele:
Dajże pokój, nauczę gwizdać cię w kościele!

GOLONO, STRZYŻONO

Idący gdzieś mąż z żoną po ławie przez wodę,
Ujrzą chłopa bez brody, co ongi miał brodę.
"Ba, wej, jak się nasz sąsiad wygolił" – mąż powie,
A żona: "Wżdyć to ostrzygł, oto znać po głowie!"
5 Znowu ten: "Ba, ogolił". Owa: "Ostrzygł" – rzecze.

Tak długo między nimi było owej sprzecze,
Aż z słowa przyszło do rąk, aż ją zepchnął z ławy.
Już tonie, już się baba napiła Rudawy,
Już i z głową pod wodą baba łowi śliże,
10 Przecie palcami, rękę ukazawszy, strzyże.

Gdy się o tej sąsiedzi dowiedzą przygodzie,
Bieżą na dziw, a widząc, że przeciwko wodzie
Mąż jej szuka, a ci w śmiech. On też rzecze: "Szkoda
Dziwić się: wszystko, prawda, na dół niesie woda,
15 Lecz niewiasta, tak sprzeczna we wszystkiem z natury,
I po śmierci, rozumiem, płynęła do góry".

NIENADANA CEREMONJA

Spragnąwszy król Kazimierz, goniąc zwierza w boru,
Wstąpił do szlacheckiego chcąc się napić dworu.
Rad był szlachcic ubogi, że go Pan nawiedził,
Skoro z bębna ostatek piwa w szkleńcę scedził,
5 Przyniesie mu do konia. A król: "Pijcież! – mówi –
"Wszak zawsze kredensować należy królowi".
Skosztowawszy, ów znowu z ukłonem mu poda.
"Wypijcie do dna – rzecze – tak niesie ta moda".
Wypił ów do kropelki. "Każcież nalać teraz!"
10 Szlachcic, złożywszy ręce: "Przysiągłbym i nie raz,
Choćby pod sercem było, choćby szczerozłote,
Dałbym, gdybym miał; widzisz wszak moję ochotę".
Śmieją się wszyscy, a król, zostawszy na koszu:
"Nie trzebaż ceremoniej zażywać w Mazowszu".

RAJ ZE ŚWIATEM

Dla nieposłuszeństwa Bóg człeka z raju żenie,
Żeby z pługu i z brony miał swe pożywienie,

Żeby żył w pocie czoła, ta grzechu zapłata.
Prawdziwiebym ja za raj nie frymarczył świata,

5 Gdzie tylko jabłka, gruszki, śliwy jedli z sadu,
Ustawne bez wieczerzy wety i obiadu.

Bo niech kto na ślacheckie pojźry dziś bankiety:
Przy wszelkich zwierzyn mięsie – też frukty, też wety.

Ja w warcaby albo gram w karty na pokoju,
10 A chłopek na mnie robi do trzeciego znoju;

Robi z dziećmi i z żoną, przymierając głodu,
Robi od wschodu słońca aże do zachodu;

Robi zbity: leż, panie ni-ocz się nie staraj.
A któżby głupi za świat frymarczył się na raj?
15 Gdyby mi jeszcze niebo chłop wyrobił potem,
Wykupiłbym się z raju jako z galer – złotem.

From WOJNA CHOCIMSKA

INWOKACJA

Wprzód, niżli sarmackiego Marsa krwawe dzieje
Potomnym wiekom Muza na papier wyleje,
Niż durnego Turczyna propozyt szkarady
Pisać poczne w pamiętne Polakom przykłady,
5 Który z nimi zuchwale mir zrzuciwszy stary,
Chciał ich przykryć haraczem z Węgry i Bułgary, –
Boże, którego nieba, ziemie, morza chwalą,
Co tak mdłem piórem, jako władniesz groźną stalą,
Co się mścisz nad ostatnim domu tego węgłem,
10 Gdzie kto usty przysięga sercem nieprzysięgłem –
Ciebie proszę, abyś to, co ku Twojej wdzięce
W tem królestwie śmiertelne chcą wspominać ręce,
Szczęścić raczył! Boć to jest dzieło Twej prawice –
Hardych tyranów dumy wywracać na nice,
15 Mieszać pysznych i z błotem górne równać myśli
Przez tych, którzy swą siłą od Ciebie zawiśli!

W KOŚCIELE GWIZDAĆ. **2.** *Azaż* = *czyż; plugawie*, from *plugawy* – foul. **3.** *gwiźni*, old imper. of *gwiznąć* – to whistle. **4.** *wszeteczny* – indecent, obscene. **5.** *Wrychle*, now *rychło*, *szybko* – quickly; *wrychle potem* – shortly afterwards; *kazał*, from *kazać*, *mieć kazanie* – to preach. **7.** *usechł*, now rather *wysechł*, from *wyschnąć* to dry; *skradzie się*, now *skradnie się*, from *skradać się* – to sneak, steal. **9.** *robocizna* = *robota*. **10.** *para* – steam, breath, hence *co ma pary*, with all his breath (force). **12.** *grodził* from *grodzić*, *ogrodzić* – to fence; *pasieka* – apiary. **13.** *ściele* – from *ścielić*, *słać* – to spread; (*przypowieść*) *miejsce ściele* – the saying originates.

GOLONO, STRZYŻONO. (*golono*, *strzyżono* – was it shaved, was it sheared). **1.** *ława*, now *kładka* – foot bridge. **2.** *ongi*, *niegdyś*, *kiedyś* – once. **3.** *ba*, *wej* – exclamation; approximately, look! **4.** *wżdyć*, *wżdy* – *przecież*. **6.** *sprzecze* – gen. of *sprzecza*, now *sprzeczka*, *sprzeczki*. **8.** *Rudawa* – name of a river. **9.** *śliż*, *e* or *płotka*, *i* – a small fish: bleak or loach. **10.** *strzyże*, from *strzyc* – to shear. **12.** *bieżą na dziw* – *bieżą*, now *biegną; dziw*, *dziwowisko* – spectacle.

NIENADANA CEREMONJA. (*nienadana ceremonja* – unsuccessful ceremony). **1.** *spragnąwszy*, past. part. of *spragnąć*, *mieć pragnienie* – to be thirsty; *w boru*, or *w borze*, loc. of *bór* – forest. **3.** *nawiedzić*, now *odwiedzić* – to visit. **4.** *bęben* – drum, here, cask; *w szkleńcę* – from *szkleńca*, *szklenica* (*szklanica*) – big glass;

scedzić – to strain. **6.** *kredensować*, from *kredens* – sideboard, pantry; hence, to act as pantler, i.e., to taste first the king's drink. **8.** *moda niesie* = *moda każe* – as fashion demands. **11.** *pod sercem* – from the bottom of the heart. **12.** *ochota*, here *chęć* – wish, desire; **13.** *zostać na koszu* – idiom. equivalent of, to be left high and dry. **14.** *ceremoniej* – old gen. of *ceremonja*, now *ceremonji; zażywać* = *robić ceremonje* – to stand on ceremony.

RAJ ZE ŚWIATEM. **1.** *żenie*, from old *żenąć*, *gnać pędzić* – to expel, exile. **2.** *brona* – harrow. **4.** *frymarczyć* – *handlować*, *sprzedawać;* the meaning of the sentence is, I would not barter this world for paradise. **6.** *ustawne* = *nieustanne; wety* – dessert. **7.** *pojźry* or *pojźrzy* – older forms for *spojrzy.* **9.** *warcaby* – draughts. **10.** *robi* = *pracuje; do trzeciego znoju* – idiom. literally he worked up a sweat three times (see *trójpot*, Szymonowicz, *Żeńcy*, 30) – he worked sweating like a pig. **11.** *przymierając głodu* or *głodem* – dying of hunger. **12.** *aże* = *aż.* **13.** *ni-ocz* – older form for *o nic.* **15.** *potem* – here ablat. of *pot* – sweat. **16.** *wykupić się* – to buy oneself off; *galera* – galley.

INWOKACJA. **1.** *sarmacki Mars* – the Sarmatian (old Polish) god of war. **3.** *durny*, here *hardy*, *zuchwały* – foolhardy; *propozyt*, now *zamiar* – intention; *szkarady*, adj. now *szkaradny* – hideous. **5.** *mir* = *pokój* – peace. **6.** *haracz* – tribute. **8.** *mdłe* = *słabe*, *nieudolne* – feable, inadequate. **9.** *węgieł* – corner of a house. **10.** *kto ... przysięga sercem nieprzysięgłem* = *kto krzywoprzysięga; krzywoprzysięgać* – to perjure oneself. **11.** *wdzięce* – from *wdzięka*, *wdzięczność*, *podziękowanie*, gratitude or *ozdoba*, *chluba*, glory; the probable meaning of the sentence is, I beseech Thee to bless with success that which for the sake of Thy glory, in this here kingdom (Poland) (my) mortal hands want to evoke. **13.** *prawice* – old genet. sing., now *prawicy.* **14.** *wywracać na nice* – to bring to naught.

Andrzej Morsztyn (c. 1613–1693)

One of the "Europeans" in Polish literature of this epoch, an admirer of French and Italian poetry, Andrzej Morsztyn is the author of a good translation of Corneille's *Le Cid* and a number of short poems, mostly love poems, that were published in two collections: *Kanikuła albo psia gwiazda* (Canicula, or The Dog Star [that is, Sirius], 1647), and *Lutnia* (Lute, 1661). Here he is a faithful disciple of the Italian Baroque poet Marino, employing with unusual skill such devices as bold, glaring comparisons, metaphors, and contrasts, and a highly refined language and versification.

DO TRUPA

Leżysz zabity – i ja też zabity,
Ty – strzałą śmierci, ja – strzałą miłości,
Ty krwie – ja w sobie nie mam rumianości,
Ty – jawne świece, ja mam płomień skryty,

5 Tyś na twarzy suknem żałobnem nakryty,
Jam zawarł zmysły w okropnej ciemności,
Ty masz związane ręce – ja, wolności
Zbywszy, mam rozum łańcuchem powity.

Ty jednak milczysz, a mój rozum kwili,
10 Ty nic nie czujesz – ja cierpię ból srodze,
Ty – jak lód, a jam w piekielnej śrzeżodze.

Ty się rozsypiesz prochem w małej chwili,
Ja się nie mogę, stawszy się żywiołem
Wiecznych mych ogniów, rozsypać popiołem.

NIESTATEK

Prędzej kto wiatr w wór zamknie, prędzej i promieni
Słonecznych drobne kęski wżenie do kieszeni,
Prędzej morze burzliwe prośbą uspokoi,
Prędzej zamknie w garść świat ten, tak wielki, jak stoi,
5 Prędzej płacząc nad Etną, łzami ją zaleje,
Prędzej niemy zaśpiewa, a ten, co szaleje,
Co mądrego przemówi – prędzej stała będzie
Fortuna i śmierć z śmiechem w jednym domu siędzie;
Prędzej poeta prawdę powie, niż sen płonny,
10 Prędzej i aniołowi płacz nie będzie plonny,

Prędzej słońce na nocleg skryje się w jaskini,
W więzieniu będzie pokój – ludzie na pustyni,
Prędzej nam zginie rozum i ustaną słowa, –
Niźli będzie stateczną która białogłowa.

DO PANNY

Twarde z wielkim żelazo topione kłopotem,
Twardy dyjament żadnym nie użyty młotem,
Twardy dąb kiedy wiekiem starym skamieniały,
Twarde skały na morskie nie dbające wały;
5 Twardszaś ty, panno, której łzy me nie złamały,
Nad żelazo, dyjament, twardy dąb i skały.

CUDA MIŁOŚCI

Karmię frasunkiem miłość i myśleniem,
Myśl zaś pamięcią i pożądliwością,
Żądzę nadzieją karmię i gładkością,
Nadzieję bajką i próżnem błądzeniem.

5 Napawam serce pychą z omamieniem,
Pychę zmyślonem weselem z śmiałością,
Śmiałość szaleństwem pasę z wyniosłością,
Szaleństwo gniewem i złem zajątrzeniem.

Karmię frasunek płaczem i wzdychaniem,
10 Wzdychanie ogniem, ogień wiatrem prawie,
Wiatr zasię cieniem, a cień oszukaniem!

Kto kiedy słychał o takowej sprawie,
Że i z tem o głód cudzy się staraniem
Sam przy tej wszytkiej głód ponoszę strawie.

ODJAZD

Jadę precz, lecz bez siebie, bo bez ciebie; z sobą
Obaczę się, kiedyć się stawię swą osobą;

Jadę, lecz połowicą; a druga zostaje
Przy tobie; ten mię odjazd na dwie sztuce kraje.

5 Jadę i mniejszą siebie część biorę, mdłe ciało;
Przy tobie lepsza, serce i z duszą zostało.

Jadę tak rozdwojony i w kupie nie będę,
Póki do ciebie po część drugą nie przybędę;

Wtenczas skupiony wszytek w kompaniją miłą,
10 Całyć już służyć będę i zupełną siłą.

DO (SWEJ PANNY)

Oczy twe nie są oczy, ale słońca jaśnie
Świecące, w których blasku każdy rozum gaśnie;

Usta twe nie są usta, lecz koral rumiany,
Których farbą każdy zmysł zostaje związany;

5 Piersi twe nie są piersi, lecz z nieba surowy
Kształt, który wolą naszę zabiera w okowy;

Tak oczy, piersi, usta, rozum, zmysł i wolą,
Blaskiem, farbą i kształtem, ćmią, wiążą, niewolą.

DO TRUPA. **3.** *krwie* – old gen. of *krew*, now *krwi; rumianość*, from *rumiany* – ruddy, reddish. **8.** *zbywszy*, from *zbyć, stracić; powity*, from *powić spowić* – to swathe, swaddle. **9.** *kwilić* – to whimper. **10.** *srodze*, adv. from *srogi* – fierce. **11.** *śrzeżoga* = *mgła, wilgoć, gołoledź, szron* – mist, humidity, sleet, hoarfrost; *piekielna śrzeżoga* is probably a deliberately used paradoxical contrast.

NIESTATEK. **2.** *wżenie*, 3rd pers. sing. of *wegnać* – to drive in, now *wegna.* **5.** *Etna* – a volcano in Sicily. **7.** *przemówi* = *powie.* **10.** *plonny*, from *plon* – crop, here, fruitful. **14.** *stateczna* – staid, sober-minded.

DO PANNY. **2.** *nie użyty* = *nie dający się użyć*, here *nie dający się rozbić* (to break). **4.** *wały* = *fale, bałwany* – waves, breakers.

CUDA MIŁOŚCI. **2.** *pożądliwość* = *pożądanie* – desire. **3.** *gładkość* = *piękność.* **5.** *omamienie*, from *omamiać, omamić*, to delude – delusion, deceit. **7.** *pasę* – 1st pers. praes. sing. of *pasać, paść* – to pasture, graze. **8.** *zajątrzenie*, from *jątrzyć* – to fester, irritate. **10.** *prawie* = *prawdziwie.* **12.** *słychał*, from *słychać*, now *słyszał; takowy, a, e* = *taki, a, ie.*

ODJAZD. **2.** *obaczyć się* = *zobaczyć się.* **4.** *dwie sztuce* – dualis of *sztuka*, piece, now *dwie sztuki, części.* **7.** *w kupie*, from *kupa*; here, whole. **9.** *w kompaniją* – old accus. now *w kompanję.* **10.** *całyć* = *cały ci.*

DO (SWEJ PANNY). **1.** *jaśnie* – now *jasno.* **6.** *naszę* – now *naszą; okowy* – fetters. **8.** *ćmią*, from *ćmić* – to obscure; here, to dazzle; *wiążą*, from *wiązać* to bind; *niewolą*, from *niewolić* – to compel, captivate.

THE EIGHTEENTH CENTURY

THE FIRST HALF of the eighteenth century brought a deterioration of the political situation. The kings of the Saxon dynasty (Augustus II and Augustus III) were primarily concerned with their own dynastic interests, and entangled Poland in ruinous wars with Sweden and in the Seven Years' War. Foreign powers (Sweden and Russia in alliance with Prussia) decided the election of Polish kings, and foreign armies behaved in Poland as if the country were their own. The people were apathetic, the Diet almost ceased to function, the treasury was empty, and the towns, trade, and industry were in a state of decline.

However, as always in Poland's earlier and later history, calamities and misfortunes aroused the nation to a realization of danger and released new forces to struggle for the rescue of the state. The second half of the century (the reign of the last king of Poland, Stanisław Augustus Poniatowski) was a period of impressive and speedy renascence in all fields. A number of outstanding statesmen took up the work of reform, the government carried through a reorganization of the administration, treasury, and army and the development of cities and industry. The Educational Commission (Department of Education) secularized the schools, which before that time had been in the hands of religious orders, and put them under state supervision; the Commission also reformed the universities of Cracow and Wilno, trained new teachers, and prepared new textbooks. The so-called Four-Year Diet (1788–1792), then in permanent session, expanded the reforms and worked on a basic reconstruction of the state.

The new Constitution, adopted on May 3, 1791, was modeled on the French and American constitutions. It made Poland a modern, parliamentary, democratic state, with separate legislative, executive, and judiciary powers; it granted equal rights to the burghers, and took the peasants under the protection of the state. During these thirty years (1765–1795) conditions in Poland underwent a complete change for the better, and only a further period of peace was needed for complete recovery.

However, the rehabilitation of Poland was not to the interest of its three neighboring powers, Russia, Prussia, and Austria, which had long greedily eyed Polish territories. The policy of these powers, together with Poland's weakness—a result of the Saxon period—brought about the first partition of Poland in 1772. Despite the loss of considerable territory in the east, west, and south, the Polish government and people dit not relax their efforts toward reform. The Constitution of May 3 was eloquent proof of this, but at the same time it was a declaration to the partitioning powers that Poland would be able to maintain herself even within reduced boundaries.

Tsarist Russia at once seized upon a tried method of breaking up Poland from within. At her instigation, and with her money, the Confederation of Targowica was formed, composed of traitors among Polish magnates and misled gentry. The adherents of Targowica asked Russia to intervene in defense of the „liberties" of the gentry, which they conceived to be endangered by the liberal Constitution. Russia sent an army against Poland. The brief campaign of 1792 followed; unfortunately the still weak Polish forces were defeated.

In 1793 the second partition of Poland took place. A reaction to it was the Kościuszko insurrection in 1794, which, however, despite some splendid Polish victories, ended in defeat. Now nothing could prevent the final partition. This occured in 1795 and ended the existence of the old commonwealth.

Polish literature of this century may be divided into two periods. During the Saxon period, intellectual life could obviously not be of a high level. Nevertheless, some outstanding names may be mentioned. Among them were Kasper Niesiecki, author of a four-volume work, *Korona polska* (The Polish Crown), the most comprehensive book on old Polish heraldry; Andrzej Załuski, bibliographer and editor, founder of a large and valuable library (300,000 printed works, 10,000 manuscripts); Wacław Rzewuski, author of tragedies and comedies on the model of Corneille and Molière; and finally, Elżbieta Drużbacka, the first distinguished Polish woman writer. However, the most eminent writer of the period was Father Stanisław Konarski (see below).

Along with the general Polish renascence during the reign of Stanisław August, literature flourished for a period comparable to that of the sixteenth century. A long line of prominent poets, prose writers, and scholars appeared. Literature returned to the classical tradition under the influence of French literature of the seventeenth and eighteenth centuries and reached a high level. Intellectual life was imbued with the spirit of rationalism, enlightenment, liberalism, and progress, in a word, with a modern Western European spirit.

Ignacy Krasicki (1735–1801)

Ignacy Krasicki, a descendant of an aristocratic family, a bishop at the age of thirty-two, subsequently archbishop of Gniezno, is the most representative figure of Polish poetry and mentality of the period of Enlightment. He had received a thorough education and displayed broad literary and scientific interests, moderation and common sense, calm and equanimity. His conception of life was moderately rationalistic, without extremes, colored with humor, irony, and indulgence for human foibles. His poetry was molded by ancient literature and French classicism. It is distinguished by clarity and purity of language, elegance of style, compactness of structure, magnificent mastery of verse. His fables and satires are considered his masterpieces. In his *Bajki i przypowieści* (Fables and Parables, 1779) he followed the model of Phaedrus rather than of La Fontaine, adapting age-old fable motifs in a brief and concise manner, grasping problems in their very essence, sketching the characters with a few basic strokes; some of his fables do not exceed four lines. There are also longer ones in which the poet devotes more space to the delineation of characters and description of events. *Satyry* (Satires), the first part of which appeared in 1779, are longer poems full of excellent types and pictures of human life ironically and humorously drawn with the sure hand of a brilliant observer. In accordance with the spirit of the age they combine entertaining and didactic elements. The mock-heroic poem *Myszeis* (The Mousiad, 1775), which describes the war of mice with the cats in the style of Ariosto and of eighteenth-century parodies, seems to have been written almost solely for entertainment. More didactic elements are contained in *Monachomachja* (War of the Monks, 1778) though here too the satirical humorous element is preponderant, criticizing the idleness, drunkenness, and ignorance of monks; this poem was also in keeping with the spirit of the age, however unusual in having been written by a bishop of the Catholic church.

Among Krasicki's prose works, *Mikołaja Doświadczyńskiego przypadki* (The Adventures of Nicolas Doświadczyński, 1776) is the most important. It is the first modern Polish novel, combining the novel of manners and adventures with Utopian elements. His second novel, *Pan Podstoli* (The Pantler, 1778) is rather a socio-moral treatise. Of interest is an attempt at a historiosophical novel, *Historja na dwie księgi podzielona* (History Divided in Two Books, 1778), whose hero is "reborn" successively in various centuries and nations, a device which gives the author the opportunity to characterize various civilizations, from ancient to modern ones. Some elements of this novel are taken from Swift's *Gulliver*.

In addition Krasicki was the author of short tales, the epic poem *Wojna Chocimska* (The Chocim War), a translation of the Poems of Ossian, a number of comedies, poetic epistles, and so on.

From BAJKI

WSTĘP DO BAJEK

Był młody, który życie wstrzemięźliwie pędził;
Był stary, który nigdy nie łajał, nie zrzędził;
Był bogacz, który zbiorów potrzebnym udzielał;
Był autor, co się z cudzej sławy rozweselał;

5 Był celnik, który nie kradł, szewc, który nie pijał;
Żołnierz, co się nie chwalił, łotr, co nie rozbijał;
Był minister rzetelny, o sobie nie myślał;
Był nakoniec poeta, co nigdy nie zmyślał;
A cóż to jest za bajka? Wszystko to być może!
10 Prawda! jednakże ja to między bajki włożę...

JAGNIĘ I WILCY

Zawżdy znajdzie przyczynę, kto zdobyczy pragnie.
Dwóch wilków jedno w lesie nadybali jagnię;
Już go mieli rozerwać. Rzekło: "Jakiem prawem?"
– "Smacznyś, słaby i w lesie!" Zjedli niezabawem.

PAN I PIES

Pies szczekał na złodzieja, całą noc się trudził:
Obili go nazajutrz, że Pana obudził.
Spał smaczno drugiej nocy, złodzieja nie czekał;
Ten dom okradł: psa obili za to, że nie szczekał.

PRZYJACIELE

"Uciekam się – rzekł Damon – Aryście, do ciebie,
"Ratuj mnie przyjacielu w ostatniej potrzebie!
"Kocham piękną Irenę! Rodzice i ona
"Jeszcze na moje prośby nie jest nakłoniona".
5 Aryst na to: "Wiesz dobrze, wybrany wśród wielu,
"Jak tobie z duszy sprzyjam, miły przyjacielu:
"Pójdę do nich za tobą". Jakoż się nie lenił:
Poszedł, poznał Irenę i – sam się ożenił.

DEWOTKA

Dewotce służebnica w czemsiś przewiniła
Właśnie natenczas, kiedy pacierze kończyła.
Obróciwszy się przeto z gniewem do dziewczyny,
Mówiąc właśnie te słowa: "I odpuść nam winy,
5 "Jako i my odpuszczamy" – biła bez litości,
Uchowaj, Panie Boże, takiej pobożności.

CHŁOP I CIELĘ

Nie sztuka zabić – dobrze zabić sztuka:
Z bajki nauka.
Szedł chłop na jarmark, ciągnąc cielę na powrozie.
W lesie, w wąwozie,

5 W nocy burza napadła, a gdy wiatry świszczą,
Wśród ciemności postrzegł wilka – po oczach, co błyszczą.
Więc do pałki! Jak jął machać, nie myślawszy wiele,
Zamiast wilka, który uciekł, zabił swoje ciele.
Trafia się to i nie w lesie, panowie doktorzy!
10 Leki – pałka, wilk – choroba, a cielęta – chorzy.

SZCZUR I KOT

"Mnie to kadzą" – rzekł hardzie do swego rodzeństwa
Siedząc szczur na ołtarzu podczas nabożeństwa.
Wtem, gdy się dymem kadzidł zbytecznych zakrztusił,
Wpadł kot z boku na niego, porwał i udusił.

PTASZKI W KLATCE

"Czego płaczesz? – staremu mówił czyżyk młody –
Masz teraz lepsze w klatce, niż w polu, wygody".
"Tyś w niej zrodzon, – rzekł stary, – przeto ci wybaczę;
Jam był wolny, dziś w klatce, i dlatego płaczę".

WILK POKUTUJĄCY

Wilka wziąły skrupuły. Wiódł łotrowskie życie,
Więc ażeby pokutę zacząć należycie,
Zrzekł się mięsa. Jarzyną żyjąc przez dni kilka,
Znalazł na polowaniu znajomego wilka;
5 Trzeba pomóc bliźniemu; za pracę usłużną
Zjadł kawał mięsa: gardzić nie można jałmużną.
Spotkał jagnię nazajutrz samopas idący,
Chciał upomnieć, nastraszyć, zabił je niechcący.
Nazajutrz widząc cielę, że z krową nie chodzi,
10 Zabił je: takich grzechów cierpieć się nie godzi.
Nazajutrz, gdy się pasły z krowami pospołu,
Niech się dłużej nie męczy, zjadł starego wołu.
I tak cierpiąc przykładnie z dóbr świata wyzucie,
Chudy, gdy był grzesznikiem, utył na pokucie.

CZAPLA, RYBY I RAK

Czapla stara, jak to bywa,
Trochę ślepa, trochę krzywa,
Gdy już ryb łowić nie mogła,
Na taki się koncept wzmogła.

5 Rzekła rybom: "Wy nie wiecie,
A tu o was idzie przecie".
Więc wiedzieć chciały,
Czego się obawiać miały.
"Wczora
10 Z wieczora
Wysłuchałam, jak rybacy
Rozmawiali, wiele pracy
Łowić wędką lub więcierzem:
"Spuśćmy staw, wszystkie zabierzem,
15 Nie będą mieć otuchy,
Skoro staw będzie suchy".
Ryby w płacz, a czapla na to:
"Boleję nad waszą stratą,
Lecz można złemu zaradzić
20 I gdzie indziej was osadzić;
Jest tu drugi staw blisko,
Tam obierzcie siedlisko.
Chociaż pierwszy wysuszą,
Z drugiego was nie ruszą"
25 "Więc nas przenieś" – rzekły ryby.
Wzdrygała się czapla niby;
Dała się nakoniec użyć,
Zaczęła służyć.
Brała jednę po drugiej w pysk, niby nieść mając,
30 I tak pomału zjadając,
Zachciało się nakoniec skosztować i raki.
Jeden z nich, widząc iż go czapla niesie w krzaki,
Postrzegł zdradę, o zemstę zaraz się pokusił.
Tak dobrze za kark ujął, iż czaplę udusił.
35 Padła nieżywa:
Tak zdrajcom bywa.

From SATYRY

PIJAŃSTWO

"Skąd idziesz?". – "Ledwo chodzę". – "Słabyś?". – "I jak jeszcze,
Wszak wiesz, że się ja nigdy zbytecznie nie pieszczę,
Ale mi zbyt dokucza ból głowy okrutny".
– "Pewnieś wczoraj był wesół, dlategoś dziś smutny.
5 Przejdzie ból, powiedzże mi, proszę, jak to było?
Po smacznym, mówią, kąsku i wodę pić miło".

– "Oj, nie miło, mój bracie! Bogdaj z tem przysłowiem
Przepadł, co go wymyślił; jak było, opowiem.
Upiłem się onegdaj dla imienin żony,
10 Nie żal mi tego było. Dzień ten obchodzony
Musiał być uroczyście. Dobrego sąsiada
Nieźle czasem podpoić, jejmość była rada,
Wina mieliśmy dosyć, a że dobre było,
Cieszyliśmy się pięknie i nieźle się piło:
15 Trwała uczta do świtu. W południe się budzę,
Ciężу głowa jak ołów, krztuszę się i nudzę;
Jejmość radzi herbatę, lecz to trunek mdlący.
Jakoś koło apteczki przeszedłem niechcący,
Hanyżek mnie zaleciał, trochę nie zawadzi;
20 Napiłem się więc trochę, aczej to poradzi,
Nudno przecie, ja znowu, już mi raźniej było,
Wtem dwóch z uczty wczorajszej kompanów przybyło.
Jakże nie poczęstować, gdy kto w dom przychodzi?
Jak częstować, a nie pić? I to się nie godzi;
25 Więc ja znowu do wódki, wypiłem niechcący;
Omne trinum perfectum, choć trunek gorący,
Dobry jest na żołądek. Jakoż w punkcie zdrowy,
Ustały i nudności, ustał i ból głowy.
Zdrów i wesół wychodzę z moimi kompany,
30 Wtem obiad zastaliśmy już przygotowany.
Siadamy. Chwali trzeźwość pan Jędrzej, my za nim,
Bogdaj to wstrzemięźliwość, pijatykę ganim,
A tymczasem butelka nie tykana stoi.
Pan Wojciech, co się bardzo niestrawności boi,
35 Po szynce, cośmy jedli, trochę wina radzi,
Kieliszek jeden, drugi zdrowiu nie zawadzi,
A zwłaszcza kiedy wino wytrawione, czyste.
Przystajem na takowe prawdy oczywiste.
Idą zatem dyskursa tonem statystycznym
40 O miłości ojczyzny, o dobru publiczném,
O wspaniałych projektach, mężnym animuszu;
Kopiem góry dla srebra i złota w Olkuszu,
Odbieramy Inflanty i państwa multańskie,
Liczymy owe sumy neapolitańskie,
45 Reformujemy państwo, wojny nowe zwodzim,
Tych bijem wstępnym bojem, z tamtymi się godzim.
A butelka nieznacznie jakoś się wysusza.
Przyszła druga; a gdy nas żarliwość porusza,

Pełni pociech że wszyscy przeciwnicy legli,
50 Trzeciej, czwartej i piątej aniśmy postrzegli.
Poszła szósta i siódma, za nimi dziesiąta,
Naówczas, gdy nas miłość ojczyzny zaprząta,
Pan Jędrzej, przypomniawszy żórawińskie klęski,
Nuż w płacz nad królem Janem. – "Król Jan był zwycięski!" –
55 Krzyczy Wojciech. – "Nieprawda!". – A pan Jędrzej płacze.
Ja, gdy ich chcę pogodzić i rzeczy tłumaczę,
Pan Wojciech mi przymówił: "Słyszysz waść" – mi rzecze.
– "Jak to waść! Nauczę cię rozumu, człowiecze".
On do mnie, ja do niego, rwiemy się zajadli,
60 Trzyma Jędrzej, na wrzaski służący przypadli,
Nie wiem, jak tam skończyli zwadę naszą wielką,
Ale to wiem i czuję, żem wziął w łeb butelką.
Bogdaj w piekło przepadło obrzydłe pijaństwo!
Cóż w nim? Tylko niezdrowie, zwady, grubijaństwo.
65 Oto profit: nudności i guzy i plastry".
– "Dobrze mówisz, podłej to zabawa hałastry,
Brzydzi się nim człek prawy jako rzeczą sprosną;
Z niego zwady, obmowy nieprzystojne rosną,
Pamięć się przez nie traci, rozumu użycie,
70 Zdrowie się nadwerężа i ukraca życie.
Patrz na człeka, którego ujęła moc trunku,
Człowiekiem jest z pozoru, lecz w zwierząt gatunku
Godzien się mieścić, kiedy rozsądek zaleje
I w kontr naturze postać bydlęcą przywdzieje.
75 Jeśli niebios zdarzenie wino ludziom dało
Na to, aby użyciem swoim orzeźwiało,
Użycie darów bożych powinno być w mierze.
Zawstydza pijanice nierozumne zwierzę,
Potępiają bydlęta niewstrzymałość naszą,
80 Trunkiem według potrzeby gdy pragnienie gaszą,
Nie biorą nad potrzebę; człek, co nimi gardzi,
Gorzej od nich gdy działa, podlejszy tem bardziej.
Mniejsza guzy i plastry, to zapłata zbrodni,
Większej kary, obelgi takowi są godni,
85 Co w dzikiem zaślepieniu występni i zdrożni,
Rozum, który człowieka od bydlęcia różni,
Śmią za lada przyczyną przytępiać lub tracić.
Jakiż zysk taką szkodę potrafi zapłacić?
Jaka korzyść tak wielką utratę nadgrodzi?
90 Zła to radość, mój bracie, po której żal chodzi.

Ci, co się na takowe nie udają zbytki,
Patrz, jakie swej trzeźwości odnoszą pożytki;
Zdrowie czerstwe, myśl u nich wesoła i wolna,
Moc i raźność niezwykła i do pracy zdolna,
95 Majętność w dobrym stanie, gospodarstwo rządne,
Dostatek na wydatki potrzebnie rozsądne:
Te są wstrzemięźliwości zaszczyty, pobudki,
Te są". – "Bądź zdrów". – "Gdzież idziesz?". – "Napiję się wódki".

ŻONA MODNA

"A ponieważ dostałeś coś tak drogo cenił,
Winszuję, panie Pietrze, żeś się już ożenił".
– "Bóg zapłać". – "Cóż to znaczy? Ozięble dziękujesz,
Alboż to szczęścia swego jeszcze nie pojmujesz?
5 Czylić się już sprzykrzyły małżeńskie ogniwa?".
– "Nie ze wszystkim; luboć to zazwyczaj tak bywa,
Pierwsze czasy cukrowe". – "Toś pewnie w goryczy?".
– "Jeszczeć". – "Bracie! trzymaj więc coś dostał w zdobyczy.
Trzymaj skromnie, cierpliwie, a milcz tak jak drudzy,
10 Co to swoich małżonek uniżeni słudzy,
Z tytułu ichmościowie, dla oka dobrani,
A jejmość tylko w domu rządczyna i pani.
Pewnie może i twoja?". – "Ma talenta śliczne,
Wziąłem po niej w posagu cztery wsie dziedziczne,
15 Piękna, grzeczna, rozumna". – "Tem lepiej". – "Tem gorzej,
Wszystko to na złe wyszło i zgubi mnie wsporzej;
Piękność, talent, wielkie są zaszczyty niewieście,
Cóż po tem, kiedy była wychowana w mieście".
– "Alboż to miasto psuje?". – "A któż wątpić może?
20 Bogdaj to żonka ze wsi!". – "A z miasta?". – "Broń Boże!
Źlem tuszył, skorom moją pierwszy raz obaczył;
Ale żem to, co postrzegł, na dobre tłumaczył,
Wdawszy się już, a nie chcąc dla damy ohydy,
Wiejski Tyrsis, wzdychałem do mojej Filidy.
25 Dziwne były jej gesta i misterne wdzięki,
A nim przyszło do ślubu i dania mi ręki,
Szliśmy drogą romansów, a czym się uśmiéchał,
Czym się skarżył, czy milczał, czy mówił, czy wzdychał,
Widziałem, żem niedobrze udawał aktora,
30 Modna Filis gardziła sercem domatora.
I ja byłbym nią wzgardził; ale punkt honoru,
A czego mi najbardziej żal, ponęta zbioru,

Owe wioski, co z memi graniczą, dziedziczne,
Te mnie zwiodły, wprawiły w te okowy śliczne.
35 Przyszło do intercyzy. Punkt pierwszy: że w mieście
Jejmość przy doskonałej francuskiej niewieście,
Co lepiej (bo Francuzka) potrafi ratować,
Będzie mieszkać, ilekroć trafi się chorować.
Punkt drugi: chociaż zdrowa, czas na wsi przesiedzi,
40 Co zima jednak miasto stołeczne odwiedzi.
Punkt trzeci: będzie miała swój ekwipaż własny.
Punkt czwarty: dom się najmie wygodny, nieciasny:
To jest apartamenta paradne dla gości,
Jeden z tyłu dla męża, z przodu dla jejmości.
45 Punkt piąty: "A broń Boże!" – zląkłem się. "A czego?
Trafia się – rzekli krewni, – że z zdania wspólnego,
Albo się węzeł przerwie, albo się rozłączy".
– "Jaki węzeł?". – "Małżeński". Rzekłem: "Ten śmierć kończy!".
Rozśmieli się z wieśniackiej przytomni prostoty;
50 I tak płacąc wolnością niewczesne zaloty,
Po zwyczajnych obrządkach, rzecz poprzedzających,
Jestem wpisany w bractwo braci żałujących.
Wyjeżdżamy do domu. Jejmość w złych humorach:
"Czem pojedziem?". – "Karetą". – "A nie na resorach?".
55 Daliż ja po resory. Szczęściem kasztelanic,
Co karetę angielską sprowadził z zagranic,
Zgrał się co do szeląga. Kupiłem. Czas siadać.
Jejmość słaba. Więc podróż musimy odkładać.
Zdrowsza jejmość, zajeżdża angielska karéta,
60 Siada jejmość, a przy niej suczka faworyta;
Kładą skrzynki, skrzyneczki, woreczki i paczki,
Te od wódek pachnących, tamte od tabaczki,
Niosą pudło kornetów, jakiś kosz na fanty;
W jednej klatce kanarek, co śpiewa kuranty,
65 W drugiej sroka; dla ptaków jedzenie w garnuszku,
Dalej kotka z kocięty i mysz na łańcuszku.
Chcę siadać, nie masz miejsca; żeby nie zwlec drogi,
Wziąłem klatkę pod pachę a suczkę na nogi.
Wyjeżdżamy szczęśliwie, jejmość siedzi smutna,
70 Ja milczę, sroka tylko wrzeszczy rezolutna.
Przerwała jejmość myśli: "Masz waćpan kucharza?"
– "Mam, moje serce!". – "A pfe! koncept z kalendarza,
"Moje serce!"; proszę się tych prostactw oduczyć".
Zamilkłem; trudno mówić, a dopieroż mruczyć.

75 Więc milczę. Jejmość znowu o kucharza pyta.
"Mam, mościa dobrodziejko". – "Masz waćpan stangréta?".
– "Wszak nas wiezie". – "To furman. Trzeba od parady
Mieć inszego. Kucharza dla jakiej sąsiady
Możesz waćpan ustąpić". – "Dobry". – "Skąd?". – "Poddany".
80 – "To musi być zapewne nieoszacowany.
Musi dobrze przypiekać recuszki, łazanki
Do gustu pani wojskiej, panny podstolanki,
Ustąp go waćpan, przyjmą pana Matyjasza,
Może go i ksiądz pleban użyć do kiermasza;
85 A pasztetnik?". – "Umiał-ci i pasztety robić".
– "Wierz mi waćpan, jeżeli mamy się sposobić
Do uczciwego życia, weźże ludzi zgodnych,
Kucharzy cudzoziemców, pasztetników modnych;
Trzeba i cukiernika. Serwis zwierciadlany
90 Masz waćpan i figurki piękne z porcelany?".
– "Nie mam". – "Jak to być może? Ale już rozumiem
I lubo jeszcze trybu wiejskiego nie umiem,
Domyślam się. Na wety zastawiają półki,
Tam w pięknych piramidach krajanki, gomółki,
95 Tatarskie ziele w cukrze, imbier chiński w miodzie,
Zaś ku większej pociesze razem i wygodzie
W ładunkach bibułowych kmin kandyzowany,
A na wierzchu toruński piernik pozłacany.
Szkoda mówić, to pięknie, wybornie i grzecznie,
100 Ale wybacz mi waćpan, że się stawię sprzecznie,
Jam nie godna tych parad, takiej wspaniałości".
Zmilczałem, wolno było żartować jejmości.
Wjeżdżamy już we wrota, spojrzała z karety:
"A pfe, mospanie! parkan, czemu nie sztakiety?".
105 Wysiadła, a z nią suczka i kotka i myszka;
Odepchnęła starego szafarza Franciszka,
Łzy mu w oczach stanęły, jam westchnął. W drzwi wchodzi.
"To nasz ksiądz pleban". – "Kłaniam". Zmarszczył się dobrodziej.
"Gdzie sala?". – "Tu jadamy". – "Kto widział tak jadać!
110 Mała izba, czterdziestu nie może tu siadać".
Aż się wezdrgnął Franciszek, skoro to wyrzekła,
A klucznica natychmiast ze strachu uciekła.
Jam został. Idziem dalej. "Tu pokój sypialny".
– "A pokój do bawienia?". – "Tam gdzie i jadalny".
115 – "To być nigdy nie może. A gabinet?". – "Dalej,
Ten będzie dla waćpani, a tu będziem spali".

– "Spali? Proszę, mospanie, do swoich pokojów.
Ja muszę mieć osobne od spania, od strojów,
Od książki, od muzyki, od zabaw prywatnych,
120 Dla panien pokojowych, dla służebnic płatnych.
A ogród?". – "Są kwatery z bukszpanu, ligustru".
– "Wyrzucić; nie potrzeba przydatniego lustru,
To niemczyzna. Niech będą z cyprysów gaiki,
Mruczące po kamyczkach gdzieniegdzie strumyki,
125 Tu kiosk, a tu meczecik, holenderskie wanny,
To domek pustelnika, tam kościół Dyjanny;
Wszystko jak od niechcenia, jakby od igraszki,
Belwederek maleńki, klateczki na ptaszki,
A tu słowik miłośnie szczebioce do ucha,
130 Synogarlica jęczy, a gołąbek grucha,
A ja sobie rozmyślam pomiędzy cyprysy
Nad nieszczęściem Pameli albo Heloisy"...
Uciekłem, jak się jejmość rozpoczęła zżymać,
Już też więcej nie mogłem tych bajek wytrzymać,
135 Uciekłem. Jejmość w rządy, pełno w domu wrzawy,
Trzy sztafety w tygodniu poszło do Warszawy;
W dwa tygodnie już domu i poznać nie można.
Jejmość, w planty obfita a w dziełach przemożna,
Z stołowej izby balki wyrzuciwszy stare,
140 Dała sufit, a na nim Wenery ofiarę.
Już alkowa złocona w sypialnym pokoju,
Gipsem wymarmurzony gabinet od stroju.
Poszły słojki z apteczki, poszły konfitury,
A nowem dziełem kunsztu i architektury
145 Z półek szafy mahoni, w nich książek bez liku,
A wszystko po francusku, globus na stoliku,
Buduar szklni się złotem, pełno porcelany,
Stoliki marmurowe, zwierciadlane ściany.
Zgoła przeszedł mój domek warszawskie pałace,
150 A ja w kącie nieborak, jak płacę tak płacę.
To mniejsza, lecz gdy hurmem zjechali się goście,
Wykwintne kawalery i modne imoście,
Bal, maski, trąby, kotły, gromadna muzyka,
Pan szambelan za zdrowie jejmości wykrzyka,
155 Pan adjutant wypija moje stare wino,
A jejmość, w kącie siedząc z panią starościną,
Kiedy się ja uwijam jako jaki sługa,
Coraz na mnie pogląda, śmieje się i mruga.

Po wieczerzy fajerwerk, goście patrzą z sali;
160 Wpadł szmermel między gumna, stodoła się pali:
Ja wybiegam, ja gaszę, ratuję i płaczę,
A tu grzmią coraz głośniej na wiwat trębacze.
Powracam zmordowany od pogorzeliska,
Nowe żarty, przymówki, nowe pośmiewiska.
165 Siedzą goście, a coraz więcej ich przybywa,
Przekładam zbytni ekspens; jejmość zapalczywa
Z swoimi czterma wsiami odzywa się dwornie.
"I osiem nie wystarczy" – przekładam pokornie.
"To się wróćmy do miasta". Zezwoliłem, jedziem,
170 Już tu od kilku niedziel zbytkujem i siedziem.
Już – ale dobrze mi tak, choć frasunek bodzie,
Cóż mam czynić? Próżny żal, jak mówią, po szkodzie.

WSTĘP DO BAJEK. **1.** *wstrzemięźliwie* – temperately, abstiniously. **2.** *łajać, zrzędzić* – to chide, to nag. **3.** *zbiory* – treasures, riches; *potrzebny*, here *potrzebujący* – needy. **4.** *rozweselać się* – to rejoice in. **5.** *celnik* – customs collector. **6.** *pijać* – frequentative of *pić*. **7.** *łotr* – rascal robber; *rozbijać* – to rob, loot. **8.** *zmyślać* – to invent, fib.

JAGNIĘ I WILCY. (*wilcy* – old personal form, now *wilki*). **2.** *dwóch wilków* – see Title, now *dwa wilki; nadybać* – to come across, meet. **3.** *go* – now *je*. **4.** *smacznyś* = *smaczny jesteś; niezabawem* now *niebawem* – without delay.

PAN I PIES. **2.** *nazajutrz* = *następnego dnia* – the next day.

PRZYJACIELE. **1.** *uciekać się* – to have recourse to. **4.** *nakłoniona* – past. pass. partic. of *nakłonić* – to persuade, win over. **6.** *sprzyjać* – to wish well. **7.** *za tobą* – on your behalf; *jakoż* – indeed; *lenić się*, from *leniwy* – to idle, delay.

DEWOTKA. **1.** *dewotka* – bigot, sanctimonious woman; *służebnica* – maid; *w czemsiś* = *w czemś; przewinić komu* – to do amiss, commit a fault against. **2.** *natenczas* = *wtenczas*, *wtedy*. **4.** *I odpuść nam* (*nasze*) *winy* – and forgive us our trespasses. **6.** *uchować* (with gen. or *od*) – to preserve, save from.

CHŁOP I CIELĘ. **1.** *nie sztuka* – it is not hard, difficult. **3.** *jarmark* – market, fair; *powróz* – rope, halter. **4.** *wąwóz* – ravine. **5.** *świszczą*, from *świszczeć* – to whistle. **6.** *postrzegł* = *spostrzegł* from *spostrzec* – to notice. **7.** *pałka* – club; *jął*, from *jąć*, *zacząć* – to start; *machać* – to swing.

SZCZUR I KOT. **1.** *kadzić* – to burn frankincense; *hardzie*, now *hardo* – haughtily; *rodzeństwo* – brothers and sisters. **2.** *szczur* – rat. **3.** *kadzidł*, now *kadzideł*, gen. pl. of *kadzidło* – incense; *zbyteczny* – here, excessive; *zakrztusić się* – to choke. **4.** *udusić* – to strangle.

PTASZKI W KLATCE. **1.** *czyżyk* – siskin, finch. **3.** *przeto* = *więc*, *dlatego* – so, therefore.

WILK POKUTUJĄCY. (*pokutujący* – from *pokutować* – to repent). **1.** *łotrowski*, adj. from *łotr* – see *Wstęp do bajek* 7. **3.** *zrzec się* – to renounce; *jarzyna* – vegetables. **5.** *bliźni* – neighbor; *usłużny* – obliging. **6.** *gardzić* – to despise, contemn; *jałmużna* – alms. **7.** *samopas* – singly, alone. **8.** *upomnieć* – to warn. **10.** *cierpieć* = *znosić* – to tolerate; *nie godzi się* – it is unbecoming. **11.** *pospołu* – together. **13.** *cierpiąc* – here, suffering; *wyzucie* – deprivation.

CZAPLA, RYBY I RAK. (*czapla* – heron; *rak* – crayfish). **4.** *koncept* – device, trick; *wzmogła się*, from *wzmóc się*, *wysilić się* – to strain, exert oneself; here, to hit upon. **6.** *tu o was idzie* – you are involved in this. **13.** *wędka* – angling rod; *więcierz* – fishing net. **15.** *otucha*, here *nadzieja* – hope. **17.** *ryby w płacz* – the fish began to weep. **18.** *boleć* – to grieve. **19.** *zaradzić* – to remedy. **26.** *wzdrygać się* – to recoil, shrink; *niby* – as if, as it were; *wzdrygała się niby* – pretended to hesitate. **31.** *zachciało się*, from *zachciewać się* – to crave. **33.** *pokusić się* – to try, attempt.

PIJANSTWO. **1.** *i jak jeszcze* – and how. **2.** *pieścić się* – to pamper, coddle oneself. **6.** proverbial saying meaning, a good meal makes you thirsty, there is no dining without wining. **7.** *bogdaj* = *oby; przepaść* – to perish. **9.** *onegdaj* – the day before yesterday; *dla* = *z powodu*. **10.** *obchodzony*, from *obchodzić* – to observe, celebrate. **12.** *podpoić* – to make a little drunk; *jejmość* – her ladyship (his wife). **16.** *nudzę się*, now *nudzi mnie* – I feel qualmish. **17.** *mdlący*, from *mdlić* – to nauseate. **18.** *apteczka* – dim. of *apteka*, pharmacy; here, a cabinet for spices, medicine and liquor. **19.** *hanyżek* or *anyżek* – aniseed liquor; *zalecieć*, from *lecieć* – to fly; here, to waft; *zawadzić* – to hurt, harm. **20.** *aczej* or *aczy* = *a nuż, może* – perhaps; *poradzić* – to help. **21.** *jest mi raźniej*, from *raźny*, brisk, lively – I feel better. **23.** *poczęstować*, from *częstować* – to treat. **26.** omne trinum perfectum – Lat. – all that comes in threes is perfect; *trunek gorący* – hard liquor. **27.** *w punkcie* = *natychmiast* – at once. **28.** *ustać* – to stop; *nudności* – nausea. **31.** *trzeźwość* – sobriety. **34.** *niestrawność* – indigestion. **37.** *wino wytrawione* or *wytrawne* – dry wine. **38.** *przystajem*, from *przystawać* – to consent, to agree on. **39.** *tonem statystycznym*, from *statysta*, statesman – in a statesmanlike manner. **41.** *animusz* – spirit, heart. **42.** *Olkusz* – town in Central Poland; silver was mined in the nearby mountains. **43.** *Inflanty* = Livonia, now Latvia and part of Estonia belonged to Poland since the sixteenth century; a considerable part of this territory was lost to Sweden in the seventeenth century, hence: *Odbieramy Inflanty; państwa multańskie* or *Multany* – Wallachia, now Rumania with which Poland had many wars. **44.** *sumy neapolitańskie* – refers to the 500,000 ducats which Queen Bona, wife of Zygmunt I took with her when she left Poland and lent to Philip II, king of Spain. Subsequently the Polish kings tried in vain to recover this sum. **45.** *zwodzić wojny* = *prowadzić wojny* – to wage wars. **46.** *wstępny bój* – pitched battle. **48.** *żarliwość* – fervor. **52.** *zaprząta* = *zajmuje*, from *zaprzątać* – to occupy. **53.** *żórawińskie klęski* – refers to the battle which the Polish troops led by king Jan Sobieski fought with the Turks at Żórawno (in South-Eastern Poland) in 1676. Actually, the battle was not a defeat (*klęska*). The Polish forces repulsed all attacks and a peace treaty was concluded. **54.** *król Jan* – Jan III Sobieski. **57.** *przymówić* – to slight; *waść* – derogatory abbr. of *waszmość*, *wasza miłość*. **59.** *zajadły* – enraged. **60.** *przypadli*, from *przypaść* – to come running. **64.** *grubijaństwo* – rudeness, vulgarity. **65.** *guz, y*, – lump, bruise. **66.** *hałastra* – mob, rabble. **66.** *sprośny* – obscene, filthy. **70.** *nadwerężać* – to damage, hurt; *ukracać* – to shorten. **74.** *w kontr* = *wbrew* – contrary, against. **75.** *zdarzenie*, here *dar* – grant, blessing. **78.** *pijanica* – drunkard. **79.** *niewstrzymałość* = *niewstrzemięźliwość* – intemperance. **82.** *gorzej od nich gdy działa* – *działać* here, to behave. **84.** *takowi* = *tacy*. **85.** *zaślepienie* – infatuation, folly; *występny*, *zdrożny* – criminal, wicked. **87.** *lada* – no matter what, whatever; *za lada przyczyną* – on the slightest provocation. **89.** *nadgrodzić*, now *nagrodzić* – to compensate for. **91.** *udawać się na* – to resort to. **93.** *czerstwy* – hale, robust. **94.** *raźność* – alertness, liveliness. **95.** *gospodarstwo* – household, management; *rządny* – thrifty, well-managed.

ŻONA MODNA. **2.** *Pietrze* – from *Pietr* now *Piotrze* from *Piotr*. **5.** *sprzykrzyć się* – to get tired of; *ogniwo* – bond, tie. **6.** *luboć* = *lubo-ci* – *chociaż*. **8.** *jeszczeć* = *jeszcze-ci*, here *i jak jeszcze*! – and how! **11.** *ichmościowie* – pl. of *jegomość;* here, masters; *dla oka dobrani*, *dla oka*, *na oko* – apparently; *dobrani* – well matched. **12.** *rządczyna*, now *rządczyni* fem. of *rządca*, ruler – mistress of the house. **16.** *wyjść na złe* – to turn out badly; *wsporzej* = *sporzej*, comp. of *sporo* – more quickly. **20.** *bogdaj* = *bodaj* – would to God. **21.** *tuszyć* – to hope, reckon. **23.** *ohyda* – here dishonor, scandal. **24.** *Tyrsis*, *Filida*, *Filis* – popular names in ancient and modern idyls. **25.** *misterny* – artful. **30.** *domator* – a stay-at-home, home-body. **32.** *zbiór*, *zbiory* – crop, harvest, here, benefits. **34.** *wprawić* – here, to lead into; *okowy* – fetters. **35.** *intercyza* – marriage settlement. **41.** *ekwipaż* – French équipage, luxurious carriage. **42.** *najmie się*, from *nająć* – to rent, hire. **47.** *z zdania wspólnego* = *na podstawie obopólnego przekonania* – by mutual consent. **49.** *rozśmieli się* or *roześmieli się*, from *rozśmiać się* – to burst out laughing; *wieśniacki* – rustic; *przytomni* = *obecni* – those present. **50.** *niewczesny* – untimely; *zaloty* – courtship. **52.** *bractwo* – fraternity. **54.** *kareta* – coach; *resory* – springs. **55.** *daliż ja* – a kind of exclamation; here I go! **57.** *zgrać się* – to gamble away all of one's money. **59.** *karéta* – here pronounced *karyta*. **60.** *suczka*, dim. of *suka* – bitch. **62.** *pachnące wódki* – perfumes; *tabaczka* – dim. of *tabaka* – snuff. **63.** *kornet* – hood, coif; *fanty* – here, valuables. **64.** *kurant* – chime. **67.** *zwlec* = *odwlec* – to delay. **68.** *wziąć pod pachę* – to take under one's arm. **72.** *koncept z kalendarza* – how trite! **76.** *stangret* – coachman; *furman* – driver, carter. **77.** *parada* – show, ostentation. **78.** *inszego* = *innego*; *sąsiada* = *sąsiadka* – woman neighbor. **79.** *poddany* – serf. **81.** *recuszki* or *racuszki*, *hreczuszki* – buckwheat cakes; *łazanki* – square noodles. **82.** *pani wojska* – wife of *wojski*, elective officer left in charge of the wives and children of the gentry when the latter was summoned to war; *podstolanka* – daughter of *podstoli*, assistant to *stolnik*, pantler, master of the king's pantry, later a purely honorary title. **84.** *kiermasz*, Ger. Kirchmesse – fair, fiesta. **85.** *pasztetnik*, from *pasztet*, pasty – a pasty-cook; **87.** *ludzie zgodni* – suitable, adept men. **89.** *cukiernik* – confectioner, pastrycook; *zwierciadlany* – made of crystal. **93.** *wety* – dessert. **94.** *krajanka* – sliced cheese; *gomółka* – small round of cottage cheese. **95.** *tatarskie ziele* – sweet rush, sweet flag; *imbier* or *imbir* – ginger. **97.** *ładunki bibułkowe* – here, wrappers of tissue paper; *kmin kandyzowany* – candied cumin. **98.** *toruński piernik* – kind of gingerbread; Toruń in Western Poland was famous for this product. **100.** *stawić się sprzecznie* = *sprzeciwić się* – to contradict, oppose. **104.** *parkan* – wooden fence; *sztakiety* or *sztachety* – ornamental railing. **106.** *szafarz* – steward. **108.** *dobrodziej* = *ksiądz dobrodziej*, benefactor – title used in speaking of or addressing a priest. **111.** *wezdrgnąć się* – to recoil, shudder. **112.** *klucznica*, from *klucz*, key – housekeeper. **114.** *pokój do bawienia* – drawing room. **115.** *gabinet* – study. **121.** *kwatera* – garden bed; *bukszpan* – box-tree; *ligustr* – privet. **122.** *przydatni* = *dodatkowi*, *uzupełniający* – additional, suplementary; *lustr* – gloss, lustre. **123.**

niemczyzna – German fashion. **125.** *meczecik,* dim. of *meczet* – mosque; *holenderskie wanny* – bird baths. **127.** *od niechcenia* – casually; *od igraszki* – playfully. **130.** *synogarlica* – turtledove. **132.** *Pamela, Heloisa* – heroines of Richardson's and J. J. Rousseau's novels. **133.** *zżymać się* – to shrug in anger or disgust. **135.** *jejmość w rządy* – her ladyship started to hold sway. **136.** *sztafeta* – courier. **138.** *plant = plan.* **139.** *balki = belki* – beams. **142.** *gips* – plaster; *wymarmurzony* – imitating marble. **143.** *słojki = słoiki,* dim. of *słój* – jar; *konfitury* – preserves. **150.** *nieborak* – poor wretch. **151.** *hurmem* – in crowds, in droves. **153.** *kotły,* from *kocioł* – kettledrum. **156.** *starościna* – wife of a *starosta,* a high administrative official. **159.** *fajerwerk* – fireworks display. **160.** *szmermel* – firecracker; *gumno* – yard; *stodoła* – barn. **163.** *pogorzelisko* – fire wreckage. **166.** *przekładać* – to remonstrate. **167.** *czterma* – old form of *czterema; dwornie* – here, houghtily. **170.** *niedziela,* old Polish for *tydzień* – week. **171.** *frasunek* – worry, care; *bodzie,* from *bóść* – to prod.

Stanisław Trembecki (1735–1812)

Stanisław Trembecki, a classicist like Krasicki, and one of equal talent, was highly esteemed by Mickiewicz. He wrote little and only occasionally, and did not care about his works, often not even signing them. Consequently, his output is small: some ten "poetic epistles"; over a dozen excellent fables, mostly original adaptations from La Fontaine; short poems of various kinds; and one longer descriptive poem, *Sofijówka* (1806).

There are in his works many didactic and panegyrical elements, but there is also an extraordinary control over the language and verse. His style is highly original, rich, compact, and striking; he disposes of a great wealth of vocabulary, revives obsolete and forgotten words and expressions, draws heavily on the folk language, and does not shrink from baroque style. His imagination delights both in powerful, exuberant, luxuriant motifs and in subtlety, in charm, elegance, and art. The few works he left place him among the chief poets of the period.

From SOFIJÓWKA

Miła oku a licznym rozżywiona płodem,
Witaj, kraino, mlekiem płynąca i miodem!
W twych łąkach wiatronogów rżące mnóstwo hasa;
Rozroślejsze czabany twe błonie wypasa.
5 Baran, którego twoje utuczyły zioła,
Ciężary chwostu jego nosić muszą koła.
Nasiona, twych wierzone bujności zagonów,
Pomnożeniem dochodzą babylońskich plonów.
Czernią się żyzne role; lecz bryły tej ziemi
10 Krwią przemokły, stłuszczone ciały podartemi.
Dotąd jeszcze, wieśniaczą grunt sochą rozjęty,
Zębce słoniów i perskie wykazuje szczęty.

* * * *

Wraz mię na wszystkie strony rozmaitość woła.
Pierwszość otrzyma brzegów zieloność wesoła.
15 Mierzę potem, na garbek wstępując wysoki,
Jedne więcej nad drugie żądniejsze widoki.
Spuszczając się w niziny, dobiegłem ponika,
Który hojnie z otworów kamiennych wynika.
Wkoło kryty, gałązka żadna go nie trąci,
20 Ani promień rozciepli, ani ptak zamąci.
Przejźrzystość dyjamentu a letkość deszczowa
Sprawia, że się ta woda zda innym królowa.
Podoba się smakowi, podoba się oku;
Pragnienia nigdy w milszym nie złożyłem stoku.

*　　　*　　　*　　　*

25 Pójdę tam, gdzie gwałtownym rzeka lecąc szumem,
Gdy słuch zaprząta brzękiem i wejźrzenie bawi,
Zbyt ściśnionemu sercu jakąś ulgę sprawi.
Dostatek, moc przemysłu i sztuka rzemiosła
Bliższe wody ściągnęła, złączyła, podniosła,
30 Z nich kanały, fontanny, z nich obrusy szklane,
Płyną, skaczą, błyskoczą, pod wagą rozlane;
Ale przemogła inne ogromna kaskada,
Którą od siebie większa Kamionka wypada.
Rozścielać się, nurkować czy piąć się na głazy,
35 Wzięte posłuszna nimfa dopełnia rozkazy
I mimo praw swej równi, służąc do igrzyska,
Albo ryje otchłanie, albo w obłok tryska.
Kto gajów tuskulańskich smakował ochłody,
Kto uwieńczał Tyburu spadające wody,
40 Kto straszne Pausylipu przebywał wydroże,
Jeszcze i Sofijówce zadziwiać się może.
I wyzna, jeśli szczerość usty jego włada:
Czem tamte w częściach słyną, ta razem posiada.
Warto miejsce nawiedzin, a wspomnienia dziejów
45 Gust, możność, koszt, użytych tłumy Bryjarejów.
Ważąc pracy niezmierność i zdobienia liczne,
Rzeką późni: Było to dzieło monarchiczne.

*　　　*　　　*　　　*

Lecz te miejsca, Sofijo, więcej zdobisz sama,
Podobniejsza Niebiankom niż córkom Adama.
50 Ciebie to spuścił Olimp, chcąc trudy nagrodzić
I chcąc takiego Męża ważne troski słodzić.
Godne są w Jego domu wiek utwierdzać złoty
Twe wdzięki, twe piękności, twe łagodne cnoty;
A póki między rodem ludzkim raczysz gościć,
55 Pół świata czcić Cię będzie, drugie pół zazdrościć.

DO KOSSOWSKIEJ W TAŃCU

Cóż to za lube natury dzieło
Wdzięcznym się zrywa w tany podskokiem?
Cóż to za bóstwo igrać zaczęło
I świat czarownym bawi widokiem?

5 Lud się zgromadza cały w zdumieniu,
Widząc piękności i wdzięków dziwy,
Kupid, wzdychając z dala w milczeniu,
Próżnie zaostrza swoje cięciwy.
Śliczna z postaci, żywa jak łania,
10 Oczki jak zorza, usta w rubinie,
Z rączym się wiatrem w tańcu ugania,
Chwyta za serce, kto się nawinie.
Nóżki się ledwo widzieć pozwolą
I tylko czasem tykają ziemi,
15 Wszystkie w niej członki razem swawolą,
A zefir igra z szaty wiotkiemi.
Zefir, który sam godzien zazdrości,
Bo wszystkie jego chęci spełnione,
Najtajemniejsze widzi skrytości,
20 Całując zawsze usta pieszczone.
Gdy się na zwrocie nieco zawinie
Lotny fartuszek albo spódniczka,
Ledwo z chciwości oko nie zginie,
Żeby obaczyć chociaż trzewiczka.
25 Daremna chluba, Gracyje, wasza,
Że Olimp swymi pląsy dziwicie,
Ta to na ziemi Kossowska nasza
Umie śmiertelnych zabawić życie.
Do malowania widoku tego,
30 Jaka jest kształtność i wdzięk oblicza,
Pióro zostawiam dla Krasickiego,
Pędzel malarski dla Smuglewicza.
Lecz to im zdając, słuszną mam trwogę,
I ta robota nim jest skończona,
35 Uczynić muszę wczesną przestrogę:
Bójcie się losu Pigmalijona!

ANAKREONTYK

PRZY ODEBRANIU CZASZY WINA Z PIĘKNYCH RĄK

O wdzięków zbiory,
Piękności wzory,
Panie, królowe, boginie!
Niech wasze oko
5 Sięga głęboko,
Nie sądząc gracza po minie.

Włos mi ubielił
I twarz podzielił
Srogi czas w różne zagony,
10 Lecz za tę szkodę
Dał mi w nagrodę
Serdeczny upał zwiększony.

Tak Hekla siwa
Śniegiem pokrywa
15 Swoje ogniste pieczary;
Wierzch ma pod lodem,
Zielona spodem,
I wieczne karmi pożary.

Płyń mi w potoku,
20 Bachowy soku,
Ręką przelany życzliwą,
Gdy na cześć waszę,
Pełniąc tę czaszę,
Przygaszam ogień oliwą.

WILK I BARANEK

Racyja mocniejszego zawdy lepsza bywa.
Zaraz wam tego dowiodę.
Gdzie bieży krynica żywa,
Poszło jagniątko chlipać sobie wodę.
5 Wilk tam na czczo nadszedłszy, szukając napaści,
Rzekł do baraniego syna:
"I któż to zaśmielił waści,
Że się tak ważysz mącić mój napitek?
Nie ujdzie ci bez kary tak bezecna wina".
10 Baranek odpowiada, drżąc z bojaźni wszytek:
"Ach, panie dobrodzieju, racz sądzić w tej sprawie
Łaskawie.
Obacz, że niżej ciebie, niżej stojąc zdroju,
Nie mogę mącić pańskiego napoju".
15 – "Cóż? jeszcze mi zadajesz kłamstwo w żywe oczy?!
Poczkaj no, języku smoczy,
I tak rok-eś mię zelżył paskudnemi słowy".
– "Cysiam jeszcze i na tom poprzysiąc gotowy,
Że mnie przeszłego roku nie było na świecie".

20 – "Czy ty, czy twój brat, czy który twój krewny,
Dość, że tego jestem pewny,
Że wy mi honor szarpiecie;
Psy, pasterze i z waszą archandyją całą
Szczekacie na mnie, gdzie tylko możecie.
25 Muszę tedy wziąć zemstę okazałą".
Po tej skończonej perorze,
Łapes jak swego i zębami porze.

MYSZKA, KOT I KOGUT

Coby to była za szkoda!
O kąsek nie zginęła jedna myszka młoda,
Szczera, prosta, niewinna! Przypadek ją zbawił.
To, co ona swej matce, ja wam będę prawił:
5 "Rzuciwszy naszych pieczarów głębiny,
Dopadłam jednej zielonej równiny,
Dyrdając, jako szczurek, kiedy sadło śledzi;
Patrzę, aliści dwoje żywiąt siedzi:
Jeden z nich trochę dalej z milczeniem przystojném,
10 Łagodny i uniżony;
Drugi zaś zdał mi się być burdą niespokojnym:
W żółtym bucie z ostrogą chodził napuszony,
Ogon zadarty do góry,
Śniącemi błyskotał pióry,
15 Głos przeraźliwy, na łbie mięsa kawał,
Jakby go kto powykrawał.
Ręce miał, któremi się sam po bokach śmigał
Albo na powietrze dźwigał.
Ja, lubo z łaski boskiej dosyć jestem śmiała,
20 Ażem mu srodze naklena,
Bo mnie z strachu drżączka wziena,
Jak się wziął tłuc z tartasem obrzydły krzykała;
Uciekłam tedy do jamy.
Bez niego byłabym się z zwierzątkiem poznała,
25 Co kożuszek z ogonkiem ma tak, jak my mamy.
Minka jego nie nadęta, I choć ma bystre ślipięta,
Dziwnie mi się z skromnego wejźrzenia podobał.
Jak nasze, taką samą robotą ma uszka;
Coś go w nie ukąsiło, bo się łapką skrobał,
30 Mój duszka!
Szłam go poiskać, lecz mi zabronił ten drugi
Tej przyjacielskiej usługi,

Kiedy nagłego narobił kłopotu,
Wrzasnąwszy do mnie z fukiem: kto to tu! kto to tu?
35 – Stój – rzecze matka – córko moja luba!
Aż mrowie przechodzi po mnie:
Wiesz li, jak się ten zowie, co tak siedział skromnie?
Kot bestyja, narodu naszego zaguba!
Ten drugi był to kogut; groźba jego pusta,
40 I przyjdą może te czasy,
Że z jego ciała będziem jeść frykasy,
A zaś kot nas może schrusta!
Strzeż się tego skromnisia, proszę cię jedynie,
I tę zdrową maksymę w swej pamięci zapisz:
45 Nie sądź nikogo po minie, Bo się w sądzeniu poszkapisz. –

SOFIJÓWKA. (*Sofijówka* was the name of a magnificent park laid out and planted in the Ukraine by a Polish magnate, Szczęsny Potocki, in honor of his wife, Sofia, who was of Greek origin). **1.** *rozżywiony* = *ożywiony* – enlivened, animated. **3.** *wiatronóg* – wind-footed, a fleet horse; *rżące*, from *rżeć* – to neigh, whinny; *hasać* – to frisk. **4.** *rozroślejsze*, comp. from *rozrosły* – grown, big, stout; *czaban* – steer of Ukrainian breed; *błonie* – pasture. **5.** *utuczyć*, from *tuczyć* – to fatten. **6.** *chwost* = *ogon* – tail. **7.** *wierzone* = *powierzone*, from *powierzyć* – to entrust. **10.** *stłuszczone* – from *stłuszczyć*, comp. *tłuszcz* – fatted. **11.** *rozjęty*, from *rozjąć* – to take apart, break up. **12.** *zęoce*, from *zębiec* = *ząb* – teeth; *szczęty* = *szczątki* – remains. **14.** *pierwszość* – priority. **15.** *mierzę*, from *mierzyć* – to measure; here, to compare; *garbek* – dim. of *garb* – hump; here, hillock. **16.** *żądniejsze*, comp. of *żądny* – here, attractive. **17.** *ponik* = *strumyk*, *źródło* – stream, spring. **18.** *wynikać* – to spring from. **20.** *rozcieplać* – to warm up; *zamącić* – to ruffle, trouble. **21.** *przeźrzystość*, now *przejrzystość* – transparency; *letkość*, now *lekkość* – lightness. **24.** *stok* – spring. **26.** *zaprzątać* – to fill, absorb; *wejźrzenie* now *wejrzenie*. **27.** *ściśnionemu* = *ściśniętemu* – contracted. **29.** *ściągnęła*, from *ściągnąć* – to bring together, compress. **30.** *obrus szklany* – here, glassy sheet, expanse of water. **31.** *waga* – scales; *pod wagę rozlane* = *równomiernie* – evenly. **33.** *Kamionka* – name of a river. **34.** *rozścielać się* – to spread; *nurkować* – to duck, dive; *piąć się* – to climb. **36.** *równia* = *płaszczyzna*, *poziom* – level; *prawo równi* - the law which makes water seek its own level. **37.** *ryć* – to dig; *otchłań* – abyss; *tryskać* – to spout, spurt. **38.** *gaje tuskulańskie* – from Tusculum, today Frascatti, near Rome. **39.** *uwieńczać* – to crown with flowers; *Tyburu*, gen. of *Tybur*, now *Tyber* – Tiber. **40.** *Pausylipu*, gen. of *Pausylip* – a mountain near Naples; *wydroże* = *bezdroże* – pathless track. **44.** *nawiedziny* = *odwiedziny* – visit. **45.** *możność* = *zamożność* – wealth, riches; *Bryjarejów* – gen. pl. of *Bryjarej*, Lat. Briareus – mythological giant who had fifty heads and a hundred arms. **47.** *późni* = *potomni* – posterity. **48.** *Sofijo* – refers to Potocki's wife. **51.** *Męża* – refers to Potocki himself. **54.** *gościć* – to abide, reside.

DO KOSSOWSKIEJ W TAŃCU. **2.** *wdzięczny* – graceful; *tan*, *tany* – dance, dancing; *zrywać się* – to jump up, start; *podskok* – hop, bounce. **6.** *dziw* – wonder. **8.** *próżnie* = *napróżno* – in vain; *zaostrzać* – to sharpen; here rather *napinać* – to draw; *cięciwa* – bow string. **9.** *łania* – doe. **11.** *rączy* – swift, fleet; *uganiać się* –

to run, race. **12.** *chwytać za serce* – to captivate the heart; *nawinąć się* – to happen by. **15.** *członki* – limbs; *swawolić* – to frolic. **16.** *wiotki* – flimsy, wispy. **19.** *skrytość* – here, a secret place, hidden recess. **21.** *zwrot* – turn; *na zwrocie* – *f*n turning; *zawinąć się* – to turn up. **22.** *lotny* – flying, volant; *fartuszek*, dim. of *iartuch* – apron; *spódniczka*, dim. of *spódnica* – skirt. **23.** *chciwość* – avidity, desire. **24.** *trzewiczek*, dim. of *trzewik* – shoe, slipper. **25.** *Gracje* – the three Graces of Greek mythology. **26.** *pląsy* = *pląsami* – gambols, dances. **32.** *Smuglewicz Franciszek* (1745–1807), a prominent painter in the days of King Stanisław Augustus. **33.** *zdając*, from *zdawać* – to entrust, leave. **36.** *Pygmalion* – famous Greek sculptor who fell in love with his own work, the statue of Galatea.

ANAKREONTYK PRZY ODEBRANIU CZASZY WINA Z PIĘKNYCH RĄK. (*Anakreontyk* – poem in the light vein of the Greek poet Anacreon; *czasza* – goblet, drinking bowl). **6.** *gracz*, here *zuch*, *majster* – champion, past master; *mina* – countenance; *sądzić kogo po minie* – to judge one by appearances. **7.** *ubielić* – to whiten. **9.** *zagony* – furrows. **12.** *upał* – heat; *serdeczny upał* – ardor, warmth of emotion. **13.** *Hekla* – a vulcano in Iceland. **15.** *pieczara, y,* – cavern. **20.** *Bachowy sok* – juice of Bacchus, wine. **23.** *pełnić* = *spełniać*, *wypijać* – to drain, drink to the bottom.

WILK I BARANEK. **1.** *racyja* = *racja*, *słuszność* – rightness, justness; *zawdy* = *zawsze*. **3.** *bieży*, from *bieżeć*, now *biec* – to run, flow; *krynica* – spring. **4.** *jagniątko*, dim. of *jagnię* = *baranek* – lamb; *chlipać* – dial. *chlepać* – to lap, drink. **5.** *na czczo* – on an empty stomach; *szukać napaści* – to look for a reason to attack. **7.** *zaśmielić* = *ośmielić* – to make bold. **8.** *ważyć się* – to dare; *mącić* – to trouble, muddy. **9.** *ujść bez kary* – to go unpunished; *bezecny* – abominable. **11.** *dobrodziej* – benefactor; *panie dobrodzieju* – in general, form of address to a superior: gracious lord, dear Sir. **13.** *zdrój* = *krynica* – spring. **15.** *zadawać kłamstwo w żywe oczy* – idiom. to lie to some one's face. **16.** *smoczy*, adj. fr. *smok* – dragon. **17.** *rok-eś mię zelżył* – *rok temu mię zelżyłeś* – a year ago; *zelżyć* – to insult, revile. **18.** *cysiać* dial. for *ssać* – to suck; *na tom* – *na to jestem; poprzysiąc* – to swear. **22.** *szarpać* – to tear; *szarpać honor* – to besmirch the honor. **23.** *archandyja* – *archandrja*, from Turkish – crowd, rabble. **26.** *perora* – harangue. **27.** *łapes* – dial. from *łapać* – to catch, grab; *porze*, from *porać*, *pruć* – to rip.

MYSZKA, KOT I KOGUT. **2.** *o kąsek* = *o mało co* – almost. **4.** *prawić* – to tell; *pieczarów* – old gen. plur. of *pieczara*, now *pieczar*, see *Anakreontyk* note 15. **6.** *dopadłam*, from *dopaść* – to run up to, reach. **7.** *dyrdać* – dial. to scurry, trot; *sadło* – suet. **8.** *aliści* – lo, behold; *żywiąt*, from *żywię* – creature, animal. **9.** *przystojném* – here pronounced *przystojnym*. **11.** *burda* – roisterer, swaggerer. **12.** *napuszony* – puffed up. **14.** *ślniący* = *lśniący* – glittering. **16.** *powykrawać* – to cut out pieces. **17.** *śmigać* – to flail. **20.** *naklena*, dial. for *naklęła*, from *nakląć* – to curse. **21.** *wziena* – dial. for *wzięła; drżączka mnie wziena* – I was seized with trembling. **22.** *tłuc* – to pound, thrash; *wziął się tłuc* – he started thrashing around; *tartas* – fracas, din; *krzykała* = *krzykacz*. **25.** *kożuszek*, dim. of *kożuch* – fur. **26.** *ślipięta* or *ślepięta*, from *ślepię* – eyes. **27.** *wejźrzenie* = *wejrzenie* – looks, appearance. **30.** *duszka*, dim. of *dusza* – term of endearment: little soul, darling. **31.** *poiskać* – to pick fleas or lice. **33.** *kłopot*, here *hałas* – noise. **34.** *wrzasnąć* – to shout; *fuk* = *fukanie*, *łajanie* = chiding, rebuke. **36.** *mrowie przechodzi po mnie* – I can feel my skin prickle. **38.** *zaguba* = *zguba*. **41.** *frykas* – dainty, choice morsel. **42.** *schrustać* – dial. to crunch, gobble up. **43.** *skromniś* – person affecting modesty. **45.** *poszkapić się* – coll. to commit a blunder.

Franciszek Karpiński (1741–1825)

A representative of classical sentimentalism, Franciszek Karpiński was the author of popular eclogues (e.g., *Laura and Filon*), amorous, religious, and patriotic poems. Some of them, such as *Kiedy ranne wstają zorze* (Morning Hymn), *Wszystkie nasze dzienne sprawy* (Evening Hymn), and the carol *Bóg się rodzi* (Song of the Nativity of the Lord), published in *Pieśni nabożne* (1792), are sung in Poland to this very day. Others, such as *Żale Sarmaty nad grobem Zygmunta Augusta* (The Sarmatian's Laments on the Tomb of Sigismund Augustus, 1796), are a strong expression of the shock felt by the people after the last partition of Poland. He also wrote songs in a popular tone, and *dumy*, the predecessors of the later Romantic ballads. This was a proof that he wanted to go beyond the strict classical rules. In his study *O wymowie w prozie i wierszu* (On Style in Prose and Poetry, 1782) he opposed blind imitation of the models of antiquity. Of interest are also his *Memoirs*, (published in 1844), a description of the mores of contemporary Poland and of the author's personal life.

LAURA I FILON
(*abridged*)

LAURA

Już miesiąc zeszedł, psy się uśpiły,
I coś tam klaszcze za borem:
Pewnie mnie czeka mój Filon miły
Pod umówionym jaworem.

5 Nie będę sobie warkocz trefiła,
Tylko włos zwiążę splątany,
Bobym się bardziej jeszcze spóźniła,
A mój tam tęskni kochany.

Wezmę z koszykiem maliny moje
10 I tę pleciankę różową:
Maliny będziem jedli oboje,
Wieniec mu włożę na głowę.

Prowadź mię teraz, miłości śmiała!
Gdybyś mi skrzydła przypięła,
15 Żebym najprędzej bór przeleciała,
Potem Filona ścisnęła!

Oto już jawor... Niemasz miłego!
Widzę, że jestem zdradzona:
On z przywiązania żartuje mego, –
20 Kocham zmiennika Filona!...

Filonie! Wtenczas, kiedym nie znała
Jeszcze miłości szalonej,
Pierwszy raz-em ją w twoich zdybała
Oczach i mowie pieszczonej...

25 Ale któż zgadnie, przypadek jaki
Dotąd zatrzymał Filona?
Może on dla mnie zawsze jednaki,
Możem ja próżno strwożona?

Lepiej mu na tym naszym jaworze
30 Koszyk i wieniec zawieszę:
Jutro paść będzie trzodę przy borze, –
Znajdzie: jakże go pocieszę!...

Wianku różany! gdym cię splatała,
Krwiąm cię rąk moich skropiła,
35 Bom twe najmocniej węzły spajała
I z robotąm się kwapiła.

Teraz bądź świadkiem mojej rozpaczy
I razem naucz Filona,
Jako w kochaniu nic nie wybaczy
40 Prawdziwa miłość wzgardzona!

Tłukę o drzewo koszyk mój miły,
Rwę wieniec, którym splatała:
Te z nich kawałki będą świadczyły,
Żem z nim na wieki zerwała!

45 *Kiedy w chróścinie Filon schroniony*
Wybiegł do Laury spłakanej,
Już był o drzewo koszyk stłuczony,
Wieniec różowy stargany.

FILON

O popędliwa! O ja niebaczny!
50 Lauro!... Poczekaj!... dwa słowa!
Może występek mój nie tak znaczny,
Może zbyt kara surowa:

Jam tu przed dobrą stanął godziną,
Długo na ciebie klaskałem;
55 Gdyś nadchodziła między chróściną
Naumyślnie się schowałem,

Chcąc tajemnice twoje wybadać,
Co o mnie będziesz mówiła,
A stąd szczęśliwość moją układać;
60 Ale czekałem zbyt siła...

Oto masz ten kij: po nim znamiona
Niebieskie gładko rzezane;
W górze zobaczysz nasze imiona
Obłędnym węzłem związane.

65 Cóżem zawinił, byś mię gubiła
Przez twój postępek tak srogi?
Czyliż dlatego, żeś ty zbłądziła
Ma ginąć Filon ubogi?...

LAURA

Dajmy już pokój troskom i zrzędzie:
70 Ja cię niewinnym znajduję;
Teraz mój Filon droższym mi będzie,
Bo mię już więcej kosztuje.

FILON

Teraz mi Laura za wszystko stanie,
Wszystkim pasterkom przodkuje,
75 I do gniewu ją wzrusza kochanie
I dla miłości daruje.

LAURA

Jedna się Dorys wyłączyć miała,
Jej pierwsze miejsce naznaczę;
Na to wspomnienie drżę zawsze cała,
80 Cóż, kiedy cię z nią zobaczę!

FILON

Dla twego, Lauro, przypodobania
Przyrzekam ci to na głowę:
Chronić się będę z nią widywania,
W żadną nie wnidę rozmowę.

LAURA

85 Czemże nagrodzę za te ofiary?
Nie mam prócz serca wiernego:
Jedne ci zawsze przynoszę dary,
Przyjmij jako co nowego!

FILON

Któżby dla ciebie nie zerwał węzły
90 Przyjaźni, co mię nęciły?
W twej pięknej twarzy wszystkie uwięzły
Nadzieje moje i siły.

LAURA

Ja mam mieć z płaczu po twarzy smugi,
Ale jak mi się nadarzy
95 Spleść i ułożyć warkocz mój długi,
Mówią, że mi to do twarzy...

FILON

O światło moje wpośród tej nocy,
Zagrodo mego spokoja!
Ty jeszcze nie wiesz o twojej mocy,
100 A ja ją czuję, o moja!

LAURA

Czyż w każdym roku taka z kochania,
Jak w w osiemnastym, mozoła?
Jeśli w tem niemasz pofolgowania,
Jak człek miłości wydoła?...

105 Filonie! widzisz wschodzące zorze?
Już to drugi raz kur pieje!
Trochę przydługo bawię na dworze...
Już matka wstała... truchleję...

Miesiącu! już ją idę do domu!
110 Jeśliby kiedy z Dorydą
Filon tak trawił noc pokryjomu,
Nie świeć, niech na nich dżdże idą!

PIEŚŃ PORANNA

Kiedy ranne wstają zorze,
Tobie ziemia, Tobie morze,
Tobie śpiewa żywioł wszelki,
Bądź pochwalon, Boże wielki!

5 A człowiek, który bez miary
Obsypany Twemi dary,
Coś go stworzył i ocalił.
A czemużby Cię nie chwalił?

Ledwie oczy przetrzeć zdołam,
10 Wnet do mego Pana wołam,
Do mego Boga na niebie,
I szukam Go koło siebie.

Wielu snem śmierci upadli,
Co się wczora spać pokładli,
15 My się jeszcze obudzili,
Byśmy Cię, Boże, chwalili.

PIEŚŃ O NARODZENIU PAŃSKIEM

Bóg się rodzi, moc truchleje,
Pan niebiosów – obnażony;
Ogień krzepnie, blask ciemnieje,
Ma granice – nieskończony.
5 Wzgardzony – okryty chwałą,
Śmiertelny – król nad wiekami!
A Słowo Ciałem się stało
I mieszkało między nami!

Cóż, niebo, masz nad ziemiany?
10 Bóg porzucił szczęście twoje,
Wszedł między lud ukochany,
Dzieląc z nim trudy i znoje!
Niemało cierpiał, niemało,
Żeśmy byli winni sami.
15 A Słowo Ciałem się stało
I mieszkało między nami.

W nędznej szopie urodzony,
Żłób mu za kolebkę dano!
Cóż jest? czem był otoczony?
20 Bydło, pasterze i siano!
Ubodzy! was to spotkało
Witać go przed bogaczami!
A Słowo Ciałem się stało
I mieszkało między nami.

25 Potem i króle widziani,
Cisną się między prostotą,
Niosąc dary Pany w dani:
Mirrę, kadzidło i złoto.

Bóstwo to razem zmieszało
30 Z wieśniaczemi ofiarami!
A Słowo Ciałem się stało
I mieszkało między nami.

Podnieś rękę, Boże Dzicie,
Błogosław ojczyznę miłą,
35 W dobrych radach, w dobrym bycie –
Wspieraj jej siłę swą siłą,
Dóm nasz i majętność całą,
I Twoje wioski z miastami!
A Słowo Ciałem się stało
40 I mieszkało między nami.

PIEŚŃ WIECZORNA

Wszystkie nasze dzienne sprawy
Przyjm litośnie, Boże prawy,
A gdy będziem zasypiali,
Niech Cię nawet sen nasz chwali.

5 Twoje oczy obrócone
Dzień i noc patrzą w tę stronę,
Gdzie niedołężność człowieka
Twojego ratunku czeka!

Odwracaj nocne przygody,
10 Od wszelakiej broń nas szkody,
Miej nas wiecznie w Twojej pieczy,
Stróżu i Sędzio człowieczy.

DO JUSTYNY

TĘSKNOŚĆ NA WIOSNĘ

Już tyle razy słońce wracało
I blaskiem swoim dzień szczyci:
A memu światłu cóż się to stało,
Że mi dotychczas nie świéci?

5 Już się i zboże do góry wzbiło,
I ledwie nie kłos chce wydać.
Całe się pole zazieleniło:
Mojej pszenicy nie widać!

Już słowik w sadzie zaczął swe pieśni,
10 Gaj mu się cały odzywa,
Kłócą powietrze ptaszkowie leśni:
A mój mi ptaszek nie śpiéwa!

Już tyle kwiatów ziemia wydała
Po onegdajszej powodzi,
15 W różne się barwy łąka przybrała:
A mój mi kwiatek nie schodzi!

O wiosno, pókiż będę cię prosił,
Gospodarz zewsząd stroskany?
Jużem dość ziemię łzami urosił:
20 Wróć mi urodzaj kochany!

LAURA I FILON. **1.** *miesiąc = księżyc; zeszedł*, from *zejść, wschodzić* – to rise. **2.** *klaszcze*, from *klaszczeć* or *klaskać* – to clap, resound. **4.** *jawor* – plane tree. **5.** *trefić warkocz* – to braid one's hair. **10.** *plecianka* – garland; *różowę*, old accus. now *różową;* here, made of roses. **14.** *przypięła*, from *przypiąć* – to pin. **19.** *przywiązanie* – attachment, devotion. **20.** *zmiennik* – a fickle, changeable man. **23.** *pierwszy raz-em zdybała – pierwszy raz zdybałam; zdybać, spotkać* – to encounter, come across. **36.** *kwapić się* – to hurry. **38.** *razem = zarazem* – at the same time. **45.** *chróścina* – brushwood, thicket; *schroniony*, fr. *schronić się, schować się* – to hide. **49.** *popędliwa* – rash. **60.** *siła = dużo, długo.* **61–62.** *znamiona niebieskie*, pl. of *znamię* – sign, here, constellations; *rzezane*, from *rzezać* – to cut, carve. **64.** *obłędny* – here *wijący się* – winding. **69.** *dać pokój* – to leave alone; *zrzęda, zrzędzenie* – chiding. **73.** *stanąć za wszystko* – to mean everything, be more important than anything. **74.** *przodkować*, now *przodować* – to be superior, lead. **76.** *darować* – to forgive. **77.** *Jedna się Dorys wyłączyć miała* – only Doris has to be excluded. **81.** *dla twego przypodobania* – to please you. **82.** *przyrzekam na głowę* – idiom. I promise solemnly. **84.** *wnidę* or *wnijdę*, now *wejdę* – I shall enter into. **91.** *uwięzły*, from *uwięznąć* – to be stuck fast. **93.** *smuga* – streak, stain. **94.** *nadarzyć się* – to happen. **96.** *jest mi do twarzy* – it is becoming to me. **98.** *zagroda* – enclosure; here, haven; *spokoja*, old gen. of *spokój*, now *spokoju.* **102.** *mozoła* (fem.), now *mozół* (masc.) – pain, toil. **103.** *pofolgowanie* – relaxation, ease, let-up. **104.** *wydołać* – to cope, be equal to. **105.** *zorze* (n), now *zorza* (fem.). **106.** *kur = kogut* – rooster. **108.** *truchleję*, from *truchleć* – to be petrified, grow faint with fear. **111.** *trawić* – to spend; *pokryjomu* – secretly. **112.** *dżdże*, from old *deżdż*, now *deszcze.*

PIEŚŃ PORANNA. **3.** *żywioł = stworzenie* – creation **6.** *obsypać* – to shower; *dary = darami.* **9.** *oczy przetrzeć* – to rub the eyes; here, to awake. **13.** *wielu upadli* – now *wielu upadło.*

PIEŚŃ O NARODZENIU PAŃSKIEM. **1.** *truchleć* – see *Laura i Filon*, note 108. **2.** *obnażony*, from *obnażyć* – to strip naked. **3.** *krzepnąć* – to congeal. **5.** *wzgardzony*, from *wzgardzić* – to despise. **7.** *A Słowo Ciałem się stało...* – And the Word was made flesh... John 1:14. **9.** *cóż = co; ziemiany* – mortals. **17.** *szopa* – shed.

18. *żłób* – manger; *kolebka* – cradle. **25.** *króle widziani* = *królowie są widziani.* **26.** *prostota* = *prosty lud* – common folk. **27.** *nieść w dani*, from *dań* – bring as tribute, offering. **28.** *Kadzidło* – incense. **33.** *Dzicię* – dialect. for *dziecię.* **37.** *dóm* – dialect. for *dom.*

PIEŚŃ WIECZORNA. **2.** *prawy* – true. **7.** *niedołężność* – infirmity. **9.** *przygoda* – mishap. **11.** *mieć w pieczy* = *opiekować się* – to protect. **12.** *stróż* – here, guardian.

DO JUSTYNY TĘSKNOŚĆ NA WIOSNĘ. (*tęskność* = *tęsknota* – yearning, longing). **2.** *szczycić* – to honor, favor, adorn. **4.** *świéci* – *é* = contracted e (*e pochylone*) here pronounced like *i.* **5.** *wzbić się* – to rise, shoot up. **6.** *ledwie nie* = *prawie* – well nigh; *kłos* – ear (of grain). **10.** *odzywać się* – to resound, echo. **11.** *kłócić* = *zakłócać* – to disturb, fill with sound; *ptaszkowie* – pers. form, now *ptaszki.* **12.** *śpiéwa* – see note 4. **14.** *onegdajszy* – of the day before yesterday. **16.** *schodzić* – to grow, sprout. **19.** *urosić* – to bedew.

Franciszek Dyonizy Kniaźnin (1750–1807)

Like Karpiński, Franciszek Dyonizy Kniaźnin was regarded as a typical representative of the sentimental trend; he nevertheless possessed a distinctive poetic individuality. In his lyrics, and especially his love poems, he surpassed Karpiński in wealth and variety of themes, subtlety in treating emotional states, and in language, verse, and structure.

Besides his *Erotyki* (Erotica, 1779), he published several volumes of lyrical poems, including *Wiersze* (Poems, 1783) and *Liryki* (Lyrics, 1787), in which, besides love poems, we find occasional, patriotic, reflective, and religious pieces. He also wrote "court poems" concerning life at the court of the Princes Czartoryski at Puławy, and plays containing dances and songs. Of particular interest is *Cyganie* (The Gypsies, 1787–88), the first presentation of the life and customs of that people in Polish literature.

O ELIZIE

Eliza wczoraj ostro spójrzała:
  Możem dał powód urazy.
Cisnęła wiankiem rączka jej biała;
  Przygryzła wargę pięć razy.

5 Nie można było gniewu odwrócić,
  I błagać srogiej nie śmiałem.
Poszedłem smutny z sobą się kłócić;
  I noc tę całą nie spałem.

Dziś lubym sama witając głosem,
10   Oczy wróciła mi swoje!
Cieszy mnie słodkim nadzieja losem;
  Ale się jutra znów boję.

ROZKOSZY SKUTEK

Słodka nas miłość łechce z początku,
Póki nie dójdzie do swego szczątku;
I im kto bardziej kwapić się zechce,
  Tem bardziej łechce.

5 Ale cóż po tem, gdy ta jej sprawa
Żałosny wrychle koniec podawa?
A po słodyczach, przy swoim kresie,
  Gorżkości niesie?

Z weselem Wenus nam się nawija,
10 Ale na smutku jej radość mija:
Przychodzi do nas z rozkoszą chutnie,
Odchodzi smutnie.

Tak bystry potok rzecznej powodzi,
Gdy więc ze swego źrzodła wychodzi,
15 Słodki nurt toczy, nim się ochynie
W morskiej głębinie.

Skoro ją słony ocean zgarnie,
Zatraci w onym swój zawód marnie;
I dokąd rzeka z pośpiechem wpada,
20 Tam słodycz strada.

DO WĄSÓW

Ozdobo twarzy, wąsy pokrętne!
Powstaje na was ród zniewieściały,
Dworują sobie dziewczęta wstrętne,
Od dawnej Polek dalekie chwały.

5 Gdy pałasz cudze mierzył granice,
A wzrok marsowy sercami władał,
Ujmując wtenczas oczy kobiéce,
Bożek miłości na wąsach siadał.

Gdy szli na popis rycerze nasi,
10 A męstwem tchnęła twarz okazała,
Maryna, patrząc, szepnęła Basi:
"Za ten wąs czarny życiebym dała"!

Gdy nasz Czarniecki słynął żelazem
I dla ojczyzny krew swą poświęcał,
15 Wszystkie go Polki wielbiły razem,
A on tymczasem wąsa pokręcał.

Jana trzeciego gdy Wiedeń sławił,
Głos był powszechny między Niemkami:
"Oto król polski, co nas wybawił!
20 "Jakże mu pięknie z temi wąsami!"

Smutne w narodzie dzisiaj odmiany:
Rycerską twarzą Nice się brzydzi,
A dla niej Dorant, wódkami zlany,
I z wąsa razem i z męstwa szydzi.

25 Kogo wstyd matki, ojców i braci,
Niech się z swojego kraju natrząsa:
Ja zaś, z ojczystej chlubny postaci,
Żem jeszcze Polak, pokręcę wąsa!

DO BUGU

Bugu rozkoszny, co przed mojem okiem
Kryształ swój lejesz swobodnym potokiem!
Jeśli nie przerwie głos mój twego biegu,
Posłuchaj, co ci zanucę na brzegu.

5 Cóż nasza wolność i płonna swoboda?
Lepiej ją toczy twoja, Bugu! woda.
Na twoję wolność zazdroszcząc patrzamy;
Myć się nią chlubim, ale jej nie mamy.

Lato czy zima, ty jesteś jednakiem;
10 W jednem korycie jednym lecisz ślakiem.
A my, co chwila, odmieniamy zdania,
Żądze, rozrywki, i nasze mieszkania.

Choć mróz twardemi skrępuje cię lody,
Płyniesz ty jednak, nie tracąc swobody:
15 A nas i zewnątrz podległość mitręży,
I wewnątrz sroga namiętność ciemięży.

Ty od początku świata zawżdy płyniesz,
I aż do końca zapewne nie zginiesz:
My świat co tylko ujrzemy oczema,
20 Błyśniemy trochę, i już ci nas niema.

Cóż twym skłonnościom uczyni załogę?
Krętemi zwroty swoję pędzisz drogę:
A naszym chęciom lada co zawadza,
Zły los, podejście, lub zakaz i władza.

25 Wolnym ty nurtem nowe coraz kraje,
Nowe przemijasz pola, łąki, gaje;
A my jednego chwyciwszy się kąta,
Tem się nudzimy, co nas gdzie zapląta.

Ty czyste zawżdy swe strumyki wijesz,
30 Sam wszystko widząc, niczego nie kryjesz:
My zawsze ślepi w ciemnotach zostajem;
Sami nie widzim, i widzieć nie dajem.

Tyś syt przyjemnej z Nimfami rozkoszy,
Ni żal, ni zawiść tobie jej nie płoszy:
35 My się za wabną uwodząc słodyczą,
Zamiast nektaru, żółć pijem z goryczą.

Gdybyś miał czucie, zazdrościłbym tobie,
Że w tak fortunnej sam zostajesz dobie:
Ale cóż po tem, że szczęście piastujesz?
40 My go nie mamy, a ty go nie czujesz.

KROSIENKA

W RODZAJU PASTERSKIM

Darmo mi, matko! stawisz krosienka:
Insza mię teraz myśl wiedzie.
Ah! pozwol raczej wyźrzeć z okienka,
Czyli mój Filon nie jedzie?

5 Gdyśmy na siebie spójźrzeli mile,
Powiedział tylko dwa słowa.
Bez niego teraz przykre mi chwile:
On mojej duszy połowa!

Cóż go tak długo tam zatrzymało?
10 Drogać mu nie jest daleka.
Serce on moje zna jeszcze mało,
Które na niego tak czeka.

Przez ten ma gaik jechać mój miły:
Kiedyż twarz jego zaświeci?
15 Ptaki się stamtąd nagle ruszyły:
Zapewne on to już leci.

I sroczka z płotu skrzeczy na niego:
Cóż to? nie widać go jeszcze.
Filonie! na blask wźroku twojego
20 W ręce z radości zakleszczę.

Otoż i widać, – gość luby jedzie,
Sercu mojemu życzliwy!
Miłość w te strony wźrok jego wiedzie,
A pod nim igra koń siwy.

25 Siędę w krosienkach na moment miły,
Abym tę radość ukryła:
By nie zrozumiał Filon przybyły,
Że ja tu po nim tęskniła.

DO GWIAZD

Skry złotej nocy, gminie jasno-lśniący,
Drobniuchni bracia, wysocy mieszkańce!
Co na podniebiu, ogień miecąc drżący,
Staczacie ciszkiem niepomylne tańce.

5 Lecą podówczas srebrne kołowroty,
Słodkie niebiosom czyniąc krotofile;
Gdy wszystkie ciała i tchnące istoty
Mrocznem ujęciem sen napawa mile.

O jakże lubo spojrzeć było na cię
10 Wieczystych świateł orszaku mój złoty;
Gdy na mej pani, bywało, patrzacie
Wdzięki przyjemne i słodkie pieszczoty.

Pocóż wy teraz z tego nieb ogromu,
Gdzie gorejących nic ogniów nie gasi,
15 W szczupłe okienko do niskiego domu
Blask swój rzucacie? Nie ujrzycie Kasi!

O ELIZIE. **1.** *spójrzała*, provinc. for *spojrzała* from *spojrzeć* – to look at, give a look. **2.** *uraza* – offence. **4.** *przygryzła wargę*, from *przygryzać* – to bite one's lip.

ROZKOSZY SKUTEK. **1.** *łechce*, from *łechtać* – to tickle, cause a pleasant sensation. **2.** *dójdzie* – provinc. for *dojdzie; szczątek* – remnant; *dojść do szczątku* – reach the end. **3.** *kwapić się* – to make haste, be eager. **6.** *wrychle* = *rychło* –

soon; *podawa*, now *podaje* from *podawać* – to offer, present. **9.** *nawijać się* – to come one's way, appear. **10.** *na smutku* = *w smutku.* **11.** *chutnie*, now *chętnie* – readily, gladly. **13.** *powódź* – flood. **14.** *źrzódło* – now *źródło.* **15.** *ochynąć się* = *zanurzyć się* – to punge, be immersed. **17.** *zgarnie*, from *zgarnąć*, *zagarnąć* – to seize, take possession of. **18.** *w onym* = *w nim; zawód*, here *rozpęd, rozmach* – impetus, momentum. **20.** *stradać* = *postradać*, *stracić* – to lose.

DO WĄSÓW. **1.** *pokrętny* – twirled, turned up. **2.** *powstawać na* – to turn against, inveigh against; *ród* – here, generation; *zniewieściały* – effeminate. **3.** *dworować sobie* – to poke fun at; *wstrętny, e,* – repulsive, here *oporny* – contrary. **7.** *ujmować* – to win, captivate; *kobiéce* – pronounced *kobice.* **8.** *bożek miłości* – Cupid. **9.** *popis* – display, show; here, display of military prowess, battle. **13.** *Stefan Czarniecki* – famous Polish military leader of the seventeenth century; *słynął żelazem* – *żelazo*, iron; here, symbol of arms, bravery. **16.** *pokręcać wąsa* – two twirl one's moustache. **17.** Jan III Sobieski, king of Poland (1674–1696) conqueror of the Turks at Vienna, 1683. **22–23.** *brzydzić się* – to abhor; *Nice, Dorant* – fashionable French names; *wódka;* here, perfume. **26.** *natrząsać się, szydzić* – to scoff at, ridicule.

DO BUGU. **1.** *Bug* – river, tributary of the Vistula. **4.** *zanucić* – to hum, sing. **7.** *twoję* – old acc. of *twoja*, now *twoją; patrzamy* – from *patrzać*, now *patrzymy.* **8.** *myć* = *my ci; chlubim się*, from *chlubić się* – to take pride in. **9.** *jednakiem* = *jednakim*, from *jednaki, jednakowy* – the same, identical. **10.** *koryto* – river bed; *ślak* = *szlak* – track, course. **13.** *skrępować* – to fetter. **15.** *podległość* – subjection; *mitrężyć* – to waste, hamper, hold back. **16.** *ciemiężyć* – to oppress, crush. **17.** *zawżdy* = *zawsze.* **19.** *ujrzemy* now *ujrzymy* from *ujrzeć* – to perceive; *oczema* – instr. plur., now *oczyma.* **21.** *załoga*, here *zator* – bar, obstacle. **22.** *zwroty* = *zwrotami* instrum. from *zwrot* – turn, twist. **24.** *podejście* – ruse, deceit. **28.** *zaplątać* – to entangle. **31.** *ciemnota* = *ciemność* – darkness. **33.** *syt*, nomin. form of *syty* – full, replete. **34.** *płoszy*, from *płoszyć* – to scare away. **35.** *wabny* = *powabny* – enticing, alluring; *uwodzić się* – to be seduced. **39.** *piastować szczęście* – to hold happiness.

KROSIENKA. W RODZAJU PASTERSKIM. **1.** *stawisz*, from *stawić* – to place, set before; *krosienka* – dim. of *krosna* – loom. **3.** *wyźrzeć* = *wyjrzeć* – to look out. **5.** *spójźrzeli*, dial. for *spojrzeli* from *spojrzeć* – to glance. **10.** *drogać* = *droga ci.* **13.** *gaik*, dim. of *gaj* – grove. **17.** *sroczka*, dim. of *sroka* – magpie; see Szymonowicz's *Kołacze*, note 1. *skrzeczeć* – to croak, chatter. **19.** *wźrok* – dial. for *wzrok* – eyes, glance. **20.** *zakleszczę*, from *zakleskać*, now *zaklaskać*, *zaklaszczę* – to clap one's hands. **24.** *igrać* – to play; here, to prance. **25.** *sięde* = *siądę* from *siąść* – to sit down.

DO GWIAZD. **1.** *skra* – spark; *gmin* – common people, populace; here, multitude. **2.** *drobniuchny*, dim. of *drobny* – tiny; *mieszkańce* – now *mieszkańcy.* **3.** *podniebie* – firmament; *miecąc*, from *miecić* – to cast, throw. **4.** *ciszkiem* – silently; *niepomylny* – unerring; *staczać tańce* – to circle in a dance. **5.** *kołowrót, kołowroty;* here, revolutions of celestial bodies. **6.** *krotofila* = *krotochwila* – amusement, frolic. **8.** *ujęcie* – here, embrace; *napawać* – to fill. **10.** *orszak* – retinue, train. **11.** *bywało*, idiom meaning, it sometimes happened; *patrzacie* – see *Do Bugu*, note 7. **15.** *szczupły* – slender, slim; here, tiny, narrow. **16.** *Kasia*, dim. of *Katarzyna* – Kate, Kay.

Franciszek Zabłocki (1754–1821)

A very prolific and versatile writer, Franciszek Zabłocki was the author of eclogues, satires, lampoons, and comedies. He most distinguished himself in the last genre, which up to his time was rather poorly represented. He possessed outstanding dramatic ability, humor, wit, and a sense of structure. Unfortunately, he wrote too much (over fifty plays) and consequently his production is rather uneven. The themes for his comedies, even the best ones, were taken from foreign, mainly French, sources, but Zabłocki gave them a mark of originality by introducing Polish characters, Polish surroundings, and Polish affairs. The language of his comedies is vivid, fluid, colloquial, and full of idiomatic phrases and expressions; the verse flows smoothly without depriving the dialogue of its naturalness. Among his best comedies are *Fircyk w zalotach* (The Dandy A-Wooing 1781) and *Sarmatyzm* (Sarmatism, 1784). Among his farces should be mentioned *Balik gospodarski* (Country Dance, 1780), *Żółta szlafmyca* (The Yellow Night Cap, 1783), and *Doktor Lubelski* (1781).

FROM LEAFLETS WRITTEN DURING THE FOUR YEAR DIET

Jestem teraz w robocie pisania żywotów
Wszystkich naszych łajdaków, szelmów lub huncwotów.
Jeśli mi w chęci mojej Bóg pobłogosławi,
To dzieło, spodziewam się, ciekawych zabawi...
5 Ja zaś wtenczas skuteczną pochlubię się pracą,
Gdy się z wstydu choć jeden obwiesi ladaco...
Przezacna powszechności! Nie sądź mnie zoilem,
Wiem, że paszkwil nie zdobi uczciwego pióra,
Ale kiedy ich całe życie jest paszkwilem,
10 Na które się prawdziwie otrząsa natura,
Kiedy widocznie idą na ojczyzny zgubę –
Ostrzegać choć paszkwilem mam sobie za chlubę.

* * * *

Stanęło sto tysięcy wojska, Bogu chwała!
Teraz to będzie Polska po Europie brzmiała!
Stanęło sto tysięcy wojska: są żołnierze.
Bogu chwała! Gdzież oni? Gdzieżby? Na papierze!
5 Dajmy na wojsko... wszystko... połowę mniej więcéj,
Bogu chwała! Już i żołd jest na sto tysięcy.
Jedni płaczą, drudzy się śmieją rozrzewnieni.
Są miljony. Gdzież są? W każdego kieszeni!

* * * *

Przechodniu, tu ja leżę przywalony głazem,
Adam Łodzia Poniński, pierwszy z domu książę.
Kędyż, spytasz, Branicki, co z tobą kradł razem?
Przebóg! Niechaj cię próżna ciekawość nie wiąże!
5 Żyje, alboś nie czytał starodawnych dziejów,
Że możni zawsze gołych wieszali złodziejów?

NA OBIADY CZWARTKOWE

...Gdzie połowa nie gada, a połowa drzemie,
W których król wszystkie musi zastąpić ekspensa
Dowcipu, wiadomości, i wina, i mięsa...

From FIRCYK W ZALOTACH

The theme of this comedy, which is an adaptation of *Le petit maître amoureux* by the French playwright Romagnès, is the efforts of a young dandy, woman-chaser, spendthrift, gamester, and "blade" to make a wealthy match. The entire action is centered around this character and his activities. Fircyk arrives at the house of his friend, Aryst, in pursuit of the latter's sister, the beautiful widow Podstolina. His attentions meet with resistance, which—although only superficial—nettles Fircyk, accustomed as he is to easy conquests. Further complications are introduced by a misunderstanding: Podstolina confides to Klarysa, Aryst's wife, that she is in love, but does not say with whom. On learning this from Klarysa, Fircyk is certain that he has a rival and asks Klarysa to help him gain Podstolina's favor. Meanwhile, Fircyk's servant, Świstak, reveals to Podstolina his master's other matrimonial efforts and thereby arouses her indignation. This is, as it were, the "climax" of the comedy, but the dénouement follows quickly and simply with the revelation that Podstolina was thinking of Fircyk, and he (at the moment) of her.

The plot is Romagnès's invention, but Zabłocki has adapted it very skillfully to contemporary Polish conditions, particularly in the characters of Fircyk, Aryst, and the two servants, to say nothing of the typically Polish, colorful, and lively language in which the play is written. We give here two scenes: a dialogue between Fircyk and Klarysa, and the scene in which Aryst displays a comical outburst of jealousy.

Akt II, scena 9: Klarysa, Fircyk

KLARYSA (*mówi bardzo prędko*)

Pójdź no tu, Starościcu, a prędko, a żwawo.

FIRCYK

Słucham pani.

KLARYSA (*zawsze jednym tonem*)

Powiem ci rzecz wcale ciekawą.

FIRCYK

Na przykład?

KLARYSA

Posłuchaj no.

FIRCYK

Słucham.

KLARYSA

Nasza wdowa...

FIRCYK

Cóż wdowa?

KLARYSA

Dla was, chłopców, dotąd tak surowa,
5 Co miała całe życie w stanie spędzić wdowim...

FIRCYK

Pewnie się zakochała?

KLARYSA

Zgadłeś...

FIRCYK (*śmiejąc się*)

Toć ja to wiém.

KLARYSA

Któż ci mówił?

FIRCYK

Jej oczy.

KLARYSA

O, jeżeli tylo,
Są to znaki kłamliwe; oczy często mylą.
Ale ja z ust jej własnych, będzie temu chwilka,
10 Bardzo ciekawych rzeczy wyczerpnęłam kilka,
Które na tem się kończą, że nasza wdoweńka,
Jak pierwej była dzika, tak dziś słodziusieńka.

FIRCYK

Bo się kocha, cóż to jest dziwnego?

KLARYSA

Ale w kim?
Tego zapewne nie wiesz.

FIRCYK

Toteż bo to, że wiém.

KLARYSA

15 W kimże na przykład?

FIRCYK (*tonem pewnego*)

Jeśli nie we mnie bez mała,
Alboż waćpani o tem nic nie wspominała?

KLARYSA

Gdyby słowo!

FIRCYK (*z zadumaniem*)

Czy można? A to jest, jak widzę,
Rzecz cała w tajemnicach, w kabałach, w intrydze.

KLARYSA

Czyż się Waćpan w niej kochasz?

FIRCYK

Kocham się.

KLARYSA

I ona
20 Ma to być niby twoja żonka narzeczona?

FIRCYK

To ciekawe pytanie!

KLARYSA

Maszże od niej słowo?

FIRCYK

Jużci, przecie do śmierci młodej nie być wdową.
Potem jak mnie nie kochać? Taki ze mnie cacka,
Talijka smukła, piękna buzia, mina gracka...
25 Takich też to wy chłopców lubicie, kobietki.

KLARYSA

Tylko byś nie był w swoich domysłach tak letki.
Bo ja mam z ust jej własnych ten dowód widomy,
Że ów, którego kocha, jest ktoś nieznajomy.

FIRCYK (*ulękniony*)

Co słyszę? Nieznajomy?

KLARYSA

A potem, czy można,

30 Żeby kobieta taka stateczna, pobożna,
Miała na koniec kochać ciebie szaławiłę.

FIRCYK (*rozgniewany*)

Moja pani, zaniechaj te żarty niemiłe!
Prawda, słyszałem od niej o tym kawalerze.
Słowa jej brałem za żart, znać mówiła szczerze!

KLARYSA

35 Żarty często się prawdzą.

FIRCYK

Los mnie srogi karze.
Pierwsze moje kochanie w małżeństwa zamiarze,
Pierwsze i nieszczęśliwe!

KLARYSA

Tak zawsze w miłości:
Wygrał, przegrał. Myśl sobie, żeś niby grał w kości!

FIRCYK

Ja, ów w moich zalotach chłopiec cudotworny!...

KLARYSA

40 Znać niewart cudów wiek nasz grzeszny i niesforny.

FIRCYK (*z zapalczywością*)

Ej, pókiż tych urągań! Kiedy ran nie leczysz,
Po co je jątrzysz, po co na nowo kaleczysz?
Gdybym dziś nie miał pociech i wsparcia w rozumie...

KLARYSA

Co ja widzę? Starościc i gniewać się umie?

FIRCYK (*obaczywszy się w grubjańskiej zapalczywości*)

45 Klaryso, ubliżyłem czci twojej! Niech raczy
Wymówić mię przed tobą zbytek mej rozpaczy.

Miłość, żal, zawstydzenie; trzej srodzy morderce
Odjęły mi przytomność udręczając serce.
Ach, jeśli jeszcze można jaką znaleźć drogę,
50 Proszę, wesprzyj mię u niej!

KLARYSA

Cóż ja w tem pomogę?

FIRCYK

Pomożesz, byleś chciała. Niech wasza zażyłość,
Przyjaźń i krew nieszczęsną moją wesprą miłość!
Byłażby sroga, widząc łzy moje i modły!...
Ale, kto to ten rywal? Niech drży, jeśli podły!
55 Nauczę go... lub jeśli równe stany nasze,
Gdy chybią pistolety, pójdziem na pałasze.
Klaryso, ulituj się!

KLARYSA

Z duszybym to rada
Uczynić dla Waćpana. Ale co to nada?
Przeszkody są tak wielkie.

FIRCYK

Małe będą one,
60 Jeśli mię szczerze zechcesz wziąć w swoją zasłonę.
Cóżby mogło nie ulec na te wdzięki śliczne,
Ten warg koral, ust róże, te jagody mléczne,
Te oczęta, ginące w niebieskim błękicie!
(*na to nadchodzi Aryst*)
Ach, one mi powrócą mój pokój, me życie!
65 Czyż można, aby piękność była tak zawzięta?...

Scena 10: Fircyk, Klarysa, Aryst

ARYST (*podrzeźniając*)

To, to, to... Te w błękicie ginące oczęta,
Ten warg koral, ust róże, te mleczne jagody...
No dalej, nie przeszkadzam, dokończ, panie młody!
O, Boże, co ja widzę! Co widzę! Także to
5 Uczciwe postępują! Ty niecna kobieto!
Ty wiarołomna! I ty zdradny przyjacielu!
Na takiemże to miałem służyć ci weselu?

Ach, Klaryso, Klaryso! Kiedy nie krewkości,
Przynajmniej mieć się godzi więcej ostrożności
10 I chociaż męża nie mieć swych umizgów świadkiem!
Mój Boże, na cóż ja to trafiłem przypadkiem.

KLARYSA (*śmiejąc się*)

A to jest osobliwa scena! Cóż tam daléj?
Gdybyś nie ty, mój mężu, jużeśmy drzymali.
Właśnieś scenę ożywił.

ARYST (*w gniewie*)

Takie żarty słone,
15 Mościa pani!

FIRCYK

Za cóż ty powstajesz na żonę?
Pfe, wstydź się, wstydź! Możnaż być takim waryjatem,
I ją lżyć, i na siebie samego być katem?
Cóżeś słyszał? Coś widział? Z jakiego pozoru
Dochodzisz plamy twego, niebaczny, honoru?
20 Ja przyjaciel. – Nic złego nie spostrzegłeś po niéj;
Czyż to nas od podejrzeń twoich nie zasłoni?

ARYST

Nic złego nie postrzegłem? Alboż to jest mało,
Że się z takim sam na sam bawi świszczypałą?
Albożeś jej nie prawił andronów tysiące,
25 Czem, jeśli nie najmiększą lubieżnością, tchnące?
I ja na te krwią zimną patrzałbym swywole!
Cóż na to Mościa pani? Prawda w oczy kole!

KLARYSA

Mój mężu, żal mi ciebie, szanuję twe błędy
I jeśli ci wybaczam, przez te tylko względy.
30 Wiedz jednak, gdybym nasze chciała plamić łoże,
Lepiej bym cię oszukać potrafiła może.

ARYST (*z pasją*)

Oszukajże do licha, kiedy o to idzie,
Ale niech mąż o twoim nic nie wie bezwstydzie!

FIRCYK

Ale nie byłbyś dzieckiem i bajów nie prawił!
35 Zostaw nas tu na moment.

ARYST

Żebym was zostawił!

FIRCYK

Tylko się naradziemy w pewnym interesie.

ARYST

Nic z tego, dobrodzieju!

FIRCYK

Proszę.

ARYST

Obejdzie się,

Obejdzie, dosyć mojej cierpliwości póty!

FIRCYK

Chwilkę jedną.

ARYST

Nie, nie, nie, ani pół minuty!

FIRCYK (*do Klarysy*)

40 Przyrzekaszże mi, pani, że za twą pomocą...

KLARYSA

Jeżeli będę mogła, bądź pewien...

ARYST

Co? Co? Co?

KLARYSA (*do męża*)

To, o czym Waćpan nie wiesz –

(*do Fircyka*)

Że się nie uchylę,

Żebym ci rozkoszniejsze mogła sprawić chwile.

ARYST

Co, co waćpani mówisz?

KLARYSA (*odchodząc*)

Kłaniam uniżenie,

45 Na tak lekkie pytanie najlepsze milczenie.

FIRCYK (*do Klarysy*)

Służę pani.

ARYST (*w ostatniej zapalczywości*)
A wiesz ty, mospanie Fircyku,
Że ja takich wypraszam gości na patyku.
(*Klarysa wychodzi, Fircyk za nią*).

JESTEM TERAZ... **2.** *łajdak* – rascal; *szelma* – scoundrel; *huncwot* (Ger. *Hundspfote, Hundsfott*) – knave, rogue. **6.** *obwiesić się* or *powiesić się* – to hang oneself; *ladaco* – a good for nothing. **7.** *Zoil* – Greek critic (fourth century B.C.) known for his severe and unjust judgments. **8.** *paszkwil* – libel, lampoon. **10.** *otrząsać się* = *oburzać się* – to wax indignant. **12.** *mieć sobie za chlubę* – to take pride in.

STANĘŁO STO TYSIĘCY WOJSKA... **1.** Refers to the resolution passed by the Diet which established an army of 100,000 men. **7.** *rozrzewnieni* = *wzruszeni* – touched, moved.

PRZECHODNIU... **2–3.** *Adam Łodzia Poniński, Ksawery Branicki* – aristocrats notorious for being in the service of Russia. **4.** *Przebóg*! – egad!

NA OBIADY CZWARTKOWE. (Refers to the "Thursday dinners" held by king Stanisław August at which distinguished statesmen and writers gathered and discussed important problems) **2.** *ekspensa*, now *wydatki* – expenses.

FIRCYK W ZALOTACH. SCENA 9. **1.** *staroście* – the son of *starosta; żwawo* – briskly. **3.** *nasza wdowa* – refers to *Podstolina.* **5.** *w stanie wdowim* – in widowhood. **6.** *toć* = *to* + *ci* – *przecież; wiém* – pronounced *wim.* **7.** *tylo* = *tylko.* **10.** *wyczerpnęłam* = *zaczerpnęłam*, from *wyczerpnąć, zaczerpnąć* – to draw, gather. **11.** *wdoweńka* – dimin. of *wdowa.* **12.** *dzika* – untamed; *słodziusieńka*, dimin. of *słodka* – sweet. **14.** *toteż bo to* = *a właśnie* (*że wiem*) – indeed, I know. **15.** *tonem pewnego*, scil. *siebie* – selfconfidently; *bez mała* – here, no less. **16.** *waćpani* = *waszmość pani.* **17.** *gdyby słowo* = *choćby słowo* – not even a word; *z zadumaniem* – musing. **18.** *kabała* – fortune telling from cards, here, cabal. **19.** *kochać się w kim* – to be in love with someone. **20.** *żonka* – dimin. of *żona; narzeczona* – fiancée, betrothed; here used as past pass. part. of the old verb *narzec* = *przyrzec, obiecać* – to troth, promise, hence: promised wife, betrothed. **21.** *mieć słowo* = *przyrzeczenie* – to have the promise. **22.** *młodej nie być* = *młoda nie może* (*nie powinna*) *być.* **23.** *cacka* = *cacko* – pretty thing. **24.** *talijka*, dim. of *talja* (French *taille*) – stature, waist, figure; *buzia* – face; *mina* – look, expression; *gracki* – smart. **25.** *kobietka* – dim. of *kobieta.* **26.** *letki* older form for *lekki* – light, prompt. **27.** *widomy* = *widoczny* – evident. *After line* **28.** *ulękniony* = *zlękniony, przestraszony* – afraid. **31.** *szaławiła* or *trzpiot* – giddy-head. **32.** *zaniechać* – to leave alone, stop, now used with genet. **34.** *znać* = *snać, widocznie* – apparently. **35.** *prawdzą się* = *sprawdzają się*, from *sprawdzać się* – to prove true. **38.** *grać w kości* – to play dice. **39.** *cudotworny* = *tworzący cuda* – performing miracles. **40.** *niesforny* – refractory, obstinate; *zapalczywość* – violent passion. **41.** *urąganie* – derision, mockery. **42.** *jątrzyć* – to irritate, fester; *kaleczyć* – to wound, mutilate. **43.** *pociecha* – consolation; *wsparcie* – support; *After line* **44** *obaczywszy się*, from *obaczyć się, spostrzec się* – to realize; *grubjański* – boorish, vulgar. **45.** *ubliżyć* – to offend; *raczyć* – to deign, condescend. **46.** *wymówić* = *usprawiedliwić* – to apologize; *zbytek* – excess. **47.** *zawstydzenie* fr. *wstyd* – shame; *srogi* – severe; fierce. **48.**

odjąć przytomność – to make one lose one's head, consciousness; *udręczać* from *dręczyć* – to torment. **50.** *wesprzyj*, imper. of *wesprzeć* – to support, see note 43 (*wsparcie*). **51.** *byleś chciała* = *jeżelibyś tylko chciała* – if you only want to; *zażyłość* – intimacy. **52.** *krew*, here *pokrewieństwo* – blood, kinship. **53.** *modły* = *modlitwy* – prayers. **54.** *podły* – here, of base extraction. **55.** *równe stany* – equal social status, class. **56.** *chybić* – to miss; *pójdziem na pałasze* – we shall have recourse to sabres. **57.** *z duszy* – wholeheartedly. **58.** *co to nada* = *na co to się przyda* – what good will that do. **60.** *zasłona*, here *opieka* – protection. **61.** *ulec* – to yield; *na te wdzięki* = *tym wdziękom*, from *wdzięk* – charm. **62.** *jagody* – here, cheeks; *mléczne* – adj. of *mleko*. **63.** *oczęta* – dim. of *oczy*. **65.** *zawzięta* – stubborn.

SCENA 10. *Before line* 1. *podrzeźniając* – from *podrzeźniać* – to ape, imitate. **4.** *także* = *tak* + stressing *że*. **5.** *uczciwe* – scil. *kobiety; niecna* = *niecnotliwa* – wicked, shameless. **6.** *wiarołomny* – faithless, perfidious; *zdradny* – treacherous. **7.** refers to Aryst's previous invitation for Fircyk to celebrate his wedding at Aryst's house. **8.** *krewkość* – quick temper. **9.** *mieć się godzi* – it behooves to have; *ostrożność* – caution. **10.** *umizgi*, plur. of *umizg* – woos. **12.** *osobliwy* – peculiar. **13.** *drzymać* or *drzemać* – to doze, nap; *słony* – salted; here, unpleasant. **15.** *powstawać na* – to rise against, assail. **16.** *pfe*! – shame! *waryjatem*, older spelling of *warjat* – insane, fool. **17.** *lżyć* – to insult, slander. **18.** *pozór* – appearance. **19.** *dochodzić* – to investigate; *plama* – spot; *niebaczny* – heedless; *po niej* = *u niej*. **23.** *świszczypała* or *wietrznik* – giddy, flighty fellow. **24.** *androny* – idiom. nonsense, idle talk. **25.** *najmiększą*, superl. of *miękki* – soft, tender; *lubieżność* – voluptuousness. **26.** *swywola* or *swawola* – mischief. **27.** *prawda w oczy kole* – proverb: truth pricks the eyes, i.e., it hurts to face the truth. **29.** *względy*, here, reasons. **30.** *plamić łoże* – literally to sully the marital bed, to betray. **32.** *kiedy o to idzie* – as far as that's concerned. **33.** *bezwstyd* – shamelessness. **34.** *prawić baje* – to talk nonsense. **36.** *naradziemy* = *naradzimy*, from *naradzić się* – to consult, confer. **37.** *nic z tego* – idiom. nothing doing; *obejdzie się* – that will do; *póty* = *dotąd*. **42.** *uchylać się* – to avoid, evade. **44.** *kłaniam* (*się*) *uniżenie* – I bow low, I beg to take leave; *służę pani* – French: *a votre service* – at your service. **47.** *wypraszać* – to ask someone to leave; *na patyku* = *kijem* – with a stick.

Stanisław Konarski (1700–1773)

A member of the Piarist order, eminent educator, reformer of education and of the literary language, and outstanding political writer was Stanisław Konarski. In 1740 he founded in Warsaw the Collegium Nobilium, a modern progressive college. For this institution he wrote his *Ordinationes* (School Regulations, 1753) in the spirit of modern pedagogy and didactics. In a Latin pamphlet, *De emendandis eloquentiae vitiis*, he opposed the corrupted literary taste of the Saxon period and advocated following the model of the Polish language and style of the sixteenth century. His main political work, *O skutecznym rad sposobie* (On Effective Councils, 1760–1763, in Polish), is directed against the so-called Liberum veto, the Polish parliamentary custom according to which the opposition of a single deputy could prevent the passing of a law or bill and also break up the Diet. It is mainly owing to Konarski's merit that the Liberum veto was finally abolished by the Constitution of May 3, 1791.

From USTAWY SZKOLNE

(*Translation from Latin*)

...Nauczyciel powinien się odznaczać uprzejmością, łagodnością i jak największą przystępnością. A chociażby tępość, niedbalstwo czy upór chłopców wywołał oburzenie i był dla nauczycieli wielkiem udręczeniem, jednak muszą się pilnie wystrzegać popędliwości, nie
5 unosić się, nie krzyczeć, nie obrzucać uczniów wyzwiskami, nie naigrawać się z tępszych, unikać starannie wszelkiej szorstkości i wybuchów gniewu, słów ostrych i obelżywych, gdyż one jeszcze bardziej zaciemniają i ogłupiają umysły chłopiąt, którzy wtedy tracą poprostu przytomność. Nauczyciel powinien nimi kierować łagodnie, z dobro-
10 cią. Gdy zajdzie potrzeba nagany, niechaj nie udziela jej nigdy na gorąco, nigdy uniesiony gniewem, bezpośrednio po przestępstwie, kiedy jest jeszcze pod świeżem wrażeniem przewinienia, lecz zawsze pewien czas przeczeka, a potem postąpi z największą roztropnością i umiarkowaniem, ale zarazem stanowczo, surowo i poważnie.

15 Gdyby możliwem było wykreślenie ze szkół naszych kary chłosty, to należałoby sobie tego bardzo życzyć. Przynajmniej więc tak postępujmy i tego przestrzegajmy, by szkoły nie zasługiwały sobie na nazwę "katowni" i "jatek dziecięcych", a nauczyciele na nazwę bitników, dzierżykijów, katów i rzeźników. Trzeba się więc trzymać owej ważnej
20 i duchem umiarkowania tchnącej rady, jaką wychowawcom dają ludzie mądrzy i przestrzegać zawsze tej już samą roztropnością zalecanej zasady: nie trzeba, mianowicie, chłostać chłopców za zaniedbanie szkolnych obowiązków lub zadań i t.p., ani nawet za częściej powta-

rzające się wybryki, za wybuchy gniewu, lub nawet lekkie uchybienie
25 religji w kościele, za harde odpowiedzi, ani za niewłaściwe spełnienie jakiegoś obowiązku, lub inne jakieś przestępstwo, lecz wyłącznie i jedynie za upór, krnąbrność i zawziętość. Kiedy się mówi: za upór i zawziętość w złem, pojęcie przyczyny jest bardzo obszerne i wiele w sobie mieści. Gdzie jednak istotnie brak tej przyczyny, trzeba się
30 wstrzymać od chłosty, a zamiast niej raczej przemawiać do rozumu, podwoić czujność, napominać, karcić i wogóle wszelkich innych pierwej próbować sposobów, zmierzających do naprawy młodzieży, a mianowicie do wyplenienia lenistwa, kłamstwa lub też innej jakiej zdrożności.

35 Gdyby się zaś uparci poprawić nie chcieli, okazując zatwardziałą skłonność do grzechu, wówczas trzeba spróbować jeszcze tego ostatecznego środka poprawy – o ile to wogóle jest możliwem. Ponieważ kara ta jest dla chłopców ostateczną i największą ze wszystkich, byłoby poprostu głupstwem i barbarzyństwem, nawet grzechem,
40 odrazu się do niej uciekać, chociażby była jeszcze nadzieja, że niezbyt zastarzały upór chłopca da się przełamać innemi sposobami. Chłopca, który raz otrzymał chłostę, potrafi każdy dobry i rozsądny nauczyciel groźbami i postrachem długo, albo nawet raz na zawsze utrzymać przy pełnieniu obowiązków, nie uciekając się raz po raz do tego
45 najwstrętniejszego i najbardziej hańbiącego środka. Jest rzeczą pewną, że najczęściej chłopcy wskutek plag zacinają się, jak najpodlejsi niewolnicy, zamiast się zmienić na korzyść. Bywają wprawdzie i tacy, którym niekiedy potrzeba tej ostrogi; lecz roztropność, umiarkowanie, religijność, uprzejmość, miłość chrześcijańska, wreszcie i samo poczu-
50 cie ludzkości, a także nasze wykształcenie, które nas ponad grube i nieokrzesane prostactwo wynosi, wszystko przemawia głośno, że nie wolno się znęcać nad słabemi jeszcze i skłonnemi do złego istotami, a lekarstwa tego nie inaczej używać należy, jak lekarze używają trucizny i żelaza.

55 W teraźniejszym zaś ich wieku za najpryncypalniejszą cnotę niech sobie (studenci) obiorą powolność i posłuszeństwo, wiedząc, że rząd całego narodu ludzkiego przez subordynacją stoi... Nigdy w kollegjum tak ciężkiego posłuszeństwa nie doznają, jakiego doznają wojskowi wszędzie ludzie, gdzie... największe niewygody ponosić, głód i niezno-
60 śne prace cierpieć, fortuny, wolność i życie tracić... by najhazardowniejsze rozkazy wypełnić muszą, i nigdy się z niczego ekskuzować nie mogą. Aleć i w każdym na świecie stanie swoja jest subordynacja. Do jej więc w społeczności ludzkiej zachowania z młodego wieku najbardziej przyzwyczajać się potrzeba. W ostatnie w dalszem życiu

65 nieszczęścia ludzie wpadają, którzy swojej woli z młodu pod wolą starszych nie przyzwyczaili się poddawać.

Jako największej ohydy, sprośnej hańby, plugawej podłości strzec się Ich Mość zacnie urodzeni mają osobliwie kłamstwa, do którego młode lata są tak bardzo skłonne, ile że to jest znakiem fałszywego, 70 niegodziwego i niepoczciwego charakteru. Kto z młodu w ten obmierzły nałóg nieprawdy mówienia wda się, stracił na całe życie reputacją, bo nigdy od tak obmierzłego kłamania zwyczaju nie odwyknie... Dobrego charakteru i pięknej duszy młody, choćby i w bojaźni prawdę zawsze zezna: boć więcej jest u niego skłamać, niż honor 75 stracić, woli i przycierpieć, a Pana Boga, poczciwości i honoru swego nieprawdą nie obrażać.

Ludzi służących nigdy źle traktować nie trzeba, ani żadnem słowem nieprzystojnem, ani dopieroż żadnem i najmniejszem uderzeniem... Do tego największy znak, ile w młodym, aleć i w każdym 80 wieku, złego i okrutnego serca jest, kiedy go właśni ludzie jego nie kochają, kiedy się pan służącym obmierzłym staje. Nie tyrany i zdzierce, ale ojcami mają być swych ludzi i poddanych.

Między największemi tutejszej edukacji pożytkami ten się jeden kładzie, żeby Ich Mość młodzi wuczyli się i wzwyczaili w czytanie 85 prywatne dobrych książek, nie do ladajakich książek,... ale książek moralnych, politycznych, historycznych, do literatury i wszelkich sciencyj należących, których tu Ich Mciom dają dostateczną wiadomość... Jedno czytanie książek ludzi uczonymi i wielkimi w Ojczyźnie czyni, i ten wcale *preceptora* żadnego nie potrzebuje, kto sobie książki 90 za *preceptorów* bierze... I to pewna, że wyszedłszy ze szkół, niedbale w szkołach czas trawiony jednem książek czytaniem dostatecznie sobie nadgrodzić możemy: więc do nich z młodu zaraz wzwyczajać nam się trzeba, bo kto w kollegjum do książki ochoty nie weźmie, czy można spodziewać się, żeby wyszedłszy na wolność i tyle inszych 95 rozrywek, miał się chcieć książką bawić? Kto zaś z młodu do tej gust weźmie zabawy, to od niej pewnie całe nie odwyknie życie.

From O SKUTECZNYM RAD SPOSOBIE

...Żebyśmy więc my Polacy (lubom tę myśl już kilka razy powtórzył, ale nigdy dosyć), żebyśmy mówię my Polacy sami mieli się za rozumniejszych, nad cały Naród Ludzki, i nad wszystkie dawne i teraz kwitnące Rzplite, toby było nadto: że nie rzekę, iż by to była 5 jakaś osobliwa i niesłychana pretensja, któraby nas na pośmiewisko całemu podała światu. Rządźmy się (co się sto razy mówiło) jak ludzie

rozumni, jak się rządzi reszta całego naszego plemienia: nic nie pretendujmy nad ludzi. Odpowiedź ta, że to *co inszego w inszych krajach, co inszego w Polszcze*, tak jest mało rozumu mająca, że nie jest i odpo-
10 wiedzi warta. Bo Bóg i natura nie szukali inszej gliny, ani inszej formy na stworzenie Polaka, a na stworzenie Angielczyka, Szwajcara, Belgi, Wenety etc. i gdyby ta chimera *jednomyślności* w Radach, to *nemine contradicente*, miały miejsce i w tych Nacjach, tenże by pewnie nierząd, tęż okropną jak u nas wprowadziły bezradność i anarchją...

USTAWY SZKOLNE. **2.** *przystępność* – affability; *tępość* – dullness, stupidity. **3.** *upór* – stubbornness. **4.** *popędliwość* – impetuosity, hotheadedness. **5.** *unosić się* – to lose one's temper; *wyzwisko* – invective; *obrzucać wyzwiskami* – to call names. **6.** *naigrawać się* – to jeer, make fun of; *szorstkość* – gruffness. **7.** *obelżywy* – insulting. **8.** *chłopiąt*, gen. plur. from *chłopię*, dim. of *chłopiec* – boy, lad. **10.** *nagana* – reproof. **11.** *na gorąco* – lit. hotly, in the flush (of indignation). **13.** *roztropność* – sagacity, wisdom. **15.** *kara chłosty* – corporal punishment. **18.** *katownia*, from *kat*, executioner – torture chamber; *jatki* – shambles; *bitnik*, from *bić*, to beat – flogger. **19.** *dzierżykij* – from *dzierżyć*, to hold, and *kij*, stick, whip – whipper. **22.** *chłostać* – to whip. **24.** *wybryki* – excesses, rowdiness; *uchybienie* – misbehavior, failing. **25.** *hardy* – overbold, arrogant. **27.** *krnąbrność* – recalcitrance; *zawziętość* – headstrongness. **31.** *czujność* – vigilance; *karcić* – to reprehend. **33.** *wyplenienia*, from *wyplenić* – to weed out, extirpate. **34.** *zdrożność* – wickedness. **35.** *zatwardziały* – obdurate. **40.** *uciekać się do czego* – to have recourse to. **41.** *przełamać* – to break. **45.** *najwstrętniejszy*, superl. of *wstrętny* – repulsive. **46.** *plaga* – flogging; *zacinać się* – to become obstinate. **48.** *ostroga* – spur. **51.** *prostactwo* from *prosty*, coarse, vulgar – common, vulgar people. **52.** *znęcać się* – to torment, torture. **57.** *subordynacja* – discipline. **60.** *by* = *nawet* – even. **61.** *ekskuzować się* = *wymawiać się* – to excuse oneself, decline. **65.** *pod wolą* old accus., now *wolę*. **67.** *ohyda* – ignominy; *sprośny* – disgraceful, ignominious; *plugawy* – filthy. **68.** *Ich Mość* = *Ich Mościowie* = *Miłościwi panowie; zacnie urodzony* – well born, of noble birth. **69.** *ile że* = *ponieważ* – because. **71.** *obmierzły nałóg* – loathsome habit; *wdać się w coś* – to meddle with; *reputacją* – old accus., now *reputację*. **74.** *zeznać* = *wyznać* – to avow, confess. **75.** *przycierpieć* – to suffer a little. **78.** *ani dopieroż* – not to speak of, let alone. **79.** *znak* – sign, symptom. **81.** *obmierzły* = *wstrętny; zdzierce*, plur. of *zdzierca* – exploiter. **84.** *kładzie*, from *kłaść* – to put; *wzwyczaić się* – to get accustomed. **85.** *ladajaki* – whatever, random, worthless. **88.** *jedno* = *jedynie, jeno, tylko* – only; *preceptor*, Latin – teacher, instructor. **91.** *czas trawiony* = *spędzony* – time spent. **95.** *bawić się* = *zajmować się* – to be interested in, concerned with; *gust* – taste. **96.** *odwyknąć* – to lose the habit.

O SKUTECZNYM RAD SPOSOBIE. **1.** *lubom* – *lubo, chociaż* – although + *m*, transposed from verb: *lubo powtórzyłem*. **4.** *Rzplite* – abbrev. for *Rzeczypospolite; toby było nadto* – it would be too much; *rzekę*, from *rzec* – to say. **5.** *pośmiewisko* – derision. **7.** *nic nie pretendujmy nad ludzi* – let us not pretend that we are better than other people. **9.** *w Polszcze*, old loc. of *Polska*, now *w Polsce*. **11.** *Angielczyk*, now *Anglik* – Englishman; *Belga*, now *Belg* – Belgian. **12.** *Weneta* – inhabitant of Venice, Venetian. **13.** *nemine contradicente* – Lat. with no one opposing; refers to *liberum veto*. **14.** *anarchją* – old accus. now *anarchję*.

Stanisław Staszic (1755–1826)

The leading political writer of the period, a burgher by origin, Stanisław Staszic is the author of two basic works: *Uwagi nad życiem Jana Zamoyskiego* (Observations on the Life of Jan Zamoyski, 1785) and *Przestrogi dla Polski* (Warnings for Poland, 1790). In these works, imbued with the spirit of J. J. Rousseau and the French Encyclopaedists, he set forth the whole system of reform of the Polish state, Diet, government, education, treasury, and army. He was a fervent advocate of restricting the privileges of the nobility, granting equality of rights to the burghers, bestowing land upon the peasants, restoring personal freedom to the peasants, and abolishing serfdom. Staszic represented the best features of the new cultural Polish type: broad, European vision, liberal and democratic views, wise and clear-sighted patriotism.

From PRZESTROGI DLA POLSKI (1790)

DO PANÓW (CZYLI MOŻNOWŁADCÓW)

...Powiem, kto mojej Ojczyźnie szkodzi.

Z samych panów zguba Polaków. Oni zniszczyli wszystkie uszanowanie dla prawa. Oni, rządowego posłuszeństwa cierpieć nie chcąc, bez wykonania zostawili prawo. Oni zupełnie zagubili wyobrażenie
5 sprawiedliwości w umysłach Polaków. Oni prawo zamienili w czczą formalność, która tylko wtenczas ważną była, kiedy prawo ich dumie, łakomstwu i złości służyło.

W tym kraju, gdzie prawo narzędziem niecnoty, rzeczpospolita obywatelów zamienia się w rzeczpospolitę łupieżców, zdrajców,
10 krzywoprzysiężców, jurgieltników. A kończy się na tem, że – od najmniejszego urzędnika, aż do Tronu – kto się na najwięcej poważy, ten najwyżej siedzi.

Kto na sejmikach uczy obywatela zdrady, podstępów, podłości, gwałtu? – Panowie. Kto niewinną szlachtę, najpoczciwiej i najszcze-
15 rzej Ojczyźnie życzącą, oszukuje, przekupuje i rozpaja? – Panowie. Kto od wieku robił nieczynną władzę prawodawczą, rwał Sejmy? – Panowie. Kto sądowe magistratury zamienił w targowisko sprawiedliwości, albo w plac pijaństwa, przekupstwa, przemocy? – Panowie. Kto koronę przedawał? – Panowie. Kto koronę kupował? – Panowie.
20 Kto wojska obce do kraju wprowadził? – Panowie.

Kto przez nierozsądną, nieskróconą osobistość i dumę ród bitnych Kozaków od Polski oderwał i nieprzyjaciółmi Polski być zmusił? – Panowie.

Kto od pewnego czasu, niby to czynność Sejmu powracając, za-
25 mienił wolę Narodu w wolę Dworu Moskiewskiego? – Panowie. Kto przedawał Polaków? – Panowie. Kto przy rozbiorze kraju brał zagraniczne pensje? – Panowie. Kto na teraźniejszym Sejmie przeszkadzał do wojska, nie pozwalał na Komisją Wojskową? – Panowie.

Tak jest: panowie przyprowadzili kochaną Ojczyznę do tego
30 stopnia upadku, słabości i wzgardy, z której ją dzisiaj z taką trudnością – dla przeszkody tychże panów! – sama szlachta dźwiga.

Rozpustni, lekkomyślni, chciwi i marnotrawni, dumni i podli, dzielność praw zniszczywszy, na wszystkie namiętności wyuzdani panowie byli w Polsce. Jedno małżeństwo, jedna wdowa bogata, jeden
35 urząd, biskupstwo, starostwo nie podług ich myśli dane, często zdanie im przeciwne, słowo ich żądzy niedogodne w ostatnią ich zapamiętałość przeciwko szlachcicowi, albo drugiemu panu rzucało. Aby tylko dogodzić swojej pysze, aby się tylko zemścić, gotowi byli siebie i Rzeczpospolitą zgubić. Najpierwej wyszukując materje popularne,
40 chociaż krajowi najszkodliwsze, zdradnem pochlebstwem czynili sobie w szlachcie stronników; wkrótce z jednego kraju robili dwa narody. Natychmiast sejmiki stały się uzbrojoną zgrają pod dwiema hersztami; na Sejmy nie poselstwo narodu, ale służba dwóch panów ciągnęła; Trybunały nie sprawiedliwością – ale były wywodem, kto tego roku
45 mocniejszy.

Ta familja, która najliczniejszy rej szlachty wodziła, na każdym zjeździe większą stronę mając, trzymała w swoich ręku wszystkie elekcje, władzę prawodawczą i wszystkie magistratury sądowe. Nie to uważano w prawie, coby najwięcej dobru publicznemu sprzyjało, ale
50 coby uszkodziło przeciwnika, albo dogodziło partykularnym użytkom. Nie ten brał urzędy, który miał zasługi, cnotę i wiadomość potrzebną, ale kto najlepiej życiem i sumieniem szarzał. Nie ten pewnym był sprawiedliwości, kto kładł przed sędzią prawo, ale kto oddawał listy pańskie. Owszem, bez woli popularniejszej familji, nietylko cywilnym
55 urzędnikiem, ale nawet być nie można było proboszczem, kanonikiem, ani dziekanem, – prowincjałem, lektorem, przeorem, ani gwardjanem. Uchowaj Boże, żeby się który szlachcic był odważył stanąć przy prawie, przy dobru powszechnem, – owszem, sprzeciwić się tylko swojem przeświadczeniem któremu z tych dumców; szczęśliwy, jeżeliby
60 na miejscu nie był rozsiekanym, zapewne odtąd ani w drodze, ani w domu życia bezpiecznego nie miał. Odbierał wkrótce pozew i dokumenta, że cudzą wieś posiada. Tak wszystko się przed górującą dumą płaszczyło. Kto chciał mieć spokojność, majątek i sprawiedliwość, zaciągał się pod magnatów przemoc.

65 Rodzice już niewinne dzieci swoili z podłością. Uczyli ich nik-

czemności, niszczyli w nich wolę i wyniosłość, tak wolnemu człowiekowi potrzebną. Okazywali codziennie te podłe sposoby, któremi na służbach pańskich swoje niesprawiedliwe majątki zebrali. Duchowni w swoich naukach, zakonnicy po ambonach, nauczyciele publiczni
70 w szkołach na każdą uroczystość smażyli się w pochwałach cnoty, obywatelstwa i sprawiedliwości tych, którzy największe niecnoty, krzywdy i zbrodnie pełnili. Tak wychowany szlachcic nie miał własnej woli. Nie czuł swojej duszy.

* * * *

Wtenczas, kiedy cudzoziemiec rozciągał nad wszystkimi Polakami
75 i nad nimi samymi niewolę, kiedy rzucał na naród wieczną ohydę, kiedy szarpał na sztuki Ojczyznę, – oni jeszcze w swojej zaciętości ku sobie nie spokoją się. Nie łączą się z sobą. Owszem, wewnętrznie cieszą się z gwałtu, który ich przeciwników do reszty niszczy. Żaden z panów nie ruszył się z ofiarą swojego majątku i życia na obronę ginącej
80 Rzeczypospolitej. Jedni, którzy, dopokąd z Ojczyzny zyskiwać można było, zebrali znaczne dostatki, używali ich spokojnie w zaciszu, równie jakby w najszczęśliwszym czasie Polski. Okazują najlepiej czem są panowie, te przy rozbiorze kraju od nich wyrzeczone słowa – "*niech się dzieje z krajem co chce; ja to wiem, iż zawsze w mojej wsi będę wójtem.*"
85 Inni zaś widząc, że przy rozboju Ojczyzny łatwo bogacić się z jej łupów, sami nadarzają się cudzoziemcom za narzędzie do prędszego uskutecznienia gwałtów. Ukazują im sposoby do pozorniejszych formalności. Za pensje, za własne Rzeczypospolitej dobra, bez zapewnienia jakiegoś dalszego losu Ojczyźnie i tej niewinnej szlachcie, którą zdra-
90 dzili tylko po zabezpieczeniu swoich osobistych losów i swoich osobistych nadgród, niewolę miljonów ludzi podpisali najpierwsi. Szlachcic zaś, który dotąd był łudzony, dopokąd był potrzebny, – gdy szedł pod jarzmo opuszczony przez panów, którzy tyle lat usilnie nad nim pracowali, aby mu odebrać rozum i duszę, zapomniał
95 w ostatniej potrzebie Ojczyzny, że miał szablę w pochwie.

Ale nad rozbiór kraju gorsze złe panowie wyrządzili Polakom. Zatracili narodowy charakter. Szlachcic z nieustraszonego stał się na wszystko lękliwym, z wyniosłego podłym, z urodzonego do wolności już dojrzałym do najcięższej niewoli. Świadkiem tego zabory. Stra-
100 cił to hasło, którego naruszenie w wszystkich jedno czucie budzić powinno. Bez wyobrażenia sprawiedliwości, największa nieprawość w nim krwi nie burzy. Czyli to gwałt prawu, czyli posłuszeństwo prawu równy w jego umyśle skutek sprawują. Krzywoprzysięstwo popełnić już mu z łatwością przychodzi. Sława Narodu, miłość Ojczyzny nie

105 zapala go do ofiar. Nie ma stałości ducha. Na wszystko się zastrasza.
Już nie czuje, iż milsza śmierć, niż niewola podła.
Tak jest: zatracili panowie właściwy naszemu narodowi umysł....

GRUNTA CHŁOPSKIE CZYLI ROLNIK PRACOWITY

Pięć części Narodu Polskiego stoi mi przed oczyma. Widzę miljony stworzeń, z których jedne wpółnago chodzą, drugie skórą, albo ostrą siermięgą okryte, wszystkie wyschłe, znędzniałe, obrosłe, zakopciałe. Oczy głęboko w głowie zapadłe. Dychawicznemi piersiami bezustan-
5 nie robią. Posępne, zadurzałe i głupie, mało czują i mało myślą: to ich największą szczęśliwością.

Ledwie w nich dostrzec można duszę rozumną. Ich zwierzchnia postać z pierwszego wejrzenia więcej podobieństwa okazuje do zwierza, niżeli do człowieka. *Chłop* – ostatniej wzgardy nazwisko mają.
10 Tych żywnością jest chleb z śrótu, a przez ćwierć roku samo zielsko; napojem – woda i paląca wnętrzności wódka. Tych pomieszkaniem są lochy, czyli trochę nad ziemię wyniesione szałasze: słońce tam nie ma przystępu, – są tylko zapchane smrodem i tym dobrotliwym dymem, który, aby podobno mniej na swoją nędzę patrzali, zbawia
15 ich światła; aby mniej cierpieli, i w dzień i w nocy dusząc, ukraca ich życie mizerne, – a najwięcej w niemowlęcym wieku zabija. W tej smrodu i dymu ciemnicy dzienną pracą strudzony gospodarz na zgniłym spoczywa barłogu. Obok niego śpi mała, a naga dziatwa na tem samem legowisku, na którem krowa z cielęciem stoi i świnia
20 z prosiętami leży...

Dobrzy Polacy! Oto rozkosz tej części ludzi, od których los waszej Rzeczypospolitej zawisł! Oto człowiek, który was żywi! Oto stan rolnika w Polsce!...

PRZESTROGI DLA POLSKI. Do PANÓW (CZYLI MOŻNOWŁADCÓW); (*możnowładcy* – magnates). **3.** *rządowe posłuszeństwo* = *posłuszeństwo rządowi* – obedience to the government; *zagubili*, from *zagubić*, *zgubić* – to lose; here, to destroy, ruin. **5.** *czczy* = *pusty* – empty. **7.** *łakomstwo* – greediness. **9.** *łupieżca* – plunderer, from *łupić*. **10.** *jurgieltnik* – a man in pay (*jurgielt*, Germ. *Jahrgeld*) of a foreign power. **11.** *poważyć się* = *odważyć się na co* – to venture, dare. **13.** *podstęp* – stratagem. **15.** *rozpaja*, from *rozpajać* – to turn into drunkards. **16.** allusion to the *liberum veto*, see biography of S. Konarski. **17.** *sądowe magistratury* = *urzędy sądowe* – courts of law. **19.** *korona* – in the sense of royal power. **21.** *nieskrócona* = *nieukrócona* – unbridled; *osobistość* – now, personality, person, here, individualism. **22.** Allusion to Polish-Cossack wars in the seventeenth century, caused in part by the abuses committed by some Polish magnates. **25.** *Dwór Moskiewski* – the Moscow Court; refers to the adherents of Russia among Polish aristocracy. **26.** *rozbiór kraju* – the first partition of Poland by Russia, Prussia and Austria in 1772. **26–27.** *zagraniczne pensje* = *jurgielt*, see note 10. **27–28.** *przeszkadzał do* *wojska* = *przeszkadzał reformom wojskowym* – prevented reforms of the army planned by the Military Commission (*Komisja Wojskowa*) of the Diet. **30.** *wzgarda* = *pogarda* – contempt, disdain. **31.** *dla przeszkody* = *wbrew przeszkodzie* – in spite of the hindrance. **32.** *marnotrawni* – prodigal, squandering. **33.** *dzielność praw* – the vigor of laws, now *siła praw; wyuzdany* – unbridled, from *uzda* – bridle; *na wszystkie namiętności* – all their passions unbridled. **36.** *zapamiętałość* – frenzy. **42.** *sejmiki* – dietines, regional assemblies of nobility which elected representatives to the Diet (*Sejm*); *dwiema hersztami* – *dwiema*, old instr. dual now *dwoma; hersztami* – newer form instead of *hersztoma*, instr. dual of *herszt* – ringleader. **44.** *Trybunały* – tribunals, courts of appeal, established in Poland in the sixteenth century; *wywodem*, from *wywód* – demonstration, proof. **46.** *rej wodzić* – idiom. to lead; *rej szlachty* – leading of nobility. **47.** *w swoich ręku* – loc. dual. **48–49.** *nie to uważano w prawie* – *nie to uwzględniano, miano na uwadze; uwzględniać* – to take into consideration, pay attention to. **52.** *szarzał*, from *szarzać* = *poniewierać*, *pomiatać* – to spurn. **55.** *proboszcz* – parson; *kanonik* – canon. **56.** *dziekan* – dean; *prowincjał* – head of all the monasteries of a province; *lektor* – lector who reads the lessons in the church service; *przeor* – prior; *gwardjan* – superior of a monastery. **57.** *się był odważył* – pluperfect from *odważyć się*. **58.** *sprzeciwić się* – to oppose. **59.** *dumców*, gen. plur. of *dumiec*, *dumny człowiek*, *pyszałek* – an overbearing, conceited person. **60.** *rozsiekany*, from *rozsiekać* – to cut to pieces. **61.** *pozew* – summons. **63.** *płaszczyć się* – to crawl, toady. **64.** *zaciągać się pod...* – to enlist, here, to submit to. **65.** *swoili*, from *swoić* = *oswajać* – to accustom; *nikczemność* – baseness. **66.** *wyniosłość* – loftiness; here, pride. **68.** *niesprawiedliwe majątki* = *zdobyte nieuczciwie* – fortunes acquired in a dishonest way. **69.** *ambona* – pulpit. **70.** *smażyli się w pochwałach*, from *smażyć* – to fry; here, to exert oneself in the praises of... **75.** *ohyda* – ignominy; refers to the partition of Poland. **77.** *nie spokoją się* = *nie uspakajają się* – they do not calm down. **80.** *dopokąd* = *dopóki* – as long as. **83.** *od nich* – now *przez nich*. **85.** *rozboju*, from *rozbój* – robbery, plundering. **86.** *nadarzać się* – to offer, to present oneself. **87.** *pozorniejszych formalności* – *pozorny*, here *złudny*, *fałszywy*, fictitious, false; *formalności* refers probably to legal loopholes (formalities) justifying abuses. **91.** *nadgród*, from *nadgroda*, now *nagroda* – reward. **95.** *szabla w pochwie* – sword in the scabbard. **99.** *zabór* – conquest, annexed region, refers again to the partition of Poland. **102.** *krwi nie burzy* – does not stir (his) blood; does not make his blood boil.

GRUNTA CHŁOPSKIE CZYLI ROLNIK PRACOWITY. (*grunta*, nom. plur. of *grunt* – lands). **3.** *siermięga* – smock frock worn by Polish peasants, russet; *obrosłe*, scil. *włosami* – hirsute; *zakopciałe*, from *zakopcić* – smutty, covered with soot. **4.** *dychawiczny* – asthmatic. **5.** *zadurzałe* – benumbed. **9.** *chłop* – this designation of the peasant was considered derogatory; the more polite forms were: *włościanin*, *rolnik*, *kmieć*, *kmiotek*. **10.** *chleb z śrótu* – bread of coarse flour; *zielsko* – weed. **12.** *szałasz* = *szałas* – shed. **14–15.** refers to peasant huts which had no chimneys and were, therefore, full of smoke. **14.** *patrzali*, older form, now *patrzyli; zbawiać* = *pozbawiać* – to deprive. **18.** *barłóg* – pallet. **19.** *legowisko* – resting place, litter.

Hugo Kołłątaj (1750–1812)

Hugo Kołłątaj was the leader of the Patriotic Party engaged in political reforms, a thinker of broad vision and precise mind, an experienced and skillful politician, more moderate than Staszic, one of the authors of the Constitution of May 3, and an outstanding member of the Four-Year Diet, which carried through the transformation of Poland's political system. Among his most important works, in which he proclaimed the same principles as Staszic but differed from the latter in details, are: *Do Stanisława Małachowskiego Anonima listów kilka* (Some Anonymous Letters to Stanisław Małachowski, 1788), *Prawo polityczne narodu polskiego* (The Political Law of the Polish Nation, 1790), and *O ustanowieniu i upadku Konstytucji polskiej 3 Maja* (On the Establishment and Fall of the Polish Constitution of May 3, published in 1793), written in collaboration with two other authors.

From PRAWO POLITYCZNE NARODU POLSKIEGO

...Roztropność, najszlachetniejszy rozumu ludzkiego przymiot, zastanawiać was podobno będzie nad tem, iż jeszcze nie przyszła pora, ażeby w całej zupełności odkryć można prawdę narodowi polskiemu. Lecz taż sama roztropność nigdy tak rozpacznych myśli przypuszczać
5 nie dozwala: jej wysługa w prawodawstwie potrzebna jest tylko do wynalezienia sposobu, jak ma być prawda ludziom podana, nie zaś do tego, aby ją przed nimi do czasu taić lub przez wzgląd na uprzedzenia łamać prawa sprawiedliwości i ludzkości. Niemasz czasu ani względu na czas, w którymby się godziło prawa człowieka gwałcić
10 lub zgwałconych nie powrócić! Nie może się nazwać ten naród swobodnym, gdzie człowiek jest nieszczęśliwym; nie może być ten kraj wolnym, gdzie człowiek jest niewolnikiem! Żadne więc prawodawstwo nie powinno przemilczać praw człowieka, żadna społeczność nie może robić ofiary z ludzi dla ludzi! Takowa roztropność alboby się
15 nazywała niesprawiedliwością, albo bojaźnią! Mówić albowiem, że lud nieoświecony nie może mieć w całości praw sobie wróconych jest mówić przeciwko regułom słuszności i roztropności. Ktokolwiek na nieoświeconego człowieka jarzmo niewoli wkładać usiłuje, niech się wróci do serca swego, niech pomyśli, że gdyby przypadek jego samego
20 w liczbie pospólstwa umieścił, pozwoliłżeby na odjęcie praw sobie przyrodzonych? na odjęcie bezpieczeństwa swej osoby i swego majątku? Alboż możemy mówić, że stan szlachecki, któremu nie tylko wolność, ale nawet i równość w rządzie prawa polskie zabezpieczyły, jest powszechnie oświecony?... Takowa więc roztropność, która praw ludzkich
25 człowiekowi wrócić nie chce dlatego, iż nie jest oświeconym, byłaby równie srogą i niesprawiedliwą, jak owa, któraby wydzierała ubogiemu

szlachcicowi swobodę obywatelską dla tych samych przyczyn.
Nie sama, prawda, Polska tej dopuszcza się niesprawiedliwości. Państwo moskiewskie, Czechy, niektóre prowincje francuskie i hisz-
30 pańskie zachowały jeszcze względem pospólstwa równą gwałtowność. Wyspy francuskie, osady holenderskie i angielskie obchodzą się w sroższy nierównie sposób z murzynami, tymi to nieszczęśliwymi dwóch części świata obywatelami. Lecz możnaż niesprawiedliwością innych krajów i zadawnionem uprzedzeniem usprawiedliwiać gwałt
35 prawu natury?

Coż to jest poddany czyjejkolwiek włości? jak go uważać należy w porządku przyrodzenia, względem którego równymi wszystkich mieć chciała Opatrzność? Czy biały, czy czarny niewolnik, czy pod przemocą niesprawiedliwego prawa, czy pod łańcuchami, jęczy,
40 *człowiek* jest i w niczem od nas się nie różni...

Nędza ludzi rośnie w stosunku do ich niewoli. Rzeczpospolita nie cierpi panowania szczególnego ludzi; w monarchji jest tylko jeden panujący, lecz w arystokracji feudalnej każdy prawie chłop ma osobnego despotę. Jakiegoż u nas pragniemy rządu? chcemyż praw-
45 dziwej rzeczypospolitej czy możnowładztwa? chcemyż Polsce wrócić wolność, czy tylko niektórym familjom, nad resztą niewolników panującym? Uczyńmy, co chcemy: sama natura pomści się na nas tak widocznej niesprawiedliwości! Pospólstwo będzie naówczas, jak jest dotąd, rzeczą dziedziców, lecz szlachta będzie niezawodnie pospóls-
50 twem, a te same sofizmata, których naprzeciw własnemu sercu używamy dzisiaj dla przytłumienia głosu prawdy, służyć będąchciwym sąsiadom do uczynienia nas niewolnikami.

* * * *

Co się tyczy nadania wolności naszym rolnikom i przywrócenia im wolności w obliczu prawa, to musiało być zasadą kontraktu
55 społecznego, który nie może w niczem gwałcić praw przyrodzonych człowieka. Nikt nie jest w stanie zrzec się tego prawa ani się go pozbyć, i żaden rząd nie może przyjmować od nikogo takowego zrzeczenia, choćby go kto dobrowolnie ofiarował, – bo całe moralne postępowanie człowieka zależy od osobistej wolności. Człowiek, uważany w stanie
60 niewoli, nie jest zdolny do spraw dobrych lub złych, nie jest godzien nagrody, nie zasługuje na karę, bo w takim stanie wszystkie jego postępki są konieczne, – a zatem nie może znajdować się w społeczności rządnej. Wolność tylko zaręcza za jego postępowanie moralne, na niej się zasadza cała moc prawodawstwa cywilnego i kryminalnego,
65 na niej gruntują się wszystkie opisy i kontrakty. Kto nie jest wolny, nie może na siebie przyjąć żadnych obowiązków, żadnych powinności,

bo jest istotą bezwładną i konieczną. I jakże można było wymagać, aby mądry prawodawca nie miał uchylić tak haniebnego nadużycia i człowieka, który ma wspólne początki z podobnymi sobie, zostawiać
70 w liczbie bydląt? Takiego kontraktu społecznego nie dozwala zdrowy rozsądek, zakazuje religja chrześcijańska, zabrania dobro powszechne narodów, bo on byłby zgwałceniem prawa przyrodzonego, grzechem przeciw tak świętej religji i okryłby nas hańbą w oczach oświeconych narodów. Przed tak ważnemi i sprawiedliwemi naszego prawodawcy
75 powodami umilknąć powinien interes osobistych zysków, które się stają niegodziwe, jak prędko są zasadzone na zgwałceniu świętych praw natury i religji; takowy nawet interes nie mógł być natchnięty tylko przez grube barbarzyństwa nałogi i niedostatek oświecenia. Powiemy pewnie, że lud rolniczy nie jest usposobiony do przyjęcia tak
80 wielkiego dobrodziejstwa. Do kogóż należało, aby był przysposobiony, jeżeli nie do nas, którzy bogaciliśmy się o jego krwawym pocie, którzy zlepialiśmy wielkie nasze majątki jego łzami? Już na to dokładnie odpowiedział filozof królewiecki przez nierozwiązany przez nikogo zarzut. Albo niewola, mówi Kant, usposabia ludzi do oświecenia,
85 więc oni aż nadto muszą już być oswieconymi, zostając tak długo w tym hydzącym naturę ludzką stanie, a zatem godni są, aby im powrócić wolność, – albo przez niewolę (co jest podług mnie podobniejszą) nie mogli być dotąd oświeceni, więc trzeba im wprzód powrócić wolność, aby się stali godnymi przyjść do oświecenia, ich
90 stanowi przyzwoitego. Należało do mądrego prawodawcy powrócić prawa, człowiekowi właściwe; do rządu zaś należy prowadzić lud takiemi drogami, aby uznał własne szczęście i innego nie nadużywał. Rząd dobry ma do tego skuteczniejsze środki, niż ludzie partykularni; potrafi on zapobiec wszystkim nadużyciom, potrafi lud ten oświecić
95 w miarę jego potrzeby; opieka prawa zasłoni go od ucisku, a razem utrzyma w obrębach przyjętych powinności. Ani o tem na moment wątpić nie należy, bo któryż obywatel, choćby najmożniejszy, nie może być utrzymany w tych obrębach? Tem bardziej człowiek ubogi, żyjący z wyrobku rąk własnych i nie mający żadnego od natury
100 dobrodziejstwa, tylko powierzone sobie siły własnej osoby, któremi wszystkie potrzeby życia opędzać winien. Próżne są nawet narzekania wielu, jak gdyby tracąc nieprawe przywłaszczenie cudzej osoby, mieliśmy tracić na naszych dochodach, jak gdyby praca niewolnika mogła nam zabezpieczyć większe pożytki, niż umowa z człowiekiem
105 wolnym, która się zasadza na wzajemnej potrzebie; przyznajmy raczej, że pod temi mniemanemi pożytkami ukrywa się widoczna niesprawiedliwość, której się tak długo dopuszczali łakomi i okrutni właściciele, bo ci, do których litość mówiła za tym biednym ludem,

znają dobrze, ile ich kosztowało utrzymanie bytu rolnika. Dobrych
110 i sprawiedliwych panów rolnicy, odmieniając stan niewoli legalnej, nie uczują nawet jego zmiany; ale panowie źli i niesprawiedliwi postrzegą się być znagleni, aby nie nadużywali praw pospólstwa, jeżeli nie chcą widzieć spustoszonych swej ziemi i włości. Nie teraz to tylko odzywa się ludzkość za tym najpożyteczniejszym stanem: byli,
115 którzy oddawna mówili za nim do uporczywych przywłaścicielów ich swobód. Nie pomogły przestrogi: został się dla całego narodu wstyd, że tę sprawiedliwość ludowi naszemu oddał dopiero powszechny Europy prawodawca, na którą my sami nie mogliśmy się zdobyć. Wyrzekliśmy: *że ktokolwiek stanie nogą na ziemi polskiej, jest tem samem*
120 *wolny, – a nie* śmieliśmy wyrzec: *że ten, który się na niej urodził, powinien być równie wolny.*

PRAWO POLITYCZNE NARODU POLSKIEGO. **1.** *Roztropność* – sagacity, prudence. **2.** *zastanawiać was podobno będzie nad tem* i.e., *prawdopodobnie każe wam się zastanowić* – will probably make you think, reflect. **4.** *przypuszczać,* here *dopuszczać* – to admit. **5.** *wysługa* – service. **10.** *powrócić* i.e., *przywrócić* – to restore, reestablish. **14.** *takowa* – older form for *taka.* **18.** *jarzmo* – yoke. **20.** *pospólstwo* – common people; *prawa przyrodzone* – natural rights. **30.** *gwałtowność* – here, violence. **34.** *zadawnione uprzedzenie* – inveterate prejudice. **36.** *włość* – landed estate. **37.** *w porządku przyrodzenia* – in the natural order of things. **42.** *panowanie szczególne* – the rule of individuals. **45.** *możnowładztwo* – the rule of magnates. **50.** *naprzeciw* = *przeciw* – against. **53.** *rolnik* – tiller of the soil, peasant. **54.** *w obliczu prawa* – in the eyes of the law, before the law; *kontraktu społecznego* – reference to the ideas advocated by Locke and J. J. Rousseau (*Contrat social*). **60.** *godzien* – the indefinite or predicative form of the adjective; the definite or attributive form is *godny;* comp. *zdrów* - *zdrowy*, *gotów* - *gotowy* etc. **62.** *w społeczności rządnej* i.e., *w społeczeństwie rządnem* – in an orderly society; *zaręczać* = *ręczyć* – to warrant, guarantee. **65.** *opisy,* here *zapisy* – legacy, registry. **68.** *uchylić* – here, to abolish. **76.** *jak prędko* i.e., *skoro, jeżeli* – if; *zasadzone* = *oparte* – based on... **77.** The sentence is composed according to the French syntax, now *mógł być natchnięty tylko przez...* **78.** *nałóg, nałogi* – bad habit. **81.** *o jego krwawym pocie* = *jego krwawym potem*; *pot* – sweat. **83.** *filozof królewiecki* – Immanuel Kant (1724–1804) of Königsberg (Królewiec); *nierozwiązany, nieodparty* – incontestable, irrefutable. **85.** *hydzącym,* from *hydzić, ohydzić* (*ohydny*) – dishonoring, disgracing. **87.** *podobniejszą,* scil. *rzeczą* – more likely. **90.** *przyzwoitego* = *odpowiedniego* – befitting, proper. **93.** *partykularni* now *poszczególni* – individual. **96.** *w obrębach* = *w granicach* – within the limits (boundaries). **99.** *z wyrobku* – from *wyrobek,* now *zarobek* – earning, wages. **101.** *opędzać potrzeby* – to satisfy the needs. **102.** *jakgdyby* = *jakoby* – as if, to the effect that; *przywłaszczenie cudzej osoby* – appropriation, usurpation of another person; refers to serfdom. **108.** *właściciele* – scil. landowners. **112.** *znagleni* = *zmuszeni* – compelled. **115.** *przywłaścicielów,* from *przywłaściciel,* now *przywłaszczyciel* – usurper. **117.** *powszechny Europy prawodawca* – refers apparently to the "Déclaration des droits de l'homme et du citoyen" voted by the French "Assemblée Constituante" in 1789. **119.** ref. to a statement of the Constitution of May 3, 1791.

THE NINETEENTH CENTURY

In the year 1795 there began for Poland a long era – more than a century – of enslavement. This woeful period was filled with armed struggles for the regaining of independence and with the intense effort of the people to maintain Polish nationality and culture under foreign oppression. A year after the third partition, Polish legions were organized by General Henryk Dąbrowski in Napoleon's army; they fought on all the battlefields in and outside of Europe. In 1807 Napoleon created out of a small part of the ancient commonwealth the so-called Duchy of Warsaw, using its army in his campaigns against Austria in 1809 and against Russia in 1812. After the fall of Napoleon, the Congress of Vienna (1815) established the so-called Congress Kingdom, comprising a seventh part of the former Polish territory and less than one fifth of its population. The kingdom, linked by personal union with Russia, theoretically possessed considerable autonomy but actually was curbed by the tsarist policy of restricting Polish liberties and interfering in the country's domestic affairs. This caused resistance and counteraction. Secret societies were organized, and eventually an uprising broke out in November, 1830. The Polish army at first won several victories, but in the end was forced to succumb to the superior Russian forces. In September, 1831, the insurrection was put down by the seizure of Warsaw. The tsarist government gradually abolished the autonomy of the kingdom, which eventually was turned into a Russian province. The year 1848, "the spring of nations," again roused the hopes of the Poles; they took part in the revolutionary struggles in Austria, Germany, Hungary (the Hungarian army was commanded by two Polish generals, Bem and Dembiński), and in the struggle for the liberation of Italy and the French revolution. In spite of the fact that the people's hopes were not fulfilled, the Poles did not reconcile themselves to their fate, nor did they cease to struggle for the liberation of their homeland. In 1863 a new uprising broke out in the Russian sector. It lasted a year and a half and was, in effect, a guerrilla warfare against Russian troops. After bitter and desperate fighting, this movement, left to itself without aid or the hoped-for intervention of the West, subsided without achieving its aims. There followed a period of tranquillity in view of the hopelessness of further attempts at armed struggle. In the Russian sector it was only at the close of the nineteenth century and the beginning of the twentieth that the Polish Socialist Party again revived the revolutionary movement. In the Austrian and Prussian sectors political activity assumed legal parliamentary forms. Galicia (the Austrian-dominated part of Poland) enjoyed the greatest comparative freedom, while in Prussia the Polish element was subjected to systematic extermination.

Throughout this period, no less important than political activity was the cultural and economic effort of the Polish people. A magnificent efflorescence of Polish literature, art, and music may be observed, and Polish scholarship developed no less favorably in the second half of the nineteenth century. Economic conditions improved considerably, especially in the Prussian and Russian sectors. Poland's failures and defeats in the struggle for independence, far from breaking the national spirit, served to strengthen it and make it more resistant. Spiritual independence and Polish nationality were preserved. Therefore, when after the First World War, Poland was reestablished as an independent nation, the people were prepared for a new life, though the unification of the three sectors, developing for more than a century under different circumstances, at first encountered some difficulties.

CLASSICISM AND PRE-ROMANTICISM
up to 1822

POLISH LITERATURE of the beginning of the nineteenth century (that is, from about 1795, the date of the last partition) has a transitional character. The classical tradition was maintained by a group of influential writers of the older generation called the Warsaw Classicists. Besides Koźmian and Feliński, Ludwik Osiński (1775–1838) should be mentioned, a poet, critic, translator, manager of the National Theater in Warsaw, and professor of comparative literature in the University of Warsaw. The Warsaw Classicists did not possess outstanding poetic talents, but in general they were good writers of high literary quality, concerned with purity and clearness of language and correctness of verse.

At the same time, new currents from the West penetrated Poland, giving rise to so-called Pre-Romanticism. A new spirit opposed to strict classicism could already be felt in some *dumas* of Juljan Ursyn Niemcewicz, in the religious and mystical poetry of Jan Paweł Woronicz, the sentimental novels of Ludwik Kropiński, Feliks Bernatowicz, and Maria Princess Wittemberg, née Czartoryska (author of *Malwina*, 1816), as well as in the poems and critical writings of Kazimierz Brodziński.

The fall of Poland found an echo in *Bard polski* (Polish Bard by Prince Adam Jerzy Czartoryski, in the *Żale Sarmaty* (Sarmatian Laments) by Karpiński, in the elegy *Wiosna* by Niemcewicz, and in other smaller works.

Kajetan Koźmian (1771–1856)

Kajetan Koźmian was the most representative of the Warsaw Classicists, stubborn, unyielding, and narrow in his literary views, an absolute foe of the Romantic movement. Among his works are a number of odes regarded as models of classicist language and verse, a descriptive didactic poem entitled *Ziemiaństwo polskie* (Polish Georgics, 1839, an imitation of Vergil), the long epic poem *Stefan Czarniecki* (1858), and interesting *Memoirs.*

From ZIEMIAŃSTWO

Ta rola obfitemi odpłaci się plony,
Która dwakroć poznała pług, radło i brony,
Na której określonym brózdami zagonie
Stopa siewacza w pyle upulchnionym tonie.
5 Czy ją mlecznej pszenicy zdobić mają kłosy,
Czy na niej zaszeleści jęczmień złotowłosy,
Czyli miękki len jasne rozwinie błękity,
Albo proso zaszumi błyszczącemi kity,
Czy wznijdzie żółty rzepak czyli bób kosmaty,
10 Albo gryka śnieżnemi woniejąca kwiaty,
Czyli pnący się z lipkiem gronem chmiel po tyce,
Lub w strączku grzechocący groch pokrewny wyce,
Powracaj z ranną zorzą, powracaj wieczorem,
Walczyć na sprutej grzędzie z twardych brył uporem.

* * * *

15 Lubię poważnych lasów uroczystą ciszę,
Lubię szum, gdy wierzchami wicher zakołysze. –
Czy mię chęci tam wiodą w południa upały,
Czy wśród milczącej nocy, gdy księżyc wspaniały,
Zwiedzając te odwieczne pomroku siedliska,
20 Przez czarne jodły srebrne promienie przeciska,
A między ciemnych świerków ukryty konary
Puhacz huka i ze snu zda się budzić mary –
Mierzę wzrokiem te buki, władnące dokoła,
Jak stopą gniotą ziemię, w niebo wznoszą czoła;
25 Badam dęby odwieczne o ich młode lata,
I przenosząc się myślą do kołyski świata,
Zwiedzam ich ramionami sklepione jaskinie,
Pierwsze dachy śmiertelnych, pierwsze bóstw świątynie,

Groźnych niegdyś wyroczni nieprzebyte progi,
30 Których strzegł postrach blady i zabobon srogi,
Zabobon, co na ołtarz wyniósłszy bałwany,
Katów z nożem za pierwsze wybrał im kapłany...

ZIEMIAŃSTWO. **1.** *plony*, here instr. pl. of *plon* – yield, crop. **2.** *pług* – plough; *radło* – hooked plough; *brona, y,* – harrow. **3.** *określony* – here, outlined by; *brózda* – furrow; *zagon* – ridge. **4.** *siewacz* = *siewca* – sower; *upulchniony*, from *pulchny* – loosened, softened. **5.** *pszenica* – wheat. **6.** *jęczmień* – barley. **7.** *len* – flax. **8.** *proso* – millet; *kity*, here instr. pl. of *kita* – brush, tuft. **9.** *rzepak* – rape; *bób* – lima beans; *kosmaty* – hairy, hirsute. **10.** *gryka* – buckwheat. **11.** *lipki* = *lepki* – sticky; *chmiel* – hop; *tyka* – pole. **12.** *strączek* – pod shell; *grzechocący*, from *grzechotać* – to rattle, clatter; *groch* – pea; *wyka* – vetch. **14.** *spruta grzęda*, from *spruć* – to rip, break up; *grzęda* – patch, strip; *bryła* – lump; *upór* – obstinacy. **19.** *pomrok* = *mrok* – murk, darkness. **20.** *jodła, y,* – fir tree. **21.** *świerk,i,* – spruce. **22.** *puhacz* – hooting owl; *mara,y,* – ghost. **23.** *buk,i,* – beech tree. **25.** *dąb*, *dęby* – oak. **26.** *kołyska* – cradle. **27.** *sklepione jaskinie* – vaulted caves. **29.** *wyrocznia* – oracle. **30.** *zabobon* – superstition. **31.** *bałwan, y,* – idol.

Alojzy Feliński (1771–1820)

Alojzy Feliński is the author of the most classical of Polish tragedies, *Barbara*, in the French style, well constructed, written in beautiful, elevated language and in irreproachable thirteen syllable verse. The same virtues of style and verse are to be found in his translation of Delille's *L'homme des champs*. He is also the author of the poem *Boże coś Polskę*... (God Who Hast Protected Poland) which, in slightly changed form, is Poland's second national anthem. During the last years of his life he was professor of Polish literature in the Krzemieniec Lyceum.

From BARBARA

Produced on the stage of the National Theater in Warsaw in 1817, this tragedy appeared in print in 1820. Its plot turns around the marriage of King Sigismund Augustus (1548–1572) with Barbara Radziwiłł. This marriage with a person of non-royal birth is strongly opposed by Sigismund Augustus's mother, Bona Sforza, as well as by the Polish Diet. There develops a double conflict, the struggle of the king with his mother and the representatives of the nation for the recognition of Barbara as queen, and Sigismund Augustus's inner struggle between his love for Barbara and his duties as king. A similar conflict takes place in Barbara's mind; she is unable to renounce her husband, but she does not want to be the cause of domestic discord or even of a possible revolt. Eventually Barbara is recognized by the Diet, but she is poisoned by the vindictive Bona.

AKT I, SCENA 3: *Bona, Barbara, Izabella*

BONA (*do Barbary*)

Tyżeś tu! z moją córką? przed mojem obliczem?
I jakiemże się czołem narażasz zuchwale
Na gniew twojej Królowej i na Matki żale?
Ty, co z cieniów sieroctwa i ze smutków łona
5 Do blasku względów moich nagle wyniesiona,
W miejscu wdzięczności, podstęp knując przeniewierczy,
W pierś, co cię ożywiła, wlałaś jad morderczy...
Ty, podła zwodzicielko! poddanko zuchwała!
Coś mego syna w miłość podejściem wplątała,
10 W miłość, co go w dniu jednym pozbawiła chwały,
Jaką lat kilku cnoty były mu zjednały!
W miłość nieszczęsną, której wieść serce rozdarła
Konającego Ojca i grób mu otwarła!
Śmierci tej, która Polskę nabawia rozpaczą,
15 Która trony zasmuca, której ludy płaczą,

Tyś pragnęła! Ty jedna z tej śmierci się cieszysz,
Cel wzdychań twych i zbrodni. Tron już osiąść śpieszysz.
Nie śpiesz się! Umarł Zygmunt, ale Bona żyje;
Ja to pasmo zdrad ciemnych przed światem odkryję...
20 Te wątłe ślepej dumy budowy obalę,
Ciebie oddam zgryzotom i syna ocalę.

BARBARA

Nie, Pani! Zgryzot serce nie dozna Barbary,
Nie ujdę prześladowań, lecz nie godnam kary.
Próżno się z wyrzutami zbrodni moich szerzysz,
25 Ja się do nich nie czuję i ty im nie wierzysz,
Los, Tron i moje życie w rękach może Bony,
Lecz upodlić nie zdoła nikt Augusta żony. (*Odchodzi*)

BONA (*do Izabelli*)

I tyż, coś się z miłości dla twej krwi wyzuła,
Na matki, brata, własną zniewagę nieczuła,
30 Śmiesz milczeniem Barbary dumę uzuchwalać?

IZABELLA

Śmiem, matko, nad niewinnej losem się użalać!
I onażby to mogła Tronem się omamić,
Upodlić się podejściem, niewdzięcznością splamić?
Zasady jej są święte, ślachetne, niezmienne...
35 A jej serce tak czyste, jak to światło dzienne!
Którejże córce Króla lub Królowej świata
Śmielejbym powierzyła szczęście mego brata?
Ach! gdyby te łzy moje mogły... ale nie, nie,
Widzę twój wstręt na samo Barbary wspomnienie.
40 Pozwól przynajmniej córce...

BONA

Idź, córko odrodna!
Nie mająca cnót przodków, chwały ich niegodna!
Umysł twój pospolity, słaby i spodlony,
Nigdy mi się nie zdawał zdolnym do korony!
Z niej słusznie dziś wyzuta, knuj zdradę nikczemną,
45 I za swoją Barbarę, jeśli śmiesz, walcz ze mną!
Precz mi z oczu!...

Akt II, scena 3: August, Barbara

BARBARA

Wszędy cię niespokojność moja ściga, Panie!
Odtąd, jak drżącą w mury te wstąpiłam nogą,
Wszystko mię okropnością przeraża i trwogą.
Bezpieczniejszam na chwilę, gdy ciebie oglądam,
5 Ledwie cię stracę z oczu, znowu widzieć żądam.
Nawet gdy zwracasz na mnie wzrok twój rozczulony,
Czarne przeczucia trują szczęście twojej żony:
Wszystko mi wróży bliską losów moich zmianę,
Wszystko, że się na zawsze z Augustem rozstanę.
10 Ale pocóż te lube miejsca opuszczałam,
W których pierwszy raz ciebie, Auguście, ujrzałam!
Gdzieśmy złączyli serca i jestestwa swoje,
I gdzie tak szczęśliwymi byliśmy oboje?
Tu, w którą stronę spojrzę, w którą zwrócę kroki,
15 Same zastraszające rażą mię widoki:
Wszędzie na nowych twarzach czytam smutek blady,
Wszędzie się zmawiających spotykam gromady.
Ród mój o mnie się lęka, tłum szpiegów mnie zważa,
Tarnowski mnie unika, Bona mi zagraża,
20 Ta nawet, co chce moje ożywiać nadzieje,
Uczy mnie przez łzy częste, które skrycie leje,
Że same okropności dla mnie przewidywa,
Którym zabiec nie może jej przyjaźń gorliwa.
O ty najczulszy mężu! ty kochanku drogi!
25 Władco mojego losu! celu mojej trwogi!
Nie odstępuj Barbary... ośmiel duszę moję.
Ja nie życia, lecz ciebie utracić się boję.
Jeżeli trzeba umrzeć, umrę niezachwiała,
Lecz pozwól, bym na twoich rękach umierała.

AUGUST

30 Co mówisz? żyjmy raczej i żyjmy dla siebie!
Jażbym cię nie obronił? Jażbym przeżył ciebie?
Lecz pocóż niepewności mękę jeszcze wznawiasz?
Kocham cię i panuję, – a ty się obawiasz!
Niech się przeciw nam ziemia i piekło sprzysięga,
35 Żadna już nas rozłączyć nie zdoła potęga,
Dzień ten niebezpieczeństwa będzie dniem radości,
Tryumfem twojej cnoty, tryumfem miłości!

Dziś twoje piękne czoło koroną ozdobię,
Lub dam za ciebie życie, którem winien tobie.
40 Dziś dwa narody będą świadkami twej chwały,
Dziś o szczęściu Augusta świat się dowie cały.
A jeśli dotąd Bona śmie grozić Barbarze,
Jeśli cię nie chcą obcy uznawać Mocarze,
Jeśli cię Sejm przeraża powagą surową:
45 Jutro uklękną wszyscy przed Polską Królową.

BARBARA

Toż myślisz że mi może być miłą ta chwała,
Którejbym z narażeniem dni twych nabywała?
Gdy niebo mi pozwala twe serce posiadać,
Nic już nie mogę zyskać, a wszystko postradać.
50 Zdołaż który z śmiertelnych, zdołająż niebianie
Pomnożyć moje szczęście i moje kochanie?
O mężu! jeśli moje łzy cię zmiękczyć mogą,
Opuść ten zamysł, odwróć tę nawałność srogą
I pozwól, niechaj w mojem szczęśliwa ukryciu
55 Nie drżę o wszystko, co mam najdroższego w życiu.

AUGUST

I jaż mógłbym ukrywać światu bez sromoty
Tyle doskonałości, powabów i cnoty?
Jażbym zniósł, żeby na Tron nie była wzniesiona
Przyszła matka Jagiełłów i Jagiełły żona?

BARBARA

60 Błagam cię więc, przynajmniej odłóż te zamysły.
Pozwól, niech czas wzburzone ostudzi umysły,
Niechaj mnie naród pozna wprzód, nim da wyroki,
Czym warta z tobą dzielić ten stopień wysoki,
Niechaj pierwsze twojego panowania lata,
65 Odkrywając tę Boską duszę w oczach świata,
Natchną lud, łaskawością twoją zwyciężony,
Że ta, którą ty kochasz, jest godną korony.

AUGUST

Nie... dziś... umrzeć lub stwierdzić trzeba nasze śluby,
Sama zwłoka byłaby krokiem do twej zguby.
70 Wkrótce mem uleganiem dumniejsi poddani
Jawny rokosz podniosą przeciw swojej Pani;

Wkrótce, przed ich zuchwalstwem w cieniach się kryjącą,
Od Tronu i od łoża mojego odtrącą,
Albo ich wściekłość... mogęż wspomnieć bez zadrżenia?

BARBARA

75 Mężu! niech wszystkie na mnie zwalą się cierpienia,
Niech naród na mnie samą zwróci miecz swój mściwy,
Ale niech August żyje, niech będzie szczęśliwy!
Jakież ludy mojego potrzebują życia?
Skazana ciężar smutków dźwigać od powicia,
80 Z odwagą przyjmę niebios wyroki surowe;
Lecz zniosęż, byś ty za mnie narażał swą głowę?
Zniosęż, by moje smutne losy tamowały
Bieg świetny Bohatyra w samej wiośnie chwały,
Którego dwa narody ojcem swoim głoszą,
85 Który był ich obroną i ma być rozkoszą?
Ach! opuść nieszczęśliwą...

AUGUST

I samaż chcesz?

BARBARA

Panie!
Widzisz łzy moje... przebacz mi to obłąkanie.
Nie opuszczaj mnie... gińmy albo żyjmy z sobą.

BARBARA. Akt I, scena 3. (*Izabella* – daughter of Bona and Sigismund the Old). **2.** *jakiemże czołem* – *czoło* here audacity (cheek). **4.** *łono* – bosom. **5.** *względy* = *łaska* – favor. **6.** *w miejscu* = *w miejsce* – zamiast; *przeniewierczy* – faithless, treacherous. **7.** *ożywiła*, from *ożywić* – to animate, enliven; refers to the favors mentioned before; *jad* – venom. **8.** *zwodzicielka*, from *zwodzić*, to deceive, seduce – seductress; *poddanka* – female subject (Barbara's social position). **9.** *podejście* – dupery, deception. **13.** refers to King Sigismund the Old who died in 1548. **17.** *tron osiąść*, *zasiąść na tronie* – to ascend the throne. **19.** *pasmo* – here, series, succession. **24.** *szerzyć się* – to spread, here, to discuss at length. **25.** *ja się do nich nie czuję* = *nie poczuwam się* – I do not feel guilty. **28.** *wyzuć się* – to rid oneself of... **34.** *ślachetne*, now *szlachetne* – noble. **37.** *śmielej*, comp. of *śmiało* – boldly, here, more readily. **41.** *odrodny,a* = *wyrodny,a* – degenerate, ungrateful. **43.** *spodlony*, from *spodlić*, *upodlić* (comp. *podły*) – abased, degraded.

Akt II, scena 3. **2.** refers to Barbara's arrival at Warsaw from Wilno. **6.** *rozczulony* – full of emotion, tender. **10.** *te lube miejsca* – Wilno where she lived with August before his accession to the throne. **12.** *jestestwo* – existence, being. **17.** *zmawiających się*, from *zmawiać się* – to plot, conspire. **18.** *ród mój* – the family of the princes Radziwiłł; *zważa*, here *obserwuje*, *podpatruje* – to observe, watch.

19. *Tarnowski Jan* (1488–1561) outstanding military leader, victor in many battles, writer. **20.** the whole sentence refers to Izabella. **23.** *zabiec* = *zapobiec* – to prevent, forestall. **28.** *niezachwiała* = *niezachwiana* – unshaken, firm. **34.** *sprzysięgać się* (*przeciw komu*) – to plot, conspire. **40.** *dwa narody* – Poland and Lithuania united into one Commonwealth; the whole sentence expresses August's hope that this very day the Diet will confirm his marriage and proclaim Barbara queen of Poland. **43.** *jeśli* – here *chociaż* – although; *obcy Mocarze* – foreign rulers, potentates. **46.** *toż myślisz* – *wszak* (*czy*) *myślisz;* **47.** *dni twych* – *życia.* **49**. *postradać* – *stracić*, to lose. **53.** *ten zamysł* – *zamiar*, that is, the intention of forcing Barbara's coronation; *nawałność* – tempest, storm. **56.** *sromota* = *srom, wstyd* – shame. **59.** *Jagiełłów* – the dynasty of the Jagellons reigning in Poland from the end of the fourteenth century. **61.** *ostudzić* – to cool, to calm down. **70.** *dumniejsi*, comp. of *dumni* – haughty, bold; *mem uleganiem dumniejsi* – more haughty because of my yielding. **71.** *rokosz* – revolt. **74.** *zadrżenie* – trembling. **75.** *zwalić się* – to fall upon. **79.** *od powicia* – from birth; *powicie* – swaddling cloths. **82.** *tamować* – to impede, hinder. **80.** *bohatyra* – now *bohatera.* **88.** *obłąkanie;* here bewilderment, madness.

Kazimierz Brodziński (1791–1835)

Kazimierz Brodziński was a poet, a critic, and a professor of literature at the University of Warsaw. In several aesthetic and critical studies, the most important of which is *O klasyczności i romantyczności tudzież o duchu poezji polskiej* (On Classicism and Romanticism, and on the Spirit of Polish Poetry, 1818), he tried to grasp the essence of both literary trends and define the role of Polish poetry in relation to them. His attitude was one of moderation and compromise. He wanted Polish poetry to preserve the classical form and to imbue it with new "romantic" content, but drawn primarily from the national spirit. He regarded the eclogue as the literary form best able to express and reflect the bucolic and agricultural spirit of the Poles. In his poetic production he adhered to this program in *Pieśni rolników* (Ploughmen's Songs, 1821), and his long eclogue *Wiesław* (1820). He also wrote patriotic, reflective, and Masonic poems.

PASTERKA

Kto doniesie sercu memu
Co z moim lubym się dzieje?
Któż ode mnie powie jemu
Że tęschna łzy po nim leję?

5 Miły ptaszku! mijasz gaje,
Z dalekiej lecisz krainy,
Powiedź gdzie mój Jaś zostaje,
Ach powiedź, pośle jedyny!

Weź te kwiatki, weź ode mnie,
10 Spłakanem okiem szukane!
Serce bije mu wzajemnie,
Dopóki żyć nie przestanę.

PASTERZ DO ZOSI

Pojrzyj przecie mile,
Moja Zosiu płocha.
Daruj aby chwilę
Temu, co cię kocha.

5 Kiedy cię nie staje,
Ciemno mi na niebie,
Łąki, trzody, gaje,
Niczem są bez ciebie.

Tyś jest moje mienie,
10 Ty wesele moje,
Za twoje pojrzenie
O nic już nie stoję.

Gdybym ja się kiedy
Stał niewiernym Zosi,
15 Niech mię wicher wtedy
W górach poroznosi.

Niechaj się zapadnę,
Niewierny kochanek,
Za oczęta ładne,
20 Za twój, Zosiu, wianek.

PASTERKA. **4.** *tęschna*, now *tęskna*, *tęskniąca* – longing. **7.** *powiedź*, provinc. for *powiedz*, imper. from *powiedzieć* – to tell. **10.** *spłakanem okiem*, fr. *spłakać się* – to shed tears.

PASTERZ DO ZOSI. **2.** *płocha* = *niestała* – unsteady, fickle. **3.** *aby* = *choćby* – at least, be it only. **5.** *kiedy cię nie staje*, idiom. = *kiedy cię niema* – when you are absent. **7.** *trzoda*, *y* – herd, flock. **9.** *mienie*, *majątek*, *skarb* – property, treasure. **12.** *o nic już nie stoję*, from *nie stać o coś* – not to care for... **20.** *wianek* – wreath, symbol of virginity.

ROMANTICISM

THE EPOCH of Romanticism in Poland, which developed under the influence of an analogous trend in Western Europe (England, Germany, partly France), may be divided into two periods: that prior to 1830 and that following 1830. The commencement of this epoch is usually designated as the year 1822, when the first volume of the *Poems* by Adam Mickiewicz, the creator and head of Polish Romanticism, was published. Besides Mickiewicz, there appear a number of other poets (Malczewski, Goszczyński, Zaleski) who form a kind of Polish Romantic school. Their production is characterized by Romantic individualism, lyricism, and imagination, a break with Classicist genres and "rules," a return to the past, and a wide-spread use of national and folklore elements. Three main literary genres may be distinguished at this time: ballads (partly modeled on Western European ones, partly developed from native songs and tales), tales in verse (of the type written by Walter Scott and Byron), and the fantastic drama (influenced mainly by *Faust*, though Mickiewicz's early works of this kind manifest great originality and reliance on native folklore). However, there are also other forms: semi-classical dramas (Słowacki), sonnets, odes, and hymns (Mickiewicz), *dumkas* and *szumkas* in the spirit of Ukrainian folk songs (J. B. Zaleski), as well as lyric poems of all kinds.

In the second period (after 1830–1831), the drama as exemplified by Mickiewicz, Słowacki, Krasiński, and Norwid assumes diverse and ample forms which, though rooted in a broadly conceived Romanticism, show originality of conception and expression. The poetic tale also shows vitality: we have works in the style of Byron's *Don Juan* (Słowacki), but also quite original tales in verse. Truly unique, not only in Polish literature are Mickiewicz's *Pan Tadeusz* and Słowacki's *King-Spirit.* Masterpieces of Polish lyric poetry were produced in this era.

One of the significant features of this period is the fact that the chief works originated not at home but abroad, mainly in France, where Polish poets found refuge after the collapse of the November Insurrection. The other characteristic feature is the subject matter of these works, revolving mainly around Polish problems, Poland's past, present, and future. They are imbued with a strong patriotic element; the poets become national bards and prophets. This does not reduce the artistic value of their poetry, but makes it more difficult for foreigners to understand.

There was also a lively intellectual and political movement among the Polish émigrés. Scholars, writers, politicians, and social leaders tried to continue their work in exile. One of the outstanding scholars was the historian Joachim Lelewel (1786–1861), author of numerous works on Polish and European history, written in Polish and French; he was also the leader of Polish revolutionary democracy. Maurycy Mochnacki (1804–1834), distinguished literary critic and theoretician of the Polish Romantic movement, published in Paris a history of the uprising, *The Insurrection of the Polish Nation in 1830–1831*. There were also Polish philosophers, both in Poland and abroad (Trentowski, Hoehne-Wroński, Cieszkowski, Kremer), influenced by the German idealistic philosophy of Hegel, Fichte, and Schelling. Heltman and Kamieński were democratic writers and leaders; Klaczko and Kalinka represented the conservative party and Worcell Socialist thought.

Adam Mickiewicz (1798–1855)

According to Polish and foreign consensus, Adam Mickiewicz is the greatest Polish poet. He obviously has notable Polish predecessors on whom he models himself, he is also influenced by old and modern Western European poets, and finally, he is deeply rooted in the Romantic spirit of his time. In spite of this, in Polish literature Mickiewicz is an unusual, almost miraculous phenomenon, which cannot be assessed either by literary tradition or the spirit of the age. He is characterized by an originality as great as is possible in the world of literature. After a short period of trying his strength in Classicist forms and style he produced two volumes of poems (1822 and 1823) which, although not masterpieces, nevertheless at once placed him at the forefront of contemporary Polish poetry. Ballads were written in Poland before Mickiewicz, but none comparable to those contained in his first slender volume. An even greater number of odes had appeared, but none to equal his *Oda do młodości* (Ode to Youth, 1820). Love poems had not been lacking; but they seem gray and childish when compared with the ardor and power of feeling expressed in the gripping dramatic monologue of *Dziady* (Forefather's Eve), Part IV (1823). The realm of folk beliefs and imagery, one of the sources of the inspiration of the young Romanticists, finds strong expression in *Dziady*, Part II (1823), where three dramatized ballads are presented in a kind of operatic spectacle. Even when Mickiewicz comes closest to Byron in conception (*Konrad Wallenrod*, 1828), his language and style are unprecedented in Polish poetry (for example, in the Polish "hexameter" of the "Wajdelota's Tale"). He reaches artistic maturity and perfection in his *Sonety krymskie* (Crimean Sonnets, 1826). A continuation of his youthful *Dziady* is the additional Part III, published in 1832, which differs from the preceding parts both in dramatic structure, an unusual combination of fantastic and mystical elements with a specific realism and grotesqueness, and in a style adapted to these diverse elements. A proof of Mickiewicz's universality and wealth of talent is the fact that *Dziady* was directly followed by *Pan Tadeusz* (1834), a poem combining the characteristics of an epic and a novel about the Poland known to him from his childhood and already receding into the past. This is a modern epos, a new genre, not only in modern Polish but in world literature. Unsurpassed in language and verse, it has nothing in common with the Romantic tale in verse, but is a true epic, containing a many-sided picture of Polish life in a crucial historical period (1812) and is imbued with humor and sentiment.

Mickiewicz is honored in Poland not only as a poet but also as a spiritual leader. Even as a student at Wilno University he was a leader of his classmates and an organizer of secret societies; for this latter activity he was exiled to Russia. While in exile in France he wrote for his fellow countrymen *Księgi narodu polskiego i pielgrzymstwa polskiego* (Books of the Polish Nation and of the Polish Pilgrims, 1832). This work found wide acceptance in Europe, was translated into many languages, and influenced the famous *Paroles d'un croyant* by Lamennais. In it, Mickiewicz promulgated the principles of integral Christianity in international relations, spoke out in defense of peoples against tyranny and absolutism and in rejection of the policy of "cabinets" and social oppression. In the same spirit in 1832–1833 he edited the periodical *Pielgrzym Polski* (The Polish Pilgrim). After a few years during which he plunged into mysticism, he returned to concrete political activity, completely abandoning poetry. In 1848 he organized a Polish legion in Italy to fight shoulder to shoulder with the Italian army against Austria. After his return to Paris he became editor-in-chief of *La Tribune des peuples*, which promulgated international solidarity and the common struggle of the oppressed peoples. In 1855, in connection with the Crimean War, he went to Turkey to organize in the Turkish army a Polish legion to fight against tsarist Russia. He died in Constantinople as a soldier at his battle station.

ODA DO MŁODOŚCI

Und die alten Formen stürzen ein.
Schiller

Bez serc, bez ducha! To szkieletów ludy!
Młodości! podaj mi skrzydła,
Niech nad martwym wzlecę światem
W rajską dziedzinę ułudy,
5 Kędy zapał tworzy cudy,
Nowości potrząsa kwiatem,
I obleka w nadziei złote malowidła!

Niechaj kogo wiek zamroczy,
Chyląc ku ziemi poradlone czoło,
10 Takie widzi świata koło,
Jakie tępemi zakreśla oczy.

Młodości! ty nad poziomy
Wylatuj, a okiem słońca
Ludzkości całe ogromy
15 Przeniknij z końca do końca!
Patrz na dół! kędy wieczna mgła zaciemia

Obszar gnuśności zalany odmętem:
To ziemia!
Patrz, jak nad jej wody trupie
20 Wzbił się jakiś płaz w skorupie.
Sam sobie sterem, żeglarzem, okrętem,
Goniąc za żywiołkami drobniejszego płazu,
To się wzbija, to w głąb wali,
Nie lgnie do niego fala, ani on do fali,
25 A wtem jak bańka prysnął o szmat głazu!
Nikt nie znał jego życia, nie zna jego zguby:
To samoluby!

Młodości! tobie nektar żywota
Natenczas słodki, gdy z innymi dzielę:
30 Serca niebieskie poi wesele,
Kiedy je razem nić powiąże złota.

Razem, młodzi przyjaciele!
W szczęściu wszystkiego są wszystkich cele;
Jednością silni, rozumni szałem,
35 Dalej, młodzi przyjaciele!
I ten szczęśliwy, kto padł wśród zawodu,
Jeżeli poległem ciałem
Dał innym szczebel do sławy grodu.
Razem, młodzi przyjaciele!
40 Choć droga stroma i śliska,
Gwałt i słabość bronią wchodu:
Gwałt niech się gwałtem odciska,
A ze słabością łamać uczmy się za młodu!

Dzieckiem w kolebce kto łeb urwał Hydrze,
45 Ten młody zdusi Centaury,
Piekłu ofiary wydrze,
Do nieba pójdzie po laury!
Tam sięgaj, gdzie wzrok nie sięga,
Łam, czego rozum nie złamie!
50 Młodości! orla twych lotów potęga,
Jako piorun twoje ramię!

Hej! ramię do ramienia! Spólnemi łańcuchy
Opaszmy ziemskie kolisko!
Zestrzelmy myśli w jedno ognisko,
55 I w jedno ognisko duchy!
Dalej, bryło, z posad świata!
Nowemi cię pchniemy tory,
Aż opleśniałej zbywszy się kory,
Zielone przypomnisz lata!

60 A jako w krajach zamętu i nocy,
Skłóconych żywiołów waśnią,
Jednem: *Stań się!* z Bożej mocy
Świat rzeczy stanął na zrębie;
Szumią wichry, cieką głębie,
65 A gwiazdy błękit rozjaśnią:

W krajach ludzkości jeszcze noc głucha,
Żywioły chęci jeszcze są w wojnie...
Oto miłość ogniem zionie,
Wyjdzie z zamętu świat ducha!
70 Młodość go pocznie na swojem łonie,
A przyjaźń w wieczne skojarzy spojnie.

Pryskają nieczułe lody,
I przesądy, światło ćmiące...
Witaj jutrzenko swobody,
75 Zbawienia za tobą słońce!

ŻEGLARZ

O, morze zjawisk! Skąd ta noc i słota?
Była jutrznia i cisza, gdym był bliski brzegu:
Dziś jakie fale, jaki wicher miota!
Nie można płynąć, cofnąć niepodobna biegu:
5 A więc porzucić korab' żywota?

Szczęśliwy, czyjej przewodniczą łodzi
Cnota i Piękność, niebieskie siostrzyce!
Gdy się noc zgęszcza, wzmagają powodzi:
Ta puhar daje, ta odsłania lice,
10 Tamtej widok oświeca, a tej nektar słodzi.

Szczęśliwy, kto i samej ulubował Cnocie!
Dopłynie, kędy sławy góruje opoka,
Balsam go rzymski ukrzepi w ochocie;
Ale jeżeli Piękność nie zwróci nań oka,
15 Dopłynie we krwi i w pocie.

A komu Piękność pokaże oblicze,
Potem śród drogi zdradliwa odlata,
Nadziei z sobą mary unosząc zwodnicze:
Ach, jakaż później czczość w obszarach świata!
20 Już niedość krzepią i Cnoty słodycze.

Zamiast Piękności niebieskiego wschodu,
Walczyć z ustawną burzą, jęczeć pośród cienia;
Zamiast serc czułych, trącać o pierś z lodu,
Zamiast jej rączek, chwytać za ręce z kamienia,
25 I długo śród takiego nie ustać zawodu?

Zawód tak trudny! zakończyć tak snadnie!
Nie będziem dłużej ćmieni, więcej kołatani...
Lecz wszystkoż z nami w tych falach przepadnie?
Czyli kto raz rzucony do bytu otchłani,
30 Nie zdoła z niej wylecieć, ani zginąć na dnie?

Co żyje, niknie – tak na mnie świat woła...
Zacóż głos ten wewnętrznej wiary nie wyziębi,
Że gwiazda ducha zagasnąć nie zdoła,
I raz rzucona krąży po niezmiernej głębi,
35 Póki czas wieczne toczyć będzie koła.

Któż-to krzyknął od lądu? jakie słychać żale?
Wy-ż to, o bracia moi, przyjaciele moi,
Dotąd stoicie na nadbrzeżnej skale?
I tak się oko wasze znudzenia nie boi,
40 Że aż dotąd patrzycie na mnie i me fale?

Jeśli się rzucę, kędy rozpacz ciska,
Będą łzy na szaleństwo, na niewdzięczność skarga!
Bo wam mniej widne te czarne chmurzyska,
Nie słychać zdala wichru, co tu liny targa,
45 Grom, co tu bije, dla was tylko błyska.

I razem ze mną, pod strzałami gromu,
Co czuję, inni uczuć chcieliby daremnie!
Sąd nasz, prócz Boga, nie dany nikomu;
Chcąc mnie sądzić, nie ze mną trzeba być, lecz we mnie.
50 – Ja płynę dalej, wy idźcie do domu.

DO NIEMNA

Niemnie, domowa rzeko moja! gdzie są wody,
Które niegdyś czerpałem w niemowlęce dłonie,
Na których potem w dzikie pływałem ustronie,
Sercu niespokojnemu szukając ochłody.

5 Tu Laura, patrząc z chlubą na cień swej urody,
Lubiła włos zaplatać i zakwiecać skronie;
Tu obraz jej malowny w śrebrnej fali łonie
Łzami nieraz mąciłem, zapaleniec młody.

Niemnie, domowa rzeko! Gdzież są tamte zdroje?
10 A z niemi tyle szczęścia, nadziei tak wiele?
Kędy jest miłe latek dziecinnych wesele?

Gdzie milsze burzliwego wieku niepokoje?
Kędy jest Laura moja, gdzie są przyjaciele?
Wszystko przeszło – a czemuż nie przejdą łzy moje?

From DZIADY, PART I

In addition to the Second and Fourth Part of *Forefathers' Eve*, published in 1823, there remain fragments of another part of the poem on which Mickiewicz worked at that time, and which are now known as the hypothetical Part One. The title comes from an ancient folk ceremony indigenous to the parts where the poet was born, held in honor of the memory of dead ancestors (forefathers). The rite consisted in evoking the spirits of the dead and in offering them food and drink. The ceremony was presided over by an elder or wizard of the village called in the poem the *guślarz*. We give below his "invocation."

Kto błądząc po życia kraju
Chciał pilnować prostej drogi,
Choć mu los wedle zwyczaju
Wszędzie siał ciernie i głogi;
5 Nareszcie po latach wielu,
W licznych troskach, w ciężkich nudach,
Zapomniał o drogi celu,
Aby znaleść wczas po trudach –

Kto z ziemi patrzył ku słońcu,
10 Myślą z orły szedł w przeloty,
I nie znał ziemi aż w końcu,
Kiedy wpadł w otchłań ciemnoty –

Kto żalem pragnął wydźwignąć,
Co znikło w przeszłości łonie,
15 Kto żądzą pragnął doścignąć,
Co ma przyszłość w tajnem łonie;

Kto poznał błąd swój niewcześnie,
O gorszej myśli poprawie,
Mruży oczy, by żyć we śnie
20 Z tem, czego szukał na jawie –

Kto marzeń tknięty chorobą,
Sam własnej sprawca katuszy,
Darmo chciał znaleść przed sobą,
Co miał tylko w swojej duszy –

25 Kto wspominasz dawne chwile,
Komu się o przyszłych marzy:
Idź ze świata ku mogile!
Idź od mędrców do guślarzy!
Mrok tajemnic nas otacza,
30 Pieśń i wiara przewodniczy,
Dalej z nami, kto rozpacza,
Kto wspomina i kto życzy!

From SONETY

DO D. D.

Moja pieszczotka, gdy w wesołej chwili
Pocznie szczebiotać i kwilić i gruchać,
Tak mile grucha, szczebioce i kwili,
Że nie chcąc słówka żadnego postradać,
5 Nie śmiem przerywać, nie śmiem odpowiadać,
I tylko chciałbym słuchać, słuchać, słuchać.

Lecz mowy żywość gdy oczki zapali
I pocznie mocniej jagody różować,
Perłowe ząbki błysną śród korali;
10 Ach! wtenczas śmielej w oczęta poglądam,
Usta pomykam i słuchać nie żądam,
Tylko całować, całować, całować.

MÓWIĘ Z SOBĄ, Z DRUGIMI PLĄCZĘ SIĘ W ROZMOWIE

Mówię z sobą, z drugimi plączę się w rozmowie,
Serce bije gwałtownie, oddechem nie władnę,
Iskry czuję w źrenicach, a na twarzy bladnę;
Nie jeden z obcych głośno pyta o me zdrowie,

5 Albo o mym rozumie coś na ucho powie.
Tak cały dzień przemęczę; gdy na łoże padnę
W nadziei, że snem chwilę cierpieniom ukradnę,
Serce ogniste mary zapala w mej głowie.

Zrywam się, biegę, składam na pamięć wyrazy,
10 Któremi mam złorzeczyć okrucieństwu twemu,
Składane, zapomniane, po milijon razy...

Ale gdy ciebie ujrzę, nie pojmuję, czemu
Znowu jestem spokojny, zimniejszy nad głazy,
Aby goreć na nowo – milczeć po dawnemu.

REZYGNACJA

Nieszczęśliwy, kto próżno o wzajemność woła,
Nieszczęśliwszy jest, kogo próżne serce nudzi,
Lecz ten u mnie ze wszystkich nieszczęśliwszy ludzi,
Kto nie kocha, że kochał, zapomnieć nie zdoła.

5 Widząc jaskrawe oczy i bezwstydne czoła,
Pamiątkami zatruwa rozkosz, co go łudzi;
A jeśli wdzięk i cnota czucie w nim obudzi,
Nie śmie z przekwitłem sercem iść do stóp anioła.

Albo drugimi gardzi, albo siebie wini,
10 Minie ziemiankę, z drogi ustąpi bogini,
A na obiedwie patrząc, żegna się z nadzieją;

I serce ma podobne do dawnej świątyni,
Spustoszałej niepogód i czasów koleją,
Gdzie bóstwo nie chce mieszkać, a ludzie nie śmieją.

STEPY AKERMAŃSKIE

Wpłynąłem na suchego przestwór oceanu,
Wóz nurza się w zieloność i jak łódka brodzi,
Śród fali łąk szumiących, śród kwiatów powodzi,
Omijam koralowe ostrowy burzanu.*

5 Już mrok zapada, nigdzie drogi ni kurhanu;
Patrzę w niebo, gwiazd szukam, przewodniczek łodzi;
Tam zdala błyszczy obłok? tam jutrzeńka wschodzi?
To błyszczy Dniestr, to weszła lampa Akermanu.

* *Burzany*, na Ukrainie i Pobereżu nazywają burzanami wielkie krzaki ziela, które w czasie lata kwiatem okryte nadają przyjemną rozmaitość płaszczyznom. [Footnote by the poet.]

Stójmy! – Jak cicho! – Słyszę ciągnące żórawie,
10 Którychby nie doścignęły źrenice sokoła;
Słyszę, kędy się motyl kołysa na trawie,

Kędy wąż śliską piersią dotyka się zioła.
W takiej ciszy – tak ucho natężam ciekawie,
Że słyszałbym głos z Litwy. – Jedźmy, nikt nie woła!

CISZA MORSKA
NA WYSOKOŚCI TARKANKUT

Już wstążkę pawilonu wiatr zaledwie muśnie,
Cichemi gra piersiami rozjaśniona woda;
Jak marząca o szczęściu narzeczona młoda,
Zbudzi się, aby westchnąć, i wnet znowu uśnie.

5 Żagle, nakształt chorągwi gdy wojnę skończono,
Drzemią na masztach nagich; okręt lekkim ruchem
Kołysa się, jak gdyby przykuty łańcuchem;
Majtek wytchnął, podróżne rozśmiało się grono.

O morze! pośród twoich wesołych żyjątek
10 Jest polip, co śpi na dnie, gdy się niebo chmurzy,
A na ciszę długiemi wywija ramiony.

O myśli! w twojej głębi jest hydra pamiątek,
Co śpi wpośród złych losów i namiętnej burzy;
A gdy serce spokojne, zatapia w niem szpony.

ŻEGLUGA

Szum większy, gęściej morskie snują się straszydła,
Majtek wbiegł na drabinę: gotujcie się dzieci!
Wbiegł, rozciągnął się, zawisł w niewidzialnej sieci,
Jak pająk, czatujący na skinienie sidła.

5 Wiatr! – wiatr! – Dąsa się okręt, zrywa się z wędzidła,
Przewala się, nurkuje w pienistej zamieci,
Wznosi kark, zdeptał fale, i skroś niebios leci,
Obłoki czołem sieka, wiatr chwyta pod skrzydła.

I mój duch masztu lotem buja śród odmętu,
10 Wzdyma się wyobraźnia, jak warkocz tych żagli,
Mimowolny krzyk łączę z wesołym orszakiem;

Wyciągam ręce, padam na piersi okrętu,
Zdaje się, że pierś moja do pędu go nagli:
Lekko mi! rzeźwo! lubo! wiem, co to być ptakiem.

BURZA

Zdarto żagle, ster prysnął, ryk wód, szum zawiei,
Głosy trwożnej gromady, pomp złowieszcze jęki,
Ostatnie liny majtkom wyrwały się z ręki,
Słońce krwawo zachodzi, z niem reszta nadziei.

5 Wicher z tryumfem zawył; a na mokre góry,
Wznoszące się piętrami z morskiego odmętu,
Wstąpił genijusz śmierci i szedł do okrętu,
Jak żołnierz, szturmujący w połamane mury.

Ci leżą napół martwi, ów załamał dłonie,
10 Ten w objęcia przyjaciół żegnając się pada,
Ci modlą się przed śmiercią, aby śmierć odegnać.

Jeden podróżny siedział w milczeniu na stronie
I pomyślił: szczęśliwy, kto siły postrada,
Albo modlić się umie, lub ma się z kim żegnać.

WIDOK GÓR ZE STEPÓW KOZŁOWA

Pielgrzym i Mirza

PIELGRZYM

Tam!... czy Allah postawił ścianą morze lodu?
Czy aniołom tron odlał z zamrożonej chmury?
Czy Diwy* z ćwierci lądu dźwignęli te mury,
Aby gwiazd karawanę nie puszczać ze wschodu?

5 Na szczycie jaka łuna! pożar Carogrodu! **
Czy Allah, gdy noc chylat rozciągnęła bury,***
Dla światów, żeglujących po morzu natury,
Tę latarnię zawiesił śród niebios obwodu?

* *Diwy*, podług starożytnej mitologji Persów złośliwe genjusze, które niegdyś panowały na ziemi, potem wygnane przez aniołów, mieszkają teraz na końcu świata, za górą Kaf.

** *Na szczycie jaka łuna!...* Wierzchołki Czatyrdahu po zachodzie słońca, skutkiem odbijających się promieni, przez czas jakiś zdają się być w ogniu.

*** *Noc chylat rozciągnęła... Chylat*, suknia honorowa, którą sułtan obdarza wielkich urzędników państwa. [Footnotes by the poet.]

MIRZA

Tam? – Byłem: zima siedzi; tam dzioby potoków
10 I gardła rzek widziałem, pijące z jej gniazda,
Tchnąłem, z ust mych śnieg leciał; pomykałem kroków,

Gdzie orły dróg nie wiedzą, kończy się chmur jazda.
Minąłem grom, drzemiący w kolebce z obłoków,
Aż tam, gdzie nad mój turban była tylko gwiazda,
15 To Czatyrdah! *

PIELGRZYM

Aa!!

BAKCZYSARAJ **

Jeszcze wielka, już pusta Girajów dziedzina!
Zmiatane czołem baszów ganki i przedsienia,
Sofy, trony potęgi, miłości schronienia,
Przeskakuje szarańcza, obwija gadzina.

5 Skroś okien różnofarbnych powoju roślina,
Wdzierając się na głuche ściany i sklepienia,
Zajmuje dzieło ludzi w imie przyrodzenia
I pisze Baltasara głoskami: RUINA. ***

W środku sali wycięte z marmuru naczynie;
10 To fontanna haremu, dotąd stoi cało
I perłowe łzy sącząc, woła przez pustynie:

Gdzież jesteś, o miłości, potęgo i chwało!
Wy macie trwać na wieki, źródło szybko płynie.
O hańbo! wyście przeszły, a źródło zostało.

BAJDARY ****

Wypuszczam na wiatr konia i nie szczędzę razów:
Lasy, doliny, głazy, w kolei, w natłoku
U nóg mych płyną, giną, jak fale potoku;
Chcę odurzyć się, upić tym wirem obrazów.

* *To Czatyrdah* – Najwyższa w paśmie gór krymskich na brzegu południowym; daje się widzieć zdaleka, niemal na 200 werst, z różnych stron, w postaci olbrzymiej chmury sinawego koloru.

** W dolinie, otoczonej ze wszech stron górami, leży miasto Bakczysaraj, niegdyś stolica Girajów, chanów krymskich.

*** *I pisze Baltasara głoskami „Ruina“.* „Tejże godziny wyszły palce ręki człowieczej, które pisały przeciwko świecznikowi na ścienie pałacu królewskiego, a król (Baltasar) widział części ręki, która pisała“. Proroctwo Danielowe V, 5, 25, 26, 27, 28.

**** *Bajdary.* Piękna dolina, przez którą zwykle wjeżdża się na brzeg południowy Krymu. [Footnotes by the poet.]

5 A gdy spieniony rumak nie słucha rozkazów,
Gdy świat kolory traci pod całunem mroku,
Jak w rozbitem zwierciedle, tak w mem spiekłem oku,
Snują się mary lasów i dolin i głazów.

Ziemia śpi, mnie snu niema. Skaczę w morskie łona,
10 Czarny, wydęty bałwan z hukiem na brzeg dąży,
Schylam ku niemu czoło, wyciągam ramiona,

Pęka nad głową fala, chaos mię okrąży:
Czekam, aż myśl, jak łódka wirami kręcona,
Zbłąka się i na chwilę w niepamięć pogrąży.

PIELGRZYM

U stóp moich kraina dostatków i krasy,
Nad głową niebo jasne, obok piękne lice;
Dlaczegoż stąd ucieka serce w okolice
Dalekie i – niestety! jeszcze dalsze czasy?

5 Litwo! piały mi wdzięczniej twe szumiące lasy,
Niż słowiki Bajdaru, Salhiry dziewice; *
I weselszy deptałem twoje trzęsawice,
Niż rubinowe morwy, złote ananasy.

Tak daleki, tak różna wabi mię ponęta;
10 Dlaczegoż roztargniony wzdycham bez ustanku
Do tej, którą kochałem w dni moich poranku?

Ona w lubej dziedzinie, która mi odjęta,
Gdzie jej wszystko o wiernym powiada kochanku,
Depcąc świeże me ślady, czyż o mnie pamięta?

DO MATKI POLKI

O matko Polko! gdy u syna twego
W źrenicach błyszczy genijuszu świetność;
Jeśli mu patrzy z czoła dziecinnego
Dawnych Polaków duma i szlachetność;

* *Salhiry dziewice.* – Salhir, rzeka w Krymie, wypływa z podnoża Czatyrdahu. [Footnote by the poet.]

5 Jeśli, rzuciwszy rówienników grono,
Do starca bieży, co mu dumy pieje;
Jeżeli słucha z głową pochyloną,
Kiedy mu przodków powiadają dzieje:

O matko Polko! źle się twój syn bawi;
10 Klęknij przed Matki Bolesnej obrazem,
I na miecz patrzaj, co Jej serce krwawi:
Takim wróg piersi twe przeszyje razem!

Bo choć w pokoju zakwitnie świat cały,
Choć się sprzymierzą rządy, ludy, zdania:
15 Syn twój wyzwany do boju bez chwały
I do męczeństwa... bez zmartwychpowstania.

Każ-że mu wcześnie w jaskinią samotną
Iść na dumanie... zalegać rohoże,
Oddychać parą zgniłą i wilgotną
20 I z jadowitym gadem dzielić łoże.

Tam się nauczy pod ziemię kryć z gniewem
I być jak otchłań w myśli niedościgły;
Mową truć zcicha, jak zgniłym wyziewem,
Postać mieć skromną, jako wąż wystygły.

25 Nasz Odkupiciel, dzieckiem w Nazarecie,
Piastował krzyżyk, na którym świat zbawił;
O matko Polko! jabym twoje dziecie
Przyszłemi jego zabawkami bawił.

Wcześnie mu ręce okręcaj łańcuchem,
30 Do taczkowego każ zaprzęgać woza,
By przed katowskim nie zbladnął obuchem,
Ani się spłonił na widok powroza;

Bo on nie pójdzie, jak dawni rycerze,
Utkwić zwycięski krzyż w Jeruzalemie,
35 Albo jak świata nowego żołnierze
Na wolność orać, krwią polewać ziemię.

Wyzwanie przyszle mu szpieg nieznajomy,
Walkę z nim stoczy sąd krzywoprzysiężny;
A placem boju będzie dół kryjomy,
40 A wyrok o nim wyda wróg potężny.

Zwyciężonemu za pomnik grobowy
Zostaną suche drewna szubienicy,
Za całą sławę krótki płacz kobiécy
I długie, nocne rodaków rozmowy.

Pisałem na drodze do Genui 1830.

KONRAD WALLENROD

This is a tale in verse about the fate of a Lithuanian, Walter Alf, who was in his childhood abducted by the Teutonic Knights, grew up among them, but came to hate them and fled to his homeland, where he married the daughter of the Lithuanian prince, Kiejstut. During a new attack by the Knights, the Lithuanians suffered a terrible defeat. Alf fled the country, wandered and fought in various parts of the world, and eventually, under the assumed name of Konrad Wallenrod, joined the Teutonic Order. By his noble qualities and his bravery he distinguished himself to such an extent that he was elected Grand Master. Now he decided to carry out a long-cherished secret plan to destroy the Order. He led the Knights against Lithuania and conducted the campaign in such a way that the Knights were defeated. Having accomplished his purpose, Alf-Wallenrod committed suicide. We give below excerpts from the song and tale of the Wajdelota, a Lithuanian bard who had taught Alf to love his homeland and had persuaded him to betray the Teutonic Knights.

From PIEŚŃ WAJDELOTY

... O wieści gminna, ty arko przymierza
Między dawnemi i młodszemi laty,
W tobie lud składa broń swego rycerza,
Swych myśli przędzę i swych uczuć kwiaty!

5 Arko! tyś żadnym nie złamana ciosem,
Póki cię własny twój lud nie znieważy,
O pieśni gminna, ty stoisz na straży
Narodowego pamiątek kościoła,
Z archanielskiemi skrzydłami i głosem –
10 Ty czasem dzierżysz i miecz archanioła.

Płomień rozgryzie malowane dzieje,
Skarby mieczowi spustoszą złodzieje,
Pieśń ujdzie cało! tłum ludzi obiega,
A jeśli podłe dusze nie umieją
15 Karmić ją żalem i poić nadzieją,
Ucieka w góry, do gruzów przylega
I stamtąd dawne opowiada czasy...

* * * *

Zniknęły lasy i ojczyste góry!
Myśl znużonemi ulatując pióry,
20 Spada, w domową tuli się zaciszę,
Lutnia umilkła w odrętwiałem ręku;
Śród żałosnego spółrodaków jęku
Często przeszłości głosu nie dosłyszę!
Lecz dotąd iskry młodego zapału
25 Tlą w głębi piersi – nieraz ogień wzniecą,
Duszę ożywią i pamięć oświecą.
Pamięć naówczas jak lampa z kryształu,
Ubrana pędzlem w malowne obrazy,
Chociaż ją zaćmi pył i liczne skazy,
30 Jeżeli świecznik postawisz w jej serce,
Jeszcze świeżością barwy znęci oczy,
Jeszcze po ścianach pałacu roztoczy
Kraśne, acz nieco przyćmione kobierce.

Gdybym był zdolny własne ognie przelać
35 W piersi słuchaczów i wskrzesić postaci
Zmarłej przeszłości; gdybym umiał strzelać
Brzmiącemi słowy do serca spółbraci:
Możeby jeszcze w tej jedynej chwili,
Kiedy ich piosnka ojczysta poruszy,
40 Uczuli w sobie dawne serca bicie,
Uczuli w sobie dawną wielkość duszy,
I jedną chwilę tak górnie przeżyli,
Jak ich przodkowie niegdyś całe życie...

From POWIEŚĆ WAJDELOTY

Skąd Litwini wracali? Z nocnej wracali wycieczki,
Wieźli łupy bogate, w zamkach i cerkwiach zdobyte.
Tłumy brańców niemieckich z powiązanemi rękami,
Ze stryczkami na szyjach, biegą przy koniach zwyciężców;
5 Poglądają ku Prusom i zalewają się łzami,
Poglądają na Kowno – i polecają się Bogu.
W mieście Kownie pośrodku ciągnie się błonie Peruna,
Tam książęta litewscy, gdy po zwycięstwie wracają,
Zwykli rycerzy niemieckich palić na stosie ofiarnym.
10 Dwaj rycerze pojmani jadą bez trwogi do Kowna,
Jeden młody i piękny, drugi latami schylony.
Oni sami śród bitwy, hufce niemieckie rzuciwszy,

Między Litwinów uciekli; książę Kiejstut ich przyjął,
Ale strażą otoczył, w zamek za sobą prowadził.
15 Pyta, z jakiej krainy, w jakich zamiarach przybyli.
"Nie wiem, rzecze młodzieniec, jaki mój ród i nazwisko,
Bo dziecięciem od Niemców byłem w niewolą schwytany.
Pomnę tylko, że kędyś w Litwie śród miasta wielkiego
Stał dom moich rodziców; było to miasto drewniane,
20 Na pagórkach wyniosłych, dom był z cegły czerwonej.
Wkoło pagórków na błoniach puszcza szumiała jodłowa,
Środkiem lasów daleko białe błyszczało jezioro.
Razu jednego w nocy wrzask nas ze snu przebudził,
Dzień ognisty zaświtał w okna, trzaskały się szyby,
25 Kłęby dymu buchnęły po gmachu, wybiegliśmy w bramę,
Płomień wiał po ulicach, iskry sypały się gradem,
Krzyk okropny: 'Do broni! Niemcy są w mieście, do broni!'
Ojciec wypadł z orężem, wypadł i więcej nie wrócił.
Niemcy wpadli do domu, jeden wypuścił się za mną,
30 Zgonił, porwał mię na koń; nie wiem, co stało się dalej,
Tylko krzyk mojej matki długo, długo słyszałem.
Pośród szczęku oręża, domów runących łoskotu,
Krzyk ten ścigał mnie długo, krzyk ten pozostał w mem uchu.
Teraz jeszcze, gdy widzę pożar i słyszę wołania,
35 Krzyk ten budzi się w duszy, jako echo w jaskini
Za odgłosem piorunu; oto wszystko, co z Litwy,
Co od rodziców wywiozłem. W sennych niekiedy marzeniach
Widzę postać szanowną matki, i ojca, i braci,
Ale coraz to dalej jakaś mgła tajemnicza,
40 Coraz grubsza i coraz ciemniej zasłania ich rysy.
Lata dzieciństwa płynęły, żyłem śród Niemców jak Niemiec,
Miałem imię Waltera, Alfa nazwisko przydano,
Imię było niemieckie, dusza litewska została,
Został żal po rodzinie, ku cudzoziemcom nienawiść.
45 Winrych, mistrz krzyżacki, chował mię w swoim pałacu,
On sam do chrztu mię trzymał, kochał i pieścił jak syna.
Jam się nudził w pałacach, z kolan Winrycha uciekał
Do wajdeloty starego. Wówczas pomiędzy Niemcami
Był wajdelota litewski, wzięty w niewolą przed laty,
50 Służył tłumaczem wojsku. Ten, gdy się o mnie dowiedział,
Żem sierota i Litwin, często mię wabił do siebie,
Rozpowiadał o Litwie, duszę stęsknioną otrzeźwiał
Pieszczotami i dźwiękiem mowy ojczystej, i pieśnią.
On mię często ku brzegom Niemna sinego prowadził,

55 Stamtąd lubiłem na miłe góry ojczyste poglądać.
Gdyśmy do zamku wracali, starzec łzy mi ocierał,
Aby nie wzbudzić podejrzeń; łzy mi ocierał, a zemstę
Przeciw Niemcom podniecał. Pomnę, jak w zamek wróciwszy,
Nóż ostrzyłem tajemnie; z jaką zemsty rozkoszą
60 Rznąłem kobierce Winrycha lub kaleczyłem zwierciadła,
Na tarcz jego błyszczącą piasek miotałem i plwałem.
Potem w latach młodzieńczych częstośmy z portu Kłejpedy
W łódkę ze starcem siadali brzegi litewskie odwiedzać.
Rwałem kwiaty ojczyste, a czarodziejska ich wonia
65 Tchnęła w duszę jakoweś dawne i ciemne wspomnienia
Upojony tą wonią, zdało się, że dzieciniałem,
Że w ogrodzie rodziców z braćmi igrałem małymi.
Starzec pomagał pamięci: on piękniejszemi słowami,
Niżli zioła i kwiaty, przeszłość szczęśliwą malował:
70 Jakby miło w ojczyźnie, pośród przyjaciół i krewnych,
Pędzić chwile młodości; ileż to dzieci litewskich
Szczęścia takiego nie znają płacząc w kajdanach Zakonu.
To słyszałem na błoniach; lecz na wybrzeżach Połągi,
Gdzie grzmiącemi piersiami białe roztrąca się morze
75 I z pienistej gardzieli piasku strumienie wylewa:
"Widzisz, mawiał mi starzec, łąki nadbrzeżnej kobierce,
Już je piasek obleciał; widzisz te zioła pachnące,
Czołem siłą się jeszcze przebić śmiertelne pokrycie,
Ach! daremnie, bo nowa żwiru nasuwa się hydra,
80 Białe płetwy roztacza, lądy żyjące podbija
I rozciąga dokoła dzikiej królestwo pustyni.
Synu, plony wiosenne, żywo do grobu wtrącone,
To są ludy podbite, bracia to nasi Litwini;
Synu, piaski z zamorza burzą pędzone – to Zakon".
85 Serce bolało, słuchając; chciałem mordować Krzyżaków
Albo do Litwy uciekać; starzec hamował zapędy.
"Wolnym rycerzom, powiadał, wolno wybierać oręże
I na polu otwartem bić się równemi siłami;
Tyś niewolnik, jedyna broń niewolników – podstepy.
90 Zostań jeszcze i przejmij sztuki wojenne od Niemców,
Staraj się zyskać ich ufność, dalej obaczym, co począć".
Byłem posłuszny starcowi, szedłem z wojskami Teutonów;
Ale w pierwszej potyczce ledwiem obaczył chorągwie,
Ledwiem narodu mojego pieśni wojenne usłyszał,
95 Poskoczyłem ku naszym, starca za sobą przywodzę.
Jako sokół wydarty z gniazda i w klatce żywiony,

Choć srogiemi mękami łowcy odbiorą mu rozum
I puszczają, ażeby braci sokołów wojował,
Skoro wzniesie się w chmury, skoro pociągnie oczyma
100 Po niezmiernych obszarach swojej błękitnej ojczyzny,
Wolnem odetchnie powietrzem, szelest swych skrzydeł usłyszy:
Pójdź, myśliwcze, do domu, z klatką nie czekaj sokoła..."

ROZMOWA WIECZORNA

I

Z Tobą ja gadam, co królujesz w niebie
A razem gościsz w domku mego ducha;
Gdy północ wszystko w ciemnościach zagrzebie
I czuwa tylko zgryzota i skrucha,
5 Z Tobą ja gadam! Słów nie mam dla Ciebie;
Myśl Twoja każdej myśli mej wysłucha;
Najdalej władasz i służysz w pobliżu,
Król na niebiosach, w sercu mem na krzyżu!

I każda dobra myśl, jak promień wraca
10 Znowu do Ciebie, do źródła, do słońca,
I nazad płynąc znowu mię ozłaca,
Śle blask, blask biorę i blask mam za gońca.
I każda dobra chęć Ciebie wzbogaca,
I znowu za nię płacisz mi bez końca.
15 Jak Ty na niebie, Twój sługa, Twe dziecie,
Niech się tak cieszy, tak błyszczy na świecie.

Tyś Król, o cuda! i Tyś mój poddany!
Każda myśl podła, jako włócznia nowa,
Otwiera Twoje niezgojone rany;
20 I każda chęć zła jest gąbka octowa,
Którą do ust Twych zbliżam zagniewany.
Póki Cię moja złość w grobie nie schowa,
Cierpisz, jak sługa, panu zaprzedany.
Jak Ty na krzyżu, Twój pan, Twoje dziecie,
25 Niechaj tak cierpi i kocha na świecie.

II

Kiedym bliźniemu odsłonił myśl chorą
I wątpliwości raka, co ją toczy:
Zły wnet ucieczką ratował się skorą,

Dobry zapłakał, lecz odwracał oczy.
30 Lekarzu wielki! Ty najlepiej widzisz
Chorobę moją, a mną się nie brzydzisz!

Gdym wobec bliźnich dobył z głębi duszy
Głos przeraźliwszy, niźli jęk cierpienia,
Głos wiecznie grzmiący w piekielnej katuszy,
35 Cichy na ziemi – głos złego sumienia:
Sędzio Straszliwy! Tyś ognie rozdmuchał
Sumieniu złemu – a Tyś mnie wysłuchał.

III

Gdy mię spokojnym zowią dzieci świata,
Burzliwą duszę kryję przed ich okiem,
40 I obojętna duma, jak mgły szata,
Wnętrzne pioruny pozłaca obłokiem;
I tylko w nocy – cicho – na Twe łono
Wylewam burzę we łzy roztopioną.

ARCY-MISTRZ

Jest mistrz, co wszystkie duchy wziął do chóru,
I wszystkie serca nastroił do wtóru,
Wszystkie żywioły naciągnął jak struny,
A wodząc po nich wichry i pioruny,
5 Jedną pieśń śpiewa i gra od początku:
A świat dotychczas nie pojął jej wątku.

Mistrz, co malował na niebios błękicie
I malowidła odbił na tle fali,
Kolosów wzory rzezał na gór szczycie
10 I w głębi ziemi odlał je z metali:
A świat przez tyle wieków z dzieł tak wiela
Nie pojął jednej myśli tworzyciela.

Jest mistrz wymowy, co bożą potęgę
W niewielu słowach objawił przed ludem,
15 I całą swoich myśli i dzieł księgę
Sam wytłumaczył głosem, czynem, cudem.
Dotąd mistrz nazbyt wielkim był dla świata,
Dziś świat nim gardzi, poznawszy w nim brata.

Sztukmistrzu ziemski! czem są twe obrazy,
20 Czem są twe rzeźby i twoje wyrazy?
A ty się skarżysz, że ktoś w braci tłumie
Twych myśli i mów i dzieł nie rozumie?
Spojrzyj na mistrza i cierp, boży synu,
Nieznany albo wzgardzony od gminu.

DZIADY, PART III

This is a dramatic poem composed of a prologue and nine scenes. The scenes do not form a dramatic plot; neither are they closely linked through the hero, Konrad. The subject is not the fate of Konrad but the martyrdom of the Polish people in the post-partition period. This purpose is served by "realistic" scenes presenting the persecution of the students of Wilno and the activity of the Russian satrap Novosiltsov, and also by the fantastic-mystical scenes—Konrad's Promethean struggle with God for the nation's happiness, the prophecy about Poland's resurrection, visions, and the interference of the supernatural world in human affairs. Part III is loosely linked with the preceding parts through Konrad, who becomes the transformed Gustaw of Part IV, and through the introduction of the folk ceremony in the last scene.

We give below examples of various poetic means which were applied as demanded by the character of the problems presented. The first contains a description of the deportation of Polish students from Wilno, the second a fragment from Konrad's Improvisation, the third a vision.

[OPOWIADANIE SOBOLEWSKIEGO]

...Wracając prosiłem kaprala
Zatrzymać się; pozwolił chwilkę. Stałem zdala,
Skryłem się za słupami kościoła. W kościele
Właśnie msza była; – ludu zebrało się wiele.
5 Nagle lud cały runął przeze drzwi nawałem,
Z kościoła ku więzieniu. Stałem pod przysionkiem.
I kościół tak był pusty, że w głębi widziałem
Księdza z kielichem w ręku i chłopca ze dzwonkiem.
Lud otoczył więzienie nieruchomym wałem;
10 Od bram więzienia na plac, jak w wielkie obrzędy,
Wojsko z bronią, z bębnami, stało we dwa rzędy;
W pośrodku nich kibitki. – Patrzę, z placu sadzi
Policmejster na koniu; – z miny zgadłbyś łatwo,
Że wielki człowiek, wielki tryumf poprowadzi,
15 Tryumf Cara północy, zwycięzcy nad – dziatwą. –
Wkrótce znak dano bębnem i ratusz otwarty –
Widziałem ich: – za każdym z bagnetem szły warty,

Małe chłopcy znędzniałe, wszyscy jak rekruci
Z golonemi głowami; – na nogach okuci.
20 Biedne chłopcy – najmłodszy, dziesięć lat, nieboże,
Skarżył się, że łańcucha udźwignąć nie może;
I pokazywał nogę skrwawioną i nagą.
Policmejster przejeżdża, pyta, czego żądał,
Policmejster człek ludzki, sam łańcuch oglądał:
25 "Dziesięć funtów, zgadza się z przepisaną wagą". –
Wywiedli Janczewskiego; – poznałem, oszpetniał,
Szczerniał, schudł, ale jakoś dziwnie wyszlachetniał.
Ten przed rokiem swawolny, ładny chłopczyk mały,
Dziś poglądał z kibitki, jak z odludnej skały
30 Ów cesarz! – okiem dumnem, suchem i pogodnem;
To zdawał się pocieszać spólników niewoli,
To lud żegnał uśmiechem gorzkim, lecz łagodnym,
Jak gdyby im chciał mówić: niebardzo mię boli.
Wtem zdało mi się, że mnie napotkał oczyma,
35 I nie widząc, że kapral za suknię mię trzyma,
Myślił, żem uwolniony; – dłoń swą ucałował
I skinął ku mnie, jakby żegnał i winszował;
I wszystkich oczy nagle zwróciły się ku mnie,
A kapral ciągnął gwałtem, ażebym się schował;
40 Nie chciałem, tylkom stanął bliżej przy kolumnie.
Uważałem na więźnia postawę i ruchy: –
On postrzegł, że lud płacze, patrząc na łańcuchy,
Wstrząsł nogą łańcuch na znak, że mu niezbyt ciężył.
A wtem zacięto konia – kibitka runęła –
45 On zdjął z głowy kapelusz, wstał i głos natężył,
I trzykroć krzyknął: Jeszcze Polska nie zginęła! –
Wpadli w tłum; – ale długo ta ręka ku niebu,
Kapelusz czarny jako chorągiew pogrzebu,
Głowa, z której włos przemoc odarła bezwstydna,
50 Głowa niezawstydzona, dumna, zdala widna,
Co wszystkim swą niewinność i hańbę obwieszcza,
I wystaje z czarnego tylu głów natłoku,
Jak z morza łeb delfina, nawałnicy wieszcza,
Ta ręka i ta głowa zostały mi w oku
55 I zostaną w mej myśli, i w drodze żywota
Jak kompas pokażą mi, powiodą, gdzie cnota:
Jeśli zapomnę o nich, ty Boże na niebie
Zapomnij o mnie...
Tymczasem zajeżdżały inne rzędem długim

60 Kibitki – ich wsadzano jednego po drugim.
Rzuciłem wzrok po ludu ściśnionego kupie,
Po wojsku, – wszystkie twarze pobladły jak trupie;
A w takim tłumie taka była cichość głucha,
Żem słyszał każdy krok ich, każdy dźwięk łańcucha.
65 Dziwna rzecz! wszyscy czuli jak nieludzka kara:
Lud, wojsko czuje – milczy – tak boją się cara.
Wywiedli ostatniego; – zdało się, że wzbraniał,
Lecz on biedny iść nie mógł, co chwila się słaniał,
Zwolna schodził ze schodów i ledwie na drugi
70 Szczebel stąpił, stoczył się i upadł jak długi;
To Wasilewski, siedział tu w naszem sąsiedztwie,
Dano mu tyle kijów onegdaj na śledztwie,
Że mu odtąd krwi kropli w twarzy nie zostało.
Żołnierz przyszedł i podjął z ziemi jego ciało,
75 Niósł w kibitkę na ręku, ale ręką drugą
Tajemnie łzy ocierał; – niósł powoli, długo.
Wasilewski nie zemdlał, nie zwisnął, nie ciężał,
Ale jak padł na ziemię prosto, tak otężał.
Niesiony jak słup sterczał, i jak z krzyża zdjęte
80 Ręce miał nad barkami żołnierza rozpięte;
Oczy straszne, zbielałe, szeroko rozwarte. –
I lud oczy i usta otworzył; – i razem
Jedno westchnienie z piersi tysiąca wydarte,
Głębokie i podziemne jęknęło dokoła,
85 Jak gdyby jękły wszystkie groby z pod kościoła.
Komenda je zgłuszyła bębnem i rozkazem:
"Do broni! – marsz!" – ruszono; a środkiem ulicy
Puściła się kibitka lotem błyskawicy.
Jedna pusta; – był więzień, ale niewidomy,
90 Rękę tylko do ludu wyciągnął z pod słomy,
Siną, rozwartą, trupią; trząsł nią jakby żegnał.
Kibitka w tłum wjechała – nim bicz tłumy przegnał,
Stanęli przed kościołem; i właśnie w tej chwili
Słyszałem dzwonek, kiedy trupa przewozili.
95 Spojrzałem w kościół pusty, i rękę kapłańską
Widziałem podnoszącą ciało i krew Pańską,
I rzekłem: Panie! ty co sądami Piłata
Przelałeś krew niewinną dla zbawienia świata,
Przyjm tę z pod sądów Cara ofiarę dziecinną,
100 Nie tak świętą, ni wielką, lecz równie niewinną.

From IMPROWIZACJA

KONRAD (*po długiem milczeniu*)

Samotność! – Cóż po ludziach? Czym śpiewak dla ludzi?
Gdzie człowiek, co z mej pieśni całą myśl wysłucha,
Obejmie okiem wszystkie promienie jej ducha?
Nieszczęsny, kto dla ludzi głos i język trudzi!
5 Język kłamie głosowi, a głos myślom kłamie;
Myśl z duszy leci bystro, nim się w słowach złamie,
A słowa myśl pochłoną – i tak drżą nad myślą,
Jak ziemia nad połkniętą, niewidzialną rzeką;
Z drżenia ziemi czyż ludzie głąb nurtów docieką?
10 Gdzie pędzi, czy się domyślą?

Uczucie krąży w duszy, rozpala się, żarzy,
Jak krew po swych głębokich, niewidomych cieśniach:
Ile krwi tylko ludzie widzą w mojej twarzy,
Tyle tylko z mych uczuć dostrzegą w mych pieśniach.

15 Pieśni ma, tyś jest gwiazdą za granicą świata,
I wzrok ziemski, do ciebie wysłany za gońca,
Choć szklanne weźmie skrzydła, ciebie nie dolata,
Tylko o twoję mleczną drogę się uderzy;
Domyśla się, że to słońca,
20 Lecz ich nie zliczy, nie zmierzy.
Wam, pieśni, ludzkie oczy, uszy nie potrzebne!
Płyńcie w duszy mej wnętrznościach,
Świećcie na jej wysokościach,
Jak strumienie podziemne, jak gwiazdy nadniebne!

25 Ty, Boże, ty, naturo, dajcie posłuchanie!
Godna to was muzyka i godne śpiewanie.
Ja mistrz!
Ja, mistrz, wyciągam dłonie,
Wyciągam aż w niebiosa – i kładę me dłonie
30 Na gwiazdach, jak na szklannych harmoniki kręgach.
To nagłym, to wolnym ruchem
Kręcę gwiazdy moim duchem;
Milijon tonów płynie: w tonów milijonie
Każdy ton ja dobyłem, wiem o każdym tonie:
35 Zgadzam je, dzielę i łączę,
I w tęczę i w akordy i we strofy plączę –
Rozlewam je we dźwiękach i błyskawic wstęgach.

Odjąłem ręce, wzniosłem nad świata krawędzie,
I kręgi harmoniki wstrzymały się w pędzie.
40 Sam śpiewam... słyszę me śpiewy;
Długie, przeciągłe, jak wichru powiewy,
Przewiewają ludzkiego rodu całe tonie –
Jęczą żalem, ryczą burzą,
I wieki im głucho wtórzą,
45 A każdy dźwięk ten razem gra i płonie.
Mam go w uchu, mam go w oku;
Jak wiatr, gdy fale kołysze –
Po świstach lot jego słyszę,
Widzę go w szacie obłoku.

50 Boga, natury godne takie pienie!
Pieśń to wielka, pieśń-tworzenie!
Taka pieśń jest siła, dzielność,
Taka pieśń jest nieśmiertelność!
Ja czuję nieśmiertelność, nieśmiertelność tworzę
55 Cóż Ty większego mogłeś zrobić – Boże?
Patrz, jak te myśli dobywam sam z siebie,
Wcielam w słowa: one lecą,
Rozsypują się po niebie,
Toczą się, grają i świecą;
60 Już dalekie – czuję jeszcze,
Ich wdziękami się lubuję,
Ich okrągłość dłonią czuję,
Ich ruch myślą odgaduję.
Kocham was, me dzieci wieszcze,
65 Myśli moje, gwiazdy moje,
Czucia moje, wichry moje!
W pośrodku was, jak ojciec wśród rodziny stoję –
Wy wszystkie moje!

Depcę was, wszyscy poeci,
70 Wszyscy mędrce i proroki,
Których wielbił świat szeroki!
Gdyby chodzili dotąd śród swych dusznych dzieci,
Gdyby wszystkie pochwały i wszystkie oklaski
Słyszeli, czuli i za słuszne znali,
75 I wszystkie sławy każdodziennej blaski
Promieniami na wieńcach swoich zapalali –
Z całą pochwał muzyką i wieńców ozdobą,

Zebraną z wieków tyla i z pokoleń tyla,
Nie czuliby własnego szczęścia, własnej mocy,
80 Jak ja dziś czuję w tej samotnej nocy,
Kiedy sam śpiewam sobie!
Śpiewam samemu sobie!
Tak! czuły jestem, silny jestem i rozumny! –
Nigdym nie czuł, jak w tej chwili:
85 Dziś mój zenit, moc moja dzisiaj się przesili,
Dziś poznam, czym najwyższy, czylim tylko dumny;
Dziś jest chwila przeznaczona,
Dziś najsilniej wytężę duszy mej ramiona –
To jest chwila Samsona,
90 Kiedy więzień i ślepy dumał u kolumny.
Zrzucę ciało i tylko, jak duch, wezmę pióra –
Potrzeba mi lotu!
Wylecę z planet i gwiazd kołowrotu –
Tam dojdę, gdzie graniczą Stwórca i natura.

95 I mam je, mam je, mam tych skrzydeł dwoje!
Wystarczą! Od zachodu na wschód je rozszerzę,
Lewem o przeszłość, prawem o przyszłość uderzę
I dojdę po promieniach uczucia – do Ciebie
I zajrzę w uczucia Twoje!
100 O Ty, o którym mówią, że czujesz na niebie!
Jam tu, jam przybył! Widzisz jaka ma potęga!
Aż tu moje skrzydło sięga!
Lecz jestem człowiek, i tam, na ziemi, me ciało;
Kochałem tam, w ojczyźnie serce me zostało.

105 Ale ta miłość moja na świecie,
Ta miłość nie na jednym spoczęła człowieku,
Jak owad na róży kwiecie,
Nie na jednej rodzinie, nie na jednym wieku:
Ja kocham cały naród! Objąłem w ramiona
110 Wszystkie przeszłe i przyszłe jego pokolenia,
Przycisnąłem tu, do łona,
Jak przyjaciel, kochanek, małżonek, jak ojciec;
Chcę go dźwignąć, uszczęśliwić,
Chcę nim cały świat zadziwić!
115 Nie mam sposobu – i tu przyszedłem go dociec.
Przyszedłem, zbrojny całą myśli władzą,
Tej myśli, co niebiosom Twe gromy wydarła,

Śledziła chód Twych planet, głąb morza rozwarła!
Mam więcej: tę Moc, której ludzie nie nadadzą;
120 Mam to uczucie, co się samo w sobie chowa,
Jak wulkan, tylko dymi niekiedy przez słowa...

From WIDZENIE EWY

Deszczyk tak świeży, miły, cichy jak rosa,
I skąd ten deszczyk – tak czyste niebiosa,
Jasne niebiosa! –
Krople zielone, kraśne – trawki, równianki,
5 Róże, lilije, wianki
Obwijają mnie w koło. – Ach jaki sen wonny,
Sen lekki, słodki, – oby był dozgonny!
Różo błyszcząca słoneczna,
Lilijo przeczysta, mleczna!
10 Ty nie z ziemi: – tam rosłaś nad białym obłokiem.
Narcyzie, jakiem śnieżnem patrzysz na mnie okiem.
A te błękitne kwiaty pamiątek,
Jak źrenice niewiniątek –
Poznałam – kwiatki moje – sama polewałam,
15 W moim ogródku wczora nazbierałam
I uwieńczyłam Matki Boskiej skronie,
Tam nad łóżkiem na obrazku.
Widzę – to Matka Boska – cudowny blasku!
Pogląda na mnie, bierze wianek w dłonie,
20 Podaje Jezusowi, a Jezus dziecie
Z uśmiechem rzuca na mnie kwiecie –
Jak wypiękniały kwiatki – jak ich wiele – krocie,
A wszystkie w przelocie
Szukają na powietrzu siebie,
25 Moje kochanki!
I same plotą się w wianki.
Jak tu mnie miło, jak w niebie,
Jak mnie tu dobrze, mój Boże –
Niech mnie na zawsze ten wianek otoczy,
30 Niech zasnę, umrę, patrząc w te róże,
W te białe narcyzu oczy...

PAN TADEUSZ

This poem of about 10,000 lines was written in the years 1832–1834. Originally designed on a much more modest scale, it grew, while the poet worked on it, to the size of a national epic (*epos*), a complete picture of Polish life in the period of

1811 to 1812. Against this background, the plot of the narrative develops. It comprises three major facets: the story of the love of Tadeusz Soplica; a dispute over an old castle between the representative of the Soplica family (the Judge) and the Count; and the political activity of Father Robak, an emmissary of Napoleon's army who plans to stir up a rising in Lithuania in support of the grand army marching against Moscow. These plots are linked through the main characters and their fates, but in the second part of the poem the nexus is shifted from Tadeusz and the Judge to the machinations of Robak.

The poem comprises twelve books. It is written in thirteen-syllable verse, and forms the culminating and unsurpassed point of the development of epic poetry in Poland.

We give below several excerpts characteristic of various aspects of Mickiewicz's poetic art.

[POCZĄTEK KSIĘGI PIERWSZEJ]

Litwo, ojczyzno moja! Ty jesteś jak zdrowie:
Ile cię trzeba cenić, ten tylko się dowie,
Kto cię stracił. Dziś piękność twą w całej ozdobie
Widzę i opisuję, bo tęsknię po tobie.

5 Panno święta, co Jasnej bronisz Częstochowy *
I w Ostrej świecisz Bramie! Ty, co gród zamkowy
Nowogródzki ochraniasz z jego wiernym ludem!
Jak mnie, dziecko, do zdrowia powróciłaś cudem –
(Gdy od płaczącej matki pod Twoję opiekę
10 Ofiarowany, martwą podniosłem powiekę
I zaraz mogłem pieszo do Twych świątyń progu
Iść za wrócone życie podziękować Bogu) –
Tak nas powrócisz cudem na ojczyzny łono.
Tymczasem przenoś moję duszę utęsknioną
15 Do tych pagórków leśnych, do tych łąk zielonych,
Szeroko nad błękitnym Niemnem rozciągnionych,
Do tych pól, malowanych zbożem rozmaitem,
Wyzłacanych pszenicą, posrebrzanych żytem,
Gdzie bursztynowy świerzop, gryka, jak śnieg biała,
20 Gdzie panieńskim rumieńcem dzięcielina pała,
A wszystko przepasane, jakby wstęgą, miedzą
Zieloną – na niej z rzadka ciche grusze siedzą.

Śród takich pól, przed laty, nad brzegiem ruczaju,
Napagórku niewielkim, we brzozowym gaju,

* Wszyscy w Polszczewiedzą o obrazie cudownym N. P. na Jasnej Górze w Częstochowie. W Litwie słyną cudami obrazy N. P. Ostrobramskiej w Wilnie, Zamkowej w Nowogródku, tudzież Żyrowickiej i Boruńskiej. [Footnote by the poet.]

25 Stał dwór szlachecki, z drzewa, lecz podmurowany;
Świeciły się z daleka pobielane ściany,
Tem bielsze, że odbite od ciemnej zieleni
Topoli, co go bronią od wiatrów jesieni.
Dom mieszkalny niewielki, lecz zewsząd chędogi:
30 I stodołę miał wielką i przy niej trzy stogi
Użątku, co pod strzechą zmieścić się nie może;
Widać, że okolica obfita we zboże,
I widać z liczby kopic, co wzdłuż i wszerz smugów
Świecą gęsto, jak gwiazdy, widać z liczby pługów,
35 Orzących wcześnie łany ogromne ugoru,
Czarnoziemne, zapewne należne do dworu,
Uprawne dobrze nakształt ogrodowych grządek,
Że w tym domu dostatek mieszka i porządek.
Brama, na wciąż otwarta, przechodniom ogłasza,
40 Że gościnna i wszystkich w gościnę zaprasza.

* * * *

Pan Wojski z Tadeuszem idą pod las drogą
I jeszcze się dowoli nagadać nie mogą.
Słońce ostatnich kresów nieba dochodziło,
Mniej silnie, ale szerzej, niż we dnie, świeciło,
45 Całe zaczerwienione, jak zdrowe oblicze
Gospodarza, gdy prace skończywszy rolnicze,
Na spoczynek powraca. Już krąg promienisty
Spuszcza się na wierzch boru, i już pomrok mglisty,
Napełniając wierzchołki i gałęzie drzewa,
50 Cały las wiąże w jedno i jakoby zlewa;
I bór czernił się nakształt ogromnego gmachu,
Słońce nad nim czerwone, jak pożar na dachu.
Wtem zapadło do głębi; jeszcze przez konary
Błysnęło, jako świeca przez okienic szpary,
55 I zgasło. I wnet sierpy, gromadnie dzwoniące
We zbożach, i grabliska, suwane po łące,
Ucichły i stanęły. Tak pan Sędzia każe;
U niego ze dniem kończą pracę gospodarze.
"Pan świata wie, jak długo pracować potrzeba;
60 "Słońce, Jego robotnik kiedy, znidzie z nieba,
"Czas i ziemianinowi ustępować z pola."
Tak zwykł mawiać pan Sędzia, a Sędziego wola
Była ekonomowi poczciwemu świętą,
Bo nawet wozy, w które już składać zaczęto

65 Kopę żyta, niepełne jadą do stodoły;
Cieszą się z niezwyczajnej ich lekkości woły.

From *Book II*

[ŚNIADANIE W DOMU SĘDZIEGO]

...w cichym i samotnym domie
Wszczął się naprzód szmer, potem gwar i krzyk wesoły,
Jak w ulu pustym, kiedy weń wlatają pszczoły:
Był to znak, że wracali goście z polowania
5 I krzątała się służba około śniadania.

Jakoż po wszystkich izbach panował ruch wielki,
Roznoszono potrawy, sztuczce i butelki;
Mężczyźni, tak jak weszli, w swych zielonych strojach,
Z talerzami, z szklankami chodząc po pokojach,
10 Jedli, pili lub wsparci na okien uszakach,
Rozprawiali o flintach, chartach i szarakach;
Podkomorstwo i Sędzia przy stole, a w kątku
Panny szeptały z sobą; nie było porządku,
Jaki się przy obiadach i wieczerzach chowa.
15 Była to w staropolskim domie moda nowa;
Przy śniadaniach pan Sędzia, choć nierad, pozwalał
Na taki nieporządek, lecz go nie pochwalał.

Różne też były dla dam i mężczyzn potrawy:
Tu roznoszono tace z całą służbą kawy,
20 Tace ogromne, w kwiaty ślicznie malowane,
Na nich kurzące wonnie imbryki blaszane
I z porcelany saskiej złote filiżanki,
Przy każdej garnuszeczek mały do śmietanki.
Takiej kawy, jak w Polszcze, niema w żadnym kraju:
25 W Polszcze, w domu porządnym, z dawnego zwyczaju,
Jest do robienia kawy osobna niewiasta.
Nazywa się kawiarka; ta sprowadza z miasta,
Lub z wicin* bierze ziarna w najlepszym gatunku
I zna tajne sposoby gotowania trunku,
30 Który ma czarność węgla, przejrzystość bursztynu,
Zapach mokki i gęstość miodowego płynu.

* Wiciny – są to wielkie statki na Niemnie, któremi Litwini prowadzą handel z Prusami, spławiając zboża i biorąc w zamian za nie towary kolonjalne. [Footnote by the poet.]

Wiadomo, czem dla kawy jest dobra śmietana;
Na wsi nie trudno o nię, bo kawiarka z rana,
Przystawiwszy imbryki, odwiedza mleczarnie
35 I sama lekko świeży nabiału kwiat garnie
Do każdej filiżanki w osobny garnuszek,
Aby każdą z nich ubrać w osobny kożuszek.

Panie starsze już wcześniej wstawszy, piły kawę;
Teraz drugą dla siebie zrobiły potrawę
40 Z gorącego, śmietaną bielonego piwa,
W którym twarog gruzłami posiekany pływa.

Zaś dla mężczyzn wędliny leżą do wyboru:
Półgęski tłuste, kumpia, skrzydliki ozoru –
Wszystkie wyborne, wszystkie sposobem domowym
45 Uwędzone w kominie dymem jałowcowym;
Wkońcu wniesiono zrazy na ostatnie danie –
Takie bywało w domu Sędziego śniadanie.

From *Book IV*

[POLOWANIE NA NIEDŹWIEDZIA]

Głupi niedźwiedziu! Gdybyś w mateczniku siedział,
Nigdyby się o tobie Wojski nie dowiedział.
Ale czyli pasieki zwabiła cię wonność,
Czy uczułeś do owsa dojrzałego skłonność,
5 Wyszedłeś na brzeg puszczy, gdzie się las przerzedził –
I tam zaraz leśniczy bytność twą wyśledził
I zaraz obsaczniki, chytre nasłał szpiegi,
By poznać, gdzie popasasz i gdzie masz noclegi.
Teraz Wojski z obławą już od matecznika
10 Postawiwszy szeregi, odwrót ci zamyka.

Tadeusz się dowiedział, że niemało czasu
Już przeszło, jak ogary wpadły w otchłań lasu.
Cicho. – Próżno myśliwi natężają ucha –
Próżno, jak najciekawszej mowy, każdy słucha
15 Milczenia, długo w miejscu nieruchomy czeka:
Tylko muzyka puszczy gra do nich z daleka.
Psy nurtują po puszczy, jak pod morzem nurki,
A strzelcy, obróciwszy do lasu dwururki,
Patrzą Wojskiego: ukląkł, ziemię uchem pyta;
20 Jako w twarzy lekarza wzrok przyjaciół czyta

Wyrok życia lub zgonu miłej im osoby –
Tak strzelcy, ufni w sztuki Wojskiego sposoby,
Topili w nim spojrzenia nadziei i trwogi.
"Jest! Jest!" – wyrzekł półgłosem, zerwał się na nogi.
25 On słyszał – oni jeszcze słuchali – nareszcie
Słyszą: jeden pies wrzasnął, potem dwa, dwadzieście,
Wszystkie razem ogary rozpierzchnioną zgrają
Doławiają się, wrzeszczą, wpadły na trop, grają,
Ujadają. Już nie jest to powolne granie
30 Psów, goniących zająca, lisa albo łanię,
Lecz wciąż wrzask krótki, częsty, ucinany, zjadły;
To nie na ślad daleki ogary napadły –
Na oko gonią. – Nagle ustał krzyk pogoni –
Doszli zwierza. Wrzask znowu, skowyt; zwierz się broni
35 I zapewne kaleczy: śród ogarów grania
Słychać coraz to częściej jęk psiego konania.

Strzelcy stali i każdy ze strzelbą gotową
Wygiął się, jak łuk naprzód, z wciśnioną w las głową.
Nie mogą dłużej czekać! Już ze stanowiska
40 Jeden za drugim zmyka i w puszczę się wciska;
Chcą pierwsi spotkać zwierza: choć Wojski ostrzegał,
Choć Wojski stanowiska na koniu obiegał,
Krzycząc, że czy kto prostym chłopem czy paniczem,
Jeżeli z miejsca zejdzie, dostanie w grzbiet smyczem.
45 Nie było rady! wszyscy pomimo zakazu
W las pobiegli; trzy strzelby huknęły od razu,
Potem wciąż kanonada, aż głośniej nad strzały
Ryknął niedźwiedź i echem napełnił las cały.
Ryk okropny! boleści, wściekłości, rozpaczy;
50 Za nim wrzask psów, krzyk strzelców, trąby dojeżdżaczy
Grzmiały ze środka puszczy; strzelcy – ci w las śpieszą,
Tamci kurki odwodzą, a wszyscy się cieszą;
Jeden Wojski w żałości, krzyczy, że chybiono.
Strzelcy i obławnicy poszli jedną stroną
55 Na przełaj zwierza, między ostępem i puszczą;
A niedźwiedź, odstraszony psów i ludzi tłuszczą,
Zwrócił się nazad w miejsca mniej pilnie strzeżone,
Ku polom, skąd już zeszły strzelcy rozstawione,
Gdzie tylko pozostali z mnogich łowczych szyków
60 Wojski, Tadeusz, Hrabia z kilką obławnikow.

Tu las był rzadszy; słychać z głębi ryk, trzask łomu,
Aż z gęstwy jak z chmur wypadł niedźwiedź nakształt gromu;
Wkoło psy gonią, straszą, rwą; on wstał na nogi
Tylne i spojrzał wkoło, rykiem strasząc wrogi,
65 I przedniemi łapami to drzewa korzenie,
To pniaki osmalone, to wrosłe kamienie
Rwał, waląc w psów i w ludzi, aż wyłamał drzewo,
Kręcąc niem jak maczugą, na prawo, na lewo,
Runął wprost na ostatnich strażników obławy,
70 Hrabię i Tadeusza: oni bez obawy
Stoją w kroku, na źwierza wytknęli flint rury,
Jako dwa konduktory w łono ciemnej chmury;
Aż oba jednym razem pociągnęli kurki
(Niedoświadczeni!), razem zagrzmiały dwururki;
75 Chybili; niedźwiedź skoczył, oni tuż utkwiony
Oszczep jeden chwycili czterema ramiony,
Wydzierali go sobie; spojrzą, aż tu z pyska
Wielkiego, czerwonego dwa rzędy kłów błyska,
I łapa z pazurami już się na łby spuszcza;
80 Pobledli, w tył skoczyli, i gdzie rzadnie puszcza
Zmykali; zwierz za nimi wspiął się, już pazury
Zahaczał, chybił, podbiegł, wspiął się znów do góry
I czarną łapą sięgał Hrabiego włos płowy.
Zdarłby mu czaszkę z mozgów jak kapelusz z głowy,
85 Gdy Assesor z Rejentem wyskoczyli z boków,
A Gerwazy biegł z przodu o jakie sto kroków,
Z nim Robak, choć bez strzelby – i trzej w jednej chwili
Jak gdyby na komendę razem wystrzelili.
Niedźwiedź wyskoczył w górę jak kot przed chartami,
90 I głową na dół runął, i czterma łapami
Przewróciwszy się młyńcem, cielska krwawe brzemię
Waląc tuż pod Hrabiego, zbił go z nóg na ziemię.
Jeszcze ryczał, chciał jeszcze powstać, gdy nań wsiadły
Rozjuszona Strapczyna i Sprawnik zajadły.

From *Book XI*

ROK 1812

O roku ów! Kto ciebie widział w naszym kraju!
Ciebie lud zowie dotąd rokiem urodzaju,
A żołnierz rokiem wojny; dotąd lubią starzy
O tobie bajać, dotąd pieśń o tobie marzy.

5 Z dawna byłeś niebieskim oznajmiony cudem
I poprzedzony głuchą wieścią między ludem;
Ogarnęło Litwinów serca z wiosny słońcem
Jakieś dziwne przeczucie, jak przed świata końcem,
Jakieś oczekiwanie tęskne i radośne.

10 Kiedy pierwszy raz bydło wygnano na wiosnę,
Uważano, że chociaż zgłodniałe i chude,
Nie biegło na ruń, co już umaiła grudę,
Lecz kładło się na rolę i schyliwszy głowy,
Ryczało albo żuło swój pokarm zimowy.

15 I wieśniacy, ciągnący na jarzynę pługi,
Nie cieszą się, jak zwykle, z końca zimy długiéj.
Nie śpiewają piosenek; pracują leniwo,
Jakby nie pamiętali na zasiew i żniwo.
Co krok wstrzymują woły i podjezdki w bronie
20 I poglądają z trwogą ku zachodniej stronie,
Jakby z tej strony miał się objawić cud jaki,
I uważają z trwogą wracające ptaki.
Bo już bocian przyleciał do rodzinnej sosny
I rozpiął skrzydła białe, wczesny sztandar wiosny,
25 A za nim krzykliwemi nadciągnąwszy pułki,
Gromadziły się ponad wodami jaskółki
I z ziemi zmarzłej brały błoto na swe domki.
W wieczór słychać w zaroślach szept ciągnącej słomki,
I stada dzikich gęsi szumią ponad lasem
30 I znużone na popas spadają z hałasem,
A w głębi ciemnej nieba wciąż jęczą żórawie.
Słysząc to, nocni stróże pytają w obawie,
Skąd w królestwie skrzydlatem tyle zamieszania?
Jaka burza te ptaki tak wcześnie wygania? *

35 Aż oto nowe stada – jakby gilów, siewek
I szpaków – stada jasnych kit i chorągiewek
Zajaśniały na wzgórkach – spadają na błonie.
Konnica! Dziwne stroje, niewidziane bronie!
Pułk za pułkiem, a środkiem, jak stopione śniegi,
40 Płyną drogami kute żelazem szeregi;
Z lasów czernią się czapki, rzęd bagnetów błyska,
Roją się niezliczone piechoty mrowiska.

* Jeden historyk rosyjski w podobny sposób opisuje wróżby i przeczucia ludu moskiewskiego przed wojną 1812 r. [Footnote by the poet.]

Wszyscy na północ! Rzekłbyś, że wonczas z wyraju *
Z ptastwem i lud ruszył do naszego kraju,
45 Pędzony niepojętą, instynktową mocą.

Konie, ludzie, armaty, orły dniem i nocą
Płyną – na niebie gorą tu i owdzie łuny –
Ziemia drży – słychać, biją stronami pioruny.

Wojna! Wojna! Nie było w Litwie kąta ziemi,
50 Gdzieby jej huk nie doszedł. Pomiędzy ciemnemi
Puszczami chłop, którego dziady i rodzice
Pomarli, nie wyjrzawszy za lasu granice,
Który innych na niebie nie rozumiał krzyków
Prócz wichrów, a na ziemi prócz bestyi ryków,
55 Gości innych nie widział oprócz spółleśników,
Teraz widzi: na niebie dziwna łuna pała,
W puszczy łoskot: to kula od jakiegoś działa,
Zbłądziwszy z pola bitwy, dróg w lesie szukała,
Rwąc pnie, siekąc gałęzie. Żubr, brodacz sędziwy,
60 Zadrżał we mchu, najeżył długie włosy grzywy,
Wstaje nawpół, na przednich nogach się opiera
I potrząsając brodą, zdziwiony spoziera
Na błyskające nagle między łomem zgliszcze;
Był to zbłąkany granat: kręci się, wre, świszcze,
65 Pękł z hukiem, jakby piorun – żubr pierwszy raz w życiu
Zląkł się i uciekł w głębszem schować się ukryciu.
Bitwa! – Gdzie? W której stronie? – pytają młodzieńce,
Chwytają broń; kobiety wznoszą w niebo ręce –
Wszyscy pewni zwycięstwa, wołają ze łzami:
70 "Bóg jest z Napoleonem, Napoleon z nami!"

O wiosno! Kto cię widział wtenczas w naszym kraju,
Pamiętna wiosno wojny, wiosno urodzaju!
O wiosno, kto cię widział, jak byłaś kwitnąca
Zbożami i trawami, a ludźmi błyszcząca,
75 Obfita we zdarzenia, nadzieją brzemienna!...
Ja ciebie dotąd widzę, piękna maro senna!
Urodzony w niewoli, okuty w powiciu,
Ja tylko jedną taką wiosnę miałem w życiu.

* *Wyraj*, w mowie gminnej znaczy właściwie czas jesienny, kiedy ptaki wędrowne odlatują; „lecieć na wyraj" jest to lecieć w kraje ciepłe. Stąd przenośnie nazywa lud „wyrajem" kraje ciepłe i w ogólności jakieś kraje bajeczne, szczęśliwe, za morzami leżące. [Footnote by the poet.]

From *Book XII*

[POLONEZ]

Poloneza czas zacząć – Podkomorzy rusza,
I zlekka zarzuciwszy wyloty kontusza
I wąsa pokręcając, podał rękę Zosi,
I skłoniwszy się grzecznie, w pierwszą parę prosi.
5 Za Podkomorzym szereg w pary się gromadzi,
Dano hasło, zaczęto taniec – on prowadzi.

Nad murawą czerwone połyskają buty,
Bije blask z karabeli, świeci sie pas suty,
A on stąpa powoli, niby od niechcenia;
10 Ale z każdego kroku, z każdego ruszenia
Można tancerza czucia i myśli wyczytać: –
Oto stanął, jak gdyby chciał swą damę pytać,
Pochyla ku niej głowę, chce szepnąć do ucha;
Dama głowę odwraca, wstydzi się, nie słucha,
15 On zdjął konfederatkę, kłania się pokornie,
Dama raczyła spójrzeć, lecz milczy upornie;
On krok zwalnia, oczyma jej spójrzenia śledzi,
I zaśmiał się nakoniec – rad z jej odpowiedzi.
Stąpa prędzej, pogląda na rywalów z góry,
20 I swą konfederatkę z czaplinemi pióry
To na czole zawiesza, to nad czołem wstrząsa,
Aż włożył ją na bakier i pokręcił wąsa –
Idzie; wszyscy zazdroszczą, biegą w jego ślady,
Onby rad ze swą damą wymknąć się z gromady;
25 Czasem staje na miejscu, rękę grzecznie wznosi,
I żeby mimo przeszli, pokornie ich prosi;
Czasem zamyśla zręcznie na bok się uchylić,
Odmienia drogę, radby towarzyszów zmylić,
Lecz go szybkiemi kroki ścigają natręty,
30 I zewsząd obwijają tanecznemi skręty;
Więc gniewa się, prawicę na rękojeść składa,
Jakby rzekł: nie dbam o was, zasdrośnikom biada!
Zwraca się z dumą w czole i z wyzwaniem w oku
Prosto w tłum; tłum tancerzy nie śmie dostać w kroku.
35 Ustepują mu z drogi, – i zmieniwszy szyki,
Puszczają się znów za nim –
Brzmią zewsząd okrzyki:

"Ach to może ostatni! patrzcie, patrzcie, młodzi,
Może ostatni, co tak poloneza wodzi!" –
I szły pary po parach hucznie i wesoło,
40 Rozkręcało się, znowu skręcało się koło,
Jak wąż olbrzymi w tysiąc łamiący się zwojów;
Mieni się cętkowata, różna barwa strojów
Damskich, pańskich, żołnierskich, jak łuska błyszcząca,
Wyzłocona promieńmi zachodniego słońca
45 I odbita o ciemne murawy wezgłowia.
Wre taniec, brzmi muzyka, oklaski i zdrowia!...

Zosia tańczy wesoło: lecz choć w pierwszej parze,
Ledwie widna zdaleka; na wielkim obszarze
Zarosłego dziedzińca, w zielonej sukieńce,
50 Ustrojona w równianki i w kwieciste wieńce,
Śród traw i kwiatów krąży niewidzialnym lotem,
Rządząc tańcem, jak anioł nocnych gwiazd obrotem:
Zgadniesz, gdzie jest, bo ku niej obrócone oczy,
Wyciągnięte ramiona, ku niej zgiełk się tłoczy.
55 Darmo się Podkomorzy zostać przy niej sili,
Zazdrośnicy już z pierwszej pary go odbili;
I szczęśliwy Dąbrowski niedługo się cieszył,
Ustąpił ją drugiemu, a już trzeci śpieszył,
I ten zaraz odbity, odszedł bez nadziei.
60 Aż Zosia, już strudzona, spotkała z kolei
Tadeusza, i dalszej lękając się zmiany,
I chcąc przy nim pozostać, zakończyła tany.

ODA DO MŁODOŚCI. (Motto: "And the old forms tumble" from Schiller's poem *Der Antritt des neuen Jahrhunderts* [The Beginning of the New Century]). **4.** *ułuda* – illusion; *rajska*, adj. of *raj* – paradise. **5.** *cudy*, older nom. and accus. plur. of *cud* – miracle; now *cuda*. **8.** *zamroczyć* – to overtake by night or darkness (to benight), comp. *mrok*. **9.** *poradlone*, from *poradlić* – to plow (comp. *radło* – plow); here fig. furrowed. **15.** *przeniknij*, imp. of *przenikać* – to penetrate. **17.** *gnuśność* – sloth, torpidity; *odmęt* – here, flood. **20.** *płaz w skorupie* – a shell-covered reptile. **22.** *żywiołki* – dim. of *żywioły* = *zwierzęta; płazu* – gen. sing. of *płaz*. **25.** *szmat głazu* – expanse of rock. **27.** *samolub* – egoist. **29.** *dzielę*, from *dzielić* – to share. **34.** *szał* – madness. **36.** *zawód* – here fight, race. **38.** *szczebel* – rung. **42.** *odciskać* – to impress, imprint; here, to repress. **45.** *Centaury* – refers to Hercules who still as a child in his cradle (*kolebka*) strangled a serpent (Hydra), later killed the Centaur, Nessus, and freed Theseus from Hades. **53.** *kolisko*, augm. of *koło* – circle, globe. **54.** *zestrzelić* – here, to concentrate, draw into focus. **56.** *bryła* – lump, clod; here, the globe; *z posad* gen. plur. from *posada* = *podstawa* – foundation, basis. **58.** *opleśniały,a*, from *pleśń*, mold – moldy; *kora* – bark. **61.** *żywioł* – element; *waśń* – discord, feud.

63. *na zrębie*, from *zrąb* – here, basis, foundation. **64.** *cieką* = *ciekną* from *ciec* – to flow. **68.** *zionie*, from *zionąć* – to breathe, exhale. **71.** *spojnie* = *spójnie*, from *spójnia* (comp. *spajać*, *spoić*) – tie, bond. **72.** *pryskać* – to burst, shatter, vanish. **73.** *ćmiące*, from *ćmić*, *zaciemniać* – to darken, obscure. **74.** *jutrzenka* – dawn.

ŻEGLARZ. (*żeglarz* – sailor (Ger. *Segler*); comp. *żagiel* – sail (Ger. *Segel*)). **1.** *słota* – rainy, faul weather. **2.** *jutrznia* – now only early Mass, from old *jutro* = *rano;* here early morning, dawn. **5.** *korab'* – ship; the apostrophe after *b* (now omitted) indicates that this consonant is soft which is shown in the genet. *korabia*, not *koraba;* comp. *głąb'*, *głębi.* **7.** *siostrzyce* – plur. of *siostrzyca*, see *Pawencja*, note 1. **11.** *ulubował*, from *ulubować*, *ukochać* or *zasmakować* – to come to love, relish. **12.** *opoka* – rock. **13.** *balsam* – refers probably to the principles of Roman philosophy preaching strength of spirit. *Balsam* means also *ulga*, *pociecha*, *lekarstwo; ukrzepić* – *wzmocnić* – to strengthen; *ochota* – desire, courage. **18.** *mara* – ghost, vision; *zwodniczy* – deceptive. **19.** *czczość* = *pustka* – emptiness. **20.** *krzepią* – see note 13. **22.** *ustawny,a*, now *ustawiczny* – continuous, ceaseless. **25.** *zawód* – here, struggle, strife. **26.** *snadnie* – easily. **27.** *ćmieni* – from *ćmić*, see *Oda do młodości*, line 73; here *nie będziemy dłużej pogrążeni w ciemności* – plunged in darkness; *kołatani*, from *kołatać* – to knock, rattle; here, tormented. **29.** *otchłań* = *przepaść* – abyss. **32.** *zacóż* – dial. *dlaczego; wyziębić* – to cool. **39.** *znudzenie* – weariness. **41.** *ciskać* = *rzucać* – to hurl, fling. **43.** *chmurzyska*, plur. of *chmurzysko*, augment. of *chmura* – cloud. **44.** *lina,y*, – cordage. **48.** *sąd nasz*, i.e. *sąd nad nami* – judgment over us.

DO NIEMNA. (*Niemen* – principal river of Lithuania which was Mickiewicz's birthplace). **1.** *domowy,a* – home, native. **2.** *niemowlęce*, adj. from *niemowlę* – babe, infant. **3.** *ustronie* – secluded spot, solitary place. **5.** *Laura* – the name of Laure de Noves immortalized by Petrarch became in European poetry a common term for sweetheart. Mickiewicz's sweetheart at that time was Maryla Wereszczakówna; *cień* – shadow reflection; *uroda* – beauty, fairness. **6.** *zaplatać* – to plait, braid; *zakwiecać* = *ukwiecać* – adorn with flowers; *skronie* – temples. **7.** *malowny* = *malowany*, painted, reflected; *śrebrny, a,* = *srebrny* – silver. **8.** *mącić* – to mar, ruffle; *zapaleniec*, from *zapał*, enthusiasm – hot-head. **9.** *zdrój*, *zdroje* – source, spring; here generally waters. **11.** *latek*, gen. plur. of *latka*, dimin. of *lata* – years. **12.** *burzliwy wiek* – tempestuous age, scil. youth.

DZIADY, PART I. **4.** *ciernie*, plur. of *cierń* – thorn; *głogi*, plur. of *głóg* – hawthorn. **6.** *nuda*, here *smutek* – sadness, care. **8.** *wczas, y,* – rest, relaxation. **10.** *z orły*, instr. of *orzeł*, eagle – *z orłami*; *w przeloty*, from *przelot* (comp. *przelecieć* – to fly across) – here, race. **12.** *ciemnota* – darkness or ignorance. **13.** *wydźwignąć* (*wydźwigać*) – to lift, haul up. **15.** *doścignąć* – to reach, grasp, overtake. **17.** *niewcześnie* = *nie w czas*, *zapóźno* – too late. **19.** *mrużyć oczy* – to squint, screw up the eyes. **20.** *na jawie*, from *jawa* – when awake. **22.** *katusza, y,* = *męczarnia* – torture. **23.** *darmo* = *na próżno* – in vain. **25.** *kto wspominasz* – the second per. is used here instead of the third (*wspomina*) in connection with the subsequent *idź.* **26.** *marzyć* – to dream; *komu się marzy* – who dreams. **27.** *mogiła* – tomb, grave, refers to the ceremony which originally took place in the graveyard. **28.** *guślarz* or *gęślarz* – wizard, according to Mickiewicz priest and poet.

SONETY. Do D.D. **1.** *pieszczotka* – pet, darling; from *pieszczota* – caress. **2.** *szczebiotać* – to twitter; *kwilić* – to chirp; *gruchać* – to coo. **4.** *postradać* = *stracić* – to lose. **7.** *oczki* – dim. of *oczy*. **8.** *jagody* = *policzki* – cheeks; *różować*, from *róża* (comp. *różowy*) – to paint rosy, flush. **9.** *korali*, scil. *ust* – lips. **10.** *oczęta* – another dim. of *oczy*. **11.** *pomykam*, from *pomykać* – to dart, move forward; here, to extend, offer.

MOWIĘ Z SOBĄ, Z DRUGIMI PLĄCZĘ SIĘ W ROZMOWIE. **1.** *plączę się*, from *plątać się* – to fumble, be confused. **2.** *nie władnę*, from *władać* (*władnąć*) – to control, master. **5.** *coś na ucho powiedzieć* – to whisper into the ear, tell in secret. **9.** *na pamięć*, comp. *uczyć się na pamięć* – to learn by heart. **10.** *złorzeczyć* – to curse. **13.** *głaz* = *kamień* – stone; proverb. saying: *zimny jak głaz* or *kamień*. **14.** *goreć* = *pałać* – to burn, blaze.

REZYGNACJA. **1.** *wzajemność* – reciprocity, returned love. **2.** *nudzić* – here, to tire, bore. **4.** *nie zdoła*, from *zdołać* – to be able (comp. *być zdolnym do czegoś*). **5.** *jaskrawe* – glowing, dazzling. **6.** *pamiątka* – keepsake, souvenir, here, remembrance. **10.** *ziemianka* = *istota ziemska* – mortal woman. **13.** *spustoszałej*, from *spustoszeć* – to devastate.

STEPY AKERMAŃSKIE. **2.** *nurzać się* – to dip; *brodzić* – to wade. **4.** *burzan* – see explanatory note of the poet; *koralowe* – coral-red; *ostrów*, *ostrowy* – small island, ait. **5.** *kurhan* – barrow, tumulus. **8.** *Dniestr* – river originating in Southern Poland flowing through Rumania to the Black Sea; *lampa Akermanu* – the lighthouse of Akerman, town and harbor at the mouth of Dniestr. **9.** *żóraw*, *żórawie* – crane. **10.** *sokół* – falcon. **11.** *motyl* – butterfly. **13.** *ucho natężam* = *natężam słuch* – I strain my ears.

CISZA MORSKA. NA WYSOKOŚCI TARKANKUT. (*Tarkankut* – a cape in Western Crimea). **1.** *wstążka* – ribbon; *pawilon*, French *pavillon* – flag; *muśnie*, from *musnąć* – to brush, stroke, touch lightly. **7.** *przykuty*, from *przykuć* – to chain, fasten. **8.** *majtek* – sailor; *grono* – company, circle. **9.** *żyjątek*, gen. plur. of *żyjątko*, *a*, = *zwierzątka* – small creatures. **13.** *namiętna burza*, i.e., *burza namiętności* – storm of passions. **14.** *zatapiać* – here, to plunge; *szpon*, *szpony* – claw.

ŻEGLUGA (Sailing). **1.** *straszydła*, plur. of *straszydło* – monster, comp. *straszyć* – to frighten. **3.** *zawisł*, from *zawisnąć* – to hang suspended; *sieć* – net (of cordage). **4.** *czatujący*, from *czatować* – to lurk, lie in wait; *skinienie* – nod, sign; *sidło* – snare; refers to the spiderweb. **5.** *dąsać się* – to become petulent; *wędzidło* – bit (of a bridle). **6.** *przewalać się* – here, to roll; *nurkowac* – to dip, duck; *pienisty*, from *piana*, foam – foamy; *zamieć* – usually blizzard, here, billowing sea. **7.** *kark* – neck, stem, prow of a ship; *skroś* = *nawskroś* – through, across. **8.** *siekać* – to cut, whip. **9.** *odmęt* – see *Oda do młodości*, line 17. **10.** *wzdymać się* – to swell, billow. **13.** *nagli*, from *naglić* – to urge, press. **14.** *rzeźwo*, adv. of *rzeźwy* – brisk, full of vigor.

BURZA. **1.** *prysnął* – see *Oda do młodości*, 72; *zawieja* = *zamieć* – here storm. **2.** *trwożnej*, from *trwoga* – fright – frightened.; *złowieszczy* – ominous. **3.** *lina* – see *Żeglarz* 44. **8.** *połamane mury* – broken walls. **9.** *załamać dłonie* or *ręce* – to wring one's hands. **10.** *objęcie* i.e. *ramiona* – arms (literally, embrace). **13.** *pomyślił*, dial. of *pomyślić* (*pomyśleć*) – to think, for *pomyślał*.

WIDOK GÓR ZE STEPÓW KOZŁOWA. (*Pielgrzym* – Pilgrim; *Mirza* – a Persian or Tartar nobleman). **1.** *ścianą*, instr. of *ściana*, wall = *jako ścianę*. **2.** *odlać* – here, to mold, shape; *zamrożony*, from *zamrozić* – to freeze. **3.** *Diwy* – see the poet's footnote; *ćwierć* – one fourth. **5.** *łuna* – glow of conflagration; *Carogród* – Slavic name for Constantinople. **6.** *chylat* – see footnote; *bury* – dark grey. **8.** *obwód* = *okrąg* – circumference, periphery. **9.** *dzioby* or *dzióby*, from *dziób* – beak. **10.** *z jej gniazda* – scil. *zimy*. **11.** *tchnąłem* = *odetchnąłam*, from *tchnąć*, – to breathe; *pomykam*, from *pomykać* – to move forward, hasten.

BAKCZYSARAJ. (See poet's footnote.) **2.** *zmiatane*, from *zmiatać* (*zamiatać*) – to sweep; *ganek, ki* – gallery, balcony; *przedsienia*, from *przedsienie, przedsionek* – vestibule, hall. **4.** *szarańcza* – locust; *gadzina* – reptile, snake. **5.** *skroś* – see *Żegluga* line 7; *powój* – morning glory, bindweed. **6.** *sklepienie, sklepienia* – vault. **7.** *zajmuje*, from *zajmować* – to take possession of. **8.** *Baltasara* – see poet's footnote. **9.** *naczynie* – vessel. **11.** *sącząc*, from *sączyć* – to trickle.

BAJDARY. (See poet's footnote.) **1.** *wypuszczać konia* – give free rein to the horse; *szczędzić* = *oszczędzać* – to spare; *raz* = *cios* – blow. **2.** *natłok, tłok* – crowd, throng. **4.** *odurzyć się* – to get intoxicated; *wir* – whirl. **5.** *spieniony rumak* – foaming steed. **6.** *całun* – shroud. **7.** *zwierciedle* – old loc. of *zwierciadło*, now *zwierciadle; spiekłe oko* – parched eye. **9.** *mnie snu niema* – Russicism instead of *nie mogę spać, sen mnie odbiegł*. **10.** *bałwan* – here, large wave, breaker.

PIELGRZYM. **1.** *krasa* = *piękność*. **2.** *lice* = *oblicze, twarz* – face. **4.** *niestety*! – alas! **5.** *piać* – to crow; in old Polish – to sing. **6.** *Bajdaru* – see above; *Salhiry* – see poet's footnote. **7.** *trzęsawica, e,* = *trzęsawisko* – bog, quagmire. **8.** *morwa,y,* – mulberry; *ananas,y,* – pineapple. **9.** *ponęta* – attraction, lure. **10.** *roztargniony* – absent-minded, distrait. **12.** *dziedzina* – refers to the poet's country.

DO MATKI POLKI. **5.** *rówiennik* or *rówieśnik* – contemporary, child of the same age. **6.** *dumy*, plur. of *duma* – historical songs (lays); *pieje*, from *piać* – to sing. **10.** *Matka Bolesna* – Mother of Sorrows. **12.** *raz* – see Bajdary, note 1. **15.** *wyzwany*, from *wyzwać* – summoned, challenged. **17.** *rohoże* or *rogoże* – rush. **20.** *jadowity gad* – venomous reptile. **22.** *niedościgły* – unattainable. **23.** *zgniły wyziew* – putrid, rotten miasma. **24.** *wystygły*, from *wystygnąć* – to grow cold. **26.** *piastować* – here, to hold; in several of Raphael's paintings the Infant Jesus is represented holding a cross. **30.** *taczkowy wóz* = *taczki* – wheel-barrow; Polish deportees to Siberia were frequently put to work in mines where they had to push wheelbarrows. **31.** *katowski obuch* – the executioner's axe (literally, the back of the axe). **32.** *spłonić się* = *zarumienić się* – to blush, flush; *powróz* – halter, rope. **37.** *szpieg* – spy. **38.** *krzywoprzysiężny* – perjured. **39.** *dół kryjomy* – secret dungeon. **42.** *szubienica* – gallows.

KONRAD WALLENROD. PIEŚŃ WAJDELOTY. **1.** *wieść gminna* – saga, folk song; *arka przymierza* – ark of the covenant. **4.** *przędza* – yarn, thread. **6.** *znieważyć* – to slight, dishonor. **10.** *dzierżyć* = *trzymać* – to hold. **11.** *rozgryzie*, from *rozgryść* – to gnaw away; *malowane dzieje* – scil. paintings. **12.** *mieczowi złodzieje* – armed thieves (vandals). **16.** *gruzy* – rubble, ruins. **19.** *pióry* – instr. plur. of *pióro*, feather. **20.** *zacisza*, now *zacisze* – solitude, haven. **21.** *w ręku* – loc. dual of ręka; *odrętwiały* – numb, listless. **25.** *tlą*, from *tlić* – to smolder. **28.** *pędzel* – brush. **29.** *skaza* – spot, scratch. **30.** *świecznik* – candlestick.

33. *kraśny,e, krasny* – colorful. **34.** *przelać* – to pour (from one vessel into another). **35.** *wskrzesić* – to resuscitate. **42.** *górnie* – adv. loftily.

POWIEŚĆ WAJDELOTY. **1.** *wycieczka* – here, raid, sortie. **3.** *braniec* – captive, prisoner. **4.** *stryczek* – halter, rope; *biegą* = *biegną*, from *biec* – to run. **5.** *zalewać się łzami* – to shed tears. **7.** *ciągnąć się* – to extend, stretch; *błonie* – meadow; *Perun* – name of the principal god of ancient Slavs and Baltic peoples – a rough equivalent of the Greek Zeus. **9.** *zwykli*, past part. plur. of *zwyknąć* – to be wont to; *stos ofiarny* – sacrificial pyre. **10.** *pojmani*, from *pojmać* – to capture. **11.** *latami schylony* – bent with years, aged. **12.** *hufiec* – troop. **17.** *w niewolą* – old accus. now *w niewolę*. **18.** *pomną*, from *pomnieć* – to recall; *kędyś* = *gdzieś* – somewhere. **20.** *wyniosły* – lofty, steep. **21.** *puszcza jodłowa* – spruce forest. **24.** *zaświtać* – to dawn; *trzaskać się* – to shatter. **28.** *oręż* – arms, weapons. **29.** *wypuścił się* = *puścił się* – hurtled, dashed off. **30.** *zgonić* = *dogonić* – to overtake. **32.** *szczęk* – clatter; *runąć* – to tumble; *łoskot* – crash. **46.** *trzymać do chrztu* – to stand godfather at baptism. **50.** *tłumacz* – interpreter. **51.** *wabić* – to coax, call. **52.** *rozpowiadać* – to tell stories about; *otrzeźwiać* = *orzeźwiać* – to refresh, strengthen. **54.** *siny* – blue. **58.** *podniecać* – to rouse, fan. **60.** *rznąć* – to cut, hack; *kobierce*, plur. of *kobierzec* – carpet; *kaleczyć* – to lacerate, mutilate. **61.** *tarcz* – older form for *tarcza* – shield; *miotać* – to throw; *plwać* – to spit. **62.** *Kłejpeda* or *Kłajpeda* – Ger. Memel, port on the Baltic sea. **64.** *czarodziejski* – magic; *wonia*, older form for *woń* – fragrance. **65.** *tchnęła*, from *tchnąć* – to breathe into. **66.** *upojony*, from *upoić* – to intoxicate; *dzieciniałem*, from *dziecinieć* (*dziecinnieć*) – to become a child again. **73.** *Połąga* – Ger. Polangen, at that time a village on the Baltic sea. **74.** *roztrącać się* – to break into fragments. **75.** *gardziel* = *gardło* – gorge, throat. **76.** *nadbrzeżny* – adj. seashore. **77.** *oblecieć* – to spread over, cover. **78.** *silić się* – to strive; *przebić* – to pierce; *śmiertelny* – deadly; *pokrycie* – cover. **79.** *żwir* – gravel; *nasuwać się* – to push on. **80.** *pletwa* – fin. **81.** *pustynia* – wilderness, desert. **86.** *zapędy* – impulses. **90.** *przejmij*, imper. of *przejąć* – to take over, adopt. **93.** *potyczka* – engagement, encounter. **97.** *łowca* – hunter. **99.** *pociągnie oczyma* – will let his eyes wander. **101.** *szelest* – rustle. **102.** *myśliwcze*, voc. of *myśliwiec* – huntsman.

ROZMOWA WIECZORNA. **2.** *gościć* – to receive a guest or (like here) to reside as guest, abide. **4.** *zgryzota* – grief; *skrucha* – contrition. **7.** *władać* = *panować* – to reign. **11.** *ozłacać* = *pozłacać*, *złocić* from *złoto*, gold – to gild. **12.** *goniec* – messenger; here rather, herald. **14.** *za nię* – old acc. sing. of *ona*, now *nią*. **17.** *poddany* – subject. **19–21.** refers to the sufferings of Christ on the Cross, the spear (*włócznia*) with which His side was pierced, and the sponge dipped in vinegar (*gąbka octowa*) which He was offered. **26.** *bliźni* – neighbor, fellow being. **28.** *skory,a* = szybki – quick, prompt. **31.** *brzydzić się* – to abhor, loathe. **34.** *piekielna katusza*, plur. *katusze* – infernal torment. **36.** *rozdmuchać* – to fan (the flames, *ognie*). **41.** *wnętrzne* = *wewnętrzne* – inner. **43.** *roztopioną*, from *roztopić* – to dissolve, melt.

ARCY-MISTRZ. **2.** *nastroić* – to tune; *wtór* – accompaniment, harmony. **4.** *wodzić* (*po strunach*) – to draw. **6.** *wątek, wątku* – warp or woof in a woven fabric; fig. content, theme. **9.** *kolos* – colossus; *wzór, wzory* – model, form; hence, colossal forms; *rzezać* = *rzeźbić* – to carve. **11.** *wiela*, old gen. of *wiele*, now *wielu*. **13.** *wymowa* – eloquence. **19.** *sztukmistrz* = *artysta* – artist, master. **24.** *gmin* – mob, populace; *od gminu* = *przez gmin*.

DZIADY, PART III. OPOWIADANIE SOBOLEWSKIEGO. **1.** *kapral* – corporal, Russian guard. **5.** *nawał* – here, throng; *runął nawałem* – surged in a throng. **6.** *przysionek*, *przedsionek* – see *Bakczyseraj*, note 2. **8.** *kielich* – here, chalice. **9.** *wał* – bulwark, rampart. **10.** *obrzęd,y* – rite, ceremony. **12.** *kibitka,i* – a Russian vehicle used for the deportation of prisoners. **13.** *policmejster* – Russian word from the German *Polizeimeister*, chief of police; *mina* – countenance. **15.** *dziatwa*, collect. noun – children. **16.** *ratusz* – city hall (where there was a prison). **17.** *warta* – guard. **19.** *z golonemi głowami* – the heads of the prisoners were shaved; *okuci*, plur. from *okuty* (*okuć*) – manacled, fettered. **20.** *nieboże*, *nieboży* – idiom. poor wretch (Ger. *armer Teufel*, French, *pauvre diable*). **25.** *przepisana waga* – prescribed weight. **26.** *Janczewski* – Cyprjan Janczewski is a real life character; a highschool student who was deported to Siberia for belonging to a clandestine student organization; *oszpetniał* – from *oszpetnieć* (comp. *szpetny*) – to become ugly, lose one's looks. **30.** *ów cesarz* – refers to Napoleon in exile. **36.** *myślił* – see *Burza*, note 13. **43.** *wstrząsł*, from *wstrząsnąć* – to shake. **44.** *runąć* – to hurtle. **45.** *natężać* – to strain. **46.** *Jeszcze Polska nie zginęła* – the first words of the national anthem. **49.** refers to the shaved head; *przemoc bezwstydna* – shameless tyranny. **53.** *nawałnicy wieszcza*, inversion: *wieszcza nawałnicy* – refers to the dolphin's fortelling of storms (*nawałnica*); *wieszcz* – prophet. **61.** *ściśnionego* = *ściśniętego*, from *ścisnąć* – to press. **67.** *że wzbraniał* i.e. *że się wzbraniał*, from *wzbraniać się* – to resist. **68.** *słaniać się* – to sway, droop. **70.** *upadł jak długi* – fell full length. **71.** *Wasilewski* – probably a student of Wilno University; *siedział* – here, was jailed; *sąsiedztwo* – neighborhood. **72.** *tyle kijów* – *kij*, stick, cane; *dostać kije* – to be flogged; *śledztwo* – interrogation. **77.** *nie ciężał* = *nie ciężył*, from *ciężyć*, *ciążyć* – to sag, droop heavily. **78.** *otężał* = *stężał* from *otężeć*, *stężeć* – to stiffen. **80.** *rozpięte*, from *rozpiąć* – outstretched. **83.** *wydarte*, from *wydrzeć* – to tear away. **86.** *zgłuszyć*, *zagłuszyć* – to drown. **88.** *puścić się* (*pędem*, *lotem*) – to set out, start; here; like lightning – *błyskawica*. **89.** *niewidomy* = *niewidoczny* – invisible. **92.** *przegnać* = *rozegnać* – to disperse. **96.** *ciało i krew Pańską* – the Host (flesh and blood of Our Lord).

IMPROWIZACJA. **1.** *Cóż po ludziach* – what's the use of people. **4.** *trudzić*, from *trud*, toil, exertion – here, to strain. **7.** *pochłoną*, from *pochłonąć* – to swallow, engulf. **9.** *docieką*, fut. plur. of *dociec* – to find out, discover. **11.** *żarzy* (*się*), from *żarzyć się* – to glow. **12.** *niewidomych*, see above, 89; *cieśnie* plur. of *cieśnia*, *cieśnina* – straits. **14.** *dostrzegą*, from *dostrzec*, *dostrzegać* – to perceive. **16.** *za gońca* = *jako goniec* – here, as pursuer, in pursuit. **17.** *szklanne skrzydła* – metonymy: telescope; *dolata*, older form of 3d pers. pres. of *dolatać* (*dolatywać*) – to fly up to, reach. **18.** *mleczna droga* – galaxy, the Milky Way. **25.** *posłuchanie* – attention, hearing. **30.** *na szklannych harmoniki kręgach* – refers to an old instrument consisting of hemispherical glasses set, according to size, on an axle. When set in motion the hemispheres produced a variety of tones under the touch of fingers. **36.** *plączę*, from *plątać* – to tangle, weave. **38.** *krawędzie* plur. of *krawędź* – rim, edge. **41.** *przeciągły* – protracted; *wicher* – gale; *powiew* – gust. **42.** *tonie*, plur. of *toń* – depth. **44.** *wtórzą*, from *wtórzyć*, *wtórować* – to accompany. **45.** *płonąć* – to be in flames, ablaze. **50.** *pienie* = *śpiew*, from *piać* in old Polish = *śpiewać*. **52.** *dzielność* – vigor, valiance. **56.** *dobywać* – to draw, produce. **57.** *wcielać* – to incarnate, embody. **58.** *rozsypywać się* – to disperse, scatter. **59.** *toczyć się* – to roll. **61.** *wdzięk,i* – charm. **62.** *okrągłość* – roundness. **64.** *wieszczy,e* = *proroczy* – prophetic, here rather, bardic from *wieszcz* – bard. **69.** *depcę*, from *deptać* – to trample. **72.** *duszne dzieci* = *duchowe dzieci* – spiritual children, children of the soul (works). **74.** *za słuszne znali* = *uznawali, uważali* – if they considered (as) right. **78.** *tyla*, old gen. of *tyle*, so many, now *tylu.* **83.** *czuły* – tender, sensitive; in this context rather *pełen uczucia* – full of feelings. **85.** *przesilić się* – to come to a crisis, comp. *przesilenie* – crisis. **87.** *chwila przeznaczona* i.e., *chwila przeznaczenia* – fateful moment. **89.** *chwila Samsona* – refers to the biblical Samson and the distruction of the temple of the Philistines. **93.** *kołowrót* (*gwiazd*) – revolving wheel (of stars). **102.** *sięgać* – to reach. **106.** *spoczęła*, from *spocząć* – to rest, here, to alight. **111.** *przycisnąć do łona* – to press against one's bosom. **113.** *dźwignąć* – to lift, raise. **118.** *śledzić* – to scrutinize; *rozwarła*, from *rozewrzeć* – to open. **119.** *nie nadadzą*, from *nadać* – to grant, confer upon. **121.** *dymić* – to smoke.

WIDZENIE EWY. **1.** *deszczyk*, dim. of *deszcz* – rain; *rosa* – dew. **4.** *równianka* – nosegay. **7.** *dozgonny* – lasting till death (*zgon*). **13.** *niewiniątko,a* – an innocent. **14.** *polewać* – to water. **16.** *uwieńczyć* – to wreathe, crown; comp. *wieniec* – wreath. **22.** *krocie* – plur. of *kroć* which used as a suffix with numerals means fold, e.g., *trzykroć* – threefold, *stokroć* – hundredfold; *krocie* – thousands or any high but indetermined number.

PAN TADEUSZ. POCZĄTEK KSIĘGI PIERWSZEJ. **3.** *ozdoba* – here: splendor. **5.** See the poet's footnote: *N.P.* = *Najświętszej Panny* – Holy Virgin; *N.P. Ostrobramskiej*, from *Ostra Brama*, an old pointed city gate where the picture hangs; *Zamkowa* – of the Castle of Nowogródek; *Żyrowiecka* – of Żyrowiec; *Boruńska* – of Boruny. **8.** ff. Refers to a presumably true incident of Mickiewicz's childhood. **10.** *powieka* – eyelid. **11.** *pieszo* – on foot. **16.** *rozciągnionych* = *rozciągniętych*, from *rozciągnąć* (*się*) – to stretch. **18.** *wyzłacanych*, from *wyzłacać* – to gild; *pszenica* – wheat; *posrebrzanych*, from *posrebrzać* – to silver; *żyto* – rye. **19.** *bursztynowy*, from *bursztyn* – amber; *świerzop* (*świrzepka, ognicha*) – a common, yellow-blossomed weed; *gryka* – buckwheat. **20.** *panieński*, from *panna* – maidenly; *rumieniec* – blush; *dzięcielina* – clover; *pałać* – to glow. **21.** *miedza* – balk, a grass-covered strip separating two fields. **22.** *grusza,e* – pear tree. **23.** *ruczaj* – brook. **24.** *brzozowy gaj* – birch grove. **25.** *podmurowany* – on a masonry foundation. **26.** *pobielane*, from *pobielać* (*bielić*) – to whitewash. **28.** *topola,e,* – poplar. **29.** *chędogi* = *czysty* – clean, neat. **30.** *stóg, stogi* – stack. **31.** *użątek, ku*, from *żąć*, to reap, crop – the crop; *strzecha* – thatch. **32.** *okolica* – region; *obfity,a* – rife, abundant. **33.** *kopica,e* = *kopa,y* – rick, stack; *smug*, here *pole* – field. **35.** *łan,y* – tract, field; *ugór, ugoru* – fallow land. **36.** *czarnoziemne*, from *czarnoziem* – black loam; *dwór, oru* – manor house. **37.** *uprawne* = *uprawione*, from *uprawiać* – to till, cultivate; *ogrodowe grządki* – garden beds. **39.** *na wciąż otwarta* – wide open. **40.** *w gościnę zaprasza* – welcomes. **41.** *Pan Wojski* – see Krasicki, *Żona modna*, note 82; *pod las* – *w stronę lasu.* **42.** *dowoli* = *dosyć, dostatecznie* – enough. **48.** *boru*, gen. sing. of *bór* – forest; *pomrok, mrok* – murk; *mglisty* – from *mgła* – foggy, misty. **50.** *zlewać* – to blend. **53.** *konar,y* – limb, big branch. **54.** *okienic* = *okiennic*, gen. pl. of *okiennica* – shutter; *szpary* – chinks. **55.** *gromadnie*, adv. from *gromada* = *w wielkiej ilości* – in great numbers. **56.** *grabliska*, augm. of *grabie* – rake; *suwane*, from *suwać* – to push, draw. **57.** *pan Sędzia* – elected district judge (*sędzia ziemski*). **59.** *znidzie*, from *zniść, znijść*, now *zejść* – to go down, descend. **63.** *ekonom* – steward.

ŚNIADANIE W DOMU SĘDZIEGO. **1.** *w domie*, old loc. sing., now – *w domu.* **2.** *wszczął się* = *zaczął się* – there began; *szmer* – here, murmur; *gwar* – uproar, din. **3.** *wlatają*, from *wlatać*, now *wlatują* from *wlatywać* – to fly in. **5.** *krzątać się* – to bustle.

6. *jakoż* – in fact, indeed. **7.** *sztuczce* = *sztućce* plur. of *sztuciec* – tableware, cutlery. **10.** *uszakach*, from *uszak* – window frame. **11.** *flinta* – flint gun; *chart* – greyhound; *szarak* = *zając* – hare. **12.** *Podkomorstwo*, coll. noun: *Podkomorzy* (the Chamberlain) and his wife, *Podkomorzyna; w kątku*, from *kątek*, dim. of *kąt* – corner. **14.** *chować* (*porządek*) = *zachowywać* – to observe. **16.** *nierad* – unwilling, reluctant. **19.** *z całą służbą kawy*; *służba*, here *zastawa* – with an entire coffee service. **20.** *tace*, plur. of *taca* – tray. **21.** *kurzące*, from *kurzyć* – to smoke, steam; *imbryk* – coffee pot. **22.** *porcelana saska* – Dresden china; *filiżanka* – cup. **23.** *garnuszeczek*, dim. of. *garnuszek*, *garnek* – a small pot, pipkin; *śmietanka* – cream. **28.** *wiciny* – see Poet's footnote; *spławiać* – to float. **30.** *bursztyn*, Ger. Bernstein – amber. **34.** *przystawiwszy*, past part. of *przystawić* – to set close to (scil. to set on the kitchen stove); *mleczarnia* – dairy. **35.** *nabiału*, from *nabiał* – dairy products; *kwiat* – here, bloom, i.e., cream; *garnie* = *zgarnia*, from *garnąć*, *zgarniać* – to collect, skim. **36.** *kożuszek* – cap, skin. **40.** *śmietana* – sour cream; *bielony*, from *bielić*, *zabielać* – to whiten (with cream). **41.** *twaróg* – cottage cheese; *gruzłami*, from *gruzeł* – lump; *posiekany*, from *posiekać* – to chop, mince. **42.** *wędliny* –s moked meats. **43.** *półgęski* = *pół* + *gęś* – halves of fried or roasted geese; *kumpia*, dial. for *szynka* – ham; *skrzydliki* – here, slices; *ozór* – tongue. **45.** *uwędzone*, from *uwędzić* – to cure, smoke; *jałowcowy*, adj. from *jałowiec* – juniper. **46.** *zrazy* – kind of beef stew.

Polowanie na niedźwiedzia. **1.** *matecznik* – the most remote and inaccessible part of a primeval forest. **3.** *pasieka* – apiary; *wonność* = *zapach* – fragrance. **4.** *owies* – oats; *skłonność* – inclination. **5.** *puszcza* – virgin forest; *przerzedził się*, from *przerzedzić się* – to thin out. **6.** *leśniczy* – forester; *wyśledzić* – to espy, discover. **7.** *obsaczniki*, plur. of *obsacznik* from *obsaczać*, *osaczać*, to surround – trackers, beaters; *nasłać* = *posłać*, *wysłać*. **8.** *popasać* – to make a halt; here, to feed; *nocleg* – overnight stop. **9.** *obława* – battue. **10.** *zamykać odwrót* – to cut the retreat. **12.** *ogar,y*, – hound. **17.** *nurtują*, from *nurtować* – to plunge, dive; *nurek*, *nurki* – diver or loon. **18.** *dwururka* – a double-barrel gun (*rura* = *lufa*). **19.** *patrzą Wojskiego* = *podpatrują*, *podglądają*, from *podpatrywać*, *podglądać* – to peer, watch. **23.** *topili... spojrzenia* – they kept their eyes glued. **26.** *wrzasnął*, from *wrzasnąć* – to scream; *dwadzieście* – older form for *dwadzieścia*. **27.** *rozpierzchnioną* = *rozpierzchniętą* – dispersed, scattered; *zgraja* – pack. **28.** *doławiają się* – from *doławiać się* = *wpaść na trop* – to hit the trail; *grają*, from *grać* – to be in full cry; cf. below: *granie psów*. **29.** *ujadają*, from *ujadać* – to bay. **30.** *łania* – doe. **31.** *ucinany*, from *ucinać*, to cut short – here, abrupt, brocken; *zjadły* = *zajadły* – furious. **33.** *na oko gonić* – to pursue by sight. **34.** *skowyt* – yelp. **35.** *kaleczeć* – to mutilate, maim. **36.** *konanie* – dying. **38.** *wyginać się* – to bend forward; *wciśniona* = *wciśnięta* – thrust. **39.** *stanowisko* – stand, station (assigned to the hunter). **40.** *zmykać* – to flee, sneak away; *wciskać się* – to push one's way. **41.** *ostrzegać* – to warn. **43.** *panicz* – young master, gentleman's son. **44.** *grzbiet* – back; *smycz*, here masc. usually fem. – lash, leash. **45.** *nie było rady* – there was nothing to be done. **46.** *huknęły*, from *huknąć* – to resound, detonate. **48.** *ryknął* from *ryknąć* (cf. below: *ryk*) – to roar. **50.** *dojeżdżacz*, from *dojeżdżać* – master of the hounds. **51.** *grzmieć* – to thunder. **52.** *odwodzić kurek* – to cock the hammer of a firearm. **53.** *chybiono*, from *chybić* – to miss. **55.** *na przełaj* – across, diagonally; *ostęp* – enclosure. **56.** *tłuszcza* – mob, throng. **58.** *zeszły strzelcy rozstawione* – non personal form for *zeszli strzelcy rozstawieni; zejść* – to leave, depart; *rozstawić* – to deploy, array. **59.** *łowcze szyki* = *szyki łowców* (*myśliwych*) – ranks of hunters. **60.** *z kilką obławników* – old form for *z kilkoma obławnikami* (*obsacz-*

nikami – beaters). **61.** *trzask łomu* – the cracking of breaking branches. **62.** *nakształt* – like, in the likeness; *grom* – thunderbolt. **66.** *pniak* – stump; *osmalony*, from *osmalić* – to scorch; *wrosły* – grown into, imbeded. **67.** *waląc*, from *walić* – – to hurl. **68.** *maczuga* – club. **69.** *runąć* – to fall upon; *strażnik* – guard. **71.** *stać w kroku* = *nie ustąpić* – to stick to one's post; *wytknęli*, from *wytknąć* – to thrust out; here, to level. **72.** *konduktor,y*, – here, lightning rod. **73.** *jednym razem* = *razem, odrazu* – at once, simultaneously. **75.** *utkwiony*, from *utkwić* – thrust (in the ground). **76.** *oszczep* – spear, javelin. **77.** *wydzierać* – to tug, wrestle over; *aż tu* = *naraz, oto* – suddenly; *pysk* – mouth of animals, muzzle, snout. **78.** *kłów*, gen. plur. of *kieł, kła* – fang. **79.** *łapa* – paw; *pazury* – claws; *łeb, łby* – head. **80.** *rzadnie* = *rzednie* from *rzednąć, przerzedzać się* – see note 5. **81.** *wspiął się*, from *wspiąć się* – to pull oneself up, rear. **82.** *zahaczał*, from *zahaczać* – to hook, here *zatapiać, wpijać* – to sink. **83.** *płowy* – blond. **84.** *czaszka* – skull; *mózg* – brain. **85.** *Assesor* – an administrative officer of a district; *Rejent* – notary. **86.** *o jakie sto kroków* – some hundred paces away. **89.** *kot* = *szarak, zając* (in the language of hunters) – hare. **90.** *czterma* – older form for *czterema*. **91.** *młyńcem*, from *młyniec, młynek* – whirl, sommersault; *cielsko* – augment. of *ciało* – huge body; *brzemię* – weight. **92.** *zbić z nóg* – idiom. to knock off one's feet. **94.** *rozjuszony* – furious; *Strapczyna, Sprawnik* – names of two hounds corresponding as explained by the poet elswhere in the poem to the titles of Russian officials. *Sprawnik* – commander of district police, *Strapczy* – prosecutor. (*Strapczyna* is the feminine form of *Strapczy*).

Rok 1812. **2.** *urodzaj* – good harvest, bumper crop. **4.** *bajać* – to tell tales, spin yarns. **5.** *niebieski cud* – refers to a comet which appeared at that time; *oznajmiony*, from *oznajmić, zapowiedzieć* – to foretell, announce. **6.** *głucha wieść* – rumor; *głuchy* – here, vague. **7.** *ogarnęło*, from *ogarnąć* – here, to seize. **8.** *przeczucie* – premonition, foreboding. **12.** *ruń* – the green sprouts of winter wheat; *umaić*, from *maj*, May – to paint green; *gruda* – here, earth, soil. **14.** *żuło*, from *żuć* – to ruminate, chew the cud. **15.** *jarzyna*, here *jare zboże* – spring sawing. **18.** *zasiew* – sowing. **19.** *podjezdki* – small horses; *brona* – harrow. **22.** *uważają*, from *uważać* – here, to watch, observe. **25.** *pułk* – regiment. **26.** *jaskółka* – swallow. **27.** *zmarzły* – frozen; *błoto* – mud. **28.** *zarośla* – thicket; *ciągnąca* = *przelatująca* – flying overhead; *słomka* – woodcock. **31.** *żóraw, żórawie* – crane. **32.** *nocni stróże* – night watchmen. **35.** *gilów*, genet. plur. of *gil* – finch; *siewek*, from *siewka* – plover; *szpak* – starling. **36.** *kita* – here, tassel, plume (on military caps). **38.** ff. refers to Napoleon's army marching on Moscow, its array (*stroje*) and arms (*bronie*) were strange and exotic to the people of Lithuania. **40.** *kute żelazem* – iron shod or iron trimmed. **41.** *rzęd*, now *rząd* – row. **42.** *roić się* – to swarm; *mrowisko* – anthill. **43.** *wonczas* = *wówczas, wtedy; z wyraju* – see Poet's footnote (*mowa gminna* – the language of simple folks; *wędrowne ptaki* – migratory birds; *przenośnie* – figuratively). **45.** *niepojęty* – beyond comprehension. **46.** *orły* – Napoleon's eagles, i.e. *sztandary* – banners. **47.** *tu i ówdzie* – here and there; *łuna,y* – red glow cast on the sky by a fire. **51.** *dziady* – grandfathers. **54.** *bestyi* read *bestyji* (three syllables) – beast. **55.** *spółleśnik* – fellow woodman. **56.** *pałać* – to flame. **59.** *żubr* – bison; *brodacz* – bearded; *sędziwy* – hoary. **60.** *najeżyć* – to bristle; *grzywa* – mane. **62.** *potrząsając*, from *potrząsać* – to shake. **63.** *zgliszcze* – here, conflagration. **64.** *zbłąkany* – stray; *granat* – granade; *wre*, from *wrzeć* – here, to whirl, seethe. **66.** *zląkł się*, from *zlęknąć się* – to take fright; *ukrycie* – hiding. **70.** expresses the hope of the Poles that Napoleon, after defeating Russia, would restore their independence. **75.** *obfity* – abundant, rich; *brzemienna* – pregnant, big with. **77.** *okuty* – here, fettered, chained; *powicie* – swaddling cloth.

POLONEZ. **2.** *zarzuciwszy*, from *zarzucić* – to throw back; *wyloty kontusza* – the old Polish nobleman dress consisted of a *żupan*, a long undergarment or vest over which the *kontusz*, a sort of loose, in most cases brightly colored frock or coat was worn; the sleeves of the *kontusz* were cut open and flowing (hence: *wyloty*), so that they could be thrown back over the shoulders. **3.** *pokręcać wąsa* – to twirl the mustache. **6.** *hasło* – signal. **7.** *murawa* – lawn; *czerwone buty* – bright colored boots and tucked in wide trousers were part of the old national dress; *połyskają* = *połyskują* – from *połyskiwać* – to glitter. **8.** *karabela* – Polish curved sabre; *pas suty* – luxurious sash; Polish sashes worn round the waist of the *kontusz* were famous for their rich and elaborate fabrics, mostly gold and silver brocade. **9.** *stąpać* – to step, advance; *niby* – as if; *niby od niechcenia* – carelessly. **15.** *konfederatka* – square cap bordered with fur; *pokornie* – humbly. **16.** *raczyła*, from *raczyć* – to deign; *upornie* – stubbornly. **17.** *zwalniać* – to slow down, slacken the pace. **20.** *czaplinemi*, adj. from *czapla* – heron. **21.** *zawieszać* – to hang, here, to press on his forehead; *wstrząsać* – to shake. **22.** *na bakier* – idiom. to one side, awry. **24.** *wymknąć się* – to steal away. **26.** *przejść mimo* – to pass by. **27.** *na bok się uchylić* – to withdraw to one side. **28.** *zmylić* – to misdirect, elude. **29.** *natręt,y*, – the importunate. **30.** *taneczne skręty* – here, evolutions of the dance. **31.** *prawica* – right hand; *rękojeść* – hilt (of a sword). **32.** *nie dbać* – not to care; *zazdrośnik*, from *zazdrość* – the jealous; *biada*! – woe! **33.** *wyzwanie* – challenge. **34.** *dostać kroku* = *dotrzymać kroku* – to keep pace with. **35.** *ustępować z drogi* – to retire from one's path, draw aside; *szyki* – here, order, formation. **36.** *puszczać się za kim* – to start in pursuit. **38.** *wodzić* – to lead, cf. *wódz*. **39.** *hucznie* – from *huk* – uproariously. **40.** *rozkręcać się* – to unwind; *skręcać się* – here, to contract. **41.** *łamać się* – here, to twine; *zwój, zwoje* – coil. **42.** *mienić się* – to shimmer, be iridescent; *cętkowaty* – speckled (*cętka* – dot, speckle). **45.** *wezgłowie* – lit. bolster, here, background. **46.** *zdrowia* – here, toasts. **49.** *zarosły*, scil. *trawą* – grass covered; *dziedziniec* – courtyard. **51.** *krążyć* – to circle. **54.** *zgiełk* – tumult; *tłoczyć się* – to press. **55.** *darmo* – in vain. **56.** *odbili*, from *odbić* – to recapture, an equivalent of "cut in." **57.** *Dąbrowski* – general Henryk Dąbrowski, commander of the Polish Legion which formed a part of Napoleon's army. **60.** *strudzona* = *zmęczona* – tired, weary.

Antoni Malczewski (1793–1826)

Antoni Malczewski was the author of only one poem, *Marja* (1826), a "Ukrainian Tale." This, however, ranks among the finest works of Polish Romantic poetry prior to 1830. It is a tale in verse grown out of the spirit of Byron, but manifesting a maximum degree of independence and originality in the handling and presentation of a gloomy subject and an absolutely pessimistic atmosphere. The subject is taken from a real occurrence in the eighteenth century, but has been transferred into the seventeenth century and adapted to the poet's artistic aims. The plot centers around Wacław, son of a magnate (*voyvod*), and Maria, daughter of a swordbearer. Wacław marries Maria without his father's consent. The father separates him from his wife and tries to break up the marriage by every possible means. Unsuccessful in his attempts, the voyvod resorts to a ruse: he pretends to agree, sends Wacław on an expedition against the Tartars, and invites Maria to his home. The swordbearer sets out for war together with Wacław. Meanwhile, the voyvod's men abduct Maria and drown her in a pond.

The poem is characterized by great dramatic tension and compact structure. Its language is difficult, but original and suggestive, remote from colloquial speech, full of neologisms and syntactic innovations. The verse is regular, of thirteen syllable lines, but is diversified by a variety of rhythms; the rhymes avoid banality.

From MARJA

PIEŚŃ I

Wszystko się dziwnie plecie
Na tym tu biednym świecie,
A ktoby chciał rozumem wszystkiego dochodzić,
I zginie, i nie będzie umiał w to ugodzić.

Jan Kochanowski.

I

Ej! ty na szybkim koniu, gdzie pędzisz, Kozacze?
Czyś zaoczył zająca, co na stepie skacze?
Czy rozigrawszy myśli, chcesz użyć swobody
I z wiatrem ukraińskim puścić się w zawody?
5 Lub może do swej lubej, co czeka wśród niwy,
Nucąc żałośną dumkę, lecisz niecierpliwy?
Bo i czapkęś nasunął i rozpuścił wodze,
A długi tuman kurzu ciągnie się na drodze;
Zapał jakiś rozżarza twojej twarzy śniadość,
10 I jak światełko w polu, błyszczy na niej radość,
Gdy koń, co jak ty dziki, lecz posłuszny żyje,
Porze szumiący wicher, wyciągnąwszy szyję.

Umykaj, Czarnomorcu, z swą mażą skrzypiącą,
Bo ci synowie stepu twoją sól roztrącą;
15 A ty, czarna ptaszyno, co każdego witasz
I krążysz, i zaglądasz, i o coś się pytasz,
Spiesz się swą tajemnicę odkryć Kozakowi –
Nim skończysz twoje koło, oni ujść gotowi.

II

Pędzą – a wśród promieni zniżonego słońca
Podobni do jakiego od Niebianów gońca.
I długo i daleko słychać kopyt brzmienie,
Bo na obszernych polach rozległe milczenie;
5 Ani wesołej szlachty, ni rycerstwa głosy,
Tylko wiatr szumi smutnie, uginając kłosy,
Tylko z mogił westchnienia, i tych jęk z pod trawy,
Co śpią na zwiędłych wieńcach swojej starej sławy.
(Dzika muzyka – dziksze jeszcze do niej słowa,
10 Które Duch dawnej Polski potomności chowa),
A gdy cały ich zaszczyt – krzaczek polnej róży,
Ach! czyjeż serce, czyje w żalu się nie nuży?

IX

Pod staremi lipami Miecznik dumał stary
I dźwigał w zwiędłej głowie utrapień ciężary.
Chociaż ten czarny żupan smutny przy siwiźnie,
Nosił i jasne barwy, gdy służył ojczyźnie.
5 Ojczyźnie! której imię wśród boju i rady,
I spornego wyboru i hucznej biesiady
Czystym gorzało ogniem – a serce, jak w wiośnie
Ptak do słońca, do niego skakało radośnie!
Ale czas świetnych uczuć już ściemniał – ej! minął,
10 I boli tylko życie, a kwiat jego zginął.
Dumał – i przeszłe żale, obecne zgryzoty
Pokrył kir nieprzebity grożącej sromoty.
O! póki tchu przynajmniej, tak łatwo i marnie
Płomień zawziętej pychy gniazda nie ogarnie!
15 O! póki czarny żupan żywe członki ciśnie,
Wyschła ręka w potrzebie starą szablą błyśnie!
Lecz potem? – Dumał Miecznik i wzrok wodził hardy,
Pełen niechęci, gniewu – a może i wzgardy.

X

Przy nim młoda niewiasta. – Czemuż, kiedy młoda,
Tak zamglonym promieniem świeci jej uroda?
Ni ją ubiór udatny, ni ją stroją kwiaty:
Czarne oczy spuszczone i żałobne szaty,
5 A w twarzy smutek, czoło co schyla w cichości,
Którego całym blaskiem – uśmiech Cierpliwości!
Lub jeśli kiedy nagle wpośród gęstych cieni
Jaka myśl, czy pamiątka jej lica zrumieni,
To tak mdłem, bladem światłem, jak gdy księżyc w pełni
10 Niezwykłem życiem rysy posągu napełni.
Piękna, szlachetna postać do aniołów grona
Dążyła, ich czystości czarem otoczona,
Ale trawiący oddech światowych uniesień
Owiał pąk młodych uczuć i zwarzył, jak jesień.
15 To jeszcze jest na drodze, gdzie nią wicher miota,
W ciężkich kajdanach ziemi dla nieba istota;
Serce nosi uschnięte, a świeci jak zorza,
Podobna do owoców Umarłego morza,
Pod których śliczną farbą, wśród trudu, mozoły,
20 Podróżny widzi nektar, znajduje – popioły.
Jakaś posępna słodycz w jej każdem ruszeniu,
Ani łzy, ani żalu w jej mglistem spojrzeniu;
O nie! – przeszłych już zgryzot nie widać tam wojny,
Tylko znikłej nadziei grobowiec spokojny,
25 Tylko się lampa szczęścia w jej oczach paliła
I zgasła – i swym dymem całą twarz zaćmiła.

MARJA. I. (Motto: see Kochanowski, Song IX, Book I). **1.** *ej* – interj. hey; *Kozacze*, voc. of *Kozak*; other form is *Kozaku*. **2.** *zaoczyć* = *zoczyć*, *zobaczyć* – to espy, catch sight of. **3.** *rozigrać myśli* – to give free play to one's thoughts. **4.** *puścić się w zawody* – to enter a race, competition. **5.** *luba* – beloved, sweetheart; *niwa* – field. **6.** *nucąc*, from *nucić* – to hum; *żałośny* = *żałosny* – plaintive; *dumka* – Ukrainian folksong. **7.** *czapkęś nasunął* = *nasunąłeś czapkę* – you pulled down your cap; *rozpuścić wodze* – to give the horse the reins. **8.** *tuman kurzu* – column of dust; *ciągnąć się* – to trail behind. **9.** *rozżarzać* – to brighten, lend a glow; *śniadość* – swarthiness. **12.** *porze*, from *próć*, *pruć* – to rip, tear. **13.** *Czarnomorcu*, voc. of *Czarnomorzec* – inhabitant of the Black Sea (*Czarne Morze*) coast; refers to peasants carting salt; *maża* = *wóz* – cart; *skrzypiąca* – from *skrzypieć* – to creak. **14.** *roztrącić* – to scatter. **15.** *ptaszyna* – dim. of *ptak*. **18.** *oni ujść gotowi* – they may be gone, have escaped.

II. **2.** *Niebianów*, gen. plur. of *Niebianie* – inhabitants of Heaven; cf. *niebo; goniec* – messenger. **3.** *kopyto* – hoof. **6.** *uginając*, from *uginać* – to bend. **8.** *zwiędły*, from *zwiędnąć* – to fade, wither. **10.** *potomność* – posterity. **11.** *zaszczyt*, here *cześć*, *uznanie* – honor, acknowledgment; *krzaczek*, dim. of *krzak* – bush. **12.** *nużyć się* – to become weary.

IX. **1.** *miecznik* – sword-bearer, formerly a court office, later an honorary title; *dumać* – to muse, brood. **2.** *zwiędłej* – see II, note 8. *utrapienie* – torment, worry. **3.** *żupan* – see *Pan Tadeusz*, "Polonez", 2. *siwizna* – grey hair. **6.** *sporny* – disputed, quarrelsome; *wybór*, *wybory* – election; *huczny* – uproarious, festive. **7.** *gorzało*, from *gorzeć* – to burn. **9.** *do niego* – refers to *imię Ojczyzny*. **11.** *zgryzota* – trouble, affliction. **12.** *kir* – pall, sables; *nieprzebity* – that cannot be pierced, unpenetrable; *sromota* – infamy, shame; refers to the attitude of Wacław's father toward his marriage with Marja. **13.** *póki tchu* – as long as I breathe. **14.** refers to the pride (*pycha*) of the voyvod. **15.** *ciśnie*, from *cisnąć* – to press, squeeze; here, to encase. **17.** *wodzić wzrok* – to let one's eyes wander; *hardy* – haughty; **18.** *wzgarda*, *pogarda* – contempt.

X. **3.** *udatny* – graceful, elegant; *stroić* – to adorn. **5.** *czoło co schyla w cichości*, i.e., *smutek*, *co* (*który*) *czoło schyla...* **9.** *mdły* – faint, feeble. **13.** *trawiący* – consuming; *uniesienie* – rapture, here generally, passion; *światowy* – wordly; refers to the actions of the voyvod. **14.** *owiać* – to breathe upon, waft; *pąk* – bud; *zwarzyć* – to nip. **15.** *To jeszcze jest na drodze* – cf. lines 11–12 where Marja is described as on her way to the angels (*aniołów grona*). **18.** *Umarłe Morze* = *Morze Martwe* – Dead Sea; *owoce* – here in general plants destroyed by the sulphurous vapors of the Dead Sea. **19.** *mozoły*, gen. sing. of fem. *mozoła*, now masc. *mozół*, *mozołu* – hardship, toil. **21.** *posępny* – gloomy; *ruszenie* = *poruszenie* – motion.

Juljusz Słowacki (1809–1849)

Here we discuss the second of the great Polish Romanticists. Juljusz Słowacki's life, in contradistinction to that of Mickiewicz, was primarily devoted to poetic creation. He began to write early and immediately manifested a certain specific characteristic; he derived the stimulus for his poetry from Polish and foreign literatures, and, in an original way, elaborated literary motifs known elsewhere. In 1832 there appeared the first two little volumes of his poems. These contained a number of tales in verse, the most Byronic tales in Polish Romanticism, together with two tragedies couched in a rather Classicist style. While in exile in France, where Słowacki went in 1830 and whence he was never to return to Poland, his talent matured and expressed itself in a great many works of various kinds. For him, as for Mickiewicz and other writers of the period, the Polish cause was foremost. Słowacki searched the past for the idea which would lead to Poland's salvation. The present, and particularly the generation of the November Rising, was the object of his penetrating and sharp criticism. In the last nine years of his life, when he plunged into mysticism and created his own mystic system, he portrayed Poland's future in a poetically magnificent messianic vision.

Słowacki is the creator of the modern Polish drama. Among his dramatic works we find a great wealth of various forms, whether related to Western European Romanticism but treated independently, or entirely original. Thus *Kordian* (1834) is a typical Romantic drama in which the picture of the contemporary Polish generation is completely different from the heroic portrayal in Mickiewicz's *Dziady*, Part III. (A similar "poetic polemic" with Mickiewicz is to be found in *Anhelli*, 1838, a poem in prose in which the Polish émigrés are presented in a light altogether different from that in the *Books of the Polish Pilgrims*).

Among Słowacki's other plays are dramatic legends: *Balladyna* (written in 1834, published in 1839), obviously reminiscent of Shakespeare; a tragedy with Greek elements, *Lilla Weneda* (1840); plays of a specific romantic "realism" (*Horsztyński*, *Złota czaszka*, *Mazepa*, 1840); a splendid comedy based on anti-Romantic premises (*Fantazy*); and, finally, dramatized mystical visions—*Ksiądz Marek* (Father Marek, 1843), *Sen srebrny Salomei* (The Silver Dream of Salomea, 1844), and *Samuel Zborowski* (not finished).

In addition, Słowacki is the author of tales in verse of the structural type of Byron's *Don Juan*, including *Podróż do Ziemi świętej* (Voyage to the Holy Land) and *Beniowski* (1841). He also wrote more than a hundred lyric poems, among them many masterpieces; the great unfinished poem *Król Duch* (King-Spirit, first "rhapsody" published in 1847); and a number of prose writings containing an exposition of his doctrine, most of which were unpublished during his lifetime.

As the type of artist endowed with immense power of imagination, absolutely and exclusively dedicated to his art and believing in the tranforming power of art and beauty (see below a fragment from his poem *Poeta i natchnienie*), Słowacki greatly enriched Polish literature. His poetic art is highly original, entirely distinct from that of Mickiewicz. His poetic language is devoid of simplicity and colloquialism: on the contrary, it employs a highly poetic, unusual, and difficult vocabulary. In Słowacki's language there is a great amount of "linguistic creation," neologisms, and structural changes. Its virtuosity reaches heights unknown in Polish poetry before him. This also applies to his verse, which is extremely rich in metric and rhythmic forms, in rhymes so uncommon and original that their like may only be found in much later poets.

Słowacki's influence on the development of Polish poetry was not so great as that of Mickiewicz. However, members of the "Young Poland" literary movement (end of the nineteenth century) acknowledged him as their master. The subsequent period was also fecundated by the power of his poetry.

HYMN

Smutno mi Boże! – Dla mnie na zachodzie
Rozlałeś tęczę blasków promienistą;
Przede mną gasisz w lazurowej wodzie
Gwiazdę ognistą...
5 Choć mi tak niebo Ty złocisz i morze,
Smutno mi, Boże!

Jak puste kłosy z podniesioną głową,
Stoję rozkoszy próżen i dosytu...
Dla obcych ludzi mam twarz jednakową,
10 Ciszę błękitu;
Ale przed Tobą głąb serca otworzę,
Smutno mi, Boże!

Jako na matki odejście się żali
Mała dziecina, tak ja płaczu bliski,
15 Patrząc na słońce, co mi rzuca z fali
Ostatnie błyski...
Choć wiem, że jutro błyśnie nowe zorze,
Smutno mi, Boże!

Dzisiaj na wielkiem morzu obłąkany,
20 Sto mil od brzegu i sto mil przed brzegiem,
Widziałem lotne w powietrzu bociany
Długim szeregiem.
Żem je znał kiedyś na polskim ugorze,
Smutno mi, Boże!

25 Żem często dumał nad mogiłą ludzi,
Żem prawie nie znał rodzinnego domu,
Żem był jak pielgrzym, co się w drodze trudzi
Przy blaskach gromu,
Że nie wiem, gdzie się w mogiłę położę,
30 Smutno mi, Boże!

Ty będziesz widział moje białe kości
W straż nie oddane kolumnowym czołom;
Alem jest jako człowiek, co zazdrości
Mogił popiołom...
35 Więc, że mieć będę niespokojne łoże,
Smutno mi, Boże!

Kazano w kraju niewinnej dziecinie
Modlić się za mnie codzień... a ja przecie
Wiem, że mój okręt nie do kraju płynie,
40 Płynąc po świecie...
Więc, że modlitwa dziecka nic nie może,
Smutno mi, Boże!

Na tęczę blasków, którą tak ogromnie
Anieli Twoi w niebie rozpostarli,
45 Nowi gdzieś ludzie w sto lat będą po mnie
Patrzący – marli.
Nim się przed moją nicością ukorzę,
Smutno mi, Boże!

Pisałem o zachodzie słońca, na morzu przed Aleksandrją. [1836]

NA SPROWADZENIE PROCHÓW NAPOLEONA

I

I wydarto go z ziemi – popiołem,
I wydarto go wierzbie płaczącej,
Gdzie sam leżał ze sławy aniołem,
Gdzie sam leżał, nie w purpurze błyszczącej,
5 Ale płaszczem żołnierskim spowity,
A na mieczu, jak na krzyżu, rozbity.

II

Powiedz, jakim znalazłeś go w grobie,
Królewiczu, dowódzco korabli? –
Czy rąk dwoje miał krzyżem na sobie,
10 Czy z rąk jedną miał przez sen na szabli?
A gdyś kamień z mogiły podźwignął,
Powiedz, czy trup zadrżał, czy się wzdrygnął?

III

On przeczuwał, że przyjdzie godzina,
Co mu kamień grobowy rozkruszy;
15 Ale myślał, że ręka go syna
W tym grobowcu podźwignie i ruszy,
I łańcuchy zeń zdejmie zabojcze
I na ojca proch zawoła: – Ojcze!

IV

Ale przyszli go z grobu wyciągać,
20 Obce twarze zajrzały do lochu;
I zaczęli prochowi urągać,
I zaczęli nań wołać: – Wstań prochu!
Potem wzięli tę trochę zgnilizny
I spytali – czy chce do ojczyzny? –

V

25 Szumcie! szumcie więc morza lazury,
Gdy wam dadzą nieść trumnę olbrzyma!
Piramidy! wstępujcie na góry
I patrzajcie nań wieków oczyma.
Tam! – na morzach! – mew gromadka szara
30 To jest flota z popiołmi Cezara.

VI

Z tronów patrzą szatany przestępne,
Car wygląda blady z poza lodów,
Orły siedzą na trumnie posępne
I ze skrzydeł krew trzęsą narodów.
35 Orły niegdyś zdobywcze i dumne,
Już nie patrzą na słońce – lecz w trumnę.

VII

Prochu! prochu! o leż ty spokojny,
Gdy usłyszysz trąby wśród odmętu,
Bo nie będzie to hasło do wojny,
40 Ale hasło pacierzy – lamentu...
Raz ostatni hetmanisz ty roty!
I zwyciężysz – zwycięstwem Golgoty.

VIII

Ale nigdy, o nigdy, choć w ręku
Miałeś berło, świat i szablę nagą,
45 Nigdy, nigdy nie szedłeś śród jęku
Z tak ogromną bezśmiertnych powagą
I mocą... i z tak dumnem obliczem,
Jak dziś, wielki! gdy wracasz tu niczem.

1 czerwca 1840.

POGRZEB KAPITANA MEYZNERA

I

Wzięliśmy biedną trumnę ze szpitalu,
Do żebrackiego mieli rzucić dołu.
Ani łzy jednej matczynego żalu,
Ani grobowca nad garstką popiołu.
5 Wczora był pełny młodości i siły –
Jutro nie będzie nawet – i mogiły.

II

Gdyby przynajmniej przy rycerskiej śpiewce
Karabin jemu pod głowę żołnierski!
Ten sam karabin, w którym na panewce
10 Kurzy się jeszcze wystrzał belwederski!
Gdyby miecz w sercu, lub śmiertelna kula –
Lecz nie! – Szpitalne łoże i koszula!

III

Czy on pomyślał? tej nocy błękitów,
Gdy Polska cała w twardej zbroi szczękła,
15 Gdy leżał smętny w trumnie Karmelitów,
A trumna w chwili zmartwychwstalnej pękła,
Gdy swój karabin przyciskał do łona?
Czy on pomyślał wtenczas – że tak skona!

IV

Dziś przyszedł chciwy jałmużny odźwierny
20 I przyszły wiedmy, które trupów strzegą,
I otworzyli nam dom miłosierny,
I rzekli: "Brata poznajcie waszego!
Czy ten sam, który wczora się po świecie
Kołatał z wami? – Czy go poznajecie?"

V

25 I płachtę z głowy mu szpitalną zdjęto,
Nożem pośmiertnych rzeźników czerwoną.
Źrennicę trzymał na blask odemkniętą,
Ale od braci miał twarz odwróconą.
Więceśmy rzekli wiedmom – by zawarły
30 Trumnę – bo to jest nasz brat – ten umarły.

VI

I przeraziła nas wszystkich ta nędza.
A jeden z młodszych spytał: "Gdzież go złożą?"
Odpowiedziała mu szpitalna jędza:
"W święconej ziemi; gdzie przez miłość Bożą
35 Kładziemy poczet nasz umarłych tłumny
W jeden ogromny dół – na trumnach trumny".

VII

Więc ów młodzieniec, męki czując szczere,
Wydobył złoty jeden pieniądz drobny
I rzekł: "Zaśpiewać nad nim *Miserere*
40 Niechaj ogródek ma i krzyż osobny".
Zamilkł: a myśmy pochylili głowy,
Łzy i grosz sypiąc na talerz cynowy.

VIII

Niech ma ogródek – i niech się przed Panem
Pochwali tem, co krzyż na grobie gada:
45 Że był w dziewiątym pułku kapitanem,
Że go słuchała rycerzy gromada,
A dziś ojczyźnie jest niczem nie dłużny –
Chociaż osobny ma kurhan z jałmużny.

IX

Ale Ty, Boże! który z wysokości
50 Strzały Twe rzucasz na kraju obrońce,
Błagamy Ciebie, przez tę garstkę kości!
Zapal przynajmniej na śmierć naszą – słońce!
Niechaj dzień wyjdzie z jasnej niebios bramy! –
Niechaj nas przecie widzą – gdy konamy! –

D. 30 paździer. 1841. Paryż.

TAK MI BOŻE DOPOMÓŻ

Idea wiary nowej rozwinięta,
W błyśnieniu jednem zmartwychwstała we mnie,
Cała, gotowa do czynu i święta;
Więc niedaremnie, o! nienadaremnie
5 Snu śmiertelnego porzuciłem łoże.
Tak mi dopomóż Chryste Panie Boże!

Mały ja, biedny, ale serce moje
Może pomieścić ludzi milijony.
Ci wszyscy ze mnie będą mieli zbroje –
10 I ze mnie piorun mieć będą czerwony,
I z mego szczęścia do szczęścia podnoże.
Tak mi dopomóż Chryste Panie Boże!

Zato spokojność już mam i mieć będę,
I będę wieczny – jak te, które wskrzeszę –
15 I będę mocny – jak to, co zdobędę –
I będę szczęsny – jak to, co pocieszę –
I będę stworzon – jak rzecz, którą stworzę.
Tak mi dopomóż Chryste Panie Boże!

Chociaż usłyszę głosy urągania,
20 Nie dbam, czy wzrastać będą – czy ucichać...
Jest to w godzinie wielkiej zmartwychwstania
Szmer kości, który na cmentarzach słychać.
Lecz się umarłych zgrają nie zatrwożę.
Tak mi dopomóż Chryste Panie Boże!

25 Widzę wchód jeden tylko otworzony,
I drogę ducha tylko jednobramną...
Trzymając w górę palec podniesiony,
Idę z przestrogą – kto żyw – pójdzie za mną...
Pójdzie – chociażbym wszedłszy szedł przez morze.
30 Tak mi dopomóż Chryste Panie Boże!

Drugi raz pokój dany jest na ziemi
Tym, którzy miłość mają i ofiarę...
Dane zwycięstwo jest nad umarłemi,
Dano jest wskrzesać tych, co mają wiarę...
35 Na reszcie trumien – Ja – pieczęć położę.
Tak mi dopomóż Chryste Panie Boże!

Lecz tym co idą – nie przez czarnoksięstwa,
Ale przez wiarę dam, co sam Bóg daje –
Wich usta włożę komendę zwycięstwa,
40 Wich oczy – ten wzrok, co zdobywa kraje –
Ten wzrok, któremu nic dotrwać nie może.
Tak mi dopomóż Chryste Panie Boże!

Z pokorą teraz padam na kolana,
Abym wstał silnym Boga robotnikiem.
45 Gdy wstanę – mój głos będzie głosem Pana,
Mój krzyk – ojczyzny całej będzie krzykiem,
Mój duch – aniołem, co wszystko przemoże.
Tak mi dopomóż Chryste Panie Boże!

Lipca 13. – [1842]

From POETA I NATCHNIENIE

[about 1843]

Skrzypnęła czegoś jedna stara belka
I poruszyła gniazdo jaskółczychy,
Z gniazda wypadła ptaszyna niewielka,
Bez pierza, mały, zimny trupek, lichy,
5 Więc potem tego dziecka rodzicielka
I ojciec w domek przylecieli cichy,
Prosto do gniazda, do swojego kątka,
I nie znalazłszy swojego dzieciątka

Wyszli oboje. Boże! z jaką wrzawą,
10 Wie matka, której ludzie dziecko skradli;
Wreszcie ujrzeli go pod moją ławą –
Oboje z niebios jak martwi upadli,
Ojciec na lewo, a matka na prawo;
Usiadli przy niem, a skrzydła tak kładli
15 I tak ciągnęli biedaczki za sobą
Jak magnet ciężką okryty żałobą.

Ale oboje... Śmierć tak była świeża,
Tak niespodziana, taką zda się zdradą
Niebios, że ojciec, matka nie dowierza,
20 Owszem przy dziobku jeszcze mu żer kładą,
Dziobkami ciałka probują i pierza,
A ono z główką wyciągniętą bladą,
Z początkiem tylko dziecięcych skrzydełek
Leży jak srebrny na herbie orzełek.

25 Więc – o niewiaro cudna, rodzicielska,
O długie, piękne tych serc niepokoje,
O cudna myśli w ptaszkach, już anielska! –
Za skrzydła wzięli dzieciątko oboje
I wyżej, niż tam brzoza, nimfa sielska,
30 Rozrzuci swoje girlandowe zwoje,
Podnieśli... myśląc, że w niem lot roznieci
Życie, że z dziobków puszczone poleci!

Tak połączone przez biały dyjament
Stało nademną w niebie biedne stadło.
35 Potem je może zdjął rozpaczy zamęt,
Bo upuścili dziecko... a te spadło,
A oni siedli nad niem znów i lament
Taki podnieśli, że mi lice bladło,
Serce bolało, tak jak dzisiaj boli,
40 Bo coś tam dla mnie jest w tej paraboli.

O tak! nim ja w śmierć ojczyzny uwierzę,
Chociażby jak trup w grobie leżąc zbrzydła,
Potargam wprzódy ją pieśnią za pierze,
Porwę ją wprzódy na pieśniane skrzydła,
45 Porwę ją z ziemi, tak jak wicher bierze,
Stargam łańcuchy wszystkie, wszystkie sidła,
Podniosę w niebo, aż gdzie Pan Bóg świeci,
Puszczę... jeżeli żywa – to poleci.

[W PAMIĘTNIKU ZOFJI BOBRÓWNY]

Niechaj mię Zośka o wiersze nie prosi,
Bo kiedy Zośka do ojczyzny wróci,
To każdy kwiatek powie wiersze Zosi,
Każda jej gwiazdka piosenkę zanuci.
5 Nim kwiat przekwitnie, nim gwiazdeczka zleci,
Słuchaj – bo to są najlepsi poeci.

Gwiazdy błękitne, kwiateczki czerwone
Będą ci całe poemata składać.
Jabym to samo powiedział, co one,
10 Bo ja się od nich nauczyłem gadać;
Bo tam, gdzie Ikwy srebrne fale płyną,
Byłem ja niegdyś, jak Zośka, dzieciną.

Dzisiaj daleko pojechałem w gości
I dalej mię los nieszczęśliwy goni.
15 Przywieź mi, Zośko, od tych gwiazd światłości,
Przywieź mi, Zośko, z tamtych kwiatów woni,
Bo mi zaprawdę odmłodnieć potrzeba.
Wróć mi więc z kraju taką – jakby z nieba.

13 marca 1844. Paryż.

[LOS MIĘ JUŻ ŻADEN NIE MOŻE ZATRWOŻYĆ]

Los mię już żaden nie może zatrwożyć,
Jasną do końca mam wybitą drogę,
Ta droga moja – żyć – cierpieć – i tworzyć,
To wszystko czynię – a więcej nie mogę.

5 Dawniej miłością różane godziny
I w zorzach jeszcze jaśniejsze pochodnie;
Dzisiaj, przy schyłku dnia, ważniejsze czyny,
Wielkie i smętne, jak słońce zachodnie.

Na nich się zegar życia zastanowi,
10 I puści ducha-skowronka w otchłanie,
Pomóż-że, Boże, temu skowronkowi,
Niech wesół leci – niech wysoko stanie.

A raczej powiem, – gdy się żywot zmierzcha,
Dusza-jaskółka daleko od ziemi,
15 Pomóż jaskółce, co mi z oczu pierzcha,
Z oczkami w światło rozweselonemi.

[1845]

[PANIE! JEŻELI ZAMKNIESZ SŁUCH NARODU]

Panie! jeżeli zamkniesz słuch narodu,
Napróżno człowiek swe głosy natęża:
Choćby miał siłę i odwagę męża,
Z niemiłowania umrze tak jak z głodu.

5 Próżno na ręce rękawice kładnie
I jako szermierz wystąpi zapaśnie.
Lica mu wyschną i oko zagaśnie,
Sprzepaści się pierś i głos w nią zapadnie.

Ale komu Ty Twoje namaszczenie
10 Włożysz na czoło, ten bez żadnej pracy
W powietrzu Twojem jak powietrzni ptacy
Pływa, a święte karmią go promienie.

[1845]

[DO MATKI]

Zadrży ci nieraz serce, miła matko moja,
Widząc powracających i ułaskawionych;
Kląć będziesz, że tak twarda była na mnie zbroja,
I tak wielkie wytrwanie w zamiarach szalonych.

5 Wiem, żebym ci wróceniem mojem lat przysporzył; —
Mów, kiedy cię spytają, czy twój syn powraca,
Że syn twój na sztandarach jak pies się położył,
I choć wołasz, nie idzie – oczy tylko zwraca.

Oczy zwraca ku tobie... więcej nic nie może,
10 Tylko spojrzeniem tobie smutek swój tłomaczy;
Lecz woli konający – nie iść na obrożę,
Lecz woli zamiast hańby – choć czarę rozpaczy!

Przebacz-że mu, o moja ty piastunko droga,
Że się tak zaprzepaścił i tak zaczeluścił;
15 Przebacz... bo gdyby nie to, że opuścić Boga
Trzebaby – toby ciebie pewno nie opuścił.

[1847]

[GDY NOC GŁĘBOKA WSZYSTKO UŚPI I ONIEMI]

Gdy noc głęboka wszystko uśpi i oniemi,
Ja ku niebu podniósłszy ducha i słuchanie,
Z rękami wzniesionemi na słońca spotkanie
Lecę – bym był oświecon ogniami złotemi.
5 Pode mną noc i smutek – albo sen na ziemi,
A tam już gdzieś nad Polską świeci zorzy pręga,
I chłopek swoje woły do pługa zaprzęga,
Modli się. – Ja się modlę z niemi i nad niemi.

Tysiące gwiazd nade mną na błękitach świeci;
10 Czasem ta, w którą oczy głęboko utopię,
Zerwie się i do Polski jak anioł poleci;

Wtenczas we mnie ta wiara – co w litewskim chłopie,
Że modlitwa w niebiosach tak jak anioł kopie,
A czasem ziarno ducha wrzuci i zanieci.

[1848]

[BO TO JEST WIESZCZA NAJJAŚNIEJSZA CHWAŁA]

Bo to jest wieszcza najjaśniejsza chwała,
Że w posąg mieni nawet pożegnanie.
Ta kartka wieki tu będzie płakała
I łez jej stanie.

5 Kiedy w daleką odjeżdżasz krainę,
Ja kończę moje na ziemi wygnanie,
Ale samotny – ale łzami płynę –
I to pisanie...

[1848?]

From HORSZTYŃSKI

This drama in prose, written during Słowacki's stay in Switzerland (1832–1836), was not completely finished or published by him. The main characters are Hetman Kossakowski, his son, Szczęsny, his daughter, Amelia, Horsztyński, and his wife, Salomea. The plot is very complicated and dramatic. The Hetman, moral monster and traitor, belongs to the Confederation of Targowica, which was sponsored by tsarist Russia and abolished the Constitution of May 3, 1791. The Hetman's son, a kind of Polish Hamlet, inwardly torn to pieces, does not want to join the activities of his father, but at the same time is unable publicly to oppose him and take part in the uprising against Russia. This is one reason for his disaster. The other is his love for his sister Amelia and for Salomea. Old Horsztyński is beautifully representative of the noble traditions of the Polish gentry. He is an ardent patriot, former member of the anti-Russian Confederation of Bar (1768–1772), a mortal foe of the Hetman, and is deeply attached to his young wife. The action gradually reveals the conflicts between the main characters. It is full of suspense and of highly dramatic scenes, and ends in the suicide of Horsztyński and the death of the Hetman and probably (the drama is unfinished) of the latter's son and daughter.

Akt II, scena 1:

Pokój w domu Horsztyńskiego

Horsztyński i stary sługa Świętosz

HORSZTYŃSKI

Gdzie moja żona?...

ŚWIĘTOSZ

Pani wyszła o wschodzie słońca do celi księdza Prokopa — zapewne komunikować się.

HORSZTYŃSKI

Świętoszu, nabij moją dubeltówkę!...

ŚWIĘTOSZ

5 Pan dawniej lubił z ptaszynki strzelać...

HORSZTYŃSKI

Jakże ty chcesz, mój stary, żebym ja strzelał teraz ślepy?
Dubeltówka nie na ptaszki!... nabij ją kulami...

ŚWIĘTOSZ

Cóż pan zamyśla?

HORSZTYŃSKI

Pan Hetman ma przyjechać do mnie w odwiedziny...

ŚWIĘTOSZ

10 Co? Jaśnie Wielmożny Hetman w naszym domu? A weźże pan przecie pas złoty...

HORSZTYŃSKI

Nie trzeba, nie trzeba... Słuchaj! nabijesz dubeltówkę i staniesz tam za ścianą w ciemnej alkowie. Jeśli zaświszczę barską piosenkę – pal!

ŚWIĘTOSZ

15 Jezus! Marja! Józefie!

HORSZTYŃSKI

Pal mu w łeb z dwu rur!...

ŚWIĘTOSZ

Jak pan zaświszcze barską piosenkę?

HORSZTYŃSKI

Tak.

ŚWIĘTOSZ

A może pan i chrześcijańską rzecz radzi!... Mówią ludzie, że ten
20 złotowielmożny pan coś zwąchał się z Moskalami.

HORSZTYŃSKI

Idź, idź! bo zdaje mi się, że słyszę turkot powozu... cicho!... i nie pokazuj się!... W imię Ojca i Syna i Ducha świętego!... Czyńmy, jak należy...

(*Świętosz odchodzi*)

Śmierć będzie między mną a twoją wściekłą ręką, Hetmanie! Nie
25 przyszedłem jeszcze na to, aby mię hańbiono w moim własnym domu..

(*Hetman wchodzi bogato ubrany*)

HETMAN

Niech będzie Jezus Chrystus pochwalony!

HORSZTYŃSKI

Na wieki wieków, amen.

HETMAN

Sam jeden, jak tego wymagałeś po mnie, przyjeżdżam do ciebie, Mości Horsztyński, gotów ofiarować ci moją rękę.

HORSZTYŃSKI

30 Ślepy jestem; nie wiem, czy mam ja moją dłoń na wschód, czy na północ wyciągać, aby się spotkała z twoją dłonią...

HETMAN

Więc sądzisz, mój Horsztyniu, że ja zawsze trzymam z północą...

HORSZTYŃSKI

Niech ciebie Bóg sądzi, panie Hetmanie.

HETMAN

Horsztyński, wiem, że masz powierzchowne dowody...

HORSZTYŃSKI

35 Na piśmie!...

HETMAN

Tak! zabrawszy obóz Moskali, znalazłeś między gratami jakieś pismo, napisane może umyślnie na to, aby mnie oszkalować w oczach ziomków. Może umyślnie nawet dali sobie Moskale zabrać wojenne sprzęty, aby to pismo wpadło w ręce Polaków...

HORSZTYŃSKI

40 Straciłem dwustu ludzi, mości Hetmanie, biorąc ten obóz umyślnie porzucony.

HETMAN

Być może! być może!... Ale ja ci przysięgnę, Horsztyński, że nic nie wiedziałem o tym szelmowskim papierze... Chcieli mnie zgubić! – A ty pomyśl... Wiedząc, że pismo takie jest w rękach mojego wroga,
45 muszę się rzucać w przepaść, bo najczystsze moje zamiary, najświętsze postępowanie może nie przydać się na nic, skoro siwy starzec, nie przy zdrowym rozumie, zechce zwalić mnie tą oszczerczą bronią...

HORSZTYŃSKI

Łagodniej, panie Hetmanie, z wrogiem twoim!... wiesz, że nie jest przy zdrowym rozumie...

HETMAN

50 Horsztyński! niech nasze dawne zatargi pójdą w zapomnienie! Wszak tyś mnie pierwszy obraził...

HORSZTYŃSKI

Wydarłeś mi ją...

HETMAN

Ty mi wydarłeś jej miłość! Słuchaj, hańba mojej małżonki żyje w moim domu i nazywa się moją córką...

HORSZTYŃSKI

55 Hetmanie! gotów jestem na kolanach błagać ciebie, abyś nie rzucał przekleństw na jej mogiłę... Śmierć jej była okropna...

HETMAN

Ha! okropna!... Widzisz, że nasze dwa serca połączone są okropną tajemnicą. Oddaj mi papiery! Daj! niech moje ręce mają co rwać i targać, bo kiedy patrzę na ciebie –

HORSZTYŃSKI

60 Ciszej – na Boga!

HETMAN

Jutro nie przyjdę do ciebie, stary – po co dziś przychodzę...

HORSZTYŃSKI

Choćbyś umarł, cień twój będzie klęczał na progu mojego domu co północy, błagając mnie o ten dowód okropnej – okropnej zdrady.

HETMAN

Tak myślisz?... Są wysokie góry, na które człowiek może wejść 65 i być niedosięgnionym przez pociski ludzkie...

HORSZTYŃSKI

Tak myślisz, panie Hetmanie?

HETMAN

Panie Horsztyński, ostatni raz mówię do ciebie: oddaj mi papiery! Spalę je na twojem ognisku i będę żył spokojny w moim zamku.

HORSZTYŃSKI

Ale ja nie będę żył spokojnie w mojej chacie. Te papiery są
70 oczyma, któremi patrzę na ciebie, Panie mój miłościwy – i spokojny jestem, bo zdaje mi się, że ciebie otrętwiłem, jak wąż, kiedy z biednej ptaszyny oka nie zwraca.

HETMAN

Podły szlachciuro!

HORSZTYŃSKI

Co?... jesteś w moim domu, miłościwy Panie!

HETMAN

75 I syn bywa w domu twoim... dlaczego?

HORSZTYŃSKI

Bo... bo mi przypomina głos twojej żony, miłościwy Panie!

HETMAN (*dobywając szabli*)

Ha!... powtórz...

HORSZTYŃSKI

Nie dobywaj szabli, mości Hetmanie, bo ja ci ją wyświszczę z ręku!...

HETMAN (*tnie pałaszem na zwierciadło*)

HORSZTYŃSKI

80 Co to za brzęk?

HETMAN

Zabiłem twego zdrajcę, Horsztyński... zwierciadło...

HORSZTYŃSKI

[Nie] rozumiem –

HETMAN

W tem zwierciedle stał człowiek z dubeltówką.

HORSZTYŃSKI

O! mój Boże!

HETMAN

85 Chodź tu... chodź! Stań za krzesłem twego pana – niech się nie boi!

(*Świętosz wychodzi żołnierskim krokiem*)

Ludzie, jak ja, wchodzą sami do jaskini zdrady i nie boją się. – O hańbo! Nie można ufać szlacheckiemu słowu. Nie chcę twoich papierów, Horsztyński, tyś je może sam sfałszował. Ludzie będą
90 wiedzieli, co mają o tobie myśleć, panie Horsztyński. Jutro... zatraduję ci majątek, panie Horsztyński; boś był winien żydom pięć tysięcy dukatów, a ja od żydów skupiłem weksle za połowę ceny, bo nikt nie wierzył twojemu obligowi, tylko na pół, panie Horsztyński! A wyrok sądu ziemskiego gotowy leży u jurysty. A kiedy ci Hetman
95 Kossakowski zabierze majątek, to pójdziesz z żoną pod próg sali jakiej konfederacji i przedasz za kilka groszy papiery zdradzieckie i będzie to chleb ostatni kupiony – a nie wyżebrany, bo ty będziesz żebrakiem, panie Horsztyński.

HORSZTYŃSKI

I moja żona!...

HETMAN

100 Żona twoja? Żonie twojej mój syn da pieniędzy, panie Horsztyński.

HORSZTYŃSKI

Syn... dlaczego twój syn?

HETMAN

Głupi stary, jak but! – każ strzelać za mną!

(*Odchodzi*)

ŚWIĘTOSZ

Panie mój...

HORSZTYŃSKI

Precz, precz! – czy on odszedł?

ŚWIĘTOSZ

105 Odjechał.

HORSZTYŃSKI

Idź, Świętoszu, idź! Ja sam zostanę z hańbą. Co ten starzec mówił o mojej żonie? Myślę, myślę głęboko i nie mogę nic rozwidnić w głowie. Ludzie wlepiając oczy w jedno miejsce, dopomagają głębokiej pracy umysłu; moje oczy w ciemnościach utopione – a nie rozumiem!
110 dalibóg, nie rozumiem.

(*Po chwili gwałtownie*)

Cudzołożnica!...

From BENIOWSKI

In his striving to introduce new forms into Polish poetry, Słowacki contributed a long tale in verse similar to Byron's *Don Juan.* The plot of the poem centers around Maurycy August Beniowski, a historical figure famous for his truly romantic adventures. The hero was a Hungarian nobleman who had roamed over the entire world and, finally, at the time of the Confederation of Bar (1768–1772), came to Poland, where he took an active part in the struggle against Russia, was taken prisoner by the Russians, and was deported to Kamchatka. There he organized a plot among the exiles and fled with them to France. In France he accepted a mission to crush an uprising in Madagascar; instead, he let himself be proclaimed ruler by the aboriginal tribes. Eventually he died fighting against French troops in 1789.

Słowacki's poem is set in Beniowski's Polish period. In the poet's lifetime there appeared five cantos (1841); others remained in manuscript and were published later. The poem is characterized by the relegation of the epic narrative to the background, while putting to the fore countless digressions (as in *Don Juan*) about the poet himself, his youthful love, God, general problems and current affairs (the émigré critics and politicians, Mickiewicz, and other poets), and so on. In these parenthetical discourses, the poet's extremely vivid and critical thought, his exuberant imagination, and sharp critical sense are manifested. They are full of magnificent characterizations and splendid poetic images. Virtuosity of language and verse reaches a level surpassed only by Słowacki's last work, *Król Duch* (The King-Spirit).

[O JĘZYKU]

Chodzi mi o to, aby język giętki
   Powiedział wszystko, co pomyśli głowa;
A czasem był jak piorun jasny, prędki,
   A czasem smutny jako pieśń stepowa,
5 A czasem jako skarga Nimfy miętki,
   A czasem piękny jak Aniołów mowa...
Aby przeleciał wszystko ducha skrzydłem.
Strofa być winna taktem, nie wędzidłem.

Z niej wszystko dobyć – zamglić ją tęsknotą,
10   Potem z niej łyskać błyskawicą cichą,
Potem w promieniach ją pokazać złotą,
   Potem nadętą dawnych przodków pychą,
Potem ją utkać Arachny robotą,
   Potem ulepić z błota, jak pod strychą
15 Gniazdo jaskółcze, przybite do drzewa,
Co w sobie słońcu wschodzącemu śpiewa...

* * * *

Ktoś to powiedział, że gdyby się słowa
Mogły stać nagle indywiduami,
Gdyby ojczyzną był język i mowa,
20 Posągby mój stał, stworzony głoskami
Z napisem *Patri patriae*. – Jest to nowa
Krytyka – Stój! – ten posąg błyska skrami,
Spogląda z góry na wszystkie języki,
Lśni jak mozajka, śpiewa jak słowiki.

25 Otocz go lasem cyprysów, modrzewi,
On się rozjęczy jak harfa Eola,
W róże się same jak Dryada wdrzewi,
Głosem wyleci za lasy, na pola,
I rozłabędzi wszystko, roześpiewi...
30 Jak smukła, pełna słowików topola,
Co kiedy w nocy zacznie pieśń skrzydlatą,
Myślisz... że w niebo ulatujesz z chatą...

[O BOGU]

Boże! Kto Ciebie nie czuł w Ukrainy
Błękitnych polach, gdzie tak smutno duszy,
Kiedy przeleci przez wszystkie równiny
Z hymnem wiatrzanym, gdy skrzydłami ruszy
5 Proch zakrwawionej przez Tatarów gliny,
W popiołach złote słońce zawieruszy,
Zamgli, szczerwieni i w niebie zatrzyma
Jak czarną tarczę z krwawemi oczyma...

Kto Cię nie widział nigdy, Wielki Boże!
10 Na wielkim stepie, przy słońcu nieżywém,
Gdy wszystkich krzyżów mogilne podnoże
Wydaje się krwią i płomieniem krzywym,
A gdzieś daleko grzmi burzanów morze,
Mogiły głosem wołają straszliwym,
15 Szarańcza tęcze kirowe rozwinie,
Girlanda mogił gdzieś idzie i ginie...

Kto Ciebie nie czuł w natury przestrachu,
Na wielkim stepie albo na Golgocie,
Ani śród kolumn, które zamiast dachu
20 Mają nad sobą miesiąc i gwiazd krocie,

Ani też w uczuć młodości zapachu
Uczuł, że jesteś, ani rwąc stokrocie
Znalazł w stokrociach i niezapominkach;
A szuka w modłach i dobrych uczynkach,

25 Znajdzie – ja sądzę, że znajdzie – i życzę
Ludziom małego serca, kornej wiary,
Spokojnej śmierci. – Jehowy oblicze
Błyskawicowe jest ogromnej miary!
Gdy warstwy ziemi otwartej przeliczę
30 I widzę koście, co jako sztandary
Wojsk zatraconych pod górnemi grzbiety
Leżą — i świadczą o Bogu — szkielety,

Widzę, że nie jest On tylko robaków
Bogiem i tego stworzenia co pełza,
35 On lubi huczny lot olbrzymich ptaków,
A rozhukanych koni On nie kiełza...
On piórem z ognia jest dumnych szyszaków...
Wielki czyn często go ubłaga, nie łza
Próżno stracona przed kościoła progiem:
40 Przed nim upadam na twarz – On jest Bogiem!

[WSPOMNIENIE O KOCHANCE MŁODOŚCI]

Kłębami dymu niechaj się otoczę,
Niech o młodości pomarzę półsenny.
Czuję jak pachną kochanki warkocze,
Widzę jaki ma w oczach blask promienny,
5 Czuję znów smutki tęskne i prorocze,
Wtóruje mi znów szumiąc liść jesienny.
Naprożno serce truciznami poim!...
Kochanko pierwszych dni! – znów jestem twoim.

Patrzaj! powracam bez wieńca i sławy,
10 Jak obłąkany ptak i u nóg leżę.
O! nie lękaj się ty, że łabędź krwawy,
I ma na piersiach rubinowe pierze.
Jam czysty! – głos mój wśród wichru i wrzawy
Słyszałaś... w równej zawsze strojny mierze...
15 U ciebie jednej on się łez spodziewał,
Ty wiesz jak muszę cierpieć – abym śpiewał.

Idź nad strumienie, gdzie wianki koralów
Na twoje włosy kładła jarzębina.
Tam siądź i słuchaj tego wichru żalów,
20 Które daleka odnosi kraina;
I w pieśń się patrzaj tę – co jest z opalów,
A więcej kocha ludzi niż przeklina.
I pomyśl czy ja duszę mam powszednią?
Ja – co przebiegłszy świat – kochałem jedną.

* * * *

25 Pierwszy to i raz ostatni o! miła!
Mówię do ciebie. Jest to błyskawica,
Która ci chmurę posępną odkryła,
I boleść wyszła z niej jak nawałnica;
W twoim ogrodzie pustym będzie wyła,
30 Gdy księżyc pełny, jak srebrna różyca
Gmachów gotyckich, biały blask rozleje
W te – gdzieśmy niegdyś chodzili – aleje.

Bądź zdrowa – odejść nie mogę, choć słyszę
Wołające mnie duchy w inną stronę,
35 Wiatr mną jak ciemnym cyprysem kołysze
I z czoła mego podnosi zasłonę,
Z czoła, gdzie anioł jakiś skrami pisze
Wyrok łamiący mnie między stracone...
Ja czekam krusząc wyroki okrutne...
40 Twe oczy patrzą na mnie – takie smutne! –

Bądź zdrowa! drugi raz cud się powtórzy –
Martwy odemknę ci w grobie ramiona,
Kiedy ty przyjdziesz do zbielałej róży
Podobna zasnąć. – Dosyć! Pieśń skończona!
45 Oko się moje senne łzami mruży,
Róże uwiędły – czara wychylona,
I pieśń gdzieś leci odemnie echowa...
Już pożegnałem cię – jeszcze bądź zdrowa!

From FANTAZY

Written about 1841, but not published (or even named) during the poet's lifetime, *Fantazy* is Słowacki's only play with a contemporary background. In order to repair their ruined fortune, Count and Countess Respekt hope to marry their daughter Diana to the world-weary "decadent," Count Fantazy. Complications are introduced with the appearance of Jan, a Polish conscript in the Russian army to whom Diana is secretly betrothed, and of Countess Idalia, who is in love with Fantazy and wishes to prevent his marriage to Diana. A Russian major, a friend of Jan's and of the Respekts, tries to settle the matter "in soldier fashion" by giving orders for Idalia to be abducted, but through an error another woman is carried off instead. Fantazy insults the major, and they agree to "duel" by drawing lots, the loser to kill himself. Fantazy loses, and Idalia decides to perish with him, but the major prevents this by committing suicide and leaving his fortune to Jan. Thus Jan and Diana can marry, while Fantazy and Idalia lose their opportunity for a "romantic" death.

The solution may seem "unnatural" or melodramatic, but the complications of character and plot are masterfully presented, with the skill of a born dramatist. In particular, the pseudo-romantic sham of Fantazy and Idalia is penetratingly exposed by the contrasting simplicity and sincerity of the major and the lovers. Also noteworthy is the presentation of the moral atmosphere of an aristocratic estate.

The following excerpt may give the reader some idea of the quality of the dialogue in the play.

Akt I, Scena 1: *w domu hr. Respektów.*

Fantazy i Rzecznicki. Później hr. Respekt.

FANTAZY

Widziałeś Wasan, jakie w przedpokoju
Hamadryady, Laokonty, Psylle
W ojca Adama przenajświętszym stroju
Stoją, z lokajstwem w zgodzie? – A nie tyle
5 Lokajów, ile posągów! – a wszyscy
Postaci większej, niźli chce natura:
Bo ci lokaje są sufitów bliscy
Głowami, a ich olbrzymia struktura
Herkulesowe przypomina członki.
10 Sądzę więc, że i panny tu znajdziemy
Jako Dryady albo Amazonki
Nadludzkie. – Ślepy więc będę lub niemy,
A ty, rozsądny, patrz za mnie i gadaj;
Co człowieczego znajdziesz pod boskością
15 Kształtu, wydobądź, ojca wyspowiadaj
Z politycznego sumnienia, z Jejmością
Wejdź w jaknajbliższe stosunki, aż ci się
Przyzna, pod jakie jarzmo zegnie zięcia; –
Słowem: jakgdybyś zjechał na komisję,
20 Gadaj, rób i patrz; a ja za dziecięcia
Ujdę i dam się wszystkim za nos wodzić.

RZECZNICKI

Lecz ciebie znają.

FANTAZY

Cóż? Że kilka listów,
Które w gorączce można było spłodzić,
Przepisać nawet przez płatnych kopistów,
25 Samemu nawet pisać nie umiejąc –
Że kilka listów, które na Podolu
Panny czytały wyuczone, mdlejąc
I krzycząc: – ach! ten list na Kapitolu
Był napisany! a ten z Wezuwjusza
30 Leciał jak gołąb aż na Ukrainę!
Że wykrzykniki te: ach! co za dusza!
Ach! co za ogień!...
Brzmiały tu stokroć razy: – to ja, hrabia
Fantazjusz, głupim być już nie mam prawa?
35 A cóż to, powiedz, jest opinia babia?
Czy to szacunku godna rzecz? czy strawa,
Na której serce tyje? czy poduszka,
Na której głowa leży? – Mój Rzecznicki,
Ty mój swat, ty mój – raczej moja drużka,
40 Bo się jak panna spłonię, w jezuicki
Talerz wlepiwszy oczy... wydziewiczę
Moją istotę...
Ty mnie zachwalaj, wynoś pod lazury,
Ponad Wezuwjusz, nad Alpy, obłoki!
45 Mów, żem napisał poemat ponury
O czterech wiatrach; złoć mię jak barana.
A mnie pozwól się troszeczkę zagapić
I z siebie lakier byroński szatana
Zrzucić...

RZECZNICKI

Fantazy! możesz się poszkapić
50 I źle wyjść –

FANTAZY

Jakto?

RZECZNICKI

Pierwsze złe wrażenie
Trudno się ściera...

FANTAZY (*przerywając niecierpliwie*)

Nie dbaj, nie dbaj o to!
Jeśli zakocham się, to się odmienię;
Jeśli nie... (*Widząc wchodzącego Hr. Respekta*)
Hrabia Respekt...

HR. RESPEKT

Jak to? co to?
Sami? nikogo na wasze przyjęcie?
55 Sami?... Przepraszam was za moje baby.
Przynajmniej tu was...

RZECZNICKI (*na stronie do Fantazego*)

Nie chodź mi po pięcie!

HR. RESPEKT

Przynajmniej tu was moje główne sztaby
Przedpokojowe...

FANTAZY (*do Rzecznickiego*)

Rekomendujże mię!

RZECZNICKI

Hrabia Fantazy, mój przyjaciel.

HR. RESPEKT

Miły
60 Będzie mi w domu gość; ziemia o ziemię
Nasze dwa dwory, a bogdajby były
Serce o serce nasze dwa stosunki!
Lecz gdzież to moja żona i figlarne
Córki? gdzie moje kobiety? Korunki
65 Mówią, czy jakie gdzie romanse czarne
Gryzą po kątach i żółć w sobie płodzą?
(*do lokaja*)
Kajetan! gości zaanonsuj paniom!
Ha! otóż przecie i są – otóż wchodzą.

Scena 10 (excerpts). *Fantazy i Diana sami*

DIANA

Chce Pan herbaty?

FANTAZY

Nie.

DIANA

Chce Pan odwiedzić
Moją ptaszkarnią?

FANTAZY

Nie – pozwól mi Pani
Przy samowarze tym, co zaczął cedzić
Ukrop – pozwól mi z Plutona otchłani
5 Wydobyć słowo, które na cmentarzu
Żywych jest, jako trupia głowa w kwiatach.

DIANA

Pan mówi?

FANTAZY

Prosto mówię – o marjażu.

DIANA

Ha!

FANTAZY

Czy mam klęknąć?

DIANA

W tych namiętnych światach,
W których Pan żyjesz, klękanie nie w modzie.

FANTAZY

10 Zaprawdę – trochę już się zestarzało.

DIANA

Więc...

FANTAZY

Więc, hrabianko?...

DIANA

W słowach tych na spodzie
Jest doświadczenie...

FANTAZY

Cukier...

DIANA

To za śmiało,
Mój Panie Hrabio! Wcale po kupiecku
Zbliżyłeś się Pan po towar. Gdzie łokieć?
15 I gdzie są szalki?...
Jakto? – więc chciałeś, Hrabio, nie klękając
Jak przed Madonną na stepie odludną
Rafaelową, zrumienić jej lice
I grubijaństwem cud otrzymać święty,
20 Że się łzami jej napełnią źrennice
Lub z płótna tryśnie krew? – Więc, żeś ty wzięty,
Żeś w okolicy sławny, że się ludzka
Miłość za tobą goni, żeś pomięty
Jak dziwna jaka perła kałakucka,
25 Tem droższa, że ma kształt nieodgadnięty
I do perły jest niepodobna wcale,
Ale jest jako monstrum dziwne, drogie:
To już myślałeś, że ja się zapalę
Do tego dziwu, jak dziecko ubogie
30 Pierwszy raz brylant słoneczny widzące
Na twej koszuli?...
Dobrze więc! Oto odpowiem ci szczerze,
Tem szczerzej, że tu jesteśmy bez świadków:
Ojciec mój daje mnie tobie, a bierze
35 Twoje pieniądze. Przebacz, że wyraźnie
Mówię... Mój ojciec ma ojcowskie długi,
A sam jest winien pół miliona w kaźnie,
A jutro wszystkim chłopom biorą pługi
I w każdej chacie stawiają żołnierza.
40 Więc jeśli chaty te jutro posłyszę,
Że krzyczą: Boże! a Bóg nie uderza
Piorunem; jeśli duch, co we mnie dysze,
Modlitwą o! tej wioski nie obroni;
Jeśli mnie chłopki okrążą i padną
45 Do nóg, jakgdybym z gwiazdami na skroni
Stała w niebiosach, a ja męką żadną
Nie będę mogła wyratować ludu;
Jeśli Bóg z mego jedynie nieszczęścia
Chce siły, która podobna do cudu,
50 Ten lud obroni: – to się do zamęścia
Z Panem... przychylę.

(*Wychodzi*)

FANTAZY

Co za duch! o Jezu!

RZECZNICKI (*wychodząc z za drzew*)

A cóż? – za drzewem stałem...

FANTAZY

Wichry! burze!

Jestem szalony!

RZECZNICKI

Napij się Xerezu.

FANTAZY

Rzecznicki! w mojej duchowej naturze
55 Wielka się stała, ogromna przemiana!

RZECZNICKI

Wiwat! – A cóż? rzecz czy do skutku doszła?
Czy panna w tobie szczerze zakochana?

FANTAZY

Duchowi memu dała w pysk i poszła!

RZECZNICKI

Wiwat!...

FANTAZY

Lecz partja ta nierozegrana! (*Wybiega*)

RZECZNICKI

60 Poleciał; – dziwnie ten Fantazjusz żyje:
Z babami się jak na pałasze bije.

From KRÓL DUCH

On this, one of his last works, Słowacki labored literally to the day of his death. During his life only the first "rhapsody" appeared (1847); four more rhapsodies were passably reconstructed from posthumous manuscripts full of an enormous mass of variations, fragments, and discarded versions. The poem is a phenomenon unusual not only in Polish literature. Its conception is based on the idea, then held by the poet, of the transmigration of souls and of guiding spirits (king-spirits) leading other spirits to new forms of existence. Thus the poem contains the history of the king-spirit of the Polish nation, who is incarnated in prehistorical and historical figures symbolizing Poland and her destinies. The series of incarnations extends from the "Armenian" (taken from Plato's *Republic*) through the legendary Popiel, to the historical Polish prince Mieszko I and Bolesław the Bold. The rhapsodies and cantos devoted to these figures are interlaced by others describing the lives of Zorian (the Polish bard), the legendary Piast, and St. Stanisław, the bishop. Such is the pattern of the content of *Król Duch*. However, its value does not consist in these ideas, but in the stirring poetic vision of the characters and events described, in the original interpretation of legends and historical facts, in the ideal welding of natural and supernatural worlds, in the symbolization of temporal and earthly matters, and, finally, in the conception of the nation's history as the experiences of the poet's spirit. Hence this unique epic poem of lyrical character. The language is ideally harmonized with the visionary and supernatural aspects of the poem, spiritualized to the utmost degree, employing elements exceeding the common scale of shapes, colors, and sounds.

[POCZĄTEK PIERWSZEGO RAPSODU]

Cierpienia moje i męki serdeczne,
I ciągłą walkę z szatanów gromadą,
Ich bronie jasne i tarcze słoneczne,
Jamy wężową napełnione zdradą...
5 Powiem... wyroki wypełniając wieczne,
Które to na mnie dzisiaj brzemię kładą,
Abym wyśpiewał rzeczy przeminięte
I wielkie duchów świętych wojny święte.

[WIZJA "CÓRKI SŁOWA", SYMBOLU POLSKI]

...A wtem jasność przyszła nowa
10 I w tem powietrzu jako w dyjamencie
Ukazał się wid... Piękność... córka *Słowa*,
Pani któregoś z ludów na północy,
Jaką Judejscy widzieli prorocy...

Słońce lęcące trzymała nad czołem,
15 A miesiąc srebrny pod stopami gniotła,
Szła nad lasami i leciała dołem,
Nad chaty, jako komeciana miotła;
Tęcze ją ciągłem oskrzydlały kołem,
W słońcu girlandy niby z kwiatów plotła,
20 I na powietrze rzucała niedbale
Perły jaśminy i maki korale.

Błękit się cały zdawał uśmiechniony,
Pełny języków złotych niby fala –
Jak atłas, który bierze różne tony

25 I drżąc swe hafty gwiaździste zapala –
Tak niebo za Nią od północnej strony
Gwiazdy swojemi łyskające zdala,
Różnym się dało gwiazdom pozłacanym
Ukazać... w ogniu od zorzy rumianym.

[WIZJA POLSKI PRZEDHISTORYCZNEJ]

30 Do gwiaździc morskich tajemniczej jaśni
Porównywałem to Ludu zjawienie,
Który żył w chatach próżen wszelkiej waśni,
A miał z jabłoni swój napój i cienie.
Królowie jemu panowali właśni:
35 Cudowne jakieś Lecha pokolenie!
Mające w sobie całe Polski *Słowo* –
I moc i rózgę cudów Mojżeszową.

* * * *

Więc wkoło – wioski w wieńce kaliniane
Strojne i Roki poświęcone duchom,
40 Mogiły kozom i pasterzom znane,
Trzody dziwiące się ptaków rozruchom,
Mogiły dawne! dawno zapomniane!
Dawno oddane mgłom i zawieruchom!
Z darni odarte...

[POGRZEB WANDY]

Popiel, the first incarnation of the King-Spirit, was jailed by Lech, the then ruler of Poland, and released secretly by his daughter, Wanda. Popiel becomes the leader of a German tribe, attacks his country, defeats it, and demands Wanda as tribute. She does not want to marry a traitor and drowns herself in the Vistula. This is a variant of the legend according to which not a native but a German, Rytygier (Rüdiger), attacked Poland and fell in love with Wanda. We give below the description of the preparation for her funeral.

45 ...Rybacy srebrne trzymali niewody,
Kilka świec (choć już ranek błyszczał biały)
Nieśli kapłani, z lutniami Rapsody
Siedli na zrębie jednej małej skały
Pod bladą wierzbą... mgłą ranną okryci.
50 Na wzgórzach w zmroku zapalano wici.

Na łące dziewy i panny służebne
  Ujrzałem tam i ów się krzątające,
Te niosły kwiaty, kadzielnice srebrne,
  Dyjadematów złotych półmiesiące;
55 Inne – bławatki do wieńca potrzebne
  Zbierały w trawach – kolorów tysiące
Rzucając w srebrne powietrze, w mgły szare,
Niby Wiślanym duchom na ofiarę.

Dawny świat! Obraz dawny wywoływam!
60 Lecz ileż razy różaność przedwschodnia
I kwiaty, które mgłą okryte zrywam,
  I leśne ptaszki budzące się do dnia,
I tęcze, których do myśli używam,
  Gdy się zapali mój duch jak pochodnia,
65 Przypominały obraz on tak rzewny!...
Ubranie martwej na łąkach królewny...

Jak miesiąc była, kiedy z niego zetrze
  Pierwszą pozłotę słońce w dzień jesieni,
A on się topi w błękitne powietrze
70 I lekko swego czoła zarumieni,
I nad girlandą lasów, gdzie na wietrze
  Drżą liście złote przy liściach z płomieni,
Pełny – okrągły – blady się przemienia
W mgłę... jak cudowna twarz srebrnego cienia...

75 Taka jej bladość! nieco ku błękitom
  Nachylona już zgonu okropnością,
Takie ust perły! Wisły Amfitrytom
  Z upiorną niby odśmiechnione złością.
Zresztą – spokojnie się onym kobiétom
80 Dawała stroić modrzewiów ciemnością,
Koroną złotą, wieńcami z bursztynu –
A strach powiększał trupa w oczach gminu...

[BŁOGOSŁAWIEŃSTWA POPIELA]

(The spirit of Popiel, a cruel tyrant, flies after his death over the country and sends blessings for the new epoch of its life under the reign of the peasant Piast).

Choćby już nigdy myśl zbrojami świetna
  Nie powróciła na tę ziemię ze mną,
85 Znienawidzona za to, że szlachetna,

Chce jasnej broni, a gardzi nikczemną;
Choćby już tylko... miodem prostym kwietna,
Z myślą – jak chłopek prostą, ale ciemną,
Ojczyzna ta wstać miała i w postawie
90 Chłopka się kłaniać Panu – *błogosławię.*

Niech panem duchem mej ojczyzny będzie
Ten oto, który leje słodkie miody,
Któremu oto obrusy łabędzie
Jak od jutrzenek zapalone wody
95 Rumiane... słońcem rumienią się wszędzie.
Śród nawiedzonej anielstwem gospody,
Niechaj ten stanie przy Twem Bożem prawie,
Pod Twych aniołów skrzydły... *błogosławię.*

Równy chłopkowi małemu prostotą,
100 A niższy jeszcze aniołów pokorą,
Jak oni, skrzydeł wewnętrzną pozłotą
Nakrywam chatę, skąd miód ludzie biorą.
Gotów jak gołąb zostać nad ciemnotą,
Łonem świecący nad suchą ugorą,
105 Gdzie sobie trzody ciche śpią na trawie:
Ludziom i trzodkom cichym – *błogosławię.*

Tam walka krwawa... o ścierwo i jadło!
Tu cisza, pokój, błękitna pogoda
I w ogniu moim strzaskane widziadło:
110 Duch nieznajomy dawnego rapsoda...
Niechajże, Panie, i socha i radło
I niestrudzona myśl, bo jeszcze młoda,
A piękna, jak sen widziany na jawie,
Wstaną... niech wiecznie kwitną! – *błogosławię.*

115 Niech będzie piękną, niech będzie wesołą –
Choćby już nigdy w niej nie zaświeciło
Rycerza mgliste, ale piękne czoło
Między oczyma z piorunową siłą;
Choćby tak, jako te żórawie koło,
120 Które się skrami chaty oświeciło,
Kolumny drżące budowała sławie
Bez innych świateł, jak te: – *błogosławię!*

W mroku zostawiam ją – lecz pod aniołów
Skrzydłami, które w tęczę ją oprzędą,
125 Sam idę... i gdzieś, z rykiem smętnych wołów,
Gdzieś przy miesiącu z pastuszków kolędą
Wyglądać będę, aż ze złotych stołów,
Do których prosi Bóg – a chłopki siędą,
Przyniosą mi chleb wędrowne żórawie:
130 Ptakom i stołom ludu – *błogosławię!*

Gwiazdom gwiażdżącym po łąkach – i kwiatom,
I lasom, które w ciągłych płaczą szumach,
I pięknym wiosnom... i złocistym latom,
I starcom, którzy pogrążeni w dumach,
135 Wesołym sercom – i dworom – i chatom –
I ogniom, które dziś rodzą się w tłumach,
Bez czasu będąc... ale w Bożej sprawie:
Siódmy raz zdaję moc... *i błogosławię!*

HYMN. **2.** *tęcza* – rainbow. **4.** *gwiazdę ognistą* – scil. sun. **8.** *rozkoszy próżen* – void of pleasure, delight; *dosyt* = *nasycenie się* – satiety. **10.** *błękit* – azure. **17.** *nowe zorze* – neutr. now fem. *nowa zorza.* **19.** *obłąkany* = *zabłąkany*, *zbłąkany*, lost, stranded, from *zabłąkać się* – to stray, be lost. **21.** *lotne* = *lecące.* **23.** *ugorze*, from *ugór* – fallow land, here generally field. **32.** *oddać w straż* = *pod opiekę* – commit to the care of; *kolumnowym czołom* – literally brows of columns, i.e., monuments. **35.** *łoże*, here *grób*, *mogiła* – tomb. **38.** *przecie* = *przecież* – however, yet. **44.** *rozpostarli*, from *rozpostrzeć* – to spread. **46.** *marli*, from *mrzeć* – to die. **47.** *nicość* – nothingness.

Na sprowadzenie prochów Napoleona. (*prochy* – ashes; refers to the transfer of Napoleon's ashes from St. Helena to Paris in 1840). **2.** *wierzba płacząca* – weeping willow. **4.** *purpura* – crimson, here symbol of royal power. **5.** *spowity* = *okryty* – wrapped, swathed. **6.** *na krzyżu rozbity* – stretched out on the cross. **8.** *królewiczu*, voc. of *królewicz* – royal prince; refers to Ferdinand, the Duke of Orléans, son of Louis Philippe; *dowódzca* = *dowódca* – commander; *korabl* or *korab* – boat, caravel. **9.** *rąk dwoje* – dual.; *krzyżem* = *złożone na krzyż* – crossed. **11.** *podźwignąć* – to raise, lift. **12.** *zadrżał*, from *zadrżeć* – to tremble; *wzdrygnąć się* – to shudder. **14.** *rozkruszyć* or *skruszyć* – to shatter, crush. **15.** *syna* – refers to Napoleon's son, the Duke of Reichstadt (1811–1832). **17.** *zabojcze* = *zabójcze* – murderous; cf. *zabójca* – murderer. **20.** *lochu*, from *loch* – dungeon, here, tomb. **21.** *urągać* – to mock, insult. **23.** *zgnilizna* – rottenness, putridness; here, rotten flesh, remains. **25.** *lazur* – azure. **27.** *Piramidy* – refers to Napoleon's famous saying to his troops in Egypt: "Forty centuries look at you from the top of these pyramids". **29.** *mewa* – seagull. **30.** *z popiołmi* – syncopated form for *z popiołami.* **31.** *przestępny* – criminal, nefarious. **34.** *trzęsą*, from *trząść* – to shake, here = *strząsać* – to drip. **38.** *odmęt* – see Mickiewicz *Oda do młodości*, note 17. **41.** *hetmanisz*, from *hetmanić* – to lead, command (cf. *hetman*); *rota,y* – military unit, company. **43.** *w ręku* – dual = *w rękach.* **46.** *bezśmiertny* = *nieśmiertelny* – immortal. **48.** *niczem* – instr. of *nic.*

POGRZEB KAPITANA MEYZNERA. (Józef Meyzner, a captain of the Polish army in the rising of 1830–31 who died in Paris in 1841). **1.** *ze szpitalu* – now *ze szpitala.* **2.** *żebracki*, adj. from *żebrak* – beggar. **3.** *matczyny* – adj. from *matka.* **4.** *grobowiec* = *pomnik* – monument; *garstka*, dimin. of *garść* – handful. **5.** *wczora* – older form for *wczoraj.* **7.** *śpiewka* = *pieśń* – song. **8.** *karabin* – rifle. **9.** *na panewce*, from *panewka* – pan (of a gun). **10.** *wystrzał belwederski* – the November (1830) uprising started with an attack of Polish cadets and civilians on *Belweder*, the residence of the Grand Duke Constantine, brother of Tsar Nicolas I, and commander-in-chief of the Polish army. **13.** *tej nocy błękitów* – refers to the night of November 29, 1830 when the uprising began. **14.** *szczękła* = *szczęknęła*, from *szczękać* – to clatter, rasp. **15–16.** refers, apparently, to the fact that Meyzner, a member of the conspiracy, was arrested in November, 1830 and incarcerated in the vaults of the Carmelite church. **16.** *zmartwychstalnej*, adj. formed from *zmartwychwstanie* – resurrection. **19.** *chciwy* – greedy; *jałmużny*, gen. of *jałmużna* – alms; *odźwierny* – door-keeper. **20.** *wiedmy* = *wiedźmy* – litterally witches; here, old women, crones. **21.** *dom miłosierny*, i.e. *przytułek* (asylum), *szpital.* **24.** *kołatać się* – to knock about, be tossed. **25.** *płachta* – coarse sheet. **26.** *czerwoną* – refers to *płachtę*, here *zakrwawioną* – blood-stained; *nożem pośmiertnych rzeźników* – *rzeźnik*, literally butcher, here men performing the post-mortem dissection of the body, hence *pośmiertnych* from *po śmierci.* **27.** *źrennica* = *źrenica* – pupil of the eye; here, eye (s). **29.** *więceśmy rzekli* = *więc rzekliśmy*; *zawarły*, from *zawrzeć* = *zamknąć* – to close. **32.** *złożą*, from *złożyć* – to lay, here, to bury. **33.** *jędza* – shrew. **34.** *święcony,a* = *poświęcony,a*, – consecrated, hallowed. **35.** *poczet* – retinue, generally, crowd, mass. **39.** *Miserere* – a psalm in the Vulgate beginning with this word, sung at burials. **42.** *cynowy*, adj. from *cyna* – tin. **47.** *jest niczem nie dłużny* – does not owe anything. **48.** *kurhan* – here *mogiła* – grave mound. **50.** *obrońce*, old accus. plur. of *obrońca* – defender, now *obrońców.*

TAK MI BOŻE DOPOMÓŻ. (This poem contains a confession of the mystical faith of the poet. It was written on the morrow of a meeting with Andrzej Towiański, a mystic, who in 1841 likewise "converted" Mickiewicz to his doctrine). **2.** *błyśnienie* = *błyśnięcie*, *błysk* – flash. **4.** *niedaremnie*, *nienadaremnie*, *niedarmo*, *nienadarmo* – not in vain. **5.** *snu śmiertelnego... łoże* – refers to the poet's previous life. **11.** *podnoże* = *podnóże* – pedestal, stepping stone. **14.** *wskrzeszę*, from *wskrzesić* – to resuscitate; *te, które* = *ci, których.* **16.** *szczęsny* = *szczęśliwy* – happy, joyous. **19.** *urąganie*, from *urągać;* see *Na sprowadzenie prochów Napoleona*, line 21. **23.** *zgraja* – band, gang. **26.** *jednobramną* = *o jednej bramie* – the "spirit" has but one gate to enter. **31.** *drugi raz...* – peace was brought on earth for the first time by Christ; according to Słowacki's belief a "second coming of peace" was to be brought about by his doctrine. **35.** *położyć pieczęć* – to set the seal; men who have no faith in the approaching Kingdom of God are considered "dead," they will not "rise," their coffins will remain sealed. **37.** *czarnoksięstwo* – black magic, necromancy. **41.** *dotrwać*, here *oprzeć się* – to resist, withstand. **47.** *przemoże*, from *przemóc* – to overcome.

POETA I NATCHNIENIE. **1.** *skrzypnąć* – to creak; *czegoś* – for some reason; *belka* – beam, rafter. **2.** *jaskółczycha*, augment. from *jaskółka* – swallow. **4.** *pierze* – plumage; *trupek* – dimin. from *trup* – corpse. **5.** *rodzicielka* = *matka.* **7.** *kątek*, dimin from *kąt* – corner, home. **8.** *dzieciątko* – dimin. from *dziecię.* **9.** *wrzawa* – noise. **14.** *usiadli* – older form for *usiedli.* **15.** *biedaczek*, plur.

biedaczki, dimin. from *biedak* – poor creature. **18.** *zda się* = *wydaje się* – seems to be. **19.** *dowierzać* – to trust. **20.** *owszem* – here, on the contrary; *dziobek*, dimin. from *dziób* – beak; *żer* – food. **23.** *skrzydełko*, dimin. from *skrzydło* – wing. **29.** *brzoza* – birch. **30.** *rozrzucać* – to spread; *girlandowe zwoje* – garland-like spirals. **31.** *rozniecić* – to stir up, awake. **34.** *stadło* – couple. **35.** *zdjąć* – here, to be seized (with despair – *rozpacz*); *zamęt* – chaos. **36.** *upuścić* – to let fall; **38.** *lice* = *twarz*. **42.** *zbrzydła*, from *zbrzydnąć* – to become ugly. **43.** *potargać* – to rumple, ruffle. **44.** *porwać* – to ravish, carry away; *pieśniane*, adj. from *pieśń* – song. **46.** *stargać* – to tear.

W PAMIĘTNIKU ZOFJI BOBRÓWNY. (An "album-poem" written for the daughter of a close friend, Joanna Bobrowa). **1.** *Zośka* – dimin. of *Zofja*. **4.** *zanucić* – to hum, sing. **5.** *przekwitnąć* – to shed bloom. **8.** *poemata*, now *poematy* – poems. **11.** *Ikwa* – river on which *Krzemieniec*, Słowacki's birthplace is located. **13.** *pojechać w gości* – to go on a visit. **17.** *odmłodnieć* – to grow young again.

LOS MNIE JUŻ ŻADEN NIE MOŻE ZATRWOŻYĆ. **1.** *Los* – fate, destiny; *zatrwożyć* = *przestraszyć* – to frighten. **2.** *wybitą* = *wytkniętą, wytyczoną* – set out, laid out. **6.** *pochodnia* – torch. **7.** *schyłek dnia* – close of day. **9.** *zastanowi się*, Russicism for *zatrzyma się*, from *zatrzymać się* – to stop. **10.** *skrowronek* – lark. **12.** *stanie*, from *stanąć* – here *zawiśnie, zatrzyma się*. **13.** *zmierzchać się* – to be getting dark; *gdy się żywot zmierzcha* – when the twilight of my life approaches. **15.** *pierzchać* – to flee.

PANIE, JEŻELI ZAMKNIESZ SŁUCH NARODU. **1.** *słuch* – hearing. **6.** *szermierz* – fencer; *zapaśnie*, adv. from *zapasy* – contest. **7.** *lica*, here *policzki* – cheeks. **8.** *sprzepaści się* – neol. from *przepaść*, precipice, here – to cave in; *zapadnie*, from *zapadnąć*, *zapaść* – to sink. **9.** *namaszczenie* – anointment, unction.

DO MATKI. **2.** *powracających i ułaskawionych* (pardoned) – refers to these Polish émigrés who obtained an "amnesty" from the Russian government and could return home. The majority, however, considered it treason to the Polish cause to apply for such favor. **4.** *wytrwanie*, from *wytrwać* – perseverance. **5.** *wrócenie* = *powrót; przysporzyć* – to add, increase. **8.** *zwracać* = to turn. **11.** *obroża* – dog collar, here symbol of slavery. **12.** *czara* – bowl, goblet. **13.** *piastunka* – children's nurse. **14.** *zaprzepaścić się*, from *przepaść* (abyss) – to sink completely; *zaczeluścić*, neolog. from *czeluść*, *otchłań*, gulf – to become engulfed.

GDY NOC GŁĘBOKA WSZYSTKO UŚPI I ONIEMI. **1.** *oniemić* – to make dumb, silence. **6.** *pręga* – streak, bar. **7.** *chłopek*, dim. of *chłop* – peasant; *zaprzęgać* – to hitch. **10.** *utopić oczy* – to fix, rivet one's eyes upon. **13.** *kopie*, from *kopać* – to dig. **14.** *zaniecić* = *rozniecić* – to kindle.

BO TO JEST WIESZCZA NAJJAŚNIEJSZA CHWAŁA. **2.** *mieni* – from *mieniać*, *zmieniać* – to change, transform. **4.** *łez jej stanie* – it (*kartka*) will have enough tears; cf. *nie staje mi czego* – I am in want of. **7.** *łzami płynę* = *we łzach*.

HORSZTYŃSKI. Akt II, scena i. **3.** *komunikować się* = *przyjąć komunję* – to receive Holy Communion. **4.** *nabić* – to load; *dubeltówka* – double barrel gun. **5.** *ptaszynka* – here, a small bird gun. **9.** *Hetman* – Kossakowski; *odwiedziny* –

visit. **10.** *Jaśnie Wielmożny* – title applied to high dignitaries. **13.** *zaświszczę*, from *zaświstać* – to whistle; *barska piosenka* – a song of the members of the Bar Confederation (1768–1772), a league which organized an armed opposition against Russia. **14.** *pal!*, imper. from *palić* – here, to fire. **20.** *złotowielmożny* – a neolog. meaning both rich and powerful; *zwąchać* się, from *wąchać* – to smell, sniff, here, to get in touch, plot; *Moskale* – Muscovites, derogatory name for Russians. **21.** *turkot* – rattle, clatter. **25.** *przyjść na co* = *dojść do czegoś* – to reach the point. **26–27.** traditional greeting in old Poland, still current among peasants; *na wieki wieków* – for ever and ever. **28.** *wymagać* – to require, usually with *od*. **29.** *ofiarować rękę* – scil. *do zgody*. **30.** *na wschód czy na północ* – allusion to the Hetman's relation to Russia which backed the Targowica Confederation. **32.** *Horsztyniu* – dim. of *Horsztyński; trzymać z kimś*, *z czemś* – to side with somebody or something. **34.** *powierzchowny* – superficial, external. **36.** *między gratami*, from *graty* – old stuff; *jakieś pismo* – refers apparently to a document showing the Hetman's treason. **37.** *oszkalować* – to defame. **38.** *ziomek* = *rodak* – countryman; *umyślnie* – deliberately; *wojenne sprzęty* – military equipment. **41.** *porzucony* = *opuszczony* – abondoned. **43.** *szelmowski*, adj. from *szelma* – rascal, villain. **46.** *nie przydać się na nic* – to be good for nothing. **47.** *zwalić* – to pull down, here, to destroy; *oszczerczy* – slanderous. **50.** *zatarg* – dissent, quarrel; *pójść w zapomnienie* – to be forgotten. **52.** refers to the Hetman's late wife who was in love with Horsztyński. **59.** *rwać* – to rend; *targać* – to tear. **65.** *niedosięgniony* = *niedosiągnięty* – beyond reach; *pocisk* – missile. **68.** *ognisko* – hearth. **70.** *miłościwy* – gracious, form of address to superiors. **71.** *otrętwiłem*, from *otrętwić*, *odrętwić* – to make numb. **72.** *zwraca* = *odwraca*. **73.** *szlachciuro* – derogative augment. (vocat.) from *szlachcic*. **78.** *wyświszczę*, from *wyświstać* – to send whistling through the air. **79.** *tnie*, 3rd pers. sing. of *ciąć* – to cut. **80.** *brzęk* – clink, clatter. **87.** *jaskinia* – den. **89.** *sfałszować* – to forge, counterfeit. **90.** *zatradują*, from *zatradować* = *zająć sądownie* – to seize by court order. **92.** *weksel*, *weksle* – draft. **93.** *oblig* = *zobowiązanie* – bond. **94.** *sąd ziemski* – district court. **96.** *przedasz* = *sprzedasz*. **100.** *żonie twojej* etc. – refers to the relations between Szczęsny and Salomea. **102.** *głupi jak but* – proverb equiv. of dumb as an ox. **107.** *rozwidnić* = *rozjaśnić*. **108.** *wlepić oczy* – to fix one's eyes upon. **111.** *cudzołożnica* – adulteress.

BENIOWSKI. O JĘZYKU. **1.** *chodzi mi o to* – it is my concern, I am anxious; *giętki* – flexible. **5.** *miętki*, dial. for *miękki* – soft. **8.** *strofa* – stanza; *takt* – music. time, measure; *wędzidło* – bit (of the bridle). **9.** *dobyć* – do draw forth, extract; *zamglić*, from *mgła* – to make dim, blur. **10.** *łyskać* = *błyskać* – to flash. **12.** *nadętą*, from *nadąć* – to puff up. **13.** *utkać* – to weave; *Arachna* – Arachne, in Greek mythology a maiden who excelled in the skill of weaving. She commited suicide when Athena destroyed one of her embroideries and was subsequently changed into a spider. **14.** *pod strychą*, from *strycha*, now *strych* – attic. **20.** *głoska* = *zgłoska* – syllable. **21.** *Patri patriae* – Lat. to the father of the fatherland. **22.** *skra* = *iskra* – sparkle. **24.** *lśni* = *błyszczy się* – glitters. **26.** *Eol* – Aeolus, mythol. god of the winds. **27.** *wdrzewi się*, from *wdrzewić się*, neol. verb coined from *drzewo* – to be transformed into a tree. **29.** *rozłabędzić się*, neol. from *łabędź*, swan – to make graceful like a swan. *roześpiewi* = *rozśpiewa*, from *rozśpiewać* – here, to fill everything with singing.

O BOGU. **3.** *przeleci* refers to *duszy*. **4.** *wiatrzanym*, neol. adj. from *wiatr; hymn wiatrzany* = *hymn wiatru*. **5.** *proch* – dust; *glina* – clay, gener. earth. **6.** *zawie-*

ruszyć, from *zawierucha*, turmoil – to engulf in turmoil. **7.** *szczerwienić* = *zczerwienić* – to redden. **11.** *mogilne*, adj. from *mogiła* – grave; *podnoże* – base foundation pedestal. **15.** *szarańcza* – locust; *kirowe* – adj. from *kir* – pall, sables; here, black. **16.** *girlanda* – garland. **20.** *krocie* = *tysiące*. **22.** *stokroć* = *stokrótka* – daisy. **23.** *niezapominka* = *niezapominajka* – forget-me-not. **26.** *korny,a* = *pokorny* – humble. **29.** *warstwa,y* – layer. **31.** *zatraconych*, from *zatracić* – to destroy, exterminate; *pod górnemi grzbiety* = *pod grzbietami gór* – under mountain ridges. **33.** *robak* – worm. **34.** *pełzać* – to crawl. **35.** *huczny* – noisy, boisterous. **36.** *rozhukany koń* – wild, runaway horse; *kiełzać* – to bridle. **37.** *szyszak* – helmet.

WSPOMNIENIE O KOCHANCE MŁODOŚCI. **1.** *kłąb*, *kłęby* – coil, cloud; *otoczyć się* – to surround oneself. **6.** *wtórować* – to accompany. **7.** *poim* = *poimy*, from *poić* – to give to drink; hence, to fill, feed. **10.** *obłąkany;* see "Hymn", line 19. **12.** *rubinowe* – here, blood-red; *pierze* – plumage. **13.** *wrzawa* – din. **14.** *strojny* = *strojony*, *nastrojony* – tuned; *równa miara* – here, the same tone. **18.** *jarzębina* – sorb tree (bearing round red fruit). **20.** *odnosi* = *przynosi*. **23.** *powszedni,a* = everyday, common. **27.** *posępny,a* – gloomy, mournful. **28.** *nawałnica* – tempest. **30.** *różyca* – rose window, rosette (typical of Gothic buildings). **35.** *kołysze*, from *kołysać* – to rock, sway. **38.** *łamiący*, from *łamać* – to break. **39.** *krusząc*, from *kruszyć* – to crush. **42.** *odemknę* = *otworzę*, from *odemknąć* – to open. **45.** *oko się mruży* – the eye is half-closed (by tears). **46.** *uwiędły* = *zwiędły; wychylona*, from *wychylić* – to drain, empty. **47.** *echowa*, adj. from *echo*.

FANTAZY. AKT I, SCENA I. **2.** *Hamadryady* – read Hamadryjady (5 syllables) plur. of *Hamadryada*, Greek dryads living in trees; *Laokonty* – plur. of *Laokon*, Laocoon, the Trojan priest who, according to legend, was strangled by serpents sent by Athena because he tried to dissuade the Trojans from dragging into the city the wooden horse in which Greeks were hidden; *Psylle* – refers apparently to the people of this name known in antiquity as snake charmers. **4.** *lokajstwo*, coll. noun from *lokaj* – footman, flunkey. **7.** *sufit* – ceiling. **11.** *Dryady* – read *Dryjady*. **15.** *wydobądź*, imper. of *wydobyć* – to bring out; *wyspowiadać* – to hear or obtain a confession. **16.** *sumnienie*, older form for *sumienie* – conscience; *Jejmość*, abbrev. of *Jej Miłość*, (like *Jegomość* of *Jego Miłość*) – her Ladyship. **18.** *jarzmo* – yoke; *zegnie* – fut. 3rd pers. sing. of *zgiąć* – to bend. **20.** *za dziecięcia ujdę* = *za dziecię ujdę; ujść za dziecię* – to pass for a child. **21.** *za nos wodzić* – idiom. to lead by the nose. **23.** *spłodzić* – to beget; comp. *płód*, *płodu* – product. **26.** *na Podolu* – from *Podole*, one of the Eastern provinces of Poland. **35.** *babia*, adj. from *baba* – woman, female. **36.** *strawa* – food, nourishment. **39.** *swat* – matchmaker; *drużka* – bride's maid. **40.** *spłonić się* = *zarumienić się* – to blush; *jezuicki talerz* – probably a plate in "Jesuit style" as baroque was called in Poland. **41.** *wydziewiczę*, neol. from *dziewica*, virgin – I shall turn into a virgin. **43.** *zachwalać* – to extol; *wynosić pod lazury* (*niebiosa*) – idiom. to praise to the skies. **46.** *złoć mię*, imper. of *złocić* – to gild; *jak barana* – refers to the Polish custom of placing a gilded lamb in the middle of the Easter dinner table ("*święcone*"). **47.** *zagapić się* – to gape, stare. **48.** *lakier*, Ger. *Lack* – varnish. **49.** *poszkapić się;* see Trembecki, *Myszka, kot i kogut*, line 45. **52.** *ściera* = *zaciera* – from *ścierać*, *zacierać się* – to erase, eradicate; *nie dbaj o to...* – never mind that, have no care. **56.** *chodzić po pięcie* – idiom. to press, push, prompt. **57.** *sztaby przedpokojowe* – in Respekt's flowery style, the general staff of the antichamber, i.e., the servants. **58.** *rekomendować* – here, to introduce. **60.** *ziemia o ziemię* – scil.

graniczą. **61.** *bogdajby* = *bodajby* – would that. **63.** *figlarny* – frolicsome. **64.** *korunki*, for *koronki* – rosary; *koronki mówić* (*odmawiać*) – to say one's beads, recite the rosary. **66.** *żółć* – gall, bile; *płodzić*, see line 23, here, to produce.

SCENA X. **2.** *ptaszkarnią*, old acc. now *ptaszkarnię* – aviary. **3.** *cedzić* – to filter. **4.** *ukrop* – boiling water. **4–6.** *pozwól mi z Plutona otchłani* etc. – one of the examples of the poetical style of Fantazy; *otchłań Plutona*, the abyss of Pluto means "hell"; *cmentarz żywych* characterizes his attitude toward the world as a "cemetery of the living"; marriage, the "word" to which he alludes here (see line 7) is referred to as a "skull hidden among flowers." **7.** *mariaż* – French *mariage*, used in older Polish for *małżeństwo*. **13.** *wcale po kupiecku*, adv. from *kupiec* – truly like a merchant. **14.** *towar* – merchandize; *łokieć* – yard (yardstick). **15.** *szalki* – scales. **17.** *odludny* – deserted, solitary. **19.** *grubijaństwo* = *grubjaństwo* – rudeness, brutality. **21.** *lub z płótna tryśnie krew* – allusion to the miraculous picture of the Holy Virgin in Częstochowa; *trysnąć* – to spout, spurt; *wzięty* – en vogue, in demand (comp. *wziętość*). **22.** *okolica* – neighbourhood. **23.** *pomięty* from *pomiąć* – rumpled, wrinkled. **24.** *perła kałakucka* = *kalkucka*, from Calcutta in India. **28.** *zapalić się do...* – to wax enthusiastic, fall in rapture. **29.** *dziw* – wonder, marvel. **36.** *ojcowskie długi* – that is, debts left by his father. **37.** *w kaznie*, from Russian *kazna* – fisc; the locale of the play is in the Russian part of Poland. **38.** *a jutro wszystkim chłopom biorą pługi* – i.e., the authorities will seize ploughs for unpaid taxes. **42.** *dysze*, from *dyszeć* – to pant, heave. **45.** *skroń* – temple, here, in general, brow. **50.** *zamęście* or *zamążpójście* – marriage for a woman; marriage for a man is termed "*ożenienie się*." **51.** *przychylić się* – to incline to, give consent. **53.** *Xerez* – kind of Spanish wine. **56.** *dojść do skutku* – to be accomplished. **58.** *dać w pysk* – to slap the face; *pysk* – muzzle, snout. **59.** *partja nierozegrana* – the game is not finished. **61.** *pałasz* – sabre.

KRÓL DUCH. **1.** *męki serdeczne* = *męki* (tortures) *serca*. **4.** *jama* – pit; *wężowa* – adj. from *wąż* – snake. **5.** *wypełniać* – to fulfill; *wyrok, i* – sentence, verdict; here, dispensation of Providence. **6.** *brzemię* – burden. **8.** refers to spirits fighting evil on their road to progress. **11.** *wid* = *widzenie* – vision. **13.** *Judejscy prorocy* – the prophets of Judea. **15.** *gniotła*, from *gnieść* – to press, here, to trample. **17.** *komeciana* – adj. from *kometa; miotła* – broom, here, tail, train. **18.** *oskrzydlać* = *otaczać*. **19.** *plotła* – 3rd. pers. fem. past of *pleść* – to wind, wreathe. **21.** *mak* – poppy. **22.** *uśmiechniony* = *uśmiechnięty*. **23.** *języków* – here, lights or flames in the form of tongues. **24.** *atłas* – satin. **25.** *haft,y* – embroidery. **28–29.** *różnym się dało gwiazdom... ukazać* – made divers stars appear. **30.** *gwiaździca,e* – starfish; *jaśń* = *jasność* – brightness. **31.** *zjawienie* – appearance, here rather, vision. **32.** *próżen* – see "Hymn", line 8; *waśń* – quarrel. **33.** *z jabłoni swój napój* = *jabłecznik* – cider. **35.** *Lecha pokolenie* – refers to Lech, legendary founder of Poland. **37.** *rózgę cudów* – refers to the rod of Moses with which he performed miracles. **38.** *kaliniane*, adj. from *kalina* – guelder-rose. **39.** *Roki* – the sitting of a court in old Poland; here, in general, ceremonies. **40.** *koza* – nanny goat. **41.** *trzoda,y* – herd, flock; *rozruch* – riot, uproar. **43.** *zawierucha* = *zamieć* – turmoil, snowstorm. **44.** *darń,i* – turf, sod. **45.** *niewód*, *niewody* – dragnet. **47.** *Rapsod* – here, bard. **48.** *na zrębie*, from *zrąb;* here *ułamek* – fragment. **50.** *wici* – old Polish call to arms; the summons were spread in various ways, among others by lighting bonfires on hilltops. **51.** *dziewa* = *dziewica* – maiden. **52.** *krzątać się* – to busy oneself, hustle. **53.** *kadzielnica* – censer. **54.** *dyademat* = *djadem*, read dyjadematów (5 syllables); *półmiesiąc* –

halfmoon (diadems in the form of crescents). **55.** *bławatek* – cornflower. **58.** *wiślanym*, adj. from *Wisła* – Vistula. **59.** *wywoływać* – to evoke. **60.** *różaność*, from *różany* – rosy, *przedwschodnia* = *przed wschodem słońca.* **62.** *do dnia* – before sunrise. **65.** *on* = *ów; rzewny* – moving, tender. **66.** *ubranie*, here *ubieranie* – dressing (for the funeral). **67.** *miesiąc* = *księżyc; zetrze* – from *zetrzeć* – to wipe out. **68.** *pozłota* – gilt. **70.** *swego czoła* – for *swoje czoło.* **76.** *nachylona*, from *nachylić* – to incline; *okropność* – horror. **77.** *Amfitrytom* – from *Amfitryta*, Amphitrite, a Nereid, goddess of the sea. **78.** *upiorny*, adj. from *upiór* – ghost; *odśmiechnione* = *odśmiechnięte* – leering. **80.** *stroić* – to adorn; *ciemnością* = *ciemnemi gałęziami modrzewiów.* **83.** *myśl zbrojami świetna* – Popiel was a knight who wanted to train his people for the hard life of warriors, while Piast symbolizes the peaceful life of peasants. In spite of this difference, Popiel blesses the country. **86.** *nikczemny* – vile, base. **87.** *kwietna* = *kwitnąca* – blooming; *miodem prostym* – with simple honey; *miodem prostym kwietna* = *kwitnąca kwiatami dającemi prosty miód.* **88.** *chłopek* – dim. of *chłop.* **93.** *obrusy łabędzie* – tablecloths white as swans. **96.** refers to the legendary angels who visited Piast in his cottage. **103.** *ciemnota* – here *ciemność.* **104.** *łono* – bosom, breast; *ugora*, for *ugór* – gener. field. **107.** *tam* – scil. in the outside world; *ścierwo* – carcass; *jadło* – food. **109.** *strzaskane*, from *strzaskać* – to smash; *widziadło* – apparition, phantom; this line and the following refers to *Zorjan* (*dawny rapsod*), the predecessor of Piast whom Popiel tortured to death. **111.** *socha* – a wooden plough; *radło* – a kind of plough; here symbols of rural life. **113.** *na jawie* – when awake. **117–118.** refers to Popiel's ideal of knighthood. **119.** *te* = *to; żórawie koło* – refers to the Polish peasants' custom of placing a wheel on the chimney top in order to induce storks and cranes (żórawie) to build a nest on it. **120.** the nest is illuminated by sparks coming out of the chimney. **122.** *bez innych świateł* – scil. the lights of his own ideas on what Poland should be like. **124.** *oprzędą*, from *oprząść* to swathe. **125.** *smętny* = *smutny.* **126.** *pastuszek*, dim. of *pastuch* – shepherd; *kolęda* – Christmas carol. **127.** *wyglądać* = *oczekiwać* – to await. **131.** *gwiażdżącym* – neol. meaning the glittering of stars. *w dumach* = *w rozmyślaniach.* **137.** *bez czasu będąc* – being timeless. **138.** *zdawać moc* – to confer power.

Cyprjan Norwid (1821–1883)

The youngest of the émigré poets, Cyprjan Norwid was very little known in lifetime; he published only a few works (among others, *Poezje*, 1863). He was "discovered" only at the beginning of the twentieth century. At that time his published and unpublished poems (there were much more of the latter) were rescued from oblivion; criticism took them up in greater detail and assigned to the author a place of first rank among Poland's poets. He deserves this, above all, for his lyrics. Their scope is rich and diverse. Feelings that animate every human heart; religious and patriotic experiences; great men of the past and of the present, besides persons whom only he immortalized as the symbols of things eternal; the world of universal history and culture, of the past and of the present; visions of the future; the nature and significance of art; the meaning of life and of every earthly creature; the beauty of nature—these are the motifs of his lyrics. The artistic treatment is completely original; in this respect Norwid owes nothing or very little to his great contemporaries. To a high degree his poetry is characterized by a univeralization and symbolization of emotions, experiences, historical and contemporary facts, and by an unusual condensation and crystallisation of the means of expression through a strongly manifested intellectual-structural element. The final shape is very often a dazzling revelation, but often also a problem not easy of solution. Norwid's lyric is not easily understandable, nor is his verse "easily accessible to the ear." On the contrary, he created a new poetic language of his own, full of neologisms and peculiar "etymologies," a language capable of masterfully employing abstracts as well as concretes and of combining them in a most unexpected way. His metric forms attain the same level of wealth, diversity, and novelty.

In addition to lyrics, Norwid left quite a few other works of various kinds. Among them are poems with social and political accent: *Pieśni społecznej cztery stron* (Four chords of a Social Song, 1849) and *Niewola* (Slavery, 1864). Others concern problems of art, as *Próby* (Attempts, 1863) and *Promethidion* (1851); or the genealogy, nature, and significance of the word: *Rzecz o wolności Słowa* (On the Freedom of Speech, 1869). The rest includes *Quidam* (1863), a "parable" (a kind of tale in verse) about Jewish, Greek, Roman, and Christian civilization; *Assunta*, a poem of love; *Emil*, a "pedagogical" novel; and many others. There are also interesting dramatic works: *Za kulisami* (Behind the Scenes), *Tyrtej*, *Kleopatra i Cezar* (presenting not so much great personalities as the power of tradition, beliefs, and sociopolitical conditions), besides *Krakus*, *Wanda*, and others.

Norwid's prose works are no less meritorious. Particularly noteworthy are the short stories *Ad Leones*, *Garstka piasku* (A Handful of Sand, 1859), and *Stygmat* (The Stigma). In *Czarne kwiaty* (Black Flowers), "out of respect for the thing described," Norwid uses the simplest, most objective, yet forceful, style in sketching his reminiscences of the catacombs, of the last moments of Chopin and Słowacki, and of Mickiewicz. Finally, his lectures on Słowacki, *Rzecz o Juljuszu Słowackim* (A Study of Julius Słowacki, 1861) represent a contemporary voice rendering justice to that poet.

MOJA PIOSNKA [I]

POL. – I'll speak to him again –
What do you read my lord?...
HAM. – Words, words, words!
Shakespeare

Źle, źle zawsze i wszędzie,
Ta nić czarna się przędzie:
Ona w każdym oddechu,
Ona w każdym uśmiechu,
5 Ona we łzie, w modlitwie i w hymnie...

Nie rozerwę, bo silna,
Może święta choć mylna,
Może nie chcę rozerwać tej wstążki;
Ale wszędzie – o! wszędzie
10 Gdzie ja będę, ta będzie:
Tu w otwarte zakłada się książki.
Tam u kwiatów zawiązką,
Owdzie stoczy się wąsko,
By jesienne na łąkach przędziwo:
15 I rozmdleje stopniowo,
By ujednić na nowo,
I na nowo się zrośnie w ogniwo.

Lecz, nie kwiląc jak dziecię,
Raz wywalczę się przecie.
20 Niech mi puhar podadzą i wieniec!...
I włożyłem na czoło,
I wypiłem, a wkoło
Jeden mówi drugiemu: "Szaleniec!!"
Więc do serca o radę,
25 Dłoń poniosłem i kładę,
Alić nagle zastygnie prawica:
Głośno śmieli się oni,
Jam pozostał bez dłoni,
Dłoń mi czarna obwiła pętlica.

30 Źle, źle zawsze i wszędzie,
Ta nić czarna się przędzie;
Ona za mną, przede mną i przy mnie,
Ona w każdym oddechu,
Ona w każdym uśmiechu,
35 Ona we łzie, w modlitwie i w hymnie.

Lecz, nie kwiląc jak dziecię,
Raz wywalczę się przecie;
Złotostruna nie opuść mnie lutni!
Czarnoleskiej ja rzeczy
40 Chcę – ta serce uleczy!
I zagrałem...
i jeszcze mi smutniéj.

Pisałem we Florencji 1844 r.

BEMA PAMIĘCI ŻAŁOBNY-RAPSOD

„... Iusiurandum patri datum
usque ad hanc diem ita servavi..."
Annibal.

I

– Czemu, Cieniu, odjeżdżasz, ręce złamawszy na pancerz,
Przy pochodniach, co skrami grają około twych kolan –?
Miecz wawrzynem zielony i gromnic płakaniem dziś polan,
Rwie się sokół i koń twój podrywa stopę jak tancerz.
5 – Wieją, wieją proporce i zawiewają na siebie,
Jak namioty ruchome wojsk koczujących po niebie.
Trąby długie we łkaniu aż się zanoszą i znaki
Pokłaniają się z góry opuszczonemi skrzydłami,
Jak włóczniami przebite smoki, jaszczury i ptaki...
10 Jako wiele pomysłów, któreś dościgał włóczniami...

II

– Idą panny żałobne, jedne podnosząc ramiona
Ze snopami wonnemi, które wiatr w górze rozrywa; –
Drugie, w konchy zbierając łzę, co się z twarzy odrywa,
Inne drogi szukając, choć *przed wiekami zrobiona...*
15 Inne, tłukąc o ziemię wielkie gliniane naczynia,
Czego klekot w pękaniu jeszcze smętności przyczynia.

III

– Chłopcy biją w topory pobłękitniałe od nieba,
W tarcze rude od świateł biją pachołki służebne.
Przeogromna chorągiew, co się wśród dymów koleba,
20 Włóczni ostrzem o łuki, rzekłbyś, oparta podniebne...

IV

– Wchodzą w wąwóz i toną... wychodzą w światło księżyca
I czernieją na niebie, a blask ich zimny omusnął,
I po ostrzach jak gwiazda spaść nie mogąca przeświéca,
Chorał ucichł-był nagle i znów jak fala wyplusnął...

V

25 – Dalej – dalej – aż kiedy stoczyć się przyjdzie do grobu
I czeluście zobaczym czarne, co czyha za drogą,
Które aby przesadzić Ludzkość nie znajdzie sposobu,
Włócznią twego rumaka zeprzem jak starą ostrogą...

VI

– I powleczem korowód, smęcąc *ujęte snem grody*,
30 W bramy bijąc urnami, gwizdając w szczerby toporów,
Aż się mury Jerycha porozwalają jak kłody,
Serca zmdlałe ocucą – pleśń z oczu zgarną narody...
. . . .
Dalej – dalej – –

MOJA PIOSNKA [II]

I

Do kraju tego, gdzie kruszynę chleba
Podnoszą z ziemi przez uszanowanie
Dla darów nieba...
Tęskno mi, Panie...

II

5 Do kraju tego, gdzie winą jest dużą
Popsować gniazdo na gruszy bocianie,
Bo wszystkim służą...
Tęskno mi, Panie...

III

Do kraju tego, gdzie pierwsze ukłony
10 Są jak odwieczne Chrystusa wyznanie:
"Bądź pochwalony!"
Tęskno mi, Panie...

VI

Tęskno mi jeszcze i do rzeczy innej,
Której, już nie wiem, gdzie leży mieszkanie,
15 Równie niewinnej...
Tęskno mi, Panie...

V

Do bez-tęsknoty i do bez-myślenia,
Do tych, co mają *tak za tak – nie za nie* –
Bez światło-cienia...
20 Tęskno mi, Panie...

VI

Tęskno mi ówdzie, gdzie któż o mnie stoi?
I tak być musi, choć się tak nie stanie
Przyjaźni mojéj!
Tęskno mi, Panie...

NA ZGON Ś. P. JANA GAJEWSKIEGO

POLITYCZNO - POLSKIEGO EMIGRANTA,
INŻYNIERA FRANCUSKIEGO. ZABITEGO EKSPLOZJĄ MACHINY
PAROWEJ W MANCHESTER, 1858 LIPCA.

I

Długo patrzyli ludzie prostej wiary
Na dziwowiska oświaty zachodniéj
I myśleć śmieli: że to do pochodni
Skradziony ogień Bogu – bez ofiary!...

II

5 Myśleć i szemrać, że Lucifer stary
Podchwyci święte wzajemności ludów,
Nie heroizmu i miłości cudów
Używszy – ale wyzysku i pary...

III

Lecz TEMU, który jest wszystko, jest wszędzie,
10 Nim *wszystkiem wszędzie* oprzeć się poważą,
Boga pierw zranią i *krzyż* znowu będzie,
Drugi a tenże sam, bo z ludzką twarzą.

IV

Tak, Epopeję gdy machina zgniotła,
Zgorzałych mózgów i serc objął krater,
15 Potrzebaż było, by nie jak bohater
Zacny *Gajewski Jan* zginął od kotła!...

V

Lecz nie!... śmierć jego nie była dla zysku —
Ciał różnych ciało z jednem legło licem
Na ziemi obcej, *wyrobnik z szlachcicem*,
20 Z Ofiary-synem Synowie-ucisku...

VI

Braterstwa-sztandar i tu jeszcze buja,
Żywot ze skonań tu jeszcze korzysta,
Jak gdy wygnaniec* JAN EWANGELISTA
Śpiewał z wrzącego kotła: ALLELUJA!...

POST SCRIPTUM

[PRZEKŁADU ODY HORACEGO DO POMPEJUSZA]

Nietylko *przyszłość* wieczna jest – nietylko!...
I przeszłość owszem wieczności jest dobą:
Co stało się już, nie odstanie chwilką...
Wróci Ideą, nie powróci *sobą*.

5 – Przeszłość ma wieczność w wieczystej połowie:
Zamknąć – odemknąć – zarówno się uczem!
Tylko wy dzisiaj, klasyczni mistrzowie,
Wiecie też, którym, gdzie poczynać kluczem?

– Z tragedji całej klasycznego świata
10 *Podziały* znacie, a z wymowy *style*:
To, jakby poszedł kto na grobie brata
Herboryzować! zioła rwać!... to tyle!...?

– Kartki łacińskie przyczepiać do krzewów
Rozpłakujących się nad ruinami –
15 Nie!... wolę smętne szumy białodrzewów
Z bezimiennemi w gwarze ruinami,
I wolę z bladym srebrnej łzy świecznikiem
W podziemia schodzić, niż z waszym słownikiem.

* Roku 95, pod Domicjanem imp., wygnaniec z Pathmos wrzucony był we wrzący kocioł. [Footnote by the poet.]

PIELGRZYM

Nad stanami jest i *stanów-stan*,
Jako wieża nad płaskie domy
Stercząca w chmury...

Wy myślicie, że i ja nie pan,
5 Dlatego że dom mój ruchomy
Z wielbłądziej skóry...

Przecież ja – aż w nieba łonie trwam,
Gdy ono duszę mą porywa
Jak piramidę!

10 Przecież i ja – ziemi tyle mam,
Ile jej stopa ma pokrywa,
Dopókąd idę!...

LITOŚĆ

Gdy płyną *łzy*, chustką je ocierają,
Gdy *krew* płynie, z gąbkami pośpieszają,
Ale gdy *duch* sączy się pod uciskiem,
Nie nadbiegną pierwej z ręką szczerą,
5 Aż Bóg to otrze sam, piorunów błyskiem,
– Wtenczas dopiero...

From FORTEPJAN SZOPENA

I

Byłem u Ciebie w te dni przedostatnie
Niedocieczonego wątku
Pełne, – jak Myth,
Blade, jak świt...
5 Gdy życia koniec szepcze do początku:
"*Nie stargam cię ja – nie! – ja uwydatnię!*"

* * * *

III

Byłem u Ciebie w te dni, Fryderyku!
Którego ręka – dla swojej białości
Alabastrowej, i wzięcia i szyku,
10 I chwiejnych dotknięć jak strusiowe pióro –
Mieszała mi się w oczach z klawjaturą
Z słoniowej kości...

I byłeś jak owa postać, którą
Z marmurów łona,
15 Niźli je kuto,
Odejma dłuto
Genjuszu – Wiecznego Pigmaljona!

IV

A w tem coś grał – i co zmówił ton, i co powie,
Choć inaczej się echa ustroją,
20 Niż gdy błogosławiłeś sam ręką swoją
Wszelkiemu akordowi –
A w tem, coś grał, taka była prostota
Doskonałości Peryklejskiej,
Jakby starożytna która cnota
25 W dom modrzewiowy wiejski
Wchodząc, rzekła do siebie:
"Odrodziłam się w niebie;
I stały mi się arfą wrota,
Wstęgą ścieżka...
30 Hostję przez blade widzę zboże...
Emanuel już mieszka
Na Taborze!..."

V

I była w tem Polska od zenitu
Wszechdoskonałości dziejów
35 Wzięta tęczą zachwytu –
Polska – *Przemienionych Kołodziejów!*
Taż sama zgoła
Złoto – pszczoła...
(Poznałciżebym ją na krańcach bytu!...)

* * * *

VIII

40 Oto – patrz, Fryderyku!... to Warszawa:
Pod rozpłomienioną gwiazdą
Dziwnie jaskrawa – –
Patrz, organy u Fary, patrz! Twoje gniazdo,
Ówdzie patrycjalne domy stare
45 Jak Pospolita Rzecz,
Bruki placów głuche i szare,
I Zygmuntowy w chmurze miecz.

IX

Patrz!... z zaułków w zaułki
Kaukaskie się konie rwą,
50 Jak przed burzą jaskółki,
Wyśmigając przed pułki
Po sto – po sto –
– Gmach się zajął ogniem, przygasł znów,
Zapłonął znowu – i oto pod ścianą
55 Widzę czoła ożałobionych wdów
Kolbami pchane – –
I znów widzę, acz dymem oślepian,
Jak przez gmachu kolumny
Sprzęt podobny do trumny
60 Wydźwigają... runął... runął... Twój fortepian.

X

Ten! co Polskę głosił, od zenitu
Wszechdoskonałości dziejów
Wziętą, hymnem zachwytu –
Polskę przemienionych kołodziejów,
65 Ten sam – runął – na bruki z granitu!
– I oto, jak zacna myśl człowieka,
Poterany jest gniewami ludzi,
Lub jak – od wieka
Wieków – wszystko, co zbudzi!
70 I oto, jak ciało Orfeja,
Tysiąc pasyj rozdziera go w części:
A każda wyje: "nie ja!"
"Nie ja!" – zębami chrzęści – –
Lecz ty? lecz ja? – uderzmy w sądne pienie,
75 Nawołując: "*Ciesz się późny wnuku!*
Jękły głuche kamienie:
Ideał sięgnął Bruku."

From LITANJA DO NAJŚWIĘTSZEJ MARJI PANNY

On, który jeden jest – taki szeroki,
Taki bezdenny naokoło człeka,
Taki straszliwy i tak wszystkooki,
Że gdyby lekka przynajmniej powieka
5 Tę przysłoniła nam światłości – przepaść,
Byłoby łacniej stać, podobniej niepaść,

Serdeczniej westchnąć, prosić mniej straszliwie –
Więc – aż rozrzewnił się Miłością wielką,
I pośrednictwa cud między cudami
10 Stał się – o! Święta Boża Rodzicielko,
Módl się za nami...

* * * *

Modlitwom bliska przez swą osobistość
Niewieścią – bliska pobłażaniem prawie
Przez Macierzyństwo, i bliska przez czystość
15 Wszelkiej tęsknocie ludzkiej, wszelkiej sprawie
Udatna – niby dobra białogłowa,
Z góry, a jednak patrząjąca łzawie,
Można – a jednak w prostocie zupełnéj,
Przędąca wiele z barankowej wełny,
20 I bardzo cicha, a przeto niemniejsza,
Współpracująca wszystkiemi cnotami,
Kończąca wszystko... Matko Najmilejsza
Módl się za nami...

From A DORIO AD PHRYGIUM

Jak gdy kto ciśnie w oczy człowiekowi
Garścią fijołków i nic mu nie powie...

Jak gdy akacją zwolna zakołysze,
By woń, podobna jutrzennemu ranu,
5 Z kwiaty białemi na białe klawisze
Otworzonego padła fortepianu...

Jak gdy osobie, stojącej na ganku,
Daleki księżyc wpląta się we włosy,
Na pałającym układając wianku
10 Czoło – lub w srebrne ubiera je kłosy...

Jak z nią rozmowa, gdy nic nieznacząca,
Bywa podobną do jaskółek lotu,
Który ma cel swój, acz o wszystko trąca,
Przyjście letniego prorokując grzmotu,
15 Nim błyskawica uprzedziła tętno, –
Tak...
...lecz nie powiem nic – bo mi jest smętno.

* * * *

O! wsi biała w atłasie kwiatów jabłoni
I w zwierciadłach księżyca,
20 Jako oblubienica
Na ustroni...
Przeszłość twa – zawsze wczora!
Przyszłość – ręką dosiężna,
U ciebie zawsze – pora!
25 Tyś wczasów księżna...

From PROMETHIDION

This long poem (1851) composed of two dialogues and an epilogue deals with the problem of Art. The first dialogue – as the poet tells us in the preface – is devoted to the problem of Beauty embodied in Art's form. The second – to that of Truth and Goodness expressed in its contents. The purpose of the whole is to make people realize the essence, necessity and importance of Art.

O sztuko! – człowiek do ciebie powraca,
Jak do cierpliwej matki dziecię smutne
Lub marnotrawny syn – gdy życie skraca,
A słyszy Parek śpiew: "utnę już – utnę!"

5 O! sztuko – *Wiecznej tęczo Jerozalem*,
Tyś jest przymierza łukiem – po potopach
Historji – tobie, gdy ofiary palem,
Wraz się jagnięta pasą na okopach...

Ty wtedy skrzydła roztaczasz złocone,
10 W świątyni Pańskiej oknach, szyb kolorem,
Jakby litanje cicho skrysztalone,
Co na Aniołów czekają wieczorem.

Tak jesteś – czasu ciszy – czasu burzy
Ty się zamieniasz w ton – czekasz w trybunie,
15 Aż się sumienie kształtem wymarmurzy,
Podniesie czoło – i fałsz w proch aż runie!

Tak jesteś – czasu burzy – czasu gromu
Tyś bohaterstwa bezwiednym rumieńcem,
Z orłami hufce prowadzisz do domu
20 I nad grobowcem, biała, stajesz z wieńcem...

* * * *

Kto kocha – widzieć chce choć cień postaci,
I tak się kocha Matkę – Ojca – braci –
Kochankę – Boga nawet... więc mi smutno,
Że mazowieckie ani jedno płótno *
25 Nie jest sztandarem sztuce – że ciosowy
W krakowskiem kamień zapomniał rozmowy,
Że wszystkie chaty chłopskie krzywe, że kościoły
Nie na *ogivie polskim* stoją, że stodoły
Za długie, świętych figury patronów
30 Bez wyrazu – od szczytu wież aż do zagonów
Rozbiorem kraju *forma* pokrzywdzona woła
O łokieć z trzciny w ręku Pańskiego anioła.
Niejeden szlachcic widział *Apollina*,
I skopasową Milejską Wenerę,
35 A wyprowadzić nie umie komina,
W ogrodzie krzywo zakreśla kwaterę,
Budując śpichlerz często zapomina,
Że *użyteczne* nigdy nie jest samo,
Że *piękne* wchodzi nie pytając, bramą!

* * * *

40 O! gdybym jedną kaplicę zobaczył,
Choćby, jak pokój ten, wielkości takiej,
Gdzieby się polski duch raz wytłumaczył,
Usymbolicznił rozkwitłemi znaki,
Gdzieby kamieniarz, cieśla, mularz, snycerz,
45 Poeta – wreszcie Męczennik i rycerz
Odpoczął ** w pracy, czynie i w modlitwie...
Gdzieby czerwony marmur, cios, żelazo,
Miedź, bronz i modrzew polski się zjednały
Pod postaciami, co niejedną skazą
50 Poryte leżą w nas, jak w sercu skały; –
O! – tobym w liściach rzeźbionych paproci,
I w koniczyny treflach i w stokroci,
I w kos zacięciu łukiem – i we freskach
(O Bazyljanek mówiących męczeństwie...)
55 O! tobym w drobnych nawet arabeskach,
Z naturą rzeczy polskiej w pokrewieństwie

* Autor *Machabeuszów na popiołach swych domów* i *Matki Boskiej Śnieżnej* pierwszy poczuł powagę sztuki narodowej i kierunek jej odgaduje. Orłowski był *krajowym* ale nie *narodowym* – przedstawiał *rzeczy naturalne*, nie *naturę rzeczy*, co *widział*, a nie co *przewidział*. [Footnote by the poet.]

** *Odpoczął* znaczy *począł na nowo*, począł w *drugiej potędze*... [Footnote by the poet.]

Nierozplątanem będących – doślepił...
Że to Miłości balsam bronz ten zlepił...

* * * *

To dość!... o *pięknem* rzecz jest rozwiniona,
60 A teraz lampę we wnątrz stawiam urny:
Statuę grecką weź – zrąb jej ramiona –
Nos – głowę – nogi – opięte w koturny –
I ledwo torsu grubą zostaw bryłę;
Jeszcze za żywych stu uduchowiona,
65 Jeszcze to nie głaz ślepy! – jedną żyłę
Pozostaw, wskrzesi!... i tę zrąb – zostanie
Materji tyle prawie... co gadanie!...
To w tem – o pięknem przypowieść ma leży!
I tak ja widzę przyszłą w Polsce sztukę,
70 Jako *chorągiew na prac ludzkich wieży*,
Nie jak zabawkę, ani jak naukę,
Lecz *jak najwyższe z rzemiosł apostoła*,
I jak najniższą modlitwę anioła.

AD LEONES!

[1881]

To nie był wcale ani mało obiecujący talent, ani mało dotrzymać mogąca organizacja, ów rudobrody rzeźbiarz, który o godzinie zamknięcia prac chadzał prawie co wieczór do Café-Greco z wielką swoją charcicą kirgiskiego pochodzenia.

5 Sam wybór zwierzęcia, które jednało wdzięk i siłę w czytelnie naznaczonych muskułach swoich, dawać już mógł uważnemu postrzegaczowi do mniemania korzystnego o umysłowej godności osoby, która te, a nie inne, upodobała sobie stworzenie.

Jeżeli albowiem generał *Jomini* twierdzi, iż koń, nie zaś kawale-
10 rzysta, "*dobrą jazdę czyni*"... tedy, z daleko więcej psychologicznych względów, utrzymywać byłoby właściwem, że dobranie sobie tego lub owego psa rodzaju głośno o dobierającego poczuciach i umyśle znamienuje. – Jużci rzeźnik zupełnie innego psa ma na myśli, jak łowiec, albo szlachetna Dama...

15 Śliczny to był ów rudobrodego rzeźbiarza pies, zwolna przed nim idący z paszczą otwartą i w niej rozesłanym na białych kłach amarantowym językiem, do świeżego liścia purpurowego jakiego kwiatu podobnym.

Szedł on zwolna z rodzajem spaniałomyślnej grzeczności, nikogo

20 nie potrącając, lecz gdy mu poczynali umyślnie wadzić uliczni chłopcy, oglądał się raz na pana swego i w temże samem okamgnieniu, jak tknięta sprężyna doskonała, z miejsca przeskakiwał całą ciżbę i szedł dalej powoli, gdy za nim chłonący od strachu swawolnicy z bruku się podnosili, jasno na razie nie pojmując, co się stało?...

25 Podobnież i w kawiarni, kilka stołów szkłem zastawionych przeskakiwał, nic nie potrąciwszy, a w też same naturalne i powolne wracając ruchy, żadnego poklasku nie oczekiwał, jakby mniemając, iż każdy z siedzących tam gości potrafiłby toż samo sam zrobić.

To też cenną była *u wszystkich* śliczna charcica!

30 Gdy się mówi *u wszystkich*, znaczy, u pewnej grupy i u dwóch chórów (greckich), u chóru dopowiadającego swoje słowa i u gestykulującego.

Grupa rudobrodego rzeźbiarza stanowiła zarazem jeden z czterech kątów bilardu, a składała się pogłównie z Redaktora *Gazety*
35 *beletrystyczno-politycznej*, z pięknego śpiewaka, który dawał lekcje cudzoziemcom, z utalentowanego malarza i z młodzieńca – *turysty*, wysłanego przez rodziców, jak sam się wyrażał, "*dla kształcenia się w zapatrywaniu na rzeczy*". Ten zaś był *z nieodstępnym* (w tym sensie) guwernerem, iż się zwykle obydwaj szukali po mieście, wszędzie o
40 siebie wzajem zapytując i dopiero się w *Café-Greco* spotykali wieczorem.

Wiedzieć to wszystko – i szczegóły bardziej osobiste – można było prawie mimowolnie. Skutkiem albowiem pewnego rodzaju przezroczystości moralnego powietrza społecznego, i skutkiem postaciowania
45 się charakterów (dwóch rzeczy, północnym miastom i ludziom mało znanych), zdarzało się nawet osobie obcej, która aby raz do kawiarni zaszła, rozeznawać z łatwością nie tylko kto? w jakiej gałęzi prac i zachodów? bierze udział, ale nawet i czem w obecności zaprząta się?

Figura taka, jak redaktor, znaną być wprawdzie mogła samym
50 skutkiem swojego publicznego atrybutu, dopomagało jednak do rozeznania osoby jej ruchliwe spojrzenie, chętne wyrażanie i udzielanie się łatwym i grzecznym gestem, mniej chętne słowem, tudzież płowy parasol, coś do kardynalskiego podobny – i nareszcie, skoro już zaczął mówić, poznawało się po stylu człowieka pióra.

55 Jeżeli kto uwagę kiedy zwrócił na rodzaj świdrów szklanych, obracanych przez ukryty mechanizm i do złudzenia naśladujących bieg źródlanej wody; jeżeli widział takowe szkiełka, obracane w paszczach lwów gipsowych, obstawionych kwiatami i zielonością; i jeżeli wspomniał, jak liść żaden żadnego kwiatu nie czuje tam
60 zbliżenia kropli wody, ani jej chłodu i życia; tedy, ma on zupełne wyobrażenie o redaktora stylu i jego elokwencji.

Czem zaś on jest zajętym w obecności?... to jużci że stosunkiem jakimś wyjątkowym, bo i staranniej niż zazwyczaj ubrany i o nieregularnych godzinach do kawiarni na ulotne chwilki wstępuje.
65 Śpiewak także, z płaszczykiem swym na ręku lub na jednem ramieniu z pobrzmiewającą coś wargą pod zbyt układnym wąsem, i ze zwitkiem nut w ręku, nic nieczytelnego w swojej postaci nie przedstawował.

Mniej wyraźnym typem był guwerner (poszukiwany przez mło-
70 dzieńca jemu poruczonego), w mówieniu szybki, ale nie w wymawianiu, seplunił nieco i parskał śliną, ilekroć w zapale się poczuwał.

Byłby zaś o wiele przystępniejszym i jaśniejszym, gdyby nie przymiotnik "*scientyficzny*" nazbyt często przezeń używany. Niepłocho jednakże bierał się do pióra, ktoś albowiem, nienajdyskretniejszy,
75 lecz bystro- wzroki, rok temu u niego przyjmowany, gdy z rozsypanego na arkuszu białym tytoniu wił sobie cygaretko, wyczytał był dwa pierwsze słowa tytułu i rękopismu: "*Rzut oka...*" – a jeszcze i wczora tamże i w podobnejże okoliczności nie więcej zdarzyło mu się wyczytać.

Wiedziano jednakże, iż pracuje nad "*Rzutem oka*", ale co u czło-
80 wieka zewsząd *scientyficznego* dziwniej się przedstawiało, to, że gdy nietrafnie pchnięta przezeń bilardowa kula wykolejała się z widoków jego, natychmiast wagę ciała swego przechylając w stronę kierunku życzonego, gestem nogi, pięty i wzrokiem dopomagał, aby inaczej gonił ciężar... a co jest przecie równie bezskuteczne, jak *nie-scienty-*
85 *ficzne*, będąc przeciw prawom grawitacji.

O rudobrodym w czarnych aksamitach rzeźbiarzu, który na teraz nieruchomie, jak stary wenecki portret, siaduje i udziału nie bierze w bilardowych zachodach i zapasach, wie się, iż ten dosyć ma całodziennego ruchu w ciągu wielkiej pracy swojej i z wielkim podjętej
90 zapałem, aby jeszcze wieczorem rozrywkowych trudów poszukiwał.

Zaś, ażeby mieć naprzód pojęcie o uskutecznianem jakiego artysty dziele, nie potrzeba na to (w przezacnym Rzymie) być do poufnego temuż artyście koła zbliżonym. *Plac Hiszpański* jest właśnie o niewiele kroków od *Café-Greco* – szerokie schody, we dwa skrzydła
95 rozwierające się i podrywające na *monte pincio*, jakgdyby z bruku ogromny jaki, bajeczny ptak chciał wzlecieć i oczekuje tylko, aż się na piórach jego ludzie ugrupują...

Plac ten i te schody stanowią *forum* modelów, to odpoczywających, to oczekujących na zajęcie; wystarcza zbliżyć się do tych grup skulp-
100 turalnych, malowniczych i dowcipnych, ażeby o każdego artysty doraźnem zatrudnieniu wszystko usłyszeć.

Tam się też wiedziało bardzo dobrze, że kolosalną grupę przedsięwziął rzeźbiarz, że dzieło to ma odbrzmiewać wewnętrznym ludzkości

tragedjom, że Eurypidesowego nastroju jest kompozycją, przedsta-
105 wującą dwoje postaci Chrześcijan rzuconych lwom za czasu Domicjana, a szczegóły te tak już w pogadankach upowszechnionemi
spotykałeś, iż, bywało, zażyły kolega nie po imieniu na rzeźbiarza
wołał, lecz "ad leones!..."

Przyjmował to i skulptor w sposób właściwy, podrywając nieco
110 jedno skrzydło swojego szerokiego kapelusza i ramieniem prawem
dodatkując znaczący gest, jakby rzeźbiarskiej gliny garść dorzucił,
tak, że zatrzymywała się charcica, pozierając mu bystro w oczy, aby
zgadnąć, co życzy?

Pewnym rodzajem *symbolu* magicznego stawało się dzieło artysty,
115 zaledwo mające wstąpić na świat, zaledwo rodzące się... Dziennik
czytając w kawiarni, donoszący o tragicznem jakiem zajściu w poli-
tyce, obracano się nieraz ku rzeźbiarzowi, mówiąc ze stosownym
przyciskiem: "*ad leones!*" – na co on z konspiratorską dwuznacznością
przez zmrużanie lewego oka odpowiadał.

120 I jednakowoż, mimo pozornej takiego to obyczaju krotochwili,
piękne jest (a północnym chłodnym nieznane stronom), ile się i jak
się uprzedzająco przyczynia dobra wola publiczności do uzupełnienia
i wprowadzenia w życie dzieła sztuki.

Lubo szczęśliwym ten tylko artysta, który trzeźwo wysłuchiwać,
125 zrozumieć i przyjąć umiał tyle gościnne dla pracy swojej powitanie!

Że od mnóstwa lat jest przyjętym obyczajem posługiwać się
ustalonym kawiarni Greckiej adresem i tam odbierać listy swoje,
przeto owdzie o rannej zaszedłszy godzinie, nieco zadziwiony byłem,
widząc już rzeźbiarza i redaktora.

130 Minąć ich nawet chciałem, domniemywając, iż są wyjątkowym
zaprzątnięci interesem, gdy wysłana po mnie charcica zmusiła mnie,
ażebym do pana jej i przyjaciela jego zbliżył się. Zbliżony zaś, skoro
odebrałem ustne zaproszenie, abym na dzień i godzinę naznaczoną
znalazł się w pracowni mistrza dla jej nawiedzenia, rzekłem:

135 "Nie jestem tak bardzo profanem, ażebym mniemał, iż pokazać
nam zechcecie dzieło już ukończone!... lecz myślę, iż dojść mogło do
jednego z perjodów interesujących, kiedy artysta ogół myśli uwidomił
i ustatecznił – lubo, nie bez przyczyny, utrzymują biegli, że sztukmistrz do końca zachować winien możność zupełnego swej kom-
140 pozycji odmienienia, i że taka właśnie, i dlatego, ruch, obrót i życie
miewa..."

Redaktor z wielką szybkością treść tę popierać i rozwijać zaczął,
a lubo notując coś ołówkiem, jednak bacznie się w rozmowie utrzymywał; potem, dla grzeczności zapytał naraz z rzeźbiarzem, czy nie
145 zechciałbym z mej strony im powiedzieć, nad czem pracuję?...

"Niezbyt wielki – rzekłem – mój udział w rzeczach sztuki nie pozwala mi, ażebym mógł czem bardzo popisywać się; szczerość jednakże szczerością zamieniając, wyznam, iż nie mało w tych czasach bywam zajęty wykonaniem dwóch głów... Skoro się mówi 150 *dwóch głów*, znaczy zarazem i tego, co się im dla ich zupełności i ruchu należy, lubo cały i główny interes kompozycji we dwóch tylko głowach zawiera się. Zadaniem albowiem jest: ażeby jedna podnosiła oczy ku niebu, druga zaś podnosiła oczy, patrząc czy to na plafon sufitu, czy też na hak, gdzie okrągły świecznik umieszcza się. Tej i tamtej 155 oczy zwrócone są w górę – nie taję, iż mię praca ta dość umęczyła nieraz!"

Rzeźbiarz podparł całe czoło silną swą ręką, tak, iż charcica, u nóg leżąca pierwej, podniosła się i poczęła wejrzeń swego pana poszukiwać. – Redaktor robił ołówkiem kreski na marmurze stołu – 160 ja, uprzejmie pożegnawszy obu, wyszedłem, zaledwo na jedną chwilkę we drzwiach wstrzymany przez młodego turystę, który o guwernera swego zapytywał.

Niebardzo wiele jednak uczyniwszy kroków, spotkałem na schodach hiszpańskich guwernera i oświecony zostałem, że zaproszenie 165 do pracowni rzeźbiarza bynajmniej mnie jako fawor wyłączny nie spotkało – że wszyscy znajomi i znani tak samo oczekiwanymi będą; idzie albowiem o ustatecznienie nieodmienne moralnego sensu grupy i atrybutów figurom właściwych. Nadto, że redaktor swojemi wpływami tej pięknej dopiął rzeczy, iż bogaty korespondent wiel-170 kiego amerykańskiego dziennika skłania się ku zamówieniu u rzeźbiarza grupy wiadomej, chcąc ją zakupić i do Ameryki przesłać, jeżeli tak kompozycja jak egzekucja odpowiedzą życzeniom kupującego i jego wyobraźni.

Dzień nawiedzenia rzeźbiarskiej pracowni skoro w swej pełni 175 nadszedł, znalazłem się wśród znanych osób i wśród zajmującego widoku. Od czterech kątów wielkiej sali wprawdzie nieład i nieporuszany kurz dawały ogółowi ramy fantastyczne – lecz kurz, na doskonałe gipsy upadły, podnosi tylko i bardziej uczytelnia harmonję umiejętnej plastyki. Nieład zaś, który sam oku się tłumaczy, nie tyle 180 nieporządkiem, ile raczej dramą zwać się godzi.

W pośrodku światła miejscowego i pracowni stała i ciążyła wielka masa wilgotnej gliny rzeźbiarskiej, stanowiąca zaczętą grupę, a którą z resztki mokrych płócien właśnie artysta odkrywał...

Towarzyszyły tej robocie nieskąpo zaliczane naprzód: *bravo!* 185 *bravo!...* ilekroć odjęta szmata dawała oglądać to ramię trafnie w glinie naznaczone, to biodra, to główne fałdy szat.

Męska postać obiecywała bardzo piękny tors, dziewicza – dra-

matyczny obrót figury; obie postacie egzaltowały znaki krzyża na sposób *pro Christo* nakreślonego; lew, który zapewne miał się osłupiony
190 słaniać u nóg tych figur, zaledwo był bryłą, podobną do jakiego sprzętu, co tem więcej nadawało pozoru wykończenia częściom grupy dalej posuniętym.

Ad leones! Ad leones! wołał młody turysta.

A poskoczywszy do najciemniejszego kąta pracowni u drzwi sa-
195 mych, z poza wielkiej figury Dionyzjackiej wyprowadził małego chłopca z serwetą na ramieniu i z koszem wina, co wraz użytem gdy zostało, zwiększyło przyklaski.

Sam rzeźbiarz nabrał tonu nieco, jak należało było, wyzywającego świat do walki...

200 Guwerner, pomiędzy biusty, na ziemi stojącemi, wskazując mu najbliszy, rzecze:

Oto, zda mi się, Dominicjan!...

Pan się nie mylisz – rzeźbiarz na to, i kopnięciem nogi odbił nos imperatorowi, aż charcica, która leżała była pierwej jak gryf odlany
205 z bronzu, podniosła się, powąchała odłamy gipsu rozbitego i powróciła ułożyć się w też same monumentalne formy i spokojność.

Śpiewak piękny, zarzuciwszy udatnie płaszczyk, począł swoim wybitnym barytonem nucić zrazu, a potem na całe tchnienie śpiewać:

Drżyjcie, tyrany świata,
210 *Lud podniósł sądny głos,*
Straszny uderzy cios...
Piorun już z chmury zlata...
– – taramta tata rata...
Drżyjcie, tyrany świata!...
215 *ramta tata rata...*

Ku czemu młody turysta i malarz wtórowali jeszcze:

"*– – ramta tarata tata*"...
Drżyjcie, tyrany świata...

Nastąpiło po tych uniesieniach psychologiczno-konieczne ucisze-
220 nie, zaledwo oderwaną wzmianką malarza przetrącone, który rzekł:

I mnie w tych czasach zdarzyło się coś zrobić, z czego mogę być zadowolonym, ale będę się musiał u oczytanych ludzi zapytać, co to jest? co to z tego będzie??... bo to może być *Kleopatra*... a może *Wniebowzięcie.*

225 Uciszenie, skoro do swojej pełni doszło, i gdy wszyscy się spokojnie na siedzeniach swoich znaleźli, Redaktor w sposób następujący, do

rzeźbiarza pierworzędnie, lecz zarazem i do gości przemówił:
– Tu nikt z nas myśli innej nie ma, albo, zastanowiwszy się nieco, nie będzie miał innej, tylko, ażeby dzieło genjalnego naszego przyja-
230 ciela i Mistrza przyszłość zapewnioną sobie znalazło. Czyli, że końcem końców wydatki i nakłady są nie tylko niemałe, lecz będą się z postępem zwiększały...

Tu wszyscy, na rozmaity sposób głową wzruszywszy potwierdzalnie, słuchali dalszego ciągu.

235 – Otóż, trafiającym się fortunnie Mecenasem w tej sprawie byćby mógł lub nieledwie że jest bogaty korespondent wielkiego amerykańskiego monitora. – Osoba ta jaką wyznaje religię (a których w Stanach Zjednoczonych jest kilkadziesiąt), tego, gdy nie wiemy, byłoby roztropnie, może nawet byłoby i estetycznie odjąć *krzyże* z rąk figur? –
240 Na cóż koniecznie ten znak martwy, którego uczucie w całości rzeczy i tak jest rozlanem? a dla którego obecności nabywca (dajmy na to *Mojżeszowego wyznania*) nie będzie mógł w parku swoim przed domem grupy postawić, i od kupna się cofnie...

Rzeźbiarz uwagę zrobił, iż te krzyże załamują stosownie bieg
245 głównych linij, lecz bukszpanowem szerokiem dłutem bawiąc się, wejrzał na wszystkich pilnie, jakby ogólnego uczucia poszukiwał, a że stałem najblizej, do mnie z pytającym gestem się obrócił.

– Co do mnie, – rzekłem – myślę o tem, iż *ujęcie ręką krzyża*, jest ze znanych dotąd najtrudniejszem choreograficznem i plastycznem za-
250 daniem. – Palec dotyka symbolu – to nie może być ani zręczne i wykwintne, ani niezgrabne – ani grożące, ani bez znaczenia – ani łatwe, ani przesadne – ani proste, ani przemyślne... ani piękne, ani niepiękne!... Nic trudniejszego nie znam!... – I artysta, który to zrobi, potrafi wszelką kompozycję zrobić...

255 Tak rzekłem, mało baczny, iż ta uwaga moja otrzymała właśnie niezamierzany przeze mnie skutek, albowiem naraz Redaktor i malarz zawołali: – "To więc jedna wielka trudność mniej!..." gdy rzeźbiarz półgłosem to samo powtórzywszy, wbiegł na schodki, wyrównywające grupie, a przy niej utwierdzone, i dwoma zacięciami bukszpanowego
260 narzędzia odjął krzyż z ujęcia figury męskiej – poczem nad ręką żeńskiej figury zatrzymał cios, ku czemu zawołał guwerner:

– Jeśli dla załamania linji należy *coś wetknąć* w ręce kobiety, to tu prawie scientyficznie godziłoby się nadmienić, iż do Semitów, a przez onych do Chrześcijan, przyszedł był obyczaj jeszcze Chaldejski i
265 Egipski, który zalecał dawanie w rekę *klucza* osobom ważne rzeczy uczytelniającym (czego zasię ślady są w Ewangeljach – klucze św. Piotra – i w Apokalipsie)."

Rzeźbiarz, rękę mając na czas tej mowy zatrzymaną, opuścił

z narzędziem na krzyż drugi i kilkoma biegłemi ruchy naznaczył
270 ogólne kształty klucza.

Działo się to jakoś magicznie, przez ogólny nakłon pojęć i uczuć, a zupełny brak rozumowanej protestacji.

Jednakowoż, gdy rzeźbiarz z ostatniego zstępował schodka, zawołał nagle, do Redaktora się zbliżając:

275 – Ależ to tym sposobem i z tychże względów cała scena Chrześcijańska musiałaby odmienić się!!?...

Redaktor, biorąc ku sobie jakby na świadka guwernera, z uśmiechem i niecierpliwością rzecze:

– Czy ta grupa jest dziełem historycznem?... czy za Domicjana nie
280 zaś za Nerona ta scena dzieje się? czy to są *portrety* męczennika X i męczennicy X?... jużci, że nie! – toć nie idzie o osobistości, lecz o dramę.

Ku czemu guwerner doda:

– Jeden scientyficzniejszy *rzut oka* zdolny jest wszystko wytłu-
285 maczyć – to mogą być wcale nie Chrześcijanie rzuceni lwom – to może przedstawiać właśnie że walkę, właśnie że poświęcenie, właśnie że zasługę! Właśnie że to wszystko, czego artysta tak wdzięcznie w tej pracy poszukiwał, co uprawia, i na co publiczność oczekuje.

Zapluty nieco mówca otarł usta, gdy rzeźbiarz ścisnął ręce obu.

290 Atoli śpiewak, młody turysta i malarz, zwyczaj mając unikania wszelkich dyskusyj (jako rzeczy próżno głowę kłopoczących), cofnęli się z pracowni cicho i grzecznie.

Charcica, która wychodzących ze zwykłym jej i miejscu odprowadzała ceremonjałem, dała się nagle słyszeć w korytarzu srebrnym
295 dźwiękiem szczekania... Rzeźbiarz rzucił znak Redaktorowi i nam, że odczytuje z głosu psa, o co idzie?

A wtem otworzyły się drzwi i wszedł jegomość miernego wzrostu, w niskim kapeluszu szarym i w szarym ubiorze bardzo świeżym, w białej arcystarannej chustce i kamizelce, z pod której gruby
300 złoty łańcuch rzucał na brzuch kluczyki i pieczątki z drogich kamieni.

Był to Amerykanin, korespondent wielkiego *monitora* Stanów Zjednoczonych.

Pozdrowił Redaktora po koleżeńsku, zamienił z rzeźbiarzem
305 ukłony i, komplementu gest względem nas wypełniwszy, prosto do grupy się zbliżył.

Chwilkę patrzył szarem i głębokiem okiem, odgarniając na tył głowy kapelusz z czoła i obejmując i gładząc rudawą brodę, która przy ogolonych wąsach tem bujniejszą się wydawała.

310 – Życzę mieć szczegółowe wytłómaczenie figur – rzekł do Redak-

tora i rzeźbiarza, który naraz półkrokiem się w tył cofnął, ażeby pierwszego głosu nie zabierać.

– Jest to... jako się nadmieniło było... – rzekł Redaktor – jest to patetyczna scena z tragedji życia człowieczego... mężczyzna wyobraża
315 tę energję czynu, która pracę poczyna... kobieta swój udział w niej zaleca...

– I ona – Amerykanin przerwie – zdaje się, że klucz trzyma w ręku, gdy niżej widzę – (i tu wskazał bryłę gliny na lwa przeznaczoną) – widzę *kufer*... to więc kobieta wyobraża Oszczędność?... Mężczyzny
320 energja zapowiada być bardzo piękną i stosowną! – – Mnie się wydaje, że przy kufrze należałoby dać widzieć narzędzia rolnicze i rękodzielne... Tak, jak jest, bryła niższa więcej wygląda na jakie śpiące zwierzę, niż na szkatułę!...

Rzeźbiarz, zbliżywszy się do grupy, naznaczył kształt sierpa i dwa
325 boki kufra, gdy Amerykanin, raz jeszcze obszedłszy dokoła całość rzeczy, zawoła:

– Jaśniej okazanej i piękniejszej myśli dawno nie napotkałem... Grupa wyobraża KAPITALIZACJĘ w sposób i wyrozumowany i przystępny... Na dzień obecny, stosownie do stopnia, do którego
330 posuniętą jest praca, mniemam, że będzie wystarczającem, gdy kolega Redaktor zechce na mojej karcie nakreślić...

Tu oddał swą kartę Redaktorowi, zabierającemu się skrzętnie do pisania, i dalej mówił,

– – co następuje:

335 "*Izaak, Edgar Midlebank-junior* u dostojnego Rzeźbiarza *** zamawia grupę, przedstawiającą KAPITALIZACJĘ, a która ma być z marmuru białego, bez plamy i skazy, wykonaną – i nie o wiele przechodzić ceną swoją 15,000 dolarów".

– Czy tak jest godziwem? – zapytał Amerykanin, ku czemu
340 rzeźbiarz swoją kartę Redaktorowi nasunął, a ten skreślił:

"Rzeźbiarz *** podejmuje się wykonać grupę (KAPITALIZACJĘ) z marmuru białego, o ile można bez plamy i skazy – nie przechodzącą o wiele ceną swoją 75,000 lirów, i na rozkaz dostojnego Izaaka, Edgara Midlebank (junior) etc. etc.

345 Poczem Amerykanin pisma oba przez szkiełko uważywszy, życzyl dołożyć daty pominięte, a gdy się to spełniło, zamienił karty, mówiąc:

– Jest wszystko, jak należy!... bardzo winszuję panu takiego pięknego talentu – (tu dodał uścisk ręki) – i takiej pięknej suki!... Cóż za prześliczne zwierzę! cóż za rasa!... Z pewnością można rzec,
350 że takiej suki, takiegoż rodzaju niema drugiej w całem mieście!...

A to gdy mówił, skłonił się i począł mieć się ku drzwiom.

Co rychlej zatem rzeźbiarz ręką jedną wprawnie porzucił płótna

mokre na "*Kapitalizację*", drugą zaś kapelusz uchwyciwszy, śpieszył za Redaktorem i guwernerem, komplimentującymi tymczasem odcho-
355 dzącego gościa, którego czekał skromny powóz, by niebawem gdzie-indziej go unieść.

Serce miałem obrzmiałe i ciężkie, ducha czułem poniżonego... powiew jakiś, czy jęk, Hiobowym nastrojem szemrał mi w ucho:

"Tak to więc wszystko na tym słusznie przeklętym świecie, wszyst-
360 ko, co się poczyna z dziewiczego natchnienia myśli, musi tu być sprzedanem za 6 dolarów!... (30 SREBRNIKÓW)..."

I jakkolwiek obiecywałem sobie nic wcale nie powiedzieć – nic dodać, nic nie powtórzyć, jednakowoż, przenieść na sobie nie mogąc całego ciężaru moralnego, rzekłem do Redaktora:

365 – – jak to jednak daleko od wyznawców, i dla *wyznania*, lwom rzuconych, do *kapitalizacji!...*

On zaś, giętkie okulary poprawując, począł coś parasola ostrzem kreślić na bruku i nie podnosząc oczu, odrzekł:

– Redakcja nie jest *telefonem*. My podobnież przecie czynimy
370 codzień z każdą nieledwie myślą i z każdem uczuciem... REDAKCJA JEST REDUKCJĄ...

– *To tak, jak sumienie jest sumieniem*, odpowiedziałem.

MOJA PIOSNKA (I). **2.** *nić* – thread; *się przędzie* – from *prząść się* – to spin. **7.** *mylny* = *błędny, zwodniczy* – erroneus, delusive. **8.** *wstążka* – ribbon **11.** *zakłada się*, comp. *zakładka* (book mark) – to slip into, insert oneself. **12.** *zawiązka*, from *zawiązać* – to bind, tie (a knot). **13.** *stoczyć się* – to roll down. **14.** *by* = *jakby* – as if, as it were; *przędziwo*, from *prząść* (see note 2) – spun yarn, here "*babie lato*" – gossamer. **15.** *rozmdleje*, neol. from *roz+ mdleć*, to faint – to disappear, dissolve. **16.** *ujednić* (*się*) – *zjednoczyć, złączyć się* – to be unified, become one. **17.** *zrośnie się*, from *zrosnąć się* – to coalesce; *ogniwo* – chain link. **19.** *wywalczyć się*, refl. verb of *wywalczyć* – to fight out, conquer. **23.** *szaleniec* – madman. **25.** *poniosłem*, from *ponieść, podnieść* – to carry. **26.** *Alić* = *aliści*, from *ale* + *ci* – interjec. lo! behold! here rather, but; *zastygnąć* – to freeze, grow motionless. **29.** *pętlica* = *pętla* – loop. **38.** *złotostruna* – *złoto* + *struna* (chord); *lutni* – voc. of *lutnia* – lute; now *lutnio*. **39.** *Czarnoleskiej ja rzeczy chcę* – *Czarnoleska* from *Czarny Las*, residence of Jan Kochanowski; *rzecz* – here *mowa*, speech; *Czarnoleska rzecz* – poetry of Kochanowski, in general, poetry. **40.** *uleczyć* = *wyleczyć* – to heal, cure.

BEMA PAMIĘCI ŻAŁOBNY-RAPSOD. (Joseph Bem started as a subaltern officer in Napoleon's army, later was one of the commanders in the insurrection of 1830–31, commanded the Hungarian revolutionary army in 1848–49, finally became general of the Turkish army within which he tried to organize a Polish legion. According to Norwid, Bem was one of those Polish officers who in exile grew to the stature of true *knights* – knights of an idea; *żałobny*, adj. from *żałoba* – mourning). Motto: Lat. I have carried out the oath sworn to my father until this very day. **3.** *wawrzyn* – laurel; *gromnica* – wax candle usually lit at the bedside of the dying; *płakanie = płacz; polan = polany*, from *polać* – to sprinkle. **4.** *rwać się* – to strain and tug; *podrywać* – to lift, raise abruptly. **5.** *wieją*, from *wiać* – to wave, flutter; *zawiewać na siebie* – to flap over each other. **6.** *koczujący*, from *koczować* – to roam (like nomads). **7.** *zanosić się w łkaniu* – to choke with sobbing; *znaki = sztandary, chorągwie.* **9.** *smok* – dragon; *jaszczur* – lizard. **10.** *dościgać = dosięgać* – to reach. **12.** *ze snopami wonnemi* – with sheaves of fragrant flowers. **13.** *koncha, y* – here, a vessel resembling a shell. **16.** *klekot* – rattling; *smętność = smętek, smutek; przyczyniać* – to add, increase. **17.** *pobłękitniałe*, from *błękitny*. blue – grown bluish. **18.** *rudy* – red. **19.** *przeogromny, a* – immense; *kolebać się = chwiać się* – to rock. **20.** *ostrze* – spike; *łuki podniebne* – arches (vaults) of the sky; *rzekłbyś* – you would say. **21.** *wąwóz* – ravine. **22.** *omusnąć = musnąć* – to stroke, brush lightly. **24.** *ucichł był* – pluperf. of *ucichnąć; wyplusnąć* – to splash. **25.** *kiedy się przyjdzie* – when the time comes, when we will have to. **26.** *czeluście* – plur. of *czeluść;* here neolog. neuter noun *to czeluście; czyhać* – to lie in wait. **27.** *przesadzić = przeskoczyć* – to jump over. **28.** *włócznią twego rumaka zeprzem = zeprzemy*, from *zeprzeć* – to press, prod (the stead with a spear). **29.** *powleczem = powleczemy* – from *powlec* – to drag; *korowód* – procession. **30.** *szczerba* – dent. **32.** *zmdlałe = zemdlałe; pleśń* – mould; *zgarnąć* – to sweep, brush away.

MOJA PIOSNKA (II). **1.** *kruszyna* – crumb. **6.** *popsować*, older form for *popsuć* – to spoil, destroy; *bocianie* – adj. of *bocian* – stork; *grusza* – pear tree; storks are held in Poland in traditional respect; it is considered almost a crime to kill them or damage their nests. **9.** *ukłony* – greetings. **10.** *Chrustusa wyznanie* – profession of Christ; refers to the traditional Polish greeting: "*Niech będzie pochwalony Jezus Chrystus*" – Jesus Christ be praised. **17.** *bez-tęsknota, bez-myślenie* – neol. formed with the prep. *bez* – without. **18.** *co mają tak za tak, nie za nie* – people to whom "yes" means "yes" and "no" means "no," i.e., without equivocation. **19.** *światło-cień* – chiaroscuro; *bez światło-cienia* – without subtle nuances. **21.** *ówdzie = tam; stać o kogo, o co* – to care for.

NA ZGON Ś.P. JANA GAJEWSKIEGO. (ś.p. = *świętej pamięci* – late, deceased; *machina parowa* – steam engine; *lipca* – scil. miesiąca). **1.** *dziwowisko* – spectacle; *oświata* – here in general, civilization. **3.** *pochodnia* – torch, fig. the light of civilization. **4.** *skradziony ogień Bogu* – refers to the stealing of fire by Prometheus. **5.** *myśleć i szemrać* refers to *ludzie prostej wiary; szemrać* – to murmur, grumble. **6.** *podchwycić* – to get hold of surreptitiously; *wzajemność* – reciprocal love. **8.** *wyzysk* – exploitation. **9–10.** In prose this would read: *lecz nim poważą się* (dare) *oprzeć* (to resist) *wszystkiem wszędzie Temu* (i.e., God), *który* etc. **13.** *Epopeja, epoea* – epos, epic; here the epic of mankind which was crushed by the machine, (*maszyna zgniotła*). **14.** This line is the continuation of the preceding sentence with an understood *gdy ją* (*Epopeję*) *objął* (took into possession) *krater zgorzałych* (burned out) *mózgów i serc.* **16.** *zacny* – good, worthy; *kotła*, gen. sing. of *kocioł* – boiler. **18.** *ciał różnych* – scil. the bodies of workers who died along with Gajewski; *lico* = oblicze. **19.** *wyrobnik* – day-laborer. **22.** *skonanie,a* – expiration, death.

POST SCRIPTUM. **2.** *doba* – twenty-four hours, here *epoka.* **3.** *odstanie*, from *odstać* – to be undone; *chwilką = przez chwilkę* – dim. of *chwila* – moment. **6.** *uczem = uczym (y).* **8.** *poczynać = radzić sobie, postąpić* – to make use, wield. **10.** *podział* – classification; *wymowa* – rhetorics; here in general, literature. **12.** *herboryzować*, from Latin *herba* – to collect herbs (*zioła*). **13.** *krzew* – bush, shrub. **14.** *rozpłakać się* – to burst into tears. **15.** *białodrzew* – white poplar, abele. **16.** *w gwarze = w rozmowie.* **17.** *świecznik* – candle-stick. **18.** *podziemie* – underground cavern; here fig., the past.

PIELGRZYM. **1.** *stanów stan* – highest class, supreme estate. **3.** *sterczeć* – to stick out, protrude. **5.** *dom mój ruchomy* – scil. tent. **6.** *wielbłądzia, ej*, adj. from *wielbłąd* – camel.

LITOŚĆ. **3.** *sączyć się* – to trickle. **4.** *nadbiegnąć, nadbiec* – to come running. **5.** *otrzeć, obetrzeć* – to wipe.

FORTEPJAN SZOPENA. **1.** *Byłem u Ciebie* – in a collection of stories *Czarne Kwiaty*, Norwid who in 1849 settled in Paris tells about his frequent visits to Chopin during this last year of the composer's life. **2.** *niedocieczony*, from *dociec, dociekać* (to fathom, probe) – *unfathomable; wątek* – here, content, meaning. **5.** *szepcze*, from *szeptać* – to whisper. **6.** *stargać* – to rend, tear asunder; *uwydatnić* – to emphasize, bring out; the sentence means that death will not destroy Chopin's life, on the contrary, it will "emphasize" it, bring out fully its sense, and give it new importance. **9.** *wzięcie* – manner; *szyk* – elegance. **10.** *chwiejny* – here, light, subtle; *strusiowe*, adj. from *struś* – ostrich. **11.** *klawjatura* – key-board. **12.** *słoniowa kość* – ivory. **15.** *niźli = zanim, nim* – before. **16.** *odejma*, older form for *odejmuje* – to take away. **17.** *Pigmaljon* – mythol. sculptor, creator of a statue of Galatea with which he fell in love. **18.** *zmówić*, here *wypowiedzieć* – to express. **19.** *ustroją się*, from *ustroić się, uformować, ułożyć się* – to be arrayed, arranged. **23.** *doskonałości Peryklejskiej* – refers to the perfection of Greek poetry and art in the days of Pericles. **25.** *w dom modrzewiowy wiejski* – that is, a Polish country house built of larchwood (*modrzew*)*;* Chopin's art is here presented as a combination of Greek simplicity and typically Polish elements (see further the fifth stanza). **27.** *odrodzić się* – to be reborn. **28.** *arfa = harfa* – harp. **30.** *hostja* – host (Eucharistic wafer). **31.** *Emanuel* – Hebrew "God with us" also means "Messiah", here, generally God. **32.** *Tabor* – a mountain in Palestine, site of Christ's Transfiguration; the whole passage beginning with "*Jakby starożytna która cnota...*" develops further the theme of Chopin's "Periclean perfection"; it seems as if (*jakby*) the antique virtue reborn in a Christian Heaven had entered a Polish home and had beheld a vision of the Host, and of God dwelling already on earth (*Emanuel już mieszka na Taborze*). Thus the Greek and Polish elements in Chopin's art are joined by Christian spirit. **34.** *wszechdoskonałość* – absolute perfection. **35.** *wzięta* – grasped, conceived; *tęcza* – rainbow; *zachwyt* – rapture, extasy. **36.** *kołodziej* – wheelwright; refers to *Piast*, the legendary founder of the first Polish dynasty who was a wheelwright and a peasant; here the whole nation is conceived as one of wheelwrights-peasants, but of wheelwrights-peasants transfigured (*przemienionych*) since Poland in the preceding lines is represented at the zenith of its history. So, Chopin's music reflects the future Poland who although transfigured will retain its basic character (see lines 37–38: *taż sama zgoła* (altogether) *złoto-pszczoła*). In connection with this two other opinions of Norwid may be quoted: "Inspirations of simple folks (peasants) raised to a degree where they touch to the core and encompass all of humanity, the raising of what is purely folk to the level of the universal – that's what one can hear in the Muse of Frederick..." (Epilogue to *Promethidion*). And: "He knew how to solve the hardest problems of art with mysterious expertness – for he knew how to pick wild flowers without shedding their dew nor any of their light down, and he knew how to permeate them with the radiance of art's perfection so that they shone like stars, like meteors, indeed, like comets upon all of Europe". (*Obituary of Chopin*, 1849). **41.** *rozpłomieniona gwiazda* – scil. sun. **43.** *Fara* – parish church; here, St. John's Cathedral in Warsaw; *Twoje gniazdo* – Chopin was brought up in Warsaw. **44.** *patrycjalne domy stare* – old houses of the Warsaw "patricians." **45.** *Pospolita Rzecz* = *Rzeczpospolita* – Polish Commonwealth; *stare jak Pospolita Rzecz* – as old as the Polish Commonwealth. **47.** *Zygmuntowy w chmurze miecz* – refers to the monument of King Zygmunt III standing in the Castle Square in Warsaw (*plac Zamkowy*); the statue of the king set on a tall pillar holds a sword. **48.** *zaułek,ki* – lane, back street. **49.** *kaukaskie konie* – used by Cossacks. **51.** *wyśmigając*, from *wyśmigać* – to dart forth. **53.** *zająć się ogniem* – to catch fire; *przygasł* – the flames abated. **54.** *zapłonąć* = *zapalić się*. **55.** *ożałobiony* = *w żałobie* – in mourning. **56.** *kolba* – butt of a rifle. **57.** *acz* = *chociaż*. **59.** *sprzęt* – piece of furniture, object; the incident described in the ninth stanza is based on actual facts. In 1862 an attempt on the life of the then Russian governor general of Poland, Count Berg, was made in Warsaw; from the windows of the Zamoyski palace shots were fired at him. In retaliation Cossaks were called to the scene; they set fire to the palace and ransacked it. While doing this they threw Chopin's piano which was kept there, out of a second story balcony window. **67.** *poterany*, from *poterać*, *poniewierać* – to abuse, abase. **70.** *ciało Orfeja* – Orpheus, famed legendary bard whose poetry and music gave him power over men and beasts, was killed by the Menades, priestesses of Bacchus, his body cut to pieces, and thrown into a river. **74.** *uderzmy*, from *uderzyć* – here, to intone, sound (cf. *uderzyć w dzwony, w trąby*); *sądne pienie* – *pienie sądnego dnia, sądu ostatecznego* – song of doomsday. **75.** *późny* – here, late-born, yet to come.

LITANJA DO NAJŚWIĘTSZEJ MARJI PANNY. **2.** *bezdenny* – bottomless. **3.** *wszystkooki* = *wszechwidzący*. **4.** *powieka* – eyelid. **6.** *łacniej* = *łatwiej; podob niej* – more likely; *niepaść* = *nie* + *paść* – not to fall. **8.** *rozrzewniać się* – to be touched, moved. **9.** *pośrednictwo* – mediation; refers to the mediatory role of the Holy Virgin between God and mankind. **10.** *Rodzicielka*, fem. of *rodzic*, father – mother. **12.** *osobistość* = *osobowość* – personality. **13.** *niewieści* – feminine, adj. from *niewiasta*, gener. denomination of woman; *pobłażanie* – indulgence. **14.** *macierzyństwo* – maternity. **16.** *udatny* = *zdatny*, *przydatny* – able, capable; *białogłowa* – old term for *kobieta*, derived from white kerchiefs worn by women. **18.** *możny, a* – powerful, mighty. **19.** *przędąca*, from *prząść* – to spin; *barankowy* – from *baranek* – lamb; *wełna* – wool. This sentence stresses the simplicity of the Holy Virgin and her closeness to earthly women. **22.** *najmilejsza* = *najmilsza* – best beloved.

A DORIO AD PHRYGIUM. (From the Doric to the Phrygian [style]). **1.** *cisnąć* = *rzucić* – to fling. **2.** *garść* – handful; *fiołek* – violet. **3.** *zakołysze*, from *zakołysać* – to rock. **4.** *jutrzenne rano* – early morning. **5.** *klawisz* – key (of the piano). **8.** *wplątać się* – to weave oneself into, become entangled. **9.** *pałający*, from *pałać* – to flame, blaze; *wianek* – scil. *wianek włosów*. **13.** *acz* = *choć, jakkolwiek; trącać, potrącać* – here, to touch. **14.** *prorokować* – to foretell; cf. *prorok* – prophet. **15.** *uprzedzić* – to precede; *tętno* – beat, clatter. **20.** *oblubienica* – bride. **21.** *ustroń* – solitude, out-of-the-way spot. **23.** *ręką dosiężna*, from *dosięgnąć* – within hand's reach. **24.** *pora* = *czas; u ciebie zawsze pora* – you always have time. **25.** *wczasy* – rest.

PROMETHIDION. **3.** *marnotrawny syn* – prodigal son. **4.** *Parek śpiew,* from *Parki* – Parcae, mythol. goddesses who span the thread of human life and cut it at the moment of death. **6.** *przymierze* – covenant; *łuk*, here *tęcza* – rainbow; *potop* – deluge; refers to the rainbow after the deluge (Genesis) – symbol of the covenant between God and mankind. **7.** *palem* = *palimy*. **8.** *jagnię, jagnięta* – lamb; *okop* – trench, rampart. **11.** *skrysztalone*, from *skrysztalić*, derived from *kryształ* – crystallized. **15.** *wymarmurzyć*, der. from *marmur*, marble – to assume the form and concreteness of marble, fig. – to be transformed into deed, action. **18.** *bezwiedny* – unconscious. **24.** *mazowieckie* – from *Mazowsze*, central province of Poland, here in general Polish; *płótno* – canvass, here, painting. *Poet's Note 1:* The author of *Maccabees* and of *Our Lady of the Snow* is the Polish painter Wojciech Korneli Stattler (1797–1875), Słowacki's friend, later professor at the Cracow Academy of Art. His *Maccabees* received the first prize at the exhibition in Paris in 1841. Aleksander Orłowski (1777–1832) outstanding painter of Polish life and nature. Norwid calls him a painter of the country (krajowy) but not of the nation (narodowy), who painted objects of nature, but not the nature of objects, that which he saw but not what he foresaw. **25.** *ciosowy... kamień* = *ciosany, obrobiony* – hewn stone. **26.** *krakowskie* – province of *Kraków* (Cracow); *zapomniał rozmowy* – *nic nie mówi, nie wyraża.* **28.** *ogiv polski* – in Norwid's interpretation an arch formed by two scythes. **30.** *zagony,* – row, furrow. **31.** *rozbiór kraju* – the partition of Poland. **32.** *łokieć* – ell; *trzcina* – reed; expression taken from the Bible. Ezekiel (XL, 3) while describing his vision of Jerusalem and of the Temple speaks of a man with a "measuring reed" in his hand; the Revelation (XXI) mentions the appearance of an angel "with a golden reed to measure the city". In Norwid's context *łokieć z trzciny* means, therefore, a high aesthetic criterion. **33.** *Apollina* – refers probably to the so-called Apollo of the Belvedere in the Museum of the Vatican. **34.** *Milejska Wenera* – Venus of Milo in the Musée du Louvre in Paris, attributed (erroneously) to the Greek sculptor Skopas. **35.** *wyprowadiić* – here, to built straight. **36.** *kwatera* – garden bed. **37.** *śpichlerz* – granary. **42.** *wytłumaczyć się* – here, to express itself. **43.** *usymbolicznić się* – to be symbolized. **44.** *kamieniarz* – stone-cutter; *cieśla* – carpenter; *mularz* (*murarz*) – mason; *snycerz* – wood-carver or in general sculptor. **46.** *Poet's Note 2:* Similar fantastic etymologies were at that time common among writers. **47.** *cios* – see note 25. **48.** *miedź* – copper; *zjednały się*, from *zjednać się;* here, *zjednoczyć się* – to unite. **49.** *skaza* – blemish, flow. **50.** *poryte*, from *poryć* – to cut deep, furrow. **51.** *paproć* – fern. **52.** *koniczyna* – clover; *trefl* – trefoil (leaves of the clover); *stokroć* – daisy. **53.** *w kos zacięciu łukiem* – see *ogiv*, note 28. **54.** *Bazyljanki* – Basilian nuns persecuted by the Tsarist regime. **57.** *nierozplątany*, from *rozplątać* – to disentangle, unravel; *doślepić* = *dojrzeć, zobaczyć*. **58.** *Miłości balsam* – according to Norwid "beauty is the visible shape of love" ("*kształtem miłości piękno jest*"); *zlepić* – to cement. **59.** *rozwiniona* = *rozwinięta*. **61.** *zrąb*, imp. of *zrąbać* – to chop off or down. **62.** *opięte*, from *opiąć*, to mold, encase – here, shod. **64.** *uduchowniony,a* – spiritualized. **65.** *żyła* – vein. **66.** *wskrzesić* – to resuscitate, scil. the artistic beauty. **68.** *przypowieść* – parable, here in general, story. **71.** Allusion to the classical definition of poetry as entertainment (*zabawka*) and teaching (*nauka*).

AD LEONES. **3.** *chadzać* – iter. of *chodzić*. **4.** *charcica*, fem. of *chart* – greyhound. **5.** *wybór* – choice; *jednało*, from *jednać, łączyć* – to join, combine; *czytelnie* – legibly, distinctly. **6.** *dawać mógł* – could provide. **7.** *postrzegacz* – observer; *mniemanie korzystne* – favorable opinion. **9.** *Jomini* – Henri (1779–1869) Marshal Ney's chief of staff. **10.** *jazda* – cavalry. **11.** *utrzymywać* – to claim, maintain; *dobranie*, from *dobrać* – to select. **13.** *znamienować* – to indicate, mark; *jużci* – certainly, indeed; *mieć na myśli* – to have in mind. **16.** *rozesłany* – spread out; *kłach*, loc. plur. of *kieł* – fang. **19.** *spaniałomyślny* = *wspaniałomyślny* – magnanimous. **20.** *potrącać* – to nudge, jug; *wadzić* – to annoy. **22.** *tknięta*, from *tknąć* – to touch; *z miejsca* – at once; *ciżba* – throng. **23.** *chłonąć*, usually *ochłonąć od strachu* – to recover from fright; *swawolnik* – mischief-maker. **24.** *bruk* – pavement. **25.** *kawiarnia* – café, coffee-house. **25.** *zastawić stół* – to set the table; *szkło* – here, glasses. **27.** *poklask* – applause. **31.** *dopowiadać* – to add or finish one's words. **34.** *pogłównie* – mainly, chiefly. **37.** *kształcenie się* – education, improvement of one's mind. **38.** *zapatrywanie* – view, opinion; *nieodstępny* – inseparable. **39.** *guwerner* – tutor. **43.** *mimowolnie* – involuntarily, in spite of oneself. **44.** *postaciowanie się* = *przybieranie postaci, formy* – taking shape. **46.** *zdarzało się* – it sometimes would happen; *aby raz* – be it only once. **47.** *rozeznawać* – to recognize, perceive. **48.** *zachody* – endeavors; *brać udział* – to take part, participate; *w obecności* – here, at present; *zaprzątać się* – to busy oneself, be engaged in. **51.** *udzielanie się*, from *udzielać się* – to communicate. **53.** *płowy* – towny, here *spłowiały* – faded. **55.** *świder* – drill. **56.** *złudzenie* – illusion; *do złudzenia naśladować* – to imitate to perfection. **58.** *gips* – plaster. **62.** *stosunek* – relationship. **64.** *ulotny* – fleeting, hurried, brief. **66.** *pobrzmiewać* – to sound, ring; *układny* – well-groomed. **67.** *zwitek* – roll; *nuty* – music sheets. **68.** *przedstawować* = *przedstawiać*. **70.** *poruczyć* – to entrust. **71.** *seplunić*, dial. for *szeplenić* – to lisp; *parskać* – to snort; *ślina* – saliva. **72.** *przystępny* – comprehensible. **73.** *niepłocho* – not readily. **74.** *bierał się* = *zabierał, brał się* – tackled. **76.** *arkusz* – sheet; *wić* – to roll. **81.** *nietrafnie* – off the mark, improperly; *wykolejać się* – to swerve from one's course; *widok* – prospect. **88.** *zachody* – see note 48; *zapasy* – match. **89.** *podjętej*, from *podjąć* – to undertake. **90.** *rozrywkowy*, adj. from *rozrywka* – entertainment, recreation. **91.** *uskuteczniany*, from *uskuteczniać* – to execute, accomplish. **93.** *poufny* – intimate; *zbliżony* – close. **95.** *rozwierać się* – to open; *podrywać się* – to start up, ascend. **96.** *bajeczny* – fabulous. **101.** *doraźny* – present, immediate. **102.** *przedsięwziąć* – to undertake; *odbrzmiewać* – to echo, reflect. **104.** *przedstawującą* = *przedstawiającą*. **106.** *pogadanka* – chat, talk; *upowszechniony* – generally known. **107.** *zażyły* – intimate, close. **111.** *dodatkować* neol. – to add. **118.** *przycisk* – stress, emphasis; *dwuznaczność* – ambiguity. **120.** *krotochwila* – joke, funniness. **122.** *uprzedzająco* – anticipatingly, prepossessingly. **124.** *lubo* = *chociaż*. **125.** *tyle* = *tak*. **128.** *owdzie* = *tam*. **130.** *domniemywając*, from *domniemywać, domyślać się* – to guess, suppose. **134.** *pracownia* – studio; *nawiedzenie* = *odwiedzenie* – visit. **135.** *profan* – layman, uninitiated person. **137.** *uwidomić* – to make visible, bring to the fore. **138.** *ustatecznić* – to settle, establish definitely; *biegli*, plur. of *biegły* – expert; *sztukmistrz* – artist. **146.** *popisywać się* – to show off. **153.** *plafon* – painting (on ceiling). **154.** *świecznik* – chandelier. **155.** *taję*, from *taić* – to hide, make a secret of. **164.** *oświecony* – enlightened, informed. **169.** *dopiąć* – to attain, achieve. **172.** *wiadomy* – in question, under discussion. **178.** *uczytelnić*, neol. – to make legible, emphasize. **179.** *plastyka* – plastic art, sculpture. **186.** *biodro* – hip; *fałd* – fold; *szata* – garment. **188.** *egzaltować* – here, to raise; *krzyż na sposób pro Christo* – cross held in raised position. **189.** *osłupiony* – dazed. **190.** *słaniać się* – to droop, sway. **196.** *co wraz użytem gdy zostało*, inversion = *co gdy zostało wraz* (*zaraz*) *użytem* – which was at once consumed. **198.** *wyzywać* – to challenge. **203.** *odbić* – to break off. **204.** *gryf* – griffin, gryphon; *odlany* – cast. **207.** *udatnie* – elegantly, gracefully. **208.** *zrazu* – at first. **209.** *Drżyjcie*, imp. plur.

from *drżeć* – to tremble. **210.** *sądny głos* – ominous voice (cf. *sądny dzien* – day of judgment). **219.** *uniesienie* – rapture. **220.** *oderwany* – detached, sporadic; *przetrącone*, from *przetrącić* – here, to interrupt. **222.** *oczytany* – well-read. **224.** *Wniebowzięcie* – Assumption. **227.** *pierwszorzędnie* – here, primarily, in the first place. **230.** *końcem końców* – in the end, ultimately. **231.** *nakład* – outlay, cost. **233.** *potwierdzalnie*, neol. = *potwierdzająco* – in confirmation. **236.** *nieledwie* – almost, practically. **241.** *rozlany*, from *rozlać* – to spill, spread; *nabywca* – purchaser; *dajmy na to* – idiom. let us say. **242.** *mojżeszowy*, from *Mojżesz* (Moses) – Mosaic, Jewish. **243.** *kupno* – purchase. **244.** *stosownie* – appropriately. **245.** *bukszpanowy*, from *bukszpan* boxwood; *dłuto* – chisel. **250.** *zręczny* – skillful. **251.** *wykwintny* – elegant; *niezgrabny* – clumsy. **252.** *przesadny* – exaggerated; *przemyślny* – ingenious, clever. **256.** *niezamierzany* – not intended. **258.** *wyrównywać* – to reach the level. **259.** *utwierdzać* – to fasten, attach; *zacięcie* – cut. **262.** *wetknąć* – to stick, put into. **263.** *godziłoby się* – it would be proper. **265.** *zalecać* – to recommend. **266.** *zasię* – here, indeed. **271.** *nakłon*, arch. = *nakłonienie*, *nachylenie*, *nastawienie* – inclination, pull. **280.** *męczennik* – martyr. **281.** *męczennica* – fem. of *męczennik; jużci* – of course; *toć* = *przecież; nie idzie o osobistości* – it is not the persons that matter. **289.** *zapluty* – covered with saliva. **290.** *atoli* = *lecz.* **291.** *kłopoczący*, from *kłopotać* – to trouble, worry. **297.** *jegomość* – fellow, man; *mierny wzrost* – medium hight. **299.** *arcystaranny* – extremely careful; *chustka* – kerchief; *pieczątka* – seal. **304.** *po koleżeńsku* – like a colleague. **311.** *półkrok* – half a step. **319.** *kufer* – coffer, trunk, chest; *oszczędność* – economy. **321.** *narzędzie* – tool, implement; *rolniczy* – agricultural, farm. **322.** *rękodzielny*, from *rękodzieło* – handicraft. **323.** *szkatuła* – box, coffer. **331.** *zechcieć* – to want, be kind; *nakreślić* – to write, put down. **337.** *plama* – blot, stain; *skaza* – blemish. **338.** *przechodzić* – to exceed. **339.** *godziwy* – fair, just. **342.** *o ile można* – as far as possible. **348.** *suka* – bitch. **351.** *począł mieć się ku drzwiom* - idiom. he started toward the door. **352.** *porzucić*, here = *zarzucić* – to throw upon. **355.** *powóz* – carriage. **356.** *unieść* – to carry away. **357.** *obrzmiały* – swollen. **361.** *srebrnik* – piece of silver. **363.** *przenieść na sobie* – to bear, carry alone. **369.** *redakcja* – editing, editorial work.

Zygmunt Krasiński (1812–1859)

THOUGH Zygmunt Krasiński's life abounded in profound experiences and dramatic conflicts, it was primarily devoted to creative writing and intellectual pursuits and in this respect resembles the life of Słowacki rather than that of Mickiewicz. Krasiński's influence on the spiritual life of the Polish people was great, but it was not so enduring as that of the other two poets. In the field of literature, in spite of his masterpieces, *Nieboska komedja* (The Un-Divine Comedy) and *Irydion*, which will be discussed below, and despite some beautiful lyrics, he did not produce works of a quality that could mark an epoch in the development of Polish literature.

He started writing very early. When he was barely eighteen he had authored many works, including two novels in the style of Walter Scott. Notable among his youthful writings (stories, descriptive essays, fantasies, and philosophical studies) is the novel *Agay-Han* (1834), the story of Maryna Mniszech, wife of the false Dmitri, and of her lovers. This is more original than the rest in its Eastern coloring, delineation of characters, and development of a gloomy and blood-strewn plot. Subsequently he produced his two great dramatic works, *The Undivine Comedy* and *Irydion.* For a youth of twenty-odd years, he manifested in these an uncommon ability for a broad universal grasp of phenomena, as well as a profound sense of the tragic, of unavoidable and insoluble conflicts.

About 1840 a change occurred in Krasiński's writings. Under the influence of an inner transformation arising partly from wide reading, especially of German philosophers (Schelling and Hegel), he strove to overcome the pessimism that underlay both his dramatic works (even though both ended on a note of faith and hope) and to create a new, positive conception of life. This change is manifested alike in his religious-philosophical treatises and in his poems. Among the latter, *Przedświt* (Pre-Dawn, 1843) occupies the leading place. In a long introduction in prose the poet presents his new philosophy and then tries to illustrate it in a number of poetic images. Basically his philosophy is an application of Christianity as integral in both social and international life. The absolute certainty of Poland's resurrection is based here on the idea of mankind created by God. *Przedświt* is excessively imbued with an abstract-intellectualist element, even though parts of it are devoted to love and to Alpine scenery; it has too little artistic power to be regarded as a work of original poetic art. The same characteristic of "illustrating" abstractions by means of poetry appears even more strongly in *Psalmy przyszłości* (Psalms of the Future, 1845) and other works.

In keeping with the character of his imagination, in his most notable works Krasiński indulges in extreme and hopeless situations; his language is rhetorical, elevated, employing for the most part abstractions remote from any, even Romantic, "realism".

ZAWSZE I WSZĘDZIE

O, nie mów o mnie, gdy mnie już nie będzie,
Że ciebie tylko goryczą zraniłem,
Bo ja goryczy kielich także piłem
Zawsze i wszędzie!

5 O, nie mów o mnie, gdy mnie już nie będzie,
Że tobie tylko los życia popsułem,
Bo własną dolę sam także zatrułem
Zawsze i wszędzie!

Ale mów o mnie, gdy mnie już nie będzie,
10 Że Bóg jest dobry, że mnie schował w grobie,
Bo byłem sobie nieszczęśny i tobie
Zawsze i wszędzie!

Ale mów o mnie, gdy mnie już nie będzie,
Żem żył na świecie dzikim serca szałem,
15 Bo z serca ciebie, choć gorzko, kochałem
Zawsze i wszędzie!

[LEDWOM CIĘ POZNAŁ...]

Ledwom cię poznał, już cię żegnać muszę,
A żegnam ciebie, jak gdybym przez wieki
Żył z tobą razem i kochał twą duszę,
A teraz jechał w jakiś kraj daleki
5 I nie miał nigdy już obaczyć ciebie,
Chyba gdzieś – kiedyś – po śmierci – tam w niebie!
Gdybym przynajmniej zostawiał cię żywą,
Nie strutą jadem, nie śpiącą w żałobie,
Jak senna Julja sama jedna w grobie –
10 Gdybym mógł marzyć, że będziesz szczęśliwą,
Że choć raz jeszcze oczyma czarnemi
Spojrzysz radośnie na błonia tej ziemi
I rzekniesz z cicha: "Świat ten piękny, Boże!" –
Płakałbym jeszcze, lecz mniej gorzko może.
15 A teraz płaczę, choć suche me oko,
Płaczę łzą serca, co skryta głęboko,
Jak szloch dziecinny, nie lśni u powieki,
Lecz serce pali i truje na wieki.
Nikt jej nie widzi, nikt jej nie zobaczy,
20 Bóg tylko jeden wie, co ona znaczy,
Bóg tylko jeden – bo On jeden zdoła
Policzyć ciernie w wieńcu twego czoła.
Ja ich nie liczę, ja tylko je czuję,
Bom wziął je wszystkie w głębie mojej duszy,
25 Jak gdyby moje; każden z nich mi pruje
Serce kolcami i twoich katuszy

Odbite widmo tak stoi nade mną
W dzień każdy biały i w każdą noc ciemną,
Żem twoją całkiem okryty żałobą,
30 Przelał się w ciebie i przestał być sobą.

From NIEBOSKA KOMEDJA

Written in 1833, this work was published in 1835. It belongs to the family of Romantic dramas by the looseness of its structure, the mixture of the natural and supernatural worlds, the introduction of symbolic and fantastic characters, lyrical elements, and so on. In particular, the first two parts, presenting the experiences of a "false" poet who pursues the phantoms of his imagination but is unable to put poetry into practice in life, are distinguished by these features. The third and fourth parts, though connected with the preceding ones through the hero, Count Henry, are different both in structure and in the main problem. The Romantic accessories disappear almost completely, and the problem goes far beyond Romanticism and reaches much later times, including our own. Presented here is a truly prophetic vision of the social class struggle, of the conflict between two distinct worlds and cultures. No reconciliation or compromise is possible between them; one of them must perish so that the other may prevail. One camp is represented by the remnants of the moribund aristocracy, headed by Count Henry—less from conviction than to appease his own inner struggle; the other camp comprises the masses of the disinherited, exploited, and suffering, who are preparing for the final struggle under the leadership of Pankracy, the representative of democratic ideas who surpasses Henry in will power and logic of reasoning, but who looks into the future with fear and actually scorns the masses whom he commands. The victory of the masses is certain. This idea has been consistently and logically carried through in the drama. However, in Krasiński's presentation it is merely a material, and therefore incomplete, victory.

In the Epilogue (which is structurally not bound with the drama), there appears in the sky before the victorious Pankracy a Figure leaning on the cross. Struck by this vision, Pankracy falls dead, exclaiming "*Galilaee vicisti.*" This would mean that final victory belongs neither to "aristocracy" nor to "democracy," but to the idea of Christ, as a *synthesis* of the old and the new cultures which embraces the positive values of both. It should be remembered that, at the time when the Polish poet wrote his work, the social-revolutionary movement (exemplified by the so-called Utopian socialism and sporadic workers' strikes) was only in its beginning. In this light the anticipatory role of his vision appears the more strongly.

Below we give the dramatic dialogue between Henry and Pankracy on the eve of the decisive struggle.

Komnata podłużna – obrazy dam i rycerzy porozwieszane po ścianach – w głębi filar z tarczą herbowną – Mąż siedzi przy stoliku marmurowym – na którym lampa, para pistoletów, pałasz i zegar – naprzeciwko drugi stolik, srebrne konwie i puhary.

MĄŻ

5 Niegdyś o tej samej porze wśród grożących niebezpieczeństw i podobnych myśli, Brutusowi ukazał się Genjusz Cezara. –

I ja dziś czekam na podobne widzenie. – Za chwilę stanie przedemną człowiek bez imienia, bez przodków, bez anioła stróża – co wydobył się z nicości i zacznie może nową Epokę, jeśli go w tył nie
10 odrzucę nazad, nie strącę do nicości. –

Ojcowie moi, natchnijcie mnie tem, co was panami świata uczyniło – wszystkie lwie serca wasze dajcie mi do piersi – powaga skroni waszych niechaj się zleje na czoło moje. – Wiara w Chrystusa i Kościół Jego, ślepa, nieubłagana, wrząca, natchnienie dzieł waszych na ziemi,
15 nadzieja chwały nieśmiertelnej w niebie, niechaj zstąpi na mnie, a wrogów będę mordował i palił, ja, syn stu pokoleń, ostatni dziedzic waszych myśli i dzielności, waszych cnót i błędów.

(*Bije dwunasta*)

Teraz gotów jestem. – (*wstaje*)

SŁUGA ZBROJNY (*wchodząc*)

JW. Panie, człowiek, który miał się stawić, przybył i czeka. –

MĄŻ

20 Niech wejdzie. – (*Sługa wychodzi*)

PANKRACY (*wchodząc*)

Witam Hrabiego Henryka. – To słowo Hrabia dziwnie brzmi w gardle mojem. – (*Siada – zrzuca płaszcz i czapkę Wolności i wlepia oczy w kolumnę, na której herb wisi –*)

MĄŻ

Dzięki ci, żeś zaufał domowi mojemu – starym zwyczajem piję zdrowie twoje. – (*bierze puhar, pije i podaje Pankracemu*)
25 Gościu, w ręce twoje. –

PANKRACY

Jeśli się nie mylę, te godła czerwone i błękitne zowią się Herbem, w języku umarłych. – Coraz mniej takich znaczków na powierzchni ziemi. (*pije*)

MĄŻ

Za pomocą Bożą, wkrótce tysiące ich ujrzysz. –

PANKRACY (*puhar od ust odejmując*)

30 Otoż mi stara szlachta – zawsze pewna swego – dumna, uporczywa, kwitnąca nadzieją, a bez grosza, oręża, bez żołnierzy. – Odgrażająca się, jak umarły w bajce powoźnikowi u furtki cmętarza – wierząca lub udająca, że wierzy w Boga – bo w siebie trudno wierzyć. – Ale pokażcie mi pioruny na waszą obronę zesłane i pułki
35 aniołów spuszczone z niebios. – (*pije*)

MĄŻ

Śmiej się z własnych słów. – Ateizm to stara formuła – a spodziewałem się czegoś nowego po tobie. –

PANKRACY

Śmiej się z własnych słów. – Ja mam wiarę silniejszą, ogromniejszą od twojej. – Jęk przez rozpacz i boleść wydarty tysiącom tysięcy –
40 głód rzemieślników – nędza włościan – hańba ich żon i córek – poniżenie ludzkości ujarzmionej przesądem, wahaniem się i bydlęcem przyzwyczajeniem – oto wiara moja – Bóg mój na dzisiaj – to myśl moja – to potęga moja, która chleb i cześć im rozda na wieki. – (*pije i rzuca kubek*)

MĄŻ

45 Ja położyłem siłę moją w Bogu, który Ojcom moim panowanie nadał.

PANKRACY

A całe życie byłeś djabła igrzyskiem. – Zresztą zostawiam tę rozprawę teologom, jeśli jaki pedant tego rzemiosła żyje dotąd w całej okolicy – do rzeczy – do rzeczy. –

MĄŻ

50 Czegóż więc żądasz odemnie, zbawco narodów, obywatelu Boże?

PANKRACY

Przyszedłem tu, bo chciałem cię poznać – powtóre ocalić. –

MĄŻ

Wdzięcznym za pierwsze – drugie zdaj na szablę moją. –

PANKRACY

Szabla twoja – Bóg twój, mara. – Potępionyś głosem tysięcy – opasanyś ramionami tysięcy – kilka morgów ziemi wam zostało, co
55 ledwo na wasze groby wystarcza – dwudziestu dni bronić się nie możecie. – Gdzie wasze działa, rynsztunki, żywność, – a wreście, gdzie męstwo?...

Gdybym był tobą, wiem, cobym uczynił. –

MĄŻ

Słucham – patrz, jakem cierpliwy. –

PANKRACY

60 Ja więc, Hr. Henryk, rzekłbym do Pankracego: "Zgoda – rozpuszczam mój hufiec, mój hufiec jedyny – nie idę na odsiecz Świętej

Trójcy – a za to zostaję przy mojem imieniu i dobrach, których całość warujesz mi słowem". –

Wiele masz lat, Hrabio? –

MĄŻ

65 Trzydzieści sześć, obywatelu. –

PANKRACY

Jeszcze piętnaście lat najwięcej – bo tacy ludzie niedługo żyją – twój syn bliższy grobu, niż młodości – jeden wyjątek ogromowi nie szkodzi. – Bądź więc sobie ostatnim Hrabią na tych równinach – panuj do śmierci w domu naddziadów – każ malować ich obrazy 70 i rżnąć herby. – A o tych nędzarzach nie myśl więcej – Niech się wyrok ludu spełni nad nikczemnikami. – (*nalewa sobie drugi puhar*)

Zdrowie twoje, ostatni Hrabio. –

MĄŻ

Obrażasz mnie każdem słowem, zda się probujesz, czy zdołasz w niewolnika obrócić na dzień tryumfu swego. – Przestań, bo ja ci się 75 odwdzięczyć nie mogę. – Opatrzność mojego słowa cię strzeże. –

PANKRACY

Honor święty, honor rycerski wystąpił na scenę – zwiędły to łachman w sztandarze ludzkości. – O! znam ciebie, przenikam ciebie – pełnyś życia, a łączysz się z umierającymi, bo chcesz wierzyć jeszcze w kasty, w kości prababek, w słowo *Ojczyzna* i tam dalej – ale w głębi 80 ducha sam wiesz, że braci twojej należy się kara, a po karze niepamięć. –

MĄŻ

Tobie zaś i twoim cóż inszego?

PANKRACY

Zwycięstwo i życie – jedno tylko prawo uznaję i przed niem kark schylam – tem prawem świat bieży w coraz wyższe kręgi – ono jest 85 zgubą waszą i woła teraz przez moje usta:

"Zgrzybiali, robaczywi, pełni napoju i jadła, ustąpcie młodym, zgłodniałym i silnym" –

Ale – Ja pragnę cię wyratować – ciebie jednego. –

MĄŻ

Bodajbyś zginął marnie za tę litość twoją. – Ja także znam świat 90 twój i ciebie – patrzałem wśród cieniów nocy na pląsy motłochu, po

karkach którego wspinasz się do góry – widziałem wszystkie stare zbrodnie świata ubrane w szaty świeże, nowym kołujące tańcem – ale ich koniec ten sam, co przed tysiącami lat – rozpusta, zło i krew. – A ciebie tam nie było – nie raczyłeś zstąpić pomiędzy dzieci twoje –
95 bo w głębi ducha ty pogardzasz niemi – kilka chwil jeszcze, a jeśli rozum cię nie odbieży, ty będziesz pogardzał sam sobą. –
Nie dręcz mnie więcej. – (*siada pod herbem swoim*)

PANKRACY

Świat mój jeszcze nie rozparł się w polu – zgoda – nie wyrósł na olbrzyma – łaknie dotąd chleba i wygód – ale przyjdą czasy – (*wstaje,*
100 *idzie ku Mężowi i opiera się na herbowym filarze*)
Ale przyjdą czasy, w których on zrozumie siebie i powie o sobie: "Jestem" – a nie będzie drugiego głosu na świecie, coby mógł także odpowiedzieć: "Jestem". –

MĄŻ

Cóż dalej? –

PANKRACY

105 Z pokolenia, które piastuję w sile woli mojej, narodzi się plemie, ostatnie, najwyższe, najdzielniejsze. – Ziemia jeszcze takich nie widziała mężów. – Oni są ludźmi wolnymi, panami jej od bieguna. – Ona cała jednem miastem kwitnącem, jednym domem szczęśliwym, jednym warsztatem bogactw i przemysłu. –

MĄŻ

110 Słowa twoje kłamią – ale twarz twoja niewzruszona, blada, udać nie umie natchnienia. –

PANKRACY

Nie przerywaj, bo są ludzie, którzy na klęczkach mnie o takie słowa prosili, a ja im tych słów skąpiłem. –
Tam spoczywa Bóg, któremu już śmierci nie będzie – Bóg pracą
115 i męką czasów odarty z zasłon – zdobyty na niebie przez własne dzieci, które niegdyś porozrzucał na ziemi, a one teraz przejrzały i dostały prawdy – Bóg ludzkości objawił się im. –

MĄŻ

A nam, przed wiekami – ludzkość przezeń już zbawiona. –

PANKRACY

Niechże się cieszy takiem zbawieniem – nędzą dwóch tysięcy lat,
120 upływających od Jego śmierci na krzyżu. –

MĄŻ

Widziałem ten krzyż, bluźnierco, w starym, starym Rzymie – u stóp Jego leżały gruzy potężniejszych sił, niż twoje – sto Bogów, twemu podobnych, walało się w pyle, głowy skaleczonej podnieść nie śmiało ku Niemu – a On stał na wysokościach, święte ramiona wyciągał na wschód i na zachód, czoło święte maczał w promieniach słońca – znać było, że jest Panem świata. –

125

PANKRACY

Stara powiastka – pusta, jak chrzęst twego herbu. – (*uderza o tarczę*) Ale ja dawniej czytałem twe myśli. – Jeśli więc umiesz sięgać w nieskończoność, jeśli kochasz prawdę i szukałeś jej szczerze, jeśliś człowiekiem na wzór ludzkości, nie na podobieństwo mamczynych piosneczek, słuchaj, nie odrzucaj tej chwili zbawienia, krwi, którą oba wylejem dzisiaj, jutro śladu nie będzie – ostatni raz ci mówię – jeżeliś tem, czem wydawałeś się niegdyś, wstań, porzuć dom i chodź za mną. –

130

MĄŻ

135 Tyś młodszym bratem szatana. – (*wstaje i przechadza się wzdłuż*) Daremne marzenia – kto ich dopełni? – Adam skonał na pustyni – my nie wrócim do raju. –

PANKRACY (*na stronie*)

Zagiąłem palec po pod serce jego – trafiłem do nerwu poezji. –

MĄŻ

Postęp, szczęście rodu ludzkiego – i ja kiedyś wierzyłem – ot! macie, weźcie głowę moją, byleby... Stało się. – Przed stoma laty, przed dwoma wiekami, polubowna ugoda mogła jeszcze... ale teraz, wiem – teraz trza mordować się nawzajem – bo teraz im tylko chodzi o zmianę plemienia. –

140

PANKRACY

Biada zwyciężonym – nie wahaj się – powtórz raz tylko "biada" i zwyciężaj z nami. –

145

MĄŻ

Czyś zbadał wszystkie manowce Przeznaczenia – czy pod kształtem widomym stanęło Ono u wejścia namiotu twojego w nocy i olbrzymią dłonią błogosławiło tobie – lub w dzień czyś słyszał głos Jego o południu, kiedy wszyscy spali w skwarze, a tyś jeden rozmyślał – że mi tak pewno grozisz zwycięstwem, człowiecze z gliny, jako ja, niewolniku pierwszej lepszej kuli, pierwszego lepszego cięcia?

150

PANKRACY

Nie łudź się marną nadzieją – bo nie draśnie mnie ołów, nie tknie się żelazo, dopóki jeden z was opiera się mojemu dziełu, a co później nastąpi, to już wam nic z tego. –

(*Zegar bije*)

155 Czas szydzi z nas obu. – Jeśliś znudzony życiem, przynajmniej ocal syna swego. –

MĄŻ

Dusza jego czysta, już ocalona w niebie – a na ziemi los ojca go czeka. – (*spuszcza głowę między dłonie i staje*)

PANKRACY

Odrzuciłeś więc? –

(*Chwila milczenia*)

160 Milczysz – dumasz – dobrze – niechaj ten duma, co stoi nad grobem. –

MĄŻ

Zdala od tajemnic, które za krańcami twoich myśli odbywają się teraz w głębi ducha mojego. – Świat cielska do ciebie należy – tucz go jadłem, oblewaj posoką i winem – ale dalej nie zachodź i precz, precz 165 odemnie. –

PANKRACY

Sługo jednej myśli i kształtów jej, pedancie rycerzu, poeto, hańba tobie – patrz na mnie – Myśli i kształty są woskiem palców moich. –

MĄŻ

Darmo, ty mnie nie zrozumiesz nigdy – bo każden z ojców twoich pogrzeban z motłochem pospołu, jako rzecz martwa, nie jako człowiek 170 z siłą i duchem. – (*wyciąga rękę ku obrazom*).

Spojrzyj na te postacie – myśl ojczyzny, domu, rodziny, myśl nieprzyjaciółka twoja, na ich czołach wypisana zmarszczkami – a co w nich było i przeszło, dzisiaj we mnie żyje. – Ale ty, człowiecze, powiedz mi, gdzie jest ziemia twoja? – wieczorem namiot twój rozbi-175 jasz na gruzach cudzego domu, o wschodzie go zwijasz i koczujesz dalej – dotąd nie znalazłeś ogniska swego i nie znajdziesz, dopóki stu ludzi zechce powtórzyć za mną: "Chwała ojcom naszym". –

PANKRACY

Tak, chwała dziadom twoim na ziemi i niebie – w rzeczy samej jest na co patrzyć. –

180 Ów, starosta, baby strzelał po drzewach i żydów piekł żywcem. – Ten z pieczęcią w dłoni i podpisem – "kanclerz" – sfałszował akta, spalił archiwa, przekupił sędziów, trucizną przyśpieszył spadki – stąd

wsie twoje, dochody, potęga. – Tamten, czarniawy, z ognistem okiem, cudzołożył po domach przyjaciół – ów z runem złotem, w kołczudze
185 włoskiej, znać służył u cudzoziemców – a ta pani blada, z ciemnemi puklami, kaziła się z giermkiem swoim – tamta czyta list kochanka i śmieje się, bo noc bliska – tamta, z pieskiem na robronie, królów była nałożnicą. – Stąd wasze genealogje bez przerwy, bez plamy. – Lubię tego w zielonym kaftanie – pił i polował z bracią szlachtą, a
190 chłopów wysyłał, by z psami gonili jelenie. – Głupstwo i niedola kraju całego – oto rozum i moc wasza. – Ale dzień sądu bliski i w tym dniu obiecuję Wam, że nie zapomnę o żadnym z was, o żadnym z Ojców waszych, o żadnej chwale waszej. –

MĄŻ

Mylisz się, mieszczański synu. Ani ty, ani żaden z twoichby nie
195 żył, gdyby ich nie wykarmiła łaska, nie obroniła potęga ojców moich. – Oni wam wśród głodu rozdawali zboże, wśród zarazy stawiali szpitale, – a kiedyście z trzody zwierząt wyrośli na niemowlęta, oni wam postawili świątynie i szkoły – podczas wojny tylko zostawiali doma, bo wiedzieli, żeście nie do pola bitwy. –

200 Słowa twoje łamią się na ich chwale, jak dawniej strzały pohańców na ich świętych pancerzach – one ich popiołów nie wzruszą nawet – one zaginą, jak skowyczenie psa wściekłego, co bieży i pieni się, aż skona gdzie na drodze – a teraz, czas już tobie wyniść z domu mego. – Gościu, wolno puszczam ciebie. –

PANKRACY

205 Do widzenia na okopach Świętej Trójcy. – A kiedy wam kul zabraknie i prochu...

MĄŻ

To się zbliżym na długość szabel naszych. – Do widzenia. –

PANKRACY

Dwa orły z nas – ale gniazdo twoje strzaskane piorunem. – (*bierze płaszcz i czapkę wolności*)

210 Przechodząc próg ten rzucam nań przekleństwo należne starości. – I ciebie i syna twego poświęcam zniszczeniu. –

MĄŻ

Hej, Jakóbie! –

(*Jakób wchodzi*)

Odprowadzić tego człowieka aż do ostatnich czat moich na wzgórzu. –

JAKÓB

215 Tak mi Panie Boże dopomóż. – (*wychodzi*).

From IRYDION

This drama appeared in print in 1836, after *The Un-Divine Comedy*, but conceptions connected with it occupied the poet's imagination from as early as 1831 and were more closely linked with national problems. The theme is the struggle of the Greek Irydion against Rome; Irydion's aim is the destruction of Rome, revenge for the subjugation of Greece, and her liberation. The time is the third century after Christ, when Rome lived through a period of disintegration and decline under the rule of the abject Heliogabalus. To achieve his aim, Irydion gains boundless influence over Heliogabalus, to whom he hands over his sister Elsinoe, and allies himself with all those who hate Rome: slaves, gladiators, the Roman mob, and Christians. His only serious opponents are representatives of the old Roman tradition who wish to raise Alexander Severus to the throne. When they start a revolution, Irydion obtains full power from Heliogabalus and intends to destroy them and, together with them, Rome. However, at the decisive moment he is deserted by the Christians, who are persuaded by their bishop that Irydion's undertaking is pagan and incompatible with the Christian spirit. Heliogabalus is killed; Elsinoe commits suicide; Irydion wishes to cast himself upon his sister's funeral pyre, but is kept from doing so by his adviser and confidant Masinissa, who now reveals his true character: he is *Satan* fighting against God by distorting the course of history and by bending it to his aims. At the price of Irydion's soul, Masinissa promises him to sate his vengeance and to show him Rome, after centuries, in ruins. Until that time Irydion is to rest dormant on one of the hills of Rome. Here the actual drama ends. In the epilogue, written in the form of a narrative and transferred to the nineteenth century, Irydion sees the fulfilment of his dreams; however, his soul does not become a prey of Satan. Irydion obtains from God a new mission in Poland, the "land of graves and crosses."

Irydion is a drama in four acts with a long prologue and epilogue, and with many descriptive narrative elements. The historical background is broadly painted. Against this background Irydion appears a tragic character, akin to Mickiewicz's Konrad Wallenrod by the fate which drives him toward his death. Here are given excerpts from the first scene and from the epilogue.

From Part I

Sala w pałacu Irydiona w Rzymie. – Z obu stron rzędy kolumn ginące w głębi – pośrodku fontana i kadzidła, palące się w trójnogach – Irydion pod posągiem ojca swego – Niewolniki zapalają światła w lampach z alabastru. –

PIERWSZY NIEWOLNIK

Syn Amfilocha oparł głowę o nogi umarłego –

DRUGI NIEWOLNIK

O zimne stopy z marmuru, i zasnął –

TRZECI NIEWOLNIK

A tymczasem w Gineceum siostra Jego, pani nasza, mdleje i płacze –

CZWARTY NIEWOLNIK

Przez Polluxa, słyszałem z ust pewnych, że porwą ją dziś wieczorem murzyny Heliogabala.

PIERWSZY NIEWOLNIK

10 Pokój Jemu – wychodźmy, bracia, wychodźmy. – (*przechodzą*)

IRYDION

Przesunęli się jak cienie, szanując spokój ducha mojego. – O Ojcze, dla nich i dla wszystkich dotąd we śnie leżę – ty jeden wiesz, że ja czuwam. (*wstaje i idzie do tarczy bronzowej, na której puginał zawieszony*) Zmierzch zapada, godzina już bliska. – Oni przyjdą zaraz – w po-
15 dobną godzinę stary Brutus musiał własnych synów zabijać. – (*uderza o tarczę*) Elsinoe – Elsinoe –!

Ot! idzie ku mnie jak widmo nieszczęścia – wieniec cyprysowy włożyła na skronie – matka Jej niegdyś tak stąpała pod gniewem Odyna. –

ELSINOE (*wchodząc*)

20 Czy już przybyli służalcy, czy już zaszedł rydwan przeklętego!

IRYDION

Nie jeszcze – ale chciałem raz ostatni cię natchnąć duchem ojca mego –

ELSINOE

O Bracie...

IRYDION

Wiesz sama, że Cezar nalega w szale – że senat przezwał cię już
25 Boską i posągi twoje stawiać rozkazał po świątyniach miasta – wiesz sama, żeś nie siostra moja, żeś ty nie jasnowłosa Elsinoe, nadzieja domu rodzinnego, pieszczota serca mego – Tyś ofiarą naznaczoną za cierpienia wielu i za hańbę ojców twoich!

ELSINOE

Tak – uczyliście mnie tego od dzieciństwa i gotowa jestem. – Ale
30 jeszcze nie dzisiaj, nie jutro – trochę później, aż sił nabiorę, aż nasłucham się nauk Masinissy i rozkazów twoich – aż do dna puhar waszej trucizny wypiję! –

IRYDION

Wybrana, gotuj się do losów twoich. – Spieszno nam po drodze, na której stąpamy. –

ELSINOE

35 Przypomnij sobie, kiedyśmy igrali na trawnikach Chiary, jam cię tak kochała, o bracie, jam zawsze skronie twoje różami wieńczyła i mirtem – Oh! zmiłuj się nademną! –

IRYDION

Niewiasto, ty mnie kusisz do litości – daremno, daremno!

ELSINOE

Na co prośb i żalów tyle. – Zdarzało się za dawnych czasów, że 40 można było śmiercią odkupić się ludziom i Bogom – patrz – tam błyszczy twój sztylet, Irydionie – przyspieszmy sobie nicość, Irydionie!

IRYDION

Bluźnisz myślom ojca mego. – Trza żyć i cierpieć, by wielki Duch Amfilocha rozradował się pośród cieniów – o siostro, dawniej dla zbawienia narodów dosyć było życia jednego człowieka – dziś inne 45 czasy – dziś cześć poświęcić trzeba! (*Obejmuje ją ramieniem*) Dziś w róże się uwieńczysz, w uśmiechy się wystroisz – o biedna, złóż tu głowę skazaną – ostatni raz w domu ojcowskim brat cię przyciska do łona. – Żegnaj mi w całej urodzie świeżości dziewiczej – już ja ciebie nie ujrzę młodą – nigdy, nigdy już! – On cię przepsuje tchnieniem 50 zatrutem, on... ale on zginie, czy ty rozumiesz siostro? on zginie wraz z całem państwem swojem!

ELSINOE

Teraz na twojej piersi, o bracie, a za chwil kilka na czyjej?

IRYDION

Te filary drżą na podstawach swoich, plamy jakieś czarne biegają między niemi. – Bogi, nie dajcie mi upaść u wejścia do areny – 55 Masinisso, przybywaj! –

GŁOS Z ZA FILARÓW

Kto się waha, ten urodził się do słów, nie do czynów. – Śmiechem go witać i śmiechem go żegnać będę – (*wchodzi Masinissa*) posłanniki Cezara już idą ku twojemu pałacowi. –

IRYDION

Ty, na którego czole napisane słowo – potęga – ty, co stoisz nad 60 grobem tak wyniosły, jak za dni twojej młodości, natchnij mnie siłą w tej wyrocznej chwili!

MASINISSA

Gdzie dziewice wybrane – gdzie wieniec z kwiatów dla oblubienicy Cezara? (*zrzuca cyprysy z głowy Elsinoi*) Dziś zaczyna się dzieło nasze! (*Z głębi sali wchodzą służebnice z drogiemi szaty*).

CHÓR SŁUŻEBNIC

65 Jaką była Afrodyta wstając z błękitnego Oceanu, pośród tęcz piany morskiej, pośród woni Zefirów, taką ty będziesz – niesiemy ci róże, kadzidła i perły!

IRYDION

Weź jej ramię, starcze. (*prowadzi siostrę pod posąg Amfilocha*) Słuchaj mnie, niewiasto, jak gdybym umierał, jak gdybyś już głosu mego 70 nigdy usłyszeć nie miała –

Wejdziesz w progi nienawistne, będziesz żyła wśród przeklętych, ciało twoje oddasz synowi sprośności – ale duch twój niech czystym i wolnym zostanie – osłoń go tajemnicą, uczyń go niedostępnym, jako niegdyś był przybytek, w którym matka nasza prorokowała!

ELSINOE

75 Biada, biada sierocie!

IRYDION

Nie daj nigdy Cezarowi zasnąć na piersi twojej – niechaj wszędzie słyszy pretorjanów wołających do broni, Patrycjuszów knujących spiski, lud cały walący do bram pałacowych – a to czynić będziesz powoli, dniem po dniu, kroplą po kropli, aż go szałem otoczysz i 80 wyssiesz całe życie z serca Jego. – Teraz powstań – zbliż głowę (*kładzie ręce na jej włosach*) – poczęta w pragnieniu zemsty, wzrosła w nadziei zemsty, przeznaczona niesławie i zagubie, poświęcam cię Bogom Manom Amfilocha Greka!

ELSINOE

Głosy Erebu odzywają się zewsząd – o matko moja!

CHÓR NIEWIAST (*otaczając ją*)

85 Czemu drżą członki twoje pod śnieżną zasłoną, pod wstęgami z purpury, któremi obwiązujem ci piersi? – czemu bledniesz pod wieńcem, który splotliśmy dla ozdoby czoła twojego?

IRYDION

Patrz – mdleje nieszczęśliwa!

MASINISSA

Nie – ona żyć zaczyna, jako żyć jej trzeba. – Czy widzisz, jak te
90 usta spienione pracują?

ELSINOE

Rzucam próg ojcowski, Bogów domowych nie wynoszę z sobą, wieniec mój święty, nieskażony, cisnęłam między popioły rodzinnego ogniska. – Ojciec mnie skazał, brat mnie skazał. – O, ja nie wrócę nigdy, ja idę na mękę i długą żałobę!
95 Matko! do Odyna w prośby za córą twoją! – Spiesz się, matko – nie proś o długie życie. – Natchnienia, tylko natchnienia! Dzieci śmiertelnych pierś moja nigdy nie wyda, ale przyszłość poczynać się będzie w mem łonie!

Roma zaufa miłości mojej – Roma zaśnie w objęciach moich!

From THE EPILOGUE

Powstań, o synu Grecji – patrz! wróg dłoniami zakrył lica i gmach starożytnych ludzi wstrząsł się od próżnych jego wysileń – w mgle zarannej coraz posępniej mdleją kształty jego. – On kona, głowę oparłszy o bramy Cyrku – głos jego już teraz, jak szum wód dalekich.
5 – Świadectwem Korneljі, modlitwą Kornelji ty zbawion jesteś, boś ty kochał Grecję!

Powstań! czy słyszysz ten głos, co zagrzmiał nad milczeniem wszystkich duchów? O pierwszych połyskach świtu on to zleciał jak piorun i woń wszystkich kwiatów dolin podniosła się ku niemu:

10 "Idź na północ w imieniu Chrystusa – idź i nie zatrzymuj się, aż staniesz na ziemi mogił i krzyżów – poznasz ją po milczeniu mężów i po smutku drobnych dzieci – po zgorzałych chatach ubogiego i po zniszczonych pałacach wygnańców – poznasz ją po jękach aniołów moich, przelatujących w nocy.

15 "Idź i zamieszkaj wśród braci, których ci daję – tam powtórna próba twoja – po drugi raz miłość twoją ujrzysz przebitą, konającą, a sam nie będziesz mógł skonać – i męki tysiąców wcielą się w jedno serce twoje!

"Idź i ufaj imieniowi mojemu – nie proś o chwałę twoją, ale o
20 dobro tych, których ci powierzam – bądź spokojny na dumę i ucisk i natrząsanie się niesprawiedliwych – oni przeminą, ale ty i słowo moje nie przeminiecie!

"A po długiem męczeństwie zorzę rozwiodę nad wami – udaruję was, czem aniołów moich obdarzyłem przed wiekami – szczęściem, 25 i tem, co obiecałem ludziom na szczycie Golgothy – wolnością!

"Idź i czyń, choć serce twoje wyschnie w piersiach twoich – choć zwątpisz o braci twojej – choćbyś miał o mnie samym rozpaczać – czyń ciągle i bez wytchnienia, a przeżyjesz marnych, szczęśliwych i świetnych, a zmartwychwstaniesz nie ze snu, jako wprzódy było, ale 30 z pracy wieków – i staniesz się wolnym Synem Niebios!"

I weszło słońce nad ostatkami Romy – i nie było komu powiedzieć, gdzie się podziały ślady myśli mojej – ale ja wiem, że ona trwa i że ona żyje!

ZAWSZE I WSZĘDZIE. **2.** *gorycz* – bitterness. **7.** *zatruć* – to poison. **11.** *nieszczęśny* – provinc. for *nieszczęsny*, *nieszczęśliwy*, here *przynoszący nieszczęście.*

LEDWOM CIĘ POZNAŁ. **1.** *ledwo* – hardly, scarcely. **5.** *obaczyć* = *zobaczyć.* **8.** *struta*, from *struć* (*zatruć*) – see *Zawsze i wszędzie*, note 7; *jad* – venom. **9.** *senna Julia* – refers to Shakespeare's *Romeo and Juliette.* **12.** *błonia*, from *błonie* – gener. a vast grassy plane, pasture. **17.** *szloch* – sobbing; *lśnić* – *błyszczeć.* **21.** *zdołać* = *móc*, to be able. **22.** *ciernie*, plur. of *cierń* – thorn. **25.** *pruje*, from *pruć* – to rip. **26.** *kolcami*, from *kolec* = *cierń; katuszy*, from *katusza,e* – torture. **27.** *odbite*, from *odbić* – to reflect; *widmo* – spectre. **30.** *przelać się w* – to dissolve into.

NIEBOSKA KOMEDJA. **1.** *komnata* – room, chamber. **2.** *filar* – pillar; *tarcza herbowna* – coat of arms; *marmurowy*, adj. from *marmur* – marble. **3.** *pałasz* – sabre. **4.** *konwie*, plur. of *konwia*, now *konew* – pitcher; *Mąż*, here, the Man – the designation of Count Henryk. **7.** *widzenie* – here, meeting. **8.** *bez imienia* – scil. without a well-known, historical name; *anioł stróż* – guardian angel. **10.** *strącić* – to cast down. **11.** *natchnijcie*, imp. plur. of *natchnąć* – to inspire. **12.** *skroń* – temple, here, forehead, brow. **14.** *nieubłagany* – inexorable; *wrząca*, from *wrzeć* – to boil, seethe. **17.** *dzielność* – bravery, vigor. **19.** *JW* – abbr. for *Jaśnie Wielmożny; stawić się* – to present oneself, report. **21.** *witam*, from *witać* – to greet; *hrabia* – count (abbretiation: *hr.*). **22.** *czapka Wolności* – the so-called Phrygian cap, a conical red cap with the peak turned over in front, identified with the cap of liberty; *wlepić oczy* – to stare. **25.** *w ręce twoje* – I drink to you. **26.** *godło,a* – emblem. **27.** *znaczek*, dim. of *znak* – sign, emblem. **29.** *odejmować* – here, to take away. **30.** *uporczywa* = *uparta* – stubborn. **31.** *oręż* = *broń.* **32.** *odgrażać się*, from *grozić* – to menace, threaten; *powoźnik* – driver; *furtka* – gate, postern. **34.** *zesłać* = *spuścić* – to send down. **40.** *rzemieślnik* – artisan. **41.** *ujarzmionej*, from *ujarzmić* – to subjugate (cf. *jarzmo* – yoke); *bydlęcy*, adj. from *bydło* – cattle-like. **47.** *igrzysko* – here, toy, plaything. **48.** *rozprawa* – discussion. **49.** *do rzeczy* – let us come to the point. **52.** *zdaj*, imp. from *zdawać* (*na*) – to entrust, leave to. **54.** *morga* or *mórg* – a surface measure, about 2 acres. **56.** *rynsztunek, i*, German *Rüstung* – arms, equipment; *wreście* = *wreszcie* – finally. **60.** *rozpuszczać* – here, to dismiss, discharge. **61.** *hufiec* – troop; *odsiecz* – succor, rescue; Count Henryk in command of a troop of armed peasants intended to go to the rescue of the "aristocracy" besieged in the fortress of the Holy Trinity (*okopy św. Trójcy*). **63.** *warujesz*, from *warować* (*zawarować*) = *gwarantować* – to warrant; *słowem* – scil. *słowem honoru.* **65.** *obywatel* – citizen; during the French Revolution this form of address (*citoyen*) replaced that of "Monsieur", and was afterwards affected by revolutionary democrats of other countries. **67.** *twój syn* – refers to Henryk's son, *Orcio*, a blind and sickly child; *wyjątek* – exception; *ogrom* – immensity. **68.** *równina* – plain. **69.** *naddziad* = *pradziad* – great grandfather, generally ancestor. **70.** *rżnąć*, here *rzeźbić* – to cut, carve. **71.** *nikczemnik* – villain. **73.** *zda się* = *zdaje się*, from *zdawać się* – to seem. **74.** *obrócić* – here, to change, transform. **75.** *odwdzięczyć się* – to reciprocate; *opatrzność*, here *ostrożność*, *opanowanie* – caution, circumspection; *strzeże*, from *strzec* – to guard. **77.** *łachman* – rag, tatter; *prababek*, gen. plur. of *prababka* – great-grandmother. **80.** *braci*, dat. of *brać*, coll. noun – brothers, brethren. **83.** *kark schylać* – bend the neck, to bow. **86.** *zgrzybiały*, from *zgrzybieć* (cf. *grzyb* – mushroom) – decrepit, very old; *robaczywy*, from *robak*, worm – worm-eaten. **90.** *patrzałem* – refers to Henryk's clandestine visit to Pankracy's camp; *pląsy* = *tańce; motłoch* – mob. **91.** *wspinać się* – to climb. **92.** *szata,y* – clothes, garment. **93.** *rozpusta* – debauchery. **96.** *odbieży*, from *odbieżeć*, *odbiec* – to leave, abondon. **98.** *rozparł się*, from *rozeprzeć się* – to sprawl, deploy. **99.** *wygoda,y* – comfort. **105.** *piastuję*, from *piastować* – to nurse, foster. **107.** *biegun* – pole. **109.** *warsztat* – workshop; *przemysł* – industry. **110.** *udać* – to feign, simulate. **112.** *na klęczkach* – on one's knees; cf. *klęczeć* – to kneel. **113.** *skąpić* – to stint. **114.** *Tam* – scil. in the future world. **115.** *odarty* – stripped; *zasłona* – veil, curtain. **116.** *przejrzały*, from *przejrzeć* – to regain the eye-sight; *dostały prawdy*, from *dostać*, to aquire, reach – *osiągnęły prawdę.* **118.** *zbawiony* – redeemed. **119.** *zbawienie* – salvation. **121.** *bluźnierca* – blasphemer. **122.** *gruzy* – ruins. **123.** *walać się w pyle* – to wallow in the dust; *skaleczony* – wounded. **125.** *maczać* – here, to immerse. **127.** *powiastka* – story, fable; *chrzęst* – clatter. **130.** *na wzór* – modeled after; *mamczyny*, adj. from *mamka* – wet nurse. **135.** *wzdłuż* – lengthwise. **136.** *dopełnić* = *spełnić*, *wypełnić* – to carry out, fulfill. **138.** *zagiąłem palec popod serce jego*, idiom. – I touched him on the quick. **140.** *stoma* = *stu.* **141.** *polubowna ugoda* – mutual agreement, peaceful settlement. **142.** *trza* – provinc. = *trzeba.* **144.** *biada* – woe. **146.** *manowce* – maze, devious way; *przeznaczenie* – destiny. **149.** *w skwarze*, from *skwar* – scorching heat. **150.** *glina* – clay. **151.** *pierwszy lepszy* – idiom. the first that comes along, random; *cięcie* – cut, stroke, here: of a sabre. **152.** *łudzić się* – to deceive oneself; *draśnie*, from *drasnąć* – to scratch the skin, graze; *ołów* – scil. lead bullet; *tknie*, from *tknąć* – to touch. **153.** *opierać się* – to oppose, resist. **155.** *szydzić* – to mock, scoff, sneer. **163.** *cielsko*, augment. of *ciało* – gross flesh; *tuczyć* – to fatten. **164.** *posoka* – gore or a soup made of duck blood; *precz*! exclam. – begone! **167.** *woskiem palców moich* = *woskiem w palcach moich.* **169.** *pogrzeban*, nom. form for *pogrzebany*, from *pogrzebać* – to bury. **172.** *zmarszczki* – wrinkles. **174.** *rozbijać namiot* – to pitch a tent. **175.** *zwijać* – to roll up, here, to strike (a tent); *koczujesz*, from *koczować* – to roam from place to place. **176.** *ogniska*, scil. *ogniska domowego* – hearth. **178.** *w rzeczy samej* = *rzeczywiście* – indeed. **180.** *piekł*, from *piec* – to roast; *żywcem* – alive. **181.** *pieczęć* – seal, symbol of office of a chancellor (*kanclerz); akt*, *akta* – documents. **182.** *przekupić* – to bribe; *spadek* – inheritance, estate. **183.** *czarniawy* – blackish, swarthy. **184.** *cudzołożyć* – to commit adultery; *złote runo* – golden fleece, a high order; *kołczuga*, *kolczuga* – ringmail. **185.** *znać* = *snać* = *widocznie* – apparently. **186.** *puklami*, from *pukiel* – curl, lock; *kazić się* = *cudzołożyć*, see above, 184; *giermek* – shield-bearer, squire. **187.** *na robronie*, from *robron* – farthingale, hoop skirt. **188.** *nałożnica* – concubine. **189.** *kaftan* – jerkin. **190.** *jeleń* – stag. **194.** *mieszczański*, adj. from *mieszczanin* – burgher, bourgeois. **195.** *wykarmić* – to feed, nurture. **196.** *zaraza* – plague. **197.** *niemowlęta*, plur. of *niemowlę* – babe, infant. **198.** *doma*, old Polish = *w domu*. **200.** *pohańców*, from *pohaniec*, *poganin* – pagan, infidel. **202.** *skowyczenie*, from *skowyczeć*, *skowytać* – to yelp, howl; *pienić się* – to foam. **203.** *wyniść* – now *wyjść*. **204.** *puszczać wolno* – to release, let go free. **205.** *na okopach*, from *okop*, *okopy* – trench, rampart. **210.** *próg* – treshold; *przeklęstwo* – now *przekleństwo* – curse. **213.** *czaty* – picket.

IRYDION. **2.** *kadzidło* – incense; *trójnóg* – tripod. **4.** *Amfiloch Hermes* – Irydion's father who married Grymhilda the daughter of the king of Normandy; he was an ardent Greek patriot, and brought up Irydion in the same spirit. **6.** *gineceum* – women's apartment in a Greek household. **7.** *przez Polluxa* or *na Polluxa* – by Pollux, mythol. twin brother of Castor. **13.** *puginał* = *sztylet* – dagger. **15.** *stary Brutus* – refers to Lucius Junius Brutus founder of the old Roman Republic who did not hesitate to sentence to death his sons once he discovered they were engaged in an anti-republican conspiracy. **18.** *matka jej* – Elsinoe's mother, Grymhilda was a priestess of Odin; *gniew Odyna* refers to the anger of the god when she married Amfiloch and left the country. **20.** *służalcy* – servants; *rydwan* – chariot; *przeklętego* – refers to Heliogabal. **24.** *nalegać* – to insist; *przezwać* = *nazwać* – to call, **29.** *wypić do dna* – to drain the cup. **33.** *gotować się* = *przygotowywać się* – to prepare. **35.** *trawnik* – lawn; *Chiara* – residence of their parents in Greece. **36.** *wieńczyć* – to crown. **38.** *kusić* – to tempt. **40.** *odkupić się* – redeem oneself. **46.** *wystroić się* – here, to adorn oneself **47.** *skazany, a* – doomed, sentenced; *żegnaj mi* or *żegnaj*, from *żegnać się*, to take leave – farewell! **49.** *przepsuje* = *zepsuje*, from *przepsuć* – to spoil, corrupt. **56.** *wahać się* – to hesitate. **57.** *posłanniki* = *posłańce* – messengers. **59.** *stać nad grobem* – to be at death door. **61.** *wyroczny,a* – oracular, prophetic (cf. *wyrocznia* – oracle). **62.** *oblubienica* – the betrothed, bride. **68.** *starcze*, voc. of *starzec* – old man. **71.** *nienawistny*, from *nienawiść* – hateful. **72.** *sprośność* – obscenity. **73.** *niedostępny* – inaccessible. **74.** *przybytek* – here, shrine (of Odin). **77.** *knuć spiski* – to plot. **78.** *walący*, from *walić* – here to surge, attack. **79.** *dniem po dniu* = *dzień po dniu* – day in day out. **80.** *wyssiesz*, from *wyssać* – to suck out. **81.** *poczęta*, from *począć* – to conceive. **82.** *niesława* – dishonor; *zaguba* – destruction. **83.** *Bogom Manom*, from Latin *manes* – ancestral spirits. **84.** *Ereb* = Erebus – mythol. gloomy space through which souls passed to Hades. **85.** *zasłona* – here, dress; *splotliśmy* = *spletliśmy*, from spleść – to braid, weave. **94.** *żałoba* – mourning.

EPILOGUE. **1.** *wróg* – that is, Masinissa. **2.** *wysileń*, from *wysilenie* = *wysiłek* – effort, attempt. **3.** *zarannej* = *porannej; posępnie* – gloomily, mournfully. **5.** *Kornelji* – Kornelja Metella, a Christian, who fell in love with Irydion helped him to persuade some of the Christians to join him in the fight against Rome; this, however, she repented before she died. **8.** *połysk* – sheen, shine. **10.** *północ* – i.e., Poland. **12.** *zgorzały* = *spalony* – burned down. **16.** *próba* – here, test; *przebita*, from *przebić* – to pierce. **17.** *wcielić się* – to become incarnate. **20.** *powierzać* – to entrust. **21.** *natrząsanie się* – derision, mockery. **23.** *rozwiodę*, from *rozwieść* = *roztoczyć* – to unfold; *udaruję*, from *udarować* – to endow. **26.** *czyń*, imp. of *czynić*, to do, act, work – here, of course, for the liberation of Poland. **29.** *wprzódy* = *przedtem* – before; refers to Irydion's awakening from his long sleep. **32.** *podziać się* – to go to.

POLISH LITERATURE AT HOME AFTER 1831

AFTER 1831 Polish literature has, as it were, two faces: one is represented by émigré literature, the other by the literary movement developing at home. It is true that no geniuses appeared in Poland, with the exception of Fredro, whose masterpieces, however, were written between 1823 and 1835. But neither was there the stagnation that might have been expected as a result of the difficult conditions of national life. Each of the three Polish sectors, living under entirely different circumstances, endeavored to maintain and develop, as far as possible, its intellectual life; in each sector scientific and literary periodicals appeared, new libraries and museums were founded; the theater functioned, the arts developed, and poets, writers, and scholars were active.

Poetry had a number of representatives, who either were subject to émigré influences (as Ujejski) or tried to create new forms and genres (as Lenartowicz, Syrokomla, and Berwiński). In this poetry both patriotic-messianic and revolutionary-democratic tones are discernible; there appear soldiers' songs, folk songs, and *gawęda*, a genre developed in prose (see Rzewuski below) but adopted also by the poets. There are also examples of impressive "pure" lyrics, as those of Karol Brzozowski.

A significant characteristic of this period was the development of the novel. Besides its three major representatives (Rzewuski, Kraszewski, Korzeniowski) there are a number of minor novelists, such as Narcyza Żmichowska, Ignacy Chodźko, Ludwik Sztyrmer, Zygmunt Kaczkowski, and Teodor Tomasz Jeż. They wrote contemporary and historical stories and novels, from unpretentious *gawęda* to broadly conceived social and historical tableaux; there were also attempts at psychological-fantastic novels such as Żmichowska'a *Poganka* (Pagan Woman, 1846).

Generally speaking, in its chief aspects the novel of this period manifests pre-realistic characteristics. It is characterized by a retreat from the romantic-sentimental novel, by treating reality in a different way, with more accurate descriptions of the environment and conditions of life of the characters, a predilection for details, more careful psychological characterization, and an endeavor to make the characters and their affairs understandable to the average reader. Linked with this is a greater care for the "diction" of the characters, an individualization of their language, and an endeavor to give their dialogue a freer and more "natural" flow. The language of narrative and description also becomes simpler, more closely approaching colloquial speech. The structure of the novel also changes. The writers show greater concern for a motivation of events and an interesting plot.

Obviously we do not find all these devices applied by each novelist in equal measure or in the same manner, for this depends on the kind of novel and on the degree of independence in relation to the traditional technique; however, on the whole the pre-realistic tendency is visible.

Among the outstanding representatives of learning in this period the following should be mentioned: the historians August Bielowski, editor of *Monumenta Poloniae historica*, and Karol Szajnocha, author of numerous monographs; and the literary historians Michał Wiszniewski and Wojciech Cybulski.

Aleksander Fredro (1793–1876)

Aleksander Fredro was the creator of modern Polish comedy and its outstanding representative. He came from a wealthy aristocratic family, joined the Polish army of Prince Joseph Poniatowski at the age of sixteen, and took part in the Franco-Austrian war of 1809 and in Napoleon's campaign against Moscow in 1812. In 1814 he stayed for some time in Paris. After his return to Poland he settled in the country and devoted himself to literary activity.

Already his first plays—the simple *Intryga na prędce* (A Plot Hurriedly Made, 1815) and the comedy of character *Pan Geldhab* (1818)—heralded an outstanding dramatic talent. This ability appeared even more distinctly in the comedy *Mąż i żona* (Husband and Wife, 1822), with a very complicated plot (the love affairs of four persons mutually betraying each other), excellently delineated characters, and brilliant dialogue. Among his other plays (of which he wrote about forty) we find farces, e.g., *Damy i huzary* (Ladies and Hussars, 1825); comedies of character à la Molière, e.g., *Pan Jowialski* (1832), *Dożywocie*, (Life Annuity, 1835); and, finally, quite original plays combining unusual subjects, fascinating plots, and vivid action, compact and logical structure, with an excellent characterization of typical Polish figures. To such comedies belong Fredro's masterpiece, *Zemsta* (Revenge, 1834, see below), and *Śluby Panieńskie* (Maidens' Vows, written 1827, staged 1833), which are quite different with regard to atmosphere and technique. These comedies cannot be included either in the "romantic" or "classical" genres; they employ with equal mastery traditional and modern devices and constitute a genre in themselves. They are written in a language and verse which are one of the glories of Polish poetry: they are characterized by simplicity, naturalness, clarity, and pithiness, an unusual combination of poetry with colloquial speech. The humor and comic quality arising from the characters and situations is first rate.

Fredro was also an outstanding prose writer. His memoirs from the times of Napoleon, *Trzy po trzy* (Trivia, published 1880), written in the manner of Laurence Sterne, show an acute sense of observation, intellectual superiority over his environment, subtle irony, and discreet humor in dealing with human affairs.

From PAN JOWIALSKI

PAWEŁ I GAWEŁ

Paweł i Gaweł w jednym stali domu,
Paweł na górze, a Gaweł na dole;
Paweł spokojny, nie wadził nikomu,
Gaweł najdziksze wymyślał swawole.
5 Ciągle polował po swoim pokoju:
To pies, to zając – między stoły, stołki
Gonił, uciekał, wywracał koziołki,
Strzelał, i trąbił, i krzyczał do znoju.
Znosił to Paweł, nareszcie nie może;
10 Schodzi do Pawła i prosi w pokorze:

"Zmiłuj się waćpan, poluj ciszej nieco,
Bo mi na górze szyby z okien lecą!".
A na to Gaweł: "*Wolnoć Tomku*
W swoim domku".
Cóż było mówić? Paweł ani pisnął,
15 Wrócił do siebie i czapkę nacisnął.
Nazajutrz Gaweł jeszcze smacznie chrapie,
A tu z powały coś mu na nos kapie.
Zerwał się z łóżka i pędzi na górę,
Stuk, puk! – Zamknięto. Spogląda przez dziurę
20 I widzi... Cóż tam? Cały pokój w wodzie,
A Paweł z wędką siedzi na komodzie.
– "Co waćpan robisz?". – "Ryby sobie łowię".
– "Ależ, mospanie, mnie kapie po głowie!"
A Paweł na to: "*Wolnoć Tomku*
W swoim domku".
25 Z tej to powiastki morał w tym sposobie:
Jak ty komu, tak on tobie.

From ZEMSTA

In its structure this comedy deviates considerably from classical models because it weaves together four different plots in a masterful way. Thus we have the dispute between the Cupbearer (Cześnik) and the Notary (Rejent) about the wall separating their estates. With this is connected another plot, namely, the Cupbeare's intention to marry the Pantler's widow (Podstolina). The Notary, who hates the Cupbearer, endeavors to thwart these plans and to have his son Wacław marry the widow. However, Wacław is secretly in love with Klara, the Cupbearer's niece, hence a new complication and a third plot linked with the two previous ones. The Cupbearer, having learned of the Notary's intentions, has Wacław captured and forces him to marry Klara, thus involuntarily fulfilling the heart's desire of the young people. The Notary is vanquished and his only consolation is that he gets 100,000 złotys from Klara's dowry as "damages." There is still a fourth subsidiary action centering around Papkin, the Cupbearer's factotum, a fool, fraud, and coward (a member of the literary clan of vainglorious soldiers), who also sighs for the widow and is mixed up in all the happenings that take place in the comedy.

The virtues of this work lie not only in its artistic structure but in equal measure in the excellently conceived and delineated characters: the Cupbearer, a typical country squire, impetuous, violent, arbitrary, but at the same time honest, sincere, courageous, and somewhat naïve; the Notary, reticent, cunning, and hypocritical, a greedy and bitter litigant; Dyndalski, a narrow-minded and comical old servant, and Podstolina, the elderly widow of three husbands.

Below we give Act I, Scene I, which forms the exposition of one of the actions of the comedy and characterizes the Cupbearer and Dyndalski, and Scene IV of Act III, which describes Papkin's embassy to the Notary, where again these two figures are characterized.

ZEMSTA

KOMEDJA W CZTERECH AKTACH WIERSZEM

Akt I

(Pokój w zamku Cześnika; drzwi na prawo, lewo i w środku; stoły, krzeła etc. – Gitara angielska na ścianie.)

Scena 1 : *Cześnik, Dyndalski*

(*Cześnik w białym żupanie bez pasa i w szlafmycy siedzi przy stole, po prawej od aktorów stronie; okulary na nosie, czyta papiery. – Za stołem, trochę w głębi stoi Dyndalski, ręce wtył założone*).

CZEŚNIK (*jakby do siebie*)

Piękne dobra w każdym względzie:
Lasy – gleba wyśmienita –
Dobrą żoną pewnie będzie –
Co za czynsze! – To kobiéta!
5 Trzy folwarki...

DYNDALSKI

Miła wdowa

CZEŚNIK

Arcymiła, ani słowa –
(*Kładzie papiery*)
Cóż, polewki dziś nie dacie?
(*Dyndalski wychodzi*)
Długoż na czczo będę czekać?
(*Po krótkiem milczeniu*)
Nie; nie trzeba rzeczy zwlekać –

(*Dyndalski spotkawszy w drzwiach Hajduka, niosącego na tacy wazkę, talerz, chleb, etc. odbiera od niego i wraca. Zawiązuje serwetę pod szyję Cześnikowi, potem podaje talerz z polewką, co wszystko nie tamuje rozmowy*).

10 *Qua* opiekun i *qua* krewny,
Miałbym z Klarą sukces pewny;
Ale Klara młoda, płocha,
Chociaż dzisiaj i pokocha,
Któż za jutro mi zaręczy!

DYNDALSKI (*nabierając na talerz*)

15 Nikt rozumny, jaśnie panie –
Rzecz to śliska.

CZEŚNIK (*obracając się ku niemu*)

Tu sęk właśnie!
Natożbym się, mocium panie,
Kawalerstwa dziś wyrzekał,
By kto...
(*Uderzając w stół*)
Niech go piorun trzaśnie!
20 Długo będzie na to czekał!
(*Po krótkiem milczeniu, biorąc talerz*)
Ma dochody wprawdzie znaczne –
Podstolina ma znaczniejsze;
Z wdówką zatem działać zacznę.
(*Po krótkiem milczeniu*)
Bawi z nami – w domu Klary,
25 Bo krewniaczka jej daleka,
Ale mnie się wszystko zdaje...

DYNDALSKI

Ona czegoś więcej czeka!

CZEŚNIK (*parskając śmiechem*)

Ona czegoś... więcej... czeka...
A, bodajże cię, Dyndalu,
30 Z tym konceptem! – (*śmieje się*) Czegoś czeka!
Tfy!... Jakżem się uśmiał szczerze!
Czeka! – Bardzo temu wierzę!
(*Jedząc i po krótkiej chwili*):
Jeszczeć młoda jest i ona,
Ależ wdowa – doświadczona,
35 Zna proporcją, mocium panie,
I nie każe fircykować,
Po kuligach balansować.
(*Po krótkiej chwili*)
No – nie sekret, żem niemłody,
Alem także i niestary.
40 Co?

DYNDALSKI (*niekoniecznie przystając*)
Tać...

CZEŚNIK (*urażony*)
Możeś młodszy?

DYNDALSKI
Miary
Z mego wieku...

CZEŚNIK (*kończąc rozmową*)
Dam dowody.
(*Chwila milczenia*)

DYNDALSKI (*skrobiąc się poza uszy*)
Tylko że to, jaśnie panie...

CZEŚNIK
Hę?

DYNDALSKI
W małżeńskim ciężko stanie;
Pan zaś, mówiąc między nami,
45 Masz podagrę.

CZEŚNIK (*niekontent*)
Ej, czasami.

DYNDALSKI
Kurcz żołądka.

CZEŚNIK
Po przepiciu.

DYNDALSKI
Rumatyzmy jakieś łupią.

CZEŚNIK (*zniecierpliwiony*)
Ot, co powiesz, wszystko głupio!
Ten mankament nic nie znaczy;
50 Wszak i u niej co w ukryciu,
Bóg to tylko wiedzieć raczy;
I nikt pewnie się nie spyta,
Byle tylko w dalszem życiu
Między nami była kwita.

Akt III, Scena 4: Rejent, Papkin

Acting on behalf of the Cupbearer, Papkin appears at the Notary's house to challenge him to a duel. The reason—a wall which divides the two adjoining properties and to which both the Notary and the Cupbearer lay claim. The notary, in order to assert his ownership, had sent his men to repair a breach in the wall. The Cupbearer, incensed, ordered the workmen to be driven away, and, in addition, decided to challenge the Notary to a duel.

PAPKIN (*wsuwając się trwożliwie*)
Wolnoż wstąpić?

REJENT
Bardzo proszę!

PAPKIN (*z najniższym ukłonem i nieśmiało*)
Pana domu i Rejenta
Widzieć w godnej tej osobie
Chluba wielka, niepojęta,
5 Spada na mnie w tejże dobie,
Jak niemylnie pewnie wnoszę?

REJENT (*pokornie*)
Tak jest – sługa uniżony.
Wolnoż mi się w odwet spytać,
Kogom zyskał honor witać?

PAPKIN (*na stronie*)
10 Hm! Pokorna coś szlachciurka,
Z każdem słowem daje nurka...
Niepotrzebne miałem względy...
(*śmielej*) Jestem Papkin.

REJENT (*wskazuje z ukłonem krzesło na środku stojące*)

PAPKIN
(*przypatruje się z uwagą Rejentowi, który, jak zawsze, z założonemi na piersiach rękoma, nieporuszenie w miejscu stoi. Papkin mówi dalej na stronie:*)

Jak uważam,
Skończę wszystko bez pomocy.
(*Głośno, wyciągając się na krześle*):
15 Jestem Papkin, lew Północy,
Rotmistrz sławny i kawaler –
(*okazując gestem wstęgi orderowe*)

Tak, siak, tędy i owędy...
Mądry w radzie, dzielny w boju,
Dusza wojny, wróg pokoju. –
20 Znają Szwedy, Muzułmany,
Sasy, Włochy i Hiszpany
Artemizy ostrze sławne
I nim władać ramię wprawne –
Jednem słowem, krótko mówiąc,
25 Kula ziemska zna Papkina. –
Teraz, bratku, daj mi wina!

REJENT

(*po krótkim wahaniu, na stronie*)

Nemo sapiens, nisi patiens.

(*Dostaje butelkę z pod stolika, kilimkiem nakrytego – patrzy w nią do światła – nalewa lampeczkę i podaje Papkinowi, który tymczasem mówi, co następuje:*)

PAPKIN (*na stronie*)

O, brat szlachcic tchórzem podszyt!
Po zleceniu od Cześnika
30 Może sobie udrę łyka.
(*Nakrywa głowę; pije*)
Cienkusz! (*Pije*) Deresz! (*Pije*)

REJENT (*na stronie*)

Nadto śmiało!

PAPKIN

Istna lura, panie bracie;
Cóż lepszego tu nie macie?

REJENT

Wybacz waszmość, lecz niestało.

PAPKIN

35 Otóż to jest szlachta nasza!
(*Ze wzgardą*) Siedzi na wsi, sieje, wieje,
Zrzędzi, nudzi, gdera, łaje,
A dać wina – to niestaje;

(*Idzie do stolika, nalewa sobie. – Rejent nieporuszony prowadzi go oczyma*)

Albo, jeśli przyjdzie flasza,
40 Samą maścią już przestrasza;
Potem prosi "jeśli łaska" –
Nie proś, nie nudź, hreczkosieju,
A lepszego daj, u djaska!

REJENT

Ależ, mości dobrodzieju...

PAPKIN (*pijąc*)

45 Mętne, kwaśne nad pojęcie –
Istna lura, mój rejencie!

REJENT (*na stronie*)

Cierpliwości wiele trzeba;
Niech się dzieje wola nieba!

PAPKIN

Zwiedź piwnice wszystkie moje,
50 Gdzie z pół świata masz napoje,
Gdzie sto beczek stoi rzędem,
Jeśli znajdziesz co takiego,
Dam ci, bratku, konia z rzędem!

REJENT (*z ukłonem*)

Pozwól spytać, panie drogi,
55 Gdyż nie znana mi przyczyna –
Co w nikczemne moje progi
Marsowego wiedzie syna?

PAPKIN

(*rozpierając się na krześle, przy stoliku*)
Co? – Chcesz wiedzieć?

REJENT

Proszę o to.

PAPKIN

Więc staję tu, wiedz, niecnoto,
60 Z strony jaśnie wielmożnego
Cześnika Raptusiewicza,
Co go ranka dzisiejszego

Twych służalców sprośna dzicza,
Godna jednak pryncypała,
65 W jego zamku napaść śmiała.

REJENT

Mówże, waszmość, trochę ciszéj,
Jego sługa dobrze słyszy.

PAPKIN

Mówię zawsze podług woli.

REJENT

Ależ bo mnie głowa boli!

PAPKIN (*jeszcze głośniej*)

70 Że tam komu w uszach strzyka,
Albo że tam czyj łeb chory,
Przez to nigdy w pieśń słowika
Nie odmienią głos stentory.

REJENT (*słodko*)

Ależ bo ja mam i ludzi,
75 Każę oknem cię wyrzucić,

(*Papkin w miarę słów Rejenta wstaje zwolna, zdejmując kapelusz*)

A tam dobry kawał z góry!

PAPKIN

O, nie trzeba!

REJENT

Jest tam który?
Hola!

PAPKIN

Niech się pan nie trudzi!

REJENT

80 Pan jak piórko stąd wyjedzie!
(*do służących*)
Czekać w czterech tam za drzwiami!

PAPKIN

Ale nacóż to, sąsiedzie,
Tej parady między nami?

REJENT

Teraz słucham waszmość pana.
(*Sadzając go prawie gwałtem*)
85 Bardzo proszę – bardzo proszę –
(*Siada blisko i naprzeciwko*)
Jaka czynność jest mu dana?
(*nie spuszcza z oka Papkina*)

PAPKIN

Jesteś trochę nadto żywy;
Nie wiedziałem, Bóg mi świadkiem,
Że tak bardzo masz słuch tkliwy;
90 Przestrzeż, proszę, gdy przypadkiem
Jakie słówko głośniej powiem.

REJENT

Czy się prędko rzeczy dowiem?

PAPKIN (*bardzo cicho*)

Zaraz – Cześnik bardzo prosi...

REJENT

Hę?

PAPKIN

Czy głośniej?
(*Na potakujący znak Rejenta mówi dalej*)
Cześnik prosi...
95 To jest, raczej... Cześnik wnosi,
Że... by skończyć w jednej chwili
Kontrowersją, co... zrobili...
(*Nie mogąc uniknąć wzroku Rejenta, miesza się coraz więcej*)
Dobrze mówię... co zrobili...
Kontrowersją... jak rzecz znana...
100 Że tak... to jest... że... sprzy... sprzyja...
(*Odwracając się, na stronie*)
A, to jakiś wzrok szatana,
Cały język w trąbkę zwija!

REJENT

Ja nie jestem pojąć w stanie –
Waszmość prawisz zbyt zawiło.

PAPKIN

(*wstając*)

105 Bo to... bo te... wybacz panie,
Wino trochę mocne było,
A nie jestem zbyt wymowny...
(*Ciszej*) Czy tych czterech jeszcze stoi?

REJENT

Jednem słowem – mój szanowny,
110 Dobry sąsiad czego żąda?

PAPKIN

Lecz się poseł trochę...

REJENT (*kończąc*)

...boi.
Bądź, serdeńko, bez obawy!

PAPKIN

Więc Cześnika prośba niesie,
Abyś waszmość *circa quartam*,
115 U trzech kopców w Czarnym Lesie
Stanął z szablą do rozprawy.

REJENT (*ironicznie*)

Stary Cześnik jeszcze żwawy!

PAPKIN (*ośmielając sie*)

Ba! To wszyscy wiedzą przecie,
Że niemylne jego ciosy;
120 Wszakże w całym już powiecie
Pokarbował szlachcie nosy,
Tylko jeszcze...

REJENT

Ciszej, proszę!

PAPKIN (*oglądając się na drzwi*)

Prawda, ciszej! – Cicho zatem
Jego grzeczną prośbę wnoszę
125 I dołączam moję własną
O odpowiedź krótką, jasną.

REJENT

Tę listownie mu udzielę.
Ale jakże to się zgadza,
Wszakci jutro ma wesele?

PAPKIN (*śmielej*)

130 Tamto temu nie przeszkadza:
Rano pierścień – w pół dnia szabla –
Wieczór kielich – w nocy...

REJENT (*słodko*)

Cicho!

PAPKIN

Prawda – cicho... (*Na stronie*) Sprawa djabla,
Ani mrumru! – Czy mnie licho
135 Tu przyniosło w takie szpony?

REJENT (*ironicznie*)

Wielki afekt przyszłej żony?

PAPKIN

Fiu, fiu, fiu! Tak – że z miłości
Trzykroć na dzień wpada w mdłości!
Cześnik także rozogniony,
140 Jak gromnica ku niej pała –
Będzie para doskonała;
A że wierna w każdej sprawie,
Ręce, nogi w zakład stawię!

(*In the next scene the Podstolina, appears. She has changed her mind and has decided to mary Wacław, Rejent's son. Papkin is suprised by this turn of events and makes her bitter reproaches. The Rejent leaves to write a letter to the Cześnik and appears again in scene 7*)

Akt III, Scena 7: Podstolina, Papkin, Rejent

REJENT

Ciszej, z łaski!...

PAPKIN

Prawda – ciszej!

REJENT

Oto jest list do sąsiada.

PAPKIN

Ambasada djable śliska!

REJENT

Żegnam.

PAPKIN (*w ukłonach*)

Papkin nóżki ściska,

5 Za przyjęcie dzięki składa!

REJENT (*Ukłony i ceremonje aż do końca sceny*)

Niema za co!

PAPKIN

O, i owszem!

REJENT (*odprowadzając go*)

Sługa, sługa uniżony!

PAPKIN

Proszę wrócić!

REJENT

Nie wypada.

PAPKIN

Suplikuję.

REJENT

Tylko z góry.

PAPKIN

10 Nie pozwolę!

REJENT

Jest tam który!

(*Drzwi otwierają się i widać czterech pachołków*)

PAPKIN

O, bez wszelkich ceremonji...

REJENT (*do pachołków*)

Panu temu wskazać drogę!

PAPKIN

Ściskam nóżki! Trafić mogę...

REJENT

Wziąć pod ręce!... Nie bez laski!...
15 Schody ciemne – macać trzeba!

PAPKIN

Ściskam nóżki! – Zbytek łaski...

(*Z ukłonu jednym susem za drzwiami się znajduje. – Drzwi się zamykają– słychać łoskot, jakgdyby kto zleciał ze schodów*)

PODSTOLINA (*idzie ku Rejentowi*)

REJENT (*wracając*)

Niech się dzieje wola nieba,
Z nią się zawsze zgadzać trzeba!

PAWEŁ I GAWEŁ. **3.** *wadzić* = *przeszkadzać* – to disturb. **4.** *swawola* – licence, unrestraint; *wymyślać swawole* – to play pranks. **7.** *wywracać koziołki* – to turn somersaults. **8.** *znoju,* from *znój* – toil, drudgery; *do znoju* – until it became unbearable. **9.** *znosił,* from *znosić* – to suffer, bear. **11.** *waćpan,* abbrev. of *waszmość pan* – Sir. **13.** proverb meaning: everybody is master in his house; *wolnoć* = *wolno ci; Tomku* – vocat. of *Tomek,* dimin. of *Tomasz.* **14.** *ani pisnął,* from *pisnąć* – to squeak, fig. he did not open his mouth. **15.** *czapkę nacisnął,* from *nacisnąć* – to press down. **17.** *z powały,* from *powała, sufit* – ceiling. **19.** *stuk, puk!* – a kind of onomatopeia from stukać, pukać – to knock. **21.** *komoda* – chest of drawers. **23.** *mospanie* = *mości panie,* abbrev. of *miłościwy panie* – kind, gracious sir.

ZEMSTA. Akt I, scena 1. Before line 1. *żupan* – see Mickiewicz, *Pan Tadeusz* (Polonez 2); *szlafmyca* – nightcap; **1.** *dobra,* plur. tant. – estate; *wzgląd* – respect. **2.** *gleba* – soil; *wyśmienity* – excellent. **4.** *czynsz* – rent; *kobiéta* – here pronounced *kobita* (so called "*e*" *pochylone* – contracted "*e*"). **5.** *folwark* – farm. **6.** *arcymiły* – extremely nice; *ani słowa* – idiom. without any doubt. **7.** *polewka* – kind of broth eaten in old days for breakfast. **8.** *na czczo,* idiom. from *czczy* – empty; *na czczo* – on an empty stomach. **9.** *hajduk* – formerly a soldier of Hungarian infantry in Polish service, afterwards a liveried servant; *serweta* – napkin; *tamować* – to hinder. **10.** *qua* – Lat. as. **12.** *płochy* – flighty, fickle. **14.** *zaręczyć* – to warrant. **15.** *jaśnie panie,* abbrev. of *jaśnie oświecony panie* – illustrious Sir (form of address of servants to masters or to dignitaries in general in old Poland). **16.** *rzecz to śliska* – a slippery, ticklish matter; *sęk* – literally knot; *tu sęk* or *w tem sęk* – idiom. that's the hitch. **17.** *mocium panie* – one of the numerous derivatives from *miłościwy panie;* comp. *mości panie, mospanie, mopanku,* etc. **18.** *kawalerstwo* – bachelorhood; *wyrzekać się* – to renounce. **19.** *niech go piorun trzaśnie* – let a thunderbolt strike him (a curse). **22.** *podstolina* – wife of of *podstoli*, deputy-pantler. **23.** *wdówka* – dim. of *wdowa.* **24.** *bawić* – here, to stay. **25.** *krewniaczka* – kinswoman. **28.** *parskać śmiechem* – to burst out laughing. **30.** *koncept* – joke. **35.** *proporcja,* here *miara* – measure. **36.** *fircykować,* from *fircyk* – to act like a popinjay. **37.** *kulig* – carnival sleigh-ride; *balansować* – to amuse oneself, to ramble. **40.** *przystawać* – to agree; *tać* = *jednak* – an expletive, here expressing doubt; *urażony* – offended. **42.** *skrobać się* – to scratch oneself. **43.** *hę*? – h'm, hem. **45.** *podagra* – gout. **46.** *kurcz* – cramp; *przepicie* – excessive drinking. **47.** *łupać* – to stab, twinge. **49.** *mankament* – defect. **50.** *co* (*jest*) *w ukryciu* – what is hidden. **51.** *Bóg to tylko wiedzieć raczy* – only God may know. **54.** *między nami kwita* – we are even.

Akt III, scena 4. Before line 1. *wsuwając się,* from *wsuwać się* – to steal, sidle in; *trwożliwie* – timorously; *wolnoż wstąpić*? – may I come in? **4.** *chluba* – glory, privilege. **6.** *wnosić* – to surmise. **7.** *uniżony* – humble; *sługa uniżony* – old form of greeting, of saying good-bye and of ending letters, comp. French: *votre très humble serviteur.* **8.** *w odwet,* here = *wzamian* – in return. **9.** *kogom zyskał honor witać* = *kogo mam honor witać; na stronie* – aside. **10.** *szlachciurka* – dim. of derog. augment. *szlachciura* = *szlachcic.* **11.** *dawać nurka* – to duck. **12.** *wzgląd* – consideration. **14.** *wyciągać się na krześle* – to stretch out on the chair. **16.** *rotmistrz* – captain of cavalry; *kawaler* – knight (Fr. *chevalier*); *wstęga* – ribbon; *orderowy,* from *order* – decoration, order. **17.** *tak, siak* – thus and so (comp. idiom. *taki siaki*); *tędy i owędy* – here and there. **20.** *Szwedy, Muzułmany, Sasy* etc. instead of *Szwedzi, Muzułmani, Sasi* etc. have now a somewhat derogatory meaning. **22.** *Artemiza* – name given by Papkin to his sword. **23.** *władać* – to wield; *wprawny* – expert, skillful. **26.** *bratku* – dim. of *brat,* used mostly in voc. sing. **27.** *nemo sapiens, nisi patiens* – Lat. no one is wise unless he is patient; *dostawać* – here, to get; *kilimek,* dim. of *kilim* – rug; *lampeczka* – dim. of *lampka* – glass. **28.** *tchórz* – coward; *podszyty,* from *podszyć* – to line with; *tchórzem podszyty* – idiom. cowardly fellow. **29.** *zlecenie* – message. **30.** *udrę łyka, drzeć łyko z kogo* – idiom. to exploit someone. **31.** *cienkusz,* from *cienki* – poor, weak drink; *deresz* – turgid wine. **32.** *istny* – true, genuine; *lura* – diluted liquid, wash. **34.** *niestać* – to be wanting, to be out of. **36.** wieje, from *wiać* (*zboże*) – to winnow. **37.** *zrzędzić* – to grumble; *nudzić* – to bore; *gderać* – to chide; *łajać* – to scold; *prowadzić oczyma* – to follow with one's eyes. **40.** *maść* – color. **41.** *jeśli łaska* – be so kind. **42.** *hreczkosiej* – sower of buckwheat, derog. or jocul. landowner, farmer. **43.** *u djaska* = *u* or *do djabła* – to the devil. **45.** *mętny* – muddy; *nad pojęcie* – beyond all conception. **51.** *rząd* – here, caparison, trappings; *dać konia z rzędem* – to pay a king's ransom. **56.** *nikczemne progi* – humble (mean) home. **57.** *Marsowy syn* – son of Mars; *rozpierać się* – to loll. **59.** *niecnota* – knave. **63.** *służalec* – hireling; *sprośny* – shameless; *dzicza,* older form for *dzicz* – savage host. **65.** *refers* to the attempt of Rejent's men to repair the wall. **70.** *komu w uszach strzyka* – someone has a shooting pain in his ears. **73.** *stentor,* from Stentor, a herald in the *Iliad* – person with a powerful voice. **78.** *hola*! – hey! **89.** *tkliwy* – sensitive. **90.** *przestrzeż,* imper. of *przestrzec* – to warn. **95.** *wnosić* – to move, suggest. **100.** *sprzyjać* – to favor, be favorably inclined. **102.** *zwijać w trąbkę* – to roll up. **104.** *prawić* – to talk; *zawiło,* adv. from *zawiły* – involved, obscure. **112.** *serdeńko,* Ukrainian – sweatheart, darling. **114.** *circa quartam* – Lat. about 4 o'clock. **115.** *kopiec* – mound, landmark. **116.** *rozprawa* – contest, encounter. **117.**

żwawy – brisk. **120.** *powiecie*, from *powiat* – county, district. **121.** *pokarbować* – to notch. **131.** *w pół dnia = w południe* – at noon. **134.** *ani mrumru* – not a murmer!, hush!, be still! *licho* – ill luck, deuce. **135.** *szpony* – claws, talons. **137.** *fiu, fiu* – and how! **138.** *wpadać w mdłości* – to swoon. **139.** *rozogniony* – inflamed, fiery. **140.** *gromnica* – candle; *pałać* – to flame. **143.** *zakład* – bet, wager.

Scena 7. **1.** *z łaski* – if you please. **3.** *ambasada djablo śliska* i.e., *niebezpieczne poselstwo* – a devilishly ticklish mission. **4.** *nóżka* – dim. of *noga; ściskać* – to hug, embrace; *ściskam nóżki* – an obsequious salutation. **6.** *owszem* – certainly; *odprowadzać* – to see off. **8.** *proszę wrócić* – please, go back, meaning: don't bother to see me off; *nie wypada* – it is not fitting, it would not be proper. **9.** *suplikować* – to entreat; *tylko z góry* – only from upstairs, i.e. down the stairs. **10.** *pachołek* – servant, doorman. **13.** *trafić* – to find one's way. **14.** *laska* – cane, walking stick. **15.** *macać* – to grope. **16.** *zbytek* – excess; *łaska* – kindness, i.e., you are too kind; *jednym susem* – in one leap.

Kornel Ujejski (1823–1897)

A NATIVE of Galicia, Kornel Ujejski spent a major part of his life there, though he also knew other Polish provinces. He stayed for some time in Paris, where he met the great émigré poets in person. His first longer poem, *Maraton* (written in 1844 or 1845), indicated the basic tone of his future works; under the guise of extolling the heroic struggle of the Greeks, it is a strong outburst of patriotic sentiment, with which the poet hopes to imbue the hearts of his listeners, like Mickiewicz in the *Pieśń Wajdeloty* (Song of the Wajdelota) or Słowacki in *Agamemmon's Grave*. Another poem, *Chorał*, written in 1846 under the impress of the Galician massacre of the nobility by the peasants (instigated by the Austrian government), became a kind of national anthem in the Austrian part of Poland; it expresses in similarly elevated style the grief and despair of the Poles after living through the terrible events of fratricidal struggle. The same character is manifested by *Skargi Jeremiego* (The Lamentations of Jeremiah, 1847), in which patriotic and Biblical elements are fused in Jeremiah's prayers, laments, and prophecies. The ideology of these poems may be traced to the influence of the émigré messianic poetry; the artistic expression is obviously much weaker than that of Mickiewicz, and Słowacki, though it is not inferior to the work of Krasiński. Interesting are his *Tłumaczenia Szopena* (Interpretations of Chopin, written between 1857 and 1860), which attempt to render in verse the mood of certain musical compositions, such as the funeral march from the sonata, Opus 35, and mazurkas, including *Zakochana* (The Girl in Love). The poem *Zawiana chata* (The Snowed-in Cottage), given below, reveals another aspect of his poetry: an understanding of and sympathy with the lot of the peasant.

CHORAŁ

I

Z dymem pożarów, z kurzem krwi bratniéj
    Do Ciebie, Panie, bije ten głos;
Skarga to straszna, jęk to ostatni,
    Od takich modłów bieleje włos.
5 My już bez skargi nie znamy śpiewu,
    Wieniec cierniowy wrósł w naszą skroń,
Wiecznie jak pomnik Twojego gniewu
    Sterczy ku Tobie błagalna dłoń!

II

Ileż to razy Tyś nas nie smagał!
10 A my, nie zmyci ze świeżych ran,
Znowu wołamy: "On się przebłagał,
    Bo On nasz Ojciec, bo On nasz Pan!"

I znów powstajem w ufności szczersi,
A za Twą wolą zgniata nas wróg,
15 I śmiech nam rzuca, jak głaz na piersi:
"*A gdzież ten Ojciec, a gdzież ten Bóg?*"

III

I patrzym w niebo, czy z jego szczytu
Sto słońc nie spadnie wrogom na znak...
Cicho i cicho – pośród błękitu
20 Jak dawniej buja swobodny ptak.
Owoż w zwątpienia strasznej rozterce,
Nim naszą wiarę ocucim znów,
Bluźnią Ci usta, choć płacze serce:
Sądź nas po sercu, nie według słów!

IV

25 O! Panie, Panie! ze zgrozą świata
Okropne dzieje przyniósł nam czas:
Syn zabił matkę, brat zabił brata,
Mnóstwo Kainów jest pośród nas.
Ależ o Panie! oni niewinni,
30 Choć naszą przyszłość cofnęli wstecz,
Inni szatani byli tam czynni;
O! rękę karaj, nie ślepy miecz!

V

Patrz! my w nieszczęściu zawsze jednacy,
Na Twoje łono, do Twoich gwiazd,
35 Modlitwą płyniem jak senni ptacy,
Co lecą spocząć wśród własnych gniazd.
Osłoń nas, osłoń ojcowską dłonią,
Daj nam widzenie przyszłych Twych łask,
Niech kwiat męczeństwa uśpi nas wonią,
40 Niech nas męczeństwa otoczy blask.

VI

I z archaniołem Twoim na czele
Pójdziemy potem na wielki bój,
I na drgającem szatana ciele
Zatkniemy sztandar zwycięski Twój!
45 Dla błędnych braci otworzym serca,
Winę ich zmyje wolności chrzest;
Wtenczas usłyszy podły bluźnierca
Naszą odpowiedź: "BÓG BYŁ I JEST"!

ZAWIANA CHATA

Chato polskiego chłopa, zasypana śniegiem!
Kiedy nad tobą cichą nocne wichry wyją,
Podobnaś do mogiły; kto zgadnie, że żyją
W tobie ludzie, dla bezsnu wstający do pracy?
5 Ledwie północ poddaszni obwołają ptacy,
Już się budzisz, czerwono już świecisz łuczywem,
Kobiety pieśni tęskne nucą nad przędziwem,
Razem z nicią zwijają swój żal na wrzeciona;
Gospodarz nudzi sobą, wyciąga ramiona,
10 To majaczy przy ścianach, to siada na ławie,

Czesto za próg wychodzi, wyglądając słońca:
W niebie i w myśli jego noc a noc bez końca!
Nad łożem nie migoce mu szlachecka szabla,
Dzienną złocąca troskę wspomnieniem o sławie...
15 A spłonie świt! – weselszy chwyta za łopatę,
W świat, w jasność, w przyszłość lepszą wygrzebuje chatę!...
Z niej ku słońcu ofiarne ciągną dymy Abla.

CHORAŁ. **1.** *kurz* – here, vapor. **2.** *bić*, here *wzbijać się* – to rise. **3.** *skarga* – plaint, complaint. **4.** *modły* = *modlitwy* – prayers. **6.** *wrósł*, from *wróść*, *wrosnąć* – to grow in. **8.** *błagalny* – imploring. **9.** *smagać* – to whip, lash. **11.** *przebłagać się* = *dać się przebłagać* – to relent, yield to compassion. **13.** *ufność* – confidence, trust; *szczersi*, comp. of *szczery* – sincere. **14.** *zgniatać* – to crush. **15.** *głaz* – rock, stone. **17.** *szczyt* – summit, top. **21.** *owoż* – thus; *zwątpienie* – despondency, doubt; *rozterka* – perplexity. **22.** *ocucić* – to revive. **23.** *bluźnić* – to blaspheme. **25.** *zgroza* – horror. **27–28.** The reference here is to the so-called "Galician massacre" in 1846 when, at the instigation of the Austrian government, which was anxious to nip in the bud a national uprising, the peasants in the district of Tarnów massacred the gentry. **29.** *oni niewinni* – that is, the peasants. **31.** *inni szatani* – scil. the Austrian authorities. **37.** *osłonić* – to cover, guard, protect. **38.** *widzenie* – vision; *łaska* – grace, favor. **39.** *męczeństwo* – martyrdom; *uśpić* – to lull. **43.** *drgający*, from *drgać* – to quiver, throb. **44.** *zatknąć* – to plant. **45.** *błędnych* = *błądzących* – erring; refers to the peasants who took part in the massacre. **47.** *podły* – vile, base.

ZAWIANA CHATA. Title: *zawiana*, from *zawiać*, scil. *śniegiem* – to snow in, snow under. **4.** *dla bezsnu*, neolog. – because of sleeplessness. **5.** *poddaszni*, from *poddasze* – garret, loft, eaves, nestling under the eaves; *obwołać* – to proclaim. **6.** *łuczywo* – rushlight. **7.** *przędziwo* – spinning, yarn. **8.** *zwijać* – to wind; *wrzeciono* – spindle. **9.** *nudzić sobą*, usually *nudzić się* – to be bored, restless. **10.** *majaczyć* – to lurk. **13.** *migoce*, from *migotać* – to twinkle. **15.** *spłonie* = *zapłonie*, from *spłonąć* – to blush or blaze. **16.** *wygrzebuje*, from *wygrzebywać* – to dig out. **17.** *ofiarny* – sacrificial.

Teofil Lenartowicz (1822–1893)

Teofil Lenartowicz won the sobriquet of the "Mazovian bard" because he celebrated in his poems the land and the people of his native Mazovia (central Poland), which he was forced to leave forever in 1848 under the threat of arrest for his conspiratorial revolutionary activity. Hence, probably, are derived the tone of nostalgia in his lyrics and the idealization of the Mazovian peasants. His poems are characterized by a tone of their own, as well as by considerable charm and simplicity. Frequently the poet's own experiences, or chosen episodes from history, are couched in "popular" form. Among his numerous collected poems mention should be made of *Lirenka* (The Little Lyre, 1855) and *Nowa lirenka* (The New Little Lyre, 1859), which contain his most characteristic poems, and *Ze starych zbroic* (Old Armor, 1870), in which he strove to give new "historical songs" similar to those of Niemcewicz, that is, a presentation of outstanding moments of Polish history.

JAK TO NA MAZOWSZU

Po szerokiem polu modra Wisła płynie,
Pochylone chaty drzemią na dolinie,
Nad wodą zgarbiony stary dąb żylasty,
Kędy bielą płótna wesołe niewiasty;
5 Po łące stąpają bociany powolne,
W owsach jednostajnie brzęczą świerszcze polne,
A z borów cienistych leśnej okolicy
Rozwiewa się wonność sosnowej żywicy.
Po niebie obłoki jak bieluchne runo,
10 Słoneczkiem przeciekłe pod błękitem suną;
Na wodzie, na Wiśle, śród ciszy poranka,
Płynie łódź flisowska, jak szara cyranka,
A za nią ładowne pszenicą galary,
Szum wioseł na falach i śmiechy i gwary.
15 Po boru jagody dziewczę rwie we wrzosie,
I śpiewa miłemu: Pędź głosie po rosie –
Po długiej dolinie tęskne tony cieką,
I słychać piosenkę daleko, daleko...
I gdzie się obrócisz nad Wisłą, nad Bugiem,
20 Brzmi nuta serdeczna, za bydłem, za pługiem,
Po wodzie srebrzystej, po zielonym gaju,
Jakby jedna dusza była w całym kraju.
Oj! śliczna to ziemia to nasze Mazowsze! –
I czystsza tam woda, i powietrze zdrowsze,

25 I sosny roślejsze, i dziewki kraśniejsze,
I ludzie mocniejsi, i niebo jaśniejsze.
Gdzie mi tak na świecie kto zagra od ucha?
Gdzie mi się rozśmieje tak raźna dziewucha?
Gdzie mi pokażecie naszą chatę lichą,
30 Taki bór szumiący, taką łąkę cichą?
Kędy ja usłyszę tyle ptastwa wrzasku?
Skąd wam modrej Wisły i białego piasku?
Serce moje, serce do tych lasów goni,
Do Wisły, do Wisły, – oj tęskno mi do niéj!...
35 Szczęśliwe kuliki, szczęśliwe rybitwy,
Co nad nią powietrzne zawodzą gonitwy.
Oj! Mazur ja, Mazur, pomiędzy obcemi
Zmarnuję ja młodość na nieswojej ziemi.
Kiedym szedł do ludzi, cały dzień padało,
40 Pod wieczór się za mną słońce obejrzało –
Oj poczerwienione, jak oczy matczyne,
Co mnie błogosławiąc patrzyła w dolinę;
Wiatr szumiał po polu, a pszeniczne kłosy
Strząsały na ścieżkę krople jasnej rosy;
45 Po boru, po lesie, przez gęstwinę ciemną,
Na gałęziach wrony krakały nade mną;
Sierocemu sercu tak się wydawało
Jakby coś w powietrzu po lesie płakało.
Spojrzałem przed siebie, nikogo nie było,
50 Kilka ciemnych sosen w ziemię się chyliło
Daremno po drodze patrzałem za siebie,
Jedna tylko gwiazdka mrugała na niebie,
I ta utonęła w ciemnej, mrocznej fali,
Nie było nikogo – i poszedłem daléj...
55 I dalej i dalej w świat szeroki długi –
Bywajcie mi zdrowe mazowieckie smugi!
Skrzypki, moje skrzypki, do serca zagrajcie,
A wy też, Mazury, chętnie posłuchajcie.
Dziś tułam się oto, i tęskliwie żyję –
60 Westchnieniem się żywię i łez się napiję.
I tak schodzi zima i za zimą lato –
Boże dopuszczenie – chwała mu i za to!
Zagrajcie skrzypeczki, niechaj wdzięczne granie
Cichy wiatr zaniesie gdzie moje kochanie.
65 – Witajże mi, witaj, kraino kochana,
W boleści, w tęskności – oj dana! oj dana!

ZŁOTY KUBEK

W szczerem polu na ustroni
Złote jabłka na jabłoni,
Złote liście pod jabłkami,
Złota kora pod liściami.

5 Aniołowie przylecieli
W porankową cichą porę:
Złote jabłka otrząsnęli,
Złote liście, złotą korę.

Nikt nie wiedział w całym świecie,
10 Ludzkie oczy nie widziały,
Tylko jedno małe dziecię,
Małe dziecię z chatki małéj.

Pan Bóg łaskaw na sierotę,
Przyleciała z nad strumyka,
15 Pozbierała jabłka złote,
Zawołała na złotnika:

– Złotniczeńku, zrób mi kubek,
Tylko proszę, zrób mi ładnie.
Zamiast uszka ptasi dzióbek,
20 Moją matkę zrób mi na dnie,

A po brzegach naokoło
Liść przeróżny niech się świeci,
A po bokach małe sioło,
A na spodku małe dzieci.

25 – Ja ci zrobię złoty kubek,
I uleję wszystko ładnie.
Zamiast uszka ptasi dzióbek,
Twoją matkę zrobię na dnie;

A po brzegach naokoło,
30 Liść przeróżny się zaświeci,
A po bokach małe sioło,
A pod spodem małe dzieci.

Ale czyjeż ręce, czyje
Będą godne tej roboty?
35 Ale któż się nim napije,
Komu damy kubek złoty?

Kto się w dłonie wziąść ośmieli,
W złotem denku przejrzeć lice?
– Sam Pan Jezus i anieli,
40 I Maryja i dziewice.

Złotniczeńku, patrz weseléj,
Czemu twoje w łzach źrenice?
Sam Pan Jezus i anieli,
I Maryja i dziewice.

KALINA

Rosła kalina z liściem szerokiem,
Nad modrym w gaju rosła potokiem,
Drobny deszcz piła, rosę zbierała,
W majowem słońcu liście kąpała.
5 W lipcu korale miała czerwone,
W cienkie z gałązek włosy wplecione.
Tak się stroiła jak dziewczę młode
I jak w lusterko patrzyła w wodę.
Wiatr co dnia czesał jej długie włosy,
10 A oczy myła kroplami rosy.
U tej krynicy, u tej kaliny
Jasio fujarki kręcił z wierzbiny,
I grywał sobie długo żałośnie,
Gdzie nad krynicą kalina rośnie,
15 I śpiewał sobie: Dana! oj dana!
A głos po rosie leciał co rana.
Kalina liście zielone miała
I jak dziewczyna w gaju czekała.
A gdy jesienią w skrzynkę zieloną
20 Pod czarny krzyżyk Jasia złożono,
Biedna kalina znać go kochała,
Bo wszystkie swoje liście rozwiała,
Żywe korale wrzuciła w wodę,
Z żalu straciła swoją urodę.

JAK TO NA MAZOWSZU. Title: *Mazowsze* – Mazovia, a province of central Poland. **1.** *modry* – blue. **2.** *drzemać* – to doze. **3.** *zgarbiony* – bowed; *żylasty* – sinewy. **4.** *bielić płótno* – to bleach linen by exposing it to the sun. **6.** *świerszcz* – cricket. **8.** *rozwiewać się* – to waft; *sosnowa żywica* – pine resin. **9.** *bieluchny* – dim. of *biały; runo* – fleece. **10.** *przeciekły* – permeated. **12.** *flisowska*, from *flis* – bargeman, raftsman; *cyranka* – teal. **13.** *ładowny* = *naładowany* – loaded; *galar* – barge. **15.** *po boru* = *po borze*, loc. of *bór; rwie*, from *rwać* – to pluck, pick; *wrzos* – heather. **25.** *roślejsze*, comp. of *rosły* – tall, lofty;

kraśniejsze – comp. of *krasny* – beautiful. **27.** *zagrać od ucha* – to play with zest. **28.** *raźny* – brisk, lively. **29.** *lichy* – poor, lowly. **31.** *kędy* = *gdzie; ptastwo* = *ptactwo* – birds. **32.** *skąd wam...* – here, where else would you find. **35.** *kulik* – curlew; *rybitwa* – gull, mew. **36.** *zawodzić gonitwy* – to engage in races. **37.** *Mazur* – inhabitant of Mazowsze. **38.** *zmarnuję*, from *zmarnować* – to waste. **39.** *padało* – it was raining. **41.** *matczyny* – adj. from *matka.* **44.** *strząsać* – to shed. **45.** *gęstwina* – thicket. **47.** *sierocy*, adj. from *sierota* – orphan. **56.** *smug* or *smuga* – meadow bordering on stream or forest. **57.** *zagrać do serca* – to play so as to awake strong emotions. **61.** *schodzić* – to pass. **62.** *Boże dopuszczenie* or *Boży dopust* – God's visitation. **66.** *oj dana, oj dana* – common refrain in Polish folksongs.

ZŁOTY KUBEK. Title: *kubek* – cup, tumbler. **1.** *szczere pole* – open field; *ustroń, ustronie* – out-of-the-way, secluded spot. **4.** *kora* – bark. **7.** *otrząsnąć* – to shake off. **16.** *złotnik* – goldsmith. **17.** *złotniczeńku* – dim. voc. of *złotnik.* **19.** *uszko* – handle. **20.** *na dnie*, from *dno* – bottom. **23.** *sioło* – hamlet. **24.** *na spodku* = *pod spodem* – underneath. **26.** *uleję*, from *ulać* – to cast. **38.** *denko*, dim. of *dno; lice* – face.

KALINA Title: *kalina* – guelder rose. **1.** *liście*, neutr. coll. noun – foliage, leaves. **4.** *kąpać* – to bathe. **5.** *korale* – scil. fruit like coral beads. **6.** *wplecione*, from *wpleść* – to entwine. **12.** *fujarka* – reedpipe; *kręcić fujarki* – to make reedpipes; *wierzbina*, from *wierzba*, willow – willow bark. **19.** *skrzynka*, dim. of *skrzynia* – chest, here, casket, coffin. **21.** *znać* = *snać, widocznie* – apparently. **22.** *rozwiać* – to scatter, disperse. **24.** *uroda* – beauty.

Henryk Rzewuski (1791–1866)

Henryk Rzewuski was a personality very characteristic of his epoch. A descendant of a powerful aristocratic family, he manifested in his views and activity mainly the negative traits of that class. He was one of the most backward, and most gifted, apologists of the dark aspects of the past of gentry Poland and one of the most vehement opponents of what in that past, and in his own days, represented a struggle for enlightenment, progress, and democracy. He did not believe in the regeneration of the Polish state and preached a fusion with the Russian people. He gave glaring and provocative expression to his convictions in his journalistic activity, articles, and books, of which particularly *Mięszaniny obyczajowe Jarosza Bejły* (Jarosz Bejła's Miscellanies on Manners and Morals, 1841–1843) became a notorious scandal.

This singular man and politician was, however, a talented writer. It is true that he treated literature as a rather secondary occupation (his first work was published without his knowledge when he was forty-eight years old), but he managed to write quite a lot. Of durable value among his works are: *Pamiątki Soplicy* (The Memoirs of Soplica, 1839–1841) and *Listopad* (November, 1845), an extensive historical novel of manners against the background of the Confederation of Bar. It presents in an interesting, colorful way the contrast of the two worlds into which Polish society was divided in the time of Stanisław August Poniatowski: the old Polish "Sarmatian" world and the new one forming under the influence of French culture. These two groups are represented by the Strawiński brothers. The novel is written in the style of the period, replete with heroes' genealogies, direct characterizations, and long descriptions; the plot develops slowly, without concentration and dramatic power. However, the characters are vivid and interesting; the scenes and pictures of contemporary life are rich and diversified and evince the author's profound knowledge of the period. Everything is treated from the artistic point of view. Political and moral remarks are relegated to footnotes, which contain comments on the characters and events.
Rzewuski wrote a number of other novels, including the *Zamek Krakowski* (Castle of Cracow), *Adam Śmigielski*, *Rycerz Lizdejko* (Sir Lizdejko), and others, but these are on a much lower level.

PAMIĄTKI J. PANA SEWERYNA SOPLICY

The Memoirs of Pan Seweryn Soplica appeared in 1839 in Paris, but were written earlier. They are composed of twenty-five stories told by Seweryn Soplica, Cupbearer of Parnawa. These stories tell about the life of the Polish gentry in the eighteenth century, an exuberant and colorful class, unrestrained to the point of anarchy, devoted to public and private affairs, to dietines, courts of law, and confederations, but also indulging in license, excesses, brawls, drinking bouts, duels, and all kinds of abuses. A true and enduring literary monument has been erected here for the average nobleman, his way of thinking and feeling, and his relations with the magnates (on whom he was completely dependent). Within this average type there is room for diverse individualities: there are ardent patriots, men of reason and comparative independence, of a higher moral level than others; but there is also a multitude of socially negative figures – boasters; sycophants; brawlers; ingorant, superstitious, inhuman men; and even common criminals. However, even they have exuberance, fantasy, and some peculiar charm. The narrator, Soplica, belongs by flesh and blood to that caste, though he stands culturally somewhat higher. Hence his stories possess artistic authenticity and are a triumph of Rzewuski's skill as a writer. They are couched in the form of a freely flowing, loose chat (*gawęda*, close to the Russian *skaz*, that is oral narrative), composed mainly of episodes and anecdotes, without any attempt to follow a structural principle, like a fireside chat with friends; however, they possess the charm of vividness and directness, particularly since the author knows his characters intimately and uses their expressive, picturesque, and often ribald language.

The *Memoirs* were appreciated by Mickiewicz, Słowacki, and Krasiński and influenced contemporary Polish novelists and poets.

XIĄŻE RADZIWIŁŁ PANIE KOCHANKU

(abridged)

Rok 1781 był pamiętny dla Nowogródka; w tym roku bowiem był sejmik bardzo forsowny: kilka tysięcy szlachty zjechało się na wybory pisarza ziemskiego. Po śmierci Pana Tadeusza Danejki, Xiąże wojewoda Wileński prowadził Pana Rejtena, brata owego wielkiego
5 Tadeusza, powszechnie w województwie lubionego; a że zwykle u nas wybory były jednomyślne, nikomu przez myśl nie przeszło, ażeby ktokolwiek mógł z nim o ten urząd emulować. Przecież zrobiło się inaczej. Przykro było JW. Niesiołowskiemu i JW. Jeleńskiemu, jednemu wojewodzie, drugiemu kasztelanowi Nowogródzkim, że najmniej-
10 szych wpływów w sejmikach ich województwa nie mieli, i że dla zachowania jakiejsiś powagi, radzi nie radzi, musieli się Xięciu Radziwiłłowi kłaniać. A że Rejteny z licznymi swoimi koligatami rej wodzili w partji Radziwiłłowskiej, usiłując JW. Niesiołowski ją rozdwoić, namówił Pana Kazimirza Haraburdę, męża rodzonej sio-
15 stry Rejtenów, aby oświadczył się o ten urząd dla siebie: co nie mało zgorszenia przyniosło województwu, okazując szwagrów zawziętych, jeden drugiemu szkodzących. Starali się obu stron przyjaciele namówić Pana Haraburdę, ażeby tej krzywdy szwagrowi nie robił, kiedy już tamtego pokilkakrotnie pito zdrowie jako przyszłego pisarza; że
20 on sam z początku nie był mu przeciwnym, że ta braci niezgoda wszystkich gorszy; a nakoniec, że niema podobieństwa ażeby przeciw Pana Michała się utrzymał. Wszelka usilność była daremną... Już tedy nie było podobieństwa ich pogodzić, a czas sejmikowania nadchodził; właśnie wypadła okoliczność, z której JW. wojewoda
25 Nowogródzki wielką sobie robił nadzieję, i która nieomal przyczyniła

się do uczynienia twardym Pana Haraburdę. A to był postępek Xięcia wojewody Wileńskiego z wielmożnym Józafatem Tryzną, strukczaszym Nowogródzkim, który to postępek wielu gorliwych przyjaciół Radziwiłłowskich oburzył, z czego zręcznie umiała korzy-
30 stać partja Xięciu Radziwiłłowi przeciwna. Tryzna był ubogim, ale ostatnim potomkiem starożytnego domu, z Radziwiłłowskim nawet skoligaconego... Pan Tryzna był ludzki, wesoły, ale czasem popędliwy. Razu jednego, w same żniwa, Xiąże Wojewoda Wileński, nie uprzedziwszy go, właśnie jak piorun wpadł z licznem myśliwstwem,
35 aby spolować lasy Kołdyczewskie. Pan Tryzna dawał rozporządzenia podstarościemu, by żniwiarzy naglił do roboty, i sam się w pole wybierał, kiedy wpadli dojeżdżacze Xięcia, wymagając, by natychmiast obławę do lasu posłał; a że to byli ludzie prości i nieroztropni, jakoś tam cierpko dopominali się u niego, iż go zniecierpliwili. Od-
40 mówił im ludzi, ofuknął ich i miał niby powiedzieć wedle ich relacji: że kto w czasie żniwa poluje, temu piątej klepki nie dostaje. Jak wrócili dojeżdżacze, a ich relacja zaczęłą biec po szczeblach dworskich a ciągle rosnąć: ile że Pan Mikuć, sekretarz Xięcia, miał żal do Pana Tryzny, z powodu iż konkurując o jego córkę, w jego domu był
45 traktowany harbuzem, więc dogadzając zemście, udał go przed Xięciem. Xiąże tak mocno to uczuł, że jak mnie twierdzili przytomni, przez kilka Zdrowaś Marja mowa mu była odjętą, a potem jak zaczął ryczeć, to się lasy kołdyczowskie zatrzęsły, a w niepohamowanym popędzie rozkazał natychmiast odebrać posłuszeństwo Panu Tryźnie
50 i wypędzić go z majątku. To się natychmiast dopełniło, nawet z niee ludzkością, bo aż lękając się o skórę Pan Tryzna, uciekł z tem tylko co miał na sobie; to jeszcze szczęście, że wielmożna Strukczaszyna, z córką były wyjechały na odpust do Pińska uczcić błogosławionego Bobolę: zgoła, że piechotą gospodarz umknął i aż w okolicy Raców
55 się oparł, a stamtąd dostawszy podwodę, udał się do Nowogródka, gdzie manifest zaniósł przed grodem, a razem i pozew po Xięcia o irrytację kontraktu i ekspulsję.

Kiedy przyszło do sprawy, musiałem attentować od Xięcia i przed Strukczaszym samym łzami się zalałem, błagając go, że tak powiem,
60 aby mnie odpuścił, że z obowiązku muszę o jego krzywdę się starać, bo znałem dobrze, że nasza sprawa była nic potem. Ale cóż? Czyj się chleb je, tego bronić trzeba. Jakoż Pan Strukczaszy nie miał mi tego za złe, i gdy się wszystko skończyło, nie przestał mnie zaszczycać swoją przyjaźnią, a może i podwoił dla mnie szacunku, widząc, jak
65 dla wywiązania się mojemu panu i dobroczyńcy, z własnego przekonania czyniłem ofiarę. A i przekonaniu umiałem zadość uczynić: bo przytomny będąc konferencji, poprzedzającej kroki prawne, ode-

zwałem się przed wielmożnym Radziszewskim, Chorążym Starodubowskim, a jeneralnym Xięcia plenipotentem, że niewiele mam
70 ufności w prawności naszej; jeno on mnie zaraz zwrócił na drogę, mówiąc: WCPana rzecz attentować i bronić sprawy Xięcia, a nie jej przyganiać, i na to jesteś płatny. A tem mnie zamknął gębę...

Aż tu nadszedł Sejmik na Pisarstwo Ziemskie, na który Xiąże Wojewoda wedle zwyczaju swego zjechał; tem więcej, że chciał
75 utrzymać Pana Michała Rejtena, co był Radziwiłłowskim z duszą i ciałem. Zjechał Xiąże w trzydzieści pojazdów do klasztoru Bernardyńskiego, którego był Syndykiem, i całkowity swoim dworem zajął, oprócz kilku cel, w których jak mogli cisnęli się zakonnicy. Sam Xiąże stał w celi gwardjana, jako najobszerniejszej; ale w nocy kotowi
80 w niej ledwo przecisnąć się można było: bo oprócz Xięcia, pokotem leżał: Pan Michał Rejten, Bukowski szatny, i ojciec Idzy, co był wielkim egzorcystą; a że Xiąże złych duchów się obawiał, wymówił sobie, aby w celi blisko niego spał, i do tego Nepta, ogromna wyżlica, faworyta Xięcia. Opowiadał nam Pan Rejten, że przez cały czas
85 sejmiku oka nie zmrużył, takie okropne było chrapanie Xięcia, ojca Idzego i Nepty. Szlachta okoliczna, co za Xięciem piechotą przyszła, spała na dziedzińcu klasztornym, na którym stało kilkadziesiąt fur z krupami, mąką, słoniną i gorzałką; ciągle kurzyły się kotły na dziedzińcu, a w rzeźni co dzień dla Xięcia dwa woły rżnięto. Xiąże
90 dwa razy na dzień obiadował; raz ze szlachtą na dziedzińcu z kotła zajadał krupnik i flaki; a potem w refektarzu z obywatelami, których u siebie częstował, albo u jakiego urzędnika, do którego się zaprosił.

Pan Michał, coby rad widział koniec interesu z Tryzną (bo szlachta taki na to krzyczała), a sam nie śmiał przed Xięciem z tem
95 się odezwać, namówił ojca Idzego, aby przy pomyślnej okoliczności jakoś bąknął Xięciu, aby dał się przekonać i był sprawiedliwym dla Pana Tryzny. Jakoż się wziął do tego Bernardyn, i to co napiszę, jest to co do słowa, co mnie P. Bukowski szatny opowiedział, jako naoczny świadek. – Po odbytych pacierzach, gdy się wszyscy
100 pokładli i czas niejaki panowało milczenie, Xiąże odezwał się: Ojcze Idzy, niech będzie pochwalony Jezus Chrystus! – Na wieki wieków; co Xiąże rozkaże? – Czy nie słyszysz waszeć, jak moja Nepta warczy? Zapewne nieboszczyk Wołodkowicz mnie nawiedza. – Na to P. Michał Rejten, przeżegnawszy się: Co też się marzy Waszej Xiążęcej
105 Mości? Ludzie się szastają po korytarzu, a Nepta warczy na nich; już zaraz ma być Pan Wołodkowicz? – Milczałbyś, panie kochanku! że umiesz grać w francuskie karty, to już siebie masz za mędrka. Ja nie do Waści mówię, ale do ojca Idzego. Ojcze Idzy, wszak prawda, że dusze z czyścu wychodzą, aby krewnych i przyjaciół o ratunek pro-

110 sić? Żeby temu przeczyć, trzeba być Xięciem biskupem Massalskim, albo Marcinem Lutrem. – Tak jest, JO. Xiąże! bywa to, bywa. – Słyszysz, Panie Michale? – Aż miło spać z teologiem, bo i oświeci i uspokoi. Ojcze Idzy, zawsze nieboszczyk Wołodkowicz stoi mi w oczach; co to był za przyjaciel! Żebym go mógł wskrzesić, oddałbym
115 co mam, a sam do was na braciszkabym wstąpił. Za życia nieboszczyka Xięcia najechałem po pijanemu pana Piotra Kotwicza i dom mu podpaliłem. P. Kotwicz na mnie namalował sto tysięcy pretensyj, i kazał mi oświadczyć, że jeżeli mu ich nie odliczę, to mnie zapozwie. Ja byłem goły, bo nieboszczyk Xiąże był skąpy, a do tego tak groźny,
120 że raz kazał mi dać pięćdziesiąt batogów, chociaż już byłem Miecznikiem Litewskim i orderowym Panem; a jakby się o takim zbytku dowiedział, możeby mnie był ubił pod batogami. Co tu było robić? – A mój Wołodkowicz dwa folwarki swoje własne zastawił i zagodził Kotwicza (tu słychać było, jak książe zaszlochał). I czy to raz za
125 mnie się poświęcił? – Kiedyś to mnie, jakby przeczuwał, że niedługo będziem z sobą, powiedział: Xiąże Karolu! ty dłużej ode mnie żyć będziesz; jak umrę, pamiętaj o mojej duszy. Otóż kiedy partja, którą ten łotr w infule, ten szuler Massalski prowadził, podstępem i zdradą porwała Wołodkowicza, a potem rozstrzelała go tu w Nowogródku,
130 gdzie tego samego wieczora przybyłem, ale zapóźno, przysiągłem pomścić jego krwi na głowie niegodziwego biskupa i chciałem ruszyć do Wilna, aby mu *sacrę* zdjąć na pierwszej sośnie za miastem; a potem pojechałbym do Rzymu, przeprosić Ojca Świętego. Już szedłem ku Wilnowi, ale na pierwszym noclegu we śnie pierwszy raz pokazał mi
135 się Wołodkowicz, prosząc mnie za biskupem, i wyraźnie mi powiedział: że jak biskupa powieszę, to mu będzie gorzej na tamtym świecie. Ojcze Idzy, wszak prawda, że on dotąd w czyścu? – A któż to przeniknie Sądy Boże, Xiąże Panie? I sprawiedliwość i miłosierdzie wielkie u Niego. To tylko wiemy, że jak się dusza rozstanie z ciałem,
140 Bóg natychmiast ją odsyła do nieba, albo do czyśca, albo do piekła – uchowaj nas od tego Jego miłosierdzie. – Jużci Wołodkowicz do piekła nie poszedł, Panie Kochanku! Daj Boże wam wszystkim zakonnikom być tak gorliwymi jak on w wierze... Moja Nepta tak jego zna, że jak tylko się zbliży, odzywa się do niego, jak na grubą zwierzynę. Ojcze
145 Idzy, daj mi na to radę, a ja za to wasz klasztor gdańską dachówką pokryję. – Niech Bóg odpłaci Waszej Xiążęcej Mości jego wspaniałość dla nas; każdy dar jest Panu Bogu miły; ale im większa ofiara, tem skuteczniejsza. Niech Xiąże Pan zrobi na intencję nieboszczyka jaką ofiarę z gniewu; naprzykład: niech poda rękę takiemu, co go obraził,
150 a tem najlepiej uwolnisz duszę przyjaciela. – Otóż już do mnie waszeć mówisz językiem xiędza Kantembrynga, co całe życie u mnie za lada

sprawami patronuje... To już i waszeć tą drogą zachodzisz? To już i Bernardyni filutują jak Jezuity?... – Jabym się odezwał z czemś, ale nie śmiem. – Mów śmiało, mów śmiało, ojcze Idzy, wszak na swoim
155 dziedzińcu i wióry biją, a ja u was na gościnie: mnie o waszą łaskę, nie wam o moją dbać; a potem swemu syndykowi trzeba prawdę mówić. – Kiedy mnie Xiąże Pan pozwala tyle śmiałości, to niech Wasza Xiążęca Mość sobie przypomni, czy kogo nie ukrzywdził? – Ja, panie kochanku, nikogo nie ukrzywdził: mnie wszyscy krzywdzą,
160 a ja im dla miłości Pana Boga odpuszczam. Ja nikogo nie podrapał, chociaż mnie ta małpa poznańska, ten Kaszuba Sułkowski, nazywa w Warszawie niedźwiedziem litewskim; ale podrapię jego dobrze, jak do Grodna na Sejm przyjedzie. Ale to do Waszeci, Ojcze Idzy, nie należy, bo Waszeć nie Wielkopolski Bernardyn. A w Litwie kogo ja
165 ukrzywdził? Ja pokorny jak dziecko, panie kochanku, xiądz Kantembryng ciągle mi z ambony przymawia, a ja się na niego nie krzywię; a Pan Leon Borowski mało mi figlów napłatał! a Pan Jerzy Białopiotrowicz mało mi się worał w moje grunta? a Pan filozof, co tu śpi, Michał Rejten, mało mi niedźwiedzi wybił w Nalibokach i bo-
170 brów wyłowił w Łachwie? A ja się nie odzywam, tylko przed Panem Bogiem czasem zapłaczę. Na nikogo złości nie mam, na nikogo; mnie wszyscy krzywdzą, ja nikogo. Ojcze Idzy, wystrzeliłeś, aleś spudłował. Słuchaj, Bernachu, tobie się podobał mój pas, com go miał wczoraj na sobie; mówiłeś, że byłby z niego ornat, jakiego w Wilnie w zakrystji
175 katedralnej niema; jeżeli mnie dokażesz, że mam na kogo gniew (rozumie się w Litwie), to ci go dam; a jak nie dokażesz, to dasz sobie pięćdziesiąt dyscyplin na intencję Wołodkowicza. – Zgoda, Xiąże Panie! pas będzie nasz, a ja taki dyscyplinować się będę na intencję nieboszczyka: tylko boję się odezwać, bo nuż Xiąże Pan się obrazi? –
180 Mów śmiało, nie będę się gniewał, jakem Radziwiłł. – Kiedy mnie Xiąże Pan ośmielasz, to powiem, że był zacny obywatel, który przed rokiem wiele nam świadczył. Bywało fury z jego spichrza idą do klasztoru, a teraz my musimy udzielać mu z jałmużn, bo z głoduby umarł, a to dlatego, że Xiąże Pan wypędzić go kazał z zastawy i pra-
185 wie w jednej koszuli do Nowogródka uciekł. Pozywa się teraz z Xięciem, a kawałka chleba nie ma Pan Strukczaszy Tryzna. – Tu mu przerwał Xiąże: Co ty się wtrącasz, klecho, w nieswoją rzecz! Ja cały majątek stracę, a na swojem postawię. On, okryty mojemi dobrodziejstwy; on, co prawie darmo Kołdyczów trzymał, odmówił mi ludzi
190 na obławę; sług moich z błotem zmięszał i mnie głupcem nazwał! Albo ja albo on z torbą pójdzie. – Już on poszedł z torbą, Xiąże Panie; ale niech WXM. przypomni sobie, że przynajmniej dwa razy na dzień mówisz Panu Bogu: "I odpuść nam nasze winy, jako

i my odpuszczamy naszym winowajcom". – Otóż ja odtąd
195 wolę pacierza nie mówić, a taki nie odpuszczę. – Ale Xiążę... – Cicho mnie zaraz! precz stąd, Bernachu! nie suszyć mi głowy! – (Tu milczenie przez chwil kilka nastąpiło, aż dały sie słyszeć kroki). – Wszelki duch Pana Boga chwali! – odezwał sie Xiążę. – I ja go chwalę! To ja! Xiążę Panie, wychodzę na rozkaz WXM.; a to trepki moje, co z prze-
200 proszeniem jego uszów, troszkę hałasu narobiły. – Proszę waszeci, Panie kochanku, nie odchodź z celi, śpij ze mną: bo jak do mnie przyjdzie Wołodkowicz, bez ciebie, mój Xiężе, zachoruję z żalu. Ja z tym heretykiem Rejtenem, co z upiorów żartuje, sam na sam nie chcę być w nocy, a Bukowski śpi jak zabity. Kładź się, ojcze Idzy, i nie gniewaj
205 się. Żeby się przynajmniej Tryzna upokorzył? Ale taki z tego nic nie będzie. – Potem wedle relacji P. Bukowskiego nastąpiła cichość, a zaraz potem zwykły koncert Xięcia, ojca Idzego i Nepty. Ale P. Bukowski, co znał Xięcia na pamięć, a dobrze życzył P. Strukczaszemu, i P. Michał Rejten, już mieli dla niego dobrą nadzieję; tylko szło
210 o to, aby P. Tryznę namówić, by jakiś krok do Xięcia zrobił, co nie było łatwo; bo choć podupadły, znał siebie być magnatów kolligatem i do naginania się nie był skłonnym. Ale jakoś dobrze sie nakartowało: bo nazajutrz po tej rozmowie, o której Pana Tryznę P. Michał Rejten i podobno sam ojciec Idzy uprzedził, kiedy zagaił sejmik JW. Rdul-
215 towski, chorąży Nowogrodzki (bo JW. Niezabitowski, podkomorzy, będąc zapozwanym *de male gesto officio* przez JW. Wojewodę Niesiołowskiego, pod procederem takowego gatunku nie mógł urzędowania dopełniać), po zagajeniu zaprosił zwykłym trybem urzędników ziemskich, grodzkich, rycerstwo i szlachtę księstwa Nowogródzkiego
220 do obierania marszałka sejmiku, po całym kościele huknęły głosy: JW. Xięcia Wojewodę Wileńskiego prosimy na Marszałka! – Zgoda! zgoda! zaczęła krzyczeć szlachta; aż tu P. Kazimierz Haraburda przybliżywszy się do koła: Niema zgody! Lubo nadto byłbym szczęśliwy przyczynić się moim głosem do zaszczycenia Województwa tak
225 wielkim i świetnym marszałkiem, jakim jest JO. Xiążę Wojewoda, ale sumiennie skłonność własną woli prawa poświęcić muszę; a prawo mówi wyraźnie, że obywatel pod kondemnatą będący żadnego urzędu sprawować nie może. – Na to my wszyscy, słudzy i przyjaciele Xięcia, dobyliśmy szabel i bylibyśmy w puch rozbili partję P. Wojewody
230 Nowogródzkiego, ale P. Jerzy Białopiotrowicz, co był powszechnie szanowany, uprosił nas, aby pochować szable, i ażeby koło rozstrzygnęło zarzut pana Haraburdy. Zaczęliśmy wołać: Prosimy Pana Haraburdę, aby złożył kondemnatę, jaką uzyskał na Xięciu Wojewodzie! – Na to on: Ja nie otrzymałem kondemnaty, i tegom nigdy nie
235 mówił; ale W. Tryzna, nasz Strukczaszy, co w tem kole zasiada,

otrzymał ją w Grodzie. – P. Michał Rejten rozgniewany, odezwał się do Pana Haraburdy: Jeżeli kondemnata do W. Pana należy, złóż na nią ustępstwo od W. Tryzny, a jeżeli jego nie masz, z cudzą kondemnatą się nie popisuj i milcz! – Waćpan sam milcz, kiedy ci język nie
240 świerzbi! a nie ucz rozumu tych, co go mają tyle, ile Waćpan. Ja z mojego miejsca dopraszam się, aby W. chorąży raczył od P. Tryzny zażądać, aby złożył kondemnatę, jaką ma na Xięciu. – Tu zaczęliśmy wszyscy krzyczeć, że wniesienie Pana Haraburdy nieprawne, bo Pan Tryzna sam wie, co jemu należy i o swoje upomnieć się potrafi. –
245 Xiąże pomiędzy nami stał mocno poruszony i wąsa do góry nakręcał; aż tu W. Tryzna, który jako Strukczaszy w kole zasiadał, a dotąd milczał, powstał i głosem drżącym, w którego dźwięku głęboki żal się okazywał, powiedział te słowa: Mamci wprawdzie kondemnatę na JO. Xięciu Wojewodzie Wileńskim i tu onę składam; krwawo czuję
250 się być uciśnionym, ale jako obywatel obowiązany jestem moje prywatne uczucia ustąpić dobru publicznemu; a przekonanym będąc, że nic nie może być lepszem dla naszego Województwa, jak poruczyć przewództwo naszego Sejmiku JO. Xięciu, który go do pomyślnego kresu doprowadzi, na boku zostawując moją krzywdę i mimo siebie
255 puszczając, ile uciążliwych przewłok dla mnie wyniknąć może, oświadczam się, że JO. Xięcia Wojewodę z otrzymanej nad nim kondemnaty kwituję. – Xiąże Wojewoda przybliżył się do koła i tak był rozczulony, że nie mógł więcej powiedzieć, tylko: Chociaż żal czuję do W. Strukczaszego, ale ten krok jego życzliwości i zaufania będę
260 się starał wywdzięczyć. – Po całym kościele dały się słyszeć licznie powtarzane okrzyki: Niech żyje Xiąże, marszałek sejmiku! Wiwat Tryzna, Strukczaszy! – Xiąże rozpoczął swoje urzędowanie, ale że już było koło pierwszej z południa, więc solwował sesję do ósmej zrana na dzień jutrzejszy, a sam na obiad poszedł do chorążego
265 Rdułtowskiego, gdzie na dziedzińcu było mnóstwo stołów pozastawianych i liczna szlachta tam się zebrała. Był i P. Strukczaszy i przy kielichach zaczęto godzić go z Xięciem. Xiąże powiedział: Ja Pana Józafata kocham; to krew, nie woda, Panie kochanku; mego pradziada Tryznianka rodzi. Oddaję Kołdyczów natychmiast, a pretensje, jakie
270 mieć może za irytację kontraktu, niech przyjaciele rozsądzą. Ale mam żal do niego osobisty. On moich sług zbeształ i kazał mi powiedzieć: że mnie piątej klepki niedostaje. My oba szlachta, zatem niech nas szabla rozprawi, i to natychmiast. – Napróżno się tłumaczył pan Tryzna, że tego nigdy nie mówił, a pan Chorąży i pan Sędzia Re-
275 wieński perswadowali: musiał pan Tryzna dobyć szabli i bić się zaczęli w naszej przytomności. Panu Tryznie pękła klinga, tak silnie uderzył po niej Xiąże wojewoda; a pan Sędzia pana Tryznę rozbro-

jonego złożył swoją szablą. Xiąże odezwał się: Mam zupełną satysfakcję – i ucałował Tryznę; przeglądał szablę i powiedział: To szabla
280 moja, bo ja ją krwią moją zdobyłem, przyznaj, panie Józefacie, że umiem się składać. Potem dawaj pić na zgodę. – Xiąże był w przecudnym humorze. – Panie Michale, mówił, bądź spokojny o pisarję ziemską; ja sam jeden z moją batorówką całą partję Wojewody Nowogródzkiego rozpędzę...

285 Po obiedzie poszliśmy wszyscy na dziedziniec Bernardynów, gdzie lubo wszyscy byliśmy pod dobrą datą, *de noviter reperta* piliśmy. Już tam była mieszanina. Urzędnicy i szlachta, magnaci i zaścianki, byli brat za brat. Xiąże napotkawszy jakiegoś szlachcica w obdartej czapce, zdarł ją z niego, na swoją głowę ją włożył, a oddał mu swoją
290 aksamitną. Na to hasło zaczęliśmy mieniać miedzy sobą czapki, a pić, ale tak, że w momencie każdy z nas inną czapkę miał na głowie. Potem Xiąże dobrze pijany, zaczął sie rozbierać, besztając szlachtę z dobrego serca. I tak jednemu dał złoty pas, mówiąc: daruję ci, durniu – drugiemu kontusz: masz, świnio! – temu szpinkę brylantową:
295 trzymaj, ośle! – a innemu żupan: weź, kpie! – tak, że został w hajdawerach amarantowych i w koszuli, na której wisiał ogromny szkaplerz, i tak wlazł na wóz, na którym była kufa napełniona winem. On siadł na kufie, a wóz szlachta ciągnęła po ulicach Nowogródka. Wóz co kilka kroków zatrzymywał się, a kto chciał, kielich lub garnek nasta-
300 wiał, a Xiąże czop od kufy odtykał i perorował, prosząc szlachtę, by mu dopisała, żeby Pana Michała Rejtena na pisarji utrzymać, a nie dać Radziwiłła na pastwę nieprzyjaciół...

O samej ósmej nazajutrz zebraliśmy się do sejmikowania, a Xiąże zaprosiwszy wszystkich urzędników ziemskich i grodzkich do koła,
305 zagaił sejmik temi słowy: "JJOO. JJWW." i WW. nasi wielce mości Panowie i kochani bracia! Z rozkazu waszego objąwszy przewodnictwo Sejmiku, w celu wyboru pisarza ziemskiego, mam honor was uwiadomić: dwóch kandydatów jest wam podanych. Jeden Pan Michał Rejten, szambelan JK. Mości, niegdyś nasz Deputat na Try-
310 bunale Litewskim. Drugi Pan Kazimierz Haraburda, Starosta Wiladymowski. Zatem Panowie bracia, raczcie oświadczyć, którego z nich życzycie sobie na pisarza ziemskiego". – Pana Michała Rejtena prosimy! – odezwali się Odyńcowie, Mickiewicze, Siemiradzcy, Czeczoty i my wszyscy. – Zgoda! zgoda! – odpowiedziała szlachta z wielu
315 zaścianków – Pana Rejtena prosimy! – Niema zgody! – krzyknęli Jeśmiany, Słuszkowie, Kobylińscy – Pana Haraburdę prosimy! Ale głosy były słabsze. Nikt z naszych szabli nie dobył, bo Xiąże wszystkich nas zaklął, aby żaden do gwałtu nie dał pobudki, chcąc swoje urzędowanie odbyć w największym porządku. Zatem powstawszy

320 Xiąże, powiedział: Bywał zwyczaj w naszem Województwie: *unanimitate* wszystko się robiło, ale *nemini vox deneganda*; zatem zapraszam Panów braci do wotowania. Szlachta zaczęła głosować, ale wkrótce się upewnił Pan Haraburda, że niepodobieństwo się utrzymać, i że wszystkie zaścianki go zawiodły; więc nie chcąc objawić słabości 325 swojej partji, przybliżył się do koła i zabrał głos, w którym oświadczył: iż nie chcąc nikomu być na przeszkodzie, odstępuje. I zaraz wyszedł z kościoła i wyjechał na wieś, nie bez żalu na JW. Wojewodę Nowogródzkiego, iż go zaryzykował. Ale wkrótce potem tenże Wojewoda instrumentował go Sędzią Grodzkim. Lepszy rydz jak nic, 330 i tem go ukoił – a Pan Michał Rejten został pisarzem ziemskim.

PAMIĄTKI J. PANA SEWERYNA SOPLICY. Title: J. (*Pana*) = *Imci* – from *Imć*, abbrev. of *Jegomość; Xiąże Radziwiłł Panie Kochanku* – Prince Radziwiłł "Darling Sir", so nicknamed from an expletive he constantly used; as governor (*wojewoda*) of Wilno and owner of an immense estate he was one of the most powerful magnates of his day; *Xiąże* – old spelling for *Książę*. **2.** *sejmik* – dietine, provintial assembly of the gentry; *forsowny* – here, intense, tiring. **3.** *pisarz ziemski* – clerk (secretary) of a district court. **4.** *prowadzić*, here *promować, pomagać* – to back. **5.** *Tadeusz Rejten* or *Reytan* – prominent Polish patriot who took part in the Confederation of Bar, heroically opposed the sanctioning of the first partition of Poland by the Diet of 1772. Afterwards he fell victim to melancholia and committed suicide; *województwo* – territorial subdivision of Poland, voyevodship, province. **6.** *jednomyślny* – unanimous; *przejść przez myśl* – to cross one's mind, occur. **7.** *emulować* – to compete. *JW* = *Jaśnie Wielmożny* – Honorable. **11.** *jakiejsiś* = *jakiejś; powaga* – authority, prestige; *radzi nie radzi* – willy-nilly. **12.** *koligat* – kinsman, cousin by marriage; *rej wodzić* – to rule the roost. **14.** *rozdwoić* – to split. **16.** *zgorszenie* – scandal, offense; *zawzięty* – full of hatred. **21.** *gorszyć* – to scandalize; *podobieństwo* – likelihood. **22.** *usilność* – endeavor. **23.** *sejmikowanie*, from *sejmikować* – to hold session of dietine. **24.** *okoliczność*, here *wypadek* – incident. **25.** *nieomal* = *niemal, ledwie nie, prawie* – nearly, almost. **28.** *strukczaszy*, German *Truchses* – a courtier serving the king at table, later a purely honorary title. **32.** *skoligacony*, from *koligat* – see above, 12; *popędliwy* – impetuous, irascible. **34.** *uprzedzić* – to forewarn; *wpaść jak piorun* (thunderbolt) – to appear suddenly, unexpectedly; *myślistwo* – hunting, here, a hunt, a group of hunters. **35.** *spolować lasy* – to hunt in the forests; *Kołdyczewskie* – from Kołdyczew, the estate of Tryzna; *rozporządzenie* – order, direction. **36.** *podstarości* – estate manager, land steward; *żniwiarz* – harvester; *naglić* – to urge on. **37.** *wybierać się* – to be about to do, to set out; *dojeżdżacz* – rider in charge of a pack of hounds. **38.** *obława* – battue. **39.** *cierpko* – wryly, harshly; *dopominać się* – to demand; *zniecierpliwić* – to make impatient. **40.** *ofuknąć* – to berate, give a harsh answer; *miał niby powiedzieć* – was alleged to have said; *relacja* – account, story. **41.** *klepka* – stave; *piątej klepki mu nie dostaje* – idiom. he is wrong in the head. **43.** *ile że* = *zwłaszcza, tembardziej że* – the more so; *mieć żal* – to have a grudge. **44.** *konkurować* – to woo, strive for the hand. **45.** *traktować harbuzem* – lit. to treat to a water-melon; to reject as a suitor; *dogadzać zemście* – to give vent to revenge; *udać*, here *obgadać, oczernić* – to slander. **46.** *twierdzić* – to maintain, claim; *przytomni* = *obecni* – those who were present.

47. *przez kilka Zdrowaś Marja* – for as long as it takes to say several times Hail Mary; *mowa mu była odjęta* – he lost the power of speech. **48.** *niepohamowany* – unrestrained, violent; *posłuszeństwo*, here *władza, zwierzchnictwo* – authority. **51.** *lękać się o skórę* (*skóra* – skin) – to fear for one's life. **53.** *odpust* – indulgence, church fair; *uczcić* – to honor; *błogosławiony* – blessed. **54.** *Bobola, Andrzej*, saint, Jesuit martyr, tortured to death in 1657; *zgoła* – in a word; *umknąć* – to flee. **55.** *oprzeć się* – here, to stop, rest; *podwoda* – cart, conveyance. **56.** *manifest*, here *skarga do sądu* – plaint; *zanieść* – to file; *gród* – formerly, a fortress, then town in general; here, criminal court in town; *pozew* – summons. **57.** *irrytacja* – violation. **58.** *sprawa* – trial; *attentować* – to attend, take care; *od* – here, on the part of, on behalf. **61.** *znałem* = *wiedziałem; być nic potem* – to be no good. **62.** *mieć za złe* – to hold against. **65.** *wywiązanie się*, from *wywiązać się* – to acquit oneself. **66.** *zadość uczynić* – to satisfy. **67.** *przytomny* – present. **68.** *chorąży* – standard-bearer, honorary title. **69.** *jeneralny* (*generalny*) *plenipotent* – general manager. **70.** *prawność* – legality; *zwrócić na drogę* – to put in one's place. **71.** *WCPana* = *Waszmość Pana.* **72.** *przyganiać* – to criticize. **73.** *pisarstwo ziemskie* – the position of a *pisarz ziemski*, see note 3. **76.** *pojazd* – carriage. **77.** *syndyk* – here, a kind of trustee (warden). **78.** *cisnąć się* – to throng, crowd. **80.** *leżeć pokotem* – to lie side by side. **81.** *szatny* – master of the wardrobe; *Idzy* = *Idzi.* **82.** *wymówić sobie* – to demand, insist. **83.** *wyżlica*, fem. of *wyżeł* – setter, pointer. **85.** *oka nie zmrużył* – he did not get a wink of sleep; *chrapanie*, from *chrapać* – to snore. **87.** *fura* – cart, waggon. **88.** *krupy* – groats; *gorzałka* – vodka, brandy; *kurzyć się* – to smoke. **89.** *rzeźnia* – slaughterhouse; *rznąć* – to slaughter. **91.** *krupnik* – barley soup; *flaki* – tripe. **92.** *częstować* – to treat, entertain. **94.** *taki*, provinc. *jednak, przecież* – nevertheless. **96.** *bąknąć* – to mumble, put in a word. **98.** *co do słowa* – literally. **99.** *naoczny świadek* – eye witness. **101.** *na wieki wieków* – for ever and ever. **102.** *waszeć* = *waszmość; warczeć* – to growl. **103.** *nawiedzać* – to visit, haunt. **104.** *przeżegnać się* – to make the sign of the cross; *marzyć się* – to imagine; *Wasza Książęca Mość* – Your Princely Highness. **105.** *szastać się* – to bustle. **107.** *mędrek* – wiseacre. **109.** *czyściec* – purgatory. **110.** *biskup Massalski, Ignacy Józef*, bishop of Wilno since 1762, a mortal foe of Radziwiłł but no less highhanded and notorious for his abuses. Member of the Targowica Confederation, he was hanged in 1794 during the uprising in Warsaw. **111.** *J.O.* = *Jaśnie Oświecony* – Most Illustrious, His Grace. **115.** *braciszek* – friar. **116.** *najechać* – to raid; *po pijanemu* – while drunk. **117.** *namalować*, here *wypisać, spisać* – to set down; *pretensja* – claim. **118.** *odliczyć* – to count, pay; *zapozwać* – to sue. **119.** *goły* – naked, here, penniless. **120.** *batog* – whip, lash; *miecznik* – see Malczewski "Maria". **121.** *orderowy pan* i.e. *ozdobiony orderem* – knight of an order; *zbytek* – excess. **122.** *ubić* – to kill. **123.** *folwark* – farm buildings and land belonging to an estate owner, as distinguished from peasants' grounds; *zastawić* – to mortgage; *zagodzić* – to conciliate, pacify. **128.** *infuła* – bishop's mitre; *szuler* – gambler, cheat. **129.** *rozstrzelać* – to execute by shooting; the life and deeds of Wołodkowicz, one of the worst rogues of Prince Radziwiłł's band is described in a story, *Pan Wołodkowicz*, included in *Pamiątki Soplicy*. He was sentenced to death because of an armed attack on a court of law (*sąd kapturowy*). **132.** *sacra* – consecration of a bishop. **134.** *ku Wilnowi* – older dative, now *ku Wilnu.* **138.** *przeniknąć* – to see through. **141.** *jużci* – to be sure, of course. **144.** *gruba zwierzyna* – big game. **145.** *dachówka* – shingle, tile. **152.** *patronować* – here, to intercede; *tą drogą zachodzisz* i.e. *tę drogę obierasz, w ten sposób traktujesz sprawy* – that is your approach. **153.** *filutować*, from *filut*, rogue – to act in a sly, underhand way. **155.** *wiory* = *wióry* –

wood-shavings. **159.** *ukrzywdził* – dial. for *ukrzywdziłem.* **160.** *podrapać* – to scratch. **161.** *Kaszuba* – a Polish tribe of the Baltic shore; here, in a derogatory meaning. There were two Sułkowskis to whom this may have referred: Franciszek or Antoni each representing one of the two branches of a wealthy aristocratic family in Western Poland. **164.** *należeć do* – to be the concern, business of. **166.** *krzywić się* – to look askance. **167.** *napłatać figlów*, from *figiel*, trick, prank – to play tricks upon. **168.** *worać się* – to plough into a neighbour's field thereby annexing a strip, a practice common among ploughers. **169.** *wybić* – here, to kill; *bóbr* – beaver; *Naliboki, Łachwie* – Radziwiłł's estates. **172.** *spudłować* – to miss the mark. **173.** *Bernach* – jocular or contemptible for *Bernardyn.* **174.** *ornat* – chasuble. **175.** *dokazać* = *udowodnić* – to prove. **177.** *dyscyplina* – here, lash. **178.** *dyscyplinować się* – to scourge oneself. **179.** *nuż* or *anuż* – suppose that. **182.** *świadczyć* – to be generous to; *spichrz* – granary. **185.** *pozywać się* – to litigate. **187.** *wtrącać się w nieswoją rzecz* – to meddle; *klecha*, derogatory for *ksiądz* – parson, cleric. **188.** *postawić na swojem* – to have one's own way. **190.** *zmieszać z błotem* – to revile. **191.** *pójść z torbą* or *z torbami* (*torba*, bag, sack) – to be reduced to beggary. **192.** *WXM* = *Wasza Książęca Mość.* **193.** *I odpuść nam nasze winy...* – and forgive us our trespasses... **196.** *suszyć komu głowę* – to pester. **197.** *Wszelki duch Pana Boga chwali* – expression used to drive evil spirits away; *duch* in the meaning of any living being. **199.** *trepki* – sandals. **203.** *upiór* – ghost. **204.** *śpi jak zabity* – he sleeps like a top. **205.** *upokorzyć się* – to humble oneself. **211.** *podupadły*, from *podupaść* – to grow destitute. **212.** *nakartować się*, here *złożyć się* – to turn out, befall. **214.** *zagaić* – to open a meeting. **216.** *de male geste officio* – Lat. of improper performance of office. **220.** *marszałek* – speaker, chairman; *po całym kościele* – the dietine was held in a church; *huknąć* – to resound. **223.** *koło* – here, the assembly. **229.** *dobyć szabli* – to draw the saber; *rozbić w puch;* – to smash to smithers. **231.** *pochować szable* – to sheathe the swords. **236.** *w Grodzie* – see note 56. **238.** *ustępstwo* – cession. **239.** *popisywać się* – to show off. **240.** *świerzbieć* – to itch; *język go świerzbi* – he cannot hold his tongue. **243.** *wniesienie* = *wniosek* – motion, proposal. **249.** *onę* = *ją.* **253.** *przewództwo* – leadership, chairmanship. **254.** *kres* = *koniec; zostawując* = *zostawiając*, from *zostawiać; puszczać mimo siebie* – to disregard. **255.** *przewłoka* – delay. **257.** *kwitować* – to acquit, release. **260.** *wywdzięczyć się* – to repay, reward. **263.** *solwować* – to adjourn. **265.** *pozastawiane stoły* – tables laden with food. **269.** *Tryznianka* – daughter of *Tryzna;* **271.** *zbesztać* – to scold, berate. **273.** *rozprawić* – to settle a dispute. **276.** *przytomność* – presence; *pęknąć* – to burst, break; *klinga* – blade of a sword. **278.** *złożyć*, here *zasłonić* – to protect. **281.** *składać się* – to wield the sword; *dawaj pić!* – let us drink! **282.** *pisarja* = *pisarstwo.* **283.** *batorówka* – a sabre of King Batory's time (sixteenth century). **286.** *być pod dobrą datą* – to be tipsy, tight; *de noviter reperta* – Lat. anew. **287.** *zaścianek* – settlement of poor gentry. **288.** *być brat za brat* – to fraternize. **290.** *mieniać* = *wymieniać* – to exchange. **294.** *durniu*, voc. of *dureń* – fool; *świnia* – swine; *szpinka* = *spinka* – stud. **295.** *ośle*, voc. of *osioł* – ass; *kpie* – voc. of *kiep* – dolt; *hajdawery* – pants. **296.** *amarantowy* – amaranth, purple; *szkaplerz* – scapulary. **297.** *kufa* – cask, vat. **300.** *czop* – spigot; *odtykać* – to unplug. **301.** *dopisać komu* – not to let one down. **302.** *dać na pastwę* – deliver into toils. **303.** *nazajutrz* – the next morning. **305.** *JJOO* = *Jaśnie Oświeceni* – see 111, usually form of address to princes, here to the highest officials; *JJWW* = *Jaśnie Wielmożni* = High Honorable, form of address to senators and high dignitaries; *WW* = *Wielmożni* – form of address to minor officials and noblemen. **309.** *szambelan* – chamberlain, a high court official; *JK. Mości* = *Jego Królewskiej*

Mości – of His Royal Majesty. **310.** *starosta* = *rządca królewski w grodach i dobrach* – the king's administrator of boroughs and estates. **311.** *panowie bracia* – customary form of address to the noblemen who were theoretically all equals, i.e., "brothers". **318.** *pobudka* – motive. **320.** *unanimitate*, Lat. unanimously; *nemini vox deneganda* – Lat. without denying anybody a voice. **323.** *niepodobieństwo* – improbability, here, impossiblity. **324.** *zawiodły*, from *zawieść* – to fail, let down. **328.** *zaryzykować* – to expose to risk. **329.** *instrumentować* = *mianować* – to appoint; *rydz* – champignon; *lepszy rydz jak nic* – prov.: a little is better than nothing. **330.** *ukoić* – to soothe.

Józef Korzeniowski (1797–1863)

Józef Korzeniowski started with poems in classical style or under Schiller's influence. Subsequently he devoted himself to the theater and wrote a considerable number of works of various kinds: dramas on the model of Shakespeare and Schiller, folk plays, and comedies. Noteworthy among them are: *Karpaccy Górale* (The Carpathian Mountaineers, 1843), a play based on the life of the Huculs, Ukrainian inhabitants of the eastern Carpathians; *Panna mężatka* (The Married Maiden, 1844), a comedy of compact structure, based on the ruse motif (the heroine, wishing to stimulate the feelings of her beloved and to help him in his decision, pretends to be a married woman); and *Żydzi* (The Jews, 1843), a boldly conceived comedy in which the author opposes easy anti-Semitic theories and demonstrates that the negative characteristics usually attributed to the Jews may be found among the gentry and aristocracy.

Most important among his novels are: *Spekulant* (The Speculator, 1846), a typical novel of character whose main figure is a gambler and cheat; *Kollokacja* (The Gentry Village, 1847, see below); and *Krewni* (The Relatives, 1857), a large social picture describing the impoverished and rich gentry, the bureaucracy, artisans, and financiers. The plot of the novel centers around the careers of the two Zabużski brothers, one of whom, brought up by rich relatives, becomes imbued with the atmosphere of that class, while the other gets rid of gentry prejudices and enters a trade.

These novels, like Kraszewski's, are in the pre-realistic style. In some of them the influence of Balzac is evident, as, e.g., in the character of the financier Zegartowski in *Kollokacja*, in the main character of *Spekulant*, as well as in the presentation of a young woman's "crisis of life" and in the construction of the latter novel. With regard to structure, these novels surpass those of Kraszewski and Rzewuski and are marked by a greater mastery and planning of artistic devices as well as by greater care in their use.

From KOLLOKACJA

This is a work combining the characteristics of the social novel of manners and those of the novel of character. The title indicates a certain especially Polish feature, i.e., the coexistence of several petty gentry families in a small hamlet. They possess little land, constantly quarrel and litigate, but have not rid themselves of pretensions to a squire's way of life, i.e., in their circumstances, a life beyond their means. This leads to their financial ruin, of which advantage is taken by the Balzacian character of the novel, the greedy landlord Zegartowski, who systematically buys up their land. The world of the small landholders abounds in characteristic human types, excellently presented by the author in a number of scenes (one of them is given below). The story revolves around the love between Kamila, Zegartowski's daughter, and young Józef Starzycki, member of the only family that knows how to adapt itself to the changed social conditions, lives modestly and industriously, and does not contract debts with Zegartowski. The latter obviously does not agree to Kamila's marriage with the impoverished squire, but the girl remains faithful to her love and after her father's death marries Starzycki and makes good the wrongs inflicted by Zegartowski on the small landholders.

The chapter given below, describes a party at the house of one of the small landowners.

Pan Płachta był jednym z najzamożniejszych obywateli w Czaplińcach. Miał on tam blisko siedemdziesiąt dusz, najlepszą część sianożęci, najdogodniej położone grunta, stawek rybny i głęboki i młyn, który dość znaczny przynosił dochód. Ale na nieszczęście pan
5 Płachta był w młodości swojej *totumfackim* w jednym z możnych domów na Wołyniu i przywykł do tego, co nazywał *komilfo* i o co starał się we wszystkiem. Zaczął od wzięcia żony komilfo. Była to kobieta niebrzydka, ale, wychowana w sąsiedztwie bogatego i modnego domu, przewróciła sobie głowę pańskością. Krzywiła się, jeśli jej
10 nie adresowano listów: *A Madame la Comtesse Płachcina*; do męża nie mówiła inaczej, jak *Monsieur Płachta*, imitując jedną z dam, która świeżo wróciła z zagranicy; od biedy mogła się trochę rozmówić po francusku, ale dodawała wszystkim frazesom polski obrót, przemieniała co chwila rodzaj rzeczowników, przeciągała wiecznie wszystkie
15 wyrazy na przedostatniej zgłosce, i używała najniewłaściwiej i najdziwaczniej partykułów *en* i *y*, które pasjami lubiła. *En voulez vous du Café? Monsieur Jakób!* mówiła zawsze do pana Jakóba, starego kawalera, który ją często odwiedzał, i jak kronika czapliniecka głosiła, oddawna cholewki do niej smalił. Mąż, jak mówią, patrzał na to
20 przez szpary, bo pan Jakób był komilfo, bywał u pani Włodzimierzowej Podziemskiej, urodzonej księżniczki W., grał ślicznie na gitarze hiszpańskiej i śpiewał doskonale: "Te brzóz kilka" i inne piosenki. Oprócz pana Płachty i pani Płachciny były jeszcze dwie panny Płachcianki, Zenobja i Kryspinja, które matka zawsze z francuska
25 nazywała Zenobi i Kryspin; ojciec, żeby się nie rozminąć z ulubionym swoim komilfo, dodawał: *Medmozel Zenobi i Kryspin*; a pan Jakób, który miał widać pewne prawa do pieszczenia progenitury pani Płachciny, nazywał Biniu i Piniu. Były to panienki lat dziewiętnastu i osiemnastu, tłuste, białe i nieszpetne, ale ich edukacja i maniery,
30 równie jak dom i całe jego urządzenie, odpowiadały głównemu usposobieniu państwa Płachtów.

Dom był obszerny, zabudowania gospodarskie rozległe, bo panu Płachcie dostał się przy kollokacji dawniejszy folwark całej wsi, ze wszystkiemi jego attynencjami. Ale dach był na domu dziurawy,
35 ściany obszarpane, okna po większej części zaklejone papierem, stodoła i obora w ruinach. Wprawdzie trudno było na tak małej cząstce utrzymać w porządku i całości tak wielkie budowy, wszakże przy staraniu i oszczędności choć część ich najpotrzebniejsza mogła być

zachowaną. Resztę należało rozebrać i sprzedać. Ale pan Płachta osądził, że jest komilfo mieć kilkanaście pokojów i obszerną zagrodę, chociaż mu ciekło za kołnierz, chociaż często panny Płachcianki musiały z łóżeczkami swojemi emigrować z jednego kąta w drugi, a biedne cielęta w chlewie przeźroczystym, jak maleńkie foki, siedziały nieraz po szyję w wodzie. W toalecie państwa Płachtów i panien Płachcianek był ten sam charakter zdartej i zszarzanej komilfowości. Pani Płachcina nie pokazywała się inaczej w kompanji, jak w berecie z piórami, ale czas pokrył szacowną niepewnością kolor materji, z której był zrobiony, oskubał znacznie pióra, które chwiały się na jej głowie, i porobił szczerby i szpary pod pachami jej aksamitnej sukni, krótkiej w stanie, wąskiej i wytartej, ale zdaniem pana Jakóba, dającej jej postać królowej. Panny Płachcianki występowały także w materjalnych sukienkach, robionych na kogo innego i branych w tandetnym składzie Szlomy, w trzewiczkach materjalnych, ale ukazujących zdradziecko pończoszki przedziurawione na pięcie, w perłach ogromnych z fermoarem ciężko bronzowym, w kwiatkach, na których kurzawa legła grubą warstwą i dawała różom i makom kolor cegły, a powojowi błękit paznogci w febrze.

Państwo Płachtowie mieli także lokaja, i niestety! z brudnożółtym paskiem na kołnierzu, który miał reprezentować galon, bo jakże może być dom komilfo bez galonowej liberji? Ale tego dziurawego i prawie bosego Hryćka we fraku, którego pani Płachcina niewiadomo dlaczego przezwała Żorżem, nie można było nigdy oduczyć, aby nie ucierał nosa palcem wtenczas, gdy komu na wyszczerbionym talerzu wodę podawał. Umeblowanie domu odpowiadało reszcie: zszarzana elegancja, popaczone mahoniowe forniry, dziurawe i wystrzępione obicia, starte i nawet nie połatane dywaniki i t. d. Otóż w takim to domu, 17 października, w dzień świętej Lucyny, była wielka feta. Były to imieniny samej pani, które mąż zawsze solennie obchodził. W domu był ruch wielki, spodziewano się dużo gości, i nie tylko wszystkich czaplinieckich kollokatorów, ale nawet z sąsiedztwa. Po rannym zaraz obiedzie zaczęła się toaleta, i wkrótce wyszedł pan Płachta w cynamonowym fraku, z długiemi, ale wąskiemi połami, w granatowych ciasnych szarawarkach, podczesał siwe swe włosy i nastawił spory fontaż białego halsztuka. Niewielkiego wzrostu, wyprostowany, chudy i zwinny, począł obchodzić pokój bawialny i przygotowywać go ostatecznie do przyjęcia licznej kompanji. Przestawiał więc meble, wysuwając mniej dziurawe na pierwszy plan, a bardziej obszarpane lub zupełnie pozbawione obicia zostawiając po kątach. Niemało także miał roboty, nim wazonikami i firankami pozasłaniał papier, którym trzy szyby w bawialnym pokoju były zaklejone. Fren-

dzelki z papieru, w które oprawione były świece, produkt gustu i industrji panny Zenobji, już były zrobione przed obiadem. Obejrzał je tylko pan Płachta, nastrzępił bardziej komilfo i symetryczniej poustawiał. Sporą trzaskę podłożył pod jedną nogę stołu przed kanapą, aby
85 się nie kiwał; obejrzawszy jeszcze raz wszystko, kazał zakadzić zasuszonemi skórkami z jabłek. Zadyszany i spotniały Żorż zwijał się, jak mucha w ukropie, i ciągle dawał szturchańca stajennemu chłopakowi, który, przybrany w stare spodnie, jakiś odwieczny frak pana Płachty, z zachowaniem jednak własnych chłopskich butów, miał reprezento-
90 wać lokaja i pomagać Żorżowi. W sieniach także stały już dwie kobiety ze wsi, które tuliły w siermięgach płaczące dzieci i oczekiwały smutno, po co je wezwano i co każą robić. Miały one pójść do kuchni i pomagać pomywać naczynia.

Wyszła nareszcie solenizantka w berecie na włosach poczernionych,
95 o które brukały się jeszcze bardziej brudne już białe pióra. Do obszernego jej ciała przyklejała się aksamitna suknia, z krótkiemi, buchastemi rękawami. Czerwone ręce nie miały rękawiczek, ale za to na rozległym jej gorsie zwijał się w przezroczystą mgłę stary, pożółkły szalik gazowy, okręcony dwa razy, i zdawał się reprezentować obłok, na
100 którym malowały sie żywe kolory tej korpulentnej Irydy.

Pani Płachcina rzuciła przymrużonemi oczyma wokoło, podjęła palcem koniec nosa cokolwiek przypłaszczonego, aby się wydawał zadartym, i podchodząc ku rozbitemu zwierciadłu i poprawiając jeszcze beret na głowie, zapytała:

105 – *Eh bien, Monsieur!* czy już wszystko gotowe?

– Już, już, moja nieoceniona! Co? komilfo, nieprawdaż?

– Tak, tak! – odpowiedziała – wszystko to twoje starania *Monsieur Płachta*, i twój gust.

– Najlepszy dowód gustu dałem lat temu...

110 – *Monsieur!* – przerwała obrażona pani Płachcina i, starając się wyrazowi temu dać intonacją, jaką jej dawała ta pani, co niedawno wróciła z zagranicy – wiesz dobrze, że tych dat nie lubię. – Zaśmiał się pan Płachta, podłożył obie ręce pod poły fraka, podniósł zgrabnie lewą nogę w górę i, nachylając się, pocałował żonę w ramię pulchne
115 i jeszcze białe.

– Ale gdzież to nasze nimfy? – zapytał potem.

– Zaraz się ukażą – odpowiedziała pani Płachcina, idąc z pewnem arystokratycznem chwianiem się ku drzwiom córek, a uchyliwszy je cokolwiek, zawołała:

120 – *Zenobi, Kryspin! en venez vous? ou non?*

– *Nous y venons, maman, toute-de suite* – odpowiedziały po francusku. Bo zacna pani Płachcina, dawszy córkom swoją tuszę i wdzięki,

przekazała im także i swoją znajomość francuskiego języka. Katowały go one, jak mogły, w rozmowie między sobą, ale mówiły nim prędko
125 i biegle i rozumiały się doskonale. Słysząc tę ich rozmowę, pan Jakób, który nie wszystko rozumiał, poklaskiwał; a pan Płachta, który nic nie rozumiał, pysznił się, że ma tak komilfo żonę, córki i przyjaciela domu.

Wyszły nareszcie panny Płachcianki w odpowiednim uroczystości stroju, którego opisywać nie myślę; zaczęli się oraz schodzić i zjeżdżać
130 goście. Tu już pozwolą mi czytelnicy niektórych szczegółów, ponieważ one potrzebne będą do dalszego ciągu tej historji.

Wszedł najprzód pan Birucki z żoną i córkami. Był to szlachcic już niemłody, z ogromną facjatą, obsypaną pryszczami, z nosem zaczerwienionym, w szaraczkowej kapocie i z białym kapeluszem
135 w ręku. Wąsy wielkie i gęste przykrywały wierzchnią wargę, a czupryna, dość nisko przycięta, posypana już była szronem. Wszakże pan Birucki miał tylko pozór straszny, zresztą był człowiek dobry, niekłótliwy i bał się dwóch rzeczy: próżnej butelki i żony. Posunął się staroświeckim susem do ręki pani Płachciny, palnął odpowiedni
140 komplement, a potem z kolei cmoknął w rączkę pannę Zenobję i pannę Kryspinję. Obok niego była pani Birucka, chuda, mała, ale najeżonym czepcem i wielkiemi kokardami i szlarkami podnosząca swoją figurę. Na sukni, zielonego podobno koloru, miała wielki szal pomarańczowy, który, chociaż był trzy razy okręcony na jej ręku, jeszcze jednak wlókł
145 się po ziemi. Pani Birucka dygnęła dość obojętnie solenizantce, bo cierpieć jej nie mogła, jako swojej najbliższej sąsiadki, co jej ta ostatnia z całego serca odpłacała. Panny Płachcianki przywitały się także zimno z pannami Biruckiemi, i widać było, że nieporozumienia matek przelały się i na dzieci. Dawniej, gdy były mniejsze, siedząc wszystkie
150 cztery na płocie, odgraniczającym ich ogrody, paplały nieraz, jak sroczki, i lubiły się wzajemnie; ale od tego czasu, jak pani Płachcina dała fałszywy model na czepek pani Biruckiej, tak że zmarnował się tyfoń, z którego miał być zrobiony, i gdy nawzajem pani Birucka, odpłacając za zdradę zdradą, dała swojej sąsiadce fałszywy przepis
155 na baby, tak że mąka, jaja i drożdże poszły w niwecz, i państwo Płachtowie z tej okazji nie mieli ciast komilfo, oziębiły się zupełnie sąsiedzkie stosunki, i tylko mężowie jeszcze utrzymywali pozorną zgodę. Wszakże mówiono już o tem głośno w Czaplińcach, że burza co moment bliska wybuchnięcia.

160 Zaledwie te pierwsze powitania skończyły się, gdy zajechała bryczka, w której był mężczyzna, kobieta i sześcioro małych dzieci, to na kolanach u rodziców, to stojących w kupce. Bryczka z tym pakunkiem wyglądała, jak gniazdo pełne wróbli. A gdy z niego wylazła ta płodna para i z całem swem pokoleniem weszła do pokoju, zrobił się ruch i wrza-

165 wa powstała. Jegomość zaczął ciąć niezmiernie głośno komplement solenizantce, dzieci mniejsze chimerowały, nie dawały sobie ucierać nosków, nie chciały się rozbierać i wołały do domu, a starsze rozbiegły się zaraz po pokoju, ruszając to to, to owo. Matka zażenowana piskliwym głosem zwoływała je; panna Zenobja, bojąc się o swoje frendzelki
170 przy ścianach, które już jeden malec szarpał, krzyczała z daleka; a pan Birucki grubym głosem śmiał się z zamieszania, które się tak niespodzianie zrobiło. Nowo przybyły był to pan Bartłomiej Skrętski, z żoną Placydą, kobietą niebrzydką, tłustą, ale flondrowatą, którą zawsze nazywał przez pieszczoty Placusiu! Posiadał on także część w Czaplin-
175 cach, a jako dalszy cokolwiek sąsiad pana Płachty żadnich z nim nie miał zatargów. To tylko zarzucał mu nasz gospodarz, że mieć taką zgraję dzieci nie jest wcale komilfo. Wszakże nie tak się miały rzeczy z bezpośrednimi jego sąsiadami. Dziedziniec pana Skrętskiego był Scyllą i Charybdą, w którą ani gęś, ani prosię sąsiada nie moglo
180 wpaść bezkarnie – przepadało bez wieści. Ale że pan Skrętski był krzykliwy, wymowny, umiał wyprzysiądz się i wyperswadować, nie można go było złapać na uczynku. Z tych powodów, chociaż gniewy wrzały ciągle, do otwartej kłótni nie dochodziło. Właśnie gdy pan Skrętski coś opowiadał, bo był także i nowiniarz, i zaklinał się na
185 honor, na żonę i dzieci, że na własne oczy widział, co nie egzystowało wcale, weszli ci dwaj jego sąsiedzi: pan Zarzycki z synem i pan Cepowski z synem. Powinszowali solenizantce, pocałowali rzędem wszystkie damy w rękę, oprócz pani Placydy, i powitawszy gospodarza i pana Biruckiego, na sąsiada swego nie zwrócili żadnej uwagi. On też
190 nawzajem nic sobie z nich nie robił i dalej ciągnął opowiadanie. Tym sposobem dopełniła się kompanja; schodzili się ubożsi i drobniejsi posiadacze, mający po dwóch i po trzech chłopów, ten w surducie, ten w kapocie, ten w starym i obwisłym fraku; zjawiały się i panie w perkalowych czepkach i panny w perkalowych sukienkach, w
195 niebieskich i różowych trzewiczkach i z białemi chusteczkami na szyji. Ale pani Płachcina zawsze jeszcze kogoś wyglądała; panny Płachcianki co moment przecierały okno chusteczką i patrzały na dziedziniec, a pan Płachta także co chwila zazierał do sieni. Pani Płachcina naturalnie wyglądała pana Jakóba, a pan Płachta i córki jego panów
200 Remigjusza i Pawła Smyczkowskich, dwóch braci rodzonych, którzy, chociaż obok siebie w dwóch osobnych częściach mieszkali, wspólną mieli karczmę i za hałaburdów słynęli, rzadkim u nas przykładem żyli w braterskiej zgodzie i dotąd jeszcze ani razu się nie pokłócili. Interesowali oni naszego gospodarza przez ten wzgląd najbardziej,
205 że pan Remigjusz grał na skrzypcach i obiecał je z sobą przywieść, a pan Paweł akompaniował mu na klarynecie. A chociaż klarynet nie

wszystkie wydawał tony, ale że pan Remigjusz nigdy bratu nie ustępował prymu, jako starszy, mniej były rażące te luki i przerwy i wydawały się umyślnemi przestankami wtóru, dającego czas popisać 210 się głównemu instrumentowi. Nareszcie spełniły się życzenia pana Plachty i jego córek, które oprócz nadziei tańca miały jeszcze inne nadzieje. Zajechała żółta bryczka na dwóch resorach, i panowie Smyczkowscy, jeden ze skrzypką w ręku, obwiniętą czerwoną chustką od nosa, drugi z klarynetem, okręconym także chustką i także czer- 215 woną, razem z niej wyskoczyli i, wszedłszy prawie razem do pokoju, razem winszowali solenizantce, razem witali damy i razem mężczyzn, jak dwaj bracia zgodni, nierozdzielni. Dodać tu jeszcze należy, że panowie Smyczkowscy byli jednakowo ubrani w granatowych czamarkach z potrzebami, już wprawdzie nie nowych, ale jeszcze całych; 220 jednakowo nosili wąsy i jednakowo straszne mieli bakenbardy. Chociaż utrzymują, że muzyka łagodzi charakter i obyczaje, wszakże tego jej skutku nie widać było na panach Smyczkowskich. Byli oba zuchwali, gwałtowni, gburowaci, a tem straszniejsi dla sąsiadów, że gdy jeden się kłócił, posyłał w ten moment po drugiego, i wówczas 225 krzyczeli ogromnie oba, tak że biedny sąsiad, zatknąwszy uszy, uciekał do izby. Dla państwa Płachtów zaś byli ze szczególną grzecznością, bo podobno pan Remigjusz miał widoki na pannę Zenobję, a pan Paweł na pannę Kryspinję. Panowie Zarzycki i Cepowski młodzi patrzyli na to z zazdrością, ale nie śmieli jej okazać, raz dlatego, że 230 widzieli wyraźnie, że panny słodko spoglądały na wąsatych muzykantów, a powtóre, że bali się któregokolwiek z nich zaczepić, bo gdy jeden postawił marsa i pokręcił wąsa, drugi także brwi marszczył i z tejże samej strony wąsa pokręcał.

Chociaż kompanja jeszcze nie była kompletna, bo pan Jakób się 235 opóźnał, ale że gospodyni spostrzegła, że ten i ów się ogląda ku drzwiom i chrząka, kazała podawać kawę. Panna Zenobja powtórzyła rozkaz Żorżowi, a przyzwawszy na pomoc siostrę, stanęły obie przy stoliku, nakrytym około pieca, na którym już stało na tacy kilkanaście filiżanek i świeże bułki, które panny nazywały les bules. Wkrótce 240 przynieśli wielki imbryk z kawą i sporą rynkę ze śmietanką. Panny zajęte były nalewaniem, a obok nich stojący panowie Smyczkowscy to chwalili zręczność, to sprzeciwiali się z umizgami, wykradali cukier z filiżanek, trącali stolik, żeby się kawa wylewała na miseczki, i inne równie miłe i dowcipne robili figle i zaczepki. Za to wszystko odbierali 245 to wejrzenia długie i znaczące, to łyżeczką po ręku, to kilku kroplami śmietanki, ciśnionemi zręcznie, po twarzy. Patrząc na te manewra, panowie Zarzycki i Cepowski młodzi przechadzali się, wzdychając, ale przystąpić nie śmieli, bo się bali.

Wśród podawania kawy, które musiało trwać długo, bo filiżanek
250 nie było i połowy tyle, ile gości, pani Płachcina, siedząca na kanapie,
lekko krzyknęła. Wszyscy goście zwrócili się ku drzwiom otwartym
i obaczyli pana Jakóba, a za nim chłopaka z pudełkiem od gitary.

Pan Jakób miał lat około czterdziestu; był średniego wzrostu
i chudy. Cienkie nóżki jego okrywały wąskie kortowe szarawarki
255 jasno-migdałowego koloru; czarny frak dawnego kroju z buchastymi
rękawami zapięty był na jeden tylko guzik; wyglądała z pod niego
paliowa kamizelka, a biała chustka na szyji, na ogromnej rogówce
grubo i dosyć wolno okręcona, szła pod same uszy i pozwalała brodzie
swobodnie zanurzać się i pokazywać, co zawsze czynił w miarę
260 wysokich i niskich tonów, jakie brał na gitarze. Oczy jego siwe
umizgały się do wszystkich, nos długi sterczał naprzód, a że miał tylko
sześć ogromnych zębów z przodu, gdy się śmiał, podobnym był do
konia, kiedy poziewa. Czoło miał mocno na tył pochylone, a na głowie jego wznosił się czub, z tylnych włosów naczesany, który zakrywał
265 łysinę. Wszakże czasem zapał muzyczny psuł i to rusztowanie ko-
kieterji, bo gdy pan Jakób, zmieniając raptem ton instrumentu,
odrzucał mocno głowę na tył, i czub jego rozlatywał się na wszystkie
strony.

Wszyscy prawie krzyknęli:

270 – A! pan Jakób! pan Jakób! – Widząc się tak pożądanym, Orfeusz
czapliniecki przy drzwiach jeszcze zatrzymał się, prawą nogę wyciągnął naprzód, tak że palcami ledwie dotykał ziemi, a trzymając
w lewej ręce miękki kastorowy kapelusz, zmięty i stary, chustką białą,
którą miał w prawej, machał na tę i na ową stronę i tak witał kompa-
275 nję. Uśmiechały się oczy pani Płachciny, a pani Birucka ruszała
ramionami.

– Biniu! Piniu! ruci wasze całuję – rzekł pan Jakób, przechodząc
koło panienek; a chociaż go nie zatrzymywały, dodał:

Lecz puśćcie mnie do mamuni,
280 Ażebym w dzień jej imienia
Złożył u nóg jej życzenia,
A potem dacie kawuni.

– A co? – dodał i, nie czekając, jaki efekt zrobi czworowiersz,
bo pewnym go był naprzód, przystąpił do solenizantki i zaczął po-
285 winszowanie, w którem pełno było zdrobniałych i pieszczotliwych
wyrazów, które bardzo lubił. Zakończył rzecz całą taką improwi-
zacją:

Dajże nam, Panie Boże,
Byśmy za rok o tej porze

290 Zeszli się na imieniny
Do Lucyny, do Lucyny.

– A co? – dodał, śmiejąc się i oglądając. Tym razem wszyscy huknęli brawo; pani Płachcina rozrzewniła się i wyciągnęła rękę do pana Jakóba, a pani Birucka ruszyła ramionami.

295 Pan Jakób wniósł radość do całej kompanji, dawszy jej, że tak powiem, przedsmak tej estetycznej rozkoszy, jaką ją miał nakarmić. Radość ta powiększyła się jeszcze bardziej, gdy na tacy przyniesiono różnego kalibru kieliszki, i gospodarz ukazał się z butelką. A chociaż kobiety nie miały z czego się napić i musiały zaczekać, bo kieliszków 300 dla całej kompanji nie stało, nie zważając na to, pan Jakób wystąpił naprzód i znowu zaimprowizował:

Dalej, panowie i panie!
Drogie to są imieniny!
Niechże, kto ma olej w głowie,
305 Duszkiem to wychyli zdrowie:
Zdrowie Lucyny!

krzyknął i potem dodał: – A co?

– Zdrowie Lucyny! – krzyknęli także wszyscy mężczyźni, wychylając kieliszki duszkiem. Kobiety siedziały cokolwiek niekontente, 310 iż nie mogły pokazać, że mają także olej w głowie, i obraziły się na pana Jakóba. Wszakże niesprawiedliwie, bo pan Jakób, przez drogę układając swoję improwizację, nie mógł przewidzieć, że kieliszków nie stanie. Ale przyszła kolej i na damy; i one dostały po kieliszeczku, które potem poszły w niezaprzeczone władanie mężczyzn i póty się 315 znajdowały w ich ręku, póki jednej, drugiej i trzeciej butelki nie wypróżniono. Wówczas pan Płachta szepnąwszy żonie, że tyle tylko wina zostało, ile potrzeba będzie na wychodnem, prosił, aby zabawiła czem innem kompanję, a on pójdzie i zajmie się, aby pierogi z serem i pieczone prosięta, z których miał się składać podwieczorek, podane 320 były komilfo. Wówczas pani Płachcina, przyzwawszy do siebie pana Jakóba, z wejrzeniem pełnem przyszłości rzekła:

– En voulez vous chanter quelque chose, monsieur Jakub?

– Cóż mam robić? – rzekł artysta, ulegając gwałtowi, i poszedł do swojej skrzyneczki. Panny Płachcianki uradowane zaczęły klaskać 325 rękami i postawiły krzesełko na środku pokoju; panowie Smyczkowscy pokręcali wąsa obaj z prawej strony, bo niebardzo admirowali talent pana Jakóba, który także nie miał ich za wielkich wirtuozów, a pani Placyda przywodziła do porządku swoich chłopczyków, którzy, wydzierając sobie kawałek bułeczki, poczubili się i wrzeszczeli. Ale 330 nareszcie uspokoiło się wszystko; pan Jakób usiadł na swojem miejscu

i, założywszy nogę na nogę, puścił biegłą rękę po strunach gitary. Gdy po kilku akordach zaczął tremolando i z czuciem, nie zważając na ruiny swego czuba, zapalał się, posuwał lewą ręką z góry na dół i z dołu do góry, i wydobywając z instrumentu dziwne jęki, publiczność
335 dawała znaki ukontentowania ruszaniem głów i milczeniem. Zachęcony tem, pan Jakób przestał nagle, spojrzał po wszystkich i zapytał: – A co? – A nie czekając aplauzu, co zwykle czynił, bo go naprzód był pewny, po krótkiem preludium zaśpiewał:

Te brzóz kilka, ten bieg wody!
340 Jak mi wiele przypomina!
Tu przeskakałem wiek młody,
Tu żyła niegdyś Lucyna.

Ostatnie dwa wiersze powtórzył po raz drugi, a ostatnie słowo wymawiając, przesłał ku solenizantce wejrzenie długie i mordercze.
345 Tak było po każdej strofie i po każdej z nich szerokie łono pani Płachciny z gazowym szalikiem podnosiło się, a głowa jej z beretem i piórem schylała się na dół. Gdy skończył i zapytał: a co? wszyscy milczeli. Zachęcony tem pan Jakób rzekł: – Może państwu co nowego? a co? – i nie czekając prośby, bo jej był naprzód pewny,
350 zaśpiewał:

Nie spostrzegłszy w krzaczku róży
Kupidyn, że pszczółka siadła i t. d.

A chociaż w ciągu piosenki pan Skrętski szepnął panu Biruckiemu, że coś nie ma wielkiego sensu, a panowie Smyczkowscy pokręcali
355 wąsa, gdy jednak przyszło do tych słów ostatniej strofy:

Matka rzecze: jeślić synku,
Tak dolega żądło pszczole,
Cóż dopiero, Kupidynku,
Kogo strzałka twa zakole?

360 i gdy pan Jakób zawołał: a co? a co? cała kompanja umilkła; pan Remigjusz zwyciężony spojrzał na pannę Zenobję, pan Paweł na pannę Kryspinję, a panowie Zarzycki i Cepowski młodzi, czując prawdę ostatnich słów piosenki, westchnęli, ale bali się okazać, co czują. Czem znowu zachęcony pan Jakób już miał zacząć weselszą
365 piosenkę i, zadzwoniwszy kilka razy po wszystkich strunach, zaśpiewał z silną przegrywką po każdym wierszu:

Nie wiem, z jakiego powodu
Drum, drum, drum, drum, drum,
Poszła Filis do ogrodu,
370 Drum, drum, drum...

Ale pierogi i prosięta przerwały jego muzyczny zapał, i gdy się na stole ukazały, nie pytano już, po co Filis poszła do ogrodu, i każdy ruszył do półmiska; a dzieci pani Placydy, pleszcząc w ręce i krzycząc różnemi głosami, które stłumiły przegrywki pana Jakóba, wołały:
375 pirożki! pirożki!

Gdy stół sprzątnięto, panny Płachcianki, przystąpiwszy do panów Smyczkowskich, dygnęły, jak mogły najwdzięczniej, spojrzały, jak mogły najwymowniej. Zrozumieli bracia Smyczkowscy tę niemą prośbę; grali, młodzież tańczyła, pan Skrętski wywijał także z soleni-
380 zantką, a gdy który z panów Smyczkowskich szedł do tańca, wtenczas pan Jakób zastępował jego miejsce z gitarą. Dzieci pani Placydy spały po różnych kątach; pan Zarzycki z panem Biruckim rozmawiali o gospodarstwie; pani Birucka ruszała ramionami, patrząc, jak pani Płachcina wywija, Żorż zmęczony stał przy drzwiach, oparłszy się
385 o ścianę, wyciągnąwszy naprzód nogi i nos palcem ucierał, a pan Płachta, patrząc na ten ruch i symetrję, cieszył się w duchu, że wszystko odbywa się komilfo.

KOLLOKACJA. **2.** *dusza* – soul, here, serf. **3.** *sianożęć* – hayfield; *rybny* = *obfity w ryby* – teeming with fish. **5.** *totumfacki* – factotum. **6.** *komilfo*, French *comme il faut* – suitable, just so. **9.** *przewrócić sobie głowę* – to let something go to one's head; *pańskość* – lordliness, airs; *krzywić się* – to look askance, resent. **12.** *od biedy* – idiom. in a pinch. **13.** *obrót* – turn. **14.** *przeciągać* – to accent, speak in sing-song. **19.** *smalić cholewki* – idiom. to court, woo; *patrzyć przez szpary* or *przez palce* – to connive, wink at. **22.** *brzoza* – birch. **25.** *rozminąć się* – here, to deviate. **27.** *pieszczenie*, from *pieścić* – to fondle, caress; *progenitura* – progeny. **29.** *nieszpetny* – not bad looking. **34.** *attynencja* – appurtenance. **35.** *obszarpany* – torn in shreds. **36.** *cząstka*, dim. of *część*, part – particle. **39.** *rozebrać* – to tear down. **40.** *zagroda* – enclosure, yard. **41.** *ciekło mu za kołnierz* – rain water dripped down his back. **43.** *foka* – seal. **44.** *toaleta* – here, clothes, attire. **45.** *zszarzany*, from *zszarzeć* (comp. *szary*) – to turn grey, fade. **47.** *szacowny* – estimable. **48.** *oskubać* – to strip off, pluck. **49.** *szczerba* – fissure; *szpara* – crevice; *pod pachami* – under the arms. **50.** *stan* – waist. **51.** *materjalny* – here, silk; *tandetny skład* – thrift shop. **55.** *fermoar* – clasp, fastening; *kurzawa* = *kurz* dust. **56.** *warstwa* – layer; *powój* – morning glory. **57.** *paznogci* = *paznokci*, from *paznokieć* – fingernail, toenail. **59.** *galon* – bread. **61.** *Hryciek* – Ukrainian dim. of *Hryhoryj* – Gregory. **62.** *oduczyć* – to unlearn, rid of a habit. **63.** *ucierać* – to wipe. **65.** *popaczone*, from *paczyć* – to warp; *mahoniowy*, from *mahoń* – mahagony; *fornir* – veneer. **66.** *wystrzępiony* – frayed; *obicie* – covering; *starty* – worn; *połatane*, from *połatać* – to patch; *dywanik*, dim. of *dywan* – carpet. **68.** *feta*, French *fête* – feast, reception; *imieniny* – namesday, Saint's day. **70.** *kollokator* – owner of a holding in a *kollokacja*, see Introduction. **71.** *ranny*, here *wczesny* – early. **72.** *poła* – tail (of a coat). **73.** *granatowy* – navy blue; *szarawarki*, dim. of *szarawary* – trousers. **74.** *nastawić* – to cock, raise; *fontaż* or *fontaź* – knot, bow; *halsztuk* – neckcloth. **75.** *pokój bawialny* – drawingroom, parlor. **76.** *przestawiać* – to move, change around. **79.** *pozasłaniać* – to cover up, conceal. **80.** *zaklejone*, from *zakleić* – to paste up; *frendzelka*, dim. of *frendzla* –

fringe. **83.** *nastrzępić* – to make fringy, goffer. **84.** *spory* – fair-sized; *trzaska* – splinter. **85.** *zakadzić* – to fumigate. **86.** *skórki z jabłek* – apple peels; *zadyszany* – panting; *spotniały* – sweating; *zwijać się* – to hustle. **87.** *ukrop* – boiling water; *szturchaniec* – poke, prod; *stajenny*, adj. from *stajnia* – stable. **91.** *tulić* – to clasp, soothe; *siermięga* – peasant's coat, russet. **93.** *pomywać naczynia* – to wash dishes. **94.** *solenizantka* – the person (woman or girl) whose namesday is observed. **95.** *brukać się* – to soil. **96.** *buchasty* – full. **98.** *gors* – bosom; *pożółkły* – yellowed; *szalik*, dim. of *szal* – scarf. **99.** *gazowy*, from *gaza* – gauze; *Iryda* – Iris, goddess of rainbow. **102.** *przypłaszczony*, from *przypłaszczyć* (cf. *płaski*) – to flatten. **103.** *zadarty nos*, from *zadzierać* – turned-up nose. **114.** *pulchny* – plump. **118.** *chwianie się* – sway, swagger; *uchylić drzwi* – to open slightly the door. **122.** *tusza* – corpulence. **123.** *katować* – to torture. **125.** *biegle* – fluently. **126.** *poklaskiwać* to applaud. **127.** *pysznić się* – to boast. **133.** *facjata* – front of a building, joc. face; *pryszcz* – pimple. **134.** *szaraczkowy*, from *szarak*, hare – grey; *kapota* – greatcoat. **135.** *wierzchni* = *górny* – upper; *czupryna* – thatch. **136.** *szron* – hoarfrost. **137.** *pozór* – appearance; *zresztą* – otherwise; *niekłótliwy* – not quarrelsome. **138.** *posunąć się* – to advance. **139.** *staroświecki* – old-fashioned; *sus* – leap; *palnąć komplement* – to pay a compliment. **140.** *cmoknąć* – to smack, kiss noisely. **141.** *najeżony* – bristling. **142.** *czepiec* – cap; *kokarda* – cockade, bow; *szlarka* – band, trimming. **144.** *wlókł się*, from *wlec się* – to drag. **145.** *dygnąć* – to curtsy. **149.** *przelać się* – to pass, be transferred. **150.** *paplać* – to chat, babble. **152.** *zmarnować się* – to be wasted. **153.** *tyfoń* or *ptyfeń* – a thin, transparent fabric. **154.** *przepis* – recipe. **155.** *baba* – kind of cake; *drożdże* – yeast; *pójść w niwecz* – to come to nothing, be wasted. **156.** *ciasto* – pastry. **160.** *zajechać* – to drive up; *bryczka* – britska, a light carriage. **161–162.** *to...to...* – either... or. **162.** *kupka* – heap, here, group. **163.** *płodny* – prolific. **164.** *ruch* – bustle, commotion. **165.** *wrzawa* – din; *ciąć komplement* – to recite compliments, congratulations. **166.** *chimerować* – to fret. **168.** *zażenowany* – embarassed; *piskliwy* – high and piercing. **170.** *szarpać* – to tear. **171.** *zamieszanie* – confusion. **173.** *flondrowaty* – slovenly. **176.** *zatarg* – squabble. **177.** *zgraja* – host. **180.** *przepadać bez wieści* – to vanish without a trace. **181.** *krzykliwy* – vociferous; *wyprzysiąc się* – to abjure, forswear; *wyperswadować* – to persuade, explain away. **184.** *nowiniarz* – newsmonger, gossip; *zaklinać się* – to swear. **187.** *powinszować* – to congratulate, offer wishes; *rzędem*, from *rząd* – in a row. **190.** *nic sobie z kogoś nie robić* – not to pay any attention to. **193.** *obwisły* – loose hanging. **196.** *wyglądać* – to await, expect. **197.** *dziedziniec* – yard. **198.** *zazierać* – to peek, glance. **202.** *hałaburda* or *haraburda* – swashbuckler, rowdy; *słynąć za* – to have the reputation of. **204.** *wzgląd* – reason, consideration. **208.** *prym* – treble note, lead; *rażący* – glaring, jarring; *luka* – gap. **209.** *przestanek* – stop, pause; *wtór* – accompaniment; *popisać się* – to display. **213.** *skrzypka*, usually plur. tantum, *skrzypce*, *skrzypki* – violin, fiddle. **218.** *czamarka*, dim. of *czamara* – old Polish laced coat. **219.** *potrzeba* – frog, loop. **220.** *bakenbard*, German *Backenbart* – whiskers. **223.** *gburowaty* – boorish. **231.** *zaczepić* – to provoke, pick a quarrel. **232.** *postawić marsa* – to frown, assume a sullen look. **236.** *chrząkać* – to hem, clear one's throat. **240.** *imbryk* – coffee pot; *rynka* – pan. **242.** *umizgi* – gallantries. **244.** *zaczepki* – advances. **246.** *ciśnionemi* = *ciśniętemi*, from *cisnąć* – to throw. **254.** *kortowy*, from kort – corduroy. **255.** *migdałowy*, from *migdał* – almond. **257.** *paliowy* – straw colored; *rogówka* or *fiszbin*, German *Fischbein* – whale bone, horn stay. **259.** *zanurzać się* – to dive, plunge. **261.** *umizgać się* – to court, woo; *sterczeć* – to jot out. **265.** *łysina* – bald spot; *rusztowanie* – scaffolding. **266.** *raptem* – suddenly.

267. *i* = *również* – also, as well; *rozlatywać się* – to fall apart. **273.** *kastorowy kapelusz* – beaver hat; *zmięty* – crumpled. **277.** *ruci*, Ukrain. – *ręce.* **279.** *mamunia* – dim. of *mama.* **282.** *kawunia* – dim. of *kawa.* **283.** *czworowiersz* or *czterowiersz* – quatrain. **285.** *zdrobniały* – diminutive; *pieszczotliwy* – endearing. **293.** *huknąć brawo* – to give thunderous applause; *rozrzewnić się* – to be moved. **296.** *przedsmak* – foretaste; *nakarmić* – to feed. **304.** *mieć olej w głowie* – to have brains, a good head. **305.** *wychylać duszkiem* – to drink in one draught. **314.** *władanie* – dominion, possession. **316.** *na wychodnem* – at leave-taking, i.e., stirrup cup. **318.** *pierogi* – dumplings, ravioli. **319.** *pieczone prosięta* – roasted suckling pigs. **328.** *przywodzić do porządku* – to call to order. **329.** *poczubić się* – to squabble. **331.** *założyć nogę na nogę* – to cross one's legs. **335.** *zachęcony* – encouraged. **341.** *przeskakałem* – I gamboled away. **345.** *łono* – bosom. **356.** *jeślić* = *jeśli ci.* **357.** *dolegać* – to hurt; *żądło* – sting; *pszczole*, adj. from *pszczoła* – bee. **359.** *strzałka*, dim. of *strzała* – arrow; *zakole* = *zakłuje*, from *zakolnąć* – to prick, pierce. **366.** *przegrywka* – postlude. **373.** *pleszcząc*, from *pleskać, plaskać* – to clap. **375.** *pirożki* (*pierożki*) – dim. of *pierogi.* **376.** *sprzątnięto* from *sprzątać* – to clear (the table).

Józef Ignacy Kraszewski (1812–1887)

Here is a true giant of work and endurance, the most prolific of Polish writers (author of over 600 volumes), novelist and playwright, active in the field of history, literary criticism, aesthetics, and philosophy, publicist, politician, and social leader.

Józef Ignacy Kraszewski experimented with various types of the novel dealing with a vast number of themes and problems. Among them are a cycle of "folk" novels: *Ulana* (1843), *Ostap Bondarczuk* (1847), and *Chata za wsią* (The Cottage Beyond the Village, 1854), describing the hard lot of the peasants. There are more than a hundred novels of manners based on the life of the landed gentry and aristocracy, such as *Morituri, Resurrecturi* (1875), *Dwa światy* (Two Worlds, 1856), or of the townspeople. Others deal with conflicts between a superior individual and his environment—*Poeta i świat* (The Poet and the World, 1839)—with psychological, philosophical, religious, social, and national questions; a cycle of novels was devoted to the national movement of 1863–1864, including *Dziecię starego miasta* (The Child of the Old City, 1863). A special group is formed by historical novels devoted either to antiquity—*Kaprea i Roma* (Caprea and Rome, 1860) and *Rzym za Nerona* (Rome under Nero, 1866)—or to Polish history; here we have an immense group of twenty-eight novels in seventy-six volumes (written within ten years), comprising pictures of Poland's history from prehistoric times, e.g., *Stara Baśń* (An Ancient Tale, 1876), to the Saxon period, e.g., *Countess Cosel* (1873) and *Brühl* (1874).

He was influenced by a variety of writers: Walter Scott, Sterne, Dickens, Balzac, even temporarily by E. T. A. Hoffman and Jean Paul, but in the main he created his own type of novel, mostly of a pre-realistic character, and of this kind he produced a number of outstanding works. However, his phenomenal facility and speed of writing did not permit him as a rule thoroughly to plan and carefully elaborate the majority of his works. Consequently, in his novels structural outlines, characters, and problems are frequently repeated. He wrote in a smooth and fluent language, but devoid of outstanding and individual characteristics.

His cultural merits are tremendous. As a rule his works were a faithful "mirror" in which society could study itself and its affairs. He created sound spiritual food for thousands of readers and raised the Polish novel to a comparatively high level.

From MORITURI

This novel, published in 1872, is one of the best of Kraszewski's works. It presents the history of the gradual and unavoidable decline of the aristocratic family of the Princes Brański, who are unable to adjust themselves to the changed social conditions in the middle of the nineteenth century. The family is composed of a number of vividly delineated characters (see the excerpt below). Their life, an anachronism even in that period, is colorfully presented. Their financial ruin is caused in part, or at any rate accelerated, by the activity of a truly Balzacian type, Zembrzyński, who, wronged in his youth by the old prince, devotes thirty years of his life to destroying the Brańskis. He renounces everything, suffers dire need, and collects money to purchase the Brańskis' bills of exchange; he thwarts their plans for restoring their fortunes through a rich marriage of the young prince; in a word, he does everything to achieve his goal. The plot of the novel abounds in moments of dramatic suspense, in complications and twists that excite the reader's curiosity; but on the other hand (in accordance with the contemporary manner of novel structure), it also has many static moments, that is, genealogies of the heroes, direct characterizations, descriptions of the places of action, long conversations, and so on. However, these elements do not predominate to excess over the interesting plot and do not obscure the comparatively lively action.

We give below one slightly abridged chapter of the novel describing the main members of the Brański family and a dinner in their castle.

Wyczekawszy z pół godziny na samotnem rozmyślaniu, Hartknoch doczekał się nareszcie razem ze świecami, które służący wniósł w srebrnych staroświeckich lichtarzach, powrotu plenipotenta, oznajmującego uprzejmie, iż książę Robert i całe towarzystwo oczekuje
5 pana mecenasa. Herbata miała być razem z wieczerzą około ósmej, godzina ta się zbliżała, a wieczór był piękny i pogodny. Gozdowski zaproponował małą po ogrodzie przechadzkę. Wyszli tedy. Tuż za dworkiem ozdobna furtka w murze, od której klucz miał plenipotent, wprowadziła ich do rozległego, na pół francuskiego, pół angielskiego
10 pałacowego ogrodu, pełnego szpalerów, przepysznych starych drzew i cieniu... Stąd już tylną facjatę pałacu, przerobionego za czasów Stanisława Augusta, widać było. Wznosił się on na wzgórzu, z kolumnadą wspaniałą, galerjami, posągami, i wazonami na szczytach, patrząc na zieloną łąkę, rozściełającą się u stóp jego, a dalej na
15 ogromny i piękny staw, poza którym ciągnął się jeszcze park, później założony, z wcielonym do niego lasem. Kilka posągów, zepsuta fontanna, ławy i stoły kamienne przyozdabiały ogród rzeczywiście wspaniały, ale już nie tak utrzymany, jakby jego piękność wymagała. Trzymał się on tem, że ścieżki, wydeptywane przez wiek cały, nie-
20 bardzo zarastały, a suche gałęzie drzew, opadające na trawniki zdziczałe, wybierano na kuchnię. Wszystko, co ładu wymagało – opuszczone było i jakby zapomniane. Wszakże bliżej pałacu rosły jeszcze świeżo znać posiane piękne kwiaty, ganek obstawiony był ogromnemi drzewy pomarańczowemi, laurowemi i granatami. Czoło pałacu
25 z kilkudziesięcią oknami od tej strony oznajmowało gmach bardzo obszerny, już nieco zabrukany i z tynków odarty, ale cały zamieszkany... Pomimo, że na dworze jeszcze było dosyć jasno, w oknach, pierwszego piętra szczególniej, gorzały już światła rzęsiste. Około pałacu kręciło się mnóstwo służby, niezbyt potrzebnej, bez której żaden
30 dwór większy obejść się nie umiał. Gozdowski, oprowadzając gościa i umiejętnie pokazując mu piękności rezydencji, badał wrażenie, jakie ona czyniła na nim, i starał się je zwiększyć swem opowiadaniem o książęcym dworze.

– Wszystko to, jak pan dobrodziej widzisz – mówił – choć jeszcze
35 wspaniale wygląda i na pańską stopę jest utrzymywane, niczem jest
przy tem, co książęta mieli dawniej i czem dawniej byli. W tym
majątku dopiero od stu lat mieszkają, straciwszy przez nieszczęśliwy
skład okoliczności prywatnych i publicznych ogromną fortunę. Są
to tylko resztki – dodał – ale wedle przysłowia – pańskie ostatki
40 lepsze, niż szlacheckie dostatki. W Bogu nadzieja, że się z chwilowych
trudności podźwigniemy – bo i to dobre przysłowie, że więcej ma
Pan Bóg, niż rozdał. Ażebym panu dobrodziejowi – mówił ciągle
dalej – ułatwił poznanie osób, w których towarzystwie wieczór spędzić
mamy, nie zawadzi, gdy mu do rodziny należące wyliczę. Głową
45 rodu, jak panu wiadomo, jest nasz szanowny i czcigodny książę Norbert, niegdy szambelan J. K. M. już osiemdziesięcioletni starzec, choć
mu, spojrzawszy nań, niktby tego wieku nie dał. Naszą anielską
księżnę jejmość straciliśmy już od lat wielu. Książę szambelan nie
zajmuje się już niczem, zdawszy na syna wszystko... Zatem idzie
50 młody książę Robert, nasz dziedzic i pan, który służył wojskowo,
a teraz po trosze się zajmuje bieżącemi sprawami, w czem ja mam
mu honor dopomagać. Mamy też gwiazdę naszą, siostrę księcia
Roberta, księżniczkę Stellę, anioła piękności i dobroci... warta tronu,
dorzucił z zapałem Gozdowski. Z braci starego księcia zamieszkuje
55 przy nim pan generał Hugon, kawaler maltański, którego pan wieczorem zobaczy, a jest też przybyły w gościnę j. m. ks. sufragan,
świątobliwy kapłan... To są panowie nasi, dworu zaś nie będę
wyliczał, chyba panu przy sposobności moich przyjaciół przedstawię.

– O! panie dobrodzieju! – odezwał się mecenas – ja tu bawię tak
60 krótko, iż mi trudno będzie korzystać z jego uprzejmości...

Godzina się zbliżała, podeszli więc ku pałacowi, lecz że Gozdowski
szedł z nieznajomym, etykieta mu nie dozwoliła wnijść od ogrodu,
musieli więc okrążyć gmach i paradnem wejściem po szerokich
kamiennych wschodach dostali się do przedpokoju.

65 Służby wszędzie było mnóstwo, w liberji z herbownemi pasami,
w trzewikach i pończochach...

Z przedsienia weszli do wielkiej sali białej ze złotem, w której
jeszcze było pusto; głosy gości dochodziły z prawej strony, gdzie już
wszyscy w mniejszej bawialni byli zgromadzeni. Pokój ten, a raczej
70 salon z zielonem obiciem, przedstawiał w tej chwili obrazek, jakby
z dawnych, lepszych czy gorszych, lecz wcale innych czasów. Sprzęty
wszystkie były tu z XVIII wieku, pięknie utrzymane, ale dosyć
wytarte. Za stołem, okrytym wspaniałą mozajką florencką, siedział
w fotelu z poręczami stary książę z ks. sufraganem. Wysoki, słuszny,
75 sztywny mężczyzna, z włosami białemi, długiemi, na tył zaczesanemi,

w surducie czarnym, bardzo wykwintnie zrobionym i z kilką wstążeczkami orderowemi u guzika, przechadzał się, ręce trzymając w kieszeni, wzdłuż salonu. Był to kawaler maltański, generał Hugo.

Fizjognomje wszystkich trzech zgromadzonych tu braci miały do
80 siebie wielkie familijne podobieństwo. Najpiękniejsza z nich jednak była twarz blada, poważna, o rysach nadzwyczaj delikatnych i szlachetnych, księcia szambelana Norberta. Rysy jego oblicza odznaczały się tem, cośmy arystokratycznem zwykli nazywać. Czoło obnażone, białe, lśniące jak kość słoniowa, nos rzymski, suchy, usta, mimo wieku,
85 ślicznego rysunku, którego lata zepsuć nie mogły, owal twarzy regularny, oprawa oczu przepyszna, całość wreszcie, jakby dla malarza stworzona, ściągały wzrok i obudzały mimowolny jakiś szacunek i poważanie. Starzec ten, znać to było, sam się bardzo szanował i dbał o to, aby go szanowano. Ubranie szambelana, mimo późnego wieku,
90 staranne było bardzo i ze smakiem dobrane do twarzy i postawy; suknie miał czarne, chustkę białości śnieżnej i takąż kamizelkę, a przy rękawach koszuli świeciły wielkie guzy ametystowe Podobne oblicze, ale ogorzałe nieco, więcej marsowego wyrazu, chmurniejsze, ostrzejsze, mniej delikatnie narysowane, miał brat szambelana, kawaler mal-
95 tański, generał Hugon, w którego obcisłym stroju, chodzie, ruchach znać było żołnierza. Wąs poczerniony, podkręcony do góry, czarne brwi, przy siwych, do góry podczesanych włosach, nadawały mu postać marsową. Chodził też bez ostróg, jakby chciał ostrogami brzęczeć, zwracał się całym sobą i sztywny był, jak młody rekrut. Najmniej
100 podobnym do obu braci, choć z fizjognomją tego samego stylu i kroju, był ks. sufragan, siedzący w fioletach przy szambelanie... niższy od starszych swych, nieco ułomny, bo jedno ramię miał wyższe; na twarzy smutnej wyraz miał trosk przebytych i walki z życiem, cerę żółtą, oczy zgasłe... Utrata zębów zmieniła mu kształt ust i skróciła
105 twarz. Roztargniony, zamyślony, posępny, potrzebował nieustannych powtórzeń i przypomnień, aby toku rozmowy nie zgubić.

Oprócz tych trzech osób znajdował się w salonie spadkobierca jedyny imienia książąt Brańskich, były rotmistrz huzarów, nadzieja rodziny, książę Robert. Postać ta ze wszech miar zasługiwała na
110 baczne wejrzenie, już pieknością swą i szlachetnym wyrazem, już powagą niezwykłą i inteligencją, która z jej oczu błyskała. Typ był to ten sam, jaki starsze przedstawiało pokolenie, lecz ożywiony, oświetlony wyższem wykształceniem i twardszemi zadaniami życia, z któremi łamać się musiał. Pewien rodzaj spadkowej dumy, ale
115 spokojnej i zamkniętej w sobie, otaczał ją aureolą – nosił ją książę raczej z obowiązku i jako ciężar włożony na ramiona, niż z własnego poczucia jej potrzeby. Pomimo dobiegających lat czterdziestu, był to

jeszcze piękny, młody, żywy, pełen ognia człowiek, którego wychowanie uczyniło nie salonową lalką, ale można było rzec – ideałem
120 wyższego świata. W tej postaci całej napróżnobyś szukał nuty fałszywej, dźwięku jakiegoś niesfornego; co w niej było słabością ludzką, pokryło się tym werniksem ogłady, poza którym nic dostrzec nie można. Książę Robert na pierwszy rzut oka podobać się musiał, i nikt się nie dziwił, że o jego powodzeniach w wielkim świecie stolicy pra-
125 wiono cuda...

Gdy pan Gozdowski wszedł, prowadząc mecenasa za sobą, Robert, który zdawał się oczekiwać na ich przybycie, zbliżył się pierwszy na powitanie gościa i z wyszukaną grzecznością pańską sam poszedł go ojcu, ks. sufraganowi i stryjowi generałowi przedstawić. Szambelan
130 podniósł się nieco z krzesła, skłoniwszy protekcjonalnie głową, ks. sufragan pozdrowił ręką, generał skłonił się zdaleka. Mecenas, mimo nawyknienia do ludzi, po tym wstępie uczuł się jakoś zmieszanym, poczuł bowiem, że w towarzystwie, do którego wszedł, musi pozostać obcym, choćby nawet trochę zuchwale głębiej się w nie chciał wcisnąć.
135 Oczy trzech braci patrzyły nań wyraźnie, jak na przybysza i natręta, którego cierpieć się musi do czasu... Szambelan, dopełniając obowiązków grzeczności, zapytał, co słychać w stolicy, nie dosłuchał odpowiedzi, i rozmowa przerwana z ks. sufraganem o dawnych czasach ciągnęła się dalej. Robert tylko z panem Gozdowskim w od-
140 wodzie stał przy panu mecenasie, nie opuszczając go, a po chwili zbliżył się do nich generał.

Rozmowę jednak zawiązać było ciężko. Trzej starsi panowie należeli do innego wieku i świata... Mecenas był tu cudzoziemcem, nie umiejącym języka i nie znającym obyczaju. Parę razy zagadnął
145 go książę Robert, dodał coś Gozdowski, aby rozmowę ogólną uczynić, ozwał się i mecenas z wielką pewnością siebie, ale sam, słuchając tego, co powiedział, zrozumiał, iż śpiewa nutą fałszywą – zamilkł więc.

Położenie stawało sie dosyć przykrem dla wszystkich, szczęściem otwarły się drzwi zamknięte bocznego salonu, zwanego małą salką
150 jadalną – podano herbatę, i całe towarzystwo sposobiło się przejść do stołu... to ocaliło mecenasa. Szambelan, uśmiechnąwszy się i skinąwszy grzecznie głową gościowi, jakby go chciał przeprosić, wziął sufragana pod rękę, wiodąc go przodem, Robert zbliżył się do mecenasa, stając z nim w parze, nareszcie Gozdowski, który się był
155 zagadał z generałem – nieco opodal i spóźniony za towarzystwem pociągnął. Otwarte szeroko podwoje do rzęsiście oświetlonej salki owalnej z kolumnami dokoła dozwalały wchodzić parami, co uwalniało od ceremonji na progu.

W salce marmoryzowanej ludniej było, niż w pierwszym pokoju –

160 mecenas ciekawe oczy zwrócił na znajdujące się tu osoby i zrozumiał, że bez tłumacza a przewodnika zorjentować się nie potrafi. Odgadł tylko jedną księżniczkę Stellę, której został przedstawionym przez brata, reszta osób była dlań zagadką.

Nie przesadził wcale pan Gozdawa Gozdowski, zowiąc Stellę 165 gwiazdą... była to nawet jedna z gwiazd pierwszej wielkości, jakie się rzadko na horyzoncie chmurnych czasów naszych w całym blasku zjawiają. Jak książę Norbert był znakomitym typem arystokracji rodu, bez najmniejszej skazy i śmieszności, które często wybranym towarzyszą – tak księżniczka Stella wydała się mecenasowi czemś nad- 170 ziemsko pięknem i idealnem. Słusznego wzrostu, kształtna, pełna wdzięku w ruchu każdym, twarzą przypominała księżniczka angielskie illustracje do dramatów Shakespeara, była nieprawdopodobnie piękną.

Ale piękność taka regularna, klasyczna, nie opisuje się, i gdyby 175 nią tylko odznaczała się siostra ks. Roberta, nicby już o niej więcej powiedzieć nie można; piękności rysów wszakże towarzyszył tu wdzięk i urok pełen dobroci i słodyczy, – na pierwszy rzut oka poznać było można, iż nie była młodziuchną, ale jeszcze w kwiecie dziewiczej młodości... Coś smętnego w oczach i ustach pociągało ku niej 180 bardziej jeszcze. Cichy, harmonijny głos, którym przywitała mecenasa, do reszty mu głowę zawrócił. Śmiały zwykle i w żadnem towarzystwie nie czujący się obcym Hartknoch, z upokorzeniem własnem – gniewając się sam na siebie – czuł, że tu musiał się straszliwie plebejuszowsko i gminnie wydawać. Ruchy jego, zwykle zuchwale swobodne, 185 stały się sztywne i śmieszne... sam to rozumiał. Jakkolwiek ciekawy przypatrzyć się zbliska temu dworowi zaczarowanemu, jakby z bajek tysiąca nocy wydartej karcie – Hartknoch myślał, że im prędzej się stąd wyrwie, tem będzie lepiej... Jątrzyło go to, iż się znalazł na świecie kątek, w którym on – co się miał za równego wszystkim, mógł 190 tak się czuć nie swoim. Radby był zaprzeczył temu, czego doznawał, ale rzeczywistość cisnęła go żelazną ręką... W chwili, gdy najmniej wiedział, co ma robić z sobą, z kapeluszem, z nogami, głową... nawet z językiem, Gozdowski wziął go pod rękę, począł rozmowę cichą i wyratował z tej toni... O trzy kroki odszedłszy, mecenas czuł się już 195 na lądzie i bezpiecznym.

Dopiero powiódł wzrokiem po reszcie towarzystwa. Zasiadano do stołu i herbaty, osób było sporo, prócz już wymienionych – Gozdowski podjął się sumarycznie obeznać pana Hartknocha z tym światem. Przy księżniczce Stelli, bardzo piękna także panienka jej wieku 200 zajmowała się gospodarstwem. Przypadała ona do tego towarzystwa, a jednak nie można było powiedzieć, żeby do niego należała. Coś było

poufalszego, bardziej ziemskiego, zrozumialszego w pięknej jej, ożywionej twarzyczce, bystro patrzących oczach, uśmiechu, białych ząbkach, rozmowie śmiałej, zręcznej i jakby obowiązkowej, którą
205 wszystkich zabawić się starała. Mówiła za siebie, za księżniczkę, interpelowała, począwszy od ks. sufragana, wszystkich, rzucała pytania, dawała odpowiedzi, słowem wzięła na siebie urząd mistrza ceremonji przy herbacianej rozmowie. Jedną ręką podawała filiżanki, drugą dawała znaki, usta się jej nie zamykały, oczy biegały po przy-
210 tomnych; niezmordowana, wyręczała, podpowiadała, pomagała każdemu.

Mecenasowi łatwo się w niej było domyślić towarzyszki księżniczki, obytej z domem i ostrzelanej z jego etykietą, spytał jednak, kto była ta śliczna i tak miła panienka.

215 – Patrzaj no pan tam dalej, poza generała – rzekł Gozdowski – zobaczysz tłustą, poczciwą, rumianą twarz szlachcica z długiemi wąsami, który sobie pot z czoła ogromną chustą ociera, poglądając z zachwyceniem na naszą pannę. Jest to rodzony ojciec panny Antoniny, od lat dwudziestu dzierżawca części dóbr książęcych, pan
220 Grzegorz Zubra... Panna Antonina wychowała się z naszą gwiazdą razem i od niej tego nabrała blasku. Tuż za ojcem masz waćpan chmurnego młodzieńca, rodzonego jej brata, pana Zenona Zubrę, doktora praw i administracji... wielce uczonego jegomości, który tu z nami dlatego może gadać nie raczy i zawsze nam taką twarz
225 pochmurną przynosi.

Jestem pewny, że gdyby go tu ojciec gwałtem nie przywiózł, z dobrej woliby nie przyjechał...

Męska strona stołu obsadzona była jeszcze wielu figurami, w których mecenas bez komentarza domyślił się łatwo rezydentów wszelkiego
230 rodzaju, bez których żaden dwór większy istnieć nie mógł. Pierwsze tu miejsce zajmował milczący, rumiany, nieśmiałych ruchów i wejrzenia kapelan-Bernardyn, ks. Serafin. Nie odznaczał się on niczem tak dalece, chyba zdrowiem, którem okrągła twarz jego tryskała... Gdy drudzy zajęci byli wstępną rozmową, ks. Serafin chleb swój rozkroił,
235 masło przysunął i zabierał się smarować kromkę, na którą miał apetyt. Za nim siedziała, głową od niego wyższa, z szyją niezmiernie długą, suchą, kościstą, figura Don Kiszotowska, z wąsami miotlastemi, na dwa świata przeciwne bieguny zaczesanemi, nieco łysa, długoręka, wyprostowana, żołnierska... Kresa przez czoło biała, jedno oko
240 zmrużone na wieki, mówiły o przeszłości spędzonej czynnie i żwawo. Był to pan Polikarp Wincentowicz, który się długo błąkał po świecie, dopóki się tu na łaskawy chleb nie dostał. Powierzony on sobie miał departament łowiectwa, psy, konie, myśliwstwo i najczęściej do stołu

nie przychodził, tak był zajęty lasami i dzikiemi zwierzęty – ale na dziś uczynił wyjątek, bo to był dzień uroczysty. Robił też czasami fajerwerki ku uciesze dworu i miał się za pierwszego w Europie mistrza ogniów sztucznych.

Na ostatek siedział na szarym końcu, nie dobijając się lepszego miejsca, człek niepozorny, ubrany ubogo, ze wstążeczką legji honorowej u guzika... Nikt na niego nie patrzył, i on raczej się zdawał unikać wzroku, nie chcieć go ściągnąć na siebie. Był i to też stary żołnierz jakiś, któremu dom otwarto, gdy żadnego nie miał.

Tak złożone towarzystwo zasiadło do okrągłego stołu, rozdzielając się na kilka gronek prowadzoną rozmową. Szambelan wciąż jeszcze opowiadał coś ks. sufraganowi, który pochylony nad stołem, słuchał go, zdając się nie słyszeć i nie rozumieć; generał zaczepiał pannę Antoninę, Stella wypytywała brata o coś po cichu. Wszystkich oczy z kolei biegały ku nieszczęśliwemu mecenasowi, zdając się pytać, kto to był i co tu robił – bawił go jeden tylko Gozdowski, który może umyślnie do niego się przysiadł... Rozmowy niepodobna było uczynić ogólną, bo głowa domu nieprzerwanie po cichu zabawiała opowiadaniem ks. sufragana...

Szambelan wreszcie długie opowiadanie swe cichem jakiemś zwierzeniem do ucha ks. sufraganowi dokończył i zwrócił oblicze pogodne ku dworowi i gościom. Wszyscy umilkli, domyślano się, iż stary będzie kogoś interpelował.

Począł od ks. Serafina.

– Dziękuję ojcu za szczupaka – rzekł – co szczuka, to szczuka, niełatwo o takiego teraz... Dawniej, pamiętam, trafiały się olbrzymie, dziś to wszystko zmarniało...

Bernardyn się rozśmiał.

– Niema za co – zawołał – *de tuis donis tibi offerrimus*; toż to z książęcych wód tak mi się go w porę pochwycić udało... ale że nieszpetny był, to prawda, i o mało mi niewodu nie rozerwał... Ledwieśmy go na brzeg wydobyli.

– Osobliwość rzeczywiście na teraźniejsze czasy – dodał książę szambelan; – dziś ani porządnego szczupaka, ani kozła rogacza nie napotkasz w lesie. Nieprawdaż, panie Wincentowicz? – rzekł, zwracając się do wąsacza. – Dawniej u nas jelenie bywały, budowano dwory i kościoły modrzewiowe, łosie chodziły stadami, a dziś... a dziś wszystko drobnieje, marnieje, schodzi i ginie.

Nikt nic nie odpowiedział, tylko generał, pokręcając wąsa, zaśpiewał cienkim jakimś głosem, osobliwie odbijającym od jego marsowej postawy.

– Niech sobie co chcą gadają, *ma foi*, świat materjalnie i moralnie

w upadku, to nie potrzebuje dowodzenia. Ludzie mówią o postępie, gdzie postęp? jaki? co? Odkopujemy mamuty i słonie tam, gdzie teraz o cielaka trudno, ludzie drobnieją i z pozwoleniem, parszywieją (wyraz ten powiedział po cichu), wszystko do góry nogami! – Ruszył
290 ramionami generał... – Koniec świata! koniec świata!

– To pewna – szepnął Bernardyn – że z Apokalypsy i ze wszystkich przepowiedni, ze wszech znaków przyjście antychrysta bliskie.

Antychrystem tym wszystkim usta zamknął, i nikt się nie sprzeciwił.

295 – Gdyby co weselszego udało się wprowadzić w rozmowę – szepnęła księżniczka, mrugając na brata.

Książę Robert ramionami ruszył. Nastąpiło milczenie. Szambelan dopiero teraz, obwodząc oczyma po stole, baczniej począł się wpatrywać w mecenasa. Instynktowo jakoś i twarz ta i jej wyraz mu się nie
300 podobały. Obcy ten żywioł nie dawał mu ze zwykłą swobodą nacieszyć się rodziną i domownikami, gościnność wszakże znieść go, a nawet przyjąć mile nakazywała. Obowiązkom jej nigdy książę nie chybił. Nie zdawał sobie tylko sprawy, co to był za jeden i po co się tu niespodzianie zjawił. Skinął na syna, który natychmiast ku ojcu pośpieszył.
305 Poczęła się żywa na ucho rozmowa.

– *Mon cher*, cóż to za jeden ten Hart...jakże Hart-burg, Hart-berg czy jak tam? Mecenas? cóż to, interes znowu jaki?

– Tak jest, kochany ojcze, przyjechał z interesem, który jutro załatwimy – rzekł syn – grzeczność sama kazała go tu zaprosić.

310 – A bardzo dobrze – rzekł stary książę – nic nie mam przeciwko temu. Czy szlachcic? – dodał na ucho.

– Tego to prawdziwie nie wiem – odparł książę Robert – ale sądzę... zdaje mi się, że to stara szlachta pruska... Hartknoch. Jeden tego imienia napisał kronikę.

315 – A no! chwała Bogu, jest wiele starożytnej szlachty w Prusach! Hilzen, ale nie! Hilzen pisał o Inflantach, a inny jakiś o Prusach. – Szambelan potarł czoło. – Wolałbym wszakże, żeby innego dnia przyjechał – dodał – jakoś nam z nim obco.

– Ale bo zważać nie trzeba na niego, mości książę – przerwał syn
320 – niech się ojciec nim nie kłopocze... Gozdowski go zabawi.

– Zawsze mi jakoś dolega! – odezwał się stary – nie lubię nowych twarzy... stary jestem. – Westchnął.

Gdy w jednym końcu stołu tak szeptano, w drugim udało się panu Zubrze zawiązać żywą rozmowę, która się stała ogólną. Mówiono
325 o zwierzu, polowaniach i dawnych sławnych łowach. Wincentowicz, wyciągnąwszy dwie swoje miotły, aby mu ust nie zakrywały, zaczynał jakąś historję myśliwską nieprawdopodobną, z której O. Serafin śmiał

się zawczasu, bo ją znał i najmniej dziesięć razy słyszał... Była to powieść o łosiu, który zabity, rozciągnięty, nieżywy, nagle, gdy nań
330 wsiadł myśliwy, zerwał się, kopnął biednego łowca, zaniósł gdzieś na grzbiecie na trzęsawiska, z których się ledwie wyratował, bo potem za uciekającym całe stado rozjuszone gonić miało.

Cichusieńko siedzący obok stary żołnierz z legją honorową kiwał tylko głową i powtarzał jakby sam do siebie:

335 – Ale – ale – jeszcze czego! – jeszcze czego!... aż się za nim kurzy!... otóż przyjechał na łosiu ha! ha!...

O. Serafin trząsł się ze śmiechu...

Piękna księżniczka, wsparta na łokciu, zadumana, jakby na innym świecie przebywała myślami – utopiona w marzeniu jakiemś, zdawała
340 się zupełnie obcą temu, co ją otaczało. Z tego snu budziło ją tylko ciche, rzucone czasem słowo Antoniny, na które odpowiedziawszy uśmiechem, zamyślała się znowu.

Mecenas, o ile przyzwoitość dozwalała, oczu z niej nie spuszczał. Tak pięknej twarzy, tak smutnej razem, nie widział nigdy w życiu...
345 Na czołach brata i siostry czytało jego oko wyrok przeznaczeń nieuchronny... były to istoty bez przyszłości, ostatnie z rodu i ducha... *Morituri*, szepnął mimowolnie mecenas... Przykro mu się zrobiło – po raz pierwszy w długim zawodzie – być tu narzędziem Opatrzności, siedzieć przy tym gościnnym stole skazanych z wyrokiem zguby i znisz-
350 czenia! W prawniku zwykle zimnym, któremu się zdawało, że jest zbrojny przeciw wszelkiemu uczuciu, odezwało się miłosierdzie ludzkie. Na ten raz wolałby był może nie mieć tu tego posłannictwa, nie widzieć jasno, co tę rodzinę, tak swobodnie, nieopatrznie ucztującą godzinami życia – czekało w bardzo bliskiej przyszłości...

MORITURI. **1.** *Hartknoch* – a lawyer who arrives at the Brański's residence to buy up the last lien on their property on which Zembrzyński has not yet laid his hands. **3.** *staroświecki* – oldfashioned; *lichtarz* – candlestick; *plenipotent* – estate manager; *oznajmującego* = *oznajmiającego*, from *oznajmować*, *oznajmiać* – to announce, declare. **5.** *mecenas* – title given in Poland to lawyers, attorneys. **7.** *przechadzka* – stroll; *tedy* – then, therefore, and so. **8.** *furtka*, dim. of *furta* – wicket, gate. **9.** *rozległy* – spacious. **10.** *szpaler* – espalier, hedge-row. **11.** *tylna facjata* – back of a building; *przerobionego*, from *przerobić* – to alter, rebuild. **14.** *rozścielającą się*, from *rozścielać* or *rozścielać się* – to spread, extend. **16.** *wcielony*, from *wcielić* – to incorporate. **19.** *wydeptywane*, from *wydeptywać* – to tread, make by treading. **20.** *zarastać* – to overgrow; *zdziczałe*, from *zdziczeć* – to grow wild, unkempt. **21.** *wybierano*, from *wybierać* – here, to gather. **23.** *znać* = *snać* – apparently; *posiane*, from *posiać* – to sow, plant; *ganek* – porch; *obstawiony*, from *obstawić* – surround. **24.** *granat* – pomegrenate; *czoło* – here, front. **25.** *gmach* – building. **26.** *zabrukany*, from *zabrukać* – to soil; *tynk* – plaster; *odarty*, from *odrzeć* – to tear off. **27.** *na dworze* – outdoors, outside. **28.** *gorzały*, from *gorzeć* – to glow, blaze; *rzęsisty* – abundant, copious. **29.** *kręcić się* – to be about, run to and fro. **30.** *obejść się* – to do without, dispense. **34.** *dobrodziej* – literally, benefactor, used as a polite form of address. **35.** *stopa* – here, scale; *niczem jest przy tem* – is nothing in comparison with. **39.** *ostatki* – remnants. **40.** *dostatki* – riches, wealth. **41.** *podźwigniemy się*, from *podźwignąć się* – to raise oneself, recover. **42.** *rozdać* – to distribute. **44.** *zawadzić* – to hinder, impede; *nie zawadzi* – it will not be amiss. **45.** *czcigodny* – venerable. **46.** *J.K.M.* see *Pamiątki Soplicy*, note 309. **47.** *nań* = *na niego.* **49.** *zdać* – to hand over, entrust; *zatem* = *potem* – then. **50.** *dziedzic* – heir. **51.** *po troszę* = *trochę* – a little; *bieżące sprawy* – current affairs. **54.** *dorzucić* – to add. **55.** *kawaler maltański* – knight of Malta. **56.** *j.m. ks. sufragan* = *jegomość ksiądz sufragan* – reverend suffragan bishop. **57.** *świątobliwy* – saintly; *kapłan* – priest. **59.** *odezwać się* – to put in; *bawić* – to stay. **62.** *wnijść*, older form for *wejść* – to enter. **63.** *okrążyć* – to walk around; *paradny*, here *główny*, *frontowy* – main, front. **64.** *wschody* = *schody* – stairs; *dostać się* – to reach; *przedpokój* – hall, anteroom. **65.** *liberja* – livery; *herbowny* – adorned with coats-of-arms (*herb*). **66.** *trzewik* – buckle shoe. **67.** *przedsienie* = *przedpokój.* **69.** *bawialnia* – drawing room. **70.** *obicie* – wall hanging, tapestry. **71.** *wcale* = *całkiem* – completely; *sprzęty* – furniture. **73.** *wytarty*, from *wytrzeć* – worn out, threadbare. **74.** *poręcz* – arm (of a chair); *słuszny* – portly. **75.** *z włosami na tył zaczesanemi* – with his hair combed back. **76.** *surdut* – coat; *wykwintnie* – elegantly; *z kilką* – older form for *z kilku* or *z kilkoma; wstążeczka*, dim. of *wstążka*, ribbon. **77.** *orderowemi*, from *order* – decoration, order. **83.** *obnażony* – bare. **86.** *oprawa* – here, setting. **87.** *mimowolny* – involuntary. **88.** *poważanie* – regard; *znać to było* – it was evident. **90.** *dobrane*, from *dobrać* – to match, fit; *postawa* – bearing. **91.** *takąż* = *taką samą; kamizelka* – waistcoat, vest. **92.** *guz* – large ornate button. **93.** *ogorzały* – tanned, weatherbeaten; *marsowy* – martial; *chmurniejszy*, comp. of *chmurny* – moody, sullen. **95.** *obcisły* – tight fitting; *strój* – attire; *chodzie*, loc. of *chód* – gait, manner of walking. **100.** *kroju*, gen. of *krój* – cut. **101.** *w fioletach* – in purple robes. **102.** *ułomny* – deformed, crippled. **103.** *cera* – complexion. **105.** *roztargniony* – distrait, absentminded. **106.** *tok* – course, thread. **107.** *spadkobierca* = *dziedzic* – heir. **108.** *były* – former; *rotmistrz* – captain of cavalry. **109.** *ze wszech miar* – in every respect. **110.** *baczne wejrzenie* – close scrutiny; *już... już...* – both, as well as. **113.** *oświetlony* – enlightened. **114.** *łamać się z* – to wrestle with; *spadkowy* – inherited, hereditary. **115.** *zamknięty w sobie* – reserved, withdrawn; *aureola* – halo. **121.** *niesforny* – unruly. **122.** *werniks* – varnish; *ogłada* – polish, refinement. **123.** *na pierwszy rzut oka* – at first glance; *rzut* – throw, cast. **124.** *prawiono*, from *prawić*, *opowiadać* – to tell, recount; *cuda* – plur. of *cud* or *cudo* – marvel. **128.** *wyszukany* – exquisite. **130.** *protekcjonalnie* – condescendingly, patronizingly. **132.** *nawyknienie* – habit, familiarity. **135.** *przybysz* – newcomer; *natręt* – intruder. **137.** *dosłuchać* – to listen to the end. **139.** *odwód* – rear, reserve; *stać w odwodzie* – to remain behind. **144.** *zagadnąć* – to address. **146.** *ozwać się* = *odezwać się* – to speak up, put in. **149.** *boczny*, adj. from *bok* – side. **150.** *sposobić się* – to make ready. **155.** *zagadać się* – to engage in a long conversation. **156.** *podwoje* – double door. **158.** *ceremonja* – formality, i.e., who is to enter first. **159.** *marmoryzowany* – marble-panelled; *ludniej było*, comp. of *ludno*, populously – there were more people. **163.** *dlań* = *dla niego.* **168.** *skaza* – flaw, blemish. **169.** *nadziemsko* – unearthily, supernaturally. **170.** *kształtna* – shapely. **174.** *nie opisuje się*, from *opisywać*, to describe – defies description. **176.** *wszakże* – however. **178.** *młodziuchna*, dim. of *młoda* – very young; *dziewiczy*, adj. from *dziewica* – virgin, maiden. **181.** *do reszty* – completely; *zawrócić komu głowę* – to turn someone's head, to beguile.

182. *upokorzenie* – humiliation. **183.** *plebejuszowski* – plebeian. **184.** *gminny* – vulgar, low. **188.** *wyrwać się* – to get away; *jątrzyć* – to irk. **189.** *kątek*, dim. of *kąt* – corner, nook; *mieć się za* – te regard oneself as. **190.** *czuć się nie swoim* – to feel out of place, ill at ease; *rad* – glad. **196.** *powiódł wzrokiem*, from *powieść* – to cast a sweeping glance, let one's eyes wander. **198.** *podjąć się* – to undertake; *obeznać* = *zapoznać* – to acquaint. **200.** *gospodarstwo* – housekeeping, duties of a hostess; *przypadać* – to fit. **202.** *poufalszego* – comp. of *poufały* – familiar. **204.** *obowiązkowy* – dutiful; *interpelować* – to address, apostrophize. **207.** *mistrz ceremonji* – master of ceremony; *herbaciany*, adj. of *herbata* – tea. **209.** *przytomni* – those present; *niezmordowana* – indefatigable; *wyręczać* – to fill in; *podpowiadać* – to prompt. **213.** *obyty* – accustomed, familiar; *ostrzelany*, from *ostrzelać* – to accustom to gunfire; here, inured, used to. **218.** *rodzony ojciec* – own father. **219.** *dzierżawca* – tenant, lease-holder, *dobra* – landed estate. **226.** *gwałt* – force. **227.** *obsadzona*, from *obsadzać* – to man, occupy. **229.** *rezydent* – retainer. **233.** *twarz tryska zdrowiem* – a countenance bursting with health. **235.** *kromka* – slice. **237.** *miotlasty*, adj. of *miotła*, broom – broom-like. **238.** *biegun* – pole. **239.** *kresa* – cut, scar. **240.** *zmrużony* – half-closed; *na wieki* – for ever; *wiek* – age, century; *żwawo* – lively. **242.** *łaskawy chleb* – idiom. free board; *żyć na łaskawym chlebie* – live off the bounty. **243.** *łowiectwo* – hunting. **246.** *fajerwerki* – fireworks display. **247.** *ognie sztuczne* – fireworks. **248.** *na szarym końcu* – at the foot of the table; *dobijać się* – to strive, seek. **249.** *człek* = *człowiek; niepozorny* – inconspicuous. **254.** *gronek*, gen. plur. of *gronko*, dim. of *grono* – cluster. **256.** *zaczepiać* – to chaff, banter with. **260.** *przysiadł się*, from *przysiąść się* – to take a seat next to. **264.** *zwierzenie* – confidence, secret. **268.** *ojcu* – form used in addressing a monk; *szczupak* – pike; *szczuka* – old Polish for *szczupak*. **270.** *zmarniało*, from *zmarnieć* – to deteriorate, run to waste. **272.** *de tuis donis tibi offerrimus* – Lat. we offer you from your own gifts; *toż* = *przecież*. **274.** *nieszpetny* – not bad looking; *niewód* – dragnet. **276.** *osobliwość* – rarity, curiosity. **277.** *kozioł rogacz* – horned buck, stag. **279.** *wąsacz* or *wąsal* – man with the big mustache. **281.** *drobnieje*, from *drobnieć* – to grow smaller. **283.** *odbijający* – contrasting. **285.** *ma foi* – French, upon my word, really. **286.** *dowodzenie*, from *dowodzić* – argument, arguing. **287.** *mamut* – mammoth. **288.** *trudno o cielaka* – it is hard to find a calf; *pozwolenie* – permission; *z pozwoleniem* – begging your pardon; *parszywieć* – to grow scabby, a rather vulgar expression. **289.** *do góry nogami* – upside down, topsyturvy. **301.** *znieść* – to bear with, put up with. **302.** *chybić*, *uchybić* – to fail. **303.** *co to był za jeden* – who the man was. **307.** *interes* – business. **312.** *odparł*, from *odeprzeć* – to reply. **319.** *zważać* – to mind, pay attention. **321.** *dolegać* – to ail, bother. **327.** *O.* – abbr. of *Ojciec*, see note 268. **330.** *łowca* – hunter. **331.** *trzęsawisko* – swamp, bog. **332.** *rozjuszony* – enraged. **333.** *cichusieńko*, dim. of. *cicho* – very quietly, still as a mouse. **335.** *jeszcze czego*, idiom. expression denoting astonishment – you don't say! *aż się za nim kurzy* – (scil. he runs so fast) that a cloud of dust rises behind him. **337.** *trząść się* – to shake. **343.** *przyzwoitość* – propriety, decency; *oczu z niej nie spuszczał* – he could not tear his eyes from her face. **344.** *razem* = *zarazem* – at the same time. **345.** *wyrok* – decree; *przeznaczenie* – destiny. **346.** *nieuchronny* – irrevocable; refers to the material ruin awaiting them. **347.** *przykro mu się zrobiło* – he felt sorry; **348.** *być tu narzędziem Opatrzności* – to be here the instrument in the hands of Providence, to be instrumental. **350.** *prawnik* – lawyer. **352.** *posłannictwo* – mission. **353.** *nieopatrznie* – improvidently, shortsightedly; *ucztującą*, probably in the meaning *używającą* – enjoying.

POSITIVISM AND REALISM

After the Uprising of 1863–1864 had been quelled, a reaction set in among the Poles of the three sectors against Romanticism both in literature and in political activity. In Poland, Romanticism had penetrated the life of the nation to a greater extent than in Western Europe. The insurrectionist democratic ideology was derived from the watchwords of the Romantic poets and from the programs of politico-social organizations remaining under their influence. The new generation turned away from that ideology. They realized that it had resulted in the painful defeat of the insurrections and revolutionary movements in Polish territories and felt they should, therefore, for some time renounce armed struggle and in its place undertake "organic work" and "work at the foundation" as they called it. By this was meant slow, natural evolution in place of violent sporadic outbursts, and raising the economic and cultural level of society. The slogan of "acquiring wealth," analogous to the contemporary French *enrichissez-vous*, also exposed the changing attitude of society toward material affairs; it resulted from the conviction that a durable spiritual culture spreading to the masses could be built only on the foundation of prosperity and economic progress.

In Poland this trend was called positivism, after the then famous and influential positivist philosophy of Auguste Comte. However, Polish positivism was of a social and practical and not of a philosophical-scientific character. In addition to those mentioned, other watchwords were proclaimed: social progress and the advancement of knowledge, the emancipation of peasants and women, and educational reforms. New tasks were set for literature and art. The spiritual leaders of the positivist movement were writers and scholars; among them, Aleksander Świętochowski, Bolesław Prus, and Piotr Chmielowski.

Against this general background appeared the realistic Polish novel of the period, some novelists being at the same time champions of positivism.

Their realism aimed to deepen and expand the elements which had been noticeable among the pre-realists: epic minuteness, dramatization of dialogue, individualization of speech, presentation of the characters from various points of view, complication and diversification of structure, and greater condensation. Their style rid itself of a sentimental and poetic tinge; it was colloquial, but never colorless or mere "reporting." The devices to excite the reader's interest and hold him in suspense multiplied and became more subtle. All these features were held in common by the realistic novel in Western and Eastern Europe in the period.

Besides the three outstanding representatives of the novel—Prus, Orzeszkowa, and Sienkiewicz (see below)—a number of others may be mentioned whose works, maintained in the general realistic character, contributed to this current some original elements. They are Adolf Dygasiński, "the Polish Kipling" who describes nature and the life of animals; Klemens Junosza (pseudonym of Klemens Szaniawski), author of short stories and novels presenting the life of impoverished gentry, peasants, and Jews in a vivid, humorous, but also lyrical manner; Jan Lam, castigating with incisive satire the conditions prevailing in Galicia; Adam Szymański, author of *Szkice* (Sketches) of the life of Polish exiles in Siberia; Władysław Łoziński, author of historical novels of adventure; and Gabrjela Zapolska and Zygmunt Niedźwiecki, who are regarded as the first Polish "naturalists."

The poetry of this period was quantitatively and qualitatively more modestly represented than the novel. It had two chief representatives (Asnyk and Konopnicka), who were partly influenced by the positivist movement and expressed this in their poems. The drama developed particularly the comedy of manners and "light" comedy, as represented by Józef Bliziński and Michał Bałucki.

The watchword of the period, "knowledge is power," found expression in a lively scholarship, particularly in Galicia, where were found the only two Polish universities of the time, and in the Russian sector. In the humanities the following disciplines flourished: history, represented by such scholars as Józef Szujski, Michał Bobrzyński, Tadeusz Wojciechowski, Oswald Balzer; history of literature, by Nehring, Małecki, Chmielowski, Brückner, Bruchnalski; bibliography, by Karol Estreicher; ethnography, by Oskar Kolberg; linguistics, by Baudouin de Courtenay and Kryński; sociology, by L. Krzywicki; and geography, by W. Nałkowski.

Adam Asnyk (1838–1897)

Adam Asnyk will retain his place in Polish literature primarily as a lyric poet, though he also wrote comedies and dramas. Between 1869 and 1894 he published four volumes of *Poezje* (Poems) and a collection entitled *W Tatrach* (In the Tatras). In his lyrical poetry he passed through an evolution from an epigone of Romanticism (under the influence of Słowacki) to an interpreter of the main spiritual currents of his period. Hence we find among his poems quite a few so-called programmatic works, which express the feelings and moods of a generation destined to live at the turning point of two eras: "Przeminął czas" (The Time Has Passed), "Daremne żale" (Vain Regrets), "Do młodych" (To the Young), and others. This generation realizes that the past has irrevocably gone, that a new life must be created on new foundations, but at the same time it feels a strong bond with the past and looks at the present rather pessimistically. On the other hand, it believes that development and progress are the law of the world. Asnyk expressed his conception of life in a cycle of thirty sonnets, *Nad głębiami* (Over the Depths, 1894), in which in an abstract rather than poetic manner he dealt with such problems as the theory of knowledge and evolution, as well as with metaphysical and ethical problems. Besides this, we find in his work a considerable number of lyric poems not connected with any "current" or philosophy, but expressing in poetic form certain general states of mind presented individually. Some of these are given below.

SZKODA!

Szkoda kwiatów, które więdną
W ustroni
I nikt nie zna ich barw świeżych
I woni.
5 Szkoda pereł, które leżą
W mórz toni;
Szkoda uczuć, które młodość
Roztrwoni.
Szkoda marzeń, co się w ciemność
10 Rozproszą,
Szkoda ofiar, które nie są
Rozkoszą;
Szkoda pragnień, co nie mogą
Wybuchać,
15 Szkoda piosnek, których nie ma
Kto słuchać;
Szkoda męstwa, gdy nie przyjdzie
Do starcia,
I serc szkoda, co nie mają
20 Oparcia.

MIĘDZY NAMI NIC NIE BYŁO

Między nami nic nie było!
Żadnych zwierzeń, wyznań żadnych,
Nic nas z sobą nie łączyło,
Prócz wiosennych marzeń zdradnych,

5 Prócz tych woni, barw i blasków,
Unoszących się w przestrzeni,
Prócz szumiących śpiewem lasków
I tej świeżej łąk zieleni,

Prócz tych kaskad i potoków,
10 Zraszających każdy parów,
Prócz girlandy tęcz, obłoków,
Prócz natury słodkich czarów,

Prócz tych wspólnych, jasnych zdrojów,
Z których serce zachwyt piło,
15 Prócz pierwiosnków i powojów,
Między nami nic nie było.

ZWIĘDŁY LISTEK

Nie mogłem tłumić dłużéj
Najsłodszych serca snów:
Na listku białej róży
Skreśliłem kilka słów.

5 Słowa co w piersiach drżały
Nie wymówione w głos,
Na listku róży białéj
Rzuciłem tak, na los!

Nadzieję, którąm pieścił,
10 I smutek co mnie truł,
I wszystkom to umieścił
Com marzył i com czuł.

Tę cichą serca spowiedź
Miałem jej posłać już,
15 I prosić o odpowiedź
Na listku białych róż.

Lecz kiedy me wyrazy
Chciałem odczytać znów,
Dojrzałem w listku skazy,
20 Nie mogłem dostrzec słów.

I pożółkł listek wiotki,
Zatarł się marzeń ślad,
I zniknął wyraz słodki
Com jej chciał posłać w świat!

BEZ GRANIC

Potoki mają swe łoża, –
I mają granice morza
Dla swojej fali –
I góry co toną w niebie
5 Mają kres dany dla siebie,
Nie pójdą daléj!
Lecz serce, serce człowieka,
Wciąż w nieskończoność ucieka
Przez łzy, tęsknoty, męczarnie,
10 I wierzy, że w swojem łonie
Przestrzeń i wieczność pochłonie
I niebo całe ogarnie.

ZA MOICH MŁODYCH LAT...

Za moich młodych lat
Piękniejszym bywał świat,
Jaśniejszym wiosny dzień!
Dziś niema takiej wiosny,
5 Posępny i żałosny,
Pokrywa ziemię cień.

Za moich młodych lat
Wonny miłości kwiat
Perłowym blaskiem lśnił –

10 Dziś blaski te i wonie
Napróżno sercem gonię...
Czarny je obłok skrył.

TA ŁZA...

Ta łza, co z oczu twoich spływa,
Jak ogień pali moją duszę,
I wciąż mnie dręczy myśl straszliwa,
Że cię w nieszczęściu rzucić muszę.

5 Że cię zostawię tak znękaną,
I nic z win przeszłych nie odrobię –
Ta myśl jest wieczną serca raną,
I ścigać będzie jeszcze w grobie.

Myślałem, że nim rzucę ziemię,
10 Twych nieszczęść szala się przeważy,
Że z ramion ciężkie spadnie brzemię,
I ujrzę radość na twej twarzy.

Lecz gdy los na to nie dozwoli,
Po cierniach w górę wciąż się wspinaj,
15 A choć winienem twej niedoli,
Miłości mojej nie przeklinaj!

DAREMNE ŻALE

Daremne żale – próżny trud,
Bezsilne złorzeczenia!
Przeżytych kształtów żaden cud
Nie wróci do istnienia.

5 Świat wam nie odda, idąc wstecz,
Zniknionych mar szeregu –
Nie zdoła ogień ani miecz
Powstrzymać myśli w biegu.

Trzeba z żywymi naprzód iść,
10 Po życie sięgać nowe...
A nie w uwiędłych laurów liść
Z uporem stroić głowę!

Wy nie cofniecie życia fal!
Nic skargi nie pomogą –
15 Bezsilne gniewy, próżny żal!
Świat pójdzie swoją drogą!

SZKODA. **1.** *szkoda* – alas for..., it's a pity. **2.** *ustronie* – solitude, out-of-the way spot. **5.** *pereł*, gen. plur. of *perła* – pearl. **8.** *roztrwonić* – to squander. **10.** *rozproszyć się* – to scatter, disperse. **11.** *ofiara* – sacrifice. **14.** *wybuchać* – to burst forth. **15.** *piosnek* or *piosenek*, gen. plur. of *piosnka* or *piosenka*, dim. of *pieśń* – song. **18.** *starcie* – encounter, clash. **20.** *oparcie* – support.

MIĘDZY NAMI NIC NIE BYŁO. **2.** *zwierzenie* – confidence; *wyznanie* – confession, declaration. **4.** *zdradny* – treacherous. **6.** *przestrzeń* – space. **10.** *zraszać* – to bedew; *parów* – ravine. **14.** *zachwyt* – rapture, ecstasy. **15.** *pierwiosnek* – primrose, cowslip; *powój* – bindweed, morning glory.

ZWIĘDŁY LISTEK. **1.** *tłumić* – to suppress. **4.** *skreślić* – to write, jot down. **8.** *los* – fate, here, chance. **9.** *którąm pieścił* = *którą pieściłem; pieścić* – to fondle, cherish. **10.** *truć* – to poison, consume. **11.** *umieścić* – to put into. **21.** *wiotki* – flimsy. **22.** *zatarł się*, from *zatrzeć się* – to become obliterated, blotted out. **24.** *com chciał* = *który chciałem.*

BEZ GRANIC. **4.** *tonąć* – to drown, sink, dissolve. **8.** *nieskończoność* – infinity. **9.** *męczarnia* – torture. **11.** *pochłonąć* – to absorb, engulf. **12.** *ogarnąć* – to encompass, embrace.

ZA MOICH MŁODYCH LAT. **11.** *gonić* – to chase, pursue. **12.** *skryć* – to hide, bury.

TA ŁZA... **4.** *rzucić* – to leave, abandon. **5.** *znękany* – harassed, depressed. **6.** *odrobić* – to undo, atone. **8.** *ścigać* – to pursue. **10.** *szala się przeważy* – the scale will tip. **11.** *brzemię* – burden. **14.** *wspinać się* – to climb. **15.** *winienem* = *jestem winien, winny* – I am guilty of, to blame for. **16.** *przeklinać* – to curse.

DAREMNE ŻALE. **1.** *żal* – regret; *trud* – effort, toil. **2.** *bezsilny* – powerless; *złorzeczenie* – imprecation. **3.** *przeżyty* – obsolete. **4.** *istnienie* – existence. **5.** *wstecz* – back, backwards. **6.** *znikniony*, from *zniknąć* – to vanish; *mara* – phantom. **7.** *zdołać* – to be able to. **12.** *upór* – obstinacy, stubbornness. **13.** *cofnąć* – to push back.

Marja Konopnicka (1842–1910)

MARJA KONOPNICKA's first volume of poems appeared in 1881. For almost the next thirty years she devoted herself to extensive literary activity: she wrote poems in various genres, short stories, literary studies, and books for children; translated foreign works; edited a periodical; and participated in national and social endeavors. In her first collections a social tone, in accordance with the ideology of the age, is strongly in evidence. Thus, in the cycle *Obrazki* (Tableaux) she represented in a rhetorical and pathetic manner the injustice, the exploitation, and the misery suffered by the rural and city proletariat. Examples of this attitude are seen in such poems as: "W piwnicznej izbie" (In the Basement Room), "Przed sądem" (In Court), "Sobotni wieczór" (Saturday Night), "Najmita" (The Hireling), and others. However, even then, and still more in the later development of her work, Konopnicka succeeded in presenting the same problems in a more essentially poetic way, for example, "A czemuż wy chłodne rosy" (And Why Ye Cool Dews), "Przeorały raz i drugi" (They Ploughed over Once and Twice). In the course of time, her themes and motifs became richer and broader, the form of the verse and stanza more diversified, as in the cycle *Italia* of 1901. Among Konopnicka's immense lyrical output we find a considerable number of poems of first-rate quality. In the main, however, her great sensitivity coupled with great writing facility caused an excess of diffuseness and a lack of concentration and of clearly defined poetic physiognomy. Her attempt in 1909 to create a modern peasant epic, *Pan Balcer w Brazylji* (Mr. Balcer in Brazil), failed because of the completely non-epic character of her talent.

However, it is significant that her short stories "Niemczaki" (German Boys), "Nasza szkapa" (Our Jade), "Dym" (Smoke), "Urbanowa" and "Miłosierdzie gminy" (Township Charity) published in *Cztery nowele*, 1888, and *Nowele*, 1897, are among the best that Polish literature possesses. Among her literary studies, that of Mickiewicz, extremely vivid and penetrating, should be mentioned.

[A CZEMUŻ WY, CHŁODNE ROSY]

A czemuż wy, chłodne rosy,
        Padacie,
Gdym ja nagi, gdym ja bosy,
        Głód w chacie?...
5 Czy nie dosyć, że człek płacze
        Na ziemi?
Co ta nocka sypie łzami
        Srebrnemi?

Oj, żebym ja poszedł ino
10   Przez pole
I policzył łzy, co płyną
        Na rolę...
Strachby było z tego siewu
        Żąć żniwo,

15 Bo by snopy były krwawe
Na dziwo!
Przyjdzie słonko na niebiosy
Wschodzące
I wypije bujne rosy
20 Na łące...
Ale żeby wyschło naszych
Łez morze,
Chyba cały świat zapalisz,
Mój Boże!

[PRZEORAŁY RAZ I DRUGI]

Przeorały raz i drugi
Ziemię naszą ciężkie pługi;
A po każdym skiba czarna
Czeka siewu, czeka ziarna.

5 Hej, siewacze, błogi czas!
Czemuż dotąd niema was?

Burze wstrząsły ziemi łonem,
Wiatr przeleciał nad zagonem,
Spadły z nieba żyzne deszcze,
10 A was dotąd niema jeszcze!

Hej! siewacze, na wasz trud
Czeka ziemia, czeka lud!

Kości ojców, ich mogiły
Pola nasze użyźniły;
15 Słonko wschodzi nam powoli,
Białe rosy drżą na roli...

Hej, siewacze, błogi czas!
Stara ziemia czeka was!

[I MÓWIĘ: ODEJDŹ! – I WRACAM SIĘ CICHA]

I mówię: odejdź! – i wracam się cicha,
By spojrzeć jeszcze na stóp twoich ślady,
I słucham wiatru, co w dali gdzieś wzdycha,
I na kwiat patrzę więdnący i blady,
5 Na jeden z kwiatów tych, co mają duszę –
I nie wiem, co mi jest – i płakać muszę.

I mówię: zostań! – i sama odchodzę
I drżąca idę w ciemności przed siebie.
I czuję ciernie kolące w tej drodze
10 I słyszę dzwony na serca pogrzebie
I widzę czarne snów ludzkich mogiły –
I nie wiem, co mi – i iść nie mam siły.

Dwie różne drogi – a jedna tęsknota,
Dwie różne drogi – a jedno cierpienie.
15 Na jednej zorza zagasa mi złota,
Na drugą schodzi noc i smutków cienie...
I późna chwila jest – i rosa pada,
I nie wiem, gdzie mi iść – i stoję blada...

NA JANIKULUM

Jeślibym kiedy spotkać miała ducha,
Co wichrem lata przez ziemi obszary,
Niechaj mnie jego pęd i zawierucha
Poniesie jeszcze przed klasztor ten stary,
5 Wzgórzem nad Romą klęczącem podparty,
Gdzie zadumane róże czynią warty.

Tam białe mury, ech pełne i drżenia
Głosów, szepcących w kamiennej arkadzie,
Ucisza anioł wiecznego milczenia
10 I na cyprysów czarność dłonie kładzie
I słucha, w Tybrze gdy słońce dogasa,
Jak szumi stary dąb Torkwata Tassa.

A gdy zaszumi dąb, powstają męże,
Ogromnej pieśni tej zaklęte mocą,
15 Wieją sztandary, błyskają oręże,
Zbroje na piersiach widmowych migocą,
I nim ugaśnie na Tybrze blask zorzy,
Nad Rzymem świeci rycerstwa huf boży.

Na Janikulum!... Tam jeszcze chcę przeżyć
20 Cichą godzinę mojego żywota!
Tam chcę dać sercu gorąco uderzyć,
Czuć, że je całe w ogniu mam, od złota
Słonecznych blasków tej wielkiej przeszłości,
Której duch – wiary i siły zazdrości.

25 Na Janikulum!... Tam jeszcze o zmroku
Błądzić chcę, w kolumn powietrznem przezroczu
I żar mieć w piersi i płomień mieć w oku,
Który tych łzą jest, co nie płaczą – oczu...
Tam, w wielkiej pustce tej i w wielkiej głuszy
30 Chcę słyszeć żywy krzyk, krzyk własnej duszy!

NA MORZU W CISZĘ

Ani ja czuwam, ani śnię,
Ni śpieszę się, ni trwożę,
Tylko wyciągam dłonie me dwie
Na wielkie, ciche morze...

5 Ani do nieba tęsknię bram,
Ni rwę się w ziemską drogę,
A tylko czuję, że pióra mam
I lecieć, lecieć mogę...

Dusza ma wyszła z piersi mej,
10 U steru łodzi stoi
I lekkim cieniem w głębinie tej
Odbija się i dwoi...

Dusza ma wyszła na cichość wód,
Jak pszczoła na kwiat błoni,
15 I zapomnienia najsłodszy miód
Z tej modrej pije toni...

Schylona stoi na łodzi burt,
Przepaści głosów słucha...
Cała podana w ten ciemny nurt,
20 Co szepce jej do ucha...

Jestże to szum? Jestże to śpiew?
Fali, czy serca bicie?...
Czy morze gra? Czy moja krew?
Czy idzie śmierć, czy życie?...

25 Nie słyszę lekkich plusku fal,
Ni głosów z brzegu słyszę,
Tylko gdzieś płynę w niezmierną dal,
W wieczności modrą ciszę...

Tylko ramiona wznoszę tak,
30 Z wzniesioną stojąc głową,
Jako do lotu skrzydła ptak,
W przejrzystość lazurową.

FALA, W PYŁY ROZBITA...

Fala, w pyły rozbita,
Przez szklanne leci sita,
Przepaść do dna odkryta...

W powietrznym łodzi pędzie,
5 Schylona przez krawędzie,
Widzę, co jest i będzie...

W świątyni mrocznej klęczę,
Pęknięte gwiazd obręcze,
Zczerniałe gasną tęcze...

10 Przepaść w niebo rzucona,
Rozwiązane brzemiona,
Do zórz droga wyśniona...

Morza rozbite w pyły,
Wzburzone ziemi żyły,
15 Wichrowe nowe siły...

Fal tłumnych biją głosy,
Łez wniebowziętych rosy
Lecą na pól pokosy...

Rozkryte tajemnice,
20 W kolorach – śmierci lice,
Zrzucone z gwiazd przyłbice...

Proch grobowy odklęty,
W ruch puszczone djamenty,
Skrysztalone dusz męty...

25 Kotwic ruszonych zgrzyty,
Łodzie rwane w błękity,
A wkoło świty... świty...

A CI, CO GINĄ...

A ci, co giną w boju, niechaj się nie smucą,
Że do nędzy swych ognisk i smutków nie wrócą;
Bo kiedy na boisku śmierć kosić ich będzie,
Życie wejdzie w ich domy i w progu usiędzie.

5 A ci, co idą z boju, niechaj się nie cieszą,
Bo do nędzy żywota i smutku się śpieszą,
Śmierć na boisku swoje stępiła narzędzie
I wejdzie w dom zwycięzcy i ostrzyć je będzie.

POCAŁUNEK ROBERTA EMMETA

Wschodzi ranek z różanej świetlicy...
Stanął Emmet u stóp szubienicy.
Stanął Emmet, pojrzał się do świata...
Niema przy nim ni druha, ni brata.

5 – Hej bratowie! Hej, wy szczere druhy!
Jak świat pusty bez was, jaki głuchy!
Niemasz, komu ścisnąłbym prawicę,
Gdy mi przyszło iść na szubienicę!

Stanął Emmet, pojrzy się po niebie:
10 – Ziemio-matko, ginę, syn, za ciebie...
Za twą wolność, narodzie mój, ginę
Sam-samotny w ostatnią godzinę.

* * * *

Głucho bęben złowieszczy uderza:
– Robert Emmet, domawiaj pacierza!
15 Z głuchym ziemię kopają łoskotem:
– Robert Emmet, żegnaj się z żywotem!

Podniósł Emmet płonące źrenice
Na wysoką, czarną szubienicę.
– O Irlandjo, tyś moją modlitwą,
20 Ty pacierzem przed ostatnią bitwą!

Jakiś gwałt mu rozpręża ramiona:
– Lud mój chciałbym przycisnąć do łona!
Chciałbym żegnać... Chciałbym raz ostatni
Czuć na ustach pocałunek bratni!...

25 I pochylił swą tragiczną głowę:
– Przez te rany... przez te Chrystusowe...
I ostatnim pocałunkiem brata
Ucałował straszne lico kata.

* * * *

Głucho bęben złowieszczy uderza,
30 Płacze wolność swojego rycerza;
Głucho grudę ciskają kopacze,
Ziemia-matka syna swego płacze.

DYM

Ile razy spojrzała w okno swej izdebki, tyle razy widzieć go mogła, jak z ogromnego komina fabryki walił sinym słupem. Nieraz nawet umyślnie odrywała od roboty stare swoje oczy, aby rzucić na niego choć jedno spojrzenie. W spojrzeniu tem była dziwna błogość i jakby 5 pieszczota. Ludzie szli i przechodzili, śpiesząc w różne strony, rzadko który spojrzał w górę w kierunku komina, jeszcze rzadszy zauważył siną smugę dymu. Ale dla niej dym ten miał szczególne znaczenie, mówił do niej, rozumiała go, był w jej oczach niemal żywą istotą.

Kiedy o wczesnym brzasku na opalowem, mieniącem się barwa- 10 mi jutrzni tle nieba, dym rozkłębiał się nad kominem w krągłych, czarnych runach, roznosząc ostrą, gryzącą woń sadzy, wiedziała ona, że tam jej Marcyś w kotłowni przy palenisku stoi, ognie zanieca, miarkuje, rozkłada, wysoki, smukły, gibki, w granatowej płóciennej bluzie, spiętej skórzanym pasem, w lekkiej furażerce na jasnych 15 włosach, z szeroko odwiniętym u szyji kołnierzem.

– Oho! – szeptała wtedy uśmiechając się – Marcyś "fasuje"...

Istotnie "fasował". Z gorliwością nowicjusza sypał na palenisko węgiel, kosz za koszem, za siebie i za palacza pracując, dumny ze swojej świeżej godności kotłowego. A razem z tym wielkim, jasnym 20 płomieniem wybuchały mu w duszy pieśni, któremi się kotłownia rozlegała od świtu do nocy.

Wkrótce jednak czarne kłębiska dymu bielały, rzadły, stawały się lżejsze, aż wskróś pogodnych błękitów wybiły w górę lekkim, równym słupem.

25 Ten widok wlewał w serce wdowy radość i pogodę.

– Wszystko dobrze... – szeptała – wszystko dobrze, Bogu Najwyższemu dzięki!

I krzątała się po ubogiej izdebce, zaścielając łóżko swoje i synowski tapczan, zamiatając śmieci starą brzozową miotłą, i rozpalając na 30 kominku drewka do południowego posiłku.

Wtedy to wprost wielkiego fabrycznego komina z wspaniałą kitą dymu, wznosiło się w błękity cienkie, sinawe pasemko z ponad dachu facjatki, gdzie mieszkała wdowa; pasemko tak wątłe i nikłe, jak tchnienie starych piersi, co je wydobyły z ogniska.

35 Ale młody kotłowy zawsze to pasemko dostrzegał. A nietylko je dostrzegał, ale się do niego uśmiechał. Wiedział on dobrze, że tam u komina stara jego matka w bieluchnym czepcu na głowie, w tołubku przepasanym różowym fartuchem, drobna, zawiędła, zgarbiona szykuje dla niego jakiś barszcz wyśmienity lub wyborny krupnik. 40 Zdawało mu się nawet czasem, że wyraźnie czuje smakowitą woń tych specjałów.

Z podwójnym tedy zapałem dorzucał na palenisko świeżą szuflę węgla i podczas kiedy palacz po głowie się drapał, on stojąc jedną nogą na podmurowaniu, zwinny i giętki, za dwóch nastarczał w robocie.

45 I tak naprzeciw sobie szły w niebo te dwa oddechy: fabryki i facjatki, niknąc w przejrzystych lazurach, może łącząc się w nich nawet.

Ku południowi dym fabryczny rzedniał nieco; olbrzymie płuca machin zwalniały swą pracę, wypuszczone pary przeszywały raz 50 i drugi powietrze ostrym, przykrym świstem, a chłopak jak uragan do izdebki wpadał.

– Mamo jeść! – wołał już od progu, a cisnąwszy furażerkę na stół, biegł do klatki z kosem, wiszącej w okienku. Kos, jak tylko chłopaka obaczył, wydawał gwizd przeciągły do fabrycznej świstawki podobny, 55 a potem zaczynał swoje zwykłe kuranty, których go wyuczył Marcyś. Chłopak stawał przed klatką, kładł ręce w kieszenie i gwizdał także. Aż się ściany trzęsły od gwizdania tego.

A matka rozpościerała tymczasem na stole piękną, żółtą serwetę w niebieskie jelenie wyrabianą i stawiała głęboką fajansową wazkę 60 krupniku, barszczu z rurą, albo grochówki z wędzonką, albo też zacierek, jak tam wypadło. Obok wazki występował na stół chleb w dużym bochnie, główna tego posiłku podstawa.

Znikał on też prawie w połowie, ledwo się chłopak przysunął do niego. Kawał za kawałem krajał, w miseczce z solą maczał, a precz 65 dogadywał:

– Dobry chleb, mamo!

– Dobry, synku – odpowiadała za każdym razem wdowa. – Jedz z Bogiem, jedz! Na chwałę Panu Jezusowi i Matce jego Przenajświętszej...

70 Chłopak nie dawał się prosić, a razem z chlebem znikała i zawartość misy.

– Dobry barszcz, mamo – mówił wtedy.

Matka już od kilku chwil jadła coraz wolniej. Mieszała łyżką w talerzu, dmuchała w niego. Ale barszczu nie ubywało jakoś. Kiedy
75 więc chłopak wymiótł, co miał przed sobą i wąsiki runiejące wierzchem ręki otarł, pytała skwapliwie:

– A możebyś, synku, jeszcze... Mnie dziś coś nie bardzo jakoś...

Chciała mu dać poznać, że jej nie smakuje, ale bała się wyraźnem kłamstwem Boga obrażać, bo barszcz był doskonały.

80 – A no – mówił chłopak – kiedy mama nie je...

Podstawiała mu z pośpiechem swój talerz, mówiąc:

– Jedz, dziecko, jedz! Na chwałę Panu Jezusowi...

Chłopak tedy znów się zabierał do łyżki po swojemu.

– Co mama chce od tego barszczu? – pytał. – To królewski
85 barszcz!

– Byłby on, byłby, synku – odpowiadała, mrugając oczami – tylko że mi do niego bobkowego liścia przybrakło...

Zdarzało się, że nie dojadał.

Zlewała tedy resztę w glinianą ryneczkę i stawiała w kominku,
90 tak, aby syn nie spostrzegł tego.

Tę resztę uważała już za wyłączną swoją własność i kiedy chłopak wyszedł, posilała się nią, ogryzając ostatki chleba.

Wszystko to odbywało się z niezmierną szybkością. Młody kotłowy chwilowo zastępowany tylko bywał w południe i śpieszyć musiał.
95 Zaledwie zjadł żegnał się szerokim znakiem krzyża, całował matkę w zapracowaną, wychudłą rękę, chwytał furażerkę a gwizdnąwszy na pożegnananie kosowi, zbiegał w trzech susach z facjatki na dół. Wdowa stawała wtedy w pośrodku izdebki z zebraną ze stołu serwetą w ręku i słuchała grzmiącego tupotu nóg synowskich z trwożnym
100 i błogim zarazem uśmiechem.

– Święty Antoni! – mówiła, kręcąc głową – i z leceniem takiem! Nogi jeszcze połamie... schody porozbija...

I stała tak zasłuchana, dopóki nie huknęły na dole drzwi od sionki i nie przebrzmiało echo tej szalonej kanonady nóg młodych
105 i silnych. Wtedy dopiero kończyła składać serwetę, zmywała statki, ogarniała ogień popiołem, a siadłszy u okna, łatała synowską odzież i bieliznę.

Jeśli to było lato, długo jeszcze, bardzo długo widzieć mogła dym walący z fabrycznego komina. Drugi raz, to się tak zapatrzyła w niego,
110 że i robota wypadła jej z ręki.

Dziwne bo przybierał i kształty i barwy.

To jak żelazna gadzina wywijał się sam z własnych przegubów coraz dalej, coraz wyżej; to jak lekuchna zasłona w powietrzu wiał, siejąc przez siebie obłoczki różane; to jak z kadzielnicy prosto w górę

115 szedł, wełniąc się miękko po skrajach; to jak olbrzymi pióropusz pod słońce złotem się palił, z komina, jak z hełmu, za wiatrem wiejąc; to się w jakieś postacie cudne wydłużał; w jakieś mary nieziemskie, w jakieś widzenia...

Czasem go wiatr wydymał, jak żagle wielkiego statku; czasem 120 rozrywał niby kłęby pakuł, czasem pędził jak tuman czarniawy. A zadżdżyło się na świecie, to chmurą ciężką nad kominem stał, i płatami po dachach się wieszał, i tłukł nad ziemią, nie wiedząc, kędy się dziać.

Gdy przyszła zima, zapalała wdowa lampkę u komina i robiła 125 przy niej grube na sprzedaż pończochy.

Ale choć od okienka wiało srodze i szron aż do izby zalatywał przez spróchniałe ramy, podchodziła do niego coraz, żeby na fabrykę spojrzeć.

Gorzała ona wprost facjatki długim szeregiem oświetlonych 130 migotliwie okien, huczała wewnętrzną pracą płuc swoich olbrzymich, szczękała żelastwem, dźwięczała biciem młotów, zgrzytała zębami pił, syczała żądłami topionych metalów. Dym, który teraz na tle głębokiego granatu niebios walił z jej komina, płomienny był, ogniami ziejący, snopy iskier ciskał, jak race.

135 Szerokie łuny od niego skróś nieba szły i het, precz, odbijały wielkie, ciche zorze...

Patrzyła na nie wdowa w zadumaniu.

Z zadumy tej wyrywało ją gwizdanie kosa, który rozbudzony światłem, bijącem z fabryki w okienko, zaczynał wycinać swoje 140 kuranty. W izdebce robiło się weselej, ogień trzeszczał na kominku, a kos darł się aż do ogłuszenia. A kiedy na niebie księżyc w pełni stanął, całe ono widzenie ogniste topniało w blaskach miesięcznych.

Późnym wieczorem dopiero wracał syn, i od progu już znowu wołał:

145 – Mamo, jeść!...

A zarazem z tą młodą, silną postacią wstępowało w progi izdebki wesele, śmiech i swoboda. Z mniejszym już teraz pośpiechem posilał się chłopak, opowiadał przez chwilkę to i owo rozpytującej się go o ubiegły dzionek matce, poczem zaczynał szeroko ziewać, przeciągać 150 się, kos nawet nie bawił go już w takiej chwili.

– Idź spać, synku, idź spać! – mówiła matka, głaszcząc go po głowie. – A to jutro do dnia ci znów trzeba...

– Pójdę, mamo... – odpowiadał sennym głosem – zmordowałem się tak, że to ha!

155 – A pacierz, synku, zmów – przypominała jeszcze.

– Zmówię, mamo.

Całował jej rękę, klękał przed swoim tapczanem i schyliwszy

głowę na złożone dłonie, odmawiał szybko półgłosem Ojcze nasz i Zdrowaś, tu i ówdzie przerywając modlitwę potężnem ziewnięciem, 160 poczem bił się hałaśliwie w piersi, żegnał z rozmachem i zdjąwszy pośpiesznie odzież, rzucał się na twarde posłanie.

Natychmiast też prawie usypiał, a w izdebce słychać było dawno jego równy, głęboki oddech, podczas kiedy matka długo jeszcze szeptała zdrowaśki przed poczerniałem, ze złocistego tła wychylają- 165 cem się obliczem Panny Najświętszej.

Nareszcie lampka zgasła, kos przestawał się trzepotać po klatce, uciszało się wszystko, aby znów jutro o brzasku się zbudzić.

Z tem budzeniem była zawsze bieda. Wdowa sypiała tym snem starości krótkim, czujnym, jakby oszczędzającym godzin życia przed 170 wielkiem zaśnięciem w mogile.

Ze snu tego budziła się po drugich kurach zaraz, na długo przed pierwszą gwizdawką fabryczną, i zwlokłszy się z pościeli, dreptała po izdebce, szykując polewkę dla syna i szepcąc godzinki. W okienku stała wtedy wielka i cicha gwiazda zaranna, wprost na twarz uśpio- 175 nego chłopca świecąca. Matka co raz to na twarz tę powiodła oczyma. Radaby już zbudziła jedynaka swego, ale głębokie uśpienie chłopca wstrzymywało ją.

– Niech ta! – szeptała półgłosem. – Niech ta jeszcze ździebluchno pośpi...

180 Dopiero kiedy się rozległ przeraźliwy świst puszczonej pary, wołała na chłopca:

– Marcyś! A!... Marcyś! Wstawaj, synku! gwiżdżą...

Chłopak odwrócił głowę do ściany.

– To kos, mamo... – mówił wpółprzytomnie.

185 – Ale! – kos tam! We fabryce gwizdają, synku, nie kos!

Przeciągał się, nakrywał na głowę, mruczał, ale matka nie ustępowała. Nocny dyżur się kończył, kotłowy na swojem miejscu pierwszy stanąć musiał przed robotnikiem jeszcze. Powtarzało się to cały tydzień boży, niedzieli nie wyjmując nawet.

190 Ale jednego razu, kawał jeszcze do ranka było, chłopak się z krzykiem ze snu porwał sam i na pościeli siadł.

Matka już była przy nim.

– Co to? Co ci, synku, co? – pytała troskliwie.

Nie odpowiadał. Patrzył na nią szeroko otwartemi oczyma, usta 195 miał drżące, czoło w zimnym pocie. Rozpięta na piersiach koszula podnosiła się od mocnych, głośnych prawie uderzeń serca.

Objęła go ramionami matka.

– Co ci to, synku, co ci to? – pytała, tuląc chłopaka, jakby małe dziecko.

200 Długo uspokoić się nie mógł.

– Nic, mamo – przemówił nareszcie z widocznym wysiłkiem – nic... Tylko – śniło mi się... że... że piorun uderzył we mnie.

Wdowa ścierpła. Ale nie dała tego poznać po sobie synowi. Chciała przemówić, głos uwiązł jej w piersi.

205 Chłopak siedział na tapczanie sztywny, prosty, patrząc przed siebie wystraszonym wzrokiem.

– Piorun, mamo – mówił cichym, urywanym głosem – taki czerwony, straszny, jak smok. Na piersi mi padł, mamo... taki straszny... czerwony...

210 Umilkł i dyszał głośno.

Wdowa opanowała się jakoś.

– Co tam, synku! – mówiła głaszcząc go po rozpalonym policzku. – Co tam!... Sen mara, Bóg wiara. Co tam, synku!

A gdy chłopcu głośno zaszczękały zęby, przysiadła przy nim, 215 przycisnęła głowę jego do swych wyschłych piersi i tak go kołysała, jak kiedy niemowlęciem był.

Chłopak się ukoił, utulił wreszcie i na poduszkę opadł.

– Niech mama już idzie – rzekł – niech mama idzie, położy się... Ja usnę...

220 Ale nie usnął. Leżał na wznak, z otwartemi szeroko oczyma, wpatrzony w gasnące na wschód nieba gwiazdy.

Spojrzała na niego raz i drugi.

– A czemu nie śpisz, synku? – spytała.

– Nie mogę, mamo... – odpowiedział cicho, skarżącym się głosem.

225 Podeszła i siadła przy nim.

– Nic się nie trap, synku! – przemówiła. – Nic się nie trap! Albo to na to ten Pan Bóg miłosierny pioruny w niebie chowa, żeby zaś niemi wdowie niebogiej jedynego synaczka ubijać? Nie da tego Pan Jezus i ta Matka Przenajświętsza... A ja ci to powiem, że piorun 230 wesele znamionuje, kiedy się kawalerowi, albo pannie śni. Ot co, widzisz, piorun znamionuje... Przecie sennik mam, to wiem.

Mówiła to z uśmiechem, wesoło niemal, ręką wyschłą po czole jego wodząc i włosy mu gładząc, aż chłopak dobrej myśli począł być i też się uśmiechnął.

235 – To mama mówi, że wesele? – spytał.

– A przecie, że nie co! Wesele, huczne wesele...

Zamyślił się chłopiec, a po chwili rzekł:

– To ja już wstanę, mamo...

– Wstań, synku, wstań... Zgotuję śniadanie, jak przejesz, to cię 240 to odejdzie.

Jakoż odeszło. Weselej nawet było tego ranka, niż zwykle w izdebce, bo chłopak czasu dość mając, jedną po drugiej piosenkę na prześcigi z kosem gwizdał, aż ptaszysko zachrypło i kiedy przyszło do Zosi, co jej się chciało jagódek, gwizdało tak żałośnie, jakby kto 245 przez nos śpiewał. Uśmiał się Marcyś, uśmiała się matka, i tak się w radości rozstali. Kiedy wyszedł, wdowa stanęła przy drzwiach i nasłuchiwała oddalających się kroków. Lekkie były, raźne, swobodne zwyczajnie młode nogi... Nawet spaczone i spróchniałe schody nie skrzypiały dziś tak, jak zazwyczaj. Dopiero kiedy chłopak drzwi za 250 sobą zatrzasnął, rzuciło się w niej serce jakimś nagłym strachem, tak łoskot ich był głuchy, podziemny i takiem przeraźliwem echem odbił się w pustych sieniach. Podbiegła do okienka, aby wyjrzeć za synem.

Szedł lekko, śpiesznie, z podniesioną głową, a kiedy miał już przejść furtkę w fabrycznym murze, odwrócił się i spojrzał w górę. 255 Może w okienko, a może tak sobie...

W chwilę później gęsty, czarny dym walił z fabrycznego komina.

Godziny upływały. W schludnie sprzątniętej izdebce zrobiło się cicho; stary zegar z jaskrawą różą na pożółkłej tarczy cykał opieszale na ścianie, kos próbował najweselszych kurantów, pociesznie walcząc 260 z swym ochrypłym głosem, a wdowa może z myślą o owym śnie syna, co to wesele znamionował, przeglądała swe odświętne odzieże.

Naraz rozległ się huk straszliwy. Zatrzęsły się ściany, posypał gruz z komina. Okienko z szczękiem wypadło. Wielki, iskrzasty słup dymu buchnął w niebo razem z fontanną cegieł i wielkiemi odłamami rozwa-265 lonego komina, wypełniając izbę przeraźliwym blaskiem. Wdowa, jak stała, tak skamieniała słupem. Ani jednego krzyku nie wydały jej zmartwiałe usta. Tylko się siwe włosy podniosły nad czołem, tylko rozszerzone źrenice zbielały, jakby u trupa, nagłą jakąś zgrozą...

Może nawet nie słyszała dzikiego wrzasku, jaki bił z ulicy:

270 – Kotłowy!... kotłowy zabity!

Długie jeszcze potem lata siadywała w tem samem okienku, patrząc osowiałym, mętnym wzrokiem na fabryczny komin, z którego biły w górę sine słupy dymu.

Dym ten wszakże nie przybierał już teraz dawnych rozlicznych 275 kształtów, tylko zawsze zamieniał się w mglistą postać jej drogiego chłopca. Zrywała się wtedy ze stołka i wyciągała drżące, wyschłe ręce. Ale mglistą postać wiatr unosił i rozwiewał ją gdzieś w błękitach.

A CZEMUŻ WY, CHŁODNE ROSY.... **3.** *nagi* – naked; *bosy* – barefoot. *człek* = *człowiek*. **7.** *nocka*, dim. of *noc* – night; *sypać łzami* – to shed tears. **9.** *ino*, dial. *tylko* – only. **12.** *rola* – field, cultivated land. **13.** *strachby było* – one would fear; *siew* – sowing. **14.** *żąć* – to cut, reap; *żniwo* – harvest. **16.** *na dziwo* – for a wonder. **19.** *bujny* – profuse, abundant.

PRZEORAŁY RAZ I DRUGI. **1.** *przeorać* – to plough through. **3.** *skiba* – turned sward. **5.** *siewacz* – sower; *błogi* – blissful. **8.** *zagon* – row, furrow. **9.** *żyzny* – fertile. **14.** *użyźnić* – to fecundate.

I MÓWIĘ ODEJDŹ. **6.** *co mi jest* – what is the matter with me. **9.** *kolący* – pricking, stinging. **15.** *zagasać* = *gasnąć* – to go out, be extinguished. **18.** *gdzie mi iść* – where am I to go.

NA JANIKULUM. Title: *Janikulum* – Janiculum, one of the seven hills of Rome on the right bank of the Tiber. **2.** *wicher* – gale, hurricane; *obszar* – space, expanse. **3.** *pęd* – impetus, rush; *zawierucha* – storm, turmoil. **5.** *podparty*, from *podeprzeć* – to prop. **6.** *zadumany* – musing; *czynić warty* – stand guard. **7.** *ech*, gen. plur. of *echo* – echo. **11.** *w Tybrze*, loc. of *Tyber* – Tiber. **12.** *stary dąb Torkwata Tassa* – Torquato Tasso (1554–95) great Italian epic poet, author of "Jerusalem Delivered"; he died in the Monastery of St. Onuphry on the Janiculum. **14.** *zaklęte*, from *zakląć*, to cast a spell – spellbound. **15.** *wieją*, from *wiać* – to wave, flutter. **16.** *widmowy*, from *widmo* – phantom. **17.** *ugaśnie*, from *ugasnąć*, *zgasnąć*, see *I mówię odejdź*, note 15. **18.** *rycerstwo* – knighthood, knights; *huf* or *hufiec* – troop. **24.** *zazdrościć* – to envy. **26.** *przeźrocze* – transparency. **27.** *żar* – fire. **29.** *pustka* – empty, deserted place; *głusza* – dead silence.

NA MORZU W CISZĘ. Title: *cisza* – calm. **1.** *czuwać* – to keep vigil, be awake; *śnić* – to dream, here, to sleep. **2.** *trwożyć się* – to fear, be afraid. **5.** *brama* – gate. **6.** *rwać się* – to tug and strain; *droga* – here, journey. **12.** *odbijać się* – to be reflected; *dwoić się* – to double. **17.** *burt*, *burta* – gunwale. **18.** *przepaść* – precipice. **19.** *podana* – leaning toward; *nurt* – current. **25.** *plusk* – splash. **29.** *wznoszę*, from *wznosić* – to raise. **32.** *przejrzystość* – translucency; *lazurowy* – azure.

FALA, W PYŁY ROZBITA. Title: *pył* – dust, powder; *rozbita*, from *rozbić* – to shatter. **2.** *sito* – sieve. **5.** *krawędź* – edge, rim. **7.** *świątynia* – temple. **8.** *pęknięte*, from *pęknąć* – to crack, burst; *obręcz* – hoop, ring. **11.** *rozwiązać* – to loosen, dissolve; *brzemiona*, plur. of *brzemię* – burden. **12.** *wyśniona*, from wyśnić – to see in a dream. **14.** *wzburzone*, from *wzburzyć* – to stir up, agitate; *żyła* – vein. **17.** *wniebowzięty* – taken to heaven. **18.** *pokos* – swath. **19.** *rozkryte*, from *rozkryć* – to uncover. **21.** *przyłbica* – visor. **22.** *odklęty*, from *odklinać* – to break the spell. **24.** *skrysztalony*, from *skrysztalić* – to turn to crystal; *męty* – dregs. **25.** *kotwica* – anchor; *zgrzyt* – rasp. **26.** *rwane*, from *rwać*, *porywać* – to carry away.

A CI CO GINĄ. **1.** *smucić się* – to grieve, be sad. **3.** *boisko* – arena; *kosić* – to mow, reap. **7.** *stępić* – to dull. **8.** *ostrzyć* – to sharpen, whet.

POCAŁUNEK ROBERTA EMMETA. (Robert Emmet [1778–1803] Irish national hero led a rising in 1802, was arrested, tried and hanged). **1.** *świetlica* – the main room (drawing room) in a house; here apparently, light, twilight. **5.** *bratowie* – old form for *bracia; druh* = *przyjaciel.* **7.** *ścisnąć prawicę* – to press the right hand. **13.** *bęben* – drum; *złowieszczy* – ominous. **14.** *domawiać pacierza* – to finish one's prayers. **15.** *kopają* = *kopią* from *kopać* – to dig. **21.** *gwałt* – compulsion; *rozprężać* – to stretch. **22.** *przycisnąć* – to press, clasp. **28.** *kat* – executioner. **31.** *gruda* – clod; *ciskać* – to fling, cast; *kopacz* – grave-digger.

DYM. **1.** *ile razy... tyle razy* – as often as; *izdebka*, dim. of *izba*, old Polish *izdba* – chamber; *widzieć go mogła* – go, scil. *dym.* **2.** *fabryka* – factory; *walić* – to billow; *słup* (*dymu*) – pillar of smoke. **3.** *umyślnie* – deliberately, on purpose; *odrywać* – to take off. **4.** *błogość* – blissfulness. **5.** *pieszczota* – caress. **7.** *smuga* – streak. **9.** *mienić się* – to shimmer, opalesce. **10.** *rozkłębiać się* – to uncoil. **11.** *runo* – fleece; *sadza* – soot. **12.** *Marcyś* – dim. of *Marceli; kotłownia* – boiler room; *palenisko* – furnace; *zaniecać* – to kindle. **13.** *miarkować* – to moderate, keep in check; *rozkładać* – to spread; *smukły* – lithe; *gibki* – supple; *płócienny*, from *płótno* – linen. **14.** *bluza* – smock; *spięty*, from *spiąć* – to fasten, gird; *skórzany* – adj. of *skóra* – leather; *furażerka* – forage-cap. **15.** *odwinięty*, from *odwinąć* – to turn back. **16.** *fasować* – to load, feed (the furnace). **17.** *gorliwość* – zeal; *nowicjusz* – beginner, novice. **18.** *palacz* – fireman. **19.** *kotłowy* – boiler-man. **21.** *rozlegać się* – to ring, reverberate. **22.** *kłębisko*, augm. of *kłąb* – coil; *bielały*, from *bieleć* – to turn white; *rzadły*, from *rzadnieć* or *rzednieć* – to grow thinner. **23.** *wskroś* – through, throughout; *wybić* – to rise, shoot up. **25.** *wlewać* – to infuse, pour into; *pogoda* – here, serenity. **28.** *zaścielać łóżko* – to make the bed. **29.** *tapczan* – cot. **30.** *kominek* – fireplace, here, stove; *drewko*, dim. of *drewno* – chip of wood. **31.** *wprost* – directly opposite; *fabryczny* – adj. from *fabryka; kita* – plume. **32.** *wznosić się* – to rise; *sinawy* – bluish; *pasemko*, dim. of *pasmo* – streak, wisp. **33.** *facjatka* – garret, attic; *wątły* – frail; *nikły* – flimsy. **37.** *bieluchny*, dim. of *biały; czepiec* – bonnet; *tołubek* – quilted jacket. **38.** *przepasać* – to gird; *fartuch* – apron; *zawiędły* – withered; *zgarbiony* – stooping. **39.** *szykować* – to prepare; *barszcz* – beet soup; *wyśmienity* – excellent; *wyborny* – delicious; *krupnik* – barley soup. **40.** *smakowity* – tasty. **41.** *specjał* – dainty. **42.** *tedy* = *więc* – therefore; *szufla* – shovel. **43.** *drapać się* – to scratch. **44.** *podmurowanie* – masonry foundation; *zwinny* – agile; *giętki* – supple; *nastarczać za* = *starczyć za* – to do enough for. **46.** *niknąć* – to disappear. **48.** *płuco* – lung. **49.** *machina* – engine; *zwalniać* – to slow up; *wypuszczać* – to let out; *przeszywać* – to pierce; *raz i drugi* – time and again. **50.** *świst* – whistle; *uragan* or *huragan* – hurricane. **51.** *wpadać* – to rush in. **52.** *próg* – threshold; *cisnąć* – to fling. **53.** *klatka* – cage; *kos* – blackbird; *jak tylko* – as soon as. **54.** *wydawać* – to emit; *gwizd* – whistle; *przeciągły* – protracted; *świstawka* – factory whistle, siren. **55.** *kurant* – chime. **58.** *rozpościerać* – to spread; *serweta* – tablecloth. **59.** *wyrabiany* – here, patterned; *fajansowy*, from *fajans* – earthenware; *wazka*, dim. of *waza* – tureen. **60.** *rura* – here: *marrowbone*; *grochówka* – peasoup; *wędzonka* – smoked meat. **61.** *zacierka* – fingermade noodles; *jak tam wypadło* – as the case may have been. **62.** *bochen* – loaf. **64.** *miseczka*, dim. of *miska* – bowl; *maczać* – to dip; *precz*, dial. *ciągle* – constantly; *dogadywać* – to prattle. **70.** *nie dawać się prosić* – to need no prompting. **74.** *dmuchać* – to blow; *ubywać* – to decrease, grow less. **75.** *wymiótł*, from *wymieść* – here, to clean out; *wąsik*, dimin. of *wąs* – moustache; *runieć* – to sprout; *wierzch ręki* – the back of the hand. **76.** *skwapliwie* – eagerly. **78.** *dać poznać* – to let know, give to understand; *że jej nie smakuje* – that she does not like it. **80.** *a no* – well. **81.** *podstawiać* – to place before. **83.** *zabierać się do* – to tackle; *po swojemu* – in his own way. **87.** *bobkowy liść*, from *bobek*, laurel bay leaf; *przybraknąć* = *zabraknąć* – to be short of. **88.** *dojadać* – to finish one's food, eat everything. **89.** *gliniany*, from *glina*, clay – pottery; *ryneczka*, dimin. of *rynka* – saucepan, bowl. **92.** *posilać się* – to eat, make a meal; *ogryzać* – to gnaw; *ostatek* – remnant. **94.** *zastępować* – to replace, substitute. **95.** *żegnać się znakiem krzyża* – to cross oneself, make the sign of the cross; *zapracowany* – toil worn; *wychudły* – emaciated, gaunt. **97.** *sus* – leap; *na dół* – downstairs. **99.** *tupot* – clatter. **101.** *kręcić głową* – to shake one's head;

z leceniem, from *lecieć* – to fly, coll. to run. **103.** *huknąć* – to bang. **104.** *sionka*, dimin. of *sień* – hall; *przebrzmieć* – to cease, die down (said of sounds). **105.** *statki* – plur. tant. dishes. **106.** *ogarniać* – to cover, bank; *łatać* – to patch, mend. **109.** *drugi raz = innym razem, czasami; zapatrzyć się* – to gaze intently, stare. **111.** *przybierać kształty* – assume the shapes. **112.** *gadzina* – reptile; *przegub* – joint, coil. **114.** *siejąc*, from *siać* – to sow; *obłoczek*, dimin. of *obłok* – cloud, cirrus. **115.** *wełnić się* – to fleece; *skraj* – edge, rim; *pióropusz* – plume. **117.** *wydłużać się* – to stretch. **120.** *pakuły* – hurds; *tuman* – dust cloud. **121.** *zadżdżyć się*, from *deszcz*, old Pol. *deżdż* – to rain incessantly; *płat* – patch. **122.** *tłukł się*, from *tłuc się*, idiom. – to stray. **123.** *dziać się, podziać się* – here, to turn, go. **126.** *srodze* – adv. from *srogi* – fierce, terrible; *szron* – hoar frost; *zalatywać* – to drift over. **127.** *spróchniały* – rotten; *coraz* – every now and then. **129.** *gorzała*, from *gorzeć* – to blaze. **130.** *migotliwy* – glittering, twinkling. **131.** *szczękać* – to clatter; *żelastwo*, collect. noun – iron; *zgrzytać* – to grate, rasp. **132.** *piła* – saw; *syczeć* – to hiss; *żądło* – sting. **134.** *ziejący*, from *ziać* – to belch, exhale; *raca* – rocket. **135.** *skroś* – across; *het, precz* – far away; *odbijać* – to reflect. **139.** *wycinać kuranty* – to trill chimes; *trzeszczeć* – to crackle. **141.** *darł się*, from *drzeć się* – coll. to sing or scream at the top of the voice; *do ogłuszenia* – so as to make one deaf; *księżyc w pełni* – full moon. **142.** *ono*, old form of *owo* – that; *miesięczny*, adj. from *miesiąc* – moon. **147.** *swoboda* – freedom, ease. **148.** *to i owo* – a thing or two; *rozpytywać się* – to inquire. **149.** *dzionek*, dimin. of *dzień; ziewać* – to yawn; *przeciągać się* – to stretch. **151.** *głaszcząc*, from *głaskać* – to stroke. **152.** *do dnia*, scil. *wstać* – idiom. at dawn. **153.** *zmordować się* – to wear oneself out, be exhausted. **154.** *że to ha*! – coloq. terribly. **155.** *zmówić pacierz* – to say one's prayers. **158.** *półgłosem* – in a low voice; *Ojcze nasz* – Our Father. **159.** *Zdrowaś* (*Marjo*) – Hail Mary; *tu i ówdzie* – every now and then; *ziewnięcie* – see note 149. **160.** *z rozmachem*, from *rozmach* – in a broad sweep. **161.** *posłanie* – bedding, bed. **162.** *usypiać, zasypiać* – to fall asleep. **164.** *zdrowaśka* – idiom. a noun coined from the first word of Hail Mary, *Zdrowaś Marjo.* **166.** *trzepotać się* – to flutter. **168.** *bieda* – here, trouble, difficulty. **171.** *po drugich kurach* – after the second crowing of the roosters, that is around 2 A.M.; *kur* – old Pol. for *kogut.* **172.** *zwlókłszy się*, from *zwlec się* – to drag oneself; *dreptać* – to trot. **173.** *polewka* – soup; *godzinki* – horary prayers in honor of the Holy Virgin. **174.** *gwiazda zaranna* – morning star. **175.** *powiodła*, from *powieść* – to direct. **176.** *radaby już zbudziła* – she fain would wake; *jedynak*, from *jeden, jedyny* – only son. **178.** *niech ta pośpi* – dial. *niech pośpi; ździebluchno, ździebko*, from *źdźbło*, stalk – dial. a tiny little bit. **180.** *rozlegać się* – to resound, ring forth; *przeraźliwy* – shrill piercing. **185.** *kos tam*! – coll. blackbird nothing! **187.** *ustępować* – to yield, give in; *dyżur*, French *de jour* – duty, shift. **189.** *nie wyjmując*, from *wyjmować*, here, not excluding. **190.** *kawał* – piece, here, a long time. **193.** *troskliwie* – anxiously, solicitously. **203.** *ścierpła*, from *ścierpnąć* – to grow numb. **204.** *uwiązł*, from *uwięznąć* – to be stuck. **208.** *smok* – dragon. **212.** *Co tam* – coll. never mind. **213.** *sen mara, Bóg wiara* – prov. dreams are only phantoms, we have to have faith in God. **217.** *ukoił się*, from *ukoić się* – to calm down. **220.** *na wznak* – on one's back. **226.** *nie trap się*, from *trapić się* – to worry. **227.** *miłosierny* – merciful; *chować* – to keep. **228.** *niebogi, ubogi* – poor, helpless; *dać* – here, to permit. **230.** *wesele* – wedding; *znamionować* – to signify; *kawaler* – bachelor. **231.** *sennik* – dream book. **233.** *wodzić* – here, to brush lightly; *być dobrej myśli* – to be of good cheer. **236.** *że nie co* – dial. *że nie co innego; huczny* – sumptuous. **239.** *przejeść* – to eat a little; *to cię odejdzie* – idiom. you will get rid of it. **241.** *jakoż* – and indeed. **243.** *na prześcigi* – outstripping each other;

ptaszysko, augm. of *ptak; zachrypnąć* – to grow hoarse; *kiedy przyszło* – scil. when it was his turn to whistle. **244.** *do Zosi, co jej się chciało jagódek* – a popular folksong; *jagódka*, dim. of *jagoda* – berry. **248.** *spaczony*, from *spaczyć* (*się*) – to warp. **250.** *zatrzasnąć* – to slam. **251.** *łoskot* – clatter, peal; *głuchy* – hollow. **257.** *schludny* – neat, clean. **258.** *cykać* – to tick; *opieszale* – lazily. **259.** *pociesznie* – in a funny way. **261.** *odświętny*, adj. from *święto* – holiday, festive. **263.** *iskrzasty*, adj. from *iskra* – spark. **264.** *buchnąć* – to gush, spout. **266.** *skamieniała słupem* – she turned into a pillar of stone. **267.** *zmartwiały* – benumbed. **268.** *rozszerzony*, from *rozszerzyć* – to widen, extend; *zgroza* – horror. **272.** *osowiały* – sullen; *mętny* – turbid, troubled.

Bolesław Prus (pseudonym of Aleksander Głowacki, 1845–1912)

PUBLICIST AND NOVELIST, Bolesław Prus was the leading representative of the spirit of the age, of positivism and realism. He started as a journalist and gradually turned to short stories and novels, continuing to work in both fields to the end of his life. He never lowered his art to the level of journalism, nor did he turn journalism into fantasy.

A characteristic feature of Prus's articles (the famous "Weekly Chronicles" in *Kurjer warszawski*) and of his longer social studies (*Szkic programu* [Outline of a Program, 1883]; *Najogólniejsze ideały życiowe* [The most General Ideals of Life, 1901]; *Nasze obecne położenie* [Our Present Situation, 1909–1910] is their independence. He neither officially joined the camp of the "young people" (progressives) nor repudiated the conservatives. In his positivism there was room both for economic and material as well as for spiritual and moral problems, for conservatism in the sense of preserving the legacy of the past, and for progress in the sense of creating new values. He was a determined herald of progress and modern culture; he believed in man and humanity, their immortality and great destiny. He knew how to present even small matters with talent, possessing an excellent gift for observation and subtle humor.

Some of his "chronicles" were written in the form of descriptions, stories, and dialogues. They already contained the nuclei of short stories, a genre in which Prus later proved a master, publishing several collections. In them he described peasants and children, their lot and misfortunes; the tragedies of little, poor people; the life of starving students; the troubles and adventures of various human characters in all classes of society. There is also a great variety from the point of view of structure. There are "straight" stories and descriptions still deeply rooted in his *feuilletons;* there are short stories of intrigue and action ("Z legend dawnego Egiptu", [From the Legends of Ancient Egypt, 1888]), some of complicated structure ("Kamizelka", [The Vest, 1882]); "biographical" short stories ("Antek", 1881; "Michałko" 1880); fantasies ("Sen", 1890); and finally there are more extended narratives, which approach the novel in structure (Anielka, 1880; Omyłka ([The Error, 1885]).

The last form a transition to the novels proper. Among the earlier ones, *Placówka* (The Outpost, 1886) should be mentioned. This is a novel of "character", whose central figure is a Polish peasant, Ślimak, defending his soil against the Germans; it is the most "realistic" of the "peasant" novels up to that time. The year 1890 brought *Lalka* (The Doll), Prus's greatest work and the leading novel of the age. This was followed by *Emancypantki* (The Emancipated Women, 1894), a novel in four volumes presenting not so much the then timely question of the emancipation of women as the drama of two women against a broad social background. Finally came Prus's other masterpiece, *Faraon* (The Pharaoh, 1896), whose plot is placed in ancient Egypt and turns around the fight for power between the Pharaoh Rameses and the priestly caste.

In the development of the Polish novel, Prus's work has an epoch-making importance comparable to that of Tolstoy in the Russian novel. In the scope of the problems discussed, in the many-sided picture of the life of his epoch, and in artistic treatment he outdistanced his predecessors. What had been said about the characteristics of realism in the novel is to be found in Prus in first-rate quality, fused into an original whole, thanks to his social sense, his profound conception of social change and of personal dramas, his subtle psychology, exquisite humor, and a strictly epic language which creates characters and events in a way so simple, concrete, and clear that its art is almost imperceptible.

Z LEGEND DAWNEGO EGIPTU

Patrzcie, jak marne są ludzkie nadzieje wobec porządku świata; patrzcie, jak marne są wobec wyroków, które ognistemi znakami wypisał na niebie Przedwieczny!...

Stuletni Ramzes, potężny władca Egiptu, dogorywał. Na pierś
5 mocarza, przed którego głosem pół wieku drżały miljony, padła dusząca zmora i wypijała mu krew z serca, siłę z ramienia, a chwilami nawet przytomność z mózgu. Leżał, jak powalony cedr, wielki faraon na skórze indyjskiego tygrysa, okrywszy nogi tryumfalnym płaszczem króla Etjopów. A surowy nawet dla siebie, zawołał najmędrszego
10 lekarza ze świątyni w Karnaku i rzekł:

– Wiem, że znasz tęgie lekarstwa, które albo zabijają, albo odrazu leczą. Przyrządź mi jedno z nich, właściwe mojej chorobie, i niech się to raz skończy... tak albo owak.

Lekarz wahał się.

15 – Pomyśl, Ramzesie – szepnął – że od chwili twego zstąpienia z wysokich niebios Nil wylewał już sto razy; mogęż ci zadać lekarstwo, niepewne nawet dla najmłodszego z twoich wojowników?

Ramzes aż usiadł na łożu.

– Muszę być bardzo chory – zawołał – kiedy ty, kapłanie, ośmie-
20 lasz się dawać mi rady! Milcz i spełnij, com kazał. Żyje przecież trzydziestoletni wnuk mój i następca, Horus. Egipt zaś nie może mieć władcy, któryby nie dosiadł wozu i nie dźwignął oszczepu.

Gdy kapłan drżącą ręką podał mu straszne lekarstwo, Ramzes wypił je, jak spragniony pije kubek wody; potem zawołał do siebie
25 najsłynniejszego astrologa z Tebów i kazał szczerze opowiedzieć, co tam pokazują gwiazdy.

– Saturn połączył się z księżycem – odparł mędrzec – co zapowiada śmierć członka twojej dynastji, Ramzesie. Źle zrobiłeś, pijąc dzisiaj lekarstwo, bo puste są ludzkie plany wobec wyroków, które na
30 niebie zapisuje Przedwieczny.

– Naturalnie, że gwiazdy zapowiedziały moją śmierć – odparł Ramzes. – I kiedyż to może nastąpić? – zwrócił się do lekarza.

– Przed wschodem słońca, Ramzesie, albo będziesz zdrów jak nosorożec, albo twój święty pierścień znajdzie się na ręku Horusa.

35 – Zaprowadźcie – rzekł Ramzes cichnącym już głosem – Horusa

do sali faraonów; niech tam czeka na moje ostatnie słowa i na pierścień, ażeby w sprawowaniu władzy ani na chwilę nie było przerwy.

Zapłakał Horus (miał on serce pełne litości) nad bliską śmiercią dziada; ale że w sprawowaniu władzy nie mogło być przerwy, więc
40 poszedł do sali faraonów, otoczony liczną zgrają służby.

Usiadł na ganku, którego marmurowe schody biegły wdół, aż do rzeki i, pełen nieokreślonych smutków, przypatrywał się okolicy.

Właśnie księżyc, przy którym tliła się złowroga gwiazda Saturn, złocił śpiżowe wody Nilu, na łąkach i ogrodach malował cienie
45 olbrzymich piramid i na kilka mil wokoło oświetlał całą dolinę. Mimo późnej nocy, w chatach i gmachach płonęły lampy, a ludność pod otwarte niebo wyszła z domów. Po Nilu snuły się łódki gęsto, jak w dzień świąteczny; w palmowych lasach, nad brzegami wody, na rynkach, na ulicach i obok pałacu Ramzesa falował niezliczony tłum.
50 A mimo to, była cisza taka, że do Horusa dolatywał szmer wodnej trzciny i jękliwe wycie szukających żeru hijen.

– Czemu oni tak się gromadzą? – spytał Horus jednego z dworzan, wskazując na niezmierzone łany głów ludzkich.

– Chcą w tobie, panie, przywitać nowego faraona i z twoich ust
55 usłyszeć o dobrodziejstwach, jakie im przeznaczyłeś.

W tej chwili pierwszy raz o serce księcia uderzyła duma wielkości, jak o stromy brzeg uderza nadbiegające morze.

– A tamte światła co znaczą? – pytał dalej Horus.

– Kapłani poszli do grobu twej matki, Zefory, ażeby zwłoki jej
60 przenieść do faraońskich katakumb.

W sercu Horusa na nowo zbudził się żal po matce, której szczątki – za miłosierdzie, okazywane niewolnikom – srogi Ramzes pogrzebał między niewolnikami.

– Słyszę rżenie koni – rzekł Horus, nasłuchując – kto wyjeżdża
65 o tej godzinie?

– Kanclerz, panie, kazał przygotować gońców po twojego nauczyciela, Jetrona.

Horus westchnął na wspomnienie ukochanego przyjaciela, którego Ramzes wygnał z kraju za to, że w duszy wnuka i następcy szczepił
70 odrazę do wojen, a litość dla uciśnionego ludu.

– A tamto światełko za Nilem?...

– Tamtem światłem, o Horusie! – odparł dworzanin – pozdrawia cię z klasztornego więzienia wierna Berenika. Już arcykapłan wysłał po nią łódź faraońską; a gdy święty pierścień błyśnie na twojej ręce,
75 otworzą się ciężkie drzwi klasztorne, i powróci do ciebie, stęskniona i kochająca.

Usłyszawszy takie słowa, Horus już o nic nie pytał; umilkł i zakrył oczy ręką.

Nagle syknął z bólu.

80 – Co ci jest, Horusie?

– Pszczoła ukąsiła mię w nogę – odparł pobladły książę.

Dworzanin przy zielonawym blasku księżyca obejrzał mu nogę.

– Podziękuj Ozyrysowi – rzekł – że to nie pająk, których jad o tej porze bywa śmiertelny.

85 O! jakże marne są ludzkie nadzieje wobec niecofnionych wyroków...

W tej chwili wszedł wódz armji i, skłoniwszy się Horusowi, powiedział:

– Wielki Ramzes, czując, że mu już stygnie ciało, wysłał mnie do 90 ciebie z rozkazem: "Idź do Horusa, bo mnie niedługo na świecie, i spełniaj jego wolę, jak moją spełniałeś. Choćby kazał ci ustąpić górny Egipt Etjopom i zawrzeć z tymi wrogami braterski sojusz, wykonaj to, gdy mój pierścień ujrzysz na jego ręce; bo przez usta władców mówi nieśmiertelny Ozyrys."

95 – Nie oddam Egiptu Etiopom – rzekł książę – ale zawrę pokój, bo mi żal krwi mego ludu; napisz zaraz edykt i trzymaj w garści konnych gońców, aby, gdy błysną pierwsze ognie na cześć moją, polecieli w stronę południowego słońca i zanieśli łaskę Etjopom. I napisz jeszcze drugi edykt, że od tej godziny aż do końca czasów żadnemu 100 jeńcowi nie ma być wyrywany język z ust jego na polu bitwy. Tak powiedziałem...

Wódz upadł na twarz, a potem cofnął się, aby napisać rozkazy; książę zaś polecił dworzaninowi znowu obejrzeć swoją ranę, gdyż bardzo go bolała.

105 – Trochę spuchła ci noga, Horusie – rzekł dworzanin. – Cóżby się stało, gdyby zamiast pszczoły ukąsił cię pająk!...

Teraz wszedł do sali kanclerz państwa i skłoniwszy się księciu, mówił:

– Potężny Ramzes, widząc, że już mu się wzrok zaćmiewa, 110 odesłał mnie do ciebie z rozkazem: "Idź do Horusa i ślepo spełniaj jego wolę. Choćby ci kazał spuścić z łańcucha niewolników, a lud obdarować wszystką ziemią, uczynisz to, gdy zobaczysz na jego ręce mój święty pierścień, bo przez usta władców mówi nieśmiertelny Ozyrys."

115 – Tak daleko nie sięga serce moje – rzekł Horus. – Ale zaraz napisz mi edykt, jako ludowi zniża się czynsz dzierżawny i podatki o połowę, a niewolnicy będą mieli trzy dni na tydzień wolne od pracy

i bez wyroku sądowego nie będą bici kijem po grzbietach. I jeszcze napisz edykt, odwołujący z wygnania mego nauczyciela, Jetrona,
120 który jest najmędrszym i najszlachetniejszym z Egipcjan. Tak powiedziałem...

Kanclerz upadł na twarz, lecz zanim zdążył cofnąć się dla napisania edyktów, wszedł arcykapłan.

– Horusie – rzekł – lada chwila wielki Ramzes odejdzie do państwa
125 cieniów, i serce jego na nieomylnej szali zważy Ozyrys. Gdy zaś święty pierścień faraonów błyśnie na twojej ręce, rozkazuj, a słuchać cię bedę, choćbyś obalić miał cudowną świątynię Amona, bo przez usta władców mówi nieśmiertelny Ozyrys.

– Nie burzyć – odparł Horus – ale wznosić będę nowe świątynie
130 i zwiększać skarbiec kapłański. Żądam tylko, abyś napisał edykt o uroczystem przewiezieniu zwłok matki mojej Zefory do katakumb, i drugi edykt... o uwolnieniu ukochanej Bereniki z klasztornego więzienia. Tak powiedziałem...

– Mądrze poczynasz – odparł arcykapłan. – Do spełnienia tych
135 rozkazów wszystko już przygotowane, a edykty zaraz napiszę; gdy ich dotkniesz pierścieniem faraonów, zapalę tę oto lampę, aby zwiastowała ludowi łaski, a twojej Berenice wolność i miłość.

Wszedł najmędrszy lekarz z Karnaku.

– Horusie – rzekł – nie dziwi mnie twoja bladość, gdyż Ramzes,
140 dziad twój, już kona. Nie mógł znieść potęgi lekarstwa, którego mu dać nie chciałem, ten mocarz nad mocarze. Został więc przy nim tylko zastępca arcykapłana, aby, gdy umrze, zdjąć święty pierścień z jego ręki i tobie go oddać na znak nieograniczonej władzy. Ale ty bledniesz coraz mocniej, Horusie?... dodał.

145 – Obejrzyj mi nogę – jęknął Horus i upadł na złote krzesło, którego poręcze wyrzeźbione były w formę głów jastrzębich.

Lekarz ukląkł, obejrzał nogę i cofnął się przerażony.

– Horusie – szepnął – ciebie ukąsił pająk bardzo jadowity.

– Miałżebym umrzeć?... w takiej chwili?... – spytał ledwie
150 dosłyszalnym głosem Horus.

A później dodał:

– Prędkoż to może się stać?... powiedz prawdę...

– Nim księżyc schowa się za tę oto palmę...

– Ach, tak!... A Ramzes długo jeszcze żyć będzie?...

155 – Czy ja wiem?... Może już niosą ci jego pierścień.

W tej chwili weszli ministrowie z gotowemi edyktami.

– Kanclerzu! – zawołał Horus, chwytając go za rękę – czy, gdybym zaraz umarł, spełnilibyście moje rozkazy?...

– Dożyj, Horusie wieku twego dziada! – odparł kanclerz. – Lecz gdybyś nawet zaraz po nim stanął przed sądem Ozyrysa, każdy twój edykt będzie wykonany, byleś go dotknął świętym pierścieniem faraonów.

– Pierścieniem! – powtórzył Horus – ale gdzie on jest?...

– Mówił mi jeden z dworzan – szepnął wódz naczelny – że wielki Ramzes już wydaje ostatnie tchnienie.

– Posłałem do mego zastepcy – dodał arcykapłan – aby natychmiast, gdy Ramzesowi serce bić przestanie, zdjął pierścień.

– Dziękuje wam!... – rzekł Horus, – Żal mi... ach, jak żal... Ale przecież nie wszystek umrę... Zostaną po mnie błogosławieństwa, spokój, szczęście ludu, i... moja Berenika odzyska wolność... Długo jeszcze?... – spytał lekarza.

– Śmierć jest od ciebie na tysiąc kroków żołnierskiego chodu – odparł smutno lekarz.

– Nie słyszycież, nikt stamtąd nie idzie?... – mówił Horus.

Milczenie.

Księżyc zbliżał się do palmy i już dotknął pierwszych jej liści; miałki piasek cicho szeleścił w klepsydrach.

– Daleko?... – szepnął Horus.

– Osiemset kroków – odparł lekarz – nie wiem, Horusie, czy zdążysz dotknąć wszystkich edyktów świętym pierścieniem, choćby ci go zaraz przynieśli...

– Podajcie mi edykty – rzekł książę, nasłuchując, czy nie biegnie kto z pokojów Ramzesa. – A ty, kapłanie – zwrócił sie do lekarza – mów, ile mi życia zostaje, abym mógł zatwierdzić przynajmniej najdroższe mi zlecenia.

– Sześćset kroków – szepnął lekarz.

Edykt o zmniejszeniu czynszów ludowi i pracy niewolników wypadł z rąk Horusa na ziemię.

– Pięćset...

Edykt o pokoju z Etjopami zsunął sie z kolan księcia.

– Nie idzie kto?...

– Czterysta... – odpowiedział lekarz.

Horus zamyślił sie, i... spadł rozkaz o przeniesieniu zwłok Zefory.

– Trzysta...

Ten sam los spotkał edykt o odwołaniu Jetrona z wygnania.

– Dwieście...

Horusowi zsiniały usta. Skurczoną ręką rzucił na ziemię edykt o niewyrywaniu języków wziętym do niewoli jeńcom, a zostawił tylko ...rozkaz oswobodzenia Bereniki.

– Sto...

Wśród grobowej ciszy usłyszano stuk sandałów. Do sali wbiegł zastępca arcykapłana. Horus wyciągnął rękę.

– Cud!... – zawołał przybyły. – Wielki Ramzes odzyskał zdrowie... Podniósł się krzepko z łoża i o wschodzie słońca chce jechać na lwy...
205 Ciebie zaś, Horusie, na znak łaski, wzywa, abyś mu towarzyszył...

Horus spojrzał gasnącym wzrokiem za Nil, gdzie błyszczało światło w więzieniu Bereniki, i dwie łzy, krwawe łzy, stoczyły mu się po twarzy.

– Nie odpowiadasz, Horusie?... – spytał zdziwiony posłaniec
210 Ramzesa.

– Czyliż nie widzisz, że umarł?... – szepnął najmędrszy lekarz z Karnaku.

Patrzcie tedy, że marne są ludzkie nadzieje wobec wyroków, które Przedwieczny ognistemi znakami wypisuje na niebie.

KAMIZELKA

Niektórzy ludzie mają pociąg do zbierania osobliwości, kosztowniejszych lub mniej kosztownych, na jakie kogo stać. Ja także posiadam zbiorek, lecz skromny, jak zwykle w początkach.

Jest tam mój dramat, który pisałem jeszcze w gimnazjum na
5 lekcjach języka łacińskiego... Jest kilka zasuszonych kwiatów, które trzeba będzie zastąpić nowemi, jest...

Zdaje się, że niema nic więcej, oprócz pewnej bardzo starej i zniszczonej kamizelki.

Oto ona. Przód spłowiały, a tył przetarty. Dużo plam, brak
10 guzików, na brzegu dziurka, wypalona zapewne papierosem. Ale najciekawsze w niej są ściągacze. Ten, na którym znajduje się sprzączka, jest skrócony i przyszyty do kamizelki wcale nie po krawiecku, a ten drugi, prawie na całej długości, jest pokłuty zębami sprzączki.

Patrząc na to, odrazu domyślasz się, że właściciel odzienia za-
15 pewne codzień chudnął i wreszcie dosięgnął tego stopnia, na którym kamizelka przestaje być niezbędną, ale natomiast okazuje się bardzo potrzebnym zapięty pod szyję frak z magazynu pogrzebowego.

Wyznaję, że dziś chętnie odstąpiłbym komu ten szmat sukna, który mi robi trochę kłopotu. Szaf na zbiory jeszcze nie mam, a nie
20 chciałbym znowu trzymać chorej kamizelczyny między własnemi rzeczami. Był jednak czas, żem ją kupił za cenę znakomicie wyższą od wartości, a dałbym nawet i drożej, gdyby umiano się targować. Człowiek miewa w życiu takie chwile, że lubi otaczać się przedmiotami, które przypominają smutek.

25 Smutek ten nie gnieździł się u mnie, ale w mieszkaniu bliskich

sąsiadów. Z okna mogłem codzień spoglądać do wnętrza ich pokoiku. Jeszcze w kwietniu było ich troje: pan, pani i mała służąca, która sypiała, o ile wiem, na kuferku za szafą. Szafa była ciemno-wiśniowa. W lipcu, jeżeli mnie pamięć nie zwodzi, zostało ich tylko dwoje: pani
30 i pan, bo służąca przeniosła się do takich państwa, którzy płacili jej trzy ruble na rok i codzień gotowali obiady.

W październiku została już tylko – pani, sama jedna. To jest niezupełnie sama, ponieważ w pokoju znajdowało się jeszcze dużo sprzętów: dwa łóżka, stół, szafa... Ale na początku listopada sprze-
35 dano z licytacji niepotrzebne rzeczy, a przy pani, ze wszystkich pamiątek po mężu, została tylko kamizelka, którą obecnie posiadam.

Lecz w końcu listopada, pewnego dnia, pani zawołała do pustego mieszkania handlarza starzyzny i sprzedała mu swój parasol za dwa złote i kamizelkę po mężu za czterdzieści groszy. Potem zamknęła
40 mieszkanie na klucz, powoli przeszła dziedziniec, w bramie oddała klucz stróżowi, chwilę popatrzyła na swoje niegdyś okno, na które padały drobne płatki śniegu i – znikła za bramą.

Na dziedzińcu został handlarz starzyzny. Podniósł do góry wielki kołnierz kapoty, pod pachę wetknął dopiero co kupiony parasol
45 i, owinąwszy w kamizelkę ręce czerwone z zimna, mruczał:

– Handel, panowie... handel!...

Zawołałem go.

– Pan dobrodziej ma co do sprzedania? – zapytał, wchodząc.

– Nie, chcę od ciebie coś kupić.

50 – Pewnie wielmożny pan chce parasol?... – odparł Żydek.

Rzucił na ziemię starą kamizelkę, otrząsnął śnieg z kołnierza i z wielką usilnością począł otwierać parasol.

– A fajn mebel!... mówił. – Na taki śnieg, to tylko taki parasol... Ja wiem, że wielmożny pan może mieć całkiem jedwabny parasol,
55 nawet ze dwa. Ale to dobre tylko na lato!...

– Co chcesz za kamizelkę? – spytałem.

– Jakie kamyzelkie?... – odparł zdziwiony, myśląc zapewne o swojej własnej.

Ale wnet opamiętał się i szybko podniósł leżącą na ziemi.

60 – Za te kamyzelkie?... Pan dobrodziej pyta się o te kamyzelkie?...

A potem, jakby zbudziło się w nim podejrzenie, spytał:

– Co wielmożnego pana po takie kamyzelkie?!...

– Ile chcesz za nią?

Żydowi błysnęły żółte białka, a koniec wyciągniętego nosa po-
65 czerwieniał jeszcze bardziej.

– Da wielmożny pan... rubelka! – odparł, roztaczając mi przed oczyma towar w taki sposób, aby okazać wszystkie jego zalety.

– Dam ci pół rubla.

– Pół rubla?... taky ubjór?... To nie może być! – mówił handlarz.

– Ani grosza więcej.

– Niech wielmożny pan żartuje zdrów!... – rzekł, klepiąc mnie po ramieniu. – Pan sam wi, co taka rzecz jest warta. To przecie nie jest ubjór na małe dziecko, to jest na dorosłe osoby...

– No, jeżeli nie możesz oddać za pół rubla, to już idź. Ja więcej nie dam.

– Ino niech się pan nie gniewa! – przerwał, mięknąc. – Na moje sumienie, za pół rubelka nie mogę, ale – ja zdaję się na pański rozum... Niech pan sam powie: co to jest wart, a ja się zgodzę!... Ja wolę dołożyć, byle to się stało, co pan chce.

– Kamizelka jest warta pięćdziesiąt groszy, a ja ci daję pół rubla!

– Pół rubla?... Niech będzie już pół rubla!... – westchnął, wpychając mi kamizelkę w ręce. – Niech będzie moja strata, byle ja z gęby nie robił... ten wjatr!...

I wskazał ręką na okno, za którem kłębił się tuman śniegu. Gdym sięgnął po pieniądze, handlarz, widocznie coś przypomniawszy sobie, wyrwał mi jeszcze raz kamizelkę i począł szybko rewidować jej kieszonki.

– Czegoż ty tam szukasz?

– Możem co zostawił w kieszeni, nie pamiętam! – odparł najnaturalniejszym tonem, a zwracając mi nabytek, dodał:

– Niech jaśnie pan dołoży choć z dziesiątkę!...

– No, bywaj zdrów! – rzekłem, otwierając drzwi.

– Upadam do nóg!... Mam jeszcze w domu bardzo porządne futro...

I jeszcze z za progu wytknąwszy głowę, zapytał:

– A może wielmożny pan każe przynieść serki owczych?...

W parę minut znowu wołał na podwórzu: "Handel! handel!..." a gdym stanął w oknie, ukłonił mi się z przyjacielskim uśmiechem.

Śnieg zaczął tak mocno padać, że prawie zmierzchło się. Położyłem kamizelkę na stole i począłem marzyć to o pani, która wyszła za bramę, nie wiadomo dokąd, to o mieszkaniu, stojącem pustką obok mego, to znowu o właścicielu kamizelki, nad którym coraz gęstsza warstwa śniegu narastała...

Jeszcze trzy miesiące temu słyszałem, jak w pogodny dzień wrześniowy rozmawiali ze sobą. W maju pani raz nawet – nuciła jakąś piosenkę, a on śmiał się, czytając "Kurjera Świątecznego". A dziś...

Do naszej kamienicy sprowadzili się na początku kwietnia. Wstawali dość rano, pili herbatę z blaszanego samowaru i razem wychodzili do miasta. Ona na lekcje, on do biura.

Był to drobny urzędniczek, który na naczelników wydziałowych patrzył z takim podziwem, jak podróżnik na Tatry. Zato musiał dużo pracować po całych dniach. Widywałem nawet go i o północy, przy lampie, zgiętego nad stolikiem.

Żona zwykle siedziała przy nim i szyła. Niekiedy spojrzawszy na niego, przerywała swoją robotę i mówiła tonem upominającym:

– No, już dość będzie, połóż się spać.

– A ty kiedy pójdziesz spać?...

– Ja... jeszcze tylko dokończę parę ściegów...

– No... to i ja napiszę parę wierszy...

Znowu oboje pochylali głowy i robili swoje. I znowu po niejakim czasie pani mówiła:

– Kładź się!... kładź się!...

Niekiedy na jej słowa odpowiadał mój zegar, wybijając pierwszą.

Byli to ludzie młodzi ani ładni, ani brzydcy, wogóle spokojni. O ile pamiętam, pani była znacznie szczuplejsza od męża, który miał budowę wcale tęgą. Powiedziałbym, że nawet za tęgą na tak małego urzędnika.

Co niedziela, około południa, wychodzili na spacer, trzymając się pod ręce, i wracali do domu późno wieczór. Obiad zapewne jedli w mieście. Raz spotkałem ich przy bramie, oddzielającej ogród Botaniczny od Łazienek. Kupili sobie dwa kufle doskonałej wody i dwa duże pierniki, mając przytem spokojne fizjognomje mieszczan, którzy zwykli jadać przy herbacie gorącą szynkę z chrzanem.

Wogóle biednym ludziom niewiele potrzeba do utrzymania duchowej równowagi. Trochę żywności, dużo roboty i dużo zdrowia. Reszta sama się jakoś znajduje.

Moim sąsiadom, o ile się zdaje, nie brakło żywności, a przynajmniej roboty. Ale zdrowie nie zawsze dopisywało.

Jakoś w lipcu pan zaziębił się, zresztą niebardzo. Dziwnym jednak zbiegiem okoliczności, dostał jednocześnie tak silnego krwotoku, że aż stracił przytomność.

Było to już w nocy. Żona, utuliwszy go na łóżku, sprowadziła do pokoju stróżowę, a sama pobiegła po doktora. Dowiadywała się o pięciu, ale znalazła ledwie jednego, i to wypadkiem, na ulicy.

Doktór, spojrzawszy na nią przy blasku migotliwej latarni, uznał za stosowne ją przedewszystkiem uspokoić. A ponieważ chwilami zataczała się, zapewne ze zmęczenia, a dorożki na ulicy nie było, więc podał jej rękę, i idąc tłumaczył, że krwotok jeszcze niczego nie dowodzi.

– Krwotok może być z krtani, z żołądka, z nosa, z płuc rzadko kiedy. Zresztą, jeżeli człowiek zawsze był zdrów, nigdy nie kaszlał...

– O, tylko czasami! – szepnęła pani, zatrzymując się dla nabrania tchu.

155 – Czasami? to jeszcze nic. Może mieć lekki katar oskrzeli.

– Tak... to katar! – powtórzyła pani już głośno.

– Zapalenia płuc nie miał nigdy?...

– Owszem!... – odparła pani, znowu stając.

Trochę się nogi pod nią chwiały.

160 – Tak, ale zapewne już dawno?... – podchwycił lekarz.

– O, bardzo... bardzo dawno!... – potwierdziła z pośpiechem.– Jeszcze tamtej zimy.

– Półtora roku temu.

– Nie... Ale jeszcze przed nowym rokiem... O, już dawno!

165 – A!... Jaka to ciemna ulica, a w dodatku niebo trochę zasłonięte... – mówił lekarz.

Weszli do domu. Pani z trwogą zapytała stróża: co słychać? – i dowiedziała się, że nic. W mieszkaniu stróżowa także powiedziała jej, że nic nie słychać, a chory drzemał.

170 Lekarz ostrożnie obudził go, wybadał i także powiedział, że to nic.

– Ja zaraz mówiłem, że to nic! – odezwał się chory.

– O, nic!... powtórzyła pani, ściskając jego spotniałe ręce. – Wiem przecie, że krwotok może być z żołądka, albo z nosa. U ciebie pewnie z nosa... Tyś taki tęgi, potrzebujesz ruchu, a ciągle siedzisz...

175 Prawda, panie doktorze, że on potrzebuje ruchu?...

– Tak! tak!... Ruch jest wogóle potrzebny, ale małżonek pani musi parę dni poleżyć. Czy może wyjechać na wieś?

– Nie może – szepnęła pani ze smutkiem.

– No – to nic! Więc zostanie w Warszawie. Ja będę go odwiedzał,

180 a tymczasem – niech sobie poleży i odpocznie. Gdyby się zaś krwotok powtórzył – dodał lekarz.

– To co, panie? – spytała żona, blednąc jak wosk.

– No to nic. Mąż pani wypocznie, tam się zasklepi.

– Tam... w nosie? – mówiła pani, składając przed doktorem ręce.

185 – Tak... w nosie! Rozumie się. Niech pani uspokoi się, a resztę zdać na Boga. Dobranoc.

Słowa doktora tak uspokoiły panią, że po trwodze, jaką przechodziła od kilku godzin, zrobiło się jej prawie wesoło.

– No, i cóż to tak wielkiego! – rzekła, trochę śmiejąc się, a trochę

190 popłakując.

Uklękła przy łóżku chorego i zaczęła całować go po rękach.

– Cóż tak wielkiego! – powtórzył pan cicho i uśmiechnął się. –

Ile to krwi na wojnie z człowieka upływa, a jednak jest potem zdrów!...
– Już tylko nic nie mów – prosiła go pani.
195 Na dworze zaczęło świtać. W lecie, jak wiadomo, noce są bardzo krótkie.
Choroba przeciągnęła się znacznie dłużej, niż myślano. Mąż nie chodził już do biura, co mu tem mniej robiło kłopotu, że jako urzędnik najemny, nie potrzebował brać urlopu, a mógł wrócić, kiedyby mu
200 się podobało i – o ile znalazłby miejsce. Ponieważ, gdy siedział w mieszkaniu, był zdrowszy, więc pani wystarała się jeszcze o kilka lekcji na tydzień i za ich pomocą opędzała domowe potrzeby.
Wychodziła zwykle do miasta o ósmej rano. Około pierwszej wracała na parę godzin do domu, ażeby ugotować mężowi obiad na
205 maszynce, a potem znowu wybiegała na jakiś czas.
Zato już wieczory spędzali razem. Pani zaś, aby nie próżnować, brała trochę więcej do szycia.
Jakoś w końcu sierpnia spotkała się pani z doktorem na ulicy. Długo chodzili razem. Wkońcu pani schwyciła doktora za rękę i rze-
210 kła błagalnym tonem:
– Ale swoją drogą niech pan do nas przychodzi. Może też Bóg da!... On tak się uspakaja po każdej pańskiej wizycie...
Doktór obiecał, a pani wróciła do domu, jakby spłakana. Pan też, skutkiem przymusowego siedzenia, zrobił się jakiś drażliwy
215 i zwątpiały. Zaczął wymawiać żonie, że jest zanadto o niego troskliwa, że on mimo to umrze, a w końcu zapytał:
– Czy nie powiedział ci doktór, że ja nie przeżyję kilku miesięcy?
Pani zdrętwiała.
– Co ty mówisz? – rzekła. – Skąd ci takie myśli?...
220 Chory wpadł w gniew.
– Oo, chodźże tu do mnie, o tu!... – mówił gwałtownie, chwytając ją za ręce. – Patrz mi prosto w oczy i odpowiadaj: nie mówił ci doktór?
I utopił w niej rozgorączkowane spojrzenie. Zdawałoby się, że
225 pod tym wzrokiem mur wyszeptałby tajemnicę, gdyby ją posiadał.
Na twarzy kobiety ukazał się dziwny spokój. Uśmiechała się łagodnie, wytrzymując to dzikie spojrzenie. Tylko jej oczy jakby szkłem zaszły.
– Doktór mówił – odparła – że to nic, tylko, że musisz trochę
230 wypocząć...
Mąż nagle puścił ją, zaczął drżeć i śmiać się, a potem, machając ręką, rzekł:
– No, widzisz, jakim ja nerwowy!... Koniecznie ubrdało mi się,

że doktór zwątpił o mnie... Ale... przekonałaś mnie... Już jestem
235 spokojny!...

I coraz weselej śmiał się ze swoich przywidzeń.

Zresztą taki atak podejrzliwości nigdy się już nie powtórzył. Łagodny spokój żony był przecie najlepszą dla chorego wskazówką, że stan jego nie jest złym.

240 Bo i z jakiej racji miał być zły?

Był wprawdzie kaszel, ale – to z kataru oskrzeli. Czasami, skutkiem długiego siedzenia, pokazywała się krew – z nosa. No, miewał też jakby gorączkę, ale właściwie nie była to gorączka, tylko – taki stan nerwowy.

245 Wogóle czuł się coraz zdrowszym. Miał nieprzepartą chęć do jakichś dalekich wycieczek, lecz – trochę sił mu brakło. Przyszedł nawet czas, że w dzień nie chciał leżeć w łóżku, tylko siedział na krześle ubrany, gotowy do wyjścia, byle go opuściło to chwilowe osłabienie.

250 Niepokoił go tylko jeden szczegół.

Pewnego dnia, kładąc kamizelkę, uczuł, że jest jakoś bardzo luźna.

– Czybym aż tak schudł?... – szepnął,

– No, naturalnie, że musiałeś trochę zmizernieć – odparła żona, – ale przecież nie można przesadzać.

255 Mąż bacznie spojrzał na nią. Nie oderwała nawet oczu od roboty. Nie, ten spokój nie mógł być udany!... Żona wie od doktora, że on nie jest tak znowu bardzo chory, więc nie ma powodu martwić się.

W początkach września nerwowe stany, podobne do gorączki,
260 występowały coraz silniej, prawie po całych dniach.

– To głupstwo! – mówił chory. – Na przejściu od lata do jesieni najzdrowszemu człowiekowi trafia się jakieś rozdrażnienie, każdy jest nieswój... To mnie tylko dziwi: dlaczego moja kamizelka leży na mnie coraz luźniej?... Strasznie musiałem schudnąć, i naturalnie
265 dopóty nie mogę być zdrowym, dopóki mi ciała nie przybędzie, to darmo!...

Żona bacznie przysłuchiwała się temu i musiała przyznać, że mąż ma słuszność.

Chory codzień wstawał z łóżka i ubierał się, pomimo, że bez
270 pomocy żony nie mógł wciągnąć na siebie żadnej sztuki ubrania. Tyle przynajmniej wymogła na nim, że na wierzch nie kładł surduta, tylko paltot.

– Dziwić się tu – mówił nieraz, patrząc w lustro – dziwić się tu, że ja nie mam sił. Ależ jak wyglądam!...

275 – No, twarz zawsze łatwo się zmienia – wtrąciła żona.

– Prawda, tylko że ja i w sobie chudnę...

– Czy ci się nie zdaje? – spytała pani z akcentem wielkiej wątpliwości.

Zamyślił się.

280 – Ha! może i masz rację... Bo nawet... od kilku dni uważam, że... coś... moja kamizelka...

– Dajże pokój – przerwała pani – przecież nie utyłeś...

– Kto wie? Bo, o ile uważam po kamizelce, to...

– W takim razie powinnyby ci wracać siły.

285 – Oho! chciałabyś tak zaraz... Pierwej muszę przecież choć cokolwiek nabrać ciała. Nawet powiem ci, że choć i odzyskam ciało, to i wtedy jeszcze nie zaraz nabiorę sił...

– A co ty tam robisz za szafą?... – spytał nagle.

– Nic, szukam w kufrze ręcznika, a nie wiem, czy jest czysty.

290 – Nie wysilajże się tak, bo aż ci się głos zmienia... To przecież ciężki kufer...

Istotnie, kufer musiał być ciężki, bo pani aż porobiły się wypieki na twarzy. Ale była spokojna.

Odtąd chory coraz pilniejszą zwracał uwagę na swoją kamizelkę.

295 Co parę zaś dni wołał do siebie żonę i mówił:

– No... patrzajże. Sama się przekonaj: wczoraj mogłem tu jeszcze włożyć palec, o – tu... A dziś już nie mogę. Ja istotnie zaczynam nabierać ciała!...

Ale pewnego dnia radość chorego nie miała granic. Kiedy żona

300 wróciła z lekcji, powitał ją z błyszczącemi oczyma i rzekł, bardzo wzruszony:

– Posłuchaj mnie, powiem ci jeden sekret... Ja z tą kamizelką, widzisz, trochę szachrowałem. Ażeby ciebie uspokoić, codzień sam ściągałem pasek i dlatego – kamizelka była ciasna... Tym sposobem

305 dociągnąłem wczoraj pasek do końca. Już martwiłem się, myśląc, że się wyda sekret, gdy wtem dziś... Wiesz, co ci powiem?... Ja dziś, daję ci najświętsze słowo, zamiast ściągać pasek, musiałem go trochę rozluźnić... Było mi formalnie ciasno, choć jeszcze wczoraj było cokolwiek luźniej...

310 No, teraz i ja wierzę, że będę zdrów... Ja sam!... Niech doktór myśli, co chce...

Długa mowa tak go wysiliła, że musiał przejść na łóżko. Tam jednak, jako człowiek, który bez ściągania pasków zaczyna nabierać ciała, nie położył się, ale jak w fotelu, oparł się w objęciach żony.

315 – No, no!... – szeptał – ktoby się spodziewał?... Przez dwa tygodnie oszukiwałem moją żonę, że kamizelka jest ciasna, a ona dziś naprawdę sama ciasna!...

No... no!...

I przesiedzieli, tuląc się jedno do drugiego cały wieczór.

320 Chory był wzruszony, jak nigdy.

– Mój Boże! – szeptał, całując żonę po rękach – a ja myślałem, że już tak będę chudnął do... końca. Od dwu miesięcy dziś dopiero, pierwszy raz uwierzyłem w to, że mogę być zdrów.

Bo to przy chorym wszyscy kłamią, a żona najwięcej. Ale kamizelka 325 – ta już nie skłamie!

Dziś, patrząc na starą kamizelkę, widzę, że nad jej ściągaczami pracowały dwie osoby. Pan – codzień posuwał sprzączkę, ażeby uspokoić żonę, a pani codzień – skracała pasek, aby mężowi dodać 330 otuchy.

"Czy znowu zejdą się kiedy oboje, ażeby powiedzieć sobie cały sekret o kamizelce?..." – myślałem, patrząc na niebo.

Nieba prawie już nie było nad ziemią. Padał tylko śnieg, taki gęsty i zimny, że nawet w grobach marzły ludzkie popioły.

Któż jednak powie, że za temi chmurami niema słońca?...

Z LEGEND DAWNEGO EGIPTU. **1.** *marny* – vain, useless. **3.** *Przedwieczny* – the Eternal, God. **4.** *dogorywać* – te be on the verge of death, breathe one's last. **5.** *mocarz* – potentate. **6.** *dusząca*, from *dusić* – to choke; *zmora* – mare, incubus. **7.** *powalony*, from *powalić* – to fell. **9.** *najmędrszy* or *najmądrzejszy*, superl. from *mądry* – wise. **11.** *tęgi* – strong, potent. **12.** *przyrządzić* – to prepare. **13.** *tak albo owak* – one way or another. **15.** *zstąpienie*, from *zstąpić* – to descend. **16.** *wylewać* – to flood, overflow; *zadać lekarstwo* – to administer a medicine. **22.** *dosiąść wozu* – to mount a chariot; *dźwignąć* – to lift. **25.** *z Tebów*, gen. plur. of *Teby* – Thebes. **27.** *zapowiadać* – to predict, indicate. **34.** *nosorożce* – rhinoceros. **35.** *cichnąć* – to sink, grow low. **37.** *sprawowanie* (from *sprawować*) *władzy* – exercise of power. **40.** *zgraja* – crowd, retinue. **42.** *nieokreślony* – indefinite, vague. **43.** *tlić się* – to glimmer; *złowrogi* – ominous. **44.** *spiżowy*, from *spiż*, brass – brassy. **47.** *snuć się* – to glide, move slowly. **49.** *falować* – to heave, undulate. **51.** *jękliwy* – wailing; *żer* – food, forage. **52.** *gromadzić się* – to gather. **53.** *niezmierzony* – boundless; *łan* – literally field, here, mass, expanse. **55.** *przeznaczyć* – to destine. **61.** *szczątki* – remnants. **66.** *kanclerz* – chancellor; *goniec* – messenger, courier. **69.** *wygnać* – to expel, banish; *szczepić* – to graft, inculcate. **70.** *odraza* – aversion; *uciśniony* – oppressed. **79.** *syknąć* – to hiss, utter a hiss. **81.** *ukąsić* – to bite, sting. **83.** *jad* – venom; **85.** *niecofniony* – irrevocable. **89.** *stygnąć* – to grow cold. **90.** *bo mnie nie długo na świecie* – for I shall not be long among the living. **91.** *ustąpić* – to cede. **92.** *zawrzeć sojusz* – to conclude an alliance. **96.** *trzymać w garści* – to keep ready. **97.** *polecieć* – here, to run, hasten. **100.** *jeniec* – prisoner-of-war. **102.** *cofnąć się* – to withdraw. **105.** *spuchła*, from *spuchnąć* – to swell. **116.** *czynsz dzierżawny* – farm rent; *podatek* – tax. **119.** *odwoływać* – to recall. **122.** *zdążyć* – to have time. **123.** *arcykapłan* – high priest. **125.** *nieomylny* – infallible; *szala* – scale, balance; *zważyć* – to weigh. **127.** *obalić* – to demolish, wreck. **129.** *burzyć* – to destroy; *wznosić* – to erect, build. **130.** *skarbiec* – treasury. **131.** *przewiezienie*, from *przewieść* – to transfer. **136.** *zwiastować* – to announce. **139.** *nie dziwi mnie* – I am not surprised. **140.** *konać = dogorywać* – see note 4; *znieść* – to bear, stand. **142.** *zastępca* – deputy. **143.** *nieograniczony* – unlimited, absolute. **146.** *poręcz* – arm (of a chair); *jastrzębi*, adj. from *jastrząb* – hawk. **150.** *dosłyszalny* – audible. **159.** *dożyć* – to live until, live to see. **161.** *byle* – if only, provided. **172.** *żołnierski chód* – a soldier's stride, military pace. **177.** *miałki* – powdery; *klepsydra* – hour-glass. **184.** *zatwierdzić* – to confirm. **185.** *zlecenie* – order. **190.** *zsunąć się* – to slip, slide down. **197.** *zsiniały*, from *zsinieć* – to turn blue; *skurczony* – cramped. **201.** *grobowa cisza* – dead silence. **204.** *krzepko*, from *krzepki* – vigorous, sprightly.

KAMIZELKA (*kamizelka* – vest). **1.** *pociąg* – inclination; *osobliwość* – curio. **2.** *stać kogo na coś* – one can afford. **3.** *zbiorek*, dim. of *zbiór* – collection. **5.** *zasuszony* – dried. **7.** *zniszczony* – worn-out. **9.** *spłowiały* – faded; *przetarty* – threadbare. **11.** *ściągacz* – adjustable strap, tightener; *sprzączka* – buckle. **12.** *przyszyty*, from *przyszyć* – to sew on; *wcale nie* – not at all; *po krawiecku* – as by a tailor, tailor fashion. **13.** *pokłuty*, from *pokłuć* – to prick, pierce. **16.** *niezbędny* – indispensable; *natomiast* – instead, on the other hand; *okazywać się* – here, to appear. **17.** *magazyn pogrzebowy* – undertaker's store, store selling burial attire. **18.** *odstąpić* – to give up, cede; *szmat* – piece, bit; *sukno* – cloth. **19.** *szafa* – cabinet, wardrobe. **20.** *kamizelczyna*, dim. of *kamizelka.* **22.** *umiano* – impers. past. part. of *umieć* – to know how; *targować* – to bargain, haggle. **25.** *gnieździć się* – to nestle. **26.** *pokoik*, dim. of *pokój* – room. **28.** *kuferek*, dim. of *kufer* – trunk; *ciemno-wiśniowy* – dark cherry-red. **29.** *zwodzić* – to mislead, here, fail. **30.** *państwo* – here, mister and mistress, employers. **34.** *sprzęt* – piece of furniture. **35.** *licytacja* – auction. **38.** *handlarz* – pedlar; *starzyzna* – old clothes etc., junk. **39.** *dwa złote* – the monetary unit at that time in Poland was the ruble divided into 100 kopecks; but the population still counted by the old Polish *złoty* equivalent of 30 groszy or 15 kopecks; 40 *groszy* = 20 kopecks. **42.** *płatek* – flake. **48.** *dobrodziej* – see *Morituri*, note 34. **53.** *A fajn mebel*, Yiddish – a fine piece of furniture; the pedlar's talk is a reproduction of the bad grammar and phonetic pecularities of the Yiddish-Polish dialect used by Jewish lower classes. **57.** *jakie kamizelkie* – instead of *jaką kamizelkę.* **59.** *opamiętać się* – to come to one's senses, collect oneself. **61.** *podejrzenie* – suspicion. **62.** in correct Polish: *co wielmożnemu panu* (honorable Sir) *po takiej kamizelce* – of what use would such vest be to you. **64.** *białko* – white of the eye. **66.** *rubelck* – dim. of *rubel; roztaczać* – to spread, display. **67.** *towar* – merchandise. **69.** *taky* = *taki.* **71.** *niech pan żartuje zdrów* – you may very well joke. **72.** *wi* = *wie.* **76.** *ino* = *tylko.* **77.** *zdaję się*, from *zdawać się* – to rely upon. **79.** *dołożyć* – to add. **80.** *pół rubla* = three *złote* and ten *groszy.* **84.** *kłębić się* – to whirl. **86.** *rewidować* – to search; *kieszonka*, dim. of *kieszeń* – pocket. **90.** *nabytek* – acquisition, purchase. **91.** *dziesiątka* = ten grosze (5 kopecks). **92.** *bywaj zdrów* – goodbye. **93.** *upadam do nóg* – I fall at your feet, I prostrate myself – obsequious salutation. **95.** *wytknąwszy*, from *wytknąć* – to stick out. **96.** *serki owczych* – instead of *serków owczych; serek* (dim. of *ser*) *owczy* – cheese made of sheep milk. **99.** *zmierzchło się*, from *zmierzchnąć się* – to grow dusky, dark. **101.** *stać pustką* – to be deserted. **108.** *sprowadzić się* – to move in. **109.** *blaszany*, adj. from *blacha* – sheet-iron, tin. **111.** *urzędniczek*, dim. of *urzędnik* – employee, clerk; *naczelnik* – chief, head; *wydziałowy*, from *wydział* – department. **112.** *Tatry* – the highest mountain range in Poland. **114.** *zgięty*, from *zgiąć* – to bend. **116.** *upominać* – to admonish. **119.** *ścieg* – stitch. **121.** *robić swoje* – to do one's work; *niejaki* – here, some. **123.** *kłaść się* – to go to bed, lie down. **132.** *Łazienki* – a park in Warsaw with a beautiful palace built by King Stanisław August; *kufel* – mug. **133.** *piernik* – gingerbread. **134.** *herbata* – here, supper; *chrzan* – horseradish. **139.** *dopisywać* – to be as it should, be up to par. **140.** *zaziębić się* – to catch a cold. **141.** *zbieg okoliczności* – coincidence; *krwotok* – hemorrhage. **143.** *utulić na łóżku* – to tuck up in bed. **144.** *stróżowa*, wife of *stróż* – janitor; *dowiadywać się* – to enquire. **145.** *wypadkiem* – by accident, chance. **146.** *migotliwy* – flickering; *uznać* – to deem. **147.** *stosowny* – proper, appropriate; *uspokoić* – to calm, reassure. **148.** *zataczać się* – to stagger, reel. **151.** *krtań* – larynx. **155.** *oskrzele* – bronchia; *katar oskrzeli* – bronchitis. **157.** *zapalenie płuc* – pneumonia. **158.** *owszem* – yes, indeed. **161.** *podchwycić* – here, to take up a theme, interpose. **163.** *półtora roku temu* – a year and a half ago. **170.** *wybadać* – to examine. **172.** *spotniały* – sweating. **176.** *małżonek* – spouse, husband. **183.** *zasklepić się* – to close, heal. **186.** *zdać na Boga* – to leave to God. **188.** *zrobiło jej się wesoło* – she began to feel happy. **189.** *cóż to tak wielkiego* – idiom. what does it matter, nothing to get excited about. **197.** *przeciągnąć się* – to drag on, linger. **189.** *najemny* – hired. **201.** *wystarać się* – to procure, get. **202.** *opędzać potrzeby* – to supply one's needs, eke out an existence. **205.** *maszynka* – spirit lamp. **206.** *zato* – here, but, however. **211.** *swoją drogą* – anyway, in any event. **214.** *skutek* – consequence, result; *przymusowy* – enforced; *drażliwy* – irritable. **215.** *zwątpiały* – despondent; *wymawiać* – to reproach. **218.** *zdrętwiała*, from *zdrętwieć* – to grow numb, stiffen. **224.** *utopić spojrzenie* – to fix one's eyes; *rozgorączkowany* – feverish. **227.** *wytrzymywać* – to withstand, bear. **228.** *zajść szkłem* – to become glassy. **233.** *ubrdać sobie* – to get into one's head. **234.** *zwątpić* – to despair, give up. **236.** *przywidzenie* – wild fancy. **245.** *nieprzeparty* – irresistible. **250.** *niepokoić* – to disturb, worry. **253.** *zmizernieć* – to become thin, weak. **256.** *udany* – assumed, pretended. **261.** *to głupstwo* – that's nothing, a trifle. **263.** *nieswój* – out of sorts; *leżeć* – here, to fit. **265.** *dopóki mi ciała nie przybędzie* – until I gain more weight. **271.** *wymogła*, from *wymóc* – to prevail upon; *surdut* – coat. **282.** *utyć* – to become fatter. **286.** *nabrać ciała* – to gain weight. **290.** *wysilać się* – to exert, strain oneself. **292.** *wypieki na twarzy* – flushed face. **303.** *szachrować* – to cheat. **304.** *ściągać* – to tighten; *pasek* – strap. **306.** *wydać się* – to be revealed, come to light. **308.** *rozluźnić* – to loosen; *formalnie* – here, outright, literally. **316.** *oszukiwać* – to cheat. **330.** *zejść się* – to meet. **333.** *marznąć* – to freeze.

Eliza Orzeszkowa (1842–1910)

LIKE Prus, Eliza Orzeszkowa was one of the most progressive advocates of social equality, of the elevation of the peasants and Jews, and of the struggle against ignorance and backwardness, the class selfishness of the gentry, and the underprivileged position of women. Though she did not professionally engage in journalism she nevertheless wrote articles and pamphlets, e.g., on the Jewish question or on cosmopolitism and patriotism, in a humanitarian and truly European spirit. Her views were closely related to positivism, but they differed from the official doctrine in putting greater stress on moral problems and in not renouncing all metaphysics; nor did she absolutely condemn the Uprising of 1863, with which she was connected by emotional ties and personal (indirect) participation.

Her activity as a novelist began about 1866. Her first novels, still written in the traditional manner—*Pamiętnik Wacławy* (Wacława's Memoirs, 1871), *Marta*, (1873), *Pan Graba* (1872), and others—were devoted to the difficult situation of women unprepared for independent life. Much more mature is her cycle of Jewish novels (*Meir Ezofowicz*, 1877; *Eli Makower*, 1875) describing the struggle between the progressive and backward elements of Jewish society as well as the causes of the rift between Jews and Christians. Her short story *Silny Samson* (The Strong Samson, 1878) deals with the ennobling influence of art on a very primitive mind. *Dziurdziowie* (1884) and *Cham* (The Churl, 1889) belong to a cycle dealing with peasant life. The first is a gloomy picture of peasant ignorance resulting in common crime; the other gives the portrait of a decent, good, and subtle peasant who rises above moral prejudice by taking a fallen girl for his wife. There are also novels depicting the landed gentry, both the degenerate aristocracy and the petty nobility, e.g., *Bene nati* (1891), as well as short stories on various subjects. The novel *Nad Niemnem* (On the Banks of the Niemen, 1886) is considered Orzeszkowa's masterpiece. It is a broadly conceived picture of Polish society in the former Grand Duchy of Lithuania and of the relations between the manor and the small gentry. Though Orzeszkowa did not create in Poland a new form of the novel, though some of her novels are *romans à thèse* and almost all are pervaded with a strong didactic element, though her technique does not show any new achievements, and though her language (in contrast to that of Prus) is full of rhetoric and pathos, and is poeticized and archaized—nevertheless the literary, and particularly the cultural, value of her works is considerable because they are a new, original mirror of the period and its spirit.

OGNIWA
(1895)
(*abridged*)

Zaledwie śnieg, okrywający dachy i ulice, szarzeć zaczął we wczesnym zmroku zimowym, okna dużego i ozdobnego domu zajaśniały rzęsistem światłem. Na ich złotem tle zarysowały się bogate festony firanek, wysmukłe postumenty lamp, grupy roślin i niestałe cienie
5 postaci ludzkich.

Gdy na ulicy ustawał turkot kół, dolatywały z okien tych przez podwójne szyby słabe dźwięki muzyki fortepianowej. Łatwo było zgadnąć, że ludzie się tam bawią; że, powstawszy od stołu obiadowego, muzyką i rozmowami uprzyjemniają sobie chwile, ulatujące 10 tak szybko...

Przed bramą stało kilka powozów z pięknemi zaprzęgami i stangretami w liberjach, którzy, zwiesiwszy głowy, drzemali lub uderzali się zziębłemi rękami po plecach i bokach. Ale z bramy wybiegł lokaj we fraku i wydał stangretom rozkaz odjechania do domów.

15 Koła zaskrzypiały po śniegu; karety, porwane przez spragnione już ruchu konie, sznurem potoczyły się w głąb ulicy, nad którą teraz właśnie pomiędzy śniegiem szarzejącym a niebem jeszcze błękitnawem zapalać zaczęto dwa rzędy latarni.

Potem ulica przycichła; czasem tylko jednokonne sanki przelaty-20 wały ze słabem dzwonieniem; na białe chodniki padały z okien magazynów nieruchome płachty świateł, w których pojedyńczo lub rojnie przesuwały się profile przechodniów.

Wówczas z bramy oświetlonego domu wyszedł mężczyzna, którego broda siwa wydawała się płatkiem śniegu, położonym mu na piersi.

25 Paltot futrzany z kosztownym kołnierzem szczelnie okrywał postać dość wysoką, z plecami trochę przygarbionemi; brzeg czapki futrzanej dotykał złotej oprawy okularów. Ubranie, ruchy, sam sposób, w jaki naciągał rękawiczki, znamionowały człowieka, należącego do wyższych warstw społecznych. Miał brodę siwą, plecy przygarbione 30 i okulary na oczach, ale z temi oznakami starości nie zgadzał się krok przyśpieszony, jakim szedł po białym chodniku.

W tym kroku, jako też w paru giestach, które uczynił, malowało się zniecierpliwienie, coś nakształt chęci zostawienia za sobą jak najdalej domu, który opuścił.

35 Bo też ilekroć salony jego córki napełniały się gwarem rozmów błyskotliwych, lekkich, pustych, a w apartamencie zięcia rozkładano stoliki do kart, uczuwał on zawsze niesmak, smutek, nudę i, o ile mógł, opuszczał dom ich, będący także jego domem.

Czy, postarzawszy, stracił serce do świata, czy też świat odwrócił 40 się od niego?

W obu przypuszczeniach było wiele prawdy. Dla niego, dziadka wnuków dorosłych, nawet ojcowie i matki rodzin byli młodzieżą.

To bardzo dobrze: można przecież kochać młodzież i być przez nią kochanym; tylko, że on niedobrze już rozumie życie tych pokoleń 45 młodych. Miał niegdyś ideały ukochane, które były mu miarą sądu o ludziach i rzeczach. Do tej miary przyłożeni: córka, zięć, wnuki, objawiają wzrost nadzwyczaj mały. Nie chce być niesprawiedliwym i odzywa się w nim przywiązanie ojcowskie. Ani córka i zięć, ani wnuczki i wnukowie nie są znowu – plamami atramentu. Mają swoje 50 zalety, wdzięki, zdolności, tylko, że on rzadko może zgodzić się z nimi w czemkolwiek. Inne poglądy i upodobania, inne wspomnienia. Pousypialiby ze znudzenia, gdyby zaczął im prawić o tem, co dniem i nocą napełnia jego pamięć.

Mieszka przy córce i zięciu w zbytku i blasku, a dni spycha z życia, 55 jak z pleców wory jałowego żwiru, i wlecze się ku końcowi tak prawie powoli, jak teraz idzie chodnikiem ulicy, bo, wyszedłszy z bramy domu pośpiesznym krokiem, teraz zaledwie porusza stopami...

Wzrok starego pana w futrze bobrowem wypadkiem spotkał się z malowaną twarzą zegara, która w powiewie wiatru zlekka zakoły- 60 sała się i zaskrzypiała. Było to coś nakształt zaproszenia, wymówionego tonem żałosnym. Zegar na szyldzie! Zegarmistrz! to bardzo dobrze!

Właśnie zegarek jego potrzebuje naprawy. Od pewnego czasu opóźnia się wciąż i opóźnia po parę minut codzień. Sam go już ciągle nastawia, naprawia, posuwa, cofa: nic nie pomaga. A przecież zna 65 się na zegarach wyśmienicie i wszystkie, jakie są w domu, zostają pod jego dozorem wyłącznym i bezpośrednim. Ale dla starego przyjaciela trzeba zawezwać porady lekarza.

Wstąpił na parę schodków, otworzył drzwi sklepiku, lecz gdy zamknął je za sobą, nie zaraz oddalił się od progu: przez minut parę 70 stał, słuchając i patrząc.

Izdebka była mała, niska, od sufitu do podłogi napełniona szmerem dziwnym, zgiełkliwym, monotonnym i zarazem niespokojnym, szybkim. Nie był to hałas, tylko szmer, nie wzdymający się, ani opadający nigdy, lecz ciągle, jednostajnie, bez sekundy przerwy na- 75 pełniający izbę od dołu do góry. Nic tu więcej słychać nie było: ani ruchu ulicznego, ani skrzypienia szyldów, ani żadnego dźwięku ze świata żyjących. Nic, tylko od sufitu do podłogi i od ściany do ściany rozmowa czy narada zegarów, wiszących na ścianach i mówiących jeden za drugim wielu głosami suchemi i stukliwemi: "tak-tak... 80 tak-to-tak... tak-to-tak..."

A w tym szmerze rozmowy, czy narady, zda się, wiekuistej, u okna jedynego, przy stoliku, na którym paliła się lampa z długim kominkiem, nad mnóstwem błyszczących kółek, sprężynek, haczyków siedział człowiek w ubraniu długiem i wyszarzanem, z dwoma płatami 85 śnieżnemi, jednym na piersiach, drugim nad karkiem zgiętym: była to broda siwa i siwe włosy, wydobywające się z pod jarmułki aksamitnej. W wielkich okularach, z narzędziem delikatnem w ręku siedział i pracował około błyszczących drobiazgów. Czoło miał zmarszczone, wargi odęte i uwagę głęboką w oczach, połyskujących

90 iskrą srebrną z pod brwi siwych i powiek zaczerwienionych. Może ucho jego tak przywykło do stukotliwej rozmowy zegarków i tak się z nią zżyło, że dźwięki inne przedostawały się doń z trudnością; nie słyszał wejścia człowieka obcego.

W minutę później ze szmeru wytrysnął głos donośny, dźwięczny, 95 dziwnie żywy i świeży, który na całą izbę zawołał: "ku-ku!" i potem już dalej miarowo powtarzał: "ku-ku! ku-ku!" aż za ósmym razem umilkł, a izdebkę napełniła znowu gwarliwa i, pomimo miarowości doskonałej, śpieszna, niespokojna narada zegarów.

Stary Żyd z dwoma płatami śniegu starości podniósł głowę; wydęte 100 od skupienia wargi jego rozściągnęły się w błogim uśmiechu, spojrzeniem pełnem zadowolenia powiódł dokoła i spotkał się niem z twarzą przybysza, na której także rozlewał się uśmiech. Powstał nieco ze stołka, jarmułki palcami dotknął i zaczął:

– Czego wielmożny pan...

105 Spostrzegłszy wszakże futro kosztowne, złotą oprawę okularów, postawę przygarbioną, lecz jeszcze wyniosłą, poprawił się:

– Czego jasny pan żąda?

Ale jasny pan, zamiast odpowiedzieć, szedł wprost ku ścianie z szemrzącemi zegarami i stanął przed tym, który wydał był z siebie 110 głos kukułki.

– Skąd masz ten zegar? Staroświecki!... cyferblat osobliwy!... Skąd go masz? Czyj on jest?

Żyda jakby sprężyna podrzuciła z nad stołka, zerwał się i dwoma śpiesznemi krokami stanął obok starego pana przed szafką hebanową, 115 wysoką; przez otwór jej wyglądało na świat oblicze zegara z kukułką.

– Czyj ten zegar? A czyj ma być? On mój! Jak syn swego ojca, jak przyjaciel jest swego przyjaciela, tak on mój! A jasny pan myślał, że może ten zegar jest u mnie w reparacji? że zaraz kto przyjdzie i jego stąd zabierze? Aj, aj! jaby kijem tego, ktoby mnie ten zegar zabrać 120 chciał! żeby mnie kto jego zabierał, to jaby takiego hałasu narobił, że ludzieby zbiegli się i musieli przepędzić tego, ktoby mnie ten zegar zabierał... bo on jest mój!...

Mówił z żywością ogromną, z zapałem i razem ze śmiechem filuternym, lecz nagle umilkł i uważnie wpatrzył się w gościa, który 125 przecież, na niego uwagi nie zwracając, z głową podniesioną, z ustami trochę otwartemi, przypatrywał się zegarowi, aż zawołał:

– Daj-no stołek i lampę, bo nie mogę dojrzeć pejzażu na cyferblacie. Widzę, że jest, ale nie mogę dojrzeć, jaki...

Przy ostatnich wyrazach wstąpił na stołek, podsunięty mu przez 130 Żyda, a uczynił to tak sprężyście, jak gdyby nigdy dotąd nie powłóczył nogami.

– Dawaj lampę! – zawołał.
– Zaraz, zaraz, jasny panie!
I, słowa te mówiąc, stary Żyd z lampą w ręce znalazł się obok
135 gościa na drugim przysuniętym stołku.
– Genewa! – zawołał stary pan – tak, tak! fabryka szwajcarska; nie wiesz, jaka?
– Dlaczego nie mam wiedzieć? czy ja mogę czego o nim nie wiedzieć?
140 Z tryumfem wymienił nazwę fabryki, już oddawna nieistniejącej.
– To była taka fabryka, jakiej już na świecie niema!
– To prawda, ach, jaka to prawda, że takiej fabryki już na świecie niema!
Stali na stołkach obok siebie, postawą różni, bo gospodarz był
145 szczuplejszy i niższy od gościa. Światło lampy, którą Żyd trzymał w wysoko podniesionej ręce, padało na dwie twarze z rysami niepodobnemi, ale okryte jednakowo wielką ilością zmarszczek. Obaj mieli okulary na oczach, wlepionych w zegar z błogością jednakową. Wtem nad ich głowami siwemi i twarzami pomarszczonemi, wysadzony
150 z wnętrza zegara przez sprężynę naciśniętą, wyleciał ptak metalowy, załopotał skrzydłami i dźwięcznie, świeżo, na całą izbę wołać zaczął: "ku-ku! ku-ku!".
Żyd pierwszy zstąpił ze stołka na ziemię i pomógł gościowi to samo uczynić, poczem, zapominając o postawieniu lampy na stole, znowu
155 na niego patrzał.
– Za pozwoleniem jasnego pana – szepnął nieśmiało – może ja mam omyłkę, ale mnie zdaje się, że moje stare oczy jaśnie pana poznały...
– Poczekaj, poczekaj – z żywością przemówił stary pan – mnie także coś się przypomina. Czy ja cię znałem kiedy?
160 – Jasny pan graf Ksawery ze Strumienicy...
– No, a ty? bo nie mogę przypomnieć sobie...
– Ja Berek, syn Szymszela, co w Strumienicy pacht trzymał.
– Berek! czy być może? Ależ pamiętam wybornie! Siostra moja brała cię za model do jakiegoś obrazka.
165 Żyd głową skinął potakująco; lampę postawił na stole, bo ręce drżeć mu zaczęły. Wyciągnął z kąta stare krzesło z materacem wklęsłym i poręczą nadłamaną, zapraszając gościa, aby usiadł. Cmokał wargami, śmiał się; czerwone powieki mrugały mu pod siwemi brwiami bardzo prędko, jak od olśnienia. Usiadł nakoniec, wpatrywał
170 się w gościa i wydawał dźwięki niewyraźne, w których przecież słychać było radość i zdziwienie. Ale i stary pan przypatrywał mu się z podziwem.
– Czy być może? Ty Berek?... ty... ten Berek z kręcącemi się

włosami złotemi, z twarzą rumianą, jak u dziewczyny, z oczyma, jak turkusy? Siostra moja wzięła cię za model do jakiejś figury w obrazie, potem często przychodziłeś do pałacu... Więc to ty jesteś?

– Ja... ja sam, jasny panie! A jasny pan jest tym paniczem, co na schody strumienieckiego pałacu nigdy inaczej nie wchodził, jak po cztery przeskakując. Kiedy mnie jasna panna hrabianka malowała, a jasny graf Ksawery do tego pokoju, w którym my byli, wchodził, to jakby słońce wschodziło. Aj, czy ja nie pamiętam, jak jasny pan Ksawery konno jeździł i jak z panienkami tańczył!... Żeby nie wiem wielu paniczów na koniach jechało, to on wszystkich wyprzedził, i żeby nie wiem wiele panienek było, to wszystkie tylko z nim chciały tańczyć. Ja to wszystko widział, choć przy płocie, albo za oknem pałacu stojąc...

– Ależ właśnie, właśnie – podchwycił hrabia – ja cię też najlepiej pamiętam stojącego przy sztachetach, na dziedzińcu lub w ogrodzie, i przypatrującego się wszystkiemu oczyma, które posiadały dziwnie naiwny wyraz ciekawości i uciechy... Nieraz mówiliśmy z siostrą o tobie, że wyglądasz, jakbyś cieszył się całym światem i nigdy dosyć nacieszyć się nie mógł...

Żyd śmiał się zcicha.

– A jasny pan czy nie cieszył się wtedy całym światem?

Hrabia zamyślił się i westchnął.

– Naturalnie – odpowiedział – młodość!... Razem byliśmy młodzi, mój Berku!

Nie spuszczając oczu z jaśnie pana, Żyd znowu zapytał zcicha:

– A teraz?

– Teraz! cóż? Jesteśmy razem starzy...

Żyd oparł dłonie na kolanach, wzrok wlepił w ziemię, zgarbił się, zmalał.

– Cy! cy! – cmokał – czemu my nie mieli zestarzeć się razem, kiedy my razem młodzi byli? Każdy człowiek na świecie, czy Żyd, czy chrześcijanin, czy wielki, czy maleńki, ma młodość i ma starość... i dla każdego młodość to radość, a starość to taki smutek, co jego aż do grobu nie można z siebie zdjąć... Każdy to ma...

Umilkł.

Hrabia milczał także i tylko zegary na ścianach gwarzyły szmerem suchym, niespokojnym: "tak-tak! tak-to-tak! tak-to-tak! tak-to-tak!"

Żyd pierwszy obudził się z zamyślenia i przemówił:

– A czemu ja winien tę wielką łaskę Pana Boga, że do mnie takiego starego znajomego przyprowadził?

Hrabia wyjął z kieszeni staroświecki zegarek i położył go na stole.

215 Żyd z przyjemnością wziął go w palce i, oglądając z uśmiechem, zapytał:

– A jaka na niego skarga? Czem on zgrzeszył? On późni się? Jasny pan próbował jego naprawiać i nic nie pomogło! Cy, cy! ja już widzę, że z nim niedobrze, on jest bardzo chory. Jego trzeba rozebrać 220 i leczyć...

Hrabiemu oczy błysnęły z za okularów. Zaniepokoił się i zarazem ucieszył.

– Czy możesz to zrobić zaraz?

– Czemu nie? Ja będę bardzo kontent, jeżeli jasny pan trochę 225 u mnie posiedzi i sam będzie widział, że ja temu choremu nic złego nie zrobię. Tylko ja sobie większą lampę zapalę, bo do takiej roboty, przy takiej małej lampie, moje oczy za słabe...

Hrabia, w coraz lepszym humorze, zawołał:

– Dobrze ci, że możesz sobie większą lampę zapalić, a ja nie mam 230 z sobą tych okularów, których używam do naprawiania zegarków...

– Aj, aj! co to za bieda? U mnie jest kilka par różnych okularów; niech jasny pan dobierze sobie, która będzie najlepsza. Czy jasnego pana oczy tak samo proszą, żeby je ze służby uwolnić?

– Oj tak, mój Berku, bardzo nawet proszą... i djabelnie mi to 235 dokucza. Bez okularów ani rusz, a i przez okulary czasem trudno...

Żyd wyjmuje z szuflady kilka par okularów i mówi:

– To rychtyg jak mnie. Nasze oczy razem postarzały.

Po kilku minutach obadwaj siedzieli pochyleni nad stolikiem, zatopieni w pracy rozbierania zegarka i oglądania różnych jego części...

240 Żyd mówił z uśmiechem:

– Nu, jasny pan dobrze zna się na zegarkach... Już ja widzę, że jasny pan ma do zegarków takie upodobanie, jak dawniej miał do bystrych koni i pięknych panienek.

Hrabia wesoło też odpowiedział:

245 – To prawda, mój Berku, to prawda, że nabrałem tego zamiłowania niewiedzieć jak i dlaczego? Ot, różne dziwactwa czepiają się starości...

Żyd skrzywił się i z niezadowoleniem zaczął mruczeć:

– Dziwactwo! jakie to dziwactwo? Dlaczego to ma być dziwac-250 two? Zegarek to jest piękna maszyna i temu rozumowi ludzkiemu, co ją wymyślił, honor robi. Czy ona kogo zabija, jak nie przymierzając fuzja albo armata? Czy ona kogo truje tak, jak te maszyny, co w wielkich fabrykach różne paskudztwa ludziom w gęby sypią? Zegarek to dla człowieka przyjaciel; on jest z nim, kiedy wesoło i kiedy smutno; 255 on jemu pokazuje, o której porze co robić; on gada, kiedy nikt do człowieka nie zagada; on jego uczy, że czas płynie i że on na tym czasie, jak na wielkiej rzece, też płynie do ogromnego morza...

Machnął ręką i dokończył:

– Wie jasny pan co? On dla człowieka czasem lepszy przyjaciel, 260 niż drugi człowiek, bo on nigdy nie kąsa. Chi, chi, chi!

Zaśmiał się zcicha, ale hrabia z zamyśleniem słuchał mowy jego i, potakując mu, odrzekł:

– Rozumną rzecz powiedziałeś: ta gadająca maszyna jest z człowiekiem, kiedy wesoło i kiedy smutno... Czy wiesz, że ten mój zegarek 265 był ze mną już wtedy, kiedy to, jak powiadasz, miałem zamiłowanie do bystrych koni i pięknych panienek...

– Aj, aj! – cmoknął Żyd – taki młody panicz miał już taki drogi zegarek!

Hrabia uśmiechnął się.

270 – Nigdy nie brakowało mi drogich rzeczy, ale zabrakło nieraz osób drogich... Nigdy nie zapomnę przedśmiertnych godzin mojej matki... Doktór powiedział, że śmierć zbliżać się będzie wtedy, gdy puls słabnąć nacznie, i poszedł spocząć, bo był strasznie znużony i niewyspany. Sam jeden zostałem przy jej łóżku i często, z zegarkiem 275 w jednej ręce, a z jej ręką w drugiej, badałem... czy już się zbliża?... Im więcej zbliżała się, tem rzadszem było uderzenie pulsu i zdawało mi się, że tem szybcej posuwała się wskazówka zegarka. Posuwała się, a w tej lilji, którą pamiętasz, puls ustawał, ustawał... aż ustał. To, co zbliżało się, przyszło. Na zegarku było pięć minut i trzy sekundy 280 po północy...

Żyd z wilgotnemi oczyma głową trząsł potakująco i zegary na ścianach szemrały chórem: "tak-tak! tak-to-tak! tak-to-tak! tak-to-tak!"

Otrząsając się ze wzruszenia, hrabia zażartował:

285 – A nie uwierzysz, mój Berku, jaka go żywość czasem napadała! Kiedy raz kochałem się w pewnej pani, a mogłem z nią bywać zawsze bardzo krótko, ile razy ukradkiem na niego spojrzałem, złość mię porywała taka, że, gdyby tylko wypadało, byłbym go cisnął o ziemię. W myśli łajałem go: "Nie leć-że tak, głupcze! Postój sobie, wypocznij 290 i niech razem z tobą czas się zatrzyma!" Ale on nie słuchał: leciał – i szczęście moje... odleciało!...

Żyd zcicha zapytał:

– A czy jasny pan zawsze spał dobrze w nocy?...

Hrabia uczynił ręką giest ironiczny.

295 – A kiedy jasny pan nie spał, to czy myśli jasnego pana były zawsze wesołe? Nu, ja sam wiem, że one czasem musiały bywać niewesołe. A kiedy jasny pan leżał w ciemności, z niewesołemi myślami w głowie, to może on wtedy bardzo pomału szedł?

– Jednak szedł – odpowiedział hrabia – i noce czarne przeciągały...

300 – A kiedy one przeciągały, wszyscy spali, tylko on jeden do jaśnie pana gadał... a co on gadał? On jasnego pana pocieszał, że i ta *czarność* przejdzie...

– Jak wszystko przechodzi – dokończył hrabia i na parę minut zamyślił się głęboko.

305 Czuł się zdziwionym. Poco on tak długo tu siedzi i tak poufale rozmawia z tym łapserdakiem?

Znał go niegdyś! Cóż stąd? Wspólnych wspomnień przecież mieć nie mogą, ani wogóle wspólności żadnej. Nie był dumny i miał wrodzoną życzliwość dla ludzi; niemniej przecież wiedział, jaka 310 przepaść różnic rozmaitych dzieli go od Berka, niegdyś syna pachciarza, a obecnie zegarmistrza z podrzędnej ulicy miasta. Poprostu różnili się wszystkiem i nie było pomiędzy nimi podobieństwa żadnego. Wszedł tu, aby oddać zegarek do naprawy, i zasiadł na długie godziny. Co więcej, wcale nie chciało mu się odchodzić i prawie niespodzie- 315 wanie dla samego siebie zapytał:

– Jakże ci się powodziło, mój Berku? Jak powodzi się teraz? Czy masz rodzinę i dostateczne środki do życia?

Żyd podziękował za te pytania życzliwe i dość obszernie odpowiadać zaczął.

320 Bogaty nie był, kapitałów nie zebrał, ale środki do życia posiadał jakie takie i nędzy nie cierpiał. Pracował jeszcze i zarabiał tyle, ile potrzeba na życie – a ile mu tam potrzeba teraz, kiedy jest już sam i ma przy sobie jedną tylko wnuczkę, która go dogląda i także szyciem trochę zarabia! Rodzina liczna, kilkoro dzieci, kilkanaścioro 325 wnuków, ale to wszystko...

Machnął ręką.

– Wie jasny pan co? Jest taka zagadka i ja bardzo ciekawy, czy jasny pan zna ją, czy nie zna... Jakim sposobem to może być, żeby człowiek miał familję i razem nie miał familji?

330 Mówiąc to, zatopił w twarzy hrabiego wzrok badawczy i trochę filuterny.

– Nu, czy pan tę zagadkę zna?

Po ustach hrabiego przeleciał uśmiech ironiczny.

– Znam tę zagadkę, Berku, znam bardzo dobrze...

335 Żyd obiema dłońmi uderzył o kolana i z frasunkiem zawołał:

– Oj, poco jasny pan ją zna? Jej lepiej nie znać! Nu, ale kiedy my obydwa ją znamy, to już ja jaśnie panu o mojej familji opowiadać nie będę. Oni porządne ludzie i poczciwe ludzie, i niektóre to nawet edukowane i bogate, ale oni nie moje... oni swoje i świata, nie moje...

340 Miał kilka córek, ale jedna tylko nie przestawała nigdy należeć do

niego. Kochała go i pielęgnowała, była światłem i rozkoszą jego oczu; ale dawno już jej nie widział i nigdy już nie zobaczy. Spotkały ją w handlu niepowodzenia i nieszczęścia. Z mężem i dziećmi wyjechała do Ameryki, aby szukać lepszego losu... Miewa niekiedy listy od niej, 345 ale co to listy? On jej nigdy już nie zobaczy i jest to taki wielki smutek, który można znieść spokojnie i cierpliwie tylko dlatego, że on z Boskiej ręki pochodzi. Co robić?

Źrenice jego, o których hrabia mówił, że były niegdyś błękitne, jak turkusy, teraz szare i zamglone, pod czerwoną powieką zaświeciły 350 łzami. Lecz wkrótce otrząsł się ze wzruszenia i, wywdzięczając się za życzliwe pytania, przemówił nieśmiało:

– Niech jasny pan nie rozgniewa się, że ja zapytam o siostrę jaśnie pana, o tę jasną panienkę hrabiankę, co niegdyś mnie, biednego Żydka, na obrazie malowała. Aj, jaka to była śliczna panienka! Ja ją 355 pamiętam. Czemu ja nie mam jej pamiętać, kiedy ja takiej ślicznej panienki nigdy już potem nie widział?...

Po chwili milczenia, z wzrokiem utkwionym w podłogę, hrabia odpowiedział:

– Miałem trzy siostry, ale z tą, o którą pytasz, kochaliśmy się 360 najwięcej. Żyje, powodzi się jej dobrze; ale dawno jej nie widziałem i może nigdy już nie zobaczę. Wyszła za Anglika, mieszka w Anglji; nie przyjeżdża tu nigdy, a mnie, bliskiemu podróży największej, trudno już puszczać się, choćby w niewielką... Ona dla mnie umarła, chociaż żyje... Cóż robić!

365 Żyd słuchał uważnie i głową trząsł smutnie.

– Jasny pan ma taki smutek, jak i ja. I jasny pan prawdziwą rzecz powiedział: ona umarła, choć żyje. Ja tak samo o mojej Małce myślę. Ja myślę, że ludzie różnie umierają: jedne przez chorobę, drugie przez oddalenie, trzecie przez to, że odmieniają się, czwarte... Ale 370 poco ja to jasnemu panu gadam, kiedy jasny pan sam wie...

Machnął ręką i zamilkł, a hrabia, ciągle wpatrując się w podłogę, krótko odpowiedział:

– Wiem.

Obaj umilkli, a dokoła zegary mówiły szmerem nieustannym: 375 "tak-tak! tak-to-tak! tak-to-tak! tak-tak!" – aż nagle wytrysnął ze szmeru głos donośny, na całą izbę wołający: "ku-ku! ku-ku!"

Hrabia wstał i, zbliżywszy się do zegara, stanął przed nim. Futro miał rozpięte, bo mu się gorąco zrobiło w dusznej izbie, i na oczach swoje już okulary w złotej oprawie.

380 Z głową podniesioną długo patrzał przez te okulary na zegar staroświecki, aż przemówił:

– Ile żądałbyś za ten zegar?

Żyd, siedzący przy stole, głowę podniósł i, uśmiechając się, odpowiedział:

385 – Co ja mam za niego żądać? ja za niego nic nie żądam.

– Jakto? przecież handlujesz zegarami!

– Jasny pan powiedział prawdę. Ja zegarami handluję, ale ten zegar do handlu nie należy.

Hrabia ze zdziwieniem obrócił się ku niemu.

390 – Dlaczego? To przedmiot, mający cenę znaczną. Sam nabyłbym go chętnie.

Żyd wstrząsnął głową potakująco.

– Ja wiem, że to jest drogi zegarek i że jabym za niego dostał dobrą cenę, ale ja jego nie sprzedam. Czy jasny pan słyszał kiedy, żeby 395 przyjaciel sprzedawał przyjaciela?

Hrabia patrzał na mówiącego prawie z osłupieniem.

– Czy być może? – zawołał – nie jesteś przecież bogaczem i jesteś Żydem, a Żydzi tylko grosz cenią!

Żyd zcicha odpowiedział:

400 – Jasny pan ma omyłkę.

A hrabia trochę ze śmiechem mówił:

– Jakąż ja mam omyłkę? Co ty tak wysoko cenisz w tym zegarku, że sprzedać go nie chcesz? Masz przecie tyle innych! Przez cóż ten może być dla ciebie takim ważnym, czy drogim?

405 Był tak zaciekawiony, czy zdziwiony, że usiadł znowu przy stole, na krześle z materacem wklęsłym i poręczą nadłamaną.

Żyd zaś powoli mówić zaczął:

– Jeżeli jasny pan posłucha mojego gadania, to ja wszystko opowiem. Prędko już będzie czterdzieści lat, jak ja ten zegar mam. Ja 410 jego za tanie pieniądze kupił i dlatego kupił, żeby za większe sprzedać! Ale wtenczas mój Mosze, który teraz kupcem jest i wielkie interesy ze zbożem prowadzi, był takim małym chłopcem, co do chederu chodził, ja jeszcze więcej synów nie miał, bardzo lękał się, że Pan Bóg mnie więcej nie da, i bardzo jego kochał. Aj, jakie to było dziecko, ten 415 mój Mosze! Żeby jasny pan jego znał, to sam dziwiłby się, że takie dziecko na świecie może być. A kiedy ja ten zegar kupił, to tego samego dnia mój Mosze powrócił z chederu taki słaby, taki smutny i taki mizerny, że mnie strach wziął, żeby on nie zachorował i żeby mnie Pan Bóg tego jedynego syna nie odebrał. Przyszedł mój Mosze 420 z chederu, siadł w kącie, jeść nie chce, na ziemię tylko patrzy i mówi, że jego głowa bardzo boli i że on w chederze bardzo zmęczył się, że mełamed bardzo srogi i że on żyć już nie chce. Aj, aj! żeby takie dziecko żyć nie chciało! to jest dziwne, to jest straszne i to jest wielki grzech! Kiedy on to powiedział, ja za głowę schwycił się i jego matka

425 za głowę schwyciła się, a jego siostry zaczęły płakać od tego, że Mosze żyć nie chce i że my siedzim, trzymając się za głowy i kiwając się z wielkiego żalu. Wtenczas, raptem, ten zegar zakukał. A była wtedy godzina dziesiąta, to on długo kukał, aż dziesięć razy. Za pierwszym razem Mosze podniósł głowę i zdziwił się, za drugim on już nie na 430 ziemię patrzał, ale na niego, za trzecim razem oczy u niego zaświeciły i on krzyknął: "Aj, aj! tate, co to jest? skąd ty to wziął!" I zaczął śmiać się do zegara tak, jak, nie przymierzając, człowiek, co jego długo w ciemności trzymają, śmieje się, kiedy zobaczy słońce. Ja bardzo był kontent, że on śmieje się, skoczył na stołek i tę sprężynkę, 435 co jasny pan wie, nacisnął, a jak ja ją nacisnął, to z zegara wyskoczył ptak i zaczął skrzydłami łomotać i jeszcze mocniej kukać. Nu, jak on tego ptaka zobaczył, ten mój Mosze, to on już całkiem z kąta wyleciał starszą siostrę obiema rękami porwał i zaczął z nią przed zegarem tańczyć, a jak on ze starszą siostrą tańczył, to i dwie młodsze, takie 440 maleńkie, że ledwie od ziemi odrosły, schwyciły się za obie ręce i także zaczęły tańczyć. Oni nietylko tańczyli, ale z wielkiej radości, że takiego pięknego ptaka zobaczyli, śmieli się na całą izbę, a jak oni śmieli się, to i matka, co przy ogniu obiad gotowała, zaczęła śmiać się. Ja ze stołka nie złaził i patrzał, jak oni wszyscy tańczyli i śmieli się. 445 Ptak kukał, a ja, przy tym zegarze, na stołku stojąc, w myślach Panu Bogu dziękował, że Mosze już nie chory i żyć już chce, i że w moim domu taki wielki smutek przemienił się w taką wielką wesołość.

Musiała to być istotnie wesołość wielka, bo jeszcze teraz, po latach czterdziestu, odblask jej padł na gęste zmarszczki jego twarzy, a echo 450 ozwało się w śmiechu cichym i przeciągłym.

Rozweselony, z oczyma błyszczącemi i rękoma rozłożonemi, mówił dalej:

– Nu, czy ja mógł wtenczas ten zegar sprzedać, kiedy mnie Pan Bóg przez niego swoją łaskę okazał? Ja jego troszkę bał się sprzedawać, 455 żeby tego szczęścia od siebie nie odwrócić, a troszkę żałował dzieci, dla których ten ptak, co w nim śpiewa, był całą zabawą i taką radością, że jak on zaczynał kukać, to oni zaraz zaczynali przed nim tańczyć... Kupców ja na niego miał, ale zawsze myślał sobie: niech to będzie potem! niech on sobie jeszcze trochę u nas pobędzie!...

* * * *

460 Umilkł i dość długo siedział z dłońmi złożonemi na kolanach i z głową zwieszoną.

Hrabia, z czołem na dłoni, uważny i zasłuchany, milczał także, a obie głowy ich siwe i pochylone oblewał dokoła szmer czasu potakujący, nieustanny: "tak-tak! tak-to-tak! tak-to-tak! tak-to-tak!"

465 Po chwili ze szmeru tego wyłonił się znowu głos Żyda, zniżony, prawie szepcący:

– Jaby jaśnie panu przez cały tydzień opowiadał różne rzeczy o tym zegarze i jeszczebym wszystkich nie opowiedział. Ale jedną jeszcze powiem. Niech jasny pan tej jednej rzeczy cierpliwie posłucha.

470 Opowiedział, że kiedy jego najmilsza Małka do Ameryki wyjeżdżała, on nie odprowadzał jej na dworzec kolei, ponieważ czuł, że nie powstrzyma się od płaczu, a nie chciał, aby ludzie litowali się nad jego staremi oczyma, które jeszcze tak płakać muszą. Więc córka i dzieci pożegnały go tu, w tej samej izbie, i poszły sobie, a on jak 475 nieżywy siadł na ziemi, w kącie, ot, w tym kącie, i schwyciwszy się obiedwiema rękoma za głowę, kiwał się i płakał, i jęczał do Pana Boga, za co On na niego takie wielkie nieszczęście przysłał. Lecz nagle on sobie pomyślał, że słychać ten świst taki długi i ostry, z którym pociągi oddalają się od dworca, i zachciało mu się ogromnie ten świst 480 usłyszeć. "Niech ja jego posłyszę – myślał – niech ja wiem, kiedy moja Małka i jej dzieci już tu przestaną być, kiedy oni dla mnie całkiem przepadną..." Wiedział, o której godzinie i minucie ten świst rozlega się zazwyczaj, i siedząc w kącie na ziemi, z głową w rękach, zaczął patrzeć na zegarek, na ten zegarek z ptakiem. Patrzał 485 i myślał: za kwadrans, za dziesięć minut, za trzy minuty... Wtem rozległ się świst długi i taki ostry, że całkiem przeszył mu serce. Już jego Małka przestała tu być, już ona, choć żyje, dla niego umarła...

– Czy jasny pan uwierzy? Ja pamiętam, że było wtedy dwadzieścia trzy minuty po dziesiątej...

490 Hrabia wstał zamyślony.

– Mój Berku, – rzekł – rozumiem dobrze, dlaczego nie chcesz sprzedać tego zegara. Czytasz ty na nim tak, jak ja na swoim – przeszłość.

Żyd głową potrząsł z zadowoleniem wielkiem.

495 – Jasny pan prawdę powiedział. Jasny pan na swoim zegarku, tak jak ja na swoim – czyta przeszłość. Ją każdy ma.

Stali teraz naprzeciw siebie, bliscy już rozstania, lecz ociągający się z pożegnaniem, czując kowala niewidzialnego, który kuł pomiędzy nimi ogniwa niespodziane, a dokoła postaci ich przygarbionych 500 i zwątlałych fala czasu płynęła ze szmerem nieustannym, stukotliwym: "tak-tak! tak-to-tak! tak-to-tak! tak-to-tak!"...

* * * *

Kilka miesięcy upłynęło. Wiosna była wczesna, pogodna, słoneczna. Stary Berek wyszedł z izby, napełnionej wiecznym szmerem

zegarów, i przed drzwiami stanął na dwóch schodach, które łączyły
505 je z chodnikiem...

Stał w świetle i cieple słonecznem rozgrzany, rozweselony, spoglądając przez wielkie szkła okularów na ulicę wąską, pełną światła, ustrojoną u góry w pas błękitnego nieba. Godzina była południowa, ludność miasta ruszała się żwawo; z ulic pobliskich, od tej ludniej-
510 szych, dochodził dobrze znany gwar i turkot, w którym ucho Żyda niebawem rozróżniać zaczęło odgłos mniej zwyczajny. Był to śpiew basowy, to wzdymający się, to milknący, to znowu płynący w gwarze gminnym nutą uroczystą.

Berek wsłuchiwał się przez chwilę, poczem głową kiwnął na znak,
515 że zrozumiał znaczenie tego śpiewu. Orszak pogrzebowy przeciągał niedaleko i wciąż się przybliżał. Na wąskiej ulicy zrobił się ruch taki, jaki bywa zazwyczaj, gdy ludność śpieszy do oglądania rzeczy ciekawej. Na chodnikach zatętniały stopy śpieszące, zaszumiał gwar głosów podniesionych.

520 Berko spokojnie stał na dwu schodach, wznoszących się nad chodnikiem, i patrzał w stronę, od której przybliżał się śpiew uroczysty. Przestrzeń paruset kroków dzieliła go od końca ulicy, za którym przeciągały zazwyczaj pochody żałobne.

Ten także ukazał się wkrótce. Z za wysokiej ściany kamienicy
525 wysunęło się naprzód kilka postaci w bieli, czarny krzyż wzniósł się w złotem powietrzu, chorągwie powiały czerwienią i szafirem, pochodnie zapalone błysnęły łańcuchem płomieni żółtych, martwych, smutnych. Śpiew żałobny wzdął się i połączył z turkotem kół powolnym i głuchym. Zaczerniały grube kiry. Wóz pogrzebowy, zaprzężony
530 w sześć koni i otoczony ludźmi okapturzonymi żałobą, wiózł na szczycie trumnę, ociekającą srebrem...

Był to jeden z najwspanialszych i najbogatszych pogrzebów, jakie w tem mieście odbywały się kiedykolwiek.

Przez duże szkła okularów i perspektywę wąskiej ulicy Berek
535 spokojnie patrzał na orszak przeciągający i czasem tylko w zamyśleniu potrząsał głową. Lecz gdy parę wyrazów wypadło z tłumu ulicznego i o słuch jego potrąciło, drgnął, wyprostował się i zaczął zapytywać, sam nie wiedząc kogo:

– Wos? wos? wer? kto taki? graf! jaki graf? co to jest? kto to
540 umarł? czyj to pogrzeb?

Z temi pytaniami, tłoczącemi się na wargi bezkrwiste, znalazł się na chodniku i przechodniowi jakiemuś zagrodził drogę.

– No cóż? Nie zatrzymuj mię, Żydzie! Czyj to pogrzeb? Hrabiego Strumienieckiego pogrzeb! Więc cóż? czego trzymasz mię jeszcze za

545 połę? Którego Strumienieckiego? Ojca... ojca... starego hrabiego Ksawerego!... Puszczaj, bo mi pilno!

Puścił połę przechodnia, głowę w tył przechylił i, patrząc na błękitny pas nieba, mówił, prawie krzyczał:

– On umarł? pan graf Ksawery umarł? Jak to może być? Dlaczego 550 on umarł? on był całkiem zdrów, kiedy do mnie przychodził! On kiedyści taki młody był i taki piękny, i taki wesoły, a teraz on umarł? Skąd to wzięło się, że on umarł?

Przechodnie, śpieszący dla ujrzenia pogrzebu wspaniałego, potrącali go i ze zdziwieniem oglądali się na starca, który, przez wielkie 555 okulary patrząc w samo niebo, ze sterczącą brodą srebrną, zawodził lament brzmiący zapytaniami. Zapytywał nie wiedzieć o co i nie wiedzieć kogo. Ktoś rozmachliwie idący odtrącił go aż pod ścianę domu; parę żydowskich podrostków, przebiegając, krzyknęło: "Sieh! sieh! a myszugener!" Ale wszystko to nie trwało długo, bo stary Żyd, 560 porwany jakąś nieprzemożoną siłą, począł biec, jak tylko mógł, w stronę, w którą pociągnął orszak pogrzebowy. Rękoma zgarniając dokoła nóg odzież długą, biegł z chodnika na chodnik, z ulicy w ulicę, przygarbiony, z żylastą szyją wyciągniętą naprzód, ze sterczącą kądzielą srebrnej brody. Śpieszył ogromnie. O niczem nie myślał, tylko o do-565 pędzeniu orszaku pogrzebowego; innej chęci nie czuł, tylko tę jedną.

Orszak posuwał się powoli, dopędzić go nie było bardzo trudno. Berek wkrótce wpadł w jego szeregi ostatnie, ale się tem nie zadowolił. Biegł jeszcze, zręcznie prześlizgiwał się wśród tłumu, gdzie ten najgęstszym był, robił nawet pięścią, aż znalazł się obok pań i panów, 570 idących parami za trumną.

Krewni zmarłego bliscy i dalecy, przyjaciele rodziny, znajomi najbliżsi, starzy i młodzi, wysocy i niscy, piękni i szpetni, lecz wszyscy wytworni, w żałobie grubej, nieco sztywni w pozorach nastroju uroczystego. Ciężkie suknie kobiece, wlokące się po bruku, krepy 575 czarne, spływające od głów aż do ziemi, przepaski czarne na błyszczących kapeluszach męskich, modlitewniki, błyszczące od złota, w rękach, ociągniętych czernią, splecionych nabożnie. Za nimi turkot nieprzejrzanego szeregu powozów i tupot po bruku szarej masy pospólstwa, trzymanej w oddaleniu.

580 Na chodnikach, z dwu stron wozu obleczonego kirem i szeregu par ubranych w żałobę, słały się dwa szlaki bruku ulicznego puste i oblane blaskiem słońca. Berko zwolnił kroku i zaczął iść po jednym z tych pasów, równolegle ze sznurem pań i panów. Oni szli równo i uroczyście; on dreptał i czasem potykał się o kamienie. Na tle ich 585 strojów czarnych, jego wyszarzana odzież wyglądała, jak łachman, porzucony w rynsztoku. Na czapce spłaszczonej nie miał krepowej

przepaski, a z pod daszka wykrzywionego widać było czarne linje okularów, przerzynające pomarszczoną skórę czoła i skroni. Wyglądał, jak kropla, która wytrysnęła z szarej masy, trzymanej w oddaleniu, 590 i upadła tuż za trumną, ociekającą srebrem, obok kirów ciężkich i wytwornych.

Ale szedł. Może zwracano na niego uwagę i dziwiono się, skąd się wziął i po co idzie, ale on szedł. Na czele orszaku, w powietrzu promiennem wznosiły się wysoko ciemne linje krzyża i brzmiał 595 uroczyście śpiew kościelny; on jednak szedł.

Wkrótce zaczął sam myśleć: "Nu, skąd ja tu wziął się? czego ja leciał, jak szalony? czego ja idę?" Ale szedł. Dopóki biegł i przebijał się przez tłumy, nie myślał o niczem, party uczuciem, które było siłą instynktową, niejasną, lecz niezmożoną. Teraz począł dziwić się 600 samemu sobie i temu, za którego trumną dreptał obok krewnych i przyjaciół najbliższych, potykając się o kamienie.

– Nu, czego on wtedy siedział u mnie kilka godzin, prawie całą noc? Czego on ze mną rozmawiał, jak z bratem? Czego ja za tym wozem leciał, jak dowiedział się, że to on na nim jedzie? czego ja teraz 605 za nim idę?

Tak myślał, dziwił się coraz więcej jemu i sobie, ale szedł.

Za miastem stało się przestronno, promiennie, czysto, świeżo. Pola z zieloną runią rozłożyły się ze stron obu, młode brzozy zasrebrzyły się korą białą i zaszemrały kaskadami listków młodych, wiatry lekkie 610 latały w złotem powietrzu, roznosząc wonie ziół, dobywających się z ziemi, rzeka błysnęła w pobliżu błękitem tak gorącym, że z za wzgórzy falistych wydawała się spadłym kawałkiem nieba.

Berek od bardzo dawna już nie opuszczał miasta, a teraz, gdy tylko je opuścił, powiało nań Strumienicą. Wiatr, brzozy, promienie, 615 rozsiane w powietrzu, szeptały mu w oba uszy: Strumienica! Strumienica! Stoi przy płocie dziedzińca, patrzy na takie same brzozy, na taki sam kawałek wody błękitnej i słucha, jak ptak w lesie kuka...

Oczy wlepił w trumnę ociekającą srebrem.

– To był początek twój i mój...

620 Przez bramę, na oścież otwartą, orszak wszedł na cmentarz i wśród mogił, usianych fiołkami, rozsypał się po lesie grobowców i krzyży. Wtedy Berek, uderzony wielkiem strwożeniem, przystanął, a gdy fala ludzka przepłynęła, pozostał samotnym. Cmentarz był pełen drzew; stary Żyd wsunął się pomiędzy brzozy i z głową zwie- 625 szoną, z palcami rozpostartemi u rąk obwisłych, błądził przez chwilę pod gałęźmi płaczącemi, myśląc, nawet mrucząc półgłosem:

– Nu, czego ja tu przyszedł? skąd ja tu wziął się? czego ja tu wlazł?

Ale nie odchodził i czuł, że pomiędzy nim a trumną, spuszczaną
630 do ziemi, kowal niewidzialny kuł ogniwa niespodziane.

U przeciwnego końca cmentarza stała pstra masa ludzi, wzbijały się śpiewy uroczyste, promieniał krzyż na grobowcu wysokim. Żyd ze spuszczoną głową dreptał pośród brzóz i rozmawiał z samym sobą... Brama cmentarna była ciągle otwarta na oścież, ale on nie
635 odchodził; nawet usiadł pod brzozami...

Pod brzozami, płaczącemi ulewą drobnych liści, wśród pni białych nad mogiłą, nakrapianą fiołkami, szarzała postać starego Żyda, przysiadła do ziemi, w czapce spłaszczonej, w wielkich okularach z rogową oprawą, ze srebrną kądzielą na piersi.

640 Cmentarz staczał się po wysokiem wzgórzu nad rzekę, za którą leżały zielone pola i żółte piaski.

Żyd wyciągnął szyję i patrzał na piaski.

– Co to jest? – zamruczał – co to ma znaczyć, czy to on? ja nie wiedział, że jego stąd można widzieć!

645 Na żółtych piaskach majaczyło miejsce jedno, obwiedzione niskim murem i napełnione sterczącemi kamieniami. Nie było tam, jak tutaj, ani drzew, ani grobowców; nic, tylko mnóstwo kamieni sterczących, w blasku słońca czerwonawych i dokoła żółte piaski. Cmentarz żydowski.

650 Berek oparł łokieć na kolanie, twarz na dłoni i kiwał się powoli to w tył, to naprzód, w takt kowadła, które pomiędzy nim a trumną, zasypywaną piaskiem, kuło ogniwa niewidzialne.

Zcicha mówił:

– Tu jest koniec twój i mój!

655 Przestał mruczeć, ale siedział jeszcze pod brzozami, szary w zieloności otaczającej, wśród świergotu ptactwa, nad mogiłą, nakrapianą fiołkami. A dwa cmentarze, jeden cały w drzewach i krzyżach, drugi ze sterczącemi kamieniami na żółtych piaskach, jedno wspólne niebo skuwało ogniwem wysokiem i szerokiem.

OGNIWA (*ogniwo* – link). **3.** *rzęsisty* – bright, abundant; *zarysować się* – to be outlined, appear; *feston* – festoon, valance. **4.** *postument* – base; *niestały* – unsteady. **6.** *turkot* – rumple. **9.** *uprzyjemnić* – to make pleasant. **11.** *powóz* – carriage; *zaprząg* – team of horses; *stangret* – coachman. **12.** *liberja* – livery, uniform; *zwiesić* – to droop; *drzemać* – to doze. **13.** *zziębły*, from *zziębnąć* – to grow cold, freeze. **15.** *zaskrzypieć* – to creak. **17.** *błękitnawy* – bluish. **21.** *płachta* – patch. **22.** *rojnie* – in groups, throngs. **24.** *płatek* – flake. **25.** *szczelnie* – tightly. **26.** *przygarbiony* – bent. **27.** *oprawa* – frame. **28.** *znamionować* – to mark, indicate. **32.** *giest* or *gest* – gesture. **33.** *zniecierpliwienie* – impatience; *nakształt* – kind of, like. **35.** *ilekroć* – as often as. **45.** *miara* – yardstick, criterion. **49.** *plama* – blotch, spot. **52.** *pousypiać* – to fall asleep; *prawić* – to tell, recount. **54.** *spychać* – to push off. **55.** *wór* plur. *wory*, – bag;

jałowy – barren; *żwir* – gravel; *wlec się* – to trudge. **58.** *bobrowy*, from *bóbr* – beaver; *wypadkiem* – by chance, accidentally. **64.** *nastawiać* – to set; *posuwać* – to push forward, advance; *cofać* – to push back; *a przecież* – and yet; *znać się na* – to have knowledge of, be an expert on. **66.** *dozór* – supervision. **67.** *zawezwać* – to call for, seek; *porada* – advice. **71.** *izdebka*, dim. from *izba* – room; *szmer* – murmur, hum. **72.** *zgiełkliwy* – tumultuous. **73.** *wzdymać się* – to swell, increase in volume. **78.** *narada* – consultation, debate. **79.** *stukliwy* – rapping, tapping. **82.** *kominek* – chimney. **83.** *sprężynka*, dim. from *sprężyna* – spring; *haczyk*, dim. from *hak* – hook. **86.** *wydobywać się* – to come out, escape; *jarmułka* – Jewish scull-cap, calotte; *aksamitny*, from *aksamit* – velvet. **88.** *drobiazg* tiny gadget. **89.** *zmarszczony* – wrinkled; *odęty* – puffed up. **92.** *zżyć się* – to grow accustomed. **94.** *wytrysnąć* – to spout, gush forth; *donośny* – loud. **96.** *miarowo* – rhythmically. **97.** *gwarliwy* – noisy; *miarowość* – rhythm. **100.** *rozciągnąć się* – to expand; *błogi* – blissful. **101.** *powieść spojrzeniem dokoła* – to cast one's eyes around. **102.** *rozlewać się* – to spread. **104.** *wielmożny pan* – form of address to superior. **106.** *postawa* – posture; *wyniosły* – lofty, imposing, dignified. **107.** *jasny pan* – form of address more obsequious than *wielmożny*. **109.** *szemrzący* – from *szemrać* – to whisper. **110.** *kukułka* – cuckoo. **111.** *staroświecki* – old-fashioned; *cyferblat*, German *Zifferblatt* – face of clock; *osobliwy* – peculiar, strange. **113.** *podrzucić* – to throw up, toss; *zerwać się* – to jump up. **114.** *szafka* – cabinet; *hebanowy*, adj. from *heban* – ebony. **119.** *jaby kijem tego* scil. *obił*; *jaby* – provinc. for *jabym; kij*, stick – I would give him a beating. **121.** *przepędzić* – to chase away. **123.** *żywość* – vivacity, animation; *razem* = *zarazem* – at the same time, also. **124.** *filuterny* – roguish. **127.** *pejzaż*, French *paysage* – landscape. **129.** *podsunięty*, from *podsunąć* – to shove, push towards. **130.** *sprężyście* – vigorously; *powłóczyć nogami* – to drag one's legs behind, walk with difficulty. **148.** *wlepiony* – fixed. **149.** *wysadzony*, from *wysadzić* – to push out, release. **156.** *ja mam pomyłkę* – in correct Polish: *mylę się, popełniam omyłkę*. The watchmaker speaks a not entirely correct Polish with an admixture of Yiddish words. **160.** *graf* = *hrabia* – count. **162.** *pacht* – lease. **167.** *wklęsły* – concave, sunken; *poręcz* – arm: *nadłamany* – crackled, slightly broken; *cmokać* – to smack. **169.** *olśnienie* – dazzlement. **175.** *turkus* – turquoise. **177.** *panicz* – young master. **185.** *widział* – provinc. for *widziałem;* **187.** *podchwycić* – see *Kamizelka*, note 161. **188.** *sztachety* – railing; *dziedziniec* – yard. **202.** *zmaleć* – to grow small. **217.** *skarga* – complaint; *zgrzeszyć* – to sin; *późnić się* – to be late. **219.** *rozebrać* – to take apart. **221.** *zaniepokoić się* – to grow alarmed. **231.** *bieda* – here, trouble, difficulty. **232.** *dobierze*, from *dobrać* – to select, match. **234.** *djabelnie* – coll. devilishly, terribly. **235.** *dokuczać* – to annoy, be troublesome; *ani rusz* – idiom. it is impossible, nothing doing. **236.** *szuflada*, German *Schublade* – drawer. **237.** *to rychtyg jak mnie*, German *richtig* – that is just as with me. **242.** *upodobanie* – predilection. **243.** *bystry* – brisk, lively. **245.** *zamiłowanie* – passion for. **246.** *niewiedzieć* = *niewiadomo* – nobody knows; *ot* = *oto* – an exclamation, here expressing deprecation mixed with resignation; *dziwactwo* – oddity, strange habit; *czepiać się* – to cling, get hold of. **248.** *skrzywić się* – to make a wry face. **251.** *nie przymierzając* – here, so to speak. **252.** *fuzja* – rifle; *armata* – canon; *truć* – to poison. **253.** *paskudztwo* – dirt, filth; *gęba* – mouth; *sypać* – to pour, throw. **258.** *machnąć* – to wave, shake. **260.** *kąsać* – to bite. **262.** *potakując*, from *potakiwać* – to assent, agree. **273.** *nacznie* = *zacznie*. **284.** *otrząsać się* – to rouse oneself; *zażartować* – to joke. **285.** *napadać* – to overcome, seize. **287.** *ukradkiem* – stealthily, furtively; *złość* – anger. **288.** *porywać* – to seize; *wypada* – imperson. it is proper, decent; *gdyby wypadało* – if it were decent; *cisnąć* – to throw. **289.** *łajać* – to scold. **298.** *przeciągać* – to pass. **305.** *poufale* – familiarly, confidentially. **306.** *łapserdak* – orig. a Jewish long coat, then used in the meaning of: ragamuffin, tatterdemalion. **308.** *wspólność* – community. **309.** *niemniej* – nevertheless. **310.** *przepaść* – abyss, chasm; *pachciarz* – leaseholder. **311.** *podrzędny* – second rate, inferior. **317.** *środki do życia* – means of livelihood. **321.** *jaki taki* – idiom. tolerable, middling. **323.** *doglądać* – to take care of. **330.** *zatopić wzrok* – to fix one's glance; *badawczy* – searching. **333.** *przelecieć* – to flit across. **335.** *frasunek* – worry, grief. **341.** *pielęgnować* – to nurse, take care of. **343.** *handel* – business, trade. **348.** *źrenica* – pupil, generally eye. **349.** *zamglony* – dim, hazy. **350.** *wywdzięczać się* – to reciprocate. **357.** *utkwiony*, from *utkwić* – to fix, fasten. **363.** *puszczać się w podróż* – to set out on a journey. **386.** *handlować* – to trade. **390.** *znaczny* – considerable; *nabyć* – to purchase. **396.** *osłupienie* – stupor, amazement. **398.** *cenić* – to appreciate, value. **411.** *interes* – business. **412.** *ze zbożem* – correctly, *zbożem; cheder* – Orthodox Jewish primary school. **418.** *mizerny* – ill-looking, wan; *strach mnie wziął* – I was seized with terror.. **422.** *mełamed* – Hebrew, teacher in a Jewish school. **426.** *kiwać się* – to sway, rock. **427.** *raptem* – suddenly; *zakukać* – to start cuckooing. **431.** *tate* – Yiddish, daddy. **436.** *łomotać* – to make a noise; *nu* or *no* – exclam. then. **442.** *śmieli się*, from *śmiać się* – to laugh. **444.** *złazić* – to get down. **449.** *odblask* – reflection. **458.** *kupiec* – here, buyer. **459.** *pobędzie*, from *pobyć* – to stay. **462.** *uważny* – attentive; *zasłuchany* – listening intently. **463.** *oblewać* – here, to envelop. **465.** *wyłonić się* – to emerge. **473.** *litować się* – to pity. **479.** *zachciało mu się* – he felt an urge to. **482.** *przepadną*, from *przepaść* – to be lost. **483.** *rozlegać się* – to reverberate, to be heard. **497.** *rozstanie* – parting; *ociągać się* – to hesitate, delay. **498.** *kowal* – smith; *kuć* – to forge. **500.** *zwątlały* – grown weak, frail. **506.** *rozgrzany* – warmed up. **508.** *ustrojony* – adorned, decorated; *u góry* – at the top, above; *pas* – streak, stripe. **509.** *ruszać się* – to move about; *żwawo* – briskly, lively; *ludniejszy*, comp. of *ludny* – populous, busy. **511.** *niebawem* – soon; *rozróżniać* – to distinguish. **513.** *gminny* – communal, common here, general. **515.** *orszak pogrzebowy* – funeral cortège. **518.** *zatętnić* – to clatter, trample. **523.** *pochód żałobny* – funeral procession. **524.** *kamienica* – house, building. **525.** *w bieli* – in white. **529.** *głuchy* – dull; *zaczerniały kiry* – black palls appeared. **530.** *okapturzony* – hooded, shrouded; *żałoba* – mourning; *szczyt* – top. **531.** *ociekać* – to drip. **537.** *potrącić* – to strike; *drgnąć* – to start. **539.** *wos? wer?* – Yiddish, what? who?. **541.** *tłoczyć się* – to press; *bezkrwisty* – bloodless. **542.** *zagrodzić drogę* – to bar the way. **545.** *poła* – coat-tail. **546.** *puszczać* – to let go; *pilno mi* – I am in a hurry. **552.** *skąd się to wzięło?* – how did it happen? **555.** *zawodzić* – to sing plaintively. **557.** *rozmachliwie* – impetuously; *odtrącić* – to push away. **558.** *podrostek* – youngster, stripling. **559.** *sieh! a myszugener!* – Yiddish, look, he's crazy. **560.** *nieprzemożony* – indomitable. **563.** *żylasty* – sinewy. **568.** *prześlizgiwać się* – to slip through. **569.** *robić pięścią* – to use one's fist. **572.** *szpetny* – plain, ugly. **573.** *wytworny* – elegant; *pozór* – appearance, pretense; *nastrój* – mood. **577.** *spleciony*, from *spleść* – to fold; *nabożnie* – piously. **578.** *nieprzejrzany* – endless. **579.** *pospólstwo* – common people, mob. **580.** *obleczony*, from *oblec* – to cover. **581.** *słać się* – to spread; *szlak* – path, track. **584.** *dreptać* – to trot, mime; *potykać się* – to stumble. **585.** *łachman* – rag. **586.** *rynsztok* – gutter. **598.** *party*, from *przeć* – to drive. **599.** *niezmożony* – unconquerable. **607.** *przestronno* – spaciously. **608.** *ruń* – young grass; *rozłożyć się* – to spread out; *zasrebrzyć się* – to appear silvery. **610.** *ziół*, gen. plur. of *zioło* – herb. **612.** *falisty* – undulating, rolling. **614.** *powiało nań Strumienicą* –

he had the impression of breathing the air of Strumienica. **618.** *wlepić* – to fix, fasten. **620.** *na oścież otwarty* – wide open. **621.** *usiany* – bestrewn; *rozsypać się* – to spread over. **622.** *strwożenie* – fear. **625.** *rozpostarty* – stretched, spread out; *obwisły* – drooping. **631.** *pstry* – variegated, motley. **636.** *ulewa* – shower; *pni*, gen. plur. from *pień* – trunk. **637.** *nakrapiany* – dotted. **640.** *staczać się* – to descend. **645.** *majaczeć* – to loom. **651.** *kowadło* – anvil. **656.** *świergot* – chirping.

Henryk Sienkiewicz (1846–1916)

THE POLISH WRITER best known and most popular abroad is Henryk Sienkiewicz. His historical novels, particularly *Quo Vadis*, have been translated into a great many languages and sold in millions of copies. His popularity was also great in Poland. The reason lay, apart from Sienkiewicz's great literary talent, in the fact that, having started with the positivist-colored *Humoreski z teki Worszyłły* (Humorous Pieces from Worszyłło's Portfolio, 1872) and short stories with social backgrounds, including *Szkice węglem* (Charcoal Sketches, 1877) and "Janko muzykant" (Johnny the Musician, 1879), he soon turned to the past as a source of inspiration. He wrote a Trilogy of historical novels called *Ogniem i mieczem* (With Fire and Sword, 1884), *Potop* (The Deluge, 1886), and *Pan Wołodyjowski* (Pan Michael, 1887–1888), which gave a picture of the greatness and heroism of Poland in the seventeenth century as manifested in its wars against Cossacks, Tatars, Swedes, and Turks. This was not in the spirit of the positivist program (which prescribed utilitarian aims also for literature), but they exercised a powerful influence on the public, enabling it to forget the hard, pedestrian reality of the time and to plunge into the beautiful and heroic past.

From the literary point of view these novels are tales of war and adventure. The main emphasis is laid on dramatic action, so presented that Polish victories and acts of heroism are placed in the foreground. The structure of the novels and the characters are subordinated to the action. The characters are simple and uniform, possessed of no subtle psychology, but leading uncommon lives, full of dangers that require superhuman courage and sacrifice. In building a plot around soldier-adventurers, Sienkiewicz proved an incomparable master, surpassing Alexander Dumas père, author of well-known novels of this kind, by the power of his talent and imagination. His works constitute a regeneration of the historical novel and place it on the highest level in Poland. He completely mastered the language of the seventeenth century, and this fact adds considerably to the creation of vivid and authentic characters speaking a language of their own. In style, the description and narration are distinguished by epic simplicity, clarity, and expressiveness.

In addition to the trilogy, Sienkiewicz wrote two other important historical novels: *Quo Vadis* (1896) and *Krzyżacy* (The Knights of the Cross, 1900), for which he received the Nobel prize. In the former, placed in ancient Rome under Nero, other, not martial, problems are in the foreground, but here also action, split into several interesting plots, undoubtedly predominates. However, more space has been devoted to the social background, and the characters are outlined more fully and carefully. In *Krzyżacy*, which presents the growing conflict between the Teutonic Order and Poland, the adventurous plot is also interlaced with numerous pictures of the social life of various classes: the gentry, magnates, clergy, burghers, and even peasants.

Sienkiewicz is also the author of two works on the contemporary scene: *Bez dogmatu* (Without Dogma, 1891) and *Rodzina Połanieckich* (The Połaniecki Family, 1895), but neither psychology nor the present were natural spheres of his talent.

LATARNIK

(1882)

(*abridged*)

I

Pewnego razu zdarzyło się, że latarnik w Aspinwall, niedaleko Panamy, przepadł bez wieści. Ponieważ stało się to wśród burzy, przypuszczano, że nieszczęśliwy musiał podejść pod sam brzeg skalistej wysepki, na której stoi latarnia, i został spłókany przez bałwan. 5 Przypuszczenie to było tem prawdopodobniejsze, że na drugi dzień nie znaleziono jego łódki, stojącej w skalistym wrębie. Zawakowało tedy miejsce latarnika, które trzeba było jak najprędzej obsadzić, ponieważ latarnia niemałe ma znaczenie tak dla ruchu miejscowego, jak i dla okrętów, idących z New-Yorku do Panamy. Zatoka Moskitów 10 obfituje w piaszczyste ławice i zaspy, między któremi droga nawet w dzień jest trudna, w nocy zaś, zwłaszcza wśród mgieł, podnoszących się często na tych ogrzewanych podzwrotnikowem słońcem wodach, prawie niepodobna. Jedynym wówczas przewodnikiem dla licznych statków bywa światło latarni. Kłopot wynalezienia nowego latarnika 15 spadł na konsula Stanów Zjednoczonych, rezydującego w Panamie, a był to kłopot niemały, raz z tego powodu, że następcę trzeba było znaleść koniecznie w ciągu dwunastu godzin; po wtóre, następca musiał być nadzwyczaj sumiennym człowiekiem, nie można więc było przyjmować byle kogo; nakoniec wogóle kandydatów na posadę 20 brakło. Życie na wieży jest nadzwyczaj trudne i bynajmniej nie uśmiecha się rozpróżniaczonym i lubiącym swobodną włóczęgę ludziom Południa. Latarnik jest niemal więźniem. Z wyjątkiem niedzieli nie może on wcale opuszczać swej skalistej wysepki. Łódź z Aspinwall przywozi mu raz na dzień zapasy żywności i świeżą wodę, poczem 25 przywożący oddalają się natychmiast, na całej zaś wysepce, mającej morgę rozległości, niema nikogo. Latarnik mieszka w latarni, utrzymuje ją w porządku; w dzień daje znaki wywieszaniem różnokolorowych flag, wedle wskazówek barometru, w wieczór zaś zapala światło. Nie byłaby to wielka robota, gdyby nie to, że chcąc się dostać z dołu 30 do ognisk na szczyt wieży, trzeba przejść przeszło czterysta schodów krętych i nader wysokich, latarnik zaś musi odbywać tę podróż czasem i kilka razy dziennie. Wogóle jest to życie klasztorne, a nawet więcej, niż klasztorne, bo pustelnicze. Nic też dziwnego, że Mr. Izaak Falconbridge był w niemałym kłopocie, gdzie znajdzie stałego następcę 35 po nieboszczyku, i łatwo zrozumieć jego radość, gdy najniespodzianiej następca zgłosił się jeszcze tegoż samego dnia. Był to człowiek już stary, lat siedmiudziesiąt albo i więcej, ale czerstwy, wyprostowany,

mający ruchy i postawę żołnierza. Włosy miał zupełnie białe, płeć spaloną, jak u kreolów, ale sądząc z niebieskich oczu, nie należał do
40 ludzi Południa. Twarz jego była przygnębiona i smutna, ale uczciwa. Na pierwszy rzut oka podobał się Falconbridge'owi. Pozostało go tylko wyegzaminować, wskutek czego wywiązała się następująca rozmowa:

– Skąd jesteście?

45 – Jestem Polak.

– Coście robili dotąd?

– Tułałem się.

– Latarnik powinien lubić siedzieć na miejscu.

– Potrzebuję odpoczynku.

50 – Czy służyliście kiedy? Czy macie świadectwa uczciwej służby rządowej?

Stary człowiek wyciągnął z zanadrza spłowiały jedwabny szmat, podobny do strzępu starej chorągwi, rozwinął go i rzekł:

– Oto są świadectwa. Ten krzyż dostałem w roku trzydziestym.
55 Ten drugi jest hiszpański z wojny karlistowskiej; ten trzeci to legja francuska; czwarty otrzymałem na Węgrzech. Potem biłem się w Stanach przeciw południowcom, ale tam nie dają krzyżów – więc oto papier.

Falconbridge wziął papier i zaczął czytać.

60 – Hm! Skawiński? To jest wasze nazwisko?... Hm!... Dwie chorągwie, zdobyte własnoręcznie w ataku na bagnety... Byliście walecznym żołnierzem!

– Potrafię być i sumiennym latarnikiem.

– Trzeba tam codzień wchodzić po kilka razy na wieżę. Czy nogi
65 macie zdrowe?

– Przeszedłem piechotą *pleny*.

– *All right!* Czy jesteście obeznani ze służbą morską?

– Trzy lata służyłem na wielorybniku.

– Próbowaliście różnych zawodów?

70 – Nie zaznałem tylko spokojności.

– Dlaczego?

Stary człowiek ruszył ramionami.

– Taki los...

– Wszelako na latarnika wydajecie mi się za starzy?

75 – *Sir!* – ozwał się nagle kandydat wzruszonym głosem. – Jestem bardzo znużony i skołatany. Dużo, widzicie, przeszedłem. Miejsce to jest jedno z takich, jakie najgoręcej pragnąłem otrzymać. Jestem stary, potrzebuję spokoju! Potrzebuję sobie powiedzieć: tu już będziesz siedział, to jest twój port. Ach, *Sir!* to od was tylko zależy.

Drugi raz się może taka posada nie zdarzy. Co za szczęście, że byłem w Panamie... Błagam was... Jak mi Bóg miły, jestem jak statek, który jeśli nie wejdzie do portu, to zatonie... Jeśli chcecie uszczęśliwić człowieka starego... Przysięgam, że jestem uczciwy, ale... dość mam już tego tułactwa...

Niebieskie oczy starca wyrażały tak gorącą prośbę, że Falconbridge, który miał dobre, proste serce, czuł się wzruszony.

– *Well!* – rzekł. – Przyjmuję was. Jesteście latarnikiem.

Twarz starego zajaśniała niewypowiedzianą radością.

– Dziękuję.

– Czy możecie dziś jechać na wieżę?

– Tak jest.

– Zatem *good bye!*... Jeszcze słowo: za każde uchybienie w służbie dostaniecie dymisję.

– *All right!*

Tegoż samego jeszcze wieczora, gdy słońce stoczyło się na drugą stronę międzymorza, a po dniu promiennym nastąpiła noc bez zmierzchu, nowy latarnik był już widocznie na miejscu, bo latarnia rzuciła, jak zwykle, na wody swoje snopy jaskrawego światła. Noc była zupełnie spokojna, cicha, prawdziwie podzwrotnikowa, przesycona jasną mgłą, tworzącą koło księżyca wielki, zabarwiony tęczowo krąg o miękkich, nieujętych brzegach. Morze tylko burzyło się, ponieważ przypływ wzbierał. Skawiński stał na balkonie, tuż koło olbrzymich ognisk, podobny z dołu do małego, czarnego punkciku. Próbował zebrać myśli i objąć swe nowe położenie. Ale myśl jego była nadto pod naciskiem, by mogła snuć się prawidłowo. Czuł on coś takiego, co czuje szczuty zwierz, gdy wreszcie schroni się przed pogonią na jakiejś niedostępnej skale lub w pieczarze. Nadszedł nareszcie dla niego czas spokoju. Poczucie bezpieczeństwa napełniało jakąś niewysłowioną rozkoszą jego duszę. Oto mógł na tej skale poprostu urągać dawnemu tułactwu, dawnym nieszczęściom i niepowodzeniom. Był on naprawdę, jak okręt, któremu burza łamała maszty, rwała liny, żagle, którym rzucała od chmur na dno morza, w który biła falą, pluła pianą – a który jednak zawinął do portu. Obrazy tej burzy przesuwały się teraz szybko w jego myśli w przeciwstawieniu do cichej przyszłości, jaka miała się rozpocząć. Część swych dziwnych kolei opowiadał sam Falconbridge'owi, nie wspomniał jednak o tysiącznych innych przygodach. Miał on nieszczęście, że, ilekroć rozbił gdzie namiot i rozniecił ognisko, by się osiedlić stale, jakiś wiatr wyrywał kołki namiotu, rozwiewał ognisko, a jego samego niósł na stracenie. Spoglądając teraz z wieżowego balkonu na oświecone fale, wspomniał o wszystkiem, co przeszedł. Oto bił się w czterech częściach świata –

i na tułaczce próbował wszystkich niemal zawodów. Pracowity i uczciwy, nieraz dorabiał się grosza i zawsze tracił go wbrew wszelkim przewidywaniom i największej ostrożności. Był kopaczem złota 125 w Australji, poszukiwaczem djamentów w Afryce, strzelcem rządowym w Indjach Wschodnich. Gdy w swoim czasie założył w Kalifornji farmę, zgubiła go susza; próbował handlu z dzikiemi plemionami, zamieszkującemi wnętrze Brazylji: tratwa jego rozbiła się na Amazonce, on sam zaś bezbronny i prawie nagi tułał się w lasach przez 130 kilka tygodni, żywiąc się dzikim owocem, narażony co chwila na śmierć w paszczy drapieżnych zwierząt. Założył warsztat kowalski w Helenie, w Arkanzas i – spalił się w wielkim pożarze całego miasta. Następnie w Górach Skalistych dostał się w ręce Indjan i cudem tylko został wybawiony przez kanadyjskich strzelców. Służył jako majtek 135 na statku, kursującym między Bahią i Bordeaux, potem jako harpunnik na wielorybniku: oba statki rozbiły się. Miał fabrykę cygar w Hawanie – został okradziony przez wspólnika w chwili, gdy sam leżał chory na "vomito". Wreszcie przybył do Aspinwall – i tu miał być kres jego niepowodzeń. Cóż go bowiem mogło doścignąć jeszcze na 140 tej skalistej wysepce? Ani woda, ani ogień, ani ludzie. Zresztą od ludzi Skawiński niewiele doznał złego. Częściej spotykał dobrych, niż złych.

Zdawało się natomiast, że prześladują go wszystkie cztery żywioły. Ci, co go znali, mówili, że nie ma szczęścia, i tem objaśniali wszystko. 145 On sam wreszcie stał się trochę manjakiem. Wierzył, że jakaś potężna a mściwa ręka ściga go wszędzie, po wszystkich lądach i wodach. Nie lubił jednak o tem mówić; czasem tylko, gdy go pytano, czyja to miała być ręka, ukazywał tajemniczo na gwiazdę polarną i odpowiadał, że to idzie stamtąd... Rzeczywiście, niepowodzenia jego były 150 tak stałe, że aż dziwne, i łatwo mogły zabić gwóźdź w głowie, zwłaszcza temu, kto ich doznawał. Zresztą miał cierpliwość Indjanina i wielką spokojną siłę oporu, jaka płynie z prawości serca. W swoim czasie na Węgrzech dostał kilkanaście pchnięć bagnetem, bo nie chciał chwycić za strzemię, które mu ukazywano jako środek ratunku, 155 i krzyczeć: *pardon.* Tak samo nie poddawał się i w nieszczęściu. Lazł pod górę tak pracowicie, jak mrówka. Zepchnięty sto razy, rozpoczynał spokojnie swoją podróż po raz setny pierwszy. Był to w swoim rodzaju szczególniejszy dziwak. Stary ten żołnierz, opalony Bóg wie w jakich ogniach, zahartowany w biedach, bity i kuty, miał serce 160 dziecka. W czasie epidemji na Kubie zapadł na nią dlatego, że oddał chorym wszystką swoją chininę, której miał znaczny zapas, nie zostawiwszy sobie ani grana.

Było w nim jeszcze i to dziwnego, że po tylu zawodach zawsze był

pełen ufności i nie tracił nadziei, że jeszcze wszystko będzie dobrze.
165 W zimie ożywiał się zawsze i przepowiadał jakieś wielkie wypadki. Czekał ich niecierpliwie i myślą o nich żył lata całe... Ale zimy mijały jedne za drugiemi, i Skawiński doczekał się tylko tego, że ubieliły mu głowę. Wreszcie zestarzał się – począł tracić energję. Cierpliwość jego poczynała być coraz podobniejszą do rezygnacji. Dawny spokój
170 zmienił się w skłonność do roztkliwiania się, i ten hartowny żołnierz jął przerabiać się w beksę, gotowego załzawić się z lada powodu. Prócz tego od czasu do czasu tłukła go najstraszliwsza nostalgja, którą podniecała lada okoliczność: widok jaskółek, szarych ptaków, podobnych do wróbli, śniegi na górach lub zasłyszana jakaś nuta, podobna
175 do słyszanej niegdyś... Nakoniec opanowała go tylko jedna myśl: myśl spoczynku. Owładnęła ona starcem zupełnie i wchłonęła w siebie wszelkie inne pragnienia i nadzieje. Wieczny tułacz nie mógł już sobie wymarzyć nic bardziej upragnionego, nic droższego nad jaki spokojny kąt, w którymby mógł odpocząć i czekać cicho kresu. Może właśnie
180 dlatego, że szczególne jakieś dziwactwo losu rzucało nim po wszystkich morzach i krajach tak, że prawie nie mógł tchu złapać, wyobrażał sobie, że największem ludzkiem szczęściem jest – tylko nie tułać się. Coprawda, to i należało mu się takie skromne szczęście, ale tak już był zwyczajny zawodów, że myślał o tem, jak wogóle ludzie marzą
185 o czemś niedoścignionem. Spodziewać się nie śmiał. Tymczasem niespodzianie w ciągu dwunastu godzin dostał posadę, jakby wybraną dla siebie ze wszystkich na świecie. Nic też dziwnego, że, gdy wieczorem zapalił swoją latarnię, był jakby odurzony, że pytał sam siebie, czy to prawda, i nie śmiał odpowiedzieć: tak. A tymczasem rzeczy-
190 wistość przemawiała do niego nieprzepartemi dowodami; więc godziny jedna za drugą spływały mu na balkonie. Patrzył, nasycał się, przekonywał. Mogłoby się zdawać, że pierwszy raz w życiu widział morze, bo północ wybiła już na aspinwalskich zegarach, a on jeszcze nie opuszczał swojej powietrznej wyżyny – i patrzył. W dole pod jego
195 stopami grało morze. Soczewka latarni rzucała w ciemność olbrzymi ostrokąt światła, poza którym oko starca ginęło w dali czarnej zupełnie, tajemniczej i strasznej. Ale dal owa zdawała się biegnąć ku światłu. Długie wiorstowe fale wytaczały się z ciemności i, rycząc, szły aż do stóp wysepki, a wówczas widać było spienione ich grzbiety,
200 połyskujące różowo w świetle latarni. Przypływ wzmagał się coraz bardziej i zalewał piaszczyste ławice. Tajemnicza mowa oceanu dochodziła z pełni coraz potężniej i głośniej, podobna czasem do huku armat, to do szumu olbrzymich lasów, to do dalekiego, zmąconego gwaru głosów ludzkich. Chwilami cichło, potem o uszy starca obijało
205 się kilka wielkich westchnień, potem jakieś łkanie – i znów groźne

wybuchy. Wreszcie wiatr zwiał mgłę, ale napędził czarnych, poszarpanych chmur, które przysłaniały księżyc. Z zachodu poczynało dąć coraz mocniej. Bałwany skakały z wściekłością na urwisko latarni, oblizując już pianą i podmurowanie. Wdali pomrukiwała burza. Na 210 ciemnej, wzburzonej przestrzeni zabłysło kilka zielonych latarek, pouwieszanych do masztów okrętowych. Zielone owe punkciki to wznosiły się wysoko, to zapadały wdół, to chwiały się na prawo i na lewo. Skawiński zeszedł do swej izby. Burza poczęła wyć. Tam, na dworze, ludzie na owych okrętach walczyli z nocą, z ciemnością, 215 z falą; w izbie zaś spokojnie było i cicho. Nawet odgłosy burzy słabo przedzierały się przez grube mury, i tylko miarowe tik-tak! zegara kołysało utrudzonego starca jakby do snu.

II

Zaczęły płynąć godziny, dnie i tygodnie...

Skawiński rozmarzał się własnem szczęściem, ale, że człowiek 220 łatwo oswaja się z lepszym losem, stopniowo nabierał wiary i ufności, myślał bowiem, że, jeśli ludzie budują domy dla inwalidów, to dlaczegóżby Bóg nie miał wreszcie przygarnąć swego inwalidy? Czas upływał i utrwalał go w tem przekonaniu. Stary zżył się z wieżą, z latarnią, z urwiskiem, z ławicami piasku i samotnością. Poznał się 225 także i z mewami, które niosły się w załamach skalnych, a wieczorem odprawiały wiece na dachu latarni. Skawiński rzucał im zwykle resztki swego jadła, tak zaś przyswoiły się wkrótce, że, gdy to czynił potem, to otaczała go prawdziwa burza białych skrzydeł, stary zaś chodził między ptactwem, jak pastuch między owcami...

230 Jego wieża chroniła go przed wszelkiem złem. Opuszczał ją też tylko czasami w niedzielę z rana. Przywdziewał wtedy granatową kapotę strażniczą ze srebrnemi guzami, na piersiach zawieszał swoje krzyże, i jego mleczna głowa podnosiła się z pewną dumą, gdy słyszał przy wyjściu z kościoła, jak kreole mówili między sobą: "Porządnego 235 mamy latarnika". – "I nie heretyk, chociaż *Yankee!*" Wracał jednak natychmiast po mszy na wyspę i wracał szczęśliwy, bo zawsze jeszcze nie dowierzał stałemu lądowi. W niedzielę także odczytywał sobie hiszpańską gazetę, którą zakupywał w mieście, lub new-yorskiego "Heralda", pożyczanego u Falconbridge'a – i szukał w nich skwapli- 240 wie wiadomości z Europy. Biedne stare serce! Na tej wieży strażniczej i na drugiej półkuli biło jeszcze dla kraju... Czasem także, gdy łódź, przywożąca mu codzień żywność i wodę, przybiła do wysepki, schodził z wieży na gawędę ze strażnikiem Johnsem. Potem jednak widocznie zdziczał. Przestał bywać w mieście, czytywać gazety i schodzić

245 na polityczne rozprawy Johnsa. Upływały całe tygodnie w ten sposób, że nikt jego nie widział, ani on nikogo. Jedynym znakiem, że stary żyje, było tylko znikanie żywności, pozostawianej na brzegu, i światło latarni, zapalane co wieczór z taką regularnością, z jaką słońce wstaje rankiem z wody w tamtych stronach. Widocznie stary zobojętniał dla 250 świata. Powodem tego nie była nostalgja, ale właśnie to, że przeszła i ona nawet w rezygnację. Cały świat teraz zaczynał się dla starca i kończył się na jego wysepce. Zżył się już z myślą, że nie opuści wieży do śmierci, i poprostu zapomniał, że jest jeszcze coś poza nią. Przytem stał się mistykiem. Łagodne, niebieskie jego oczy poczęły być, jak 255 oczy dziecka, zapatrzone wiecznie i jakby utkwione w jakiejś dali. W ciągłem odosobnieniu i wobec otoczenia nadzwyczaj prostego a wielkiego począł stary tracić poczucie własnej odrębności, przestawał istnieć, jakby osoba, a zlewał się coraz więcej z tem, co go otaczało. Nie rozumował nad tem, czuł tylko bezwiednie, ale wkońcu zdawało 260 mu się, że niebo, woda, jego skała, wieża i złote ławice piasku, i wydęte żagle, i mewy, odpływy i przypływy, to jakaś wielka jedność i jedna, ogromna tajemnicza dusza; on zaś sam pogrąża się w tej tajemnicy i czuje ową duszę, która żyje i koi się. Zatonął, ukołysał się, zapamiętał – i w tem ograniczeniu własnego, odrębnego bytu, w tem 265 pół-czuwaniu, pół-śnie znalazł spokój tak wielki, że prawie podobny do pół-śmierci.

III

Ale nadeszło przebudzenie.

Pewnego razu, gdy łódź przywiozła wodę i zapasy żywności, Skawiński, zeszedłszy w godzinę później z wieży, spostrzegł, że prócz 270 zwykłego ładunku jest jeszcze jedna paczka więcej. Na wierzchu paczki były marki pocztowe Stanów Zjednoczonych i wyraźny adres "Skawiński Esq.", wypisany na grubem żaglowem płótnie. Rozciekawiony starzec przeciął płótno i ujrzał książki: wziął jedną do ręki, spojrzał i położył napowrót, przyczem ręce poczęły mu drżeć mocno. 275 Przysłonił oczy, jakby im nie wierząc; zdawało mu się, że śni – książka była polska. Co to miało znaczyć!? Kto mu mógł przysłać książkę? W pierwszej chwili zapomniał widocznie, iż jeszcze na początku swej latarniczej karjery przeczytał pewnego razu w pożyczonym od konsula "Heraldzie" o zawiązaniu polskiego Towarzystwa 280 w New-Yorku, i że zaraz przesłał Towarzystwu połowę swej miesięcznej pensji, z którą zresztą nie miał co robić na wieży. Towarzystwo, wywdzięczając się, przysyłało książki. Przyszły one drogą naturalną, ale w pierwszej chwili starzec nie mógł pochwytać tych myśli. Polskie książki w Aspinwall, na jego wieży, wśród jego samotności,

285 była to dla niego jakaś nadzwyczajność, jakieś tchnienie dawnych czasów: cud jakiś. Teraz wydało mu się, jak owym żeglarzom wśród nocy, że coś zawołało na niego po imieniu głosem bardzo kochanym, a zapomnianym prawie. Przesiedział chwilę z zamkniętemi oczyma i był prawie pewny, że, gdy je otworzy, sen zniknie. Nie! Rozcięta 290 paczka leżała przed nim wyraźnie, oświecona blaskiem popołudniowego słońca, a na niej otwarta już książka. Gdy stary wyciągnął znowu po nią rękę, słyszał wśród ciszy bicie własnego serca. Spojrzał: były to wiersze. Na wierzchu stał wypisany wielkiemi literami tytuł, pod spodem zaś imię autora. Imię to nie było Skawińskiemu obce; 295 wiedział, że należy ono do wielkiego poety, którego nawet i utwory czytywał po trzydziestym roku w Paryżu. Potem, wojując w Algerze i w Hiszpanji, słyszał od rodaków o coraz wzrastającej sławie wielkiego wieszcza, ale tak przywykł wówczas do karabina, że i do ręki nie brał książek. W czterdziestym dziewiątym roku wyjechał do Ameryki i 300 w awanturniczem życiu, jakie prowadził, prawie nie spotykał Polaków, a nigdy książek polskich. Z tem większą też skwapliwością i z tem żywiej bijącem sercem przewrócił kartę tytułową. Zdało mu się teraz, że na jego samotnej skale poczyna się dziać coś uroczystego. Jakoż była to chwila wielkiego spokoju i ciszy. Zegary aspinwalskie wybiły 305 piątą po południu. Jasnego nieba nie zaciemniała żadna chmurka, kilka mew tylko pławiło się w błękitach. Ocean był ukołysany. Nadbrzeżne fale zaledwie bełkotały zcicha, rozpływając się łagodnie po piaskach. Wdali śmiały się białe domy Aspinwallu i cudne grupy palm. Naprawdę było jakoś uroczyście a cicho i poważnie. Nagle 310 wśród tego spokoju natury rozległ się drżący głos starego, który czytał głośno, by się samemu lepiej rozumieć:

"Litwo, ojczyzno moja, ty jesteś, jak zdrowie!
Ile cię trzeba cenić, ten tylko się dowie,
Kto cię stracił. Dziś piękność twą w całej ozdobie
315 Widzę i opisuję, bo tęsknię po tobie..."

Skawińskiemu zbrakło głosu. Litery poczęły mu skakać do oczu; w piersi coś urwało się i szło nakształt fali od serca wyżej i wyżej, tłumiąc głos, ściskając za gardło... Chwila jeszcze: opanował się i czytał dalej:

320 "Panno Święta, co jasnej bronisz Częstochowy
I w Ostrej świecisz Bramie! Ty, co gród zamkowy
Nowogrodzki ochraniasz z jego wiernym ludem!
Jak mnie, dziecko, do zdrowia powróciłaś cudem,

(Gdy od płaczącej matki pod Twoją opiekę
325 Ofiarowany, martwą podniosłem powiekę
I zaraz mogłem pieszo do Twych świątyń progu
Iść za wrócone życie podziękować Bogu),
Tak nas powrócisz cudem na Ojczyzny łono..."

Wezbrana fala przerwała tamę woli. Stary ryknął i rzucił się na
330 ziemię; jego mleczne włosy zmięszały się z piaskiem nadmorskim.
Oto czterdzieści lat dobiegało, jak nie widział kraju, i Bóg wie ile, jak
nie słyszał mowy rodzinnej, a tu tymczasem ta mowa przyszła sama
do niego – przepłynęła ocean i znalazła go, samotnika, na drugiej
półkuli, taka kochana, taka droga, taka śliczna! We łkaniu, jakie nim
335 wstrząsało, nie było bólu, ale tylko nagle rozbudzona niezmierna
miłość, przy której wszystko jest niczem... On poprostu tym wielkim
płaczem przepraszał tę ukochaną, oddaloną za to, że się już tak
zestarzał, tak zżył z samotną skałą i tak zapamiętał, iż się w nim
i tęsknota poczynała zacierać. A teraz "wracał cudem" – więc się
340 w nim serce rwało. Chwile mijały jedna za drugą: on wciąż leżał.
Mewy przyleciały nad latarnię, pokrzykując, jakby niespokojne o
swego starego przyjaciela. Nadchodziła godzina, w której je karmił
resztkami swej żywności, więc kilka z nich zleciało z wierzchu latarni
aż do niego. Potem przybyło ich coraz więcej, i zaczęły go dziobać
345 lekko i furkotać skrzydłami nad jego głową. Szumy skrzydeł zbudziły
go. Wypłakawszy się, miał teraz w twarzy jakiś spokój i rozpromienienie, a oczy jego były jakby natchnione. Oddał bezwiednie
całą swoją żywność ptakom, które rzuciły się na nią z wrzaskiem,
a sam wziął znowu książkę. Słońce już było przeszło nad ogrodami
350 i nad dziewiczym lasem Panamy i staczało się zwolna za międzymorze,
ku drugiemu oceanowi, ale i Atlantyk był jeszcze pełen blasku;
w powietrzu widno zupełnie, więc czytał dalej:

Tymczasem przenoś duszę moją utęsknioną
Do tych pagórków leśnych, do tych łąk zielonych..."

355 Zmierzch dopiero zatarł litery na białej karcie: zmierzch krótki,
jak mgnienie oka. Starzec oparł głowę o skałę i przymknął oczy.
A wówczas "Ta, co jasnej broni Częstochowy" zabrała jego duszę
i przeniosła "do tych pól, malowanych zbożem rozmaitem". Na niebie
paliły się jeszcze długie szlaki czerwone i złote, a on w tych światłościach leciał ku stronom kochanym. Zaszumiały mu w uszach lasy
360 sosnowe, zabełkotały rzeki rodzinne. Widzi wszystko, jak było.
Wszystko go pyta: "Pamiętasz?" On pamięta! a zresztą widzi: pola
przestronne, miedze, łąki, lasy i wioski. Noc już! O tej porze już

zwykle jego latarnia rozświecała ciemności morskie – ale teraz on
365 sam jest we wsi rodzinnej. Stara głowa pochyla się na piersi i śni. Obrazy przesuwają się przed jego oczyma szybko i trochę bezładnie. Nie widzi domu rodzinnego, bo starła go wojna, nie widzi ojca ani matki, bo go odumarli dzieckiem; ale zresztą wieś, jakby ją wczoraj opuścił: szereg chałup ze światełkami w oknach, grobla, młyn, dwa
370 stawy, podane ku sobie i brzmiące całą noc chórami żab. Niegdyś w tej swojej wiosce stał nocą na widecie, teraz przeszłość ta podstawia się nagle w szeregu widzeń. Oto znowu jest ułanem i stoi na widecie: zdala karczma pogląda płonącemi oczyma i brzmi, i śpiewa, i huczy wśród ciszy nocnej tupotaniem, głosami skrzypiec i basetli. "U-ha!
375 U-ha!" To ułany krzeszą ognia podkówkami, a jemu tam nudno samemu na koniu! Godziny wloką się leniwo, wreszcie światła gasną; teraz, jak okiem sięgnąć, mgła i mgła nieprzejrzana: opar widocznie podnosi się z łąk i obejmuje świat cały białawym tumanem. Rzekłbyś: zupełnie ocean. Ale to łąki: rychło czekać, jak derkacz ozwie się
380 w ciemności i bąki zahuczą po trzcinach. Noc jest spokojna i chłodna, prawdziwie polska noc! W oddali bór sosnowy szumi bez wiatru... jak fala morska. Wkrótce świtanie wschód ubieli: jakoż i kury pieją już w zapłociach. Jeden drugiemu podaje głos z chaty do chaty; wraz i żórawie krzyczą już gdzieś zwysoka. Ułanowi jakoś rzeźko, zdrowo.
385 Coś tam gadali o jutrzejszej bitwie. Hej! to i pójdzie, jak pójdą inni z krzykiem i furkotaniem chorągiewek. Młoda krew gra, jak trąbka, choć powiew nocny ją chłodzi. Ale już świta, świta! Noc blednie: z cienia wychylają się lasy, zarośla, szereg chałup, młyn, topole. Studnie skrzypią, jakby blaszana chorągiewka na wieży. Jaka ta
390 ziemia kochana, śliczna w różowych blaskach jutrzni! Oj, jedy na, jedyna!

Cicho! Czujna wideta słyszy, że się ktoś zbliża. Zapewne idą zluzować warty.

Nagle jakiś głos rozlega się nad Skawińskim:

395 – Hej, stary! wstawajcie. Co to wam?

Stary otwiera oczy i patrzy ze zdziwieniem na stojącego przed sobą człowieka. Resztki snu i widzeń walczą w jego głowie z rzeczywistością. Wreszcie widzenia bledną i nikną. Przed nim stoi Johns, strażnik portowy.

400 – Co to? – pyta Johns – chorzyście?

– Nie.

– Nie zapaliliście latarni. Pójdziecie precz ze służby. Łódź z San-Geromo rozbiła się na mieliźnie, szczęściem nikt nie utonął; inaczej poszlibyście pod sąd. Siadajcie ze mną, resztę usłyszycie w konsulacie.

405 Stary pobladł: istotnie nie zapalił tej nocy latarni.

W kilka dni później widziano Skawińskiego na pokładzie statku, idącego z Aspinwall do New-Yorku. Biedak stracił posadę. Otwierały się przed nim nowe drogi tułactwa; wiatr porywał znowu ten liść, by nim rzucać po lądach i morzach, by się nad nim znęcać dowoli. To
410 też stary przez te kilka dni posunął się bardzo i pochylił; oczy miał tylko błyszczące. Na nowe zaś drogi życia miał także na piersiach swoją książkę, którą od czasu do czasu przyciskał ręką, jakby w obawie, by mu i ona nie zginęła...

LATARNIK. **1.** *latarnik* – lighthouse keeper. **2.** *przepaść bez wieści* – to disappear without a trace. **3.** *podejść* – to come close, approach. **4.** *spłókać* or *spłukać* – to wash away, sweep off; *bałwan* – billow, breaker. **6.** *wręb* – niche, cove; *zawakować* – to fall vacant. **7.** *obsadzić* – to fill. **9.** *Zatoka Moskitów* – Mosquito Bay. **10.** *piaszczysta ławica* – sandbank; *zaspa* – sandbar. **12.** *podzwrotnikowy*, from *zwrotnik*, tropic – tropical; *niepodobny* – here, impossible. **14.** *kłopot* – trouble, task. **15.** *Stany Zjednoczone* – United States. **16.** *następca* – successor. **19.** *byle kto* – anyone, the first comer. **21.** *uśmiechać się* – here, to appeal, attract; *rozpróżniaczony* – used to loafing, given to idleness; *włóczęga* – roving. **24.** *zapasy* – provisions. **25.** *oddalać się* – to depart. **26.** *rozległość* – area. **30.** *ognisk*, gen. plur. of *ognisko* – focus, here, lantern, light. **31.** *kręty* – winding; *nader* = *bardzo*. **32.** *klasztorny*, from *klasztor*, monastery – monastic. **33.** *pustelniczy*, from *pustelnik* – hermit. **35.** *nieboszczyk* – the deceased. **36.** *zgłosić się* – to appear, apply. **37.** *czerstwy* – hale. **38.** *postawa* – bearing; *płeć* – here, complexion. **40.** *przygnębiony* – depressed. **41.** *na pierwszy rzut oka* – at first glance. **42.** *wywiązała się rozmowa* – a conversation ensued. **50.** *świadectwo* – certificate, testimonial. **52.** *z zanadrza*, from *zanadrze*, bosom – from one's bosom, breastpocket; *spłowiały* – faded; *szmat* – rag. **53.** *strzęp* – tatter, strip; *rozwinąć* – to unfold. **54.** *w roku trzydziestym* – i.e., 1830, during the November Rising in Poland. **55.** *wojna karlistowska* – the Carlist war in Spain, 1837. **56.** *na Węgrzech* – i.e., in the Hungarian revolution of 1848–1849. **66.** *pleny* – plains, prairies (of North America). **67.** *obeznany* – familiar. **68.** *wielorybnik* – whaler. **70.** *zaznać* – to experience, know. **72.** *ruszyć ramionami* – to shrug one's shoulders. **74.** *wszelako* – still, yet. **76.** *skołatany* – knocked, battered about; *przejść* – here, to go through, experience. **80.** *zdarzyć się* – to occur, come one's way. **81.** *jak mi Bóg miły* – I swear to God. **84.** *tułactwo* – wandering life; **92.** *uchybienie* – negligence. **93.** *dostać dymisję* – to be dismissed. **96.** *międzymorze* – isthmus. **99.** *przesycony* – saturated. **101.** *nieujęty* – undefined, indistinct. **102.** *przypływ* – tide; *wzbierać* – to swell, come in; *tuż koło* – right next to. **103.** *punkcik*, dim. of *punkt* – point, dot. **104.** *objąć* – to grasp, take in; *nadto* – too much. **105.** *nacisk* – pressure; *snuć się* – to unfold; *prawidłowo* – properly, normally. **106.** *szczuty*, from *szczuć* – to bait, hunt; *pogoń* – pursuit. **107.** *niedostępny* – inaccessible; *pieczara* – cave. **109.** *urągać* – to scoff, laugh at. **113.** *pluć* – to spit; *zawinąć do portu* – to come into port. **114.** *przeciwstawienie* – contrast. **115.** *koleje*, plur. tant. *losy* – vicissitudes. **117.** *rozbić namiot* – to pitch one's tent. **118.** *rozniecić ognisko* – to light the hearth fire, fig. to settle down. **119.** *kołek* – peg, stake; *rozwiewać* – to blow away, scatter; *stracenie* – destruction. **123.** *dorabiać się grosza* – to make some money. **124.** *kopacz złota* – gold-miner. **125.** *poszukiwacz djamentów* – diamond prospector; *strzelec* – hunter, rifleman. **126.** *w swoim czasie* – at one time. **127.** *zgubić* – to ruin;

susza – drought; *plemię* – tribe. **128.** *tratwa* – raft; *rozbić się* – here, to be wrecked; *Amazonka* – the Amazon river. **130.** *narażony*, from *narazić* – to expose. **131.** *paszcza* – jaws; *drapieżne zwierzę* – beast of prey; *warsztat kowalski* – blacksmith shop, forge. **133.** *Góry Skaliste* – Rocky Mountains. **134.** *majtek* – sailor. **135.** *kursować* – to ply; *harpunnik* – harpooner. **139.** *doścignąć* – to overtake. **143.** *prześladować* – to persecute; *żywioł* – element. **145.** *manjak* – monomaniac. **148.** *gwiazda polarna* – polar star, fig. the North, here, apparently Tsarist Russia, cause of national and personal disasters to the Poles. **150.** *zabić gwóźdź w głowie* – idiom. to put an *idée fixe* into one's head. **152.** *płynąć* – here, to result, spring from; *prawość* – rectitude. **153.** *pchnięcie* – thrust. **154.** *strzemię* – stirrup. **155.** *krzyczeć pardon* – to ask quarters; *lazł*, from *leźć* – to plod. **158.** *szczególniejszy dziwak* – a most peculiar man. **159.** *zahartować* – to steel, temper; *bieda* – here, adversity; *kuty*, from *kuć* – to forge, hammer. **160.** *zapaść na epidemję* – to fall prey to the epidemic. **161.** *chinina* – quinine. **162.** *gran* – grain (unit of weight). **165.** *wielkie wypadki* – probably political events which would enable him to return home. **170.** *roztkliwianie się* – sentimentality. **171.** *jął = zaczął; przerabiać się* – to change; *beksa* – crybaby; *załzawiać się* – to grow tearful; *z lada powodu* – at the slightest provocation. **172.** *tłukła*, from *tłuc* – to knock, grip. **173–175.** all these things reminded him of his country; *opanować* – to overpower. **176.** *owładnąć* – to take possession; *wchłonęła*, from *wchłonąć* – to absorb. **178.** *wymarzyć* – to picture in one's dreams. **179.** *kres* – end; *dziwactwo* – here, whim; **181.** *nie mógł tchu złapać* – he could not catch his breath; *tchu*, gen. sing. of *dech* – breath. **184.** *zwyczajny* – used to. **188.** *odurzony* – stunned, dazed. **190.** *nieprzeparty* – irrefutable. **191.** *spływać* – here, to pass; *nasycać się* – to drink one's fill. **195.** *soczewka* – lens. **196.** *ostrokąt* – acute angle. **198.** *wiorstowy*, from *wiorsta* – verst (1.067 km); *wytaczać się* – to roll out. **200.** *wzmagać się* – to swell. **202.** *pełnia* – fullness, here, high sea. **203.** *zmącony* – confused. **204.** *gwar* – hum, clamor; *cichło*, from *cichnąć* – to grow still, abate. **208.** *bałwan* – see 4; *urwisko* – crag. **209.** *oblizywać* – to lick. **211.** *pouwieszać* – to suspend, fasten to. **220.** *oswajać się* – to become used to. **222.** *przygarnąć* – to give shelter. **223.** *utrwalać* – to strengthen; *zżyć się* – to grow accustomed. **225.** *nieść się* – to lay eggs; *załamy* – crevices, clefts. **226.** *odprawiać wiece* – to hold assemblies. **227.** *przyswoić się* – to grow tame. **232.** *kapota* – coat; *guz* – button. **241.** *półkula* – hemisphere. **243.** *gawęda* – chat. **244.** *zdziczeć* – to become a recluse. **249.** *zobojętnieć* – to become indifferent. **255.** *utkwione*, from *utkwić* – to fix. **256.** *odosobnienie* – isolation. **257.** *odrębność* – distinctness, identity. **258.** *jakby osoba* – probably in the meaning *jako osoba; zlewać się* – to merge. **263.** *koić się* – to be soothed. **264.** *zapamiętać się* – to forget oneself. **265.** *pół-czuwanie* – half-waking. **270.** *ładunek* – cargo, shipment. **271.** *marki pocztowe* – stamps. **272.** *żaglowe płótno* – canvas. **279.** *zawiązać towarzystwo* – to found, organize a society. **281.** *pensja* – salary; *zresztą* – as a matter of fact. **282.** *wywdzięczać się* – to show gratitude, reciprocate. **289.** *rozcięta*, from *rozciąć* – cut open. **296.** *wojować* – to fight. **301.** *skwapliwość* – hurry. **306.** *pławić się* – to bathe, float. **307.** *bełkotać* – to gurgle; *rozpływać się* – to melt away. **312** ff. the beginning of Mickiewicz's *Pan Tadeusz.* **316.** *zbraknąć* – here, to fail. **318.** *tłumić* – to choke, stifle; *opanować się* – to control oneself. **329.** *tama* – barrier; *ryknąć* – here, to burst out sobbing. **346.** *rozpromienienie* – radiance. **356.** *mgnienie oka* – twinkling of an eye. **363.** *przestronny* – wide, vast. **366.** *bezładnie* – confusedly, chaotically. **367.** *starła*, from *zetrzeć* – to wipe out. **368.** *odumarli go dzieckiem* – they died when he was still a child. **369.** *grobla* – dike. **370.** *podane ku sobie* – side by side. **371.** *stać na widecie* – be on sentry duty; *podstawiać się* – to appear, rise. **372.** *ułan* – Polish cavalryman. **374.** *tupotanie* – stamping of feet; *basetla* – double bass. **375.** *krzeszą ognia,* from *krzesać* – to strike sparks; *podkówka* – ironshod heel; *jemu nudno* – he is bored. **376.** *wloką się,* from *wlec się* – to drag on. **377.** *nieprzejrzany* – impenetrable; *opar* = *mgła* – mist, vapor. **379.** *rychło czekać* – you won't have to wait long, soon; *derkacz* – landrail. **380.** *bąk* – bittern; *zahuczeć* – to boom; *trzcina* – reed. **383.** *w zapłociach* – in the (village) enclosures; *podawać głos* – to take up each other's crowing. **384.** *żóraw* – crane; *ułanowi rzeźko, zdrowo* – he feels full of life, healthy. **386.** *furkotanie* – fluttering; *krew gra* – blood rings. **387.** *blednąć* – to grow pale, wane. **389.** *studnia* – well; *skrzypieć* – to creak; *blaszany* – tin; *chorągiewka* – here, wetherwane. **392.** *czujny* – watchful. **393.** *zluzować warty* – to relieve the sentry. **395.** *co to wam?* – what is the matter with you? **400.** *chorzyście?* = *jesteście chorzy?* – are you sick? **402.** *pójść precz* – to leave, be dismissed. **403.** *mielizna* – shoal. **404.** *pójść pod sąd* – to stand trial. **406.** *pokład* – deck. **407.** *posada* – job, post. **409.** *znęcać się* – to torture; *dowoli* – at will. **410.** *posunąć się* – here, to age.

THE ERA OF YOUNG POLAND

AT THE VERY END of the nineteenth century, the Polish mind exhibits a reaction against positivism and realism. The causes of this change in attitude were both internal and external. Internally, the ideology of positivism in its extreme form ceased to suit the new political and social tendencies, while narrowly conceived realism no longer fitted the spiritual needs of the new generation. These new needs were shaped in considerable measure under the influence of Western European literary trends represented by such writers as Baudelaire and Verlaine in France, Maeterlink and Verhaeren in Belgium, Nietzsche and Wagner in Germany, and Ibsen in Norway. To a certain extent, also, modern Russian novelists (particularly Tolstoy and Dostoyevski) and symbolists had a part in this change.

In the main this was a reaction against the utilitarian and rationalist tendencies imposed on literature by positivism, against restricting the artist's task to a "realistic" re-creation of the external world, against the exclusion of any "metaphysics." This reaction was also directed against neglecting that which began to be regarded as most important and sacred—the life of the individual mind with all the manifestations of that life, regardless of its social usefulness. This was particularly reflected in lyric poetry; the novel did not break completely with realism, broadly conceived, though the attempt was made, but introduced characteristic modifications into it.

The change was taking place slowly and gradually. As early as 1887 there appeared in Warsaw the periodical *Życie* (Life), edited by the poet Zenon Przesmycki (the discoverer of Norwid). The periodical, though not propagating revolutionary literary theories, devoted much space to translations of more recent outstanding Western poets (Poe, Baudelaire, Maeterlinck, and others). Nevertheless the new literary movement did not originate in Warsaw but at Cracow, which between 1890 and 1900 became the center of literary and artistic life, with an excellently conducted theater, and a flowering of the arts and literature. In 1897 another literary weekly under the same title of *Życie* was initiated; this at first had a rather eclectic character, but later became the organ of the new Polish poetry. When, in 1898, the editorship of the periodical was taken over by Stanisław Przybyszewski, a Polish writer already known in

Germany as a representative of extreme "modernism," it became an outspoken and radical exponent of the new esthetics. This new attitude was epitomized in the famous slogan "art for art's sake," in the propagation of art as an "absolute" which has nothing to do with tendency, entertainment, or patriotism. The autonomy and freedom of art was in Przybyszewski's manifestoes expressed clearly and sharply for the first time in Poland. Though he did not create a literary school, he nevertheless contributed considerably to the enlivening of the literary movement, the creation of a strong artistic opinion, and the raising of the artist's dignity and prestige.

Polish literature of this period, besides showing the common characteristics enumerated above, developed in various directions. Within the manifold phenomena and trends of the contemporary world, Poland found a place. Symbolism, mysticism, aestheticism, "decadence," and extreme pessimism, besides vividly felt social and patriotic problems—all were manifested in her literature. Poetic art was enriched by new means of expression in style and versification (Kasprowicz, Staff); artistic prose created new forms of the short story and novel (Żeromski, Reymont); an original modern Polish drama came into being (Wyspiański).

Besides the poets and novelists whose works are given below there is a cluster of others. In poetry, there are Wolska, Zawistowska, Słoński, Rydel, and Orkan; in the novel, Przybyszewski (who also wrote dramas), Berent, partly akin to Przybyszewski, Daniłowski, akin to Żeromski, Orkan, author of peasant novels, and Strug, who portrayed the Polish underground struggle; and in the drama and comedy, Kisielewski, Zapolska, Rittner, and Miciński. A lively movement existed also in literary criticism: the outstanding critics were Ignacy Matuszewski, author among other works of the valuable study *Słowacki i nowa sztuka* (Słowacki and the New Art, 1902), representative of objective, descriptive criticism; and his opposite in temperament and opinions, St. Brzozowski, author of *Legenda młodej Polski* (Legend of Young Poland, 1910), in which he gave a critique of modern culture while evaluating literary works from a broad moral and social point of view.

Kazimierz Tetmajer (1865–1940)

THE MOST CHARACTERISTIC and popular poet of the early Young Poland era, Kazimierz Tetmajer was the main contributor to the Cracow *Życie* in the field of poetry. In the first collection of his poems (he published eight collections altogether between 1891 and 1924) he became an eloquent exponent of the psychology of the *fin-de-siècle* generation. Here we find extreme pessimism, disappointment with life, lack of faith in anything, the conviction of the absolute domination of evil in the world, a disdain of men, and a longing for "nirvana." At the same time there are manifested in his works a strong and sophisticated sensuality and love of nature, especially of the Tatra mountains, to which he devoted a cycle of beautiful poems. There is, however, a complete lack of any social elements. The influence of the symbolists and of Słowacki is evident, but his poems possess a world of their own, distinct from that of his predecessors, and a tone of their own, often suggestive and full of fresh "poetic formulations," though his means of expression, his language and verse, are rather simple, sometimes traditional.

Simultaneously with poems he also wrote short stories ("Ksiądz Piotr" being one of the best) and novels. Among the latter, *Anioł śmierci* (The Angel of Death, 1902), a picture of the sufferings and torments of unrequited love, similar in mood to his poems, was popular in its day. Of an entirely different character is the cycle of stories from the life of the half-legendary Tatra mountaineers, *Na skalnem Podhalu* (In the Rocky Highlands, 1903–1904), full of color and expressiveness, written in the mountaineers' original and vivid dialect.

MELODJA MGIEŁ NOCNYCH
(NAD CZARNYM STAWEM GĄSIENICOWYM)

Cicho, cicho, nie budźmy śpiącej wody w kotlinie,
lekko z wiatrem pląsajmy po przestworów głębinie...
Okręcajmy się wstęgą naokoło księżyca,
Co nam ciała przezrocze tęczą blasków nasyca
5 i wchłaniajmy potoków szmer, co toną w jeziorze,
i limb szumy powiewne i w smrekowym szept borze,
pijmy kwiatów woń rzeźwą, co na zboczach gór kwitną,
dźwięczne, barwne i wonne, w głąb wzlatujmy błękitną.
Cicho, cicho, nie budźmy śpiącej wody w kotlinie,
10 lekko z wiatrem pląsajmy po przestworów głębinie...
Oto gwiazdę co spada lećmy chwycić w ramiona,
lećmy, lećmy ją żegnać, zanim spadnie i skona,
puchem mlecza się bawmy i ćmy błoną przezroczą,
i sów pierzem puszystem, co w powietrzu krąg toczą,
15 nietoperza ścigajmy, co pocichu tak leci,
jak my same, i w nikłe oplątajmy go sieci,

z szczytu na szczyt przerzućmy się jak mosty wiszące,
gwiazd promienie przybiją do skał mostów tych końce,
a wiatr na nich na chwilę uciszony odpocznie,
20 nim je zerwie i w pląsy znów pogoni nas skocznie...

W LESIE

Wolno i sennie chodzą
po jasnem tle błękitu
złocisto-białe chmurki
z połyskiem aksamitu.

5 Niekiedy się zasrebrzy
pod słońca blask zukosa
jaskółka śmigła, czarna,
sunąca przez niebiosa.

Po łące cichej, jasnej,
10 w srebrne objętej ramy
przez opalowy strumień,
złote się kładą plamy.

Szmaragdem słońce błyska
na ciemnej drzew zieleni,
15 lub przez konary rzuca
ognistych pęk promieni.

Po niebie i po lesie,
po łąk zielonych łanie,
przejrzyste, zwiewne idzie
20 błękitne zadumanie.

[PAMIĘTAM CICHE, JASNE, ZŁOTE DNIE]

Pamiętam ciche jasne, złote dnie,
co mi się dzisiaj cudnym zdają snem,
bo był otwarty raj także i mnie
w dzieciństwie mem.

5 I czasem myślę, żem ja tylko spał,
że całe życie moje było snem – –
zbudzę się, raj ten odnajdę, com miał
w dzieciństwie mem...

[MÓW DO MNIE JESZCZE]

Mów do mnie jeszcze... Za taką rozmową
tęskniłem lata... Każde twoje słowo
słodkie w mem sercu wywołuje dreszcze –
mów do mnie jeszcze...

5 Mów do mnie jeszcze... Ludzie nas nie słyszą,
słowa twe dziwnie poją i kołyszą,
jak kwiatem, każdem słowem twem się pieszczę –
mów do mnie jeszcze...

W WĘDRÓWCE

Dopóki miałem gdzieś dom oznaczony
a kędyś w obcą zaleciałem dal:
daleko było mi do mojej strony,
było mi tęskno i było mi żal –
5 lecz dziś, gdy nigdzie niema mego domu,
równie mi pusto wśród świata ogromu.

Pókim się łudził, że jestem kochany,
że czyjąś pamięć wszędzie z sobą mam:
choćbym był zabiegł gdzieś za oceany,
10 lub w step niezmierny, nie czułbym się sam –
lecz dziś, po chwili zgasłej bezpowrotnie,
wszędzie mi równie pusto i samotnie...

[IDZIE NA POLA, IDZIE NA BORY...]

Idzie na pola, idzie na bory,
na łąki i na sady,
na siwe wody, na śnieżne góry,
na miesiąc idzie blady,

5 idzie w niezmierną otchłań wszechświata,
skąd blask dróg mlecznych prószy,
idzie błękitna, cicha, skrzydlata
muzyka mojej duszy.

[W WIECZORNĄ CISZĘ Z DALEKA SŁYSZĘ...]

W wieczorną ciszę z daleka słyszę
szumiące cicho rzeki;
myśli me z wolna, sennie kołysze
szum cichy i daleki.

5 Wolno i sennie w wielki bezdennie
świat myśli moje płyną,
płyną nad gwiazdy lśniące promiennie
i w ciemnej pustce giną.

MELODJA MGIEŁ NOCNYCH. (*Czarny Staw Gąsienicowy* – a lake in the Tatra mountains). **1.** *kotlina* – basin, hollow. **2.** *pląsać* – to dance. **4.** *przeźroczy* = *przeźroczysty* – transparent, translucent; *nasycać* – to fill, saturate. **5.** *wchłaniać* – to absorb. **6.** *limba* – stone pine; *powiewny* – airy, ethereal; *smrekowy*, adj. from *smrek* = *świerk* – spruce. **7.** *zbocze* – slope. **13.** *puch* – down; *mlecz* – dandelion; *ćma* – moth; *błona* – membrane. **14.** *sowa* – owl; *puszysty*, adj. from *puch* – down; *toczyć krąg* – to circle. **15.** *nietoperz* – bat. **16.** *jak my same* – even as we do; *same*, fem. because it refers to *mgły; nikły* – flimsy, wispy; *oplątać* – entangle. **17.** *most wiszący* – suspension bridge. **18.** *przybić* – to nail, fasten. **19.** *uciszony*, from *uciszyć* – to silence, calm. **20.** *pogonić* – to blow; *skocznie* – in lively, sprightly manner.

W LESIE. **1.** *wolno* = *powoli* – slowly; *sennie* – drowsily. **2.** *tle*, loc. of *tło* – background. **5.** *zasrebrzyć się* – to gleam like silver. **6.** *z ukosa* – aslant. **7.** *śmigły* – nimble, fleet. **10.** *objętej*, from *objąć* – to encompass; *rama* – frame. **13.** *szmaragd* – emerald. **16.** *pęk promieni* – sheaf of beams. **20.** *zadumanie* = *zaduma* – meditation, musing.

PAMIĘTAM CICHE, JASNE, ZŁOTE DNIE. **3.** *raj* – paradise. **7.** *com miał* = *który miałem.*

MÓW DO MNIE JESZCZE. **3.** *dreszcz* – shiver, thrill. **6.** *poją* = *upajają* from *poić*, *upajać* – to intoxicate, transport. **7.** *pieszczę się*, from *pieścić się* – to enjoy like a caress, revel in.

W WĘDRÓWCE. (*wędrówka* – wandering). **1.** *oznaczony* – set, fixed. **2.** *kędyś* = *gdzieś* – somewhere; *dal* – distance, far away place. **3.** *strona* – here, country, parts. **6.** *ogrom* – immensity. **7.** *łudzić się* – to deceive oneself, have illusions. **9.** *zabiegł*, from *zabiec* – to run off to, reach. **11.** *zgasłej*, from *zgasnąć* – to be extinguished; *bezpowrotnie* – irrevocably.

IDZIE NA POLA, IDZIE NA BORY. **5.** *wszechświat* – universe. **6.** *droga mleczna* – milky way, galaxy; *prószyć* – to sprinkle. **7.** *skrzydlata*, from *skrzydło* – winged.

W WIECZORNĄ CISZĘ Z DALEKA SŁYSZĘ. **3.** *z wolna* = *wolno*, *powoli.* **5.** *bezdennie* – bottomless, unfathomed, here, boundless. **7.** *promiennie*, from *promień* – radiant. **8.** *pustce*, loc. of *pustka* – void; *ginąć* – to vanish.

Jan Kasprowicz (1860–1926)

Jan Kasprowicz, the leading poet of this period, developed from it and was its representative in various phases of its spiritual life. In the mature period of his creative work, he surpassed his era by the universality of his conceptions and by the elemental force of his individuality. The development of his work is marked by upswings and falls, by Promethean struggles and religious humility, expressed in ever new, quite original, often striking poetic forms (he is the creator of Polish accentual [tonic] verse).

The son of a peasant from Prussian Poland, he had a hard childhood and youth. The first fruits of his work have nothing to do with the psychological and aesthetic moods of Young Poland, but deal with social and religious problems and display strong radical accents: the collection *Z chłopskiego zagonu* (From the Peasant Acre, 1891); the sonnets *Z chałupy* (From the Peasant Hut, 1889); the poem *Chrystus* (1890). Later there appeared other problems: inner struggles of the modern soul, despondency and despair (echoes of the "spirit of the age"), oscillation between skepticism and a craving for faith, metaphysical questions, and finally the destructive and liberating power of love (*Anima lachrymans*, 1894; *Miłość* [Love, 1895]). Among the poet's predilections, that of the nature of the Tatra mountains is the strongest. To it, he erected a magnificent monument, the most beautiful in Polish poetry, in his collection *Krzak dzikiej róży* (The Wild Rose Tree, 1898). From the first he is agitated by religious problems, which pass through various phases: from the social leanings of his youth through monistic pantheism to the Promethean outburst in the hymns *Ginącemu Światu* (To the Dying World, 1902)—among them the hymn *Święty Boże* (Holy God), excerpts of which are given below. Then comes a period of tranquility, reconciliation with life and God, in *Księga ubogich* (The Book of the Poor, 1916). However, before this, the poet wrote a number of other poems manifesting other, no less profound, aspects of his spiritual life: *Ballada o słoneczniku* (Ballad of the Sunflower, 1908), *Chwile* (Moments, 1911).

In his dramatic poems Kasprowicz dealt with metaphysical problems—*Na wzgórzu śmierci* (The Hill of Death); social matters—*Bunt Napierskiego* (Napierski's Revolt, 1899); or the tragedy of passion—*Uczta Herodiady* (Herodias' Banquet, 1905). He was also an excellent though often very "individualistic" translator of the masterpieces of Greek, English, and German literatures.

BĄDŹ POZDROWIONA!

Choć ty mną miotasz po spienionej fali,
Jak burza morska resztkami okrętu,
Tutaj, gdzie chmur mi słońce nie przepali,
Gdzie każdy jęk mój ginie w głuchej dali
5 Zamętu;

Choć ty mi w duszę wlewasz żółci zdroje,
Że myśl tu nieraz myśli przeciwieństwem,
Że, gdy ogarną mię twe niepokoje,
Rzucam na siebie i na bliskie swoje
10 Przekleństwem;

Choć ty mnie krwawym naznaczyłaś chrzestem,
Stanąwszy blada już nad mą kołyską;
Choć przez cię nieraz jako starzec jestem,
Że mi śmierć zda się z swych skrzydeł szelestem
15 Tak bliską;

Bądź pozdrowiona, o ty bez promienia,
Który nadzieją martwe serca pieści,
Spowita płaszczem bezdennego cienia,
Źródło mej pieśni, macierzy natchnienia,
20 Boleści!...

[W CIEMNOSMRECZYŃSKICH SKAŁ ZWALISKA]

W Ciemnosmreczyńskich skał zwaliska,
Gdzie pawiookie drzemią stawy,
Krzak dzikiej róży pons swój krwawy
Na plamy szarych złomów ciska.

5 U stóp mu bujne rosną trawy,
Bokiem się piętrzy turnia śliska,
Kosodrzewiny wężowiska
Poobszywały głaźne ławy...

Samotny, senny, zadumany,
10 Skronie do zimnej tuli ściany,
Jakby się lękał tchnienia burzy.

Cisza... O liście wiatr nie trąca,
A tylko limba próchniejąca
Spoczywa obok krzaku róży.

WIATR GNIE SIEROCE SMREKI...

Wiatr gnie sieroce smreki,
W okna mi deszczem siecze;
Cicho się moja dusza
Po mgławych drogach wlecze.

5 Ku turniom płynie krzesanym,
Ku ścieżkom nad przepaściami,
Gdzie widmo bożych tajemnic
Zmaga się w szumach z nami.

Ku wirchom dąży strzelistym,
10 Spowitym w słoneczne złota,
Gdzie o bezbrzeżnych przestrzeniach
Samotna śni tęsknota.

Wiatr gnie sieroce smreki,
Mgławica deszczem prószy...
15 Hej góry! zaklęte góry!
Tęsknico mojej duszy!

NIE WRÓCISZ DO MNIE

Nie wrócisz do mnie,
Nie wrócisz do mnie,
I ja nie wrócę do ciebie:
Umarły żywe twe oczy,
5 Któż płacze po ich pogrzebie?

Patrzałem w blask ich,
Patrzałem w blask ich,
Dusza się moja spaliła –
Wyrosła nad nią samotna,
10 Chwastem okryta mogiła.

Czyż zmartwychwstanie,
Czyż zmartwychwstanie
To serce smutnego świata?
Topole w oczach mych więdną,
15 Szaruga po nich przelata.

Nie wrócisz do mnie,
Nie wrócisz do mnie,
I ja nie wrócę do ciebie...
O drzew pożółkłe upiory,
20 O dni słonecznych pogrzebie!

NAD KSIĄŻKĄ NACHYLONY

Nad książką nachylony,
Ni jednej nie widzę zgłoski,
A słucham jedynie, czy stamtąd
Szum nie zaleci boski.

5 Nie ślą mi swoich nowin
Potoki, wierchy, urwiska –
Turkot li wozów ulicznych
W moją tęsknotę się wciska.

Nie ślą mi swoich nowin
10 Płomienie z za krańca świata,
W to moje głuche pustkowie
Zwolna już mrok się wplata.

Hej! wyrwę się z jego więzów,
Raz jeszcze do lotu się zmuszę,
15 By spocząć, gdzie w blaskach szczytów
Bóg się wmiłował w duszę.

ŚWIĘTY BOŻE, ŚWIĘTY MOCNY (EXCERPTS)

O niezgłębione, nieobjęte moce!
Skrzydłami trzepocę
jak ptak ten nocny,
Któremu okiem kazano skrwawionem
5 patrzeć w blask słońca...

Święty Boże! Święty Mocny!
Święty a Nieśmiertelny!...
A moje skrzydła plami
krew, która cieknie bez końca
10 z mojego serca...
A oko moje zachodzi mgłą,
która jest skonem
i mego serca i duszy mej!

Niech będzie skonem i Twoim!
15 Święty Boże! Święty Mocny,
Święty a Nieśmiertelny,
zmiłuj się nad nami!

I niechaj łzy,
które o jasnym poranku
20 wiszą na kłosach wypoczętych zbóż
lub szkliwą pianą okrywają kępy

w sen otulonych traw,
zmienią się w głośne skargi
i bez ustanku
25 płyną do Twoich zórz...

Niechaj rozszarpią na strzępy,
na krwawe szmaty
łuny świtowe powstałe nad ziemią,
gdzie ból i rozpacz drzemią,
30 ogromne, przez szatana zapłodnione światy,
a może przez Ciebie,
o Święty, Nieśmiertelny, Święty, Mocny Boże!

* * * *

A jako widna ta ziemia, wspaniała
wielką godziną konania,
35 niepogrzebione wokół leżą ciała,
a ci się wloką, popędzani mocą
strasznego lęku.

A każda głowa ku ziemi się słania,
każde kolano się chwieje,
40 a krzyże posmutniałe drżą w wychudłych ręku,
a w wietrze chorągwie trzepocą,
a w martwem, niemem słońcu gromnice się złocą,
a Śmierć przed tłumem kroczy,
wielkiemi kroczy odstępami
45 i z śmiechem na trupich ustach
wywija kosą stalową,
połyskującą w południowym skwarze...

* * * *

Za nimi dziewanny
z piaszczystych wydm się ruszyły,
50 z miedz się ruszyły krwawniki,
z poza zapłoci bez się ruszył dziki,
tatarak zaszumiał w wądolcach
i z mułu otrząsnąwszy pachnące korzenie,
idzie wraz z niemi...
55 Z mokradeł kępy rogoży,
z przydroży
osty o żółtych kolcach,

szerokolistne łopiany,
senne podbiały,
60 fioletowe szaleje,
cierniste głogi
wstały
i idą...
Liśćmi miękkiemi
65 wierzb zaszeleścił rząd
i w cichej, rozpaczliwej sunie żałobie
śladem ich drogi...
Całe rżyskami zaścielone łany
oderwały się w tej dobie
70 od macierzystej ziemi
i, niby olbrzymie ściany,
wzniosły się w górę i płyną,
tą wielką żalu godziną...

* * * *

Daj spiekłym łanom
75 rzeźwiący deszcz!
Nie zsyłaj gradu,
który nam zboże zsiecze, nim dojrzeje...
Nie trać naszego dobytku
w owcach i koniach!
80 Trzymaj zdaleka pomory,
które nam biją
ostatnią krowę z obory!
Ze żyta wypleń sporysze
i chwast kąkolu
85 i w ręku trzymaj te chmury,
by się nie rwały
i nie topiły w ulewie
snopów na polu!
Niechaj nie płaczą stulecia!
90 Niech mróz spóźniony nie warzy nam kwiecia
na ledwie rozkwitłem drzewie,
na naszych wiśniach i gruszach,
na naszych starych, pochyłych jabłoniach...
I wdzięczność rozpal nam w duszach,
95 byśmy Twe dary godnie oceniać umieli.
O pełen kary
i przebaczenia pełny!

Chociaż ci nasze te grzechy utrudnią
stanąć nad nami z powieką zamkniętą,
100 niech Twoja litość stokroć większą będzie,
niżeli wszystek nasz grzech!...

* * * *

[A CI, CO ZAZNAWSZY ZNOJU]

A ci, co zaznawszy znoju
Legli na wieki w tym boju,
Niech spoczywają w spokoju.

Pokładłeś ich, Panie Boże,
5 I żaden już powstać nie może
Na tym skrwawionym ugorze.

Skosiłeś ich ostrą kosą
I już swych głów nie podniosą,
Krwawą obmytych rosą.

10 W żołnierskiej, szarej odzieży,
We krwi skąpany świeżej
Hufiec przy hufcu leży.

Nim osunęły się plecy,
Któż w świętej trosce kobiecej
15 Gromnicznej nie skąpił im świecy?

Któż im przymykał powieki,
By ślepo szli w odmęt daleki
Wszystko chłonącej rzeki?

Aby ich uczcić i siebie,
20 Któż myślał o godnym pogrzebie,
Jak każą na ziemi i niebie?

Bez ojca usnęli i matki
I leżą pobladłe, by płatki,
Na tej pościeli tak rzadkiej.

25 Na tej pościeli tak krwawej
Z śmiertelnej legli obławy,
Czekają odejścia nawy.

O nawo ty przecierpliwa!
Twych żagli całunne przędziwa
30 Wichr ostateczny podrywa.

Odpłyń! nie czekaj tak zdradnie,
Że ci ich więcej wypadnie
Zgarnąć i zmieścić na dnie.

Psy-wichry urwały się z smyczy –
35 Odpływaj! masz dosyć zdobyczy.
Już o nią głąb morza nie ryczy.

Już paszcza ziemi niesyta
O dalszą karm się nie pyta,
Krwią przepełniła jelita!...

40 Odchodzą w nieznane strony –
Ni siostry ni lubej żony
W tej chwili niewyprzedzonej.

Ofiar zbrodniczych stuleci
Nie ujrzą już drobne dzieci –
45 Przestrach im w oczach świeci.

Idzie ich biedne mrowie,
Prowadzą je ręce wdowie
I staruszkowie-dziadowie.

Niejeden chyba miał brata –
50 Pewnie nim burza pomiata
Na drugim krańcu świata.

A może tuż u rubieży
Przy bracie rodzonym leży,
We krwi ubroczon świeżej.

55 Może ich rzucą pospołu
Tu do spólnego dołu,
Spólników krwawego mozołu.

Zali braterskim zwyczajem
Spojrzą na siebie wzajem,
60 Spólnym idący krajem?

Pod spólną kroczący władzą,
Gdzie świat się przyoblókł sadzą,
Czyż sobie ręce podadzą?...

Oczy-ś wyłupił im kulą,
65 Łokcie bez dłoni się tulą
Pod zakrwawioną koszulą...

Dajże im, groźny Panie,
Wieczne odpoczywanie,
A ziemia niech ze krwi powstanie!...

[CHCIAŁBYM OTWIERAĆ DZIŚ SERCE]

Chciałbym otwierać dziś serce,
Jak wiosennego rana
Otwiera bramy kościoła
Ręka zakrystyjana.

5 Chciałbym, ażeby promienie
Rozbudzonego świata
Wpływały w tę moją świątnicę,
Jak rzeka, co w morze ulata.

Jaśniej od słońc najjaśniejszych,
10 Od rzek najwspanialszych rozrzutniej
Niechże mi płyną do głębi
Razem z otwarciem wrótni.

Niechże wypełnią mój kościół
Po wszystkie ściany, do pował,
15 Gdziem Wielki Ołtarz dla Niego
Z swoich uwielbień zbudował.

Może naonczas, gdy wnętrze
Taka mi jasność zaleje,
Jasną zobaczę źrenicą,
20 Że się spełniają nadzieje.

Że On, który sam jest jasnością
I lubi wiosenną radość,
Do mej wstępuje katedry,
Co tak Mu czyni zadość.

25 Co tak Go wita weselnie,
Tak mu się cała odsłania
Bez mroków, drzemiących po kątach,
Bez posępnego dumania.

Chciałbym otwierać dziś serce,
30 Jak wiosennego rana
Otwiera bramy kościoła
Ręka zakrystyjana.

Ale dziś widzę, że zmierzch jest
I że w tę moją świątynię
35 Blask świata rozbudzonego
Rozrzutną rzeką nie wpłynie.

I nie urągam Ci za to –
Te jedne li wznoszę modły,
Ażeby kroki Cię Twoje
40 Ku moim progom zawiodły.

Wstępuj w nie – wszystko mi jedno,
Czy serce rozjaśnisz, czy może
Jeszcze je bardziej zaciemnisz,
Rad je przed Tobą otworzę.

45 Wszystko mi jedno, czy wstąpisz
Do głębi chciwego wnętrza
Jak grzmot i grom i łyskanie,
Czy jako cisza najświętsza.

Czy jako żądza potężna,
50 Czy wyrzeczenie, to jedno,
Bylebyś tylko rozpierał
Wnętrza mojego sedno.

Bylebyś tylko je uznał...
Tego ja przecież się boję,
55 Czy będzie cię mogło ogarnąć
To mroczne dziś wnętrze moje?

Chciałbym otwierać dziś serce,
Jak wiosennego rana
Otwiera bramy kościoła
60 Ręka zakrystyjana.

ROZMIŁOWAŁA SIĘ MA DUSZA

Rozmiłowała się ma dusza
W cichym szeleście drzew,
Gdy koronami ich porusza
Druh mój, przecichy wiew.

5 Rozmiłowała się ma dusza
W głośnych odmętach fal,
Gdy druh mój, burza, je porusza,
W nieznaną płynąc dal.

Rozmiłowała się ma dusza
10 W twórczych promieniach zórz,
Gdy druh mój, słońce, w świat wyrusza,
Życia płomienny stróż.

Rozmiłowała się ma dusza
W przepastnej nocy mgłach,
15 Gdy druh mój, śmierć, na połów rusza,
A przed nią lęk i strach.

BĄDŹ POZDROWIONA. (*pozdrowiona*, from *pozdrawiać* – to salute, hail). **1.** *miotać* – to hurl, toss. **3.** *przepalić* – to burn through, pierce. **5.** *zamęt* – chaos. **6.** *wlewać* – to pour into; *żółć* – gall; *zdrój* – fountain, spring. **7.** *przeciwieństwo* – the opposite, contradiction. **8.** *ogarnąć* – te seize. **9.** *na bliskie swoje* = *na bliskich swoich* – at my loved ones. **11.** *naznaczyć* – to mark; *chrzestem* dial. instr. of *chrzest* – baptism; usually – *chrztem.* **19.** *macierz* – arch. mother.

W CIEMNOSMRECZYŃSKICH SKAŁ ZWALISKA. **1.** *Ciemnosmreczyńskie skały* – "Dark Spruce Rocks" in the Tatras; *zwalisko* – here, craig, rugged cliff. **2.** *pawiooki* – like peacock's "eyes", that is like circles on peacock's feathers. **3.** *dzika róża* – hawthorn; *pons* – crimson. **4.** *złom* = *zwalisko*; *ciskać* – to fling. **5.** *mu* – refers to *krzak.* **6.** *piętrzyć się* – to tower; *turnia* – peak. **7.** *kosodrzewina* – dwarf pine, knee-timber; *wężowisko*, from *wąż*, snake – tangle, maze. **8.** *poobszywać* – to trimm all over; *głaźne*, adj. from *głaz* – rock; *ława* – here, ledger, shelf. **10.** *tulić* – to hug. **12.** *trącać* – to jog, strike lightly. **13.** *próchniejąca*, from *próchnieć* – to rot.

WIATR GNIE SIEROCE SMREKI. **1.** *gnie*, from *giąć* – to bend; *sierocy*, adj. from *sierota* – orphan. **2.** *wiatr siecze deszczem w okna* – the wind drives the rain against the window – panes. **4.** *mgławy* = *mglisty*, *zamglony* – misty; *wlec się* – to plod, trudge. **5.** *krzesana turnia* – rough-hewn peak. **8.** *zmagać się* – to wrestle. **9.** *wirch*, dial. for *szczyt* – peak, summit; *dążyć* – to tend, aspire; *strzelisty*, from *strzała*, arrow – rising abruptly into the sky, steep. **10.** *spowitym*, from *spowić* – to swath, shroud; *złota* – plur. of *złoto.* **14.** *mgławica* – here *mgła.* **16.** *tęsknica* = *tęsknota* – longing, nostalgia.

NIE WRÓCISZ DO MNIE. **5.** *pogrzeb* – funeral. **10.** *chwast* – weed. **15.** *szaruga* – foul weather, rain, storm; *przelata*, from *przelatywać* – here, to sweep over. **19.** *upiór* – ghost.

NAD KSIĄŻKĄ NACHYLONY. **2.** *zgłoska* – syllable. **4.** *zaleci*, from *zalecieć* – to drift over, reach. **5.** *ślą*, from *słać*, *posyłać* – to send; *nowina* – tydings. **6.** *wierch* = *wirch* (see above *Wiatr gnie...* 9). **7.** *turkot li* = *tylko turkot* – only the rumble. **10.** *kraniec* – edge. **11.** *pustkowie* – desert, solitude. **12.** *wplatać się* – to weave one's way into. **14.** *raz jeszcze* – once more; *zmuszę się*, from *zmusić się* – to force oneself. **16.** *Bóg się wmiłował w duszę* – God's love found its way into (penetrated) the soul.

SWIĘTY BOŻE (The title is derived from the first words of a religious hymn which has been sung for centuries all over Poland). **1.** *niezgłębiony* – unfathomable; *nieobjęty* – impossible to encompass. **2.** *trzepocę*, from *trzepotać* – to flutter. **8.** *plamić* – to stain. **11.** *zachodzić mgłą* – to grow misty. **12.** *skon* = *zgon* – death. **13.** *i... i...* – both, as well as. **17.** *zmiłować się* – to have mercy. **21.** *szkliwy*, adj. from *szkło* – glassy. **22.** *w sen otulony* – wrapped in sleep. **24.** *bez ustanku* – without cease. **26.** *rozszarpać na strzępy* – to tear to shreds. **27.** *szmata* – rag. **30.** *zapłodnione*, from *zapłodnić* – to fecundate. **33.** *jako widna* = *jak daleko sięgnąć okiem* – everywhere within sight. **35.** *niepogrzebione*, older form for *niepogrzebane*, from *pogrzebać* – to bury. **38.** *słaniać się* – to droop, sag. **39.** *chwieje się*, from *chwiać się* – to shake, totter. **40.** *posmutniałe*, from *posmutnieć* – to sadden; *drżeć* – to tremble; *wychudły* – emaciated, thin; *w wychudłych ręku* – dual. **44.** *odstęp* – interval, here, step. **45.** *trupi*, adj. from *trup* – corpse. **46.** *wywijać* – to brandish. **47.** *skwar* – scorching heat. **48.** *dziewanna* – mullein. **49.** *piaszczysty* – sandy; *wydma* – dune. **50.** *krwawnik* – milfoil, yarrow. **51.** *zapłocie* – fence; *bez* – lilac. **52.** *tatarak* – sweet-flag; *wądolec* = *wądół* – ravine. **53.** *muł* – mud, slime; *otrząsnąwszy*, from *otrząsnąć* – to shake off; *korzeń* – root. **55.** *mokradło* – swamp; *rogoż*, *rogoża* – rush, sedge. **56.** *przydroże* – wayside. **57.** *oset* – thistle; *kolec* – thorn. **58.** *szerokolistny* – broad-leafed; *łopian* – burdock. **59.** *podbiał* – coltsfoot. **60.** *szalej* – hemlock or henbane. **61.** *głóg* – hawthorn. **65.** *zaszeleścić* – to rustle; *rząd* – row. **66.** *sunąć* – to glide. **67.** *śladem* – in the wake. **68.** *rżysko* – stubble; *zaścielone*, from *zaścielić* – to spread over, cover. **69.** *doba* – here, hour, moment. **73.** *tą godziną* = *w tej godzinie*. **74.** *spiekły* – parched. **75.** *rzeźwiący*, from *rzeźwić* – to refresh, quicken. **77.** *zsiecze*, fut. from *zsiec* – to cut down; *nim* = *zanim* – before; *dojrzeje* fut. from *dojrzeć* – to ripen. **78.** *tracić* – to destroy; *dobytek* – chattel, property. **80.** *pomór* – cattle plague, rinderpest. **81.** *biją*, from *bić* – to smite, kill. **82.** *obora* – cowshed, barn. **83.** *wyplenić* – to extirpate, weed out; *sporysz* – ergot. **84.** *kąkol* – cockle, darnel, cockleburn. **87.** *ulewa* – shower. **89.** *stulecie* – century, age. **90.** *warzyć* – to nip; *kwiecie* – bloom, blossom. **91.** *rozkwitły* – from *rozkwitnąć* – to blossom. **92.** *wiśnia* – cherrytree; *grusza* – peartree. **93.** *jabłoń* – appletree. **94.** *rozpal*, from *rozpalać* – to kindle. **95.** *oceniać* – to appreciate. **97.** *przebaczenie* – forgiveness. **98.** *utrudnić* – to make difficult. **100.** *litość* – mercy; *stokroć* – a hundredfold. **101.** *wszystek nasz grzech* = *wszystkie nasze grzechy* – all our sins.

A CI, CO ZAZNAWSZY ZNOJU. **1.** *zaznawszy*, from *zaznać* – to experience; *znój* – toil. **2.** *legli*, from *lec* (*polec*) – to fall (in battle), refers to the fallen in the first World War. **4.** *pokładłeś*, from *pokłaść* – here, to reap, fell. **6.** *ugór* –

unplowed field. **7.** *skosić* – to mow down. **13.** *osunęły się*, from *osunąć się* – to sink to the ground. **15.** *gromniczna świeca* or *gromnica* – candle placed in the hands of the dying; *skąpić* – to begrudge. **16.** *przymykać* – to close. **17.** *odmęt* – here, depth, abyss. **18.** *chłonąć* – to swallow. **19.** *uczcić* – to honor. **21.** *każą*, from *kazać* – to command; *jak każą* – according to the commandment. **23.** *pobladłe, pobladli*, from *pobladnąć* – to grow pale; *płatek* – petal. **24.** *pościel* – bedcloth, bedding. **26.** *obława* – battue, manhunt. **27.** *nawa* = *okręt* – vessel; see l. 18 mentioning the "river"; apparently an allusion to the mythological river Lethe. **28.** *przecierpliwy* – infinitely patient. **29.** *całunny*, adj. from *całun* – shroud; *przędziwo* – here, canvas. **30.** *podrywać* – to tear at, flap. **31.** *odpłyń*, imp. of *odpłynąć* – to sail away. **32.** *wypadnie*, from *wypaść* – to happen, to come to pass; *wypadnie ci* – you will have to. **33.** *zgarnąć* – to gather; *zmieścić* – to find room for; *dnie* – loc. of *dno* – bottom. **37.** *paszcza* – mouth, jaws; *niesyta* – unsatiated. **38.** *karm* – food, fodder. **39.** *jelita*, – bowels, entrails. **42.** *niewyprzedzonej* – unavoidable. **46.** *mrowie* – swarm, drove. **47.** *wdowie*, adj. of *wdowa* – widow. **49.** *niejeden* – more than one; *chyba* – probably. **50.** *pomiatać*, to toss. **52.** *rubieża* – border, edge. **54.** *ubroczon* = *ubroczony*, from *ubroczyć* – to stain. **55.** *pospołu* – together. **56.** *spólny* = *wspólny* – common; *dół* – ditch, grave. **57.** *spólnik* = *wspólnik* – partner; *mozół* – toil. **58.** *zali* arch. = *czy*. **61.** *kroczący*, from *kroczyć* – to stride. **62.** *przyoblókł się*, from *przyoblec się* – to clothe, cover oneself; *sadza* – soot. **63.** *podać sobie ręce* – to grasp each other's hand, offer one's hand. **64.** *wyłupił*, from *wyłupić* – to gouge. **65.** *łokcie*, plur. of *łokieć* – elbow; *tulić się* – to huddle.

CHCIAŁBYM OTWIERAĆ DZIŚ SERCE. **4.** *zakrystjan* – sexton. **7.** *świątnica* = *świątynia* – temple. **10.** *rozrzutniej*, adv. comp. of *rozrzutnie* – lavishly, prodigally. **12.** *wrótni*, from *wrótnie* = *wrota* – gate. **14.** *powała* – ceiling. **15.** *wielki ołtarz* – high altar. **16.** *uwielbienie* – adoration, worship. **17.** *naonczas* = *wówczas* – then; *wnętrze* – interior. **18.** *zaleje*, from *zalać* – to flood. **24.** *co* = *która; czynić zadość* – to give satisfaction, here, to show gratitude. **25.** *weselnie* – joyfully. **26.** *odsłaniać się* – to reveal oneself. **37.** *urągać* – to scoff at. **38.** *li* – see *Nad książką nachylony*, 7. **40.** *zawiodły*, from *zawieść* – to lead. **44.** *rad* = *chętnie* – gladly, willingly. **45.** *wszystko mi jedno* – it is all the same to me. **49.** *żądza* – craving, passion. **50.** *wyrzeczenie* – renunciation. **51.** *rozpierać* – to expand, distend. **52.** *sedno* – core.

ROZMIŁOWAŁA SIĘ MA DUSZA. **1.** *rozmiłować się* – to be enamored. **4.** *przecichy* – ever so silent; *wiew* – breath, breeze. **12.** *płomienny* – flaming, blazing; *stróż* – guardian. **14.** *przepastny* – precipitous, abysmal. **15.** *połów* – catch, hunt. **16.** *lęk* – fear; *strach* – fright.

Antoni Lange (1862–1929)

Poet, author of short stories, and literary critic, Antoni Lange was also translator of many works from foreign literatures, from Sanskrit to the French symbolists and contemporary Hungarian poets. He was the first to inform the Polish public about new trends in French poetry. He published a dozen collections of poems, and also stories in prose and dramatic works. As a poet he was distinguished by unparalleled ingeniousness and creative inventiveness in verse structure, rhythm, and rhyme; his poem *Rym* (Rhyme) is notable for its rare rhymes. He was the first to employ assonance in Polish poetry and to introduce into it previously unknown stanzas and rhythms. His works include *Poezje* (Poems, 1895, 1898, 1899, and 1901); *Sonnets* (1910); the tragedies *Wenedzi* (The Weneds, 1909) and *Attila* (1910); and the stories in prose *Stypa* (The Funeral Repast, 1911) and *W czwartym wymiarze* (In the Fourth Dimension, 1912).

SAMOTNOŚĆ

Dusze ludzkie – samotnice wieczne,
Samotnice – jak planety błędne:
Każda błąka się przez drogi mleczne,
Każda toczy koło swe bezwzględne.

5 Samotnice – jak planety błędne,
Wzajem patrzą na się przez błękity:
Każda toczy koło swe bezwzględne,
Lecz nie zejdzie nigdy z swej orbity.

Wzajem patrzą na się przez błękity,
10 Wzajem tęsknią ku sobie z oddali,
Lecz nie zejdą nigdy z swej orbity,
Lecz nie pójdą wraz po jednej fali.

Wzajem tęsknią ku sobie z oddali,
Błąkając się, jak przez drogi mleczne,
15 Lecz nie pójdą wraz po jednej fali
Dusze ludzkie – samotnice wieczne.

W KAŻDEJ CHWILI ŻYWOTA

W każdej chwili żywota jesteś w przededniu mogiły,
Jako wieczysty więzień, co kosy czeka śmiertelnej:
Czuwaj! Przygotowany bądź – i wszystkie siły
Zbieraj, byś stanął wobec niej – nieskazitelny.

5 Jesteś jako skazaniec, co z ołowianych podziemi
Wchodzi na marmurowy Ponte dei Sospiri,
Gdzie cię kat zatrzymuje, byś spojrzeniami ostatniemi
Morze szerokie pożegnał – i marmury – i niebios szafiry.

I ogląda skazaniec, jakie to skarby zatraca
10 I co mu niegdyś się zdało liche i obojętne –
Teraz ma tajemnicze kolory odświętne
I marzeniem, wspomnieniem, tęsknotą się w oczach wyzłaca.

Tak my ciągle wchodzimy na jakiś most skazańców
I opuszczamy cudowne jakieś weneckie pobrzeża –
15 I płyniem w nicość jutra do tych krańców,
Gdzie cała przeszłość w złote słońca się rozszerza.

SAMOTNOŚĆ. **1.** *samotnica* – recluse. **2.** *błędny* – errant, wandering. **3.** *drogi mleczne* – galaxies, Milky Ways. **4.** *bezwzględny* – absolute, predetermined. **13.** *z oddali* – from afar.

W KAŻDEJ CHWILI ŻYWOTA. **1.** *w przededniu,* from *przeddzień* – eve. **3.** *czuwać* – to be vigilant. **4.** *wobec* – in the presence of, before; *nieskazitelny* – unimpeachable, without blemish. **5.** *skazaniec* – the condemned; *ołowiany,* adj. from *ołów* – lead; *podziemie* – underground dungeon. **6.** *Ponte dei Sospiri* – Bridge of Sighs in Venice over which the condemned were led to execution. **9.** *zatracać* = *tracić* – to lose. **11.** *odświętny* – festive. **14.** *pobrzeże* – shore. **16.** *rozszerzać się* – to expand.

Leopold Staff (1878–)

Although Leopold Staff is the youngest of the pleiad of Young Poland, he is worthy of being ranked next to Kasprowicz, and is closer than Kasprowicz to the next period in the development of Polish poetry, which he influences, while being himself subject to its influence (the number of his works published after 1914 more or less equals the number of those published before). His very first volume, *Sny o potędze* (Dreams of Power, 1901), heralded a strong, fresh talent, the break with certain "decadent" characteristics of Young Poland, and the singing of, and longing for, power. Similar overtones of a Nietzschean cast are to be heard also in *Mistrz Twardowski* (Master Twardowski, 1902), which has the characteristic subtitle "Five Cantos About Action". The same overtones also appear in the later collection *Dzień duszy* (The Day of the Soul, 1903). These works manifest a certain basic characteristic of the poet which, subsequently intensified, marks his lyrical masterpieces—the ability to crystallize problems and condense them in strong *pointes*. In this respect Staff comes close to Norwid. Contributory factors were his mastery over language and verse and his free handling of the richest and the most complicated rhythms and rhymes, new stanza structures, and new language constructions. Samples of these abilities are given below; others may be found in such collections as *Ptakom niebieskim* (To the Birds of Heaven, 1905); *Uśmiechy godzin* (Smiles of the Hours, 1910); *Ścieżki polne* (Field Paths, 1919); *Ucho igielne* (The Eye of the Needle, 1927), and *Wysokie drzewa* (Tall Trees, 1932). An immense range of emotions and experiences—pain of existence, joy of life, and deep religious sentiment—is presented in forms of great beauty and universal significance. Staff's lyric poetry is some of the most universal and "pure" in Polish literature.

Staff is also the author of a number of poetic dramas, mostly of a symbolic or psychological character: *Skarb* (The Treasure, 1904), *Godiwa* (1906), *Południca* (1901), and others.

IDZIEMY

Idziemy drogą kamienistą, twardą
I bezsłoneczny mamy strop nad głową,
I piorunowych chmur groźbę złowrogą,
I usta śpiewne cichych modlitw mową,
5 Duszę miłością sinych dali hardą
I głazy ostre, krwawiące pod nogą.

Gdy głaz krwią twojej stopy się ubroczy,
Pomnij, że jeszcze są chorzy i ślepce,
Dla których nie lśni droga w Tajni Synaj.
10 Że ci czuć dano ból dróg, które depce
Orszak wybrańców, co samotnie kroczy,
Schyl skroń, ucałuj głaz, lecz nie przeklinaj.

ZWYCIĘZCA

Bez miecza i bez tarczy, nagiemi ramiony
Do stóp sobie rzuciłem świat pokorną bryłą!
Zwycięstwo majestatem róż mą skroń owiło,
I oto mit, szaleństwem mocy mej wcielony.

5 Tryumfem grzmi me serce, jak świąteczne dzwony!
Wszechmoc woli mej żyje! Dla rąk wrących siłą
Żaden czyn już nie został! Wszystko się spełniło!
I z dumą na swojego dzieła patrzę plony...

Zabijam swe tęsknoty. Spełniły podniebne
10 Zadanie przewodników... Już mi niepotrzebne...
Zmogłem wszystko, na wszystkiem postawiłem nogę.

Jam jeden niezwalczony został: więc sposobię
Teraz potęgę swoją całą przeciw sobie,
By nie było nic, czego zwyciężyć nie mogę...

DO GWIAZD

O gwiazdy boże,
Ziarna niebieskich żniw,
Które z swych grzyw
Strząsa snów zboże!
5 Gwiazd morze!
O, kwiaty nocnych niw,
Tajne jak dziw,
Bezdroże.

O, gwiazdy święte,
10 Skowronki bożych pól,
W niemy śpiew ról
Obłocznych wklęte!
Ponętę
Miodu z was pije ból,
15 O, pszczoły w ul
Nieb wzięte.

O, gwiazd źrenice
Patrzące w duszy toń!
Wam ślą swą woń

20 Serc kadzielnice!
Żywice
Marzeń – owiały skroń,
Wznosząc w snów błoń
Tęsknicę...

KONANIE

Łzy! Płacze!
O was śpiewna
Rzeka
W dal wieści
5 Nie poniesie!
Tułacze
Sny! Noc pewna
Czeka,
Upieści
10 Was w bezkresie.

Poloty,
Którym skrzydła
Zwichły
Wichury,
15 Zgonu posły!
Tęsknoty!
Już wam sidła
Rychły,
Ponury
20 Zgon przyniosły!

Duch dyszy
W męce
Nim w mrok dotrze.
Z dna wstaje
25 Niemoc głucha.
O ciszy!
W ręce
Twe najsłodsze
Oddaję
30 Swego ducha...

JESIEŃ

I

W dżdżu, w szczerem polu,
W jesiennym dreszczu,
Drzewko mrze z bolu...

O, zimny deszczu!

5 Wiatr drze mu liście
W strzępy najlichsze
I smaga w świście...

O srogi wichrze!

Po niebie chmury
10 Skłębione pędzą
W grozie ponurej...

O, straszna nędzo!

II

Uwiędły liść,
Odlotny ptak,
15 Błękitny szron.
Gdzie spojrzeć, iść:
Zagłady znak,
Sen, głusza, zgon.

Mróz, siwy tkacz,
20 Błoń osnuł, gaj
W mgły, zwłoki tęcz.

O, wietrze, płacz!
O, duszo, łkaj!
O, serce, jęcz!

O, MOJE SZARE DNI...

O, moje szare dni bez słońca!
O, me dni puste bez uśmiechu!
Dojdziecie kiedyś też do końca,
Chociaż powoli, bez pośpiechu.

5 Jednak, gdy oczy już odwrócę,
By spojrzeć wstecz po lat ugorze,
Sercem i po was się zasmucę
I we łzach do snu się położę.

OGRÓD PRZEDZIWNY

W przedziwnym mieszkam ogrodzie,
Gdzie żyją kwiaty i dzieci
I gdzie po słońca zachodzie
Uśmiech nam z oczu świeci.

5 Wodotrysk bije tu dziwny,
Co śpiewa, jak śmiech i łkanie:
Krzew nad nim rośnie oliwny,
Cichy, jak pojednanie.

Różom, co cały rok wiernie
10 Kwitną i słodycz ślą woni,
Obwiązujemy lnem ciernie,
By nie raniły nam dłoni.

Żywim rój ptaków, co budzi
Ze snu nas z rannym powiewem,
15 Ucząc nas iść między ludzi
Z dobrą nowiną i śpiewem.

I mamy ule bartnicze,
Co każą w pszczół nam iść ślady
I zbierać jeno słodycze
20 Z kwiatów, co kryją i jady.

I pielęgnujem murawę,
Plewiąc z niej chwasty i osty,
By każdy, patrząc na trawę,
Duszą, jak trawa, był prosty.

KOCHAĆ I TRACIĆ...

Kochać i tracić, pragnąć i żałować,
Padać boleśnie i znów się podnosić,
Krzyczeć tęsknocie "precz"! i błagać "prowadź"!
Oto jest życie: nic, a jakże dosyć...

5 Zbiegać za jednym klejnotem pustynie,
Iść w toń za perłą o cudu urodzie,
Ażeby po nas zostały jedynie
Ślady na piasku i kręgi na wodzie.

WICHR SZALAŁ W NOCY...

Wichr szalał w nocy, a gdym wyszedł rano,
Pod niebem bez promieni
Ujrzałem ziemię liściami zasłaną,
Przepychem twym, jesieni.

5 Jak żniwo życia mego, czar twej krasy
Dany na łup zniszczeniu
I nagie, czarne sterczą w niebo lasy
W zadumie i milczeniu.

Patrząc, jak zimna zgryza im ulewa
10 Wczorajszy skarb bogaty,
Bądźcie, me serce i duszo, jak drzewa,
Wznioślejsze od swej straty.

JAK TO BYĆ MOŻE?

Ty nie wiesz o tem,
Że kocham ciebie?
Czystszem lśni złotem
Słońce na niebie.

5 Bór szumi słodziej;
Dal mniej daleka;
Cień milej chłodzi;
Mniej piecze spieka.

Gwiazdy są bliżej
10 Nocą w lazurze,
Rzeka mknie chyżej,
Wonniej tchną róże.

Słowik w gęstwinie
Śpiewa goręcej,
15 W wodnej głębinie
Nieba jest więcej.

Powiewy żeną
Pieściwszym lotem,
Ty jedna jeno
20 Nic nie wiesz o tem?

Jak to być może?
O, Boże, Boże...

PANIE, KTÓREGO WSZECHMOC WSZYSTKO MOŻE

Panie, którego wszechmoc wszystko może!
O wejrzyj na to piwniczne więzienie,
Gdzie grzech i wyrzut, wina i sumienie
Kryją przed sobą w kątach krwawe noże!

5 Wejrzyj na gorzkie to szpitalne łoże,
Kędy gorączką trapione cierpienie
Jękiem majaki płoszy i widm cienie,
Które po ścianach pełzną w zmierzchu porze!

Wejrzyj na straszny ten dom obłąkańców,
10 Kędy wirują w szale dzikich tańców,
Mdlejąc znużeniem, święci i opryszki,

Mędrcy i błazny, sędzie i morderce,
Nagie hetery i pobożne mniszki:
Wejrzyj na ciemne moje, nędzne serce!

[ZACHODNIA ZORZA NIEBOSKŁONU]

Zachodnia zorza nieboskłonu
Ozłaca pola, drogi, rowy,
Jakby śpiżowy odgłos dzwonu
Oblekał ziemię w blask śpiżowy.

5 Na wzgórzu, kędy do połowy
Cień objął z dołu ścierń zagonu,
Świecą ognistą sierścią krowy,
Jak duże rude liście klonu.

Jak słodka cisza z niebios spływa!
10 Jak świat jest prosty w świetle Twojem,
Panie, jak koi i ośmiela!

Z wielką ufnością i spokojem
Serce me w Tobie odpoczywa,
Jako dłoń w dłoni przyjaciela.

WOLNOŚĆ

Ciasno mi, Panie, na kolumnie
Pychy samotnej, gdzie, choć stoję,
Trwam sztywny, jakbym leżał w trumnie,
I są spętane ruchy moje.

5 Wolności pragnę ponad wszystko!
Daj mi szerokie pole kołem,
Bym mógł przed Tobą klękać nisko
I jeszcze niżej hołd bić czołem.

IDZIEMY. **2.** *bezsłoneczny* – sunless; *strop* – ceiling. **4.** *śpiewny* – melodious, here *śpiewający* – singing. **5.** *hardy* – bold, proud. **8.** *ślepce* or *ślepcy*, plur. of *ślepiec* – blind man. **9.** *tajnia* – mystery; *w Tajni Synaj* – inversion: *w Synaj Tajni* – in the Mount Sinai of Mystery. **10.** *depce*, from *deptać* – to tread. **11.** *orszak* – procession; *wybraniec* – the elect.

ZWYCIĘZCA. **3.** *owiło*, from *owić* – to entwine. **4.** *wcielony*, from *wcielić* – to make flesh, incarnate. **5.** *świąteczny* – festive. **6.** *wszechmoc* – omnipotence; *wrących*, from *wrzeć* – to seethe. **9.** *podniebny* – lofty. **11.** *zmogłem*, from *zmóc* – to overpower. **12.** *niezwalczony* – unconquered, invincible; *sposobić* – to prepare.

DO GWIAZD. **3.** *grzyw*, gen. plur. of *grzywa* – mane. **6.** *niw*, gen. plur. of *niwa* – field. **7.** *tajny* – mysterious; *dziw* – marvel, wonder. **8.** *bezdroże* – pathless land, wilderness. **11.** *ról*, gen. plur. of *rola* – plowed field, soil. **12.** *obłoczny*, adj. from *obłok* – cloud; *wklęte*, from *wkląć* – to enchant. **13.** *ponęta* – lure, bait. **20.** *kadzielnica* – censer. **21.** *żywica* – resin. **22.** *owiać* – to envelop. **23.** *wznosząc*, from *wznosić* – to lift; *błoń* – meadow, pasture.

KONANIE. **6.** *tułaczy* – wandering, homeless. **9.** *upieścić* – to soothe with caresses. **10.** *bezkres* – infinity. **11.** *polot* – flight of fancy, inspiration. **13.** *zwichły*, from *zwichnąć* – to be sprained, wrenched. **14.** *wichura* – gale. **15.** *posły* or *posłowie*, from *poseł*, envoy, here – herald. **18.** *rychły* – speedy. **21.** *dyszy*, from *dyszeć* – to pant. **23.** *dotrze*, from *dotrzeć* – to reach. **25.** *niemoc* – helplessness. **29.** *oddawać ducha* – to commit one's soul.

JESIEŃ (I). **1.** *w dżdżu* – loc. of old *deżdż*, contemp. *deszcz* – in the rain; *szczere pole* – idiom. open field. **2.** *dreszcz* – shiver. **5.** *drzeć na strzępy* – to tear to shreds. **7.** *w świście*, from *świst* – whistling, howling. **10.** *skłębiony* – wreathing.

JESIEŃ (II). **14.** *odlotny* = *odlatujący* – flying away (migratory). **15.** *szron* – hoarfrost. **17.** *zagłada* – destruction, ruin. **18.** *głusza* – dead silence. **19.** *tkacz* – weaver. **20.** *osnuć* – to wrap. **21.** *zwłoki* – corpse, remains.

O MOJE SZARE DNI. **3.** *dojdziecie*, from *dojść* – to come to, reach. **4.** *pośpiech* – haste. **6.** *wstecz* – back. **7.** *i* here *również, także* – also, as well.

OGRÓD PRZEDZIWNY. **1.** *przedziwny* – wonderous. **5.** *wodotrysk* – fountain. **7.** *krzew oliwny* – olive tree. **8.** *pojednanie* – reconciliation. **10.** *słodycz* – sweetness; *ślą*, from *słać* – to send, emit. **11.** *obwiązywać* – to bind; *lnem*, instr. sing. of *len* – flax. **13.** *rój* – swarm. **17.** *bartniczy*, from *bartnik* – beekeeper. **19.** *jeno* = *tylko* – only. **20.** *jad* – poison, venom. **21.** *pielęgnujemy*, from *pielęgnować* – to tend; *murawa* – lawn, turf. **22.** *plewić* – to weed.

KOCHAĆ I TRACIĆ. **5.** *zbiegać za* – to roam far and wide in search of; *klejnot* – jewel. **8.** *krąg, kręgi* – circle.

WICHR SZALAŁ W NOCY. **3.** *zasłaną*, from *zasłać* – to spread, cover. **4.** *przepych* – splendor. **5.** *krasa* – beauty. **6.** *łup* – prey. **9.** *zgryzać* – to gnaw, devour. **12.** *wznioślejszy*, comp. of *wzniosły* – lofty; *strata* – loss.

JAK TO BYĆ MOŻE. **8.** *piecze*, from *piec* – to burn, scorch; *spieka* – scorching heat. **11.** *mknie*, from *mknąć* – to speed; *chyżej*, comp. of *chyżo* – swiftly. **12.** *tchnąć* – to breathe. **17.** *żeną* – older form for *gnają* from *gnać* – to drive, here, to waft. **18.** *pieściwszy* – comp. of *pieściwy* – caressing.

PANIE, KTÓREGO WSZECHMOC. **2.** *piwniczny*, adj. from *piwnica*, cellar – cellar-like. **3.** *wyrzut* – remorse. **6.** *trapione*, from *trapić* – to torment, harass. **7.** *majak* – mirage; *płoszyć* – to frighten, drive away; *widmo* – spectre. **8.** *porze*, loc. of *pora* – time, period. **9.** *obłąkaniec* – madman, insane. **10.** *wirować* – to whirl, spin. **11.** *mdlejące*, from *mdleć* – to faint; *opryszki*, plur. of *opryszek* – bandit, thief. **12.** *mędrcy*, plur. of *mędrzec* – sage; *błazny*, plur. of *błazen* – clown, fool; *sędzie* – older form for *sędziowie; morderce* or *mordercy*. **13.** *mniszka* – nun.

ZACHODNIA ZORZA. **1.** *nieboskłon* – firmament. **2.** *rów* – ditch. **3.** *spiżowy*, adj. from *spiż* – bronze; *odgłos* – sound, echo. **6.** *ścierń* or *ściernisko* – stubble. **7.** *sierść* – hair. **8.** *rudy* – reddish, ruddy; *klon* – maple. **11.** *koić* – to soothe.

WOLNOŚĆ. **1.** *ciasno mi* – I feel hemmed in, restrained. **3.** *trwać* – to remain; *sztywny* – stiff, rigid. **4.** *spętane*, from *spętać* – to fetter, here, to hamper. **8.** *hołd* – tribute, homage; *bić czołem* – to bow, prostrate oneself.

Tadeusz Boy-Żeleński (1874–1940)

Tadeusz Boy-Żeleński was poet, translator, literary critic, and publicist. As the author of songs characterized by first-rate wit and high literary level, he played a great role in introducing into the atmosphere of early Young Poland the element of sound, creative laughter. Some of his songs quickly became public property. Produced in Cracow in the literary cabaret "The Little Green Balloon" (a gathering place for writers and artists on the model of similar Parisian cabarets), they were published under that title or as *Słówka* (Little Sayings, 1913). *Słówka* dealt with a variety of subjects relating to Cracow's intellectual and artistic life and introduced excellent caricatures of well-known personalities. Boy's rich talent was also manifested in his fine translations from French literature (of these he published over 100 volumes), including poets and prose-writers of the fifteenth to the nineteenth centuries who represented extreme variation in style: Villon, Rabelais, Descartes, Molière (*in toto*), Racine, Pascal, Voltaire, Musset, Balzac, Verlaine, besides many others.

Each translated volume is supplied with an exhaustive introduction and commentary that displays an intimate knowledge of French literature. Boy also wrote much about older and contemporary Polish literature, vehemently "debunking" certain recognized celebrities from the biographical, psychological, and moral points of view. For many years he also was dramatic critic; his reviews were characterized by mature taste as well as acuteness and originality of judgment.

PIEŚŃ O ZIEMI NASZEJ

A czy znasz ty bracie młody
Te najmilsze dla Polaków
Szarej Wisły senne wody
I nasz stary polski Kraków?

5 A czy znasz ty te ulice
Puste w nocy, brudne we dnie,
Gdzie się snują ex-szlachcice
Tępiąc smutnie dni powszednie?

A czy ty znasz te kawiarnie,
10 (W całym świecie takich niema)
Gdzie dzień cały marnie, gwarnie
Wałkoni się cud-bohema?

Tam wre życie! Kipi, tryska!
W dymu chmurze tytoniowej
15 Myśli płoną tam ogniska,
Chlebek piecze się duchowy.

Wszystko tylko duchem żyje,
Wszystko tylko pięknem dyszy;
Nigdy ucho tam niczyje
20 Prozy życia nie zasłyszy.

Estetyczne rozhowory
Rozbrzmiewają od stolików,
Sztukę pcha na nowe tory
Grono c. k. urzędników,

25 Nic nie mąci głębin myśli,
Nic nie przerwie sennych marzeń,
Żyjem całkiem niezawiśli
Od banalnych kręgów zdarzeń.

Niech się fale zjawisk kłębią
30 Gdzieś tam w wielkich stolic wirze.
My to żyjem życia głębią!
(Jak robaki w starym syrze)

Niech tam sobie inne nacje
Zadzierają nosy w górę –
35 Kraków też ma swoje racje –
Swoją własną ma KULTURĘ

Tak więc: chytry jest Germanin,
Francuz – sprośny, Włoch – namiętny,
A zaś każdy krakowianin
40 Goły i inteligentny.

PIEŚŃ O ZIEMI NASZEJ (The title and the first line are taken from a popular poem of Wincenty Pol [1807–1872]). **8.** *tępiąc*, from *tępić* – to stamp out, here, to kill (time). **9.** *kawiarnia* – café of the European type. **11.** *gwarnie*, from *gwar* – noisily. **12.** *wałkonić się* – slang from *wałkoń* (lazybones) – to idle; *bohema* – French Bohème. **13.** *wrzeć, kipieć* – to boil; *tryskać* – to spurt. **18.** *dyszy*, from *dyszeć* – to breathe. **21.** *rozhowory*, Ukr. = *gwarzenie* – chats. **24.** *c.k.* – abbrev. for *cesarsko-królewski* – kaiserlich-königlich (imperial-royal), added to titles of fonctionnairies of the Austro-Hungarian Monarchy. **25.** *mącić* – to disturb. **29.** *kłębić się* – to wind. **30.** *wir* – whirlpool. **32.** *syrze*, loc. of *syr* = *ser* – cheese. **34.** *zadzierać nos* – to look askance. **38.** *sprośny* – lascivious.

Stanisław Wyspiański (1869–1907)

Here, in the figure of Stanisław Wyspiański, is the leading dramatist of the period, the creator of the modern Polish drama, an eminent poet and painter. In his work various elements are fused into an organic entity: Romanticism (Słowacki), the theater of Shakespeare, the spirit of Greek tragedy, and Polish folklore; there is also something of the atmosphere of Maeterlinck and the mythopoetic bent of Wagner. A combination of these elements appear in his dramatic visions, regardless of whether he touches Polish, Greek, or Biblical problems, or whether he reaches into the Polish past or deals with the present. His youthful work *Legenda* (1897; enlarged version, 1904) is based on Polish legendary motifs; it has an "underwater" scenery, as in Wagner's *Rheingold.* In one of the dramas devoted to the November Rising (see below), Greek gods lead Polish youth into battle. In *Akropolis* (1904), the scene is laid in the Wawel cathedral at Cracow, and characters from Homer and the Bible appear in it. Dramas with Greek motifs—*Meleager* (1898); *Protesilas i Laodamia* (1899); *Achilleis* (1903); *Powrót Odyssa* (Return of Odysseus, 1907)—deal with contemporary psychological and moral problems. *Klątwa* (The Curse, 1899) takes place in a contemporary Polish village and is dominated by the *fatum* of Greek tragedy. The structure of *Wesele* (The Wedding, 1901) is based on popular Nativity plays. *Legjon* (1900) is composed of symbolic visions, and *Wyzwolenie* (The Deliverance, 1903), of images and discursive elements.

Wyspiański's imaginative world is permeated by a tragic atmosphere, all the aspects of which revolve around man's attitude toward fate. His characters are symbols of this tragic "essence". Despite the fact that the structure of his dramas is rather loose, they are organic entities of sometimes great dramatic tension and single mood. The verse is by no means "smooth" or "melodious", and the language is not always distinguished by a harmonization of heterogeneous elements. Nevertheless, the dramas possess forcefulness, pathos, and expressiveness and an originality and individuality peculiar to great poets.

Among the best-known of Wyspiański's paintings are the beautiful stained glass windows in the Franciscan church at Cracow, drawings for stained glass windows for the Wavel cathedral, a number of portraits and landscapes, and illustrations for the *Iliad.*

[WESOŁY JESTEM, WESOŁY]

Wesoły jestem, wesoły,
i śmieję się do łez;
choć jesień już na poły,
kwitnący czuję bez.

5 Wesoły jestem, jary,
choć idą czasy burz;
widzę z otuchą wiary
kwitnących ogród róż.

Wesoły jestem, świeży...
10 – cóż to? na marach trup?
to ciało tylko leży,
lecz duch, jak ognia słup.

Wesoły jestem, młody,
już zbywam zbytnich piór,
15 już idę w krąg swobody,
już słyszę gwiezdny Chór.

Już słyszę, biją dzwony
wysoko w niebios strop;
trup dawno pogrzebiony,
20 duch niesie pełny snop.

Ach, któryż jestem żywy,
czy ten, co leci wzwyż,
czy ten, co zmarł szczęśliwy,
ściskając w dłoni krzyż –?

25 Czy ten, co skrzydeł loty
przez żywot miał związane,
czy ten, co ciska groty,
o krzemień gwiazd krzesane –?

Czy ten, co legł przykryty
30 kirami i całunem,
czy ten, co mija szczyty
i drogę tnie piorunem –?

Czy ten, co legnie zmożon
przed świątyń własnych progiem,
35 czy ten, co niezatrwożon
na sąd ma stanąć z Bogiem –?

O, chcą ode mnie, chcą,
by hart był zawsze w sile,
by wciąż ich wzruszał łzą,
40 Podniosłą łzą na chwilę.

By hart był w dźwięku słów,
by jęk był pełen siły,
by dreszczem wstrząsnął znów
i żywych i mogiły.

45 Lecz nie spostrzegli snać
żem dość już chyba gadał,
by siłę Chóru znać,
by Chór mi odpowiadał.

From WESELE

This play, one of the finest in Polish dramatic literature, owes its origin to an authentic occurrence—the marriage of the Cracow poet Lucjan Rydel to a peasant girl from a suburban village. *Wesele* became a great sensation because of its timeliness: it introduced a number of characters easily recognized by contemporaries as actual members of the wedding party. At the same time it caused a deep shock among society. It contained a sharp, ruthless criticism of the contemporary generation: its drab mediocrity, its acquiescence to the loss of independence, its lack of great traditions and ambitions, its indulgence in empty words, its hypocrisy, its weakness of will-power. As setting for this gloomy picture the poet used the parlor of a peasant cottage through which move in succession, as in a Nativity play, pairs of the wedding guests representing various classes and professions: peasants, civil servants, men of letters, a journalist, a poet, a Jew and his daughter, a priest, and others. The characterization of these figures and of their mutual relations forms the exposition. The drama proper begins in Act II, which presents the dramatic realization of the dreams, longings, and aspirations of the main characters. The stage is peopled with figures from the other world: Marysia sees the phantom of her dead fiancé, the journalist that of Stańczyk (the half-legendary king's fool of the sixteenth century), the decadent poet that of a heroic knight. The host sees Wernyhora, a half-legendary patriot and prophet. Wernyhora predicts great events, orders everybody to be ready at dawn on the following day and await from Cracow the signal for armed action. Act III finds all the characters in tense suspense, but instead of the signal there appears Chochoł (a straw-covered rosetree), the symbol of weakness and "sleep", and to the accompaniment of his music the wedding guests form couples and, semi-conscious, begin a weird dance with which the play concludes.

Wyspiański's triumph lies in the fact that, in spite of the absence of action in the usual sense of the word, he succeeds in producing increasing dramatic suspense, endowing the play with strong emotional and patriotic elements and first-rate theatrical, pictorial, and musical effects. The "Nativity play" structure is artistically utilized for the achievement of a maximum dramatic expression.

Akt III, Scena 33

GOSPODARZ

Lżej, opadła z piersi zmora. –
Słuchajcie, – wytężcie słuch:
Był u mnie Duch: Wernyhora!

WSZYSCY

Co ty mówisz? Wszelki duch!

GOSPODARZ

5 Oblatywał nocą dwory.
Był spokojny, dziwnie silny,
dawał mi rozkazy, hasła
a był w sprawach takich pilny,
nic w nim Siła, Moc nie gasła.
10 Spieszył się, wyleciał zara,
miał objechać liczne dwory
i miał wrócić do tej pory.

WSZYSCY

Tego rana?!

GOSPODARZ

Tego rana.

WSZYSCY

I cóż rozkaz – – ?!

GOSPODARZ

Wić posłana.

POETA (*ku kosynierom*)

15 Boże, toście wy są z Wici?

CZEPIEC

A som ludzie rozmaici.
My ta wiemy od chłopaków,
co się trzymali czapraków,
jak ta śkapa w dworcu stała.

STASZEK

20 Co się szarpła, to kopała;
trzymaliśmy uzdki w łapach;
mnie i Kubie pyski sprała.
Cóz za pon na takich śkapach!

GOSPODARZ

Wernyhora! – Wernyhora!
25 Obudziłem się ze snu –
kazał broń – broń kazał brać!

POETA

Lecieć?!

GOSPODARZ

Nie, – tu w miejscu stać.
Czekać, jak zapieje kur,
wytężać, wytężać słuch,
30 aż się pocznie słyszeć ruch
od Krakowa na gościńcu.

GOSPODYNI (*z drugiej izby*)

Tyle luda na dziedzińcu.

PANNA MŁODA (*we drzwiach*)

Sami swoi!

GOSPODYNI (*z drugiej izby*)

Som i z Toń.
Cała pod Krakowem błoń
35 pełna luda, pełna kos!

POETA

Jakaś złuda.

GOSPODARZ

Jakiś los.

POETA

Jakoweś wołanie duszy.
W tak długiej żyjemy głuszy.

PAN MŁODY

Jakiś błysk, jakiś dźwięk.

POETA

40 Jakieś serce krzyczy w głos.

CZEPIEC

A! pon słucho! A! pon zmięk!

POETA

Słuchać, słuchać, co to być ma – – ?

GOSPODARZ

Ma być słychać tentent, pęd.

POETA

Tentent konia.

HANECZKA

Kto przyjedzie?

GOSPODARZ

45 Nie tu, ale na gościniec
wjedzie stary lirnik siwy.

HANECZKA

Wjedzie stary Wernyhora!?!

GOSPODARZ

I przeżegna lirą niwy. –
Wtedy trzeba się pokłonić,
50 potem siąść na koń.

POETA

I gonić!

GOSPODARZ

Niewiem, – potem co. – Tajemno. –
Potem świt...

POETA

Jeszcze mrok, ciemno;
jeszcze świt daleki, zdala
łuna zorna się zapala,
55 świt...

CZEPIEC

Ma zapiać trzeci kur.

GOSPODARZ

Tak, na znak.

POETA

Te widma chmur
znaczą? – ?

GOSPODARZ

Znaczą! Widma!

PAN MŁODY

Wzdęła się na chmurach wydma;
ucichło się, szumy zaszły.

POETA

60 Słuchać!

CZEPIEC

Słuchać!

HANECZKA

Słuchać!

GOSPODARZ

Cóż...?

PAN MŁODY (*u okna zasłuchany*)

Jakiś pęd, ile mój słuch –
szedł, lecz wplątał się w sad grusz;
drzewa go więżą.

POETA (*wśród ogólnej ciszy*)

Brzęk much,
nad malw badyle suche
65 brzęczy przedranny szum.

GOSPODYNI (*szepce*)

Poklękali, luda tłum.
Patrzajcie hań ku dworcowi.

PANNA MŁODA (*z wykrzykiem*)

Coraz nowi, coraz nowi!!

HANECZKA (*między Gospodarzem a Czepcem; przez łzy*)

Czy on sam, czy jedzie społem
70 z kim? – czy jest kto z nim? – ?

GOSPODARZ

Pokłońcie się o ziem czołem:
Ma przyjechać z ARCHANIOŁEM,
od gościńca, od Krakowa...
Na Zamku czeka KRÓLOWA
75 z Częstochowy.

POETA

Bracie, Duch!

GOSPODARZ

Natężać, natężać, słuch.

HANECZKA

Rany Boskie, słyszę!

GOSPODYNI

Kaj?

PANNA MŁODA

Hań, daleko, słyszę.

PAN MŁODY

Gdzie?!

POETA (*półgłosem*)

Spadły liście suche z drzew.

PAN MŁODY (*szeptem*)

80 Ustał przecie wiatru wiew.

POETA

Zerwały się wrony dwie
ze sadu.

PAN MŁODY

Z ogrodu w sad.

PANNA MŁODA

Zajść do pola!

GOSPODARZ

Cicho!

HANECZKA

Cyt!

GOSPODYNI (*śród milczenia*)

Może i słychać co – ?

POETA (*rękę stulił przy uchu, głowę pochylił ku piersiom brata*)

Świt!

GOSPODARZ

85 Słychać, słychać...

POETA (*pewny, z dłonią przy uchu*)

Wielki Duch!

Wytężać, wytężać słuch!

Słychać.

GOSPODARZ

Cicho!

PAN MŁODY (*z uchem przy szybie okienka*)

Pędzi ktoś.

HANECZKA (*zapatrzona przed siebie, osłaniając dłońmi twarz*)

Zosiu, Zosiu, Boga proś,
jedzie!

ZOSIA

Tętni!

GOSPODARZ

Jedzie!

POETA

Goni!

CZEPIEC (*cały w słuchu*)

90 Bedzie ze sta, do sta koni.

GOSPODYNI

Tętni!

KASPER

Jedzie.

PANNA MŁODA

Dudni.

POETA

Pędzi! – – –

GOSPODARZ

Cicho! – Świta, świta, zorze!
Prawie widno! – To On – Boże!
On, On, – cicho, – Wernyhora. –
95 W pokłon głowy: Prawda żywa,
Widmo, Duch, Mara prawdziwa.

POETA

Świtanie na lutniach gędzi...

PAN MŁODY

Tętni.

PANNA MŁODA

Jedzie.

GOSPODYNI

Tętni.

CZEPIEC

– Pędzi.

(*Wszyscy w nasłuchiwaniu, pochyleni ku drzwiom i oknu, – w ogromnej ciszy, w przejęciu*)

GOSPODARZ

* * * *

Słuchajcie, kochani, dzieci! –
100 Ażeby to była prawda:
że Wernyhora tam leci
z Aniołem, Archaniołem na czele;
że tej nocy, gdy my przy muzyce,
przy weselu, gdy my w tańcowaniu,
105 tam, kędyś, stało się tak wiele:
że Kraków ogniami płonie
a MATKA BOŻA w koronie
na Wawelskim zamkow,ym tronie
siedząca, manifest pisze,
110 skrypt, co przez cały kraj poleci
i tysiące obudzi i wznieci! –
Słuchajcie, serce mi dysze,
ażeby to prawda była:
że Wernyhora tam leci
115 a za nim tabunem konie!...

PAN MŁODY

Coraz bliżej?

POETA

Klęknąć!!

CZEPIEC

– Stanął, wrył.

GOSPODARZ

Strzymał, widać, z całych sił.

HANECZKA (*w zachwyceniu*)

Gdyby to Archanioł był!

* * * *

(*Wszyscy pochyleni, pół klęczący, zasłuchani; silnie dzierżąc w prawicach kosy; to imając szable, ze ściany pochwycone; to znów jakieś flinty i pistolety; w tem zasłuchaniu, jak w zachwycie duszy; dłoń do ucha przychylona. – Słychać było rzeczywiście tentent, który nagle bliski; coraz bliższy, tuż ustał, słychać po chwili ciężkie kroki szybkie, gwałtowne, w sień, w drugą izbę, aże we drzwiach w głębi staje pierwszy drużba:*)

Scena 34

JASIEK

Maryś, panie, panie, – Jezu!
koń w podworcu padł.
(*rozglądając się*)
Cóż wy – Hanka – Jaga – hej,
cóż wy – cóż to, Jaga – ej
5 cóż to, co to, czy zaklęci?
Stoją syscy, jak pośnięci.
Słysta Hanuś, Błazek, matuś,
panie młody, Czepiec, tatuś,
panie! Cóż to? – czy zaklęci?
10 Stoją syscy, jak pośnięci.

Aha! prawda, żywy Bóg!
Przecie miałem trąbić w róg.
Kaz ta, zaś ta? cyli zginoł?
cyli mi sie ka odwinoł?
15 Kajsim zabył złoty róg,
ostał mi sie ino sznur.

* * * *

(*Z izby głębnej, od chwili, wszedł był w tropy za Jaśkiem kołyszący się słomiany Chochoł*)

Scena 35

CHOCHOŁ

* * * *

Jak ci spadła czapka z piór.

JASIEK

Tom sie chyloł po te copke,
to mi może sie odwinoł.

CHOCHOŁ

Miałeś, chłopie, złoty róg,
5 miałeś, chłopie, czapkę z piór:
czapkę ze łba wicher zmiótł.

JASIEK

Bez tom wieche z pawich piór.

CHOCHOŁ

Ostał ci się ino sznur.

JASIEK

Najdę ka gdzie przy figurze.

CHOCHOŁ

10 Pod figurą ktosik stał.

JASIEK

Strasy u rozstajnych dróg, –
cy to pioł, cy nie pioł kur?

(*Wybiega przez drzwi weselne, przeciskając się przez gromadę unieruchomioną; – słychać tupot jego kroków w sieni, – to raz się zastanowi, to dalej biegnie; ... w trop za nim kołysze się Chochoł, szeleszcząc słomą po potrącanych ludziach.*

Od sadu, od pola, we świetle szafiru,
co idzie jak łuna błękitna, –

głosy się cisną przedrannych ptasich świergotań; niebieskie to Światło wypełnia jakby Czarem izbę i gra kolorami na ludziach pochylonych w pół-śnie, pół-zachwycie. – Przeze drzwi w głębi

wraca Jasiek
i patrzy dokoła, i oczom nie wierzy,
i coraz się słania od grozy.)

Scena 36

JASIEK

Juz świtanie, juz świtanie, –
tu trza bydłu paszę nieść
trza rżnąć sieczki, warzyć jeść; –
jakże ja se rade dam,
5 oni w śnie, – ja ino sam – ?

* * * *

Syćko tak porozwierane, –
syćko z rękami na usach,
dech im zaparło w dusach;
jako drzewa wrośli w ziem,
10 jak tu, co tu radzić jem – ?

* * * *

Kajsim zabył złoty róg,
u rozstajnych może dróg,
copke strasny wicher zwiał
bez tom wieche z pawich piór;
15 żebym chocia róg ten miał, –
ostał mi sie ino sznur.

* * * *

Straśnie się zasumowali,
tak im czoła zmarszczek spion,
jakby ciężko pracowali...

Scena 37

(*Przez drzwi głębne od chwili wsunął się był za Jaśkiem tropiący Chochoł; a teraz na skrzynię malowaną się wygramolił i ze skrzyni tak do drużby poczyna:*)

CHOCHOŁ

To ich Lęk i Strach tak wzion,
posłyszeli Ducha głos:
rozpion się nad nimi Los.

JASIEK

Tak się męcą, pot z nich ścieko,
5 bladość lica przyobleko; –
jak ich zwolnić od tych mąk?

CHOCHOŁ

Powyjmuj im kosy z rąk,
poodpasuj szable z pęt,
zaraz ich odejdzie Smęt.
10 Na czołach im kółka zrób,
skrzypki im do ręki daj;
ja muzykę zacznę sam,
tęgo gram, tęgo gram.

JASIEK (*który był uczynił rzecz*)
Ka te kosy złożyć? – –

CHOCHOŁ
W kąt.

JASIEK (*ciska za piec drzewca*)
15 Nik ich ta nie najdzie stąd.

CHOCHOŁ
Ze skałek postrzepuj proch
i ciś je w piwniczny loch.
Lewą nogę wyciąg w zad,
zakreśl butem wielki krąg;
20 ręce im pozałóż tak:
niech się po dwóch chycą w bok;
odmów pacierz, ale wspak.
Ja muzykę zacznę sam,
tęgo gram; tęgo gram:
25 będą tańczyć cały rok.

JASIEK (*który uczynił był wszystką rzecz*)
Już ni majom kos.

CHOCHOŁ
Rozśmiej im się w nos.

JASIEK
Już ich odszedł Smęt.

CHOCHOŁ
Już nie mają pęt.

JASIEK
30 Chytajom się w tan.

CHOCHOŁ
Już nie czują ran.

JASIEK
Zniknął czar!

CHOCHOŁ
To drugi CZAR!

(*A zaklęte słomiane straszydło, ująwszy w niezgrabne racie podane przez drużbę patyki, – poczyna sobie jak grajek-skrzypak – i – słyszeć się daje jakby z atmosfery błękitnej idąca muzyka weselna, cicha a skoczna, swoja a pociągająca serce i duszę usypiająca, leniwa, w omdleniu a jak źródło krwi żywa, taktem w pulsach nierówna, krwawiąca jak rana świeża: – melodyjny dźwięk z polskiej gleby bólem i rozkoszą wykołysany*).

JASIEK (*już teraz kontent a dziwuje się*)
Tyle par, tyle par!

CHOCHOŁ
35 Tańcuj, tańczy cała szopka,
a czyś to ty za parobka?

JASIEK (*z ręką do czoła, jakby se chciał na ucha nasunąć czapki*)
Kajsi mi sie zbyła copka, –
przeciem druzba, przeciem druzba,
a druzbie to w copce słuzba.

CHOCHOŁ (*w takt się chyla i przygrywa*)
40 Miałeś, chamie, złoty róg,
miałeś, chamie, czapkę z piór:
czapkę wicher niesie,
róg huka po lesie,
ostał ci sie ino sznur,
45 ostał ci się ino sznur.
(*kogut pieje*)

JASIEK (*jakby tknięty przytomniejąc*)
Jezu! Jezu! zapioł kur! –
Hej, hej, bracia, chyćcie koni!
chyćcie broni, chyćcie broni!
Czeka was WAWELSKI DWÓR!!!!!

CHOCHOŁ (*w takt się chyla a przygrywa*)
50 Ostał ci się ino sznur.

* * * *

Miałeś, chamie, złoty róg.

JASIEK (*aże ochrypły od krzyku*)
Chyćcie broni, chyćcie koni!!!!!

(A za dziwnym dźwiękiem weselnej muzyki wodzą się liczne, przeliczne pary, w tan powolny, poważny, spokojny, pogodny, półcichy – że ledwo szumią spódnice sztywno krochmalne, szeleszczą długie wstęgi i stroiki ze świecidełek podzwaniają, – głucho tupocą buty ciężkie, – taniec ich tłumny, że zwartem kołem stół okrążają, ocierając o się w ścisku, natłoczeni).

JASIEK

Nic nie słysom, nic nie słysom,
ino granie, ino granie,
55 jakieś ich chyciło spanie...?

(Dech mu zapiera Rozpacz, a przestrach i groza obejmują go martwotą; słania się, chyla ku ziemi, potrącany przez zbity krąg tanecznikόw, który daremno chciał rozerwać; – a za głuchym dźwiękiem wodzą się sztywno pary taneczne we wieniec uroczysty, powolny, pogodny – zwartem kołem, weselnem – – – – – – – – –)
(kogut pieje)

JASIEK *(nieprzytomny)*

Pieje kur; ha, pieje kur...

CHOCHOŁ *(nieustawną muzyką przemożny)*

Miałeś, chamie, złoty róg...

From NOC LISTOPADOWA

In this play, Wyspiański's powerful creative imagination is manifested as forcefully as in *Wesele.* The play deals with the night of November 29, 1830, the night of the outbreak of the Rising. It is composed of a number of scenes not connected with a definite action, but as in *Wesele* and in other dramas by the poet, it possesses unusual dramatic power which holds the spectator's attention in constant suspense. This happens partly because the poet introduces characters and events well known to his Polish audience; but he forces upon it a new conception of both—their "psychic essence". The atmosphere thus induced is deepened by the introduction of musical and plastic-sculptural elements: statues of ancient goddesses (Demeter and Cora), in the old park of a former royal residence, descend from their pedestals and engage in a dialogue full of meaning for the events which take place. Other deities (Pallas Athene, Ares, the Nikes) take a direct part in the action, symbolizing the mood of the fighters. The streets of Warsaw, the Belvedere palace captured by the insurgents, and other points of the city are full of movement, noise, excitement, with verbal and armed clashes. The air resounds with songs amd shouts; various slogans are heard; the crowds are seized with conflicting emotions; symbolic characters from the Polish and ancient worlds traverse the stage; common and highly unusual things are happening—in a word this "night" is a powerful and startling vision of an important historical moment, where manifold literary and theatrical devices are utilized with suggestive forcefulness and artistry.

Scena 7:

W ulicy. Wąska uliczka wiodąca od głębi ku przodowi; tyły domów, mury ogrodów. Dwie ulice wiodą w bok, jedna z prawej, druga z lewej. Na rozstaju ulic latarnia. W głębi widok się otwiera na szeroką ulicę: Krakowskiego-Przedmieścia.

PALLAS (*stoi w uliczce wąskiej*)
(*patrząca ku głębi*)

WOJSKO
(*przechodzi oddziałami w głębi z prawej ku lewej, wciąż w jednym kierunku*)
(*bębny biją*)

PALLAS (*skrada się ku wylotowi uliczki*)
(*nawołuje*)
(*udając komendę*)

W lewo zwrot!

PORUCZNIK CZECHOWSKI (*idący główną ulicą wśród oddziałów*)

Naprzód marsz!
(*zwraca w ulicę wąską*)

ODDZIAŁ CZECHOWSKIEGO
(*odłącza się od głównej kolumny*)
(*wkracza w uliczkę wąską za dowódcą*)

PALLAS (*kroczy przed nimi*)

CZECHOWSKI

Gdzie wiedziesz?

PALLAS

Do Arsenału!
Za tobą mnogie pójdą roty.
Uderzę ogniami szału.
5 Na loty, na loty, na loty!

CZECHOWSKI

Za tobą, Boża dziewico,
O Pallas!

PALLAS

Ja za przyłbicą
duch nieśmiertelnej siły.
Chodź ty mój miły.
10 Jakież twe imię? Niech słyszę:

CZECHOWSKI

Czechowski.

PALLAS

Twe imię Sława ukołysze.
Twój dzień jedyny, ta noc jedyna.
Ojczyźnie twej zyskałam syna!
15 W drogę!

CZECHOWSKI

Naprzód marsz! Wiara!
Skończone królestwo Cara!
Do Arsenału!
(*przechodzą w uliczkę z prawej*)
(*bębny*)

PALLAS (*zwraca się ku głębi*)
(*bo spostrzega, że*)

WOJSKO

(*przechodzi znów główną ulicą w dawnym kierunku*)

PALLAS

Hej! Stójcie, – tam kto są? Gonią?
Hej! – Przesłoniły drogę skrzydłami.
20 Stójcie, ja z wami!
Gdzie dążycie?
Tu idzie o wasze życie.
Prowadzą was na zdradę!
A wy gonicie rade.

ARES (*wśród wojska, w głównej ulicy*)

25 Do Belwederu!

GENERAŁ ŻYMIRSKI

(*na koniu, wśród wojska, w głównej ulicy*)
Do Belwederu!

ARES

Trupami zaścielę pole!
Zwycięstwo biorę nad tłumem!

PALLAS

Rozłączasz się z rozumem.
Szaleństwem oszołomiony!

ARES

30 Grajcie trąby!

ŻYMIRSKI

Hej! Bęben, sygnały!

NIKI (*lecą na skrzydłach*)
(*ponad głowami żołnierzy*)
(*w kierunku przechodzącego wojska*)

PALLAS

Oszalały! oszalały!
(*cofa się ku przodowi*)

WYSOCKI (*wbiega z uliczki, z lewej*)
(*spostrzega Pallas*)

Ha, ty moja!

PALLAS

Ha, ty mój!
Jużeś pierwsze zwycięstwo wziął!

WYSOCKI

O patrz, jako mnie kirasjer ciął;
35 a tu na licu, patrzaj, –

PALLAS

Rana!
Krew świeża, pozwól wyssać, pić.
Ty Sławą będziesz żyć!

PODCHORĄŻOWIE (*wkraczają z uliczki z lewej*)
(*zatrzymują się*)

PALLAS

Oto słuchaj, tam oni,
kolumny mnogie rycerzy,
40 w zaślepieniu idą na Belweder.
Ares, Ares szalony je goni.
A córy moje skrzydlate
we chmurze nad ich głowami,
nad wojska zwartą kolumną.
45 Jeden tylko głosu słucha mego
z jedynego tego jestem dumną.

Ten głos mój posłyszał tajemny
i z nocy korzysta ciemnej
i w boczną wiedzie ulicę
50 swój huf.

WYSOCKI

Gdzie szedł?

PALLAS

Ten poszedł do Arsenału.
Co tchu tam lećcie a tłumom
rozdajcie bronie! Rwać bramy!
55 Słyszycie mnie!?

PODCHORĄŻOWIE

Słuchamy!!

GOSZCZYŃSKI (*wchodzi z uliczki, z lewej*)

BELWEDERCZYCY (*wchodzą za nim*)

PALLAS

A zasię teraz ja sama,
działająca świadomie,
zezwolę, by Ares uwierzył,
że zwyciężył. Tak z wami jedynie
60 dobędę Arsenału
i zamknę dla Księcia miasto.
Ares będzie mym więźniem w domie,
w królewskim pustym pałacu,
gdzie się będzie cieszył niewiastą.
65 Wtedy pójdę doń i Słowem zbudzę.

STANISŁAW POTOCKI (*w głębi*)
(*wchodzi z ulicy głównej*)
(*zbliża się*)

GOSZCZYŃSKI

Ktoś idzie – ?

PALLAS

Ktoś dostojny.

WYSOCKI

Stój!

POTOCKI (*z daleka*)
Ty stój!!

WSZYSCY (*przystanęli*)

POTOCKI (*zbliża się*)
(*poznał Podchorążych*)
Dokąd to, dzieci?!

PALLAS
Gwiazda na czołach nam świeci,
gwiazda Bożej dumy.

WYSOCKI
70 Pójdź z nami, panie Potocki,
gdy orzeł wzleciał nad nami!

POTOCKI
Milcz!! Każę!

WYSOCKI
Generale, nie żartuj z honorem!

POTOCKI
Nie ty stróżem mojego honoru!

WYSOCKI
75 Nie ujmuję Waszmości waloru.
Chcę, byś ty nam był wzorem,
byś był pierwszy pośród bohaterów.

POTOCKI
Awanturnik.

NABIELAK
W łeb kulką!

WYSOCKI
O panie Potocki,
na kolanach cię prosimy.
(*klęka*)

PODCHORĄŻOWIE i BELWEDERCZYCY
(*stoją nieporuszeni*)

POTOCKI (*się uśmiecha*)

WYSOCKI

Błagam.

80 Pójdź z nami. –

POTOCKI (*milczy*)

WYSOCKI

Milczysz – ?

PODCHORĄŻOWIE

Pójdź z nami.

(*klękają*)

POTOCKI (*odwraca się*)

WYSOCKI

Milczysz – ?

PODCHORĄŻOWIE (*powstają*)

WYSOCKI

Więc sami!

(*nawołuje*)

Dzieci, hej bracia, laury do podziału!
Do Arsenału! Do Arsenału!!

(*wychodzi*)
(*wyprowadzając oddział Podchorążych*)
(*oraz Belwederczyków*)
(*w uliczkę małą, z prawej*)

POTOCKI (*pozostał*)
(*zadumany*)

PALLAS (*staje przed Potockim*)

Ktoś ty jest? – że oni ciebie żądają.
85 Czyliś ty znaczny i możny?
Jakążeś ty znaczony potęgą,
że stajesz wprzek moich dróg?
Z czyich-żeś ty sług?

POTOCKI (*marszczy brew*)

PALLAS

Czyli ty chcesz, by twoi przelewali krew
90 marnie?
I ty sądzisz, że ciebie nie ogarnie
ten lot orłów,
którychem ja pobudziła.
A wiesz-że ty, jaka jest siła,
95 co się dzisiaj w nocy przesila?

POTOCKI (*opuszcza głowę, zasępiony*)

PALLAS (*włócznią uderza go po głowie*)
Zapamiętaj się w twoim rozumie.

ZALIWSKI (*na czele oddziału żołnierzy*)
(*wchodzi z małej uliczki, z lewej*)
To noc, niech kule biją.
(*komenderuje*)
Formuj front! – W lewo zwrot!
Marsz!!

PALLAS

Gdzie?

ZALIWSKI

Do Arsenału!

PALLAS (*wskazując Potockiego*)

100 Patrz!

ZALIWSKI

Kto tu jest?! Hasło! Stój!

POTOCKI (*nieporuszony*)

Kto? – – – – – – – – Swój.

ZALIWSKI (*poznaje*)
(*salutuje*)
(*komenderuje*)

Prezentuj broń!

POTOCKI (*dobywa szpady*)
(*komenderuje*)

Uchwyć za broń! – Baczność! – W prawo zwrot!

ZALIWSKI

Idziemy do Arsenału!

ODDZIAŁ ZALIWSKIEGO
(*usłuchał komendy Potockiego*)
(*i stoi odwrócony*)

POTOCKI

105 Naprzód marsz.

ODDZIAŁ ZALIWSKIEGO (*poczyna iść*)
(*w uliczkę ku głębi*)

ZALIWSKI (*staje przed oddziałem swoim*)

Gdzie?!!

POTOCKI

Milcz!!

ZALIWSKI

Tam droga do Belwederu! – Zdrada!!

POTOCKI (*odsuwa Zaliwskiego szpadą*)

Ot służę, – to moja szpada.

GŁOS

Moskale! Patrol żandarmów!

ODDZIAŁ ZALIWSKIEGO (*cofa się ku przodowi*)

PATROL ŻANDARMÓW ROSYJSKICH
(*pojawia się w głównej ulicy*)

ZALIWSKI (*do swoich*)

Formuj front! – Zdejmij broń! W rękę broń!

POTOCKI

110 Stój!

ZALIWSKI

Zmierz się! Cel!

POTOCKI

Stój!

ZALIWSKI

Cel! Pal!

ODDZIAŁ ZALIWSKIEGO (*strzela w głąb*)

PATROL ŻANDARMÓW ROSYJSKICH
(*wkracza w uliczkę wąską*)

OFICER ŻANDARMÓW
Hurra! Cel! – Hurra! Pal!

ZALIWSKI (*do swoich*)
Na ziemię!

ODDZIAŁ ZALIWSKIEGO (*przypada do ziemi*)

PATROL ŻANDARMÓW ROSYJSKICH
(*strzela ku przodowi*)

POTOCKI (*który stał nieporuszony*)
(*ugodzony*)
(*pada*)

WESOŁY JESTEM, WESOŁY. **3.** *na poły* – half, almost, nearly. **5.** *jary* – vigorous, hale and hearty. **10.** *mary* – bier. **12.** *słup* – column, pillar. **14.** *zbywać = pozbywać się* – to shed, get rid of; *zbytni* – superfluous. **15.** *krąg* – circle, sphere. **16.** *gwiezdny*, adj. from *gwiazda* – star. **17.** *biją dzwony* – the bells are ringing. **18.** *niebios strop* – the dome of sky. **19.** *pogrzebiony*, from old *pogrzebiać* – to bury, now *pogrzebany*. **20.** *snop* – sheaf. **21.** *któryż* – which one. **22.** *wzwyż* – upward, aloft. **27.** *grot* – dart. **28.** *krzemień* – flint; *krzesać* – to strike sparks. **30.** *kir* – pall, sables. **33.** *zmożon = zmożony*, from *zmóc* – to overcome, overpower. **35.** *niezatrwożon = niezatrwożony* – unafraid, undaunted. **38.** *hart* – mettle. **40.** *podniosły* – lofty. **47.** *chór* – scil. fellow-men, society.

WESELE. AKT III, SCENA 33 (Before line 1). Gospodarz – "the host" in whose house the wedding is celebrated. **1.** *lżej*, comp. of *lekko*-here, I feel better, relieved; *zmora* – night-mare. **2.** *wytężyć słuch* – to strain one's ears. **3.** *Wernyhora* – a half legendary Cossack bard and seer who settled in Poland in the second half of the eighteenth century. Polish legend attributed to him famous prophecies concerning the partition and resurrection of Poland. Polish poets (Goszczyński, Słowacki) and the novelist Michał Czajkowski represented him as an ardent patriot and an advocate of a Polish-Ukrainian union. Wyspiański followed this tradition assigning him an important role in the drama. **4.** *wszelki duch* – elliptical for "wszelki duch Pana Boga chwali" – here, an expression of amazament. **5.** *oblatywać* – to make the rounds, rush. **7.** *hasło* – watchword. **8.** *pilny*-urgent. **9.** *nic w nim Siła nie gasła*, from *gasnąć* – to be extinguished; his Force did not abate at all, in the least. **10.** *wylecieć* – to start, rush out; *zara*, dialect. = *zaraz* – immediately, rightaway. **11.** *miał objechać* – was to make the rounds. **14.** *wić* – summons to war (see Słowacki *Król Duch*). (Before line **15**) *kosynier* – scythebearer. **15.** *toście wy są*, dialect. = *to wy jesteście.* **16.** *som*, dialect. = *są.* **17.** *ta* – an expletive. **18.** *czaprak* – saddle cloth. **19.** *śkapa*, dial. = *szkapa* – jade, mare; *w dworcu* = *w podwórzu*, from *dworzec* – yard; *Staszek* – dim. from *Stanisław.* **20.** *co... to...* whenever; *szarpła się*, from *szarpnąć się* – to tug, fidget; *kopać* – to kick. **21.** *uzdka*, dim. from *uzda* – bridle; *łapa* – paw, hand. **22.** *Kuba*, dimin. from *Jakub* – James; *sprać pysk* – vulg. to smack, to slap in the face. **23.** *cóz*, dial. – *cóż*; *cóz za* – what a; *pon*, dial. – *pan.* **28.** *zapieje*, from *zapiać* – to crow; *kur* – rooster. **30.** *ruch* – movement, bustle. **31.** *gościniec* – highway. **32.** *tyle luda*, dial. – *tyle ludu, ludzi* – so many people, what a crowd; *dziedziniec* – yard; *panna młoda* – bride. **33.** *sami swoi* – they are all our own people, from the same village; *z Toń* – from *Tonie*, village near Cracow. **36.** *złuda* – illusion, mirage. **40.** *Czepiec* – a leader of the peasants in the play. **41.** *słucho*, dial. – *słucha*; *zmięk* dial. – *zmiękł*, from *zmięknąć* – to soften **42.** *co to być ma* – what is it (supposed) to be? **43.** *tentent* or *tętent* – chatter (of horse's hoofs). **44.** *Haneczka* – dim. from Anna. **46.** *lirnik* – lyre-player, bard. **48.** *przeżegnać* – to make the sign of the cross. **54.** *zorna* – neol. adj. from *zorza* – down, rising sun. **57.** *znaczyć* – to mean, be a sign. **58.** *wzdęła się*, from *wzdąć się* –to swell, bulge out; *wydma* – here: bulge, bilge. **59.** *ucichło się*, usually *ucichło*, from *ucichnąć* – to grow still, silent; *szumy zaszły* – noises subsided. **60.** *pan młody* – bridegroom; *zasłuchany* – listening intently. **61.** *ile mój słuch* – unfinished, presumably: *ile mój słuch mnie nie myli.* **63.** *więżą*, from *więzić* – to hold prisoner. **63.** *brzęk much* – buzzing of flies. **64.** *malwa* – mallow; *badyl* – stalk, stem. **65.** *brzęczeć* – to buzz; *przedranny* – pre-morning. **66.** *poklękać* – to kneel down. **67.** *hań*, dial. *tam* – yonder. **68.** *coraz* – ever. **69.** *społem* – together. **71.** *o ziem*, arch. = *o ziemię.* **74–75.** *Krélowa z Częstochowy* – scil. the Holy Virgin (called in Poland "Queen of the Polish Crown") of the miraculous painting in Częstochowa. **77.** *rany boskie*, lit. wounds of God – exclamation of awe and amazement; *kaj*, dial. *gdzie* – where. (Before line **79**) *półgłosem* – in a low voice. **80.** *ustać* – to cease. **81.** *zerwać się* – to start flying. **83.** *zajść do pola* = *wyjść na pole* – to go out; *cyt* – interj. hush! (In line **84**) *stulić rękę przy uchu* – to cup one's ear. (Before line **88**) *szyba* – pane; *okienko* – dim. from *okno.* (Before line **89**) *zapatrzony* – looking intently, staring. (Before line **90**) *cały w słuchu* – all ears. **90.** *ze sta, do sta*, arch. *ze sto, do stu* – about a hundred, almost a hundred. **91.** *dudnić* – to rumble. **95.** *w pokłon głowy* – let us bow our heads. **97.** *gędzić* = *grać.* (Before line **99**) *nasłuchiwanie* – intent listening; *przejęcie* – absorption, engrossment, preoccupation. **109.** *manifest* – manifesto. **110.** *skrypt* – here: order, command. **111.** *wzniecić* – to rouse, kindle. **115.** *tabun* – herd. **116.** *wrył* (*się*), from *wryć się*, scil. *w ziemię* – to stop short as if rooted to the ground. **117.** *strzymać* = *wstrzymać* – to bring to a halt, rain in. (After line **118**) *dzierżyć* – to hold; *imać* – to grasp; *flinta* – flintlock; *zachwyt* – ecstasy, trance; *pierwszy drużba* – bestman.

SCENA 34. (Before line **1**) *Jasiek*, dim. from *Jan* – Johnny; Jasiek was sent out by the "gospodarz" with summons to war ("wici") and is now returning from his mission. **1.** *Maryś, Marysia* – dim. from *Marja.* **3.** *Hanka*, dim. from *Anna; Jaga*, dialect. for *Agnieszka* – Agnes. **6.** *syscy*, dial. – *wszyscy; pośnięci*, from *pośnięty* – asleep. **7.** *słysta*, dial. (former dual.) – *słyszcie, słuchajcie; Błazek* – dim. from *Błażej; matuś* – dim. from *matka.* **8.** *tatuś* – dad. **11.** *żywy Bóg* = *na żywy Bóg* (or *na Boga żywego*) – for God's sake. **12.** *trąbić w róg* – to blow the horn; Jasiek had, according to the order of the "gospodarz" to blow the symbolic golden horn left by Wernyhora in order to arouse the spirits of the summoned people. **13.** *kaz ta* = *kajże ta*, dial. – *gdzie jest; cyli*, dial. – *czyli; zginoł* = *zginął;* **14.** *odwinoł* = *odwinął*, from *odwinąć się* – to become untied. **15.** *kajsim zabył,* dial. *gdzieś zabyłem*, from *zabyć* to lose, forget. **16.** *ostał*, dial. *został*, from *zostać* (*się*) – to remain; *ino* dial. – *tylko; sznur* – rope.

SCENA 35. **1.** *czapka z piór* – the Cracovian peasants wear caps adorned with long peacock feathers. **2.** *sie chyloł*, dial. *się chylał*, from *chylać się* – to bend. **3.** *odwinoł* dial., see Scene 34, line 14 – to unfold, untwist. **6.** *zmiótł*, from *zmieść* – to sweep away. **7.** *bez*, dial. *przez; tom* = *tą; wiecha* – literally bundle of straw, here, the peacock feathers. **9.** *najdę*, dial. – *znajdę; figura* – scill. the figure of a saint on the road, frequently found in Poland. **10.** *ktosik* = *ktoś*. **11.** *strasy*, dial. *straszy* – impers. – something supernatural spreads fear; *rozstajne drogi* – cross roads. **12.** *pioł*, dial. *piał*, from *piać* – to crow. (Following line **12**) *drzwi weselne* – door of the room where the wedding party takes place; *przeciskać się* – to make one's way; *unieruchomiony* – motionless; *tupot* – stamp, trample (of feet); *zastanowi* = *zatrzyma*; *trop* – track, trace, trail; *w trop za nim* – on his heels; *kołysze się*, from *kołysać się* – to swing; *szeleszcząc*, from *szeleścić* – to rustle; *potrącany*, from *potrącać* – to jostle, elbow, hustle; *świergotanie* – chirping; *czar* – charm, spell; *słaniać się* – to stagger; *groza* – awe, dread.

SCENA 36. **1.** *trza* = *trzeba*; *pasza* – fodder. **2.** *rżnąć* – to cut; *sieczka* – chopped straw. **4.** *se* dial. *sobie; dawać sobie radę* – to manage, to get along. **6.** *syćko* – dial. *wszystko; porozwierane* – from *porozwierać, pootwierać*. **10.** *jem*, dial, *im*. **15.** *chocia* = *chociaż* – at least. **17.** *straśnie*, dial. *strasznie; zasumować się*, dial. *zasmucić się* – to get worried. **18.** *zmarszczek*, older masc. form for *zmarszczka* – wrinkle; *spion* dial. *spiął*, from *spiąć* – to buckle. (Following line **19**) *wsunąć się* – to intrude oneself; *tropiący*, from *tropić* – to track, trail. *wygramolić się* – to work oneself up on something (or out of something).

SCENA 37. **1.** *wzion* = *wziął*, see *spion*, 18. **3.** *rozpion* = *rozpiął*. **4.** *męcą* = *męczą; ścieko* = *ścieka*. **5.** *przyobleko* = *przyobleka*, from *przyoblekać* – to clothe. **8.** *poodpasuj*, from *poodpasać* – to ungird; *pęta* – here apparently, sword belt; *Smęt* = *smutek*. **10.** *na czołach im kółka zrób* – making circles on the forehead belongs to traditional magic practices. **14.** *drzewca*, plur. of *drzewce* – spear-or lance-staff, here generally, scythes. **16.** *ze skałek postrzepuj proch*, *skałka* (*krzesiwo*) – gunflint; here probably touch-pan (*panewka*) is meant on which powder (*proch*) was put in oldfashioned rifles; *postrzepuj*, from *postrzepać* – to brush off. **17.** *ciś* = *ciśnij*, from *cisnąć* – to throw; *piwniczny loch* – cellar (*loch* – cavern, dungeon). **18.** *wyciąg* = *wyciągnij*; *w zad* = *w tył*. **19.** *zakreśl butem wielki krąg* – also a magic practice. **20.** *pozałóż* = *załóż*, from *założyć* – to cross fold. **21.** *chycą*, dial. *chwycą*, from *chwycić* – to grasp; *w bok* – by the side. **22.** *wspak* – backward; another magic practice. **27.** *roześmiać się w nos*, idiom. – to laugh in someone's face. (After line **33**) *straszydło* – monster; *racie*, dial. for *racice* – cows hoofs, here *ręce*; *patyk* – stick; *poczynać sobie* – to behave; *skoczny* – jumping, lively; *swoja* or *swojska* – homely. (Before line **34**) *dziwuje się* = *dziwi się*. **39.** *a druzbie to w copce służba* – the best man has to have his cap to perform his duties. (Before line **46**) *jakby tknięty* – as if struck, hit. **47.** *chyćcie* = *chwyćcie*. **49.** *Wawelski dwór* – the royal castle Wawel in Cracow. (Before line **52**). *aże* = *aż*; *ochrypły*, from *ochrypnąć* – to become hoarse. (Before line **53**) *wodzić się* – to move, glide; *krochmalne* = *krochmalone* – starched; *stroik* – head-dress; *świecidełko* – spangle; *podzwaniać* = *dzwonić*; *ocierając się*, from *ocierać się* – to rub; *o się* = *o siebie; ścisk* – crowd; *natłoczeni* – crowded (*tłok* – crowd). **55.** *jakieś ich chyciło spanie* – a sleep took possession of them. (Following line **55**) *dech mu zapiera rozpacz* – he cannot breathe because of despair. (Before line **57**) *nieustawny* = *nieustanny*; *przemożny* – predominant.

NOC LISTOPADOWA.

SCENA 7. (Before line **1**) *uliczka*, dim. from *ulica* – street; *od głębi* – from the background; *rozstaj* – intersection; *Krakowskie Przedmieście* – Cracow Suburb, one of the principal streets in Warsaw; *Pallas* – one of the names of Athena, considered as goddess of war; *oddział* – formation, unit; *bęben* – drum; *skradać się* – to approach stealthily; *wylot* – exit; *nawoływać* – to call; *udawać* – to pretend; *komenda* – command. **1.** *w lewo zwrot* – left face. (In line 1) *porucznik* – lieutenant; *Czechowski* – officer of the grenadier guard regiment, who led his company to the side of the insurgents. (Before line **2**) *odłączać się* – to separate, detach oneself. **3.** *mnogi*-numerous; *rota* – file, rank. **7.** *przyłbica* – visor, vizard. **12.** *ukołysać* – to cradle. **14.** *zyskać* – to win. **15.** *wiara* here, collect. – soldiers, boys. **16.** *królestwo* – kingdom, here, reign, rule. **17.** *do Arsenału* – the Arsenal was the assembly point for the insurgents. **19.** *przesłonić* = *zasłonić* – to cover, refers to the Nikes, see below, line 30. **22.** *idzie o wasze życie* – your lives are at stake. **23.** *prowadzą was na zdradę* – some commanders were opposed to the uprising and led their troops to the support of the Grand Duke Constantine. (Before line **25**) *Ares* = *Mars* – god of war and slaughter. **25.** *Belweder* – residence of Grand Duke Constantine, at that time commander in chief of the Polish Army, whom Ares is urging the troops to defend. (Before line **26**) *Żymirski* – general in command of the grenadiers; he opposed the uprising and put those troops that remained with him at the disposition of Constantine. **26.** *zaścielę*, from *zaścielić*, to cover. **28.** *rozłączać się* – to separate, to take leave of. **29.** *oszołomiony*, from *oszołomić* – to stun, benumb, overwhelm. **30.** *Niki*, plur. of Nike – winged goddess of victory. (Before line **32**) *Wysocki, Piotr* – (1799–1875) lieutenant, organizer of the Uprising and instructor at the Cadet school. **33.** *jużeś pierwsze zwycięstwo wziął* – Wysocki while leading his cadets to the center of the city, met and overpowered several Russian units. **36.** *wyssać* – to suck out. (Before line **37**) *podchorąży* – cadet. **40.** *zaślepienie* – daze, blindness. **42.** *córy moje skrzydlate* – scil. the Nikes. **44.** *zwarty*-closed. **45.** *jeden tylko* – that is Czechowski. **48.** *korzystać* – to utilize, avail oneself. **50.** *huf, hufiec* – detachment. **53.** *co tchu lećcie* – run as fast as you can; *tłumom rozdajcie bronie* – arms actually were distributed to the population. (After line **55**) *Goszczyński*, Seweryn-poet and political leader who took part in the capture of Belweder; *Belwederczycy*-insurgents who captured the Belweder. **56.** *zasię, zaś* – but, indeed. **57.** *działać* – to act. **58.** *zezwolić* – to permit. **60.** *dobędę*, from *dobyć, zdobyć* – to capture, seize. **61.** *dla Księcia* – refers to the Grand Duke Constantine; *zamknę miasto* – I will shut him out of the city. **64.** *gdzie się będzie cieszył niewiastą* – refers to the wife of Grand Duke Constantine; her maiden name was Joanna Grudzińska and she had the title of Princess of Łowicz. (After line **65**) *Stanisław Potocki* – general, fought in the Kościuszko Insurrection, aide de camp of Prince Joseph Poniatowski in the Duchy of Warsaw, was killed by the insurgents because of his opposition to the Uprising. **66.** *dostojny* – prominent, of high rank. **75.** *ujmować* – to detract; *walor*-worth, value. **76.** *wzór* – model. **78.** *awanturnik* – adventurer, rioter. (In line **78**) *Nabielak*, Ludwik (1804–1883), writer, patriot, one of the leaders of the Insurrection. **78.** *w łeb kulką* – send a bullet through his head. **82.** *laur* – laurel; *podział* – division, distribution (Before line **84**) *zadumany* – lost in thought. **87.** *wprzek* = *wpoprzek* – athwart. **89.** *przelewać krew* – to shed one's blood. **90.** *marnie* – here, uselessly. **95.** *przesilać się* – to undergo a crucial test, crisis; *zasępiony* – gloomy. **96.** *zapamiętać się* – to be beside oneself, loose one's mind, (Before line **97**) *Zaliwski, Józef* (1797–1855) – another leader of the Insurrection, who later organized an abortive uprising in 1833; *na czele* – at the head. **97.**

niech kule biją, a curse – blast it; *komenderować* – to give the command. **98.** *formuj front*, from *formować* – to form, fall in (Before line **100**) *wskazując*, from *wskazywać* – to indicate, point at. **102.** *prezentuj broń* – present arms! **103.** *uchwyć za broń*, from *uchwycić* – to gasp – take arms!; *baczność!* – attention! (Before line **105**) *usłuchać* – to obey. **105.** *milcz!* – silence! **109.** *zdejmij broń*, from *zdjąć* – to take off, down. **110.** *zmierz się! cel!*, from *zmierzyć się* – to take aim. **111.** *pal!* – fire! (After line **113**) *ugodzony*, from *ugodzić* – to hit; according to Mochnacki (*Powstanie narodu polskiego* I, 11) Potocki was killed later by a detachment of Polish grenadiers.

Stefan Żeromski (1864–1925)

One of the characteristic features of this period is the equal development and high level of lyric poetry as well as of the drama and the novel. Stefan Żeromski appears as the leading representative of this generation in the sphere of the novel. In his first short stories—*Opowiadania* (Tales, 1895), *Rozdzióbią nas kruki, wrony* (Ravens, Crows Will Tear Us to Pieces, 1896), *Utwory powieściowe* (Long Short Stories, 1898)—we encounter above all the world of social evil, an evil whose source lies in the very social system and hence is inseparably connected with it. Żeromski exposes this evil with a passion and near cruelty unprecedented in Polish literature; his style is permeated with lyricism, open or concealed under the guise of irony, sarcasm, or cold objectivism in the choice and presentation of his material. These characteristics were manifested in an even more intensified form in a masterpiece of his first period, *Ludzie bezdomni* (Homeless People, 1900; see below). Whatever the problems presented in his later novels (and these are manifold), their artistic expression possessed more or less the same character, looseness of structure, and lyrical expansiveness, a style which is an unusual combination of epic minuteness with a deep emotional current, and which embraces spheres hitherto accessible only to the grandest poetry. This also applies to Żeromski's second masterpiece, *Popioły* (Ashes, 1904), a historical novel from the time of Napoleon, and partly to *Wierna rzeka* (The Faithful River, 1913), a novel from the time of the Rising of 1863. His most comparatively serene novel is *Syzyfowe prace* (Sisyphean Labors, 1898), which presents the Russification of Polish youth. His gloomiest is *Dzieje Grzechu* (History of a Sin, 1908). Some of his works are written in beautiful poetic prose: the tale on *Walgierz Udały* (Walter the Goodly Wight, 1906), *Duma o hetmanie* (Lay of the Leader, 1908). Żeromski also wrote several dramatic works, among which *Uciekła mi przepióreczka w proso* (The Quail Fled from Me into the Millet, 1924) is astonishing by its feeling for the stage and its compact dramatic structure.

"COKOLWIEK SIĘ ZDARZY – NIECH UDERZA WE MNIE..."

Sofokles *Edyp król*

Na łóżku, oznaczonem liczbą 24, w najbardziej ciemnym kącie sali, leżał od kilku miesięcy trzydziestoletni może parobek folwarczny. Nad wezgłowiem łóżka kołatała za każdem poruszeniem się chorego czarna, drewniana tablica z napisem: *caries tuberculosa...* Amputowano
5 biedakowi nogę powyżej kolana, wskutek suchotniczego gnicia kości. Chłop był bezrolny, kartoflarz, z kartoflarzów pochodził. Miał we dworze służbę, ożenił się był przed trzema laty, chłopaka o konopiastej czuprynie się dochował, – aż oto, ni z tego, ni z owego, zabolała go noga w kolanie i pootwierały się ranki. Dał dobry człowiek furmankę
10 do miasta i odstawiono chudziaka na koszt gminy do szpitala.

Tamto jeszcze pamiętał dobrze, jak jedzie w odwieczerze jesienne

z kobieciną swoją w paradnym wasągu z półkoszkami, jak se popłakują oboje ze strachu i żałości – i co se zapłaczą, to przegryzą jajkiem ugotowanem na twardo, – a potem to już tylko jakaś niez-
15 mierna szarzyzna, niby mgła, nie mgła...

Dnie szpitalne bez różnicy, bez odmiany, znikły mu z pamięci, tworząc jakby niezgłębioną wyrwę w życiu, – tylko smutek nieodmienny przez ciąg tylu miesięcy przygniatał mu duszę z taką nieubłagalną i brutalną siłą, z jaką płyta kamienna przygniata mogiłę.
20 Przez tę mgłę pamięta półjasno dziwne dziwy, jakie z nim wyrabiano: kąpanie, głodzenie, zapuszczanie w rany drucików aż do kości, – potem operację, jak niosą go na salę, między panów, ubranych w fartuchy, krwią zbroczone – i to dziwne, nieustraszone męstwo pamięta, jakie go podparło tej godziny, niby ręka miłosierdzia.
25 Przed operacją, patrząc na szereg zjawisk, budzących wstręt, – snuł i on z głębi prostej swej duszy nić rozmyślań, jakie snuć uczy ta największa na ziemi mistrzyni: – wspólna sala w szpitalu. Po operacji wszystko zasłoniło znużenie śmiertelne i niechęć. Zimno mu było ciągle, a około południa i nad wieczorem zaczynało w czaszce coś
30 ciążyć, niby kula kamienna, i szły od kuli do nóg strumienie mrozu. Od palców znowu zdrowej nogi ciągnęły ku czaszce fale rozmarzającego ciepła. Myśli, jak kropelki żywego srebra, chyżo zlatywały w jakiś kącik mózgu, i podczas gdy leżał skurczony w kałuży potu, podczas gdy powieki opadały same – nie na sen, lecz na bezwładność, –
35 napastowały go dziwaczne, półsenne widziadła.

Oto znikało wszystko i zostawała tylko szara, nieujęta, przesycona zapachem chloroformu przestrzeń, napół rozświetlona przez znikome i rozproszone światło, podobna do wnętrza niezmiernego ostrokręga, jaki się tuż zaczyna i jak lej bez miary leży na ziemi. Tam, w niesły-
40 chanej oddali, gdzie się zwęża wierzchołek, istnieje biała plamka świetlista: tamtędy się wychodzi... Idzie do tej szczelinki dniem i nocą po nieskończonej linji spiralnej, obiegającej wewnętrzną powierzchnię lejka, idzie przez mus, przez wysiłek, jak ślimak, choć się zrywa w nim coś, jak kwiczoł, zaczepiony nogą w sidle, choć trzepocą w nim niby
45 skrzydła ptasie. I nie może podlecieć wyżej, jak na długość sidła i ciągle spada, a spada... Wie, co z onej szczelinki widać. Tylko nogą stąpić – miedza idzie na niwce pod lasem, gdzie były jego własne cztery zagony kartofli. I śni mu się, podczas gdy się wyrywa mechanicznie ze swej prózni, – czas kopania. Cicho tam pod lasem, jest
50 jesienna przejrzystość przestrzeni, co zbliża z odległości przedmioty i daje je widzieć wyraźnie. We dwoje z kobieciną kopią piękne, jak kocie łby, ziemniaki. Na wzgóreczku, na ścierni, pastusi zebrali się w gromadkę, workami się pookręcali, poskurczali bose nogi, jałowcu

suchego nanieśli, zapalili ognisko i wygrzebują patykami z popiołu
55 pieczone kartofle. Dym w powietrzu pachnie, jałowcowy, wonny...
Gdy bywał zdrowszy, trzeźwiejszy, gdy go nie tak dokuczliwie męczyła gorączka, wpadał w bojaźń, w trwogę przeraźliwą zdruzgotanych i zamęczonych. Jestestwo chłopa skupiało się pod jej uciskiem w wielkość tak małą, jak ziarnko szaleju, i zlatywało, gnane przez
60 nagłe przesądy, przez jakieś dźwięki przeraźliwe, roztrącając się o gzemsy próżni bezdennej.

Nareszcie zaczęła się goić rana na nodze i gorączka ustąpiła. Dusza biedaka powróciła, jakby z tamtego świata do pierwotnego jej stanu, do rozmyślań nad tem, co przesuwało się przed jego oczyma.
65 Lecz jakże się zmienił rdzeń tych rozmyślań! Dawniej była to litość, wyrastająca ze wstrętu, – teraz była to nienawiść skaleczonego zwierzęcia, gwałtowne pragnienie odwetu, wściekłość, obejmująca drapieżnym uściskiem zarówno tych nieszczęśliwych, którzy leżą obok, jak i tych, co go okaleczyli. Co więcej zrodziło się i trwało, nie ustając
70 w jego sercu, niby skowyczenie, z którem w zapamiętałym pościgu biegły jego myśli, doszukując się tej mocy, co nań wyrok wyda.

Ten stan nękania samego siebie trwał długo i wzmogło się rozjątrzenie duszy.

Aż oto pewnego razu zauważył, że zdrowa noga drętwieje mu i
75 puchnie w kostce. Gdy chirurg naczelny odbywał codzienną wizytę poranną, chłop zwierzył mu się ze swą obawą.

Lekarz badał jego wyschnięte, zwiędłe ciało, przeciął nieznacznie nabrzmienie, zobaczył, że sonda sięga do kości, strzepnął palcami i spojrzał ze smutkiem zagadkowym w oczy parobka.

80 – Źle, bracie, z tobą! Trzebaby drugą nogę... uważasz także... tego. A tyś kiepski. Leż sobie tu, tu ci będzie lepiej, niż w chałupie, jeść ci dadzą...

I odszedł w towarzystwie asystentów. Od drzwi powrócił jeszcze na chwilę, nachylił się nad chorym i nieznacznie, aby nikt nie widział,
85 przesunął pieszczotliwie ręką po jego głowie.

Chłopa zamroczyło, jakby go znienacka bijakiem cepów ugodzono w ciemię. Zamknął oczy i leżał długo, – aż nastała w nim cisza nieznana.

Jest w duszy ludzkiej kryjówka zaczarowana, na siedm zamków
90 zamknięta, a nie otwiera jej nikt i nic, tylko wytrych złodziejski mściwego nieszczęścia.

Sofokles nazwal kryjówkę tę po imieniu przez usta oślepiającego się Edypa... A kryje się w niej dziwna rozkosz, słodka konieczność, największa mądrość.

95 Cicho leżał chłopowina ubogi na swym tapczanie i szedł po duszy

jego jakby Chrystus po bałwanach wzburzonych morza, uśmierzając burzę...

Odtąd przez długie noce, przez dnie plugawe patrzył na wszystko jakby z niezmierzonego oddalenia, z dobrego miejsca, gdzie jest 100 cicho i niewymownie dobrze, skąd wszystko wydaje się małe, trochę zabawne i głupiutkie, lecz godne miłości.

– A niech-ta, niech-ta, – szeptał do siebie, – niech-ta Pan Jezus da ludziom... Nie bój się! i mnie ta niezgorzej przecie...

From LUDZIE BEZDOMNI

The homeless people in this novel are Polish leaders, fighters for a new Poland and a new world of social justice. They are represented in the novel by the physician Tomasz Judym, the son of a Warsaw cobbler. He is a psychological type hitherto unknown in Polish literature. His basic characteristic is a feeling of social evil, of the suffering and misery of the underprivileged, so strong that it conceals from him all the joy and beauty of life. Though Judym feels the charms of life and longs for them, he must renounce them, he must remain "homeless," without house, family, or personal happiness. He is guided by a categorical imperative of struggle against evil, an uncompromising and ceaseless struggle.

The novel presents the history of Judym against the background of various manifestations of social evil, from the indifference, selfishness, or outright criminality of upper classes to desperate misery and degradation of the lower classes. The latter in particular have been depicted here with a power of expression unprecedented in Polish literature. Judym starts out with a normal medical practice, but he cannot be reconciled to the hostile attitude toward the physician's social duties prevailing among his colleagues. He takes a post in a sanatorium, but there he cannot stand certain practices of the management directed against the health of the local population. Finally he settles down in a mining district to devote himself to work among miners. These events gradually reveal the hero's psychology and the changes taking place within it. At the same time they prepare the ground for the catastrophic rupture with the woman he loves. The structure of the novel seems loose; nevertheless, its parts (with the exception of certain episodes) are linked by the revelation to Judym of his own self and the world. The characteristics of Żeromski's style are manifested here in all their maturity.

[From the chapter "W POCIE CZOŁA"]

Minąwszy ogród i plac za Żelazną Bramą, [Judym] był u siebie i przywitał najściślejszą ojczyznę swoją. Wąskiemi przejściami, pośród kramów, straganów i sklepików wszedł na Krochmalną. Żar słoneczny zalewał ten rynsztok w kształcie ulicy. Z wąskiej szyi 5 między Ciepłą i placem wydzielał się fetor jak z cmentarza. Po dawnemu roiło się tam mrowisko żydowskie. Jak dawniej siedziała na trotuarze stara, schorzała Żydówka sprzedająca gotowany bób, fasolę, groch i ziarna dyni. Tu i ówdzie włóczyli się roznosiciele wody sodowej z naczyniami u boku i szklankami w rękach. Sam widok

10 takiej szklanki oblepionej zaschłym syropem, którą brudny nędzarz trzyma w ręce, mógł wywołać torsje. Jedna z roznosicielek wody stała pod murem. Była prawie do naga obdarta. Twarz miała zżółkłą i martwą. Czekała w słońcu, bo ludzie, tamtędy idący, najbardziej mogli być spragnieni. W ręce trzymała dwie butelki z czerwoną 15 cieczą, prawdopodobnie z jakimś sokiem. Siwe jej wargi coś szeptały. Może słowa zachęty do picia, może imię Jego, Adonai, który nie może być przez śmiertelnych nazwany, może w nędzy i brudzie jak robak wylęgłe – przekleństwo na słońce i na życie...

Z prawej i lewej strony stały otworem sklepiki, instytucje kończące 20 się niedaleko od proga – jak szuflady wyklejone papierem. Na drewnianych półkach leżało w takim magazynie za jakie trzy ruble papierosów, a bliżej drzwi nęciły przechodnia gotowane jaja, wędzone śledzie, czekolada w tabliczkach i w ponętnej formie cukierków krajanki sera, biała marchew, czosnek, cebula, ciastka, rzodkiew 25 groch w strączkach, kubły z koszernemi serdelkami i słoje z sokiem malinowym do wody.

W każdym z takich sklepów czerniała na podłodze kupa błota, która nawet w upale zachowuje właściwą jej przyjemną wilgotność. Po tym gnoju pełzały dzieci okryte brudnemi łachmany i same brudne 30 nad wyraz. Każda taka jama była siedliskiem kilku osób, które pędziły tam żywot na szwargotaniu i próżniactwie. W głębi siedział zazwyczaj jakiś ojciec rodziny, zielonkowaty melancholik, który od świtu do nocy nie rusza się z miejsca i patrząc w ulicę trawi czas na marzeniu o szwindlach.

35 O krok dalej roztwarte okna dawały widzieć wnętrza pracowni, gdzie pod niskiemi sufitami skracają swój żywot schyleni mężczyźni albo zgięte kobiety. Tu widać było warsztat szewski, ciemną pieczarę, z której wywalał się smród namacalny, a zaraz obok fabrykę peruk, jakich używają pobożne Żydówki. Było takich zakładów fryzjerskich 40 kilkanaście z rzędu. Blade, żółte, obumarłe dziewczyny, same nie czesane, ani myte, pracowicie rozdzielały kłaki... Z dziedzińców, drzwi, nawet ze starych dachów krytych blachą lub cegłą, gdzie szeregiem tkwiły okna facjatek, wychylały się twarze chore, chude, długonose, zielone, moręgowate i patrzały oczy krwawe, ciekące 45 albo zobojętniałe na wszystko w niedoli, oczy, które w smutku wiecznym śnią o śmierci. Przy pewnej bramie Judyn zetknął się z kupcową, dźwigającą na obu rękach ciężkie kosze z jarzyną. Była całkiem rozmamana. Perukę zsunęła w tył niby kaszkiet, i ogolone jej ciemię bieliło się jak łysina starca. Wypukłe oczy patrzały przed 50 siebie z wyrazem męczarni, która przeistoczyła się w spokój – bez żadnego życia, jakby były skorupami jaj, w nabrzmiałych wenach

czoła i szyi krew zdawała się głośno stukać. Na progu jednego ze sklepów siedział stary, zgarbiony Żyd tragarz. Zostawił wśród ulicy dwie szafy związane sznurem, które aż do tego miejsca przydźwigał
55 na plecach, i jadł surowy ogórek, zagryzając ten obiad kawałkiem chleba...

[W FABRYCE CYGAR]

...Na pierwszem piętrze ukazała się duża sala, formalnie wypełniona przez tłum kobiet złożony z jakich stu osób, pochylonych nad długiemi a wąskiemi stołami. Kobiety te, rozebrane w sposób jak najbardziej niepretensjonalny, zwijały cygara prędkiemi ruchami,
5 które na pierwszy rzut oka czyniły wrażenie jakichś kurczów bolesnych. Jedne z nich schylały głowy i trzęsły ramionami jak kucharki, wałkujące ciasto. Te zajęte były zwijaniem grubo siekanego tytoniu w liście, które poprzednio zostały szybko a misternie przykrojone. Inne kładły zwinięte cygara w prasy drewniane. Duszące
10 powietrze, pełne smrodu ciał, pracujących w upale, w miejscu niskiem i ciasnem, przeładowane pyłem startego tytoniu, zdawało się rozdzierać tkanki, żarło gardziel i oczy. Za pierwszą salą widać było drugą, daleko obszerniejszą, gdzie w ten sam sposób pracowało co najmniej trzysta kobiet. Przewodnik nie pozwolił Judymowi zatrzy-
15 mywać się w tem miejscu i poprowadził go dalej przez wąskie schody i sionki, obok maszyn, suszących liście, obok młyna, mielącego tabakę, i sieczkarni, krającej różne rodzaje tytoniu – do izb, gdzie pakowano towar gotowy. Wrzała tam szalona praca. Przechodząc, Judym zauważył dziewczynę, która paczki cygar oklejała banderolą.
20 Szybkość ruchów jej rąk wprawiła go w zdumienie. Zdawało mu się, że robotnica wyciąga ze stołu nieprzerwaną tasiemkę białą i mota ją sobie na palce. Z rąk leciały do kosza pod stołem gotowe paczki tak szybko, jakby je wyrzucała maszyna. Ażeby zrozumieć sens jej czynności, trzeba było wpatrywać się usilnie i badać, gdzie jest
25 początek oklejenia każdej torebki.

Za tą salą otwierała się izba przyćmiona, gdzie, według słów przewodnika, pracowała bratowa Judyma. Okna tej izby zastawione były siatkami z drutu, których gęste oka przysypane rudym prochem miejscowym puszczały mało światła, ale natomiast powstrzymywały
30 od emigracji miazmaty wewnętrzne. Leżały tam w kątach sąsieki grubo krajanego tytoniu. W środku sali było kilka warsztatów, na których towar pakowano. Z każdego stołu wybiegała zakrzywiona rurka, a z niej strzelał poziomo z sykiem długi język płonącego gazu. Dokoła każdego stołu zajęte były cztery osoby. Przy pierwszym Judym
35 zobaczył swoją bratową. Miejsce jej było w rogu, tuż obok płomyka

gazowego. Z drugiej strony stał, a raczej kołysał się na nogach, wysoki człowiek o twarzy i cerze trupa. Dalej, w drugim końcu, siedział stary Żyd w czapce, zsuniętej na oczy tak nisko, że widać było tylko jego długą brodę i zaklęsłe usta. W sąsiedztwie Judymowej po lewej stronie
40 stała dziewczyna, która nieustannie brała z kupy garść grubego tytoniu, rzucała ją w szalę, a odważywszy ćwierć funta, podawała człowiekowi, kołyszącemu się na nogach. Doktor wstrzymał się przy drzwiach i stał tam długo, usiłując znowu zrozumieć manipulacje tej czwórki. Był to widok ludzi miotających się jak gdyby w drgawkach,
45 w konwulsyjnych rzutach, a jednak pełen nieprzerwanej symetrji, metody i rytmu...

* * * * * *

Pracownicy jednego stołu ładowali w ciągu doby roboczej tysiąc funtów tytoniu w ćwierćfuntowe paczki. To znaczy, że dostarczali ich cztery tysiące. Na zapakowanie jednej tracili nie więcej czasu jak
50 dziesięć sekund. Były to zgodne ruchy, nagłe a niestrudzone rzuty rąk, jak błysk światła lecące zawsze do pewnego punktu, skąd odskakiwały niby sprężyste ciała. Judym widział tam jak na dłoni to, co chłopi zowią "sposobem": *usus*, wypróbowany w krwawym trudzie szereg środków cudacznych, które stanowią najkrótszą, najłatwiejszą a
55 niezbędną do przebycia linję między dwoma końcowemi punktami pracy. Przypomniały mu się własne "sposoby" w klinice, na sali operacyjnej, i tem głębiej zanurzyły jego uwagę w trud istot, które miał przed sobą. W głębi izby stał stół zupełnie podobny do pierwszego z brzegu, a obok płomyka robiła kobieta w czerwonej chustce na
60 głowie. Szmata zupełnie okrywała jej włosy. Widać było z pod niej duże wypukłe czoło. Żyły skroni i szyi były nabrzmiałe. Zamknięte oczy po każdym małpim ruchu głowy otwierały się, gdy trzeba było przylepić lakiem rożek papieru. Wtedy te oczy, spoglądając na płomyk gazowy, błyskały jednostajnie. Twarz kobiety była wyciąg-
65 nięta i ziemista, jak wszystkie w tej fabryce. Na spalonych, brzydkich, żydowskich wargach co pewien czas łkał milczący uśmiech, w którym zapewne skupiło się i w który z musu zwyrodniało westchnienie zaklęsłej, wiecznie łaknącej powietrza, suchotniczej piersi. Błysk pracowitych oczu i ten uśmiech wraz całą czynnością przypominały
70 szalony ruch koła maszyny, na którego obwodzie coś w pewnem miejscu migota jak płomyczek świecący...

[W STALOWNI]

Obok potężnego kowala stał bokiem odwrócony człowiek młody, lat może dwudziestu ośmiu, z twarzą tak piękną, że Judym ujrzawszy

ją, stanął jak wryty. Były to ostre rysy chudej twarzy, regularne i jakby wyrzeźbione z kości. Górną wargę ocieniał mały, czarny wąsik.
5 Człowiek ten był prawie szczupły, tylko jakoś przedziwnie kształtny. Ruchy miał nie szybkie, lecz pewne swego celu, nieodzowne i harmonijne.

– Czyż to także kowal? – szepnął Judym. – W porównaniu z Herkulesem wygląda jak chrabąszcz.

10 – Ej, tak źle nie jest... – uśmiechnął się przewodnik. Wrótce potem chudy robotnik, gdy kolej na niego przyszła, dźwignął swój młot i zaczął uderzać. Wtedy dopiero Judym zobaczył. Młot obiegał krąg rozsunięty i trzaskał w żelazo z ogłuszającą potęgą. Nagie ręce wyrzucały go w prawo i w tył i zadawały sztabie cios z boku a od
15 samej ziemi poczęty. Korpus ciała stał prosto, jakby w tej czynności nie brał udziału. Tylko biodra wzdrygały się pewnym minimalnym ruchem, który ukazywał stopień samej siły, i mięśnie łopatek naciągały koszulę. Snopy iskier wyfruwały z pod młota w kształcie gwiazd błękitnych i złotych. Otaczały wspaniałą figurę rycerza jakby aureolą,
20 należną wielkiej mocy i cudownej piękności. Po ostatniem uderzeniu młody kowal usunął się w kąt hali melodyjnym ruchem, wsparł ręce na toporzysku i świstał przez zęby. Krople potu stały na jego czole i płynęły strugami z usmolonej twarzy...

[From the chapter "SMUTEK"]

Piątego października doktór Judym wyszedł na spacer w Aleje Ujazdowskie. Był to dzień piękny. Słońce rozlewało ciepło łagodne i blask jeszcze jasny, ale już odchodzący za dziewiątą górę, za dziesiątą rzekę. Szereg drzew Alei, których widok tak dużo wspomnień
5 nasuwał, okrył się już rdzą czerniejącą. W dali, z pomiędzy koron kulistych jeszcze, wysuwały się gałęzie bez liści, jak smutny jakiś drogowskaz. Ze szczytów sączyły się barwy trupie, zgniłe, czerwonorude i coraj niżej wsiąkało w ciemną zieloność jasnożołte zniszczenie. Tu liść jeszcze żywy otoczył płomień śmierci jakby obwódką dziwnej
10 żałoby, gdzie indziej strawił go do rdzenia, pozostawiając tylko prążki zielone. Błękit niebieski rozciągniony nad tą wąską smugą przestrzeni był już nikły, zasnuty przędziwem chmurek zwianych i płynących wiotkiemi pasmami w dal niedościgłą dla oka.

Doktór minął bramę i wolno schodził w głąb parku. Ogromne
15 liście klonów płynęły z drzew i migały przed oczyma nad ziemią to tu, to tam, jak złote ptaki. Liście orzechów włoskich i drzew octowych plamiły zieloność trawników niby krew rozlana i skrzepła. Na dnie pustego parku, w cieniu sokór królewskich niedostępnym dla słońca,

spoczywał i wyciągał się mrok chłodny. Daleko, w przecięciach
20 szpalerowych, oświetlone czuby żółtych kasztanów buchały płomieniami, jak jęzory żywego ognia. Wszędzie stał rozlany w chłodnem powietrzu miły, ostry zapach liści zwiędłych.

Unikając miejsc ludnych, Judym szedł dawną aleją na koniec parku. Rosły tam najściglejsze, prawdziwie niebotyczne topole,
25 szeleszczące jeszcze twardemi liśćmi; cicho szumiały srebne, długowłose wierzby, co patrzą w obumarłe wody kanałów – i świerki, jak posępne mnichy w czarnych habitach, zamykające odległe widoki, marzyły w samotności. Powiew śmiertelny obszedł już wokoło te drzewa i na straży postawił wylękłą ciszę.

30 Dalekie głębie wydawały kiedy niekiedy szmer prędko gasnący, który i człowieka zmuszał do cichego westchnienia.

Gdy w pewnej chwili rozległ się gwar i śmiech dziecięcy, wydał się czemś dziwnem i rażącem wśród surowego szeptu, który mówi o śmierci...

* * * * * *

35 W którąkolwiek stronę rzuciła się dusza młodego lekarza, wszędzie uderzała w jakąś siłę zdradziecką podobnie jak pływak, z męską mocą wyrzucający ramiona wśród wodnej przestrzeni, zajęty zwalczaniem tylko jej słabego oporu, gdy się znagła uderzy piersiami o pal nieznany. Judym uczuł pierwszy raz w życiu, że pal mocniejszy
40 jest, niż piersi ludzkie. I pierwszy raz zastanowił się nad tem, że można pływać tylko po wiadomej, przez wszystkich sprawdzonej toni. Z cichego szelestu liści płynęło do jego serca rozumienie, że się na świecie nie jest niczem osobliwem, że się będzie jednym z wielkiego szeregu. Był to jakby bezwiedny rachunek z samym sobą, zbieranie
45 do kupy rzeczy już zdobytych, dla sporządzenia skrzętnego ich rejestru. Wypadało z tych obliczeń, że to, co już zostało zdobyte, to jest los bardzo wielki. Ale zarazem nie ginął jeszcze z oczu przestwór dawny, owszem, roztwierał się daleki, nieobeszły... To, co chce uczynić, co mógłby, za co życie swe gotów jest położyć człowiek
50 nowoczesny, doktór Judym widział w głębi swego serca. I czuł, że od tych prac musi cofnąć ręce.

Wszystko, czem dusza jego żywiła się, tak samo jak ciało chlebem, w czyn się zamienić nie mogło, musiało pozostać sobą, tem samem marzeniem. Ze wszystkich tych zazdrości i pragnień ofiarnego działa-
55 nia na dużem polu, z żarłocznych egoizmów, które się przeistoczyły w czucia nadindywidualne, wolno teraz idących drzemać w przymusową bezsilność, sączył się smutek, jak palące krople trucizny.

Napojone nim serce obejmowało świat, ludzi i rzeczy jakby w minucie pożegnania.

60 Smutek, smutek...

Rozkuwał marzenia z kajdan myśli i przenikał duszę na wskróś, jak noc przenika wodę. Zostawał z człowiekiem sam na sam, niby ulotny a niewątpliwy cień jego postaci. W którąkolwiek stronę, do jakiej rzeczy wzrok było obrócić, wił się po ziemi niedocieczony a 65 wszędzie obecny...

COKOLWIEK SIĘ ZDARZY. **2.** *parobek folwarczny* – farmhand. **3.** *wezgłowie* – bolster, head of the bed; *kołatać się* – to rattle. **5.** *suchotniczy* – consumptive; *gnicie*, from *gnić* – to rot, putrify. **6.** *bezrolny* – landless peasant; *kartoflarz* – a peasant possessing only a potato patch. **7.** *konopiasty* – hempen. **8.** *czupryna* – thatch; *dochować się* – to be blessed with; *ni z tego ni z owego* – without any reason, all of a sudden. **9.** *ranka*, dim. of *rana* – wound; *furmanka* – cart. **10.** *odstawić* – to transport; *chudziak* – poor wretch; *gmina* – village administration, township. **11.** *odwieczerze* – late afternoon. **12.** *paradny* – best, used for special occasions; *wasąg* – basket-carriage; *półkoszyk* – basketwork lining of a wagon; *se*, dial. = *sobie*. **13.** *przegryzać* – to take a bite. **15.** *szarzyzna* – greyness. **17.** *wyrwa* – gap. **18.** *przygniatać* – to press, weigh down; *nieubłagalny* – inexorable. **19.** *płyta* – slab. **21.** *zapuszczać* – to probe; *drucik*, dim. of *drut* – wire. **23.** *zbroczony* – stained. **24.** *podparło*, from *podeprzeć* – to prop up. **26.** *snuć nić* – to spin. **28.** *znużenie* – lassitude. **31.** *rozmarzać* – to make dreamy. **32.** *żywe srebro* – quicksilver; *chyżo* – swiftly, nimbly. **33.** *skurczony* – huddled up; *kałuża* – puddle. **34.** *bezwładność* – inertness, numbness. **35.** *napastować* – to harass, assail; *widziadło* – phantom, vision. **36.** *nieujęty* – vague, indistinct; *przesycony* – saturated. **37.** *znikomy* – feeble. **38.** *rozproszony* – diffused; *ostrokrąg* – cone. **39.** *tuż* – close by; *lej* – funnel. **40.** *zwężać się* – to become narrower. **41.** *szczelinka* – dim. of *szczelina* – fissure, cleft. **43.** *mus* – compulsion, constraint. **44.** *kwiczoł* – thrush; *trzepocą*, from *trzepotać* – to flutter. **46.** *z onej* = *z tej*. **47.** *niwka*, dim. of *niwa* – field. **48.** *zagon* – row, furrow. **49.** *czas kopania (kartofli)* – digging time. **52.** *kocie łby* – cobble stones; *ziemniaki* = *kartofle; wzgóreczek*, dim. of *wzgórek* – hill, hillock; *ścierń* – stubble; *pastusi*, plur. of *pastuch* – cowherd, shepherd. **55.** *jałowcowy*, adj. from *jałowiec* – juniper. **57.** *zdruzgotać* – to shatter. **58.** *zamęczyć* – to torture to death; *jestestwo* – being; *skupiać się* – to concentrate. **59.** *szalej* – hemlock. **60.** *roztrącać się* – to dash against. **61.** *gzems*, *gzyms* – cornice, moulding. **65.** *rdzeń* – core. **67.** *odwet* – revenge, retaliation. **70.** *skowyczenie* – whining; *zapamiętały* – frantic, frenzied. **72.** *nękać* – to torment; *wzmogło się*, from *wzmóc się* – to increase. **73.** *rozjątrzenie* – exasperation, embitterment. **74.** *drętwieć* – to grow numb. **78.** *nabrzmienie* – swelling; *sonda* – probe; *strzepnąć* – to flip. **80.** *także... tego* – also... you know. **81.** *kiepski* – in bad shape. **86.** *zamroczyło (go)* – everything turned black before his eyes; *znienacka* – unexpectedly, suddenly; *bijak* – beater; *cep* – flail; *ugodzić* – to hit. **87.** *ciemię* – top of the head. **89.** *kryjówka* – hiding place, recess. **90.** *wytrych* – pick-lock. **95.** *chłopowina* – dim. of *chłop; tapczan* – couch. **95.** *uśmierzać* – to appease, soothe. **98.** *plugawy* – dirty, foul. **101.** *głupiutki* – dim. of *głupi*. **102.** *niech ta*, dial. – let it be so. **103.** *nie bój się* – never mind; *niezgorzej* – not so bad.

LUDZIE BEZDOMNI. **1.** *plac*, Ger. *Platz* – square; *Żelazna Brama* – a market place in Warsaw so called because of an "Iron Gate" which stood there formerly. **2.** *najściślejszą = najbliższą;* Judym was born in this part of the city. **3.** *kram* – booth; *stragan* – stall; *Krochmalna* (*ulica*) – a street in the Jewish section of Warsaw. **4.** *rynsztok*, Ger. *Rinnstock* – gutter. **5.** *Ciepła* (*ulica*) – another street in the same part of Warsaw; *fetor* – stench. **6.** *mrowisko*, from *mrówka*, ant – anthill. **7.** *trotuar*, French *trottoire* – sidewalk; *schorzała = schorowana* – ailing; *bób* – lima bean. **8.** *fasola* – bean; *groch* – pea; *ziarna dyni* – pumpkin seeds; *roznosiciel*, from *roznosić* – pedlar. **10.** *oblepiony* – crusted; *zaschły*, from *zaschnąć* – to dry up. **11.** *torsje = wymioty* – vomit. **12.** *do naga* – to the point of nakedness (bare to the skin); *obdarty* – tattered. **14.** *spragniony*, from *pragnąć, pragnienie* – thirsty. **15.** *ciecz*, from *ciec, cieknąć* – fluid, liquid; *siwy = siny* – grey, bluish. **16.** *zachęta* – encouragment; *Adonai* – the name of the Lord in Hebrew. **18.** *wylęgły*, from *wylęgać* – to breed, spawn. **20.** *szuflada* – drawer; *wyklejone*, from *wyklejać* – to line. **21.** *półka* – shelf. **22.** *nęciły*, from *nęcić* – to tempt, attract; *wędzone śledzie* – smoked herrings. **23.** *czekolada w tabliczkach* – chocolate bars; *cukierki* – candy. **24.** *krajanki sera* – sliced cheese; *marchew* – carrot; *czosnek* – garlic; *cebula* – onion; *ciastka* – cookies; *rzodkiew* – radish. **25.** *groch w strączkach* – unshelled peas; *kubeł* – bucket; *serdelek* – kind of small sausage; *sok malinowy* – raspberry syrup; **27.** *kupa błota* – heap of mud. **28.** *wilgotność* – humidity, moisture, **29.** *gnój* – dung; *pełzać* – to crawl; *łachmany*, older instr. for *łachmanami* – rags. **30.** *nad wyraz* – beyond description, exceedingly; *jama* – pit, hole; *siedlisko = siedziba* – abode, dwelling. **31.** *pędzić żywot* – to lead a life; *szwargotanie*, from *szwargotać* – to jabber. **32.** *zielonkowaty* – greenish. **34.** *szwindel*, plur. *szwindle*, Ger. *Schwindel* – swindle, cheat. **36.** *schylony* – stooped. **37.** *zgięty* – bent; *warsztat*, Ger. *Werkstätte* – workshop; *pieczara* – cavern, den. **38.** *wywalał się*, from *wywalać się* – to roll out, belch forth; *smród namacalny* – palpable stench; *peruka*, French *perruque* – wig. **39.** *zakłady fryzjerskie* – hairdresser shops. **40.** *obumarły* – half-dead; *nie czesane* – uncombed. **41.** *rozdzielać* – to divide, separate; *kłaki*, plur. of *kłak* – matted tuft; *dziedziniec = podwórze* – yard. **42.** *blacha*, Ger. *Blech* – tin; *cegła* – brick. **43.** *facjatka* – attic. **44.** *moręgowaty* or *morągowaty = pręgowaty, pasiasty* – striped, welted. **47.** *jarzyna* – vegetables. **48.** *rozmamana* – slang: bare-breasted, slatternly; *kaszkiet* – peaked cap. **49.** *ciemię* – the top of the head; *wypukły* – protuberant. **50.** *męczarnia* – torment, torture; *przeistoczyć się* – to be transformed. **51.** *skorupa* – shell; *nabrzmiały* – swollen; *wena = żyła* – vein. **53.** *tragarz*, Ger. *Träger* – porter; *wśród ulicy = na środku ulicy* **54.** *przydźwigać* – to haul over.

W FABRYCE CYGAR. **1.** *formalnie = zupełnie, całkowicie.* **4.** *zwijać* – to roll. **5.** *na pierwszy rzut oka* – at first glance; *kurcz* – cramp. **7.** *wałkujące*, from *wałkować* (*ciasto*) – to roll out (the dough); *grubo siekany tytoń* – coarse cut tobacco. **8.** *przykrojone*, from *przykroić* – to cut, to size. **9.** *prasa* – press; *duszący* – suffocating. **11.** *przeładowany* – overloaded; *pył* – dust; *starty*, from *zetrzeć*, imperf. *ścierać* – to rub, grind. **12.** *tkanka* – tissue; *gardziel = gardło.* **16.** *sionka*, dim. of *sień* – hall, hallway, passage; *mielącego*, from *mielić* – to grind. **17.** *tabaka* – snuff; *sieczkarnia* – chopping-bank. **18.** *wrzała... praca* – seethed with activity. **19.** *oklejać* – to glue, afix; *banderola* – band. **21.** *tasiemka*, dim. of *taśma* – tape; *motać* – to reel, wind. **25.** *torebka*, dim. of *torba* – bag. **26.** *przyćmiona*, from *przyćmić* – to dim; **27.** *bratowa* – sister-in-law. **28.** *siatka z drutu* – wire netting; *oka*, plur. of *oko* – openings; *rudy* – red. **30.** *sąsiek,i* – bay (as in a barn). **32.** *zakrzywiona rurka* – curbed small pipe. **33.** *syk* – hiss. **36.** *kołysać się* – to rock. **37.** *cerze* – loc. sing. of *cera* – complexion. **38.** *zsuniętej*, from *zsunąć* – to draw down. **39.**

zaklęsły, wklęsły – sunken. **41.** *szala* – scalepan; *odważywszy*, from *odważyć* – to weigh. **44.** *miotać się* – to toss, thrash about; *drgawka,i* – spasm, convulsion (comp. *drgać* – to quiver). **47.** *doba robocza* = *dzień roboczy* – workday. **48.** *dostarczać* – to deliver; *niestrudzony* – indefatigable. **50.** *rzut*, from *rzucać* – to cast, thrust. **51.** *odskakiwać* = *odbijać się* – to bounce, rebound. **52.** *sprężyste ciała* – elastic objects; *widzieć jak na dłoni* – idiom. to see clearly, plainly. **53.** *wypróbować* – to test. **54.** *cudaczny* – odd, queer. **55.** *niezbędny do przebycia* – which must be covered. **57.** *zanurzyć* – to plunge, here, to engulf. **59.** *robić* = *pracować; chustka* – kerchief. **60.** *szmata* – rag. **63.** *rożek*, dim. of *róg* – corner. **64.** *wyciągnięty,a* – drawn. **65.** *ziemista* – earth colored. **66.** *łkać* – to sob. **67.** *skupić się* – to concentrate; *z musu* – of necessity; *zwyrodnieć* – to degenerate. **68.** *łaknąć* – to crave; *suchotniczy* – tubercular, phthisic. **70.** *obwód* – rim, periphery. **71.** *migotać* – to twinkle; *płomyczek*, dim. of *płomyk* – flame.

W STALOWNI (*Stalownia* – steel manufacture). **3.** *stanąć jak wryty* – idiom. to stop dead in one's tracks. **4.** *ocieniać* – to shade; *wąsik*, dim. of *wąs* – moustache. **5.** *przedziwnie* – marvelously, incredibly; *kształtny* – well shaped, well proportioned. **6.** *nieodzowny* – indispensible, essential. **9.** *Herkules* – refers to the other smith, cf. line 1; *chrabąszcz* – beetle. **11.** *gdy kolej na niego przyszła* – when it was his turn; *dźwignąć* – to lift. **12.** *krąg rozsunięty* – a wide circle. **13.** *trzaskać* – to crash, bang; *ogłuszający* – deafening. **14.** *sztabie*, scil. *żelaza* – iron bar. **15.** *korpus ciała* – the trunk of (his) body. **16.** *biodro,a* – hip; *wzdrygać się* = *drgać* – to quiver. **17.** *mięsień, mięśnie* – muscle; *łopatka* – shoulder; *naciągnąć* – to stretch, strain. **18.** *snop,y* – sheaf; *wyfruwać* = *wylatywać*. **20.** *należny* – due. **21.** *hala* – hall. **22.** *toporzysko* – thc helve of the hammer (from *topór*); *przez zęby* – through the teeth. **23.** *usmolony*, from *smoła*, pitch – smudged;

"SMUTEK". **1.** *doktór* – pronounciation of *doktor* in central Poland. **3.** *za dziewiątą górę, za dziesiątą rzekę* – the usual fairy tale way of describing long distances. **5.** *nasuwać* – to bring to mind, suggest; *rdza* – rust. **6.** *kulisty* = *wkształcie kuli* – spherical, rounded. **7.** *drogowskaz* – sign post; *sączyć się* – to trickle; *zgniły* – rotten. **8.** *wsiąkać* – to soak in; *zniszczenie* – destruction. **9.** *obwódka* – border. **10.** *strawić* – to consume; *rdzeń* – core. **11.** *prążek, ki* – stalk; *rozciągniony* = *rozciągnięty*, from *rozciągnąć* – to stretch, spread; *smuga* – stripe, streak. **12.** *zasnuć* – to swathe; *przędziwo* – yarn; *zwiany*, from *zwiać*, to blow – windblown. **13.** *wiotki* – wispy; *pasmo* – strand; *niedościgły* – beyond reach. **15.** *klon* – maple; *migać* – to flicker. **16.** *orzech włoski* – walnut tree; *drzewo octowe* – beechwood, birch or oak out of which vinegar (*ocet*) is made by dry distillation. **17.** *skrzepły*, from *skrzepnąć* – to congeal. **18.** *sokora* – black poplar; *niedostępny* – impenetrable. **19.** *przecięcia szpalerowe* – alley crossings. **20.** *czuby* = *wierzchołki* – tops. **21.** *jęzor* = *język*. **22.** *zwiędły* – whithered, dead. **24.** *najściglejszy*, superl. of *ścigły, smukły* – tall and slender; *niebotyczny* = *tykający nieba* – sky-high; *topola* – poplar. **25.** *szeleszczący*, from *szeleścić* – to rustle. **26.** *wierzba* – willow; *świerk* – fir. **27.** *posępny* – gloomy; *mnich* – monk. **28.** *powiew* – breeze. **29.** *na straży*, from *straż* – on guard; *wylękły* – frightened. **32.** *gwar* – sound of voices. **33.** *rażący* – shocking. **36.** *zdradziecki* – treacherous. **38.** *zwalczanie*, from *zwalczać* – to combat, overcome; *znagła* – suddenly. **39.** *pal* – stake. **41.** *sprawdzony*, from *sprawdzać* – to verify, check; *toń* = *głebia* – deep water, depth. **43.** *osobliwy* – unusual, special. **44.** *bezwiedny* – unconscious. **45.** *sporządzenie*, from *sporządzać* – to draw up; *skrzętny* – painstaking, thorough. **46.** *obliczenie* – figuring; calculation. **47.** *przestwór* – vast space, vastness.

48. *nieobeszły* – immeasurable. **49.** *życie położyć* – to give one's life. **51.** *cofnąć* – to withdraw. **53.** *zamienić w czyn* – to carry out. **55.** *żarłoczny* – voracious; *przeistoczyć się* – to be transformed. **56.** *przymusowa bezsilność* – enforced helplessness, impotence. **58.** *napojone*, from *napoić* – here, to imbue. **61.** *rozkuwać* – to unfetter, unchain; *kajdany* – plur. tant. fetters; *nawskróś* – through and through. **63.** *ulotny* – fleeting, fugitive; *niewątpliwy* – indubitable; *w którąkolwiek stronę wzrok było obrócić* – wherever one looked. **64.** *wić się* – to writhe; *niedocieczony* – unfathomable.

Władysław Stanisław Reymont (1868–1925)

Władysław Stanisław Reymont is better known abroad than Żeromski because he was awarded in 1924 the Nobel prize for his novel *Chłopi* (The Peasants, 1904–1909), translated into many foreign languages. As artists, the two writers were quite diffierent. Reymont started with short stories published in the collection *Spotkanie* (Encounter, 1897). These were chiefly "naturalistic" in character. In them he proved to be an excellent connoisseur of peasant psychology (he was himself of partly peasant origin), who did not shrink from baring the sordid side of the contemporary Polish village. In *Śmierć* (Death), he recounts the inhuman treatment of a father by his daughter, who carries the old man in winter to the pig sty to die. *Suka* (The Bitch) contrasts a rich woman who tortures her daughter and a bitch which, injured by a shot, with a last effort saves her puppies. *Tomek Baran* pictures the unhappy lot of a landless peasant.

Reymont's first novel, *Komedjantka* (The Commedienne, 1896), describes the lot of a young woman, member of an itinerant provincial theater. Her story is vividly presented by the "impressionistic" method, that is, by means of colorful patches composed of scenes from the life of provincial actors, their intrigues, jealousies, quarrels, rehearsals, and stage performances, and their attitude to the "bourgeois" environment. A continuation, *Fermenty* (Ferments) appeared in 1897. The same characteristics are to be found in Reymont's longer novel, *Ziemia obiecana* (The Promised Land, 1898). The "Promised Land" is Łódź, largest industrial city of Poland, an immense agglomeration of people of various classes and nationalities, full of glaring social contrasts. Here the impressionistic technique reaches its culmination and its crisis. The piling up of striking, disconnected pictures submerges the tenuous plot and becomes chaotic; nevertheless the picture is impressive through the wealth of accummulated details, splendidly observed human characters, and the sense of bustle and life.

Reymont's masterpiece (*Chłopi*) possesses a different character (see below). In addition he wrote a number of other novels, including the historical novel *Rok* 1794 (The Year 1794, 1913–1918), which presents the last years of the ancient commonwealth.

From CHŁOPI

This novel, composed of four volumes entitled *Autumn*, *Winter*, *Spring*, and *Summer*, is regarded by Polish and foreign critics as a peasant epos, at once the richest and, artistically, the best picture of peasant life in world literature. It possesses a character specifically Polish and at the same time universal, because it presents a social class which exists everywhere. This class is distinguished by strength and endurance, mental balance, the habit of fighting against adversities, practical sense, class consciousness, attachment to tradition, greed for land, and class spirit. Within this general scope are to be found in Reymont's work a great variety of physical and psychological peasant types.

The place of action of *Chłopi* is the large village of Lipce, a self-contained social unit, living a life of its own and having little in common with the outside world. The life of Lipce is closely bound with work on the land and the change of the seasons. The plot, revolving around the love of Antek Boryna and Jagusia, the second wife of Antek's father, results in a number of dramatic conflicts. The affair ends in a way characteristic of peasant morality: Jagusia is expelled from the village as an unfaithful wife; Antek submits to this decree and devotes himself to work on his hereditary farm. The story is developed against the background of a many-sided description of the life of the village, which is presented so minutely and filled with so many independent episodes that it almost covers the plot. In the conception of this tremendous wealth of motifs there is evident a certain stylization of the characters as well as of the environment and events in which the characters take part. This gives rise to very decorative and colorful pictures. The novel is written in a peasant language that most closely resembles the Łowicz dialect; this is used not only in the dialogues but also in the narration and in the descriptive passages. In the latter a tendency to amplification and hyperbolization is manifested. Taken as a whole, *Chłopi* is one of the finest Polish novels, not only of that period, but of the whole literature.

We give excerpts of a description of old Boryna's wedding.

...Słońce się już przetoczyło z południa i prószyło bladem, jesiennem światłem, że ziemia błyszczała jakby oroszona, okna buchały płomieniami, staw lśnił się i migotał, przydrożne rowy połyskiwały wodą jakby szybami – wszystek świat był przesycony
5 światłem dogasającej jesieni i ciepłem ostatniem.

Ogłuchła, niema cisza obtulała rozzłoconą ziemię.

Dzień się dopalał jaskrawo i zwolna przygasał.

Ale w Lipcach huczało jakby na jarmarku.

Jak tylko przedzwonili na nieszpory, muzyka wywaliła się od
10 wójta na drogę.

Najpierwsze szły skrzypki w parze z fletem, a za niemi warczał bębenek z brzękadłami i basy, przystrojone we wstęgi, wesoło podrygiwały.

Za muzyką szły oba dziewosłęby i drużbowie – sześciu ich było.

15 A wszystko chłopaki młode, dorodne, kiej sosny śmigłe, w pasie cienkie, w barach rozrosłe, taneczniki zapamiętałe, pyskacze harde, zabijaki sielne, z drogi nieustępliwe – same rodowe, gospodarskie syny.

Walili środkiem drogi, kupą całą, ramię przy ramieniu – aż ziemia
20 dudniła pod nogami, a tak radośni, weselni i przystrojeni pięknie, że ino w słońcu grały pasiaste portki, czerwone spencerki, pęki wstęg u kapeluszów i, rozpuszczone na wiatr, kiej skrzydła, kapoty białe...

Krzykali ostro, podśpiewywali wesoło, przytupywali siarczyście i szli tak szumno, jakoby się młody bór zerwał i z wichurą leciał...

25 Muzyka grała polskiego, bo zaś ciągnęli od domu do domu zapraszać weselników – gdzie im wynosili gorzałki, gdzie zapraszali do wnętrza, gdzie zaś śpiewaniem odpowiedzieli – a wszędy wychodzili przystrojeni ludzie, przystawali do nich i szli dalej społem, i już wszyscy w jeden głos śpiewali pod oknami druchen:

30 – Wychodź, druchenko, wychodź, Kasieńko,
Na wesele czas –
Będą tam grały, będą śpiewały
Skrzypice i bas –
A kto się nie naje, kto się nie napije...
35 Pójdzie do dom wczas
Oj ta dana, dana, oj ta dana, da!..

Hukali społem i z mocą taką, aż się po wsi rozlegało, aż na pola szły weselne głosy, pod borami śpiewały, we świat leciały szeroki.

Ludzie wychodzili przed domy, do sadów, na płoty, a jaki taki, 40 choć nieweselny, przystawał do nich, by się aby napatrzeć i nasłuchać, że nim doszli, już się prawie cała wieś stłoczyła i okrążała weselników ciżbą, iż coraz wolniej szli, a dzieci chmarą nieprzeliczoną i z wrzaskiem a przyśpiewywaniem, przodem biegły.

Doprowadzili gości do weselnego domu, przegrali im na godne 45 wejście i zawrócili do pana młodego.

A Witek, któren ze wstęgami u spencerka hardo był spólnie z drużbami chodził, skoczył teraz naprzód.

– Gospodarzu, a to muzyka z drużbami wali –! krzyknął w okna i poleciał do Kuby.

50 Rzęsisto zagrali na ganku, a Boryna w ten mig wyszedł, drzwi narozcież wywarł, witał się, a do środka zapraszał, ale wójt z Szymonem ujęli go pod boki i już prosto do Jagny powiedli, bo czas było do kościoła.

Szedł ostro i aż dziw, tak młodo wyglądał; wystrzyżony, doczysta 55 wygolony, przystrojony weselnie – urodny był, jak mało który, a przez to, że mocno w sobie podufały i rozrosły, to i posturę już miał zdala widną i powagę w twarzy niemałą; pośmiewał się wesoło z parobkami, pogadywał, a najczęściej z kowalem, bo mu się wciąż na oczy nawijał.

Godnie go wprowadzili do Dominikowej; naród się rozstąpił, a oni 60 go wiedli do izby szumno, z graniem i przyśpiewkami.

Ale Jagusi nie było, przystrajały ją jeszcze kobiety w komorze mocno zawartej i pilnie strzeżonej, bo parobcy drzwi pchali, to w deskach szparutki czynili i przekomarzali się z druchnami, że ino pisk, śmiechy i babie wrzaski odpowiadały.

65 A matka z synami przyjmowała gości, częstowała gorzałką, usadzała co starsze na ławach i na wszystko oko miała, bo narodu się zwaliło, że i trudno przejść przez izbę, po sieniach stali, w opłotkach nawet. Nie bele jakie to goście, nie. Gospodarze sami, rodowi i co bogatsze, a wszystko krewniacy, powinowaci i kumy Borynów 70 i Paczesi, a drudzy zasie znajomkowie, to i z dalszych wsiów zjechali.

Juści, że ni Kłęba, ni Winciorków, ni tych morgowych biedot nie było, ni tego drobiazgu, co po wyrobkach chodził i zawżdy ze starym Kłębem trzymał...

Nie dla psa kiełbasa, nie dla prosiąt miód!

75 Dopiero w jakie dwa pacierze otwarli drzwi komory, i organiścina z młynarzową wywiedły Jaguś na izbę, a druchny otoczyły ją wiankiem, a tak strojne i urodne wszystkie, że kwiaty to były nie kwiaty, a ona między niemi najśmiglejsza i kieby ta róża najśliczniejsza stojała w pośrodku, a cała w białościach, w aksamitach, w piórach, 80 we wstęgach, w srebrze a złocie – że się widziała niby ten obraz, co go naszają na procesjach, aż przycichło znagła, tak poniemieli i dziwowali się ludzie.

Hej! jak mazury mazurami nie było śliczniejszej!

Wnet drużbowie zrobili rumor i gruchnęli z całych piersi:

85 Rozgłaszaj, skrzypku, rozgłaszaj!
A ty, Jaguś, ojca, matkę przepraszaj –
Rozgłaszaj, flecie, rozgłaszaj!
A ty, Jaguś, siostry, braci przepraszaj!..

Boryna wystąpił, ujął ją za rękę i przyklęknęli, a matka obrazem 90 ich przeżegnała i jęła błogosławić i wodą święconą kropić, aż Jaguś z płaczem padła do nóg macierzy, a potem i drugich podejmowała, przepraszała i żegnała się ze wszystkimi. Brały ją kobiety w ramiona, obejmowały i podawały sobie, aż się popłakali społem, a Józia najrzewliwiej zawodziła, bo się jej matula nieboszczka przypomniała.

95 Wysypali się przed dom, ustawili w porządku należytym i ruszyli pieszo, bo do kościoła było ze staje.

Muzyka szła przodem i rznęła ze wszystkich sił.

A potem Jagnę wiedli drużbowie – szła bujno, uśmiechnięta przez łzy, co jej jeszcze u rzęs wisiały, weselna niby ten kierz kwietny i kiej 100 słońce ciągnąca wszystkich oczy; włosy miała zaplecione nad czołem, w nich koronę wysoką, ze złotych szychów, z pawich oczek i gałązek rozmarynu, a od niej na plecy spływały długie wstążki we wszystkich kolorach i leciały za nią i furkotały kieby ta tęcza; spódnica biała rzęsisto zebrana w pasie, gorset z błękitnego jak niebo aksamitu, 105 wyszyty srebrem, koszula o bufiastych rękawach, a pod szyją bujne krezy, obdziergane modrą nicią, a na szyi całe sznury korali i bursztynów aż do pół piersi opadały.

Za nią druchny prowadziły Macieja.

Jako ten dąb rozrosły następuje w boru po śmigłej sośnie, tak on

110 następował po Jagusi, w biedrach się ino kołysał, a po bokach drogi rozglądał, bo mu się zdało, że Antka w ciżbie uwidział.

A za nimi dopiero szła Dominikowa ze swatami, kowalowie, Józia, młynarzowie, organiścina i co przedniejsi.

Naostatek zaś, całą drogą waliła wieś cała.

115 Słońce już zachodziło, wisiało nad lasami czerwone, ogromne i zalewało całą drogę, staw i domy krwawym brzaskiem, a oni szli w tych łunach wolno, że aż się w oczach mieniło od tych wstążek, piór pawich, kwiatów, czerwonych portek, pomarańczowych wełniaków, chustek, kapot białych – jakoby ten zagon, rozkwitłemi kwiatami 120 pokryty, szedł i pod wiatr zwolna się kołysał – a pośpiewywał, bo druchny raz wraz zawodziły cieniuśkiemi głosami:

A jadą, jadą, wozy kołaczą –
A moja Jaguś, po tobie płaczą...
Hej!
125 A da śpiewają, śpiewają sobie –
A da na smutek, Jagusiu, tobie...
Hej! –

Dominikowa całą drogę popłakiwałą i jak w obraz wpatrywała się w córkę, że nic nie słyszała, co do niej zagadywali.

130 W kościele już Jambroży zapalał świece na ołtarzu.

Ogarnęli się ino w kruchcie, uporządkowali w pary i ruszyli przed ołtarz, bo i ksiądz już z zakrystji wychodził.

Prędko się odbył ślub, bo ksiądz się do chorego śpieszył. A gdy wychodzili z kościoła, organista jął na organach wycinać mazury, 135 a obertasy i kujawiaki takie, aż same nogi drygały, a niektóren tylko co nie huknął piosenką, dobrze iż się w czas pomiarkował!

Wracali już bez nijakiego porządku, całą drogą, jak komu było do upodoby, a rozgłośnie, bo drużbowie z druchenkami zawodzili, jakoby ich kto ze skóry obłupiał.

140 Dominikowa rychlej pobiegła, a gdy nadciągnęli – już ona państwa młodych na progu witała obrazem i tym świętym chlebem i solą, a potem, nuż się ze wszystkimi znowa witać, a obłapiać i do izby zapraszać!

Muzyka rznęła w sieniach, więc co który próg przestąpił, chwytał 145 wpół pierwszą z brzega kobietę i puszczał się posuwistym krokiem "Chodzonego" – a już tam, niby ten wąż farbami migotliwy, toczyły się dokoła izby pary, gięły się, okrążały, zawracały z powagą, przytupywały godnie, kołysały się przystojnie i szły, płynęły, wiły się,

a para za parą, głowa przy głowie – niby ten rozkołysany zagon
150 dostałego żyta, gęsto przekwiecony bławatem a makami... – a na przedzie w pierwszą parę Jagusia z Boryną!

Aż światła ustawione na okapie dygotały, dom się chwiał, zdało się, że ściany się rozpękną od tej ciżby i mocy, jaka biła od tanecznik ów!...

155 Pochodzili z dobry pacierz, nim skończyli.

Muzyka teraz zaczęła przygrywać pierwszy taniec, dla młodej, jak to we zwyczaju zdawiendawna było.

Naród zbił się gęstwą pod ścianami i zaległ wszystkie kąty, a parobcy uczynili wielkie koło, w którem zaczęła tańcować! Krew
160 w niej zagrała, aż się jej modre oczy lśniły i białe zęby połyskiwały w zarumienionej twarzy; tańcowała niezmęczenie, coraz zmieniając tanecznik ów, bo choć raz wokoło z każdym przetańcować musiała.

Muzykanci grali ostro, aż im ręce mdlały, ale Jaguś jakby zaczęła dopiero, mocniej tylko poczerwieniała i wywijała tak zapamiętale –
165 aż te jej wstęgi z furkotem za nią latały, chlastając po twarzach, a rozdęte taneczną wichurą spódnice zapełniały izbę

A parobcy z uciechy pięściami walili w stoły i pokrzykiwali siarczyście.

Dopiero naostatek wybrała młodego – szykował się na to Boryna,
170 bo skoczył kieby ryś do niej, ujął ją wpół i wichrem zakręcił w miejscu, a muzykantom rzucił:

– Z mazurska chłopcy, a krzepko!

...Krzyknęli w instrumenty z całej mocy, aż w izbie się zakotłowało.

175 Boryna zaś ino mocniej Jagnę ujął, poły na rękę zarzucił, poprawił kapelusza, trzasnął obcasami i z miejsca jak wicher się potoczył!

Hej! tańcował też, tańcował! a okręcał w miejscu, a zawracał, a hołubce bił, aż wióry leciały z podłogi, a pokrzykiwał, a Jagusią miotał i zawijał, że się w jeden kłąb zwarli, i jak to pełne wrzeciono
180 po izbie wili – że ino wicher szedł od nich i moc.

...Muzyka rznęła siarczyście, zapamiętale, z mazowiecka...

Zbili się wszyscy we drzwiach, to po kątach, przycichli i ze zdumieniem poglądali, a on niezmordowanie hulał i coraz siarczyściej, już się niejedni wstrzymać nie mogli, bo same nogi niesły, więc ino
185 do taktu przytupywali, a co gorętszy dziewczynę brał i puszczał się w tany, na nic już nie bacząc!

Jagusia, choć mocna była, ale rychło zmiękła i jęła mu przez ręce lecieć, dopiero wtedy przestał i odprowadził ją do komory.

– Kiedyś taki chwat, bratem mi jesteś i przy pierwszych chrzcinach
190 w kumotry mnie proś! – wołał młynarz, biorąc go w ramiona.

Wnet się pobratali gorąco, bo muzyka zaraz zamilkła i zaczął się poczęstunek...

* * * * * *

I zwolna zaczęli za stoły iść, a usadzać się na ławach.

Juści, że na pierwszem miejscu państwo młodzi, a wpodle nich ze 195 stron obu co najpierwsi, po uważaniu, po majątku, po starszeństwie aż do druchen i dzieci – a ledwie się pomieścili, choć stoły ustawili wzdłuż trzech ścian.

Tylko drużbowie nie siedli, by posługi czynić, i muzykanci.

Gwar przycichł, organista stojący odmawiał na głos modlitwę – 200 jeno kowal powtarzał za nim, bo pono na łacinie się rozumiał, a potem przepijali po tym kieliszeczku na zdrowie i dobry smak.

Kucharki wraz z drużbami wnosić poczęły dymiące, ogromne donice z jadłem i przyśpiewywały:

Niesiem rosół z ryżem –
A w nim kurę z pierzem!

205 A przy drugiej potrawie:

Opieprzone słone flaki,
Jedz-że siaki taki!

Muzyka zaś zasiadła pod kominem i przygrywała zcicha pios- 210 neczki różne, by się smaczniej jadło.

Pojadali też przystojnie, wolno, w milczeniu prawie, bo mało kto rzucił jakie słowo, że ino mlaskanie a skrzybot łyżek zapełniały izbę, a gdy sobie już nieco podjedli i głód pierwszy zasycili, kowal znowu flaszkę puścił w kolejkę, przyczem już i poczynali prawić zcicha i 215 przemawiać do sie przez stoły.

Jagusia jedna jakby nic nie jadła, próżno ją Boryna niewolił, wpół brał i jak to dzieciątko prosił, cóż kiedy nawet mięsa przełknąć nie mogła, utrudzona była wielce i rozgrzana – tyle, że to piwo zimne popijała, a oczami wodziła po izbie i coś niecoś nasłuchiwała 220 Borynowych szeptów.

– Jaguś, kuntentna jesteś, co? Śliczności ty moje! Jaguś, nie bój się, dobrze ci u mnie będzie, jak i u matuli nie było lepiej... Panią se będziesz, Jaguś, panią... dziewkę ci przynajmę, byś się zbytnio nie utrudzała... obaczysz!... – pogadywał zcicha, a w oczy miłośnie 225 patrzył, na ludzi już nie bacząc, aż się na głos przekpiwali z niego.

– Jak ten kot do sperki się dobiera.

– A bo też spaśna, kiej ta lepa.

– Stary kręci się i nogami przebiera, niczem ten kogut!
– Użyje se jucha stary, użyje! – wołał wójt.
230 – Jak ten pies na mrozie – mruknął zgryźliwie stary Szymon.
Gruchnęli śmiechem, a młynarz aż się pokładał na stole i pięścią grzmocił z uciechy.
Kucharki znowu zaśpiewały:

Niesiem miskę tłustej jagły,
235 By se chudzielce podjadły!

– Jagno, przychylno się, to ci coś rzeknę! – mówił wójt, przechylił się za Boryną, bo tuż przy nim siedział, i uskubnął ją w bok – a to mę na chrzestnego proś! – zawołał ze śmiechem i łakomemi oczami po niej wodził, bo mu się strasznie udała. Poczerwieniała mocno, a
240 kobiety na to buchnęły śmiechem i dalejże przekpiwać, dowcipy trefne sadzić i poredzać, jak się ma z chłopem obchodzić!
– A pierzynę co wieczór przed kominem nagrzewaj.
– Główne, tłusto jeść dawać, a krzepę miał bedzie...
– I przypodchlibiaj, za szyję często ułapiaj.
245 – A miętko dzierż, to i nie pozna, gdzie go zawiedziesz! – jedna po drugiej prawiły, jak to zwyczajnie kobiety, kiedy sobie podpiją i ozorom wolność dadzą.
Izba aż się trzęsła od śmiechu, a one tak rozpuszczały gemby, aż młynarzowa zaczęła im przekładać, by wzgląd miały na dziewuchy
250 i na dzieci, a organista też dowodził, że to wielki grzech siać zgorszenie i zły przykład dawać...

CHŁOPI. **1.** *przetoczyć się* – to roll; *prószyć* – to drizzle, sprinkle, shed. **2.** *oroszony*, from *orosić* – to bedew. **3.** *buchać* – to gush; *migotać* – to shimmer; *przydrożny* – wayside, along the road; *rów* – ditch. **4.** *przesycony*, from *przesycić* – to satiate, permeate, soak. **5.** *dogasać* – to expire, die. **6.** *ogłuchły*, from *ogłuchnąć* – to grow deaf; *obtulać* – to envelop, enwrap. **7.** *dopalać się* – to cease burning, die out. **8.** *huczało*, impers. from *huczeć* – to roar, buzz; *jarmark* – fair. **9.** *przedzwonić* – to ring the bell; *nieszpory* – vesper; *muzyka* – band; *wywalić się* – to pour, rush out. **10.** *wójt* – mayor. **11.** *skrzypki* = *skrzypce* – fiddle; *para* – pair, couple; *w parze* – together, abreast; *warczeć* – to growl, rumble. **12.** *bębenek*, dim. from *bęben* – drum; *brzękadło* – jingle; *basy* – double basses; *wstęga* – ribbon, streamer; *podrygiwać* – here, to quiver. **14.** *dziewosłąb* – matchmaker; *drużba* – best man, bridegroom's attendant. **15.** *chłopaki dorodne* – non personal form of *chłopcy dorodni; dorodny* – tall, handsome, fine; *kiej*, dial. – here, *jak; śmigły* – slender; *pas* – waist. **16.** *bary* – shoulders; *rozrosły* – broad; *tanecznik* – dancer; *zapamiętały* – passionate; *pyskacz* – braggart; *hardy* – arrogant. **17.** *zabijaka* – brawler, daredevil; *sielny*, dial. *duży, silny; nieustępliwy* – unyielding; *rodowy* – of good stock. **18.** *syny* = non person. form of *synowie*. **19.** *walić* – here, to march, to dash on; *kupa* – heap, crowd. **20.** *dudnić* – to rumble. **21.** *ino*, dial. –

tylko; pasiasty – striped; *portki*, dial. = *spodnie* – pants; *spencerek* – jacket; *pęk* – bunch, cluster. **22.** *rozpuszczony na wiatr*, from *rozpuścić* – to spread; *kapota* – long coat. **23.** *krzykali* – dial. for *krzyczeli; przytupywać* – to tap, beat measure with heel; *siarczyście*, adv. from *siarczysty* – prodigious, mighty. **24.** *szumno* – boisterously; *zerwać się* – to rise abruptly, to start up; *wichura* – storm, hurricane. **25.** *polski*, scil. *taniec* – polonaise; *ciągnąć* – to march. **26.** *weselnik* – wedding guest; *wynosić* – to bring out; *gorzałka* – brandy, whisky; *gdzie... gdzie... gdzie...* – here... there... elsewhere. **26.** *zapraszać do wnętrza* – to ask to come inside. **27.** *wszędy* = *wszędzie*. **28.** *przystawać* – to join; *społem* = *pospołu, razem* – together. **29.** *druchna* – bridesmaid. **30.** *druchenka*, dim. of *druchna; Kasieńka*, dim. of *Katarzyna*. **33.** *skrzypice*, augm. from *skrzypce*. **34.** *najeść się* – to eat one's fill. **35.** *do dom* – old form for *do domu; wczas* – in time. **36.** *oj ta dana* – common refrain in folksongs. **37.** *hukać* – to whoop; *rozlegać się* – to resound, reverberate. **39.** *jaki taki* – this one and that. **40.** *nieweselny* – not invited to the wedding; *by się aby* – so as at least to, be it only to. **41.** *stłoczyć się* – to press, throng; *okrążać* – to surround. **42.** *ciżba* – crowd, throng; *chmara* – swarm, multitude. **44.** *godny* – worthy, proper. **45.** *pan młody* – bridegroom. **46.** *Witek* – a servant; *któren* = *który*. **49.** *Kuba* – a servant. **50.** *rzęsisto* = *rzęsiście* – plentifully, copiously; *w ten mig* – at once. **51.** *narozcież, na rozcież, naoścież* – wide; *wywarł*, from *wywrzeć* – to open. **52.** *ująć pod boki* – to take by the arms. **54.** *aż dziw* – it was amazing; *wystrzyżony*, from *wystrzyc* – to cut the hair; *do czysta* – clean. **56.** *mocno w sobie podufały* – fat, stout; *postura* = *postawa* – figure. **57.** *pośmiewać się* – to make jokes. **58.** *nawijać się na oczy* – to keep appearing; **59.** *Dominikowa* – Boryna's prospective mother-in-law; *naród*, dial. = *ludzie* – people; *rozstąpić się* – to step aside, fall back. **60.** *szumno* – noisily. **62.** *zawarty*, from *zawrzeć* – to lock, bolt. **63.** *szparutka*, dim. from *szpara* – slit, chink; *przekomarzać się* – to chaff, tease. **64.** *pisk* – screaming. **66.** *na wszystko oko miała* – she had eyes for everything. **67.** *opłotki* – fences. **68.** *bele*, dial. = *byle; nie bele jakie goście* – not every Tom, Dick, and Harry. **69.** *krewniak* – relative, kinsman; *powinowaty* – related by marriage; *kum* – lit. godfather, friend, crony. **70.** *zasie* = *zaś; znajomek* – acquaintance; *wsiów* – dial. gen. plur. for *wsi*. **71.** *juści* or *jużci* – certainly, indeed; *morgowy*, from *mórg* – acre; *biedota* – poor wretch, starveling. **72.** *drobiazg* – small fry; *wyrobek* – earning wages; *po wyrobkach chodzić* – to eke out a living by hiring oneself out as laborer; *zawżdy* = *zawsze*. **74.** *nie dla psa kiełbasa* etc. – proverbial expressions: this is not for the likes of you. **75.** *pacierz* – the Lord's prayer, time required for saying; *w jakie dwa pacierze* – after a few minutes; *organiścina* – organist's wife. **76.** *wywiedły*, dial. for *wywiodły*, from *wywieść* – to lead out, usher in. **77.** *kwiaty to były nie kwiaty* – idiom. they looked like flowers. **78.** kieby, dial. – *jakby;*. **79.** *stojała*, dial. – *stała; w białościach* – in white. **81.** *naszają* = *noszą; przycichło*, from *przycichnąć* – to grow silent; *poniemieć* = *oniemieć* to grow mute. **83.** *jak mazury mazurami* – as long as the Masovians have been Masovians. **84.** *rumor* – uproar; *gruchnąć* – to burst forth. **85.** *rozgłaszać* – to spread the news; *skrzypek* – fiddler. **86.** *przepraszać* – to ask forgiveness. **89.** *przyklęknąć* – to kneel down. **90.** *przeżegnać* – to make the sign of the cross; *jęła*, from *jąć* = *zacząć* – to start; *woda święcona* – holy water; *kropić* – to sprinkle. **91.** *podejmować*, scil. *za nogi* – to embrace. **93.** *Józia* – Boryna's daughter. **94.** *najrzewliwiej* – superl. of *rzewliwie* – plaintively; *matula*, affect. for *matka; nieboszczka* – fem. from *nieboszczyk* – deceased, dead. **95.** *wysypać się;* – to pour out. **96.** *staje* – neuter noun, old measure = 50–100 paces; *do kościoła było ze staje* – the church was about 50–100 paces away. **97.** *rżnąć* – here, to play, blast away. **98.** *wiedli*, from *wieść* – to lead, conduct; *bujno* = *bujnie* – exuberantly. **99.** *rzęsa* – eylash; *kierz* = *krzak* – bush, shrub. **100.** *zapleciony*, from *zapleść* to braid. **101.** *szych* – spangle; *pawie oczko* – peacock's eye. **102.** *rozmaryn* – rosemary. **103.** *furkotać* – to rustle. **104.** *gorset* – bodice. **105.** *wyszyć* – to embroider; *bufiasty* – puffed. **106.** *kreza* – frill, ruche; *obdziergać* – to overcast; *sznur* – strand. **107.** *bursztyn* – amber. **108.** *Macieja* – scil. Borynę. **110.** *w biedrach*, dial. for *biodrach*, from *biodro* – hip. **111.** *Antek* – Boryna's son. **112.** *swat* – matchmaker. **114.** *przedniejsi*, comp. of *przedni* – foremost; *co przedniejsi* – all those of any importance. **116.** *brzask* – down; here, glow. **117.** *łuna* – blaze. **118.** *wełniak* – petticoat, skirt. **119.** *zagon* – furrow; *rozkwitły*, from *rozkwitnąć* – to bloom. **121.** *raz wraz* – again and again; *zawodzić* – to chant; *cieniuśki*, dim. from *cienki* – here, high pitched. **122.** *kołaczą*, from *kołatać* – to rattle, chatter. **130.** *Jambroży*, dial. for *Ambroży* – the organist. **131.** *orgarnąć się* – to tidy up; *kruchta* – vestibule, porch; *uporządkować się* – to arrange oneself. **134.** *wycinać* – to play with bravura. **134–135.** *mazur, obertas, kujawiak* – names of dances; *drygać* – to hop, skip; *tylko co nie* – almost. **136.** *pomiarkować się* – to reflect, bethink oneself. **137.** *bez nijakiego* = *bez żadnego; jak komu było do upodoby* – as anyone liked, to suit his preference. **139.** *obłupiać ze skóry* – to flay alive. **141.** *świętym chlebem i solą* – an old custom in greeting guests. **142.** *nuż* – therewith, forthwith; *obłapiać* – to embrace, hug. **144.** *chwytać wpół* – to take by the waist. **145.** *pierwszy z brzega*, dial. for *z brzegu* – the first met, first person to come across; *puszczać się* (*w taniec*) – to start, proceed; *posuwisty* – sliding. **146.** *chodzony* – walking dance, a kind of polonaise; *migotliwy* – iridescent. **147.** *okrążać się* – to wind, twist; *zawracać* – to turn, back. **148.** *przystojnie* – decorously. **149.** *rozkołysany* – swaying. **150.** *dostały* – ripe; *przekwiecony* – intermingled with flowers; *bławat* – bluebottle; *mak* – poppy. **152.** *okap* – usually eave, here over a mantelpiece; *dygotać* – to shake, flicker; *chwiać się* – to totter. **153.** *rozpęknąć się* – to break apart. **156.** *młoda* – bride. **157.** *zdawiendawna* – since ancient days, of old. **158.** *zbić się* – to huddle together; *gęstwa* – throng. **163.** *mdlały*, from *mdleć* – to grow numb. **164.** *wywijać* – to whirl; *zapamiętale* – frantically, in a frenzy. **165.** *chlastać* – to lash. **166.** *rozdęty*, from *rozdąć* – to inflate. **169.** *młody* – bridegroom; *szykować się* – to get ready. **170.** *ryś* – lynx. **172.** *z mazurska* – in the Masovian way; *krzepko* – vigorously, lustily. **173.** *zakotłować się* – to be in an uproar. **176.** *trzaskać obcasami* – to click one's heels. **178.** *hołubiec* – whirling in a dance; *wióry* – chips, splinters. **179.** *miotać* – to hurl; *kłąb* – lump, ball, mass; *zwarli się*, from *zewrzeć się* – to clasp each other; *wrzeciono* – spindle; **180.** *wić się* – to spin around. **183.** *niezmordowanie* – indefatigably; *hulać* – to revel; here, to dance riotously. **184.** *niesły*, dial. for *niosły*. **187.** *zmiękła*, from *zmięknąć* to soften, weaken; *przez ręce lecieć* – to fall from one's arms. **189.** *chwat* – brawny, sturdy fellow; *chrzciny* – christening. **190.** *prosić w kumotry* or *w kumy* – to ask to be godfather. **191.** *pobratać się* – to fraternize, become friends. **192.** *poczęstunek* – treat, feast. **194.** *państwo młodzi* – bridal couple; *wpodle* – next to. **195.** *uważanie* – esteem, standing; *starszeństwo* – seniority. **200.** *pono* – allegedly. **202.** *dymiący* – steaming. **203.** *donica* – bowl; *niesiem* = *niesiemy; rosół* – broth. **205.** *pierze* – feathers. **207.** *opieprzony*, from *opieprzyć* – season, with pepper; *słony* – salty; *flaki* – tripe. **208.** *siaki, taki* – all and sundry. **212.** *mlaskanie* – smacking, munching; *skrzybot* – scraping, grating. **213.** *zasycić* – to sate, gratify. **214.** *flaszkę puścił w kolejkę* – he passed the bottle around; *prawić* = *mówić*. **215.** *do sie* = *do siebie*. **216.** *próżno* – in vain; *niewolić* – to urge. **217.** *przełknąć* – to swallow. **218.** *utrudzony* – tired; *rozgrzany* – hot. **221.** *kuntentna*, dial. for *kontenta* – satisfied; *śliczności ty moje* – my beautiful darling. **222.** *se*, dial. – *sobie*.

223. *przynająć* – to hire. **224.** *utrudzać się* – to wear oneself out; *miłośnie* – amorously; *przekpiwać się* – to banter, poke fun at. **226.** *sperka* – bacon; *dobierać się* – to get at. **227.** *spaśny* – fat; *lepa* – dough, dumpling. **228.** *kręcić się* – to fidget; *przebierać nogami* – to kick about; *niczem* – as if, like. **229.** *użyć sobie* – to enjoy oneself; *jucha* – lit. blood of an animal – fig. scoundrel, rascal. **230.** *zgryźliwie* – sarcastically. **231.** *gruchnąć śmiechem* – to burst out laughing; *pokładać się* – to lie. **232.** *grzmocić* – to pound, beat. **234.** *jagła* – usually plur. tantum – *jagły* – millet seeds. **235.** *chudzielec* – lean, poor fellow. **236.** *przychylno się* = *przychyl się; no*-exclam. *przychylić się* – to bend, lean over. **237.** *uskubnąć* – to pluck, pinch; *mę*, dial. = *mnie.* **238.** *chrzestny* scil. *ojciec* – godfather. **239.** *udała mu się* – she appealed to him, he was infatuated with her. **240.** *buchnąć śmiechem* – to burst out laughing; *i dalejże przekpiwać* – and they started to poke fun. **241.** *sądzić dowcipy* – to tell jokes; *trefny* – facetious; *poredzać* dial. – *doradzać* – to counsel; *chłop* – here, husband. **242.** *pierzyna* – featherbed, eiderdown. **243.** *krzepa* – vigor. **244.** *przypodchlibiaj*, dial. for *przypodchlebiaj*, from *przypodchlebiać* – to wheedle, cajole, coax. **245.** *miętko*, dial. for *miękko* – softly, gently; *dzierżyć* – to hold. **247.** *ozór* – tongue (of beef), here used humorously. **248.** *trzęsła się*, from *trząść się* – to shake; *gemba* = *gęba* – mouth; *rozpuszczać gębę* – idiom. to speak freely and violently. **249.** *przekładać* – to admonish; *wzgląd* – consideration, regard. **250.** *dowodzić* – to argue; *siać* – to sow, spread; *zgorszenie* – scandal.

BETWEEN THE WARS
(1918–1939)

The re-establishment of the Polish State as a result of World War I was a crucial fact in the history of the nation, but it did not bring about an equally decisive change in literature. Although transformations, sometimes even essential, occur in this period, they are not of a revolutionary character. Besides new currents, those represented by writers of the older generation continue to exist for longer or shorter periods.

The greatest changes occur in lyric poetry, which predominates in the first decade of the period. The foremost place is occupied by the *Skamander* group, which derived its name from the title of a poetic monthly which was the organ of this circle. From the first, the *Skamander* poets manifested a strong reaction against imposing on artists the duty of patriotic service. By this attitude they opposed the Polish Romanticists and came closer to some writers of Young Poland. They wanted to be primarily poets and regarded it as their duty to write the best possible poems. However, this did not mean to them separation from life. "We want to be poets of today and in this consists our faith and our entire program. We do not want great words, we want great poetry: then every word will become great"; this was their position as formulated in *Skamander*. One of the members of the group (Jan Lechoń) expressed their aim even more distinctly: "In spring let me see spring, not Poland."

This attitude was followed by a modernization of poetic devices. The "present day" penetrated into poetry in the form of a new urban element—the landscape of a modern city, its beauty, but also its ugliness and misery (a trend similar to Italian and Russian Futurism). The language is enriched by city elements, by the speech of the intelligentsia and townsfolk, sometimes very expressive and forceful; words and expressions until then not used in Polish poetry are poeticized, metaphors are modernized and become much bolder and fresher. The rhythmic structure of the verse is made more complicated, at the same time freeing itself from traditional metric patterns; free verse appears in new and ingenious forms. The stanza, though also very free, is usually preserved, but sometimes also completely rejected. In the rhymes, all achievements of recent poetry are applied: difficult, unusual, and unexpected rhymes; assonances consisting of a varied, often quite remote, similarity of vowels or consonants.

Besides the *Skamander* group, soon other currents appeared, much more radical, stemming from futurism, expressionism, surrealism, and formism. They are comprised under the general name of "avant garde," though they do not possess a uniform character other than the common slogan of a thorough reform of lyric poetry, breaking with sentimentality and emotional directness, while building lyrical poems in a conscious way ("lyrical objectivism"). With this there was often connected a complete arhythmicality and absence of rhymes, and a language so new that it became sometimes incomprehensible. Several distinguished poets emerged from this group.

In about the second decade of the period the new novel begins to come into its own (formerly, mostly older novelists were active). Experimentation is carried on within a broadly conceived realism and is concerned chiefly with structure and style. Cases of going beyond "realism" are rather rare. Thus we encounter interesting attempts at "authenticism" or "written reality" (Zofja Nałkowska), interweaving of two parallel plots (F. Goetel), complete breaking up of the chronology of the plot (M. Choromański), an interesting structural frame (H. Boguszewska), original combinations of epic and lyric elements (J. Wittlin), expressionism (J. Kaden-Bandrowski), and, finally, complete antirealistic deformations of reality (St. Witkiewicz, Bruno Schulz). Nevertheless, traditional forms by no means disappear. One of the most outstanding Polish novelists, Marja Dąbrowska, infuses new life into the old novel-chronicle. Zofja Kossak-Szczucka renews the historical novel, and W. Perzyński the contemporary novel of manners. A. Strug and L. Kruczkowski cultivate the social novel, and M. Kuncewiczowa the novel of "character." J. Iwaszkiewicz creates classical short stories.

The drama has a notable representative in K. H. Rostworowski, and comedy in Perzyński, A. Słonimski, J. Szaniawski, and A. Cwojdziński.

Leading historians of literature among the older and younger philologists are I. Chrzanowski, J. Krzyżanowski, J. Kleiner, J. Ujejski; W. Borowy combines aesthetic subtlety with an impressive erudition. A reaction against the historico-philological method sets in and a tendency toward the "formal method" becomes apparent. Among literary critics, L. Piwiński and K. W. Zawodziński are active in that movement. Connected with this trend are studies about versification (F. Siedlecki). Stimulating also is the influence of a critic of the older generation, K. Irzykowski. In addition almost all branches of the humanities reach a high level: linguistics (J. Rozwadowski, K. Nitsch, T. Benni, T. Lehr-Spławiński); classical philology (K. Morawski, T. Zieliński, L. Sternbach, T. Sinko); history (M. Handelsman, A. Skałkowski, Wł. Konopczyński); and philosophy (K. Twardowski, a precursor of mathematical logic, and his pupils J. Łukasiewicz, T. Kotarbiński, and St. Leśniewski.)

Juljan Tuwim (1894–1953)

Juljan Tuwim is the foremost representative of the *Skamander* group. In his first collection, *Czyhanie na Boga* (Lying in Wait for God, 1918), he achieved leadership of that group. His subsequent volumes—*Sokrates tańczący* (Dancing Socrates, 1920), *Wierszy tom* 4 (Poems, Volume 4, 1923), *Słowa we krwi* (Words in Blood, 1926), *Rzecz czarnoleska* (Czarnolas Language, 1929), *Biblja cygańska* (Gypsy Bible, 1933), and others—established his position more firmly. In these poems Tuwim revealed himself as a really new poet of rare eruptive lyric power, exploding in sudden and violent outbursts, a poet of an aggressive, often hostile, attitude toward the contemporary world. Images, phenomena, formulation of mental and emotional processes, symbols of things eternal derived from everyday and, as it were, accidental occurrences, unexpected comparisons and associations—all these erupt from many of his poems as if still warm with living blood (it is not meaningless that one of his most important collections bears the title *Słowa we krwi*). The *word* is for him an element, a metaphysical entity that became flesh and on which he feeds "as on fruit," and which he drinks as cold water, inhales "as fresh air." "I have no occupation," he says in his poem *Słowo i ciało* (Word and Flesh). "I am a hunter of words... My blood is my speech, the hot pulp of earth."

The tendency to make ordinary phenomena seem strange, peculiar to all poetry, attains in Tuwim a high degree of expression and sometimes assumes forms of weird fantasy. On the other hand, he is also able to strike the simplest, seemingly most played-out tones and yet lend them new sound and meaning. However, he has none of the Romantic or "Young Poland" haziness and "moodiness"; on the contrary, his imagery is distinct, forceful, sometimes so sharp as to be raw. He writes chiefly short poems of strong and regular rhythm (without deformations) and of uncommon rhymes that are sometimes deliberately inaccurate but are always rich. In his vocabulary he does not attempt neologisms and oddities (peculiar to the futurists). He has mastered the whole range of the Polish language from old Polish to contemporary speech: the poetic, the colloquial, dialect, and even the jargon of the street. He knows how to renew and refresh each word and raise it to the height of poetry.

Tuwim is also an excellent translator of contemporary Russian poets (Balmont, Briusov, Mayakovski) as well as of the *Lay of Prince Igor* and *The Bronze Horseman*.

DWA WIATRY

Jeden wiatr – w polu wiał,
Drugi wiatr – w sadzie grał:
Cichuteńko, leciuteńko
Liście pieścił i szeleścił,
5 Mdlał...

Jeden wiatr – pędziwiatr!
Fiknął kozła, plackiem spadł,
Skoczył, zawiał, zaszybował.
Świdrem w górę zakołował,

10 I przewrócił się i wpadł
Na szumiący senny sad,
Gdzie cichutko i leciutko
Liście pieścił i szeleścił
Drugi wiatr...

15 Sfrunął śniegiem z wiśni kwiat,
Parsknął śmiechem cały sad,
Wziął wiatr brata za kamrata,
Teraz z nim po polu lata,

Gonią obaj chmury, ptaki,
20 Mkną, wplątują się w wiatraki,
Głupkowate mylą śmigi,
W prawo, w lewo, świst, podrygi,
Dmą płucami ile sił,
Łobuzują, pal je licho!...

25 A w sadzie cicho, cicho...

KRZYCZĘ

Boże święty! Nie rób ze mnie posągu!
Jak chorągwią wiej mną, wietrze boży!
Wschód i zachód niechaj się otworzy,
Niechaj stanę w wszechświatowym przeciągu!

5 Ja nie pragnę być aere perennius,
Gardzę mocą niewzruszoną spiżu,
Ani nie chcę, by mnie w wieczność przeniósł
Mit w postaci rozpiętej na krzyżu.

Ale chcę, by mnie życie podarło,
10 Potargało piorunem wichury,
Niechaj wpija we mnie kły, pazury
I drapieżnie mnie chwyta za gardło.

Niech odejdę poszarpany, krzyczący,
Że o miljard lat za wcześnie ginę,
15 I niech tłucze mnie w ostatnią godzinę
Wiatr mój wierny, z żalu skowyczący!

SŁOWO I CIAŁO

I

Słowo ciałem się stało
i mieszka między nami,
karmię zgłodniałe ciało
słowami jak owocami;
5 piję jak zimną wodę
słowa ustami, haustami,
wdycham je jak pogodę,
gniotę jak listki młode,
rozcieram zapachami.
10 Słowo jest winem i miodem,
słowo jest mięsem i chlebem,
słowami oczy wiodę
po ścieżkach gwiezdnych niebem.
Radości daru świętego,
15 o! wieczne umiłowanie!
Słowa mojego powszedniego
daj mi dziś, Panie!

II

Nie mam żadnego zajęcia:
jestem tylko łowcą słów.
20 Czujny i zasłuchany
wyszedłem w świat na łów.

Słowami fruwają chwile,
i wszystko com kochał i czuł,
brzęczy całemi dniami
25 rojem słonecznych pszczół.

Muskają mnie słowa skrzydłami,
żądłami tną do krwi.
Skłutemu, strutemu słowami
tak słodko mi!

30 W sercu zamknięte
trzepocą słowa:
dlatego tak serce drży.
Miodem zaklętym
pijana głowa:
35 dlatego – sny.

III

Każde słowo ma korzeń w czarnej głębi ziemi,
A gdy na wierzch wytryska – to zielenią śliską,
A drugie się z niem splata włóknami świeżemi
I rosną w górę razem gałęzią roślistą.

40 Krew z ziemi słowotryskiem do ramion i głowy:
Ramiona nam otwiera, głowę światłem zlewa.
Ach, w trzepocie wiosennym, jak w gęstwie dąbrowy,
Na dwugałęzi ptakiem pełne serca śpiewa!

Dzień, jak z łona rodzącej wyłazi ciemności
45 I codzień żyć zaczyna młody i wysoki!
I chwyta nas w godziny, jak w uścisk miłości,
I całując, wyciska słowa z ust, jak soki.

Tak to w męce, w rozkoszy krzyczą rozedrgane,
Krwawiące ciosem bożym, jak cesarskiem cięciem:
50 Głowy, ostrym tasakiem słońca rozpłatane,
Łona, rozdarte słowem, jak matka dziecięciem.

IV

Ty jesteś moja czerwień,
Ty jesteś moja zieleń.
Mózg w gałązkach unerwień:
55 Rośliny żywych wcieleń.

Świata groźnego ucisk,
Boga strasznego rozpędy,
W mózgu szumy trucizn,
Słów, skroplonych obłędem.

60 Krew moja – moja mowa,
Gorąca miazga ziemi.
– Czerwieńcie, zieleńcie się słowa
Hymnami buntowniczemi!

V

Niedarmo z śpiewem rymuje się krew,
65 Niedarmo krwi oddzwania gniew.
Słowo wie, jakiem brzmieniem nabrzmiewa!
Krew – gniewem – śpiewa.

Nasz gniew rozdziera niebiosów strop,
Przetapia słowa w płomienny stop,
70 A światłem, które nam świeci,
Bóg cieleśnieje, poeci!

EKSPERYMENT

Wiosno! Wyraźnie i dobitnie,
Wyraźnie, dobitnie i ostro
W noc twych narodzin o tobie myślę.
Myślę zimno, spokojnie i ściśle:
5 Oto
Śnieg
Topnieje.
Oto
Jest
10 Cieplej.
Oto kępami ziemi brunatnej
Pulchnieje od głębi wzruszone Powiśle.

Tają lody ostatnie,
Ruszają wolne wody
15 (Pięknie! choć pseudoklasycznie).
I z zakrzepłej przyrody
Wypływa nowy, młody
Świat
I kwitnie.
20 Wyraźnie i dobitnie.

I najświadomiej,
Jak fizjolog na preparacie,
Tak ja
Powyższemi słowy
25 Obnażam nerwy polskiej mowy.
(Nie inaczej naprzykład
Uprawiałbym anatomję)
Tak właśnie spokojnie,
Tak świadomie
30 Kładę na szklanej płycie
Wiosnę,
Jak żabkę zieloną.
Przecinam wzdłuż,

Otwieram wszerz –
35 I celnym lancetem
W nerw.
Drgnęła. Więc: życie.

Różnica jest znikoma.
Tyle tylko,
40 Że zamiast anatoma
Wzięliśmy poetę.
O to mi właśnie chodzi,
Wiosno, wiosno, żabko zielona!
W noc twych narodzin
45 Leżysz rozpięta na tym papierze,
Piórem zwysoka w sedno twe mierzę.
Zaraz uderzę.

Jeszcze ostatnie spojrzenie
Przymrużonego oka,
50 Jeszcze ostatnie wahanie
O włos – – –
I
Cios
Wgłąb
55 Pospolitego słowa.

Drgnęło.
Potopem słońca trysnęło,
I w bezwstydnych gałęziach bzów
("Bzów"!!!)
60 Miota się zakochana, szalejąca głowa.

I teraz nie wstydź się już słów –
Powiedz o wiośnie: radosna,
Powiedz o wiośnie: miłosna,
Bo to już PRAWDA.

65 Poeci!
Oto jedyny sekret naszego rzemiosła:
Wtargnąć wewnątrz!
I wiosną stanie się nawet wiosna.

Słuchajcie, jakie dziwy się dzieją!
70 I jak ta wiosna, kiedy ją natnę,
Tętni i śpiewa mi w każdym zmyśle!
"Oto jest cieplej, śniegi topnieją,
Oto kępami ziemi brunatnej
Pulchnieje od głębi wzruszone Powiśle".

MEBLE

Ranki gmatwają się mętne, krzykliwe,
Dzień mnie na sobie rozpina, jak krzyż.
Puste godziny, nieżywe, lękliwe,
Pełzną złowróżbnie, skrobią po kątach,
5 Jak nocna mysz.

Meble kanciaste, śpiczaste, skrzypiące
Patrzą zpodełba, zgryźliwie, źle...
Zmówią się, zejdą się, zamkną mnie,
Zrosną się w zwierzę drewniane, krzyczące!

10 A gdy wychudły z ich chwytów się wyrwę,
Noc rozpoczyna swój stuk i zgrzyt:
Trzaskają meble mściwe, mrukliwe,
Drażnią się ze mną sny napastliwe,
Ujadające, splątane, straszliwe, –
15 Aż się z nich z trudem wygmatwa, wyroi
Mętny, spuchnięty świt.

NĘDZA

Krzywda krzyczy z pod ziemi,
Czarni i chudzi wołają:
Z żonami, sukami wyschłemi,
Wyjdziemy wyjącą zgrają!

5 Jest, jest nędza nasza!
Są, są te dzieci, jak zmory!
Doprawdy są te poddasza,
Suteryny i nory!

Są, są ci sapiący chorzy,
10 Z których krew do kubła chlusta,
Jest, jest wilgoć zielona w komorze,
Brud, smród i kwaśna kapusta!

Zmarzłe kartofle surowe,
Kaszel suchy, piec zimny,
15 Deska twarda pod głowę:
Takie będą nędzarskie hymny.

Było, było o chłodzie i głodzie.
Jest, jest, że się męczy i zdycha,
Będzie, będzie kość chuda w wodzie
20 I razowiec z piaskiem i mdła kicha.

Jest, jest nędza: stół zmarznięty,
Szmaty w oknach i na ciele łachmany,
I krzyk w nocy, krzyk święty, przeklęty:
"Tato, tato kochany!"

HOKUS-POKUS

Mógłby to być new-yorkskich scen trick:
Słowa i rytmu prężny dwugłos.
Zaczynam numer – kpiarz, ekscentryk,
Alchemik, tancerz i wirtuoz.

5 Mam rym, solidnie w mowę wbity,
I strofą nadół wiszę na nim,
Aż nagle, słowa mocnym chwytem,
Przekręcam się do góry zdaniem.

Nad siatką – hopla! – w przepaść lecę,
10 Śmiertelny rekord skokiem biorę,
Odbijam się, nad życiem świecę
Kometą, pianym meteorem.

I znowu stoję uśmiechnięty
Ja, głosów świata imitator,
15 I nowe puszczam w ruch talenty,
Pinetti, prestidigitator!

Garść słów, żyjątek kolorowych,
Napłask w elipsę rzucam krągle,
Na pręty dźwięków metalowych
20 W biegu nadziewam je, jak żongler!

Spójrzcie, jak poryw fajerwerkiem
Rozbijam w jazz-band barw i iskier,
Chmurką kolibrów frunął z ćwierkiem,
W otwarte usta wpadł mi błyskiem.

25 Logofag! Dziwo! Okaz rzadki!
Fenomen! Człowiek – wiersz! Unikat!
Jak węże i skaczące żabki,
Płonące zgłoski haustem łykam!

Palmé! Changé! I zręczny magik,
30 Wtajemniczony słowożerca,
Wobec lekarzy, więc bez blagi,
Połknięty krzyk wyrzucam z serca!

W bezmiar żongluję zwinną mową,
Plączę ją w deseń fantastyczny
35 I zgóry wiem, gdzie padnie słowo,
Clown, matematyk histeryczny!

O słowa, pędem serca gnane!
Słowa, krążące w twórczym transie!
Z chaosu mroków, z wichru planet,
40 Grzmi po raz wtóry groźne: Stań się!

Jednem zaklęciem: – hokus-pokus –
Tworzę i wcielam świat od wieków.
O hokus-pokus! Hoc est corpus!
Formuło bogów i poetów!

MUZA CZYLI KILKA SŁÓW ZALEDWIE

Nie szperajcie po słownikach,
Nie szukajcie słów szarpiących,
Zaśpiewamy o słowikach
Śród gałęzi śpiewających.

5 Zaśpiewamy po dawnemu,
Zatęsknimy, jak za młodu,
Wracam smutny, nie wiem czemu,
Cały w śpiewie do ogrodu.

Jeszcze słowik, ogród, drzewa
10 W mojej mowie tyle znaczą!
W tym ogrodzie serce śpiewa,
Śród tych drzew słowiki płaczą.

Zawstydzonych, zakochanych
Panna miła znajdzie nas tu
15 Z tamtych lat niespodziewanych,
Sprzed dziesięciu, sprzed piętnastu.

Miła Panna, słowu miła,
Miła słowom, miłowana,
Ta, co śpiewy nam słowiła,
20 Muza jasna, zapomniana.

W bzowe noce, pod gwiazdami,
Zapłakani, przy fontannie,
Przypomnijmy słowikami
O nas dawnych miłej Pannie!

DWA WIATRY. **3.** *cichuteńko* – dim. of *cicho; leciuteńko* – dim. of *lekko.* **6.** *pędziwiatr* – harum-scarum. **7.** *fiknąć kozła* – to turn a somersault; *plackiem spaść* – to fall flat. **8.** *zaszybować* – to glide, soar. **9.** *świdrem zakołować* – to go into a spiral. **16.** *parsknąć śmiechem* – to burst out laughing. **17.** *kamrat*, Ger. *Kamerade* – mate, companion. **20.** *wplątywać się* – to get entangled; *wiatrak* – windmill. **21.** *głupkowaty* – dumb, half-witted; *mylić* – to confuse, fool; *śmiga* – arm (of a windmill). **22.** *podryg* – skip, twist, bob. **24.** *łobuzować* – to play pranks; *pal je licho* – the deuce take them.

KRZYCZĘ. **1.** *posąg* – statue. **2.** *wiej*, imper. of *wiać* – to blow, flutter, flap. **4.** *wszechświatowy*, from *wszechświat* – universe; *przeciąg* – draft. **5.** *aere perennius* – more durable than bronze; from the well-known Ode of Horace: "*Exegi monumentum aere perennius...*". **6.** *niewzruszony* – unshakable; *spiż* – bronze. **11.** *wpijać* – to plunge, thrust into; *kły*, plur. from *kieł* – fang, tooth; *pazur* – claw. **12.** *drapieżnie* – rapaciously, voraciously. **14.** *miljard* – billion. **15.** *tłucze*, from *tłuc* – to pound. **16.** *skowyczący*, from *skowyczeć* – to whine, howl.

SŁOWO I CIAŁO. **3.** *karmić* – to feed; *zgłodniały* – famished. **6.** *haust* – gulp. **8.** *gniotę*, from *gnieść* – to press, crush. **12.** *wiodę*, from *wieść* – to lead. **13.** *gwiezdny* – starry, starlit. **16.** *powszedni* – daily; "*słowa mojego powszedniego*" – paraphrase of the Lord's prayer: "*chleba naszego powszedniego daj nam dzisiaj*". **19.** *łowca* – hunter, catcher. **20.** *czujny* – alert, vigilant. **21.** *wyjść na łów* – to go a-hunting. **22.** *fruwać* – to flutter, flap. **26.** *muskać* – to brush lightly, skim. **27.** *tną*, from *ciąć* – to cut. **28.** *skluty*, from *skłuć* – to stab, sting; *struty*, from *struć* – to poison. **38.** *włókno* – fiber. **39.** *roślisty* – spreading. **40.** *słowotrysk*, neolog. coined on the model of *wodotrysk* – fountain of words. **43.** *dwugałąź*, neolog. – twin branches. **48.** *rozedrgany* – quivering. **49.** *cesarskie cięcie* –

Ceasarean section. **50.** *tasak* – cleaver; *rozpłatać* – to split. **51.** *rozdarte*, from *rozedrzeć* – to tear apart, rend. **54.** *unerwienie* – innervation. **55.** *wcielenie* – incarnation. **57.** *rozpęd* – impetus. **59.** *skroplony*, from *skroplić* – here, to precipitate, condense. **61.** *miazga* – pulp. **62.** *czerwienić się* – to redden; *zielenić się* – to green. **64.** *rymować się* – to rhyme. **65.** *oddzwaniać* – to ring back, answer, correspond. **66.** *brzmienie* – sound; *nabrzmiewać* – to swell. **68.** *strop* – ceiling. **69.** *przetapiać* – to smelt, found; *stop* – alloy. **71.** *cieleśnieć* – to become flesh.

EKSPERYMENT. **1.** *wyraźnie* – distinctly; *dobitnie* – emphatically. **4.** *ściśle*, from *ścisły* – accurate, strict. **7.** *topnieje*, from *topnieć* – to melt. **11.** *kępa* – here, clump, clod. **12.** *pulchnieć* – to become soft, tender; *wzruszone*, from *wzruszyć* – to stir up; *Powiśle* – district of Warsaw on the Vistula. **16.** *zakrzepłej*, from *zakrzepnąć* – to congeal, freeze. **21.** *najświadomiej*, superl. of *świadomie* – consciously. **22.** *preparat* – specimen. **25.** *obnażać* – to lay bare. **27.** *uprawiać* – to practise. **30.** *płyta* – plate, slab. **33.** *wzdłuż* – lengthwise. **34.** *wszerz* – crosswise. **35.** *celny* – well-aimed. **38.** *znikomy* – slight, insignificant. **45.** *rozpięta*, from *rozpiąć* – to stretch out, spread out. **46.** *sedno* – heart of the matter, essence, center; *mierzyć* – to aim. **50.** *wahanie* – hesitation. **51.** *o włos* – by a hair's breadth. **53.** *cios* – thrust, blow. **57.** *trysnąć* – to gush forth. **58.** *bezwstydny* – shameless; *bzów*, gen. plur. of *bez* – lilac. **60.** *miotać się* – to toss. **61.** *wstydzić się* – to be ashamed. **66.** *rzemiosło* – trade, craft. **67.** *wtargnąć* – to break in, force one's way. **70.** *natnę* – fut. from *naciąć* – to make a cut, incise. **71.** *tętnić* – to pulsate, throb.

MEBLE. **1.** *gmatwać się* – to become jumbled, confused; *mętny* – turbid, troubled **4.** *skrobać* – to scratch, scrape. **6.** *kanciasty* – angular; *śpiczasty* – sharp-pointed; *skrzypiące*, from *skrzypieć* – to creak. **7.** *zpodełba* = *z pode łba* – idiom. darkly, sullenly; *zgryźliwie* – spitefully, rancorously. **8.** *zmówić się* – to plot, conspire; *zejdą się*, from *zejść się* – to come together. **9.** *zrosnąć się* or *zrość się* – to grow together, coalesce. **11.** *stuk* – rap; *zgrzyt* – rasp. **12.** *trzaskać* – to crackle; *mściwy* – vengeful; *mrukliwy* – grumbling, surly. **13.** *drażnić się* – to tease, taunt; *napastliwy* – aggressive. **15.** *wygmatwać się* – to disentangle oneself; *wyroić się* – to swarm out. **16.** *spuchnięty* – swollen.

NĘDZA. **1.** *krzywda* – wrong, injustice. **3.** *suka* – bitch; *wyschły* – emanciated, gaunt. **6.** *zmora* – nightmare, ghost. **7.** *poddasze* – attic, garret. **8.** *suteryna* – basement appartment; *nora* – hole, hovel. **9.** *sapiący*, from *sapać* – to wheeze. **10.** *kubeł* – bucket; *chlustać* – to spurt. **11.** *wilgoć* – dampness, mouldiness; *komora* – a windowless cubicle. **12.** *brud* – filth; *smród* – stench; *kwaśna kapusta* – sauerkraut, one of the basic foods of poor people. **13.** *zmarzłe*, from *zmarznąć* – to freeze. **14.** *kaszel* – cough. **16.** *nędzarski*, adj. from *nędzarz* – beggar, wretch. **18.** *zdychać* – to croak, die, used, as a rule only in connection with animals. **20.** *razowiec* = *chleb razowy* – coarse black bread; *mdły* – insipid, tasteless; *kicha*, augm. of *kiszka* – sausage. **22.** *szmaty w oknach* – rags stuffed in broken windows.

HOKUS-POKUS. **1.** *scena* – stage. **2.** *prężny* – elastic, buoyant; *dwugłos* – duet. **3.** *kpiarz* – wag, jester. **5.** *wbity*, from *wbić* – to drive, stick into. **7.** *chwyt* – grasp, grip. **11.** *odbijać się* – to rebound. **15.** *puszczać w ruch* – to set in motion **17.** *żyjątko* – little creature **18.** *na płask* – flat; *krągle* – adv. from *krągły* – round. **19.** *pręt* – rod. **20.** *w biegu* – on the run, while running; *nadziewać* – to impale; *żongler* – juggler. **21.** *poryw* – élan, impulse, spurt. **22.** *rozbijać* to split. **23.** *koliber* – humming bird; *ćwierk* – chirp, chirrup. **25.** *logofag*, Greek – word-eater; *okaz* – specimen. **26.** *unikat*, Lat. *unicum* – rarity, curiosity. **28.** *haust* – see *Słowo i ciało*, 6; *łykać* = *połykać* – to swallow. **29.** *Palmé!* – French word, here without any special meaning, used only to rhyme with "*changé*", a stock word of magicians. **30.** *wtajemniczony* – initiated; *słowożerca* – word-eater. **31.** *blaga*, French *blague* – bluff, hoax. **32.** *połknięty* – see 28. **33.** *bezmiar* – infinity; *zwinny* – agile. **34.** *plączę*, from *plątać* – to tangle; *deseń* – design. **35.** *zgóry* – in advance, beforehand. **38.** *krążące*, from *krążyć* – to circulate. **40.** *wtóry* – second; *stań się* – fiat. **41.** *zaklęcie* – incantation.

MUZA CZYLI KILKA SŁÓW ZALEDWIE. **1.** *szperać* – to search, rummage. **2.** *szarpiący*, from *szarpać* – to tear, tug, rip. **19.** *słowiła*, neolog. from *słowo* – word. **21.** *bzowy*, adj. from *bez* – lilac.

Antoni Słonimski (1895–   )

The second of the pillars of the *Skamander* group, Antoni Słonimski is the author of poems, comedies, novels, literary criticism, and journalistic articles. As a poet he is much less "explosive" than Tuwim; rather, his poetry is characterized by restraint and by intellectual, discursive, and rhetorical elements. Up to 1935 he published about ten volumes of poetry, including *Sonety* (Sonnets, 1918); *Harmonje* (1919); *Parada* (1920); *Godzina poezji* (The Hour of Poetry, 1923); *Oko w oko* (Face to Face, 1928); and *Okno bez krat* (Window without Bars, 1935). Besides eternal and universal matters common to all lyric poetry, he dealt with timely problems such as pacifism, the absurdity and criminality of war, Communism, the importance of science in creating a better world, and so forth. However, his poems are free of propaganda; on the contrary, the problems are treated in a poetic manner, *sub specie aeternitatis*. Like other elements of his poetry they are imbued with pathos, mystery, tragedy, and a feeling of isolation and sadness.

More distinctly than other young poets he manifests a tendency to destroy established poetic canons. This applies particularly to the structure of his lyrical works. His lack of restraint often leads to the disruption of structural unity, especially in the longer poems. His language possesses strength and expressiveness, and often has a simplicity modeled on Mickiewicz, whom he considers the "greatest poet of the world." In metrics and stanzaic structure he tries both traditional and very difficult and complicated forms. His rhyme, however, does not manifest similar ingenuity.

In Słonimski's comedies—*Murzyn warszawski* (The Warsaw Negro, 1928), a witty satire against the snobbishness of certain Jewish-Polish cricles; *Lekarz bezdomny* (The Homeless Physician, 1931); *Rodzina* (The Family, 1934)—we are struck by his ability to create action from and through dialogue (as in G. B. Shaw); events, complications, and conflicts are contained in the dialogue itself, which is brilliant, witty, and full of irony and sarcasm, and not in what is traditionally called "action."

For a number of years Słonimski also wrote articles and a column (Weekly Chronicles) in the Warsaw *Wiadomości literackie*. These were characterized by a very progressive attitude, great boldness in treating civic affairs, excellent wit, and biting irony.

MICKIEWICZ

Cóżby się z wami stało, nierozumne drzewa?
Tartakby was pochłonął i pociął na deski,
I tyleby was było. Lecz w ziemi litewskiej
Razem z wami żył człowiek, który o was śpiewał.

5 Po zaściankach na Litwie różni Mickiewicze
Żyliby zwykłą pracą przykładnych Polaków.
Cóżby nas obchodziły te Tuhanowicze,
Któżby pamiętał imię córki Wereszczaków?

Po zaułkach wileńskich bracia filomaci
10 Przeminęliby nikłym, niepowrotnym cieniem.
Dzisiaj szukamy imion i serc tych postaci,
Które w historji On podmalował wzruszeniem.

Krzyk obłąkanej żony uszy mu rozdzierał,
I nie przestało krwawić przez złe, długie lata
15 Serce, które miłości na przestrzał otwierał,
Serce, które jak gąbka piło gorycz świata.

Rozpinał swe ramiona nad ziemią ojczystą,
Płonął i w groźne urastał modlitwy,
Albo w tchnieniu tęsknoty przejrzyście i czysto
20 Cierpliwem piórem pisał krajobrazy Litwy.

Z miljona liter martwych, z książek rozmaitych,
Słów, co przez wargi szmerem płyną jednostajnym,
Nagle przy jego słowach z pozoru zwyczajnych,
Czemu me serce staje jak zegar rozbity?

25 Chociaż poznałem ziemię, choć szukałem wszędzie,
I wędrówki dalekiej trud nie był daremny,
Przecież zawsze piękniejszy, zawsze droższy będzie
Tam na Litwie ukryty jakiś ogród ciemny.

Tyś mnie najpiękniejszemi przykuł łańcuchami,
30 Tyś dla mnie słowo pierwsze, pierwszy człowiek Adam!
Tyżeś mnie wyrwał z ziemi, uskrzydlił słowami,
I dumny jestem z mowy, którą i ja władam.

Żem już umaczał dłonie w Twoich słów potoku,
W wielkiej czystej miłości, w czystej wielkiej mowie!
35 Błogosławię dziś całe stujęzyczne mrowie,
Zbudzone ludy ziemi wychodzące z mroku.

Ty, któryś w słowach krwiste tunele otwierał
I któryś wrzącą lawę przesączał przez wargi,
Gdy Cię na nędzny barłog rzuciła cholera,
40 Jakieś miał troski w oczach? Jakie w sercu skargi?

Żyłeś wśród wiecznej męki i kochałeś wiele,
I na mnie część miłości Twej pewnie spłynęła.
Wiem komu oddać miłość, wszystkie ziemskie dzieła,
Wiem, że w szczęściu ludzkości wszystkie nasze cele,
45 Razem młodzi przyjaciele!

Więc młody przyjacielu, nim cię zapał rączy
Porwie do walki z światem, klęknij na tym grobie,
Wiedz, że On się z za grobu z twoją wiarą łączy,
Że On na łożu śmierci myślą był przy tobie.

MIŁOŚĆ I PODRÓŻ

Ziemia jak zalotnica z przed oczu umyka,
Szczytami drzew potrząsa, błyska jezior okiem.
Biegnie z pękiem zieleni, a gdy mnie spotyka,
Wonie łąk w twarz mi ciska i ucieka bokiem.

5 Albo nagle łagodnie opada w doliny
I faluje wzgórzami jak pełnem westchnieniem.
Jak warkocze rozrzuca oliwne gęstwiny.
Błękitną rzeką goni jak szybkiem spojrzeniem.

Aż wreszcie wstaje naga i posępnym szczytem,
10 Górami jak piersiami drogę mi zasłania
Ku morzu, co w oddali łączy się z błękitem,
Jako dwa serca pełne wielkiego kochania.

NIEBO

Oddech nasz zmącił czyste lazuru zwierciadło,
Zorze, żółte jak liście, szeleszczą na ziemi,
Gwiazdy rojem szumiącym sfrunęły za niemi,
Z brzękiem srebrzysta tarcza księżyca upadła.

5 Cóżeśmy uczynili, szaleństwem pijani?
Niebo mieszając z ziemią, zatruliśmy strawę,
Której łakną napróżno nasze usta krwawe,
Gdy płyniemy falami dni rozkołysani.

Na tamtym brzegu życia, łąk depcąc kobierce,
10 Błądzić będziemy w laurach z pochylonem czołem,
I niebo nam się wyda umarłym żywiołem,
W którym się tli bolesny płomień – nasze serce.

From OKO W OKO

...Ten garnek odrutowany
Miljonem kabli,
Sklejony przez roty karne
Krat, więzień, szabel,

5 Naczynie, które zwiesz
Stolicą,
Rozpękło wszerz,
I przez szparę,
Zwalonym murem,
10 Przez jedną ulicę
Wykipiał wrzątek
Jękliwym gwarem,
Rosnącym ogromnym chórem.
I to był początek.
15 Trzydzieści tysięcy inwalidów,
Pokorny tłum kalek,
Chodzących po prośbie,
Mrowiem szarem
Zaległ,
20 Ulicę zalał,
I czy dasz wiarę?
Zaczął ciskać groźby,
Oszalał!

Szli.
25 Jeżeli można nazwać chodzeniem
Pchanie kadłuba bez nóg,
Wytartem, kościstem siedzeniem
Twardy ścierając bruk.
A jeden odwłok owadu, –
30 Same zostały oczy,
Krzyczał:
Przywiążcie mi do zadu
Kółko, żebym się mógł
Potoczyć.
35 A inny, któremu wyciekły
Oczy i łzy do dna,
Potykał się, błądził jak ćma,
Oślepły.

Bez rąk,
40 Bez jednej
Nogi,
Bez dwóch.
Biedny.
Ubogi.

45 Zraniony w brzuch.
Głuchy i niewidzący,
Ropiący,
Kaszlący krwią.
Idą.

50 Ofiary bez kości!
Głupcy! Dobrze was wzięli na kawał,
Gadali, obiecywali różności,
Mówili – rząd będzie ziemię dawał.

Wyszli z biur, z banków, z za kraty,
55 Gdzie ich trzymali mężowie litościwych pań.
I dużo się zmieniło:
Za kratą zdrowy i bogaty,
Rządzi ten sam co przed wojną drań...

ALARM

"Uwaga! Uwaga! Przeszedł!
Koma trzy!"
Ktoś biegnie po schodach.
Trzasnęły gdzieś drzwi.
5 Ze zgiełku i wrzawy
Dźwięk jeden wybucha i rośnie,
Kołuje lękliwie,
Głos syren – w oktawy
Opada – i wznosi się jęk:
10 "Ogłaszam alarm dla miasta Warszawy!"

I cisza.
Gdzieś z góry
Brzęczy, brzęczy, szumi i drży.
I pękł
15 Głucho w głąb.
Raz, dwa, trzy.
Serja bomb.
To gdzieś dalej. Niema obawy.
Pewnie Praga.
20 A teraz bliżej, jeszcze bliżej.
Tuż, tuż.

Krzyk jak strzęp krwawy.
I cisza, cisza, która się wzmaga.
"Uwaga! Uwaga!
25 Odwołuję alarm dla miasta Warszawy!"

Nie. Tego alarmu nikt już nie odwoła.
Ten alarm trwa.
Wyjcie syreny!
Bijcie werble, płaczcie dzwony kościołów!
30 Niech gra
Orkiestra marsza spod Wagram,
Spod Jeny.
Chwyćcie ten jęk regimenty,
Bataljony, armaty, tanki,
35 Niech buchnie,
Niech trwa
W płomieniu świętym "Marsyljanki"!

Kiedy w południe ludzie wychodzą z kościoła,
Kiedy po niebie wiatr obłoki gna,
40 Kiedy na Paryż ciemny spada sen,
Któż mi tak ciągle nadsłuchiwać każe?
Któż to mnie budzi i woła?
Słyszę szum nocnych nalotów.
Płyną nad miastem. To nie samoloty.
45 Płyną zburzone kościoły,
Ogrody zmienione w cmentarze,
Ruiny, gruzy, zwaliska,
Ulice i domy znajome z dziecinnych lat,
Traugutta i Świętokrzyska,
50 Niecała i Nowy Świat.
I płynie miasto na skrzydłach sławy
I spada kamieniem na serce. Do dna.
Ogłaszam alarm dla miasta Warszawy.
Niech trwa!

SĄD

Wiejska biedota bezrolna,
Co śpi pod polną mogiłą,
Ci co walczyli za wolność,
Której w ojczyźnie nie było,

5 Z Bema, z Grochowa i z Wolskiej
Bracia, co padli krwią zlani,
Ci co walczyli za Polskę,
Choć Polska nie była dla nich,

Nie usną snem sprawiedliwym
10 Ukołysani legendą,
I z mogił powstaną żywi
I oni sądzić nas będą.

KRZAK GŁOGU

Wasze są węże i żmije,
Kły ostre i ciepła krew,
A dla nas drogi niczyje
I głogu kwitnący krzew.

5 Wasza jest wściekłość i pycha,
Nienawiść ślepa i wrzask,
A naszą sprawą noc cicha
I świecy złocisty blask.

Wasz świat się wspiera na mieczu,
10 Co bije promieniem złym,
A nasza sprawa pod wieczór –
Jałowcem pachnący dym.

Runą świątynie wroga,
Pychą dźwignięte wzwyż –
15 Zostanie biały krzak głogu
I u rozstajnych dróg krzyż.

WSZYSTKO

Czy w Tuluzie, w Ankarze,
Czy na Węgrzech, w Dakarze,
Czy w Lizbonie, czy w Szkocji wilgotnej,
Czy tu w wielkim Londynie,
5 Fala niesie nas, płynie –
Coraz dalej od drogi powrotnej.

O co my tak walczymy,
Za czemż my tak tęsknimy?
Jakież skarby nam wielkie odjęto?
10 Nie o sławę, bogactwo

Całe nasze tułactwo,
Lecz o sprawę i większą i świętą.
Nie o władzę nad światem,
Ale o to by latem
15 Z książką usiąść pod starym jaworem,
Słuchać wiejskich pogwarów
I brzęczących komarów,
Koni rżących na łąkach wieczorem.

Nie by rządzić innymi,
20 Lecz by w domu z swoimi
Sprawiedliwie przełamać się chlebem.
Wyjść na drogę i czyste
Witać niebo gwiaździste,
I spokojnie móc spać pod tem niebem.

25 Znów popatrzeć przez okno
Na kasztany co mokną,
Od dżdżu mokrym przyglądać się listkom.
Iść aleją, przystawać,
Dawne ścieżki poznawać.
30 To niewiele, a przecież to wszystko.

O POLSCE SŁABEJ

Mówią o Polsce silnej. Już dziś liczą sztaby
Jak ją ziemią okopać, oprzeć na bagnecie.
Lecz ja, wybaczcie, bracia, pragnę Polski słabej,
Ja pragnę Polski słabej, lecz na takim świecie,
5 Gdzie słabość nie jest winą, gdzie już niema warty,
Ryglów u bram, i nocą dom bywa otwarty,
Gdzie dłoń nieutrudzona okrutnem żelazem
I gdzie granica wita tylko drogowskazem.

MICKIEWICZ. **2.** *tartak* – saw mill. **5.** *zaścianek* – village of small gentry. **6.** *przykładny* – exemplary, model. **7.** *obchodzić* – to interest, concern; *cóżby nas obchodziły te Tuhanowicze* – of what concern would Tuhanowicze be to us; *Tuhanowicze* – the estate of the rich family Wereszczaka where Mickiewicz was a frequent visitor; the daughter of the house, Maryla, was his sweetheart. **9.** *zaułek* – back alley; *wileński*, adj. from *Wilno; filomaci*, plur. of *filomata*, member of the Society of Friends of Learning founded by Mickiewicz among his fellow-students at the University of Wilno. **10.** *przeminęliby*, from *przemijać* – to pass, flit by; *nikły* – faint; *niepowrotny* – never-to-return. **12.** *podmalować* – to ground, paint in the background. **13.** *krzyk obłąkanej żony* – refers to the illness of Mickiewicz's wife, around 1840; *rozdzierać* – to pierce. **15.** *otwierać na przestrzał* – to open wide. **16.** *gąbka* – sponge. **17.** *rozpinać* – to stretch out. **18.** *urastać* – to grow; *urastał w groźne modlitwy* – he rose to threatening prayers, a reference to the "Improvisation" of Part Three of the *Forefathers' Eve*, which contains both prayers and a Promethean revolt against God. **19.** *przejrzyście*, from *przejrzysty* – clear. **20.** *pisać*, here *opisywać* – to describe; *krajobraz* – landscape. **22.** *jednostajny* – monotonous. **23.** *z pozoru* – seemingly. **29.** *przykuć* – to fasten, bind. **31.** *uskrzydlić* – to wing, endow with wings. **32.** *władać mową* – to speak a language. **33.** *umaczać* – to dip. **35.** *stujęzyczny* – hundred-tongued, polyglot; *mrowie* – multitude. **37.** *krwisty*, from *krew* – blood-red. **38.** *wrzący*, from *wrzeć* – to boil, scald, seethe; *przesączać* – to ooze, trickle. **39.** *barłog* – litter. **44–45.** a paraphrase of Mickiewicz's *Oda do młodości* (see p. 163). **46.** *zapał* – ardor, enthusiasm; *rączy* – swift, fleet.

MIŁOŚĆ I PODRÓŻ. **1.** *zmącić* – to trouble, to cloud; *zalotnica* – flirt, coquette. **3.** *pęk zieleni* – sheaf of verdure. **4.** *bokiem*, from *bok*, side, flank – – sideways. **6.** *falować* – to heave, undulate. **7.** *rozrzucać* – to throw about, scatter.

NIEBO. **2.** *szeleszczą*, from *szeleścić* – to rustle. **4.** *srebrzysty* – silvery. **5.** *cóżeśmy uczynili = cóż uczyniliśmy*. **6.** *zatruliśmy*, from *zatruć* – poison; *strawa* – food. **7.** *łaknąć* – to crave. **9.** *depcąc*, from *deptać* – to tread; *kobierce*, plur. of *kobierzec* – carpet. **12.** *tlić się* – to glimmer, smolder.

OKO W OKO (*oko w oko* – face to face). **1.** *odrutowany*, from *odrutować* – to wire. **2.** *kabel* – cable. **3.** *sklejony*, from *skleić* – to glue together; *rota karna* – penal gang. **4.** *krata* – bar. **5.** *naczynie* – vessel, pot; *zwiesz*, from *zwać* – to call. **7.** *rozpękło*, from *rozpęknąć* – to crack; *wszerz* – crosswise. **9.** *zwalony*, from *zwalić* – to topple, demolish. **11.** *wykipieć* – to boil over; *wrzątek* – literally, scolding water. **12.** *jękliwy* – moaning, plaintive. **15.** *inwalida* – disabled veteran. **16.** *pokorny* – humble; *kaleka* – cripple. **17.** *chodzić po prośbie* – to go begging. **19.** *zalegać* – to spread out. **20.** *zalać* – to overflow, fill. **21.** *dawać wiarę* – to give credence, believe. **26.** *pchanie*, from *pchać* – to push; *kadłub* – trunk, torso. **27.** *wytarty* – threadbare; *kościsty* – bony; *siedzenie* – seat (buttocks). **28.** *ścierać* – to rub; *bruk* – pavement. **29.** *odwłok* – rump, abdomen; *owad* – insect. **32.** *zad* – the behind, posterior. **33.** *kółko*, dim. of *koło* – wheel. **34.** *potoczyć się* – to roll. **35.** *wyciekły*, from *wyciec* – to leak out. **37.** *potykać się* – to stagger. **47.** *ropiący*, from *ropieć* – to fester. **51.** *wziąć na kawał* – to fool, play a trick on someone. **52.** *różność* – variety; *różności* – all kinds of things. **53.** *rząd* – government. **55.** *litościwy* – merciful, charitable. **57.** *za* – here, beyond, outside. **58.** *drań* – coll. scoundrel.

ALARM (This poem was written in Paris in 1939 but describes the German air raids on Warsaw at the beginning of World War II). **4.** *trzasnęły drzwi*, from *trzasnąć* – to bang, slam. **7.** *kołuje*, from *kołować* – to circle, roll. **14.** *pękł*, from *pęknąć* – to burst, explode. **19.** *Praga* – a suburb of Warsaw on the right bank of the Vistula. **21.** *tuż* – close by. **22.** *strzęp* – tatter, rag. **25.** *odwołuję*, from *odwoływać* – to recall, cancel. **29.** *werbel* – roll, beat of drums. **31–32.** *Wagram*, *Jena* – places where famous battles were fought during Napoleonic wars. **35.** *buchnąć* – to burst forth. **37.** *Marsyljanka* – the *Marseillaise*. **43.** *nalot* – air raid. **47.** *gruzy* – ruins, rubble; *zwalisko* – wreckage. **49–50.** *Traugutta* etc. – streets in Warsaw.

SĄD (*sąd* – judgement). **1.** *wiejski* – rural, village; *biedota* – poor people; *bezrolny* – landless. **2.** *co* = *która; polny,a*, from *pole* – field. **3.** *ci co* = *ci którzy*. **5.** *z Bema* = *z ulicy Bema, z* (*ulicy*) *Wolskiej* – streets in the workmen districts of Warsaw; *Grochów* – a workmen district in Warsaw. **6.** *zlani*, from *zlać* – to drench, soak.

KRZAK GŁOGU. **1.** *żmija* – viper. **3.** *niczyj* – nobody's, no man's. **7.** *sprawa* – cause. **8.** *złocisty* – gold-hued. **9.** *wspierać się* – to lean. **12.** *jałowiec* – juniper. **13.** *runąć* – to topple, tumble. **16.** *rozstajne drogi* – crossroads.

WSZYSTKO. **1.** *Tuluza* – Toulouse. **6.** *droga powrotna* – homeward journey, road leading home. **9.** *odjęto*, from *odjąć* – to take away. **11.** *tułactwo* – wandering, exile. **16.** *pogwar* – muted sound, murmur. **17.** *komar* – gnat, mosquito. **18.** *rżący*, from *rżeć* – to neigh. **26.** *kasztan* – chestnut-tree; *moknąć* – to get wet. **28.** *aleja* – alley. **29.** *ścieżka* – path.

O POLSCE SŁABEJ. **1.** *liczyć* – to calculate; *sztab* (*generalny*) – general staff. **2.** *okopać* – to entrench, fortify. **3.** *wybaczyć* – to forgive. **5.** *wina* – guilt, crime; *warta* – guard. **6.** *rygiel* – bolt. **7.** *nie utrudzona* – not weary. **8.** *drogowskaz* – signpost.

Jan Lechoń (pseudonym of Leszek Serafinowicz) (1899–)

Jan Lechoń was also one of the founders of *Skamander* and one of the organizers of the first public appearances of that group (at some of which, at the age of nineteen, he recited his poems). Before the Second World War he published only a few collections: *Karmazynowy poemat* (The Scarlet Poem, 1920), *Rzeczpospolita babińska*, (The Republic of Babin, 1921), *Srebrne i czarne* (Silver and Black, 1924). He collaborated in working out the *Skamander's* program, and, in the poem *Herostrates*, formulated his attitude toward the "patriotic duties" of poetry and toward the past (see above, introduction to this period). As usually happens with programs of poetic schools, this program also was in time exceeded or expanded, not only by Lechoń, but also by his companions. He celebrated not so much the "spring" as he did universal and Polish problems, and among them also problems of the past: he evoked visions of ghosts from the distant and less remote past and made them gather at some modern "Forefathers' Eve"—*Sejm*, *Jan Potocki*, *Pani Słowacka*, *Rozmowa z weteranem* (Talk with a Veteran), *Mochnacki*, *Norwid*. He also wrote poems about Żeromski, Byron, Joseph Conrad, and Thomas Mann, endeavoring to grasp the "essence" of each personality. These historical and literary motifs lend his poetry a more "cerebral" character than is to be found in the discursive works of Słonimski. This character does not change basically when the poet dwells upon the eternal problems of love and death, life and nirvana, body and soul. From these poems there emanates an almost absolute pessimism and hopelessness, but their expression has something classical and "academic," distinct from the poetry of his companions. His work is characterized by a highly developed talent for poetic crystalization, which consists in using, to quote Coleridge, "the best words in the best order," and expressing thereby a given problem in a finished form of crystal. Every element of his verse is thoroughly thought out and finely chiseled. Although there are no neologisms and extravagances in his language and versification, nevertheless they show creative innovation and newness.

During the war Lechoń published a collection of poems, *Lutnia po Bekwarku* (Bekwark's Lute, 1942). [1]

NA ŚMIERĆ JÓZEFA CONRADA

Twój ojciec też miał pogrzeb wspaniały i chmurny,
Szli za nim mrocznem miastem dostojni i prości,
O bruk stukały buty jak greckie koturny,
I wiedli go z niewoli do wiecznej wolności.

5 Mową prostą i twardą, chropowatą mową,
Mówili doń Polacy i cicho płakali,
Nakryli go Ojczyzną, jak czapką wojskową,
A później się rozeszli i bili się dalej!

[1] Walenty Bekwark or Bakwark was a famous lutist at the court of Sigismund August.

A teraz Ciebie wicher zaświatów ogarnia,
10 I ten tułacz bezsenny, zorany przez blizny,
Twój ojciec tam Cię woła językiem Ojczyzny,
Gdzie wszystkim świeci morzom ta sama latarnia.

From SREBRNE I CZARNE

Pytasz, co w mojem życiu z wszystkich rzeczą główną?
Miłość i śmierć, Ci powiem – obydwie zarówno.
Jednej oczu się modrych, drugiej czarnych boję.
Te dwie są me miłości i dwie śmierci moje.

5 Przez niebo rozgwieżdżone, wpośród nocy czarnej,
To one pędzą wicher międzyplanetarny, –
Ten wicher, co dął w ziemię, aż ludzkość wydała,
Na wieczny smutek duszy, wieczną rozkosz ciała.

Na żarnach dni się miele, dno życia się wierci,
10 By prawdy się najgłębszej dokopać istnienia –
I jedno wiemy tylko. I nic się nie zmienia.
Śmierć chroni od miłości, a miłość od śmierci.

SPOTKANIE

Dzisiaj nocą samotną, spędzoną bezsennie,
Po promieniach księżyca, jakiemś dziwnem tchnieniem...
Sam nie wiem, jak się nagle ocknąłem w Rawennie
I z dawno utęsknionem spotkałem zwidzeniem.

5 Przez otwarte ktoś okno grał cicho na flecie,
I wiatr lekki woń przywiał duszącą, upojną –
Jak w mistycznym w nią szedłem wplątany bukiecie,
Pod nieba wyiskrzoną kopułą dostojną.

"Będziecie wysłuchani tęskniący, więc proście!"
10 Jak przez Boga zaklęty przymknąłem powieki –
I tylkom jakiś dziwny posłyszał szum rzeki,
A później, później Danta ujrzałem na moście.

"Tyżeś to, Ty mój mistrzu! Dlaczego tak blady,
I czemu taki dziwny niepokój Cię żarzy?
15 Przychodzę Cię ubłagać o sekret Twej twarzy.
Nic nie wiem. Zabłądziłem. I proszę Twej rady".

On to rzekł, czy rzekł księżyc, czy woda to rzekła,
Padłem, głowę ukrywszy rękami obiema:
"Niema nieba ni ziemi, otchłani ni piekła,
20 Jest tylko Beatrycze. I właśnie jej niema".

MODLITWA

Gwiazd siewco i księżyców, co w eterze wiszą
O! Panie nad deszczami i Panie nad skwarem!
Porównaj nas zmęczonych z milczącym obszarem,
Niebiosa ku nam nachyl i napój nas ciszą.

5 O! utop nas w Twych światów bezmiernej głębinie,
Posrebrzaj nas jak gwiazdy, rozpuszczaj jak morze,
Nalewaj nas powietrzem w błękitne przestworze,
Nastrajaj nas jak echo i słuchaj jak ginie.

Bladym uczyń nas rankiem, wschodzącym na niebie,
10 Obłokiem, co w południe leniwo przepływa,
Woalem czarnej nocy, co ziemię nakrywa, –
Oswobódź nas od duszy i wybaw od siebie.

*
* *

O! jak strasznie się wloką te długie godziny,
O! jak dzień pełen trwogi, o! jak noc milcząca.
Do dania mam tak wiele – połowę mej winy;
A dłoń mi ją kochana ze wzgardą odtrąca.

5 Lecz wierzę, że jak wszystko – i miłość się znuży,
Jak dzieciństwo – mgłą wspomnień zasnuje błękitną,
...Gdzieś w kącie utkwi serca, jak kolec od róży,
Bolesne przypomnienie, że kwiaty gdzieś kwitną.

From LUTNIA PO BEKWARKU

Od żalu nie uciekniesz, nie ujdziesz goryczy,
I każda twa pociecha – to widmo przeszłości.
Ach! Czegóż się spodziewa i na cóż to liczy
Każdy z nas, co na tyle patrzał nikczemności?

5 I tylkoś jest zdziwiony, że jeszcze cię wzrusza
To drzewo całe w kwiatach, różowy wschód słońca,
I żyjesz, aby twoja nieśmiertelna dusza,
Co dane jej przecierpieć, cierpiała bez końca.

Cóż z tego że coś kochał – przemija jak dymy,
10 Że po tych co odchodzą – żal ci serce tłoczy?
My z starym Sofoklesem spokojnie patrzymy
Na ten widok, na który chce się zamknąć oczy.

NA ŚMIERĆ JÓZEFA CONRADA. **1.** *chmurny* – sullen. **3.** *stukać* – to knock, rap; *koturn* – cothurnus. **5.** *chropowaty* – raucous, rough. **8.** *rozejść się* – to part, disperse. **9.** *zaświaty* – the beyond. **10.** *zorany*, from *zorać*, to plow over – furrowed; *blizna* – scar.

SREBRNE I CZARNE. **2.** *obydwie* – both; *zarówno* – equally. **3.** *modry* – blue. **5.** *rozgwieżdżony*, from *gwiazda* – starry, full of stars. **6.** *międzyplanetarny* – interplanetary. **7.** *dąć* – to blow; *wydać* – to produce, bring forth. **8.** *rozkosz* – pleasure, volptuousness. **9.** *żarna* – grist-mill; *miele się*, from *mleć* – to grind; *wiercić* – to drill. **10.** *dokopać się* – to dig to, reach by digging; *istnienie* – existance.

SPOTKANIE (*spotkanie* – encounter, meeting). **3.** *ocknąć się* – to awake. **4.** *utęskniony* – longed, yearned for; *zwidzenie* – phantom, apparition. **5.** *flecie* – loc. sing. of *flet* – flute. **6.** *duszący*, from *dusić* – to suffocate; *upojny* – intoxicating. **7.** *bukiecie*, from *bukiet* – bouquet, nosegay. **8.** *wyiskrzony* – sparkling; *kopuła* – dome. **10.** *zaklęty*, from *zakląć* – bewitched, spellbound. **14.** *żarzyć* – to smolder. **15.** *ubłagać* – to implore. **19.** *otchłań* – here, purgatory; *piekło* – hell.

MODLITWA. **1.** *siewca* – sower; *eter* – ether, sky. **2.** *skwar* – heat. **3.** *porównać* – here, to even, level off. **4.** *nachylić* – to blend, incline; *napoić* – to fill. **5.** *utopić* – to drown; *bezmierny* – boundless. **6.** *posrebrzać* – to silver; *rozpuszczać* – to dissolve. **7.** *nalewać* – to pour; *przestworze* – space, air. **8.** *nastrajać* – to tune. **11.** *woal* – veil. **12.** *oswobodzić* – to free; *wybawiać* – to save.

* * * **1.** *wloką się*, from *wlec się* – to drag. **3.** *do dania* (from *dać*) *mam tak wiele* – I have so much to give. **4.** *wzgarda* – contempt, scorn; *odtrącać* – to spurn, reject. **5.** *znużyć się* – to grow weary. **6.** *zasnuć* – to swathe. **7.** *utkwić* – to stick. **8.** *przypomnienie* – reminder.

LUTNIA PO BEKWARKU. **1.** *ujdziesz*, from *ujść* – to escape. **2.** *widmo* – ghost. **4.** *nikczemność* – baseness. **8.** *przecierpieć* – to go through, suffer. **9.** *przemijać* = *mijać* – to pass. **10.** *tłoczyć* – to press.

Kazimierz Wierzyński (1894–   )

The fourth of the inner *Skamander* group, Kazimierz Wierzyński, in his first collections, *Wiosna i wino* (Spring and Wine, 1919) and *Wróble na dachu* (Sparrows on the Roof, 1921), struck a new note unknown not only to his contemporary literary period but also to earlier Polish poetry. It was an outburst of youthful, carefree joy in life, happiness of existence, and intoxication with the world. Almost all these poems breathe and overflow with these emotions. Seemingly easy and simple, the poems manifest considerable artistry, the poeticizing of common phrases, weaving around a single chord ever changing melodies by using various metric forms and diverse techniques of imagery. In the long run, such a chord could not satisfy a rapidly developing and exuberant talent. Therefore in the course of time Wierzyński took up other problems. At first they were akin to the former ones. In the collection *Pamiętnik miłości* (Journal of Love, 1925) we find pictures of no less sound and joyous love, though these are now intermingled with reflection and melancholy. The latter disappear completely in *Laur olimpijski* (Olympic Laurel, 1927), for which the poet was awarded the first international prize at the Ninth Olympic Games at Amsterdam in 1928. This is a unique eulogy of the sound and well-trained body, a hymn in honor of athletes, football players, pole jumpers, runners, and the like. However, not only muscles are celebrated, but also "inspiration" and "longing for victorious fame" and "man, a divine and triumphant being."

Subsequently he concerned himself with social questions, as in *Pieśni fanatyczne* (Fanatic Songs, 1929), and moral and national problems, as in *Wolność tragiczna* (Tragic Freedom, 1936). Here he exhibits sympathy for the disinherited, levels accusations and evokes struggle against evil, all on a high artistic level. During the war he published two volumes of poetry, *Ziema wilczyca* (Mother Earth, 1941) and *Róża wiatrów* (Rose of the Winds, 1942). Wierzyński is also the author of a volume of interesting short stories, *Granice świata* (Boundaries of the World, 1932).

From KAPELUSZ BIORĘ POD PACHĘ...

...Hej, jak mi dobrze, jak świeżo, radośnie,
Jak lekko! Sama w dal niesie mnie droga,
I w piersiach młodość mi odnowa rośnie,
I jestem chyba podobny do boga.

5 Jakem szczęśliwy – powiedzieć nie umiem!
O, mieć tak duszę do słońca rozśmianą!
Teraz to wiem już i dobrze rozumiem,
Czemu ujrzałem świat o piątej rano...

ZIELONO MAM W GŁOWIE

Zielono mam w głowie i fiołki w niej kwitną,
Na klombach mych myśli sadzone za młodu,
Pod słońcem, co dało mi duszę błękitną
I które mi świeci bez trosk i zachodu.

5 Obnoszę po ludziach mój śmiech, i bukiety
Rozdaję wokoło i jestem radosną
Wichurą zachwytu i szczęścia poety,
Co zamiast człowiekiem, powinien być wiosną.

JESTEM JAK SZAMPAN

Jestem jak szampan, lekki, doskonały,
Jak koniak mocny, jak likier soczysty,
Jak miód w szaleństwie słonecznem dostały,
I wyskokowy, jak spirytus czysty.

5 Królestwo moje na całym jest świecie
I mój alkohol wszystkie pędzą czasy,
Znacząc na sercach, jak na etykiecie,
Gwiazdami markę trunku pierwszej klasy.

GDZIE NIE POSIEJĄ MNIE

Gdzie nie posieją mnie – wyrosnę,
Nigdzie mnie niema, jestem wszędzie,
Na białym śniegu sadzę wiosnę
I wciąż śpiewają me łabędzie.

5 Jedyna prawda ma w kaprysie:
Choć ten sam – zawsze jestem inny,
Kocham me każde widzimisię
I żyję sobie wciąż dziecinny.

Tak długo w wino zmieniam wodę,
10 Aż mi się urwie ucho dzbanka;
Wtedy pić będę mą pogodę
Ja: uśmiech, traf i niespodzianka.

LATO

Leżę na łące.
Nikogo niema: ja i słońce.

Ciszą nabrzmiałą i wezbraną
Napływa myśl:
5 – To pachnie siano.

Wiatr ciągnie po trawach z szelestem,
A u góry
Siostry moje, białe chmury,
Wędrują na wschód.

10 Czy nie zawiele mi, że jestem?

SKOK O TYCZCE

Już odbił się, już płynie! Boską równowagą
Rozpina się na drzewcu i wieje, jak flagą,
Dolata do poprzeczki i z nagłym trzepotem
Przerzuca się, jakgdyby był ptakiem i kotem.

5 Zatrzymajcie go w locie, niech w górze zastygnie,
Niech w tył odrzuci tyczkę, niepotrzebną dźwignię,
Niech tak trwa, niech tak wisi, owinięty chmurą,
Rozpylony w powietrzu, – leciutki, jak pióro.

Nie opadnie na siłach, nie osłabnie w pędzie,
10 Jeszcze wyżej się wzniesie, nad wszystkie krawędzie,
Odpowie nam z wysoka, odkrzyknie się echem,
Że leci prosto w niebo – jest naszym oddechem.

NEW YORK

I

Jedno okno nad drugiem, drugie nad dziesiątem,
Pięćdziesiąte przy setnem, sto nad horyzontem,
Miljon okien i pięter porosłych warstwami,
Piętro w piętrze, nad piętrem, pomiędzy piętrami,

5 Potem skok – i szczyt nagle obciosany heblem
Krztusi się, płaskim dachem zatkany, jak kneblem,
Lub z świstem leci w górę wieżą niedościgłą
I rozpaloną w niebo zakłuwa się igłą.

Co to?
10 Neapol nasztorc wbity, czy księżyc strzaskany,
Meteor, co się zwalił na lód Labradoru,
Stos piramid czy runął, czy to Watykany,
Które djabeł porąbał tysiącem toporów?

Nie! To jest twarz nadświata,
15 Twarz – kamienna Mahabharata,
Twarz, którą wyrył rzut polifemi,
Twarz, którą wzdyma furja choleryka,
Twarz, która krzyczy po całej ziemi:
Heureka, heureka!
20 Ameryka, Ameryka!

BALLADA

Wyjeżdża z wiklin łódź na połów,
Nad rzeką się mustangi pasą,
Step dudni głucho od bawołów,
W powietrzu leci lekko lasso.

5 Ponad zamętem nocy śniadej
Księżyc podstępnie i widmowo
Pnie się na skały palisady
I skacze po nich ściętą głową.

I obłokami wieczystemi
10 Przepływa czas, jak lawa śpiąca,
...Kret bez szelestu grudki ziemi
Z pod spodu kruszy i roztrąca.

FOKI

Morze śpi szafirowo i niebo śpi gnuśnie
I pusty wiatr przewraca się w liściach magnolji,
Pewnie i on odurzy się ciepłem i uśnie
I przez sen winogrona ssać będzie powoli.

5 Tylko przy Złotej bramie, na skale wysokiej,
Co sterczy nad zatoką, jak kieł, wysunięta,
Rudem stadem młodziutkie tarzają się foki,
Panieńskie, krągłe brzuszki, rozśmiane szczenięta.

INTER ARMA

Muzo! Nie lękaj się hałasu broni
I bitewnego nie unikaj szczęku,
To nic że lira, gdy podchodzisz do niej,
Pęka wśród jęku.

5 Bij w struny! Boskość cię do nich zaprzęgła,
Piorun do ręki podała panieńskiej,
Jeśli pieśń przetrwa, będzie niedosięgła
Nad wiekiem klęski.

Powróć nam wiarę, iż echem dalekiem
10 Moc się z natchnienia w narody przemyca:
Chcę aby rzymskiem karmiła nas mlekiem
Ziemia Wilczyca.

I pozwól także na chwilę tej ciszy,
W której powraca, co żyło w nas przedtem,
15 O tem pod wieczór, gdy nikt nie usłyszy,
Zagadaj szeptem.

Pozwól nam jeszcze, niech każdy się przyzna
Do łez, rozpaczy i skrytej słabości,
Zgromadź nas wszystkich, jak zbiera ojczyzna
20 Prochy i kości.

KTOKOLWIEK JESTEŚ BEZ OJCZYZNY

Ktokolwiek jesteś bez ojczyzny
Wstąp tu, gdzie czekam pokryjomu:
W ugornej pustce jałowizny
Będziemy razem nie mieć domu.

5 Kto się zapatrzył w tamte strony,
Gdzie dotąd niebo nocą ciemną
Od łuny drży nieugaszonej,
Niech w noc tę głębiej idzie ze mną.

Komu się śnią włóczone kości
10 Przez psy na polach, gdzie rozpaczą
Brzozy odarte jeszcze płaczą,
Niech mi to wyzna w samotności.

Bo z mgieł jesiennych, przez ścierniska,
W badylach perzu, kłębem pnączy
15 Szept jakiś z trudem się przeciska
I w samo serce, w krew się sączy.

Bo niema ziemi wybieranej,
Jest tylko ziemia przeznaczona,
Ze wszystkich bogactw – cztery ściany,
20 Z całego świata – tamta strona.

KAPELUSZ BIORĘ POD PACHĘ (*brać pod pachę* – to take under one's arm). **1.** *jak mi dobrze!* – how wonderfully I feel. **3.** *odnowa* = *nanowo* – anew. **7.** *rozśmianą* or *roześmianą* – lit up with a smile.

ZIELONO MAM W GŁOWIE. **1.** *mieć zielono w głowie, mieć fiołki w głowie* – idiom. to be crazy; *fiołek* – violet. **2.** *klomb* – flower-bed; *sadzone,* from *sadzić* – to plant; *za młodu* – in my youth. **5.** *obnosić* – to carry around. **7.** *wichura* – storm, gale; *zachwyt* – rapture.

JESTEM JAK SZAMPAN. **2.** *soczysty,* from *sok* – juicy. **3.** *miód* – mead; *dostały* – ripe. **4.** *wyskokowy* – alcoholic; *spirytus* – spirit, alcohol. **6.** *pędzić alkohol* – to distil alcohol. **7.** *znaczyć* – to mark, indicate; *etykieta* – label. **8.** *marka* – trademark; *trunek* – beverage.

GDZIE NIE POSIEJĄ MNIE. **1.** *rośnie, gdzie go nie posieją* – prov. saying applied to people who appear "out of the blue," unexpected, and not invited; *posiać* – to sow. **5.** *kaprys* – caprice, whim. **7.** *widzimisię* – whim, fancy. **10.** *urwać się* – to break off; *ucho* – ear, handle; *dzbanek,* dim. of *dzban* – pitcher. **11.** *pogoda* – here, serenity. **12.** *traf* – chance; *niespodzianka* – surprise.

LATO. **3.** *nabrzmiałą,* from *nabrzmieć* – to swell; *wezbraną,* from; *wezbrać* = *nabrzmieć.* **4.** *myśl napływa* – the thought drifts over.

SKOK O TYCZCE (*skok o tyczce* – pole vaulting). **1.** *odbić się* – to bounce; *równowaga* – balance, equilibrium. **2.** *rozpinać się* – to unfurl, spread out; *drzewce* – flagpole. **3.** *dolata* = *dolatuje,* from *dolatywać* – to fly to, reach; *poprzeczka* – cross-bar; *trzepot* – flutter. **4.** *przerzucać się* – to hurl oneself over. **5.** *zastygnąć* – to freeze, grow motionless. **6.** *dźwignia* – lever. **8.** *rozpylony,* from *rozpylić* – to pulverize. **9.** *opaść na siłach* – to lose one's strength. **10.** *krawędź* – edge. **11.** *odkrzyknąć się* – to shout back.

NEW YORK. **3.** *porosłych,* from *porość,* to grow – which have grown; *warstwa* – layer. **5.** *obciosany,* from *obciosać* – to hew; *hebel* – plane. **6.** *krztusić się* – to choke; *płaski* – flat; *zatkany,* from *zatkać* – to stop up, gag; *knebel* – gag. **8.** *zakłuwać się* – to pierce, stab. **10.** *Neapol* – Naples; *na sztorc wbić* – to thrust upright, stand on end; *strzaskać* – to shatter. **13.** *porąbać* – to chop, cut. **14.** *nadświat* – super-world, world of superior beings. **16.** *wyryć* – to carve, engrave; *rzut* – throw, thrust; *polifemi* – probably a coined adj. from *Polifem,* Polyphemius, most famous of the Cyclops. **17.** *wzdymać się* – to inflate, bloat; *choleryk* – choleric person.

BALLADA. **1.** *wiklina* – osier. **3.** *bawół* – buffalo. **5.** *zamęt* – chaos, confusion; *śniady* – swarthy. **6.** *podstępnie* – slyly; *widmowo* – spectrally, like a phantom. **7.** *pnie się,* from *piąć się* – to climb. **8.** *ściętą,* from *ściąć* – to cut off, behead. **11.** *kret* – mole; *grudka,* dim. of *gruda* – clod. **12.** *z pod spodu* – from underneath; *kruszyć* – to crumble, break; *roztrącać* – to scatter.

FOKI (*foka* – seal). **1.** *gnuśnie*, from *gnuśny* – slothful, lazy. **3.** *odurzyć się* – to become intoxicated, groggy. **4.** *winogrona* – grapes; *ssać* – to suck. **6.** *sterczeć* – to jut out; *kieł* – fang, tusk; *wysunięta*, from *wysunąć* – to thrust forth, project. **7.** *tarzać się* – to wallow. **8.** *panieński*, from *panna* – maidenly, girlish; *krągły* – round; *brzuszek*, dim. of *brzuch* – belly; *szczenię* – puppy.

INTER ARMA. **2.** *bitewny*, adj. from *bitwa* – battle; *unikać* – to avoid. **3.** *to nic* – never mind. **5.** *zaprzęgła*, from *zaprząc* – to harness. **7.** *niedosięgły* – unreachable. **10.** *przemycać się* – to be smuggled, conveyed secretely. **12.** *wilczyca* – she-wolf. **16.** *zagadać* – to tell. **18.** *skryty* – secret.

KTOKOLWIEK JESTEŚ BEZ OJCZYZNY. **2.** *pokryjomu* – secretly, clandestinely. **3.** *ugorny*, from *ugór* – fallow land; *jałowizna* – barrenness. **5.** *zapatrzyć się* – to fix one's eyes, stare. **9.** *włóczone*, from *włóczyć* – to drag. **14.** *badyle* – stalks; *perz* – quitch, couch-grass; *kłębem*, from *kłąb* – mass, cluster; *pnącz, e* – creeper (plant). **15.** *przeciskać się* – to force one's way. **16.** *sączyć się* – to dribble. **17.** *wybierać* – to choose. **18.** *przeznaczyć* – to destine. **20.** *tamta strona* – scil. *ojczyzna*.

Kazimiera Iłłakowiczówna (1892–   )

Less closely linked with *Skamander* and in general occupying a separate place in modern poetry, Kazimiera Iłłakowiczówna is a very prolific but uneven poet. She is the author of some seventeen collections of poems, among which we may mention the following: *Połów* (Catch, 1926), *Płaczący ptak* (Weeping Bird, 1927), *Zwierciadło nocy* (Mirror of the Night, 1928), *Z głębi serca* (From the Depth of the Heart, 1928), *Popiół i perły* (Ashes and Pearls, 1930), and *Ballady bohaterskie* (Heroic Ballads, 1934). In exuberance and power of imagination, as well as in tendency toward the fantastic, she approaches Tuwim, particularly in her eerie treatment of characters and objects. She uses traditional accessories: ghosts, phantoms, and witches, or paints phantasmagoric imaginary portraits of psychological types, evolved from the sound of their names. She achieves more durable and poetically more convincing effects when, in poems devoted to general, national, or personal matters, she undertakes strange hypostases of her "lyrical ego." She then identifies herself with a weeping bird, a "weeping fiddle," a "blind, downy moth, beating against window-panes." Or a seemingly epically described stone becomes suddenly in a symbolic transformation a stone "that lies heavily on my heart"; the dead frozen leaves of the birch lie "like blood spilled under the very heart"; "the homeland, the whole country" fills her heart.

Her poetic world is mysterious, fantastic, and suggestive; her language is adapted to this world and transforms physical phenomena into pure lyrical states. Her verse has in the main little in common with traditional versification; it is "free," with very varied length of the line, with only an approximate evenness of accents. In the rhymes we find many bold, often rather remote, assonances; there also occur poems entirely without rhymes. Her language abounds in the vivid provincial expressions of Lithuania and Byelorussia.

ĆMA

To nie ślepa, puszysta ćma,
to ja.
Z ciemności lecę, z pod jesionów, dębów i lip
do okien jarzących, do szyb.
5 Żadnej z twych szyb nie omijam,
O każdą się rozbijam,
tęsknię do lampy, do świecy...
Na śmierć, na śmierć, na śmierć lecę!

KAMIEŃ

To tutaj, przez ten gąszcz; trochę w lewo, w bok, jeszcze niżej...
Oto leży! Ktoś na nim wyrył słabą ręką płytki, szeroki znak krzyża.
Próbowano ociosać go; tam legł odłamek młotka, co się na nim stępił;
teraz porasta mchem; czomber nań wpełza powoli, maleńka kępka
[przy kępie.

5 Jawia mi się na obczyźnie dalekiej, gdy myślę o Polsce najmniej,
i za nim zaraz – drogi, płoty, kartofliska, pola zorane zwyczajnie,
jakiś las, jakieś mrugające krótką falą jezioro...
Jawia mi się, gdy na ścieżce miłości stoję i dalej iść mi niesporo...
Jawia mi się, ach, w czas każdy,
10 gniecie mię, przytłumia i miażdży!
Nie podniosę go sama, ani mocą żadnych przymierzy...
...Idźmy dalej... Zostawcie go... To kamień, co mi na sercu leży.

PŁACZ

Z brzozy oprzędzonej przez szron liście zziębnięte kapią na trawę
żółte, brązowe, nakrapiane i krwawe,
po włosach muskają, spływają po ustach, po twarzy...
Ach i jakieś łkanie się plącze... ach i świat się w oczach maże.
5 Z brzozy okaleczonej przez mróz nieżywe liście... gorzkie, słone,
[parząc powieki gorącem –
spadają mrące
i leżą pod brzozą w mroku jak krew rozlana...
...pod sercem samem ...pod sercem samem.

OJCZYZNA

Kraj cały zaległ serce. Dalekie stało się olbrzymiem i bliskiem,
Kraj cały zaległ serce lasem i wrzosowiskiem,
jodłami,
co do góry korzeniami
5 w mokradle kruchem się walą,
torfami,
które całemi latami
na głębokość nieznaną się palą.
Kraj zaległ serce, z serca patrzy w oczy,
10 zieleni się, płynie Dźwiną, Dryssą i Indrą, piasczy się i obłoczy
z jezior wychyla tysiąc dusz, rybackiemi oplątał sieciami,
aż się sypią szczupaki i liny i płotki... I pyta: "Czy jesteś z nami?"
Do złota, do złota samego w sercu przez pustynię się przedziera
i pyta: "Kogo rodzić zamyślasz – kwiecie, czy bohatera!?"

15 Liście bruśnicowe,
łąki bahunowe,
dyrwany czombrem porosłe,
brzózki do lat niedorosłe.

Drogi polne, nieustępliwe,
20 poziomeczki od piasku siwe;
małe dziewczęta – Genowefy, Matyldy, Grasyldy, Weroniki, Judyty,
pojące szurpate krowy z wiadra u studni rozbitej...
Harmoniki dźwięki niezrozumiałe po powietrzu latające,
długie sznury burłaków u rzeki i flisy, flisy skrzypiące.
25 Łąki bahunowe pod sosnami,
dudki nieporadne nad pastwiskami,
jesteście w duszy zamiast tej, co godziny na momenta liczy,
– zamiast miłosnej słodyczy!
Zamiast radosnego oddania
30 dokoła są mgły i w mgłach wilkołaków stąpania.
Nie ust całowanie
ale jak wzbiera pod lodem rzeka – nadsłuchiwanie.
Nie serca o serce gwałtowne uderzenie,
ale od sosen w księżycu światła i cienie.
35 Niedorosłe do lat uczucia – jak pień zbyt wiotki,
rozbite paciorki szczęścia, nie djament twardy, promienny... Słodki
dźwięk słów obcych wszystkim, jak imiona – Genowefa, Monika,
[Weronika...
...I nieporadna, niezrozumiała, nieustępliwa odwaga – jak ciągła
[komarów nad północnem jeziorem muzyka.

ĆMA. **1.** *ćma* – moth. **3.** *jesion* – ashtree. **4.** *jarzący* – glowing, bright. **5.** *omijać* – to pass by, leave.

KAMIEŃ. **2.** *płytki* – shallow. **3.** *ociosać* – to cut, hew; *odłamek* – fragment; *stępić się* – to be dulled. **4.** *mchem*, instr. of *mech* – moss; *czomber* or *cząber* – thyme; *wpełzać* – to creep in. **5.** *jawia się*, older from for *zjawia się*, from *jawiać*, *zjawiac się* – to appear. **6.** *kartoflisko* – potato – field. **8.** *niesporo mi* – I am reluctant, loath. **10.** *przytłumiać* – to weigh down; *miażdżyć* – to crush.

PŁACZ. **1.** *oprzędzonej*, from *oprzędzić* – to swath in a cobweb; *zziębnięte*, from *zziębnąć* – to grow cold; *kapać* – to drip. **2.** *nakrapiany* – speckled, spotted. **3.** *muskać* – to brush, to touch lightly. **4.** *plącze się*, from *plątać się* – to intermingle, here, be heard intermittently; *maże się*, from *mazać się* – to blur. **5.** *okaleczony*, from *okaleczyć* – to cripple, maim, hurt; *parzyć* – to scold; *gorąco* – heat, hotness; *mrące*, from *mrzeć* = *umierać* – to die.

OJCZYZNA. **1.** *zaległ*, from *zalec*, *zalegnąć* – to fill, cover. **2.** *wrzosowisko* – heath. **5.** *mokradło*, *moczar* – swamp; *kruchy* – soft, brittle. **6.** *torf* – peat. **10.** *Dźwina* – river in Latvia; *Dryssa*, *Indra* – tributaries of Dźwina; *piasczyć się*, verb coined from *piasek*, sand – to shimmer with sand; *obłoczyć się*, verb coined from *obłok*, cloud – to be fleecy with clouds. **11.** *wychylać* – to peer. **12.** *sypać się* – to be rife with, teem; *szczupak* – pike; *lin* – tench; *płotka* – roach. **13.** *przedzierać się* – to break one's way through. **14.** *rodzić* – *to* bear; *zamyślać* – to intend, plan.

15. *brusznicowe*, from *brusznica* – cowberry. **16.** *bahunowe*, from *bahun* – a plant growing on swamps. **17.** *dyrwan*, Lithuanian = *ugór* – fallow land. **19.** *nieustępliwy* – unyielding, here, rough. **20.** *poziomeczka*, dim. of *poziomka* – wild strawberry. **22.** *szurpaty* – bristly. **24.** *burłak* – hauler of barge; *flis* – here, barge, raft; *skrzypiący*, from *skrzypieć* – to creak. **26.** *dudki*, plur. of *dudek* – hoopoe; *nieporadny* – clumsy, awkward. **29.** *oddanie* – abandon, abandonnement. **30.** *wilkołak* – werewolf; *stąpanie*, from *stąpać* – to tread. **32.** *wzbierać* – to swell; *nadsłuchiwanie*, from *nadsłuchiwać* – to listen, cock the ear. **35.** *wiotki* – flimsy, frail. **36.** *paciorek* – bead. **39.** *komar* – mosquito.

Marja Pawlikowska (1895–1940)

Marja Pawlikowska is the other outstanding woman poet of the new generation, quite different from Iłłakowiczówna. She published a dozen collections of poems, among which the most characteristic are *Niebieskie migdały* (Wool-Gathering, 1922), *Różowa magja* (Pink Magic, 1924), *Pocałunki* (Kisses, 1926), *Cisza leśna* (Silvan Silence, 1928), *Surowy jedwab* (Raw Silk, 1932), *Śpiąca załoga* (The Sleeping Crew, 1935), and *Balet powojów* (Ivy Ballet, 1935). The first collections are saturated with an atmosphere of the "salons," of elegant, sophisticated life, which called forth charges of hyperaestheticism and of creating filigreed rococo knickknacks. In fact, already in these first poems the basic characteristics of her poetry were manifested: an unusual lyric gift, maximum objectivization and universalization of emotional states (pure outbursts are rather rare), great condensation of expression. Coupled with this are avoidance of pathos, laconicism and clarity of poetic devices (metaphors, epithets, pictorial images), realistic treatment of the phenomena of nature and of human psychology, and an ability to contain vast problems in concise and yet striking formulations.

Pawlikowska likes to express her poetic world in short, concentrated, epigrammatic forms (there are many quatrains). Their structure is based on synthetic abbreviations often combining psychological states with phenomena of nature. Her versification is diversified and rich, but free of a tendency to deformation. The same applies to her language, individual and original, but completely "comprehensible."

Pawlikowska is also the author of a number of plays, such as *Egipska pszenica* (Egyptian Wheat, 1932) and *Niebiescy zalotnicy* (The Air-borne Wooers, 1935).

ŚWIATU

Świat ten jest dla mnie i jam jest dla świata,
który ciężarem serce mi rozgniata,
jak nieprzytomny kochanek.
Daję mu wszystko, nie trwożąc się o nic,
5 choć grozi śmiercią, którą trzyma w dłoni,
mnie, najwierniejszej z kochanek.
Zabawki, skarby, umarłe motyle
kładzie przedemną i leżą przez chwilę,
aż znów je wicher rozmiecie.
10 Całuję usta jego wieloustne:
mów o miłości nim na zawsze usnę
w objęciach twoich, mój świecie.

RANNY PTAK

Jakiś ptaszek o świcie oszalał, zwarjował,
to się porwie z gałęzi, to o ziemię ciśnie,
przelatuje z jabłoni na kwitnącą wiśnię,
jak mała błyskawica siwa i różowa.

5 Krzycząc, że słońce wschodzi, leci ku kasztanom,
i terczy słowo "słońce", gwiżdże słowo "wschodzi",
kołysze się w gałęziach jak w zielonej łodzi
i kłuje ranną ciszę, deszczem haftowaną.

Wpatrzony w morelowy wśród obłoków pożar,
10 spada prosto z kasztanu w krzak pod moje okno,
i krzyczy wielkim głosem, z radością okropną,
że słońce znowu wschodzi! Że go nikt nie pożarł!!

WYBRZEŻE

Meduzy rozrzucone niedbale,
muszle, które piasek grzebie,
i ryba opuszczona przez fale,
jak moje serce przez ciebie.

WESTCHNIENIA

Morze jest dzisiaj smutne. Westchnienia się żalą
przy brzegu porośniętym siwo-złotą sierścią.
Jak pierś wznosi się fala i ginie za falą.
Morze wzdycha falami. Ziemia – moją piersią.

ZMIERZCH NA MORZU

Wybrzeże coraz to bledsze
w liljowej półżałobie
i żaglowiec oparty na wietrze,
jak ja na myśli o tobie.

LA PRÉCIEUSE

Widzę cię w futro wtuloną,
wahającą się nad małą kałużą
z chińskim pieskiem pod pachą, z parasolem i z różą...
I jakżeż ty zrobisz krok w nieskończoność?

PTAK

Ptaszek umierający chowa się, ucieka,
by go nie ujrzał nikt w świecie,
jak serce co się skryło w głąb piersi człowieka,
by umierając, umrzeć w sekrecie.

KROWY

Uśmiechnięci, obojętni i zdrowi
krążycie spokojnie w pobliżu,
jak trawę żujące krowy
wkoło kogoś, co umiera na krzyżu...

ŁABĘDŹ

Patrz! Łabędź jak znak zapytania
wypłynął na staw przeźroczy...
Świat czeka i patrzy ci w oczy
pełne wahania...

SŁOWIKI

Słowiki są dziś nieswoje.
Bzy są jak chmury krzyżyków.
Chcesz zabić serce moje?
Przecież się nie zabija słowików?

GWIAZDY

Choć na ziemi i szczęścia i mocy tak mało,
na niebie zawsze to samo:
Wszechświat wciąż reklamuje swą moc i wspaniałość
gwiaździstą, świetlną reklamą.

ŚLEPA

Ślepa jestem. Oślepiona majem.
Nic nie wiem prócz, że pachną bzy.
I ustami tylko poznaję
żeś ty nie ty...

NIKE

Ty jesteś jak paryska Nike z Samotraki,
o miłości nieuciszona!
Choć zabita, lecz biegniesz z zapałem jednakim,
wyciągając odcięte ramiona...

PAŹDZIERNIK

Brzozy są jak złote wodotryski.
Zimno jest jak w ostatnim liście.
A słońce jest jak ktoś bliski,
który ziębnie i odchodzi. Lecą liście...

KLEPSYDRA NAD MORZEM

Świecie! Chwile marzenia, których mi nie wydrzesz,
mierzę piaskiem, sypanym z garści w dłoń otwartą.
Klepsydra taka żadnej nierówna klepsydrze,
głosi, że czas jest długi i że marzyć warto.

5 Lśniące dreszcze, jak chmury wędrownych motyli
lecą w wieczność, gdzie śmierci nie sięga już hydra.
— Płynąłbyś, piasku życia, nieskończoną wstęgą,
gdybym ja cię mierzyła, marząca klepsydra...

WOJNA TO TYLKO KWIAT

To tylko straszliwy kwiat
Rośliny, która jest życiem;
To tylko wybuch i kolor
Ciernistych, codziennych pnączy,
5 Krzewiących się dziko i bitnie!

To tylko okropny kwiat
Tego co jest –
Płomienny, aż w oczy kole,
Oczy nasze, płaczące obficie!

10 Kwitnąć musi, aż nie przekwitnie,
Na upiornej tracąc czerwieni,
Aż się w zżółkłe strzępy gazet nie przemieni,
Aż parady swojej nie zakończy...

O NIEŻYWEJ

Poraz ostatni serce jej zabiło,
Poraz ostatni krew pędząc rumianą.
I będzie odtąd już tylko poddaną
Czystej wieczności – jak noc i jak rano,
5 Jak słowik, gwiazdy, róże albo miłość...

Już nie poddaną któregoś z narodów,
Ofiarą jego błędów i narowów...

OBCA DUSZO

Duszo z miękkich pajęczyn utkana,
Nie mów do mnie. Nie miotaj nicości,
Nie rozdmuchuj kurzu. Odejdź, przebacz.

Jestem raną. A na taką ranę
5 Nie pajęczyn z chlebem, nie litości,
Ale słońca z rodzinnego nieba...

CIEŃ

Jest mi w drzew cieniu, jak w kamiennej wnęce
Smutnym posągom: swojsko i zacisznie...
Czego żądają załamane ręce?
Spokoju, liści dokoła – nic więcej.

ŚWIATU. **2.** *rozgniatać* – to crush. **9.** *rozmiecie*, from *rozmieść* – to scatter, sweep away. **10.** *wieloustny* – many mouthed, many lipped. **12.** *objęcia* – embraces.

RANNY PTAK. (*ranny* = *poranny* – morning bird). **1.** *oszaleć* – to go mad, lose one's mind. **2.** *porwać się* – to start, fly up; *cisnąć się* – to fling, hurl oneself. **6.** *terczeć* – to trill. **9.** *morelowy*, adj. from *morela* – apricot, apricot color. **12.** *pożarł*, from *pożreć* – to devour.

WYBRZEŻE. (*wybrzeże* – the shore). **1.** *meduza* – medusa, jellyfish. **2.** *muszla* – shell; *grzebie* = *pokrywa* – covers, burries.

WESTCHNIENIA. **2.** *sierść* – hair (animal).

ZMIERZCH NA MORZU. **1.** *bledsze*, comp. of *blady* – pale. **2.** *liljowy* – lilac, mauve; *półżałoba* – half – mourning. **3.** *żaglowiec* – sailboat.

LA PRÉCIEUSE. **1.** *wtulony* – huddled up, wrapped up. **2.** *kałuża* – puddle. **3.** *chiński piesek* – Pekinese.

KROWY. **2.** *krążyć* – to walk around; *w pobliżu* – nearby. **3.** *żuć* – to chew the cud.

ŁABĘDŹ. **1.** *Łabędź* – swan; *znak zapytania* – point of interrogation. **2.** *przeźroczy* – transparent.

SŁOWIKI. **1.** *słowik* – nightingale; *nieswój* – out-of-sorts, ill-at-ease. **2.** *krzyżyk*, dim. of *krzyż* (the shape of lilac's blossom).

GWIAZDY. **3.** *reklamuje*, from *reklamować* – to advertise. **4.** *świetlny* – light; *reklama* – advertisement, sign.

ŚLEPA. **1.** *oślepiona*, from *oślepić* – to blind. **2.** *prócz* = *prócz tego* – except, save.

NIKE. **1.** *paryska* – refers to the famous statue of Nike of Samothrace in the *Musée du Louvre* in Paris. **2.** *nieuciszona* – unappeased.

PAŹDZIERNIK. **1.** *wodotrysk* – fountain.

KLEPSYDRA NAD MORZEM. (*klepsydra* – hour-glass). **1.** *wydrzeć* – to wrest from. **2.** *garść* – closed, clenched hand. **3.** *nierówny* – unlike. **4.** *warto* – it is worthwhile.

WOJNA TO TYLKO KWIAT. **4.** *pnącz* – climbing plant. **5.** *krzewiący się*, from *krzewić się* – to sprout, to grow profusely; *bitnie*, from *bitny* – valiant, brave. **8.** *kole* = *kłuje*, from *kłuć* – to stab, prick. **10.** *przekwitnąć* – to wither, fade. **11.** *upiorny* – ghastly. **12.** *strzęp* – scrap.

O NIEŻYWEJ. **2.** *rumiany* – red. **3.** *poddana* – subject. **7.** *narów* – ill habit.

OBCA DUSZA. **1.** *pajęczyna* – cobweb; *utkana*, from *utkać* – to weave. **2.** *miotać* – to throw, hurl. **3.** *rozdmuchuj*, from *rozdmuchiwać* – to blow in various directions, scatter. **4.** *rana* – wound. **5.** *pajęczyn z chlebem* – refers to an old custom of applying cobweb with bread to a wound.

CIEŃ. **1.** *wnęce*, loc. of *wnęka* – niche. **2.** *jest mi swojsko* – I feel like at home; *jest mi zacisznie* – I feel cosy. **3.** *załamane*, from *załamywać ręce* – to wring one's hands.

Józef Wittlin (1896–)

Author of a single volume of poems, *Hymny* (Hymns, 1920), Wittlin is nevertheless an essential and important figure in any complete picture of the period. While his fellow poets were mostly preoccupied with the problem of "today," he turned to the recent past, to the atmosphere of war, and in a number of "hymns" presented a picture of the time so stirring that it is hard to find anything like it in modern Polish poetry except perhaps sometimes in Słonimski or Broniewski. In these images emotional elements are organically fused with conceptual ones; the "realism" of the description is saturated with pain and suffering at the destruction of life; the rhythm of the verse is broken and uneven (as in hymns or odes); the language rings with lofty rhetoric and then introduces everyday words ("a spoonful of soup" is the title of one of the hymns) which assume new force and meaning.

The novel *Sól ziemi* (Salt of the Earth, 1936), is the first volume of a proposed trilogy. As in the poems, the background is the First World War (in Volume I, the first months of the war), but the treatment is different: a simple Ukrainian-Polish peasant looks with astonished eyes at everything that is happening around him. This "strangeness" of the world reflected in the peasant's soul is the basis of the novel's structure and becomes a strong device of expression. His experiences assume universal meaning; common phenomena become symbols of important and profound matters. The charm of Wittlin's style consists in a quiet and objective narration concerned with concrete details and infused with a discreet lyrical element; this is combined with subtle irony and the author's comments and aphorisms. The whole is certainly more impressive than the books of Remarque or Barbusse that are similar in subject matter. It was translated into a number of European languages and was received with great acclaim.

Wittlin is also the author of a translation of the *Odyssey* (1924, from the original). It combines philological accuracy with a high poetic level and occupies first place among the Polish versions of that work.

During the last war Wittlin wrote some beautiful lyric poems (see below).

From HYMNY

GRZEBANIE WROGA

I

Serce mam strute

Oto kazali mi pogrzebać wroga, co zginął w bitwie.
Do ręki mi dali łopatę, palcem wskazali: wróg! –

Larmo grajcie trębacze! Larmo przeciągłe, a lute!
W kotły uderzcie dobosze! Dmijcie w mosiężne puzony!
5 Na czarną, na straszną, ponurą – grzebania nutę!

Raźno chwyciłem łopatę, a nie wiem, kim jest mój wróg:
Czy chłop, czy pan, czy robotnik,
Czy podły człek, czy szlachetny,
Wiem tylko jedno, że wróg.
10 Bo wraży kształt jego czapki
I wraże na nim guziki,
Choć oczy napoły przywarte i ręka, co ściska broń
Taksamo, taksamo bolesna,
Taksamo, taksamo zmęczona,
15 Jak ręka brata mojego, jak brata mojego dłoń.

Więc jakże grzebać mi ciebie, wrogu ty mój oniemiony,
Skoroś jest taki jak brat?
Więc jakże chować mi ciebie, zewłoku ty wykrzywiony,
Skoro cię zabił mój brat?

20 Wykołysała cię ziemia rodna, pachnąca,
Wypiastowała cię matka dobra, troskliwa,
Wyhołubiła cię dziewka ciepła, wstydliwa,
Wykołysała cię ziemia rodna, pachnąca.

Latem chodziłeś na pole – sierpem żąć żyto,
25 Jesienią kopałeś ziemniaki – motyką,
Zimą siedziałeś w chałupie i piłeś,
A wiosną, wiosną z dziewkami w karczmie tańczyłeś.

Nocamiś sypiał przy koniach na słomie zmierzwionej,
Albo też szedłeś do żony
30 Swej czarnobrewy.
Ojcaś starego w chałupie trzymał, jak Pan Bóg przykazał.
Nie żałowałeś mu strawy, syn byłeś – prawy.

I wzięli cię, wzięli do wojska,
Dali ci mundur i buty,
35 Bajnet i gwer i patrontasz –
Ładnie ty teraz wyglądasz
Bajnetem pokłuty!

I leżysz na polu ugornem,
Bo iść ci kazali wodzowie,
40 A wodzom kazali królowie,

A królom – duma i Bóg.
Od Boga wszelka jest władza,
Na trony króle On sadza,
Przeto mi leżysz u nóg.

45 I leżysz na polu ugornem
I krwią zbroczone twe lice,
Gdyż wola była to Boża,
Aby od morza do morza
Szły mego kraju granice.

50 I wola była to Boża,
By nafta i przemysł węglowy
I cały nasz wyrób krajowy

Był wolny, był wolny od ceł.
Więc przeto zbyłeś swej głowy,
55 Nie twój będzie zasiew nowy
I ziaren nie będziesz już mełł.

Nie pójdziesz do swej czarnobrewy,
Nie będziesz dziatek z nią miał;
Opustoszeją twe chlewy,
60 Ogród ci zniszczą ulewy,
Stratują koła dział.

A iżeś całe swe życie
Gnoił swą ziemię obficie,
Będziesz mi wrogu – nawozem
65 Pod wszystkie moje zasiewy.

Na tobie wzniosę me zamki,
Warownie z ostremi wieżami,
Na tobie zbuduję mą sławę
I rozpowszechnię pieśniami.

70 Będą się moi synowie
W szkołach o tobie uczyli:
Jakośmy ciebie zabili –
Niech im to wyjdzie na zdrowie!

II

Serce mam strute.
75 Za chwilę, wraży mój chłopie,
Dół ci grobowy wykopię,
Przyklepię butem.

Leż, dumaj sobie w spokoju
O żniwach, o dziewkach przy doju,
80 I o tem, żeś kiepski miał wikt.
I o tym kapralu, co walił,
Gdyś fajkę sobie zapalił,
A nikt nie obronił cię, nikt.

A teraz pan jesteś hojny!
85 Leżysz tak sobie spokojny
Jakbyś podwójny wziął żołd.
A wiesz ty, synu chamowy?
Za cenę ciemnej twej głowy
Królowi świat złoży hołd!

90 A wiesz ty? – Serce mam strute –
Dajcie mi rychło cykutę,
Zapomnieć chcę moich dni.
A kiedy stanę przed Sędzią,
Niech wtedy żadnej nie będzie
95 Trutki w mem sercu, prócz krwi.

Ja wtedy chcę być wesoły
Jak młody, szumiący las
W najsłodszym miesiącu maju.
Niechaj mi wtedy zagrają
100 Grajkowie niebios: anioły
I skrzypki i flety i bas.

Niech święta nam zagra Cecylja
Przebłogi hymn niepamięci,
Czysty jak czystą jest lilja,
105 Słodki jak woń sianożęci.
Niech wszyscy zagrają nam święci.

Bo padniem sobie na szyję:
I ty i ja, jak kamraty,
A potem ci nogi obmyję,
110 A potem ci ranę obmyję,
A z ran twych wykłują się kwiaty.

Zakwitniesz wtedy przecudnie,
Niczem bławaty, rezeda,
W słoneczne majowe południe:
115 A to zakwitnie twa bieda,
A to zapachnie twa męka,
Twój pot, twa krew.

O, zawoniejesz szołomnie
Wielką radością upity,
120 Bowiem stać będziesz koło mnie
I miłujący i syty, –
W palmę się zmieni twa ręka!

I będziesz wielce dostojny
W Pańskiej, niebieskiej stodole,
125 A na skrwawionem twem czole
Zabłysną święte glorjole,
Wrogu mój, bracie mój, chłopie!

A ja tam będę przy tobie,
A przy nas nasi ojcowie,
130 A przy nich ojców ojcowie,

Tam stanie nas wielka gromada,
Jakgdyby owieczek stada
Zegnali z łąk pastuszkowie.

Będą tam pany i chłopy
135 Z Ameryki, Azji, Europy,
Jak nieprzeliczone snopy
Zalegną tysiące włók.

Szewcy, stolarze i krawcy,
Poeci, kpy i oprawcy,
140 Zduny, tkacze i znawcy
Wszelakich człowieczych sztuk.

Karciarz tam będzie z kapłanem,
A żebrak z wielmożnym panem,
A bankier z sławnym kapcanem
145 Serdeczny bruderszaft pił.

Niemiec i Żyd i Rzymianin,
Polak i Czech i Rosjanin
Ściskać się będą co sił.

Człowiek i lew i tygrysy,
150 Koty i szczury i lisy
Obsiędą miedze stu skib.

Orły, kukułki i szpaki,
Chrząszcze, ba – nawet robaki
I wszystkie gatunki ryb.

155 Dzieci tam będą i starce
Ucieszne wyprawiać harce,
A na wierzbowej fujarce
Zagra nam pastuch nasz: Bóg.

I zagra pieśń o boleści,
160 W której się wszystka pomieści
Krzywda i wszystkie nadzieje...
Aż z owej smutnej powieści
Dusza nam zgołębieje.

III

– A czego patrzysz tak głupio,
165 Kiedy przemawiam do ciebie?
A obróć grzecznie swą trupią
Czaszkę, gdy pan ciebie grzebie!

Uch, marny, wraży zdechlaku,
Nie krzyw się tak przeokropnie!
170 Kto inny, skoro tu przyjdzie
Bez ceremonji cię kopnie.

Naści raz jeszcze łopatą:
I koniec! Na mnie już czas!
A teraz jestem jak głaz,
175 A teraz jestem jak głaz
Zimny. – – – – – – – –
– – – – – – – – – – – –

Larmo grajcie trębacze! Larmo przeciągłe, a lute!
Larmo, larmo – dobosze!

Darmo, darmo obnoszę
180 Po świecie – serce zatrute.

[1919]

ŻYDOM W POLSCE

Krew z waszej starej krwi, kość z waszej kruchej kości,
O bracia moi w ghettach, ja nie mam słów dla mej wielkiej żałości.

Męczeńska wasza krew na brukach Polski zastyga,
Męczeńską waszą krew już z trudem pieśń moja dźwiga.
5 Strzaskana wasza kość na polskich polach bieleje,
Zgłodniały omija ją pies: przekleństwo z kości tych zieje.
Wnętrzności szarpie wam głód, katowska rozrywa je kula,
Daremnie czekacie na cud, śmierć was papierem otula.
Papierem: nowego Anioła Śmierci brudnemi skrzydłami
10 Szeleści mojej boleści śpiew – bezsennemi nocami.

Gdzie jesteś manno niebieska na nowej świata pustyni?
Gdzie jesteś lasko Mojżesza, co dziwy dotknięciem swym czyni?
Gdzie jesteś Łaski krynico, co zmywasz grzechy żywota?
Gdzie jesteś zorzo światłości, przed którą pierzcha ciemnota?
15 Fontanną mleka trysnęło z pod kocich łbów Nowolipie,
Z ceglanych murów niewoli przeczysta mąka się sypie.
Winną macicą porosło Leszno jak stoki Karmelu,
Marzeniem duszę bezgrzeszną upijasz, mój przyjacielu.
Amerykańskiej pomocy czekasz jak ongi Mesjasza,
20 Napróżno żydowski twój lekarz widma zarazy przepłasza.
Brat-chrześcijanin tajemnie przyniósł ci kilo ziemniaków,
Truciznę zażył ghettowy twój burmistrz Adam Czerniaków.
Na magistracie wieczności prezydent Starzyński go witał.
– Podaj mi rękę, bracie! – powiedział i o nic nie pytał.

25 Krew z waszej starej krwi, kość z waszej kruchej kości,
O bracia, smutną wam pieśń posyłam z dalekiej wolności.
Wnętrzności szarpie wam głód, katowska rozrywa je kula,
Daremnie czekacie na cud, śmierć was papierem otula.
Papierem: nowego Anioła Śmierci brudnemi skrzydłami
30 Szeleści mojej boleści śpiew bezsennemi nocami.

New York, 30. sierpnia 1942.

STABAT MATER

Stała matka boleściwa – na rynku
Przy swym martwym, powieszonym synku.

Stała w świata przeraźliwej pustce
Polska matka w służącowskiej chustce.

5 Nie płakała i nic nie mówiła,
Zimne oczy w zimne zwłoki wbiła.

Wisiał bosy, z wszystkiego wyzuty:
Niemcy przedtem zabrali mu buty.

Będą w butach jej synka chodzili
10 Po tej ziemi, którą pohańbili.

Po tej ziemi, która umęczona
Stoi – patrzy – i milczy – jak ona.

* * *

Stabat Mater, Mater dolorosa,
Gdy jej synów odcinali z powroza.

15 Kładła w groby, głuche jak jej noce, –
Martwe swego żywota owoce.

Stabat Mater nostra, Polonia,
Z cierni miała koronę na skroniach.

[1942]

HYMNY. GRZEBANIE WROGA (*grzebanie*, from *grzebać* – to bury). Before line **1.** *strute*, from *struć* – to poison; *serce mam strute* – my heart is full of grief, I feel dejected. **2.** *łopata* – shovel. **3.** *larmo, larum* – retreat, tattoe; *trębacz* – trumpeter; *przeciągły* – drawn out, protracted; *luty* = *srogi* – grim. **4.** *kotły*, plur. of *kocioł* – kettle drum; *dobosz* – drummer; *dmijcie*, from *dąć* – to blow; *mosiężny* – brass; *puzon* – trombone. **6.** *raźno* – briskly. **10.** *wraży* – adj. enemy. **12.** *napoły* – half; *przywarty* – closed; *ściskać* – to clutch, hug. **13.** *bolesny* – painful. **16.** *oniemiony*, from *oniemić* – to make dumb, silence. **18.** *chować* – to bury; *zewłok* – corpse; *wykrzywiony* – twisted, bent. **20.** *wykołysać* – to rock, cradle; *rodny* – fecund, fertile. **21.** *wypiastować* – to nurture, nurse. **22.** *wyhołubić* Ukr. – to caress. **25.** *motyka* – hoe. **28.** *zmierzwiony* – rumpled, crumpled. **30.** *czarnobrewa* – woman with black eyebrows. **32.** *żałować* – to deny, begrudge; *strawa* – food; *prawy* – righteous, upright. **34.** *mundur* – uniform. **35.** *bajnet* = *bagnet* – bayonet; *gwer*, jargon of the Slavic recruits in the Austrian army, German

Gewehr – rifle; *patrontasz*, Ger. Patrontasche – ammunition belt. **37.** *pokłuty*, from *pokłuć* – to stab, pierce. **38.** *ugorny* – fallow, untilled. **46.** *zbroczony*, from *zbroczyć* – to stain; *lice* – face. **52.** *wyrób* – manufacture, production; *krajowy* – domestic. **53.** *ceł*, gen. plur. of *cło* – customs duty. **54.** *zbyć* – to get rid, lose. **55.** *zasiew* – sowing. **56.** *mełł*, past of *mleć* – to grind. **58.** *dziatki* – dim. of *dzieci* – children. **59.** *opustoszeć* – to grow empty; *chlew* – pigsty. **60.** *ulewa* – shower. **61.** *stratować* – to trample; *działo* – cannon, gun. **62.** *iże* = *że, ponieważ* – because, since. **63.** *gnoić* – to manure. **64.** *nawóz* – manure, fertilizer. **66.** *wzniosę*, fut. of *wznieść* – to erect, build. **67.** *warownia* – fortress. **69.** *rozpowszechnić* – to spread. **73.** *wyjść na zdrowie* – to do one good, benefit. **76.** *dół* – pit, ditch. **77.** *przyklepać* – to flatten. **78.** *dumać* – to muse. **79.** *dój* – milking. **80.** *kiepski* – bad, poor; *wikt* – board, fare. **81.** *walić* – to beat, hit, strike. **84.** *hojny* – generous. **86.** *żołd* – (soldier's) pay. **87.** *chamowy*, adj. from *cham* – boar, churl (derogative word for peasant). **88.** *cena* – price. **89.** *złożyć hołd* – to pay hommage. **91.** *rychło* – soon, quickly; *cykuta* – hemlock. **95.** *trutka* – poison. **100.** *grajek* – musician, fiddler. **103.** *przebłogi* – blissful; *niepamięć* – oblivion. **105.** *sianożęć*, from *siano* + *żąć* – haymaking, cut grass. **111.** *wykłuć* (*wykluć*) *się* – to be hatched, spring forth. **113.** *niczem* – as if, like; *bławat* – blue-bottle; *rezeda* – mignonette. **118.** *zawonieć*, from *woń* – to start being fragrant; *szołomnie* = *oszałamiająco* – entrancingly. **122.** *palma* – palm tree. **123.** *dostojny* – august, dignified. **124.** *Pański* – the Lord's; *niebieski* – heavenly, celestial; *stodoła* – barn. **126.** *gloriola* – halo. **132.** *stado* – herd, flock. **133.** *zegnać* – to drive together; *pastuszek*, dim. from *pastuch* – shepherd. **136.** *nieprzeliczony* – countless. **137.** *zalegnąć* – to cover, fill; *włóka* – a surface measure, about 30 acres. **139.** *kpy*, plur. of *kiep* – fool; *oprawca* – hangman, dogcatcher. **140.** *zdun* – potter; *tkacz* – weaver; *znawca* – connoisseur, expert. **142.** *karciarz* – gambler; *kapłan* – priest. **143.** *wielmożny* – mighty, powerful. **144.** *kapcan* – poor wretch. **145.** *pić bruderszaft*, from Ger. *Bruderschaft* – to hobnob, enter into bonds of friendship. **150.** *szczur* – rat; *lis* – fox. **151.** *obsiędą*, from *obsiąść* – to sit, fill; *miedza* – balk, dividing line between fields; *skiba* – clod of earth, here, field. **152.** *szpak* – starling. **153.** *chrząszcz* – beetle; *ba nawet* – why, even; *robak* – worm. **154.** *gatunek* – species, kind. **156.** *ucieszny* – merry; *wyprawiać harce* – to frolic, gambol. **157.** *wierzbowy*, from *wierzba* – willow; *fujarka* – fife. **159.** *boleść* – pain, sorrow. **160.** *pomieścić się* – to find room. **163.** *zgołębieć* – neolog., to become like a dove. **166.** *grzecznie* – politely; *trupi* – cadaverous. **167.** *czaszka* – skull. **168.** *Uch* – expletive; *marny* – poor, miserable; *zdechlak* – wretch, corpse. **169.** *krzywić się* – to make wry faces; *przeokropnie* – terribly. **172.** *naści* – take it, have it. **174.** *głaz* – stone, rock. **179.** *darmo* – in vain; *obnosić* – to carry around. **180.** *zatruty* = *struty*, see title.

ŻYDOM W POLSCE. **1.** *kruchy* – brittle. **2.** *żałość* – grief, sorrow. **3.** *męczeński*, adj. – martyr's; *bruk* – pavement; *zastygać* – to coagulate. **4.** *dźwigać* – to carry. **5.** *strzaskać* – to shatter; *bieleć* – to whiten, blanch. **6.** *zgłodniały* – hungry, starved; *omijać* – to pass by, avoid; *zieje*, from *ziać* – to exhale. **7.** *wnętrzności* – intestines, bowels; *szarpać* – to tear; *katowski*, adj. from kat – executioner; *rozrywać* – to rend. **8.** *daremnie* – in vain; *cud* – miracle; *papierem* – the bodies of those executed by the Germans and of all dead Jews were wrapped in paper and buried; *otulać* – to wrap. **12.** *laska* – staff; *Mojżesz* – Moses; *dziw* = *cud; dotknięcie* – touch. **13.** *łaska* – grace; *krynica* – spring; *zmywać* – to wash away. **14.** *pierzchać* – to flee; *ciemnota* = *ciemność* – darkness. **15.** *fontanna* – fountain; *trysnąć* – to spout, gush; *kocie łby* – cobblestones; *Nowolipie* –

street in Warsaw's Jewish section. **16.** *ceglany*, adj. from *cegła* – brick; *sypać się* – to pour. **17.** *winna macica* – vine; *porość* – to become grown over, be covered; *Leszno* – street in Warsaw; *stok* – slope. **18.** *bezgrzeszny* – sinless; *upijać* – to intoxicate. **19.** *ongi* – in the past; *Mesjasz* – Messiah. **20.** *na próżno* – in vain. *widmo* – spectre, phantom; *zaraza* – pestilence; *przepłaszać* – to scare away. **21.** *kilo* – kilogram. **22.** *trucizna* – poison; *zażyć* – to take; *burmistrz* – mayor; *Adam Czerniaków* – mayor of the Warsaw ghetto, who committed suicide. **23.** *magistrat* – city hall; *wieczność* – eternity; *prezydent* – here, mayor; *Starzyński, Stefan* – mayor of Warsaw killed by the Germans after seizure of the city in September 1939.

STABAT MATER. **1.** *matka boleściwa* – sorrowful mother, mother of sorrows. **2.** *powieszony*, from *powiesić* – to hang. **3.** *przeraźliwy* – terrible; *pustka* – desolation. **4.** *służącowska*, adj. from *służąca* – maid, servant; *chustka* – kerchief. **6.** *wbić oczy* – to fix one's eyes. **7.** *wyzuty*, from *wyzuć* – to deprive, rob. **10.** *pohańbić* – to dishonor, disgrace. **14.** *odcinać* – to cut off; *powróz* – rope. **16.** *żywot*, here, womb.

Władysław Broniewski (1898–   )

Ideologically linked with "proletarian poetry" (which had several representatives in Poland), from the literary point of view Władysław Broniewski stems rather from *Skamander*, or even the earlier period of Polish poetry. His poems published before the Second World War include *Wiatraki* (Windmills, 1925), *Dymy nad miastem* (Smoke over the City, 1927), and *Troska i pieśń* (Sorrow and Song, 1932). In the many poems devoted to the cause of the proletariat, he manifested an uncommon power of tone, a white-hot ardor of lyrical emotion, and outbursts of love and anger. Particularly characteristic in this respects is the last collection, with many really "dynamitic" poems, full of sincere, direct pathos. As a genuine and excellent poet, Broniewski does not at all limit himself to the social theme. He expresses in an equally stirring and poetically immaculate manner the eternal sentiments of man facing misery and injustice, the magnificence of nature, the unavoidability of death, and deep personal experiences.

The poetic expression of this inner world is much simpler than in other related poets (especially those from the "Avant garde"). Broniewski uses the traditional metric system, obviously employing it in an individual manner but without radical innovation, without obliterating the difference between verse and "poetic prose" and sometimes even common prose. Also his language is forceful and eloquent in its simplicity and comprehensibility. He draws from the general vocabulary of Polish speech, without attempting neologisms, but he lends to common words, as does every genuine poet, new meanings and splendors.

During the war Broniewski published a collection of poems, *Bagnet na broń* (Fix Bayonets, 1943).

ROBOTNICY

Dzień nam roboczy nastał.
Młot niesiemy, kilof i łom.
Idziemy budować miasta,
stupiętrowy za domem dom.

5 Filary bijemy w głębie
rozsrebrzonych na północ rzek,
rozpalamy węgiel Zagłębia
w piersiach maszyn, wlokących wiek.

Budujemy żelazne grody,
10 miljonowe kościoły bez bóstw,
zaprzęgamy genjusz narodów
w majaczący gwiaździsty Wóz.

Rozwijamy skrzydła w pochodzie,
wichrem ulic wiejemy – tłum,
15 przerzynamy chmury nad Łodzią
czerwonemi nożami łun.

Mosty na zachód i wschód!
I dalej! i dalej! i dalej!
W horyzonty.
20 Młotami.
Brak tchu!
Kujemy.
My –
miljon kowali.

25 To grom i błysk. To twardy śpiew.
Żelazny pęka pierścień.
To skrzydeł Marsyljanki wiew
pożarem bucha z piersi!

Bufory zlać krwi oliwą!
30 Oto ręce, co tory omiotły.
Pędź! – dziejów lokomotywo,
sercami palimy w kotłach.

POEZJA

Ty przychodzisz, jak noc majowa,
biała noc, noc uśpiona w jaśminie,
i jaśminem pachną twoje słowa,
i księżycem sen srebrny płynie,

5 płyniesz cicha przez noce bezsenne,
– cichą nocą tak liście szeleszczą –
szepczesz sny, szepczesz słowa tajemne,
w słowach cichych skąpana jak w deszczu...

To za mało! Za mało! Za mało!
10 Twoje słowa tumanią i kłamią!
Piersiom żywych daj oddech zapału,
wiew szeroki i skrzydła do ramion!

Nam te słowa ciche nie starczą.
Marne słowa. I błahe. I zimne.
15 Ty masz werbel nam zagrać do marszu!
Smagać słowem! Bić pieśnią! Wznieść hymnem!

Jest gdzieś radość ludzka, zwyczajna,
jest gdzieś jasne i piękne życie. –
Powszedniego chleba słów daj nam
20 i stań przy nas, i rozkaż – bić się!

Niepotrzebne nam białe westalki,
noc nie zdławi świętego ognia –
bądź jak sztandar rozwiany wśród walki,
bądź jak w wichrze wzniesiona pochodnia!

25 Odmień, odmień nam słowa na wargach,
naucz śpiewać płomienniej i prościej,
niech nas miłość ogromna potarga,
więcej bólu i więcej radości!

Jeśli w pieśni potrzebna ci harfa,
30 jeśli harfa ma zakląć pioruny,
rozkaż żyły na struny wyszarpać
i naciągać, i trącać jak struny.

Trzeba pieśnią bić aż do śmierci,
trzeba głuszyć w ciemnościach syk węży.
35 Jest gdzieś życie piękniejsze od wierszy.
I jest miłość. I ona zwycięży.

Wtenczas daj nam, poezjo, najprostsze
ze słów prostych i z cichych – najcichsze,
a umarłych w wieczności rozpostrzyj,
40 jak chorągwie podarte na wichrze.

WIERSZE O WCZESNEJ WIOŚNIE

II

Gdy oknem pełznie cisza martwa,
gdy huczy puls, a wiersz się gmatwa,
i nagle jakaś groźna strofa
uderzy w mózg jak katastrofa,
5 gdy widzę krew i padam w otchłań,
gdy cios za ciosem spada ślepo,
gdy krzyczę nocy: – przyjdź i pochłoń! –
zamiera serce – wiem – to epos.

A kiedy świt, jak sen dziecinny,
10 błękitny, wonny i niewinny,
we mgłach, w radości i w skowronkach
wraz ze mną w niebie się zabłąka,

gdy nagle blady kielich wiersza,
jak lilja wodna, jaśmin, irys,
15 rozkwitnie – wtedy brak powietrza,
zamiera serce – wiem – to liryzm.

GWIAZDY

Pod gwiazdami tak trudno nieść
milczenie za ciężkie, za ciężkie...
To dlatego potrzebna pieśń
i łzy obfite, niemęskie.

5 Za wielki, za wielki świat
pod gwiazdami oglądam niemy.
Muzo moich trzydziestu lat,
dokąd płyniemy?

BAGNET NA BROŃ

Kiedy przyjdą podpalić dom,
ten w którym mieszkasz – Polskę,
kiedy rzucą przed siebie grom,
kiedy runą żelaznem wojskiem
5 i pod drzwiami staną, i nocą
kolbami w drzwi załomocą –
ty, ze snu podnosząc skroń,
stań u drzwi.
Bagnet na broń!
10 Trzeba krwi!

Są w ojczyźnie rachunki krzywd,
obca dłoń ich też nie przekreśli,
ale krwi nie odmówi nikt:
wysączymy ją z piersi i z pieśni.
15 Cóż, że nieraz smakował gorzko
na tej ziemi więzienny chleb?
Za tę dłoń, podniesioną nad Polską –
kula w łeb!

Ogniomistrzu i serc i słów,
20 poeto, nie w pieśni troska.
Dzisiaj wiersz – to strzelecki rów,
okrzyk i rozkaz:

"Bagnet na broń!".
"Bagnet na broń!".
25 A gdyby umierać przyszło,
przypomnimy, co rzekł Cambronne,
i powiemy to samo nad Wisłą.

Kwiecień 1939

ŻOŁNIERZ POLSKI

Ze spuszczoną głową, powoli
idzie żołnierz z niemieckiej niewoli,

Dudnią drogi, ciągną obce wojska,
a nad niemi złota jesień polska.

5 Usiadł żołnierz pod brzozą u drogi,
opatruje obolałe nogi.

Jego pułk rozbili pod Rawą,
a on bił się, a on bił się krwawo:

szedł z bagnetem na czołgi żelazne!
10 Ale przeszły. Zdeptały na miazgę.

Pod Warszawą dał ostatni wystrzał,
potem szedł. Przez ruiny... Przez zgliszcza...

Jego dom podpalili Niemcy!
A on niema broni. On się nie mści.

15 Hej ty brzozo, hej ty brzozo-płaczko,
smutno szumisz nad jego tułaczką,

opłakujesz i armję rozbitą,
i złe losy, i Rzeczpospolitą...

Siedzi żołnierz ze spuszczoną głową,
20 zasłuchany w tę skargę brzozową,

bez broni, bez orła na czapce,
bezdomny na ziemi matce.

LIST Z WIĘZIENIA

Córeczko miła, ja z więzienia
do ciebie piszę list.
Ponuro wieczór w noc się zmienia,
od dworca słychać świst,

5 za oknem szare szmatki nieba
w żelaznej ramce krat,
i wróble dziobią kruszki chleba,
nim dalej fruną w świat...

To nic, córeczko, nic, że ciężko
10 za ciosem spada cios:
ja jestem z tych, co zimne męstwo
ciskają w twardy los.

Ty nie wiesz, że tu czas upływa,
jak krew z otwartych żył...
15 Bądź zdrowa, miła, bądź szczęśliwa,
mnie musi starczyć sił,

bo dziś Pielgrzymów jam rówieśnik,
Wygnańców depczę ślad,
i muszę donieść ciężar pieśni
20 na tamten brzeg mych lat.

ZAMIEĆ

Może to z Kraju, od Wisły, od Tatr
ten mroźny podmuch tęsknoty,
gdy śniegiem sypie orenburski wiatr
nocą na polskie namioty?

5 Zadymka w polu. Próżno szuka wzrok
drogi wśród śnieżnej kurzawy.
Zamieć po stepie sunie poprzez mrok
widmem zburzonej Warszawy:

błyska w podmuchach Zygmuntowy miecz,
10 niebo nad Polską zagarnia,
w śnieżnej zamieci Pospolita Rzecz
i droga do niej, i armja,

śnieg ruinami zasypuje step,
na śniegu żarzą się zgliszcza –
15 lecz Moc truchleje już i Ogień skrzepł,
ten co narody oczyszcza!

O, jakże smutno przez ten krwawy świat
iść cmentarzyskiem idej...
Wiatr w oczy wieje. Orenburski wiatr.
20 Szedłem. Iść będę. Idę.

"BALLADY I ROMANSE"

"Słuchaj, dzieweczko! Ona nie słucha...
To dzień biały, to miasteczko..."
Niema miasteczka, niema żywego ducha,
po gruzach biega naga, ruda Ryfka,
5 trzynastoletnie dziecko.

Przejeżdżali grubi Niemcy w grubym tanku.
(Uciekaj, uciekaj, Ryfka!)
"Mama pod gruzami, tata w Majdanku..."
Roześmiała się, zakręciła się, znikła.

10 I przejeżdżał znajomy, dobry łyk z Lubartowa:
"Masz, Ryfka, bułkę, żebyś była zdrowa..."
Wzięła, ugryzła, zaświeciła zębami:
"Ja zaniosę tacie i mamie".

Przejeżdżał chłop, rzucił grosik,
15 przejeżdżała baba, też dała cosik,
przejeżdżało dużo, dużo luda,
każdy się dziwił, że goła i ruda.

I przejeżdżał bolejący Pan Jezus,
SS-mani go wiedli na męki,
20 postawili ich oboje pod miedzą,
potem wzięli karabiny do ręki.

"Słuchaj, Jezu, słuchaj, Ryfka, sie Juden,
za koronę cierniową, za te włosy rude,
za to, żeście nadzy, za to, żeśmy winni,
25 obojeście umrzeć powinni".

I ozwało się Alleluja w Galilei,
i oboje anieleli po kolei,
potem salwa rozległa się głucha...
"Słuchaj, dzieweczko! Ona nie słucha..."

PRZYPŁYW

Mais si, Parlez d'amour car tout le reste est crime
ARAGON

W morze spienione, w szumiące morze
gwiazdy spadały i nikły.
Oto ci serce dzisiaj otworzę –
to przypływ, miła, to przypływ!

5 Nocy tej księżyc poszedł na przełaj
przez srebrne wody Śródziemne,
fala do brzegu szła i ginęła,
jak giną słowa daremne,

fala ginęła, fala wracała,
10 jak miłość, której nie trzeba,
i obojętna gwiazda spadała
z obojętnego nieba.

Miłość konała, jak na gruźlicę
konają piękni i młodzi,
15 i w konającej patrzałem lice
z rozpaczą, że już odchodzi.

Mówiłem sercu: "Milcz o miłości,
serce uparte i dumne" –
a miłość rosła we mnie, jak kościół,
20 dokąd wniesiono już trumnę.

Słowa miłości, słowa rozpaczy
zdławiła noc głuchoniema.
Kochać – to znaczy: dotknąć, zobaczyć,
a ciebie niema... niema...

25 Nocy tej przypływ bił o wybrzeże
zagniewanemi falami.
Byliśmy prości, byliśmy szczerzy,
byliśmy smutni i sami.

I słów nie było. I niepojęta
30 tkliwość złączyła nam dłonie...
Ja nie pamiętam, nie chcę pamiętać,
że miłość była w agonji!

Ach! ona świeci blaskiem wspaniałym
w gwiazd spadających hymnie!
35 Gwiazdy – to mało, morze – to mało,
jeżeli miłość jest przy mnie,

bo wtedy mogę ująć w ramiona
świat od miłości mej szerszy
falą wezbraną, falą szaloną
40 nienapisanych wierszy...

Miła, ja płaczę... Gwiezdny alkohol
ma posmak cierpki i przykry.
Fala powraca, szemrząc ci: "Kocham".
To przypływ, miła, to przypływ.

ROBOTNICY. **1.** *dzień nastał* – the day arrived. **2.** *kilof* – pickax; *łom* – mattock. **4.** *stupiętrowy* – of hundred floors. **5.** *filar* – pillar, column. **6.** *rozsrebrzonych*, from *srebrny* – shining like silver. **7.** *Zagłębie* – coal mine district in Poland. **8.** *wlokących*, from *wlec* – to drag. **11.** *zaprzęgać* – to harness. **12.** *majaczący*, from *majaczyć* – to be delirious, here, barely perceptible; *Gwiaździsty Wóz* = *Wielki Wóz* – constellation called the "Great Chariot" (Ursa Major). **15.** *przerzynać* – to cut; *Łódź* – industrial city in central Poland. **16.** *łuna* – glare of fire. **22.** *kuć* – to forge, hammer. **27.** *wiew* – breeze, gust. **29.** *bufor* – buffer. **30.** *omiotły* – from *omieść* (obmieść), *zamieść* – to sweep. **32.** *kocioł, kotły* – boiler.

POEZJA. **7.** *szepczesz*, from *szeptać* – to whisper. **8.** *skąpana*, from *skąpać* – to bathe. **10.** *tumanić* – to deceive, fool. **11.** *zapał* – enthusiasm. **13.** *starczyć* – to do, be sufficient. **14.** *marny* – perishable, null; *błahy* – futile, insignificant. **15.** *werbel* – roll of a drum. **16.** *smagać* – to lash, scourge. **19.** *powszedni chleb* – daily bread. **21.** *westalka* – Vestal virgin. **22.** *zdławić* – to stifle. **23.** *rozwiany*, from *rozwiać* – here, to flutter. **25.** *odmienić* = *zmienić* – to change. **30.** *zakląć* – to conjure. **31.** *wyszarpać* – to tear out. **32.** *naciągać* – to stretch. **34.** *głuszyć* – to drown. **39.** *rozpostrzyj* – imper. of *rozpostrzec* – to stretch, spread.

WIERSZE O WCZESNEJ WIOŚNIE. **1.** *pełznie*, from *pełznąć* – to crawl. **2.** *gmatwać się* – to become jumbled, confused. **8.** *pochłoń*, imper. of *pochłonąć* – to devour, consume. **11.** *skowronek* – lark.

GWIAZDY. **4.** *niemęski* – unmanly.

BAGNET NA BROŃ (*bagnet na broń* – fix bayonets). **4.** *runąć* – to rush, hurtle.

6. *kolba* – butt; *załomocą,* from *załomotać* – to bang, knock against. **12.** *przekreślić* – to cross out, wipe out. **14.** *wysączyć* – to drain. **15.** *cóż* – here, what if it? **19.** *ogniomistrz* – non commissioned officer of artillery. **21.** *strzelecki rów* – trench. **26.** *co rzekł Cambronne* – Pierre Cambronne, Napoleonic general famous for the unprintable word he said at Waterloo when called to surrender (hence "le mot de Cambronne").

ŻOŁNIERZ POLSKI. **1.** *spuszczony* – drooping. **2.** *niewola* – here, imprisonment during World War II. **3.** *dudnić* – to resound; *ciągnąć* – to march, ride. **6.** *opatruje,* from *opatrywać* – to tend, nurse; *obolały* – aching, sore. **7.** *rozbić* – to rout, smash; *Rawa* – probably Rawa Mazowiecka in Central Poland. **9.** *czołg* – tank. **10.** *przeszły,* from *przejść* – to pass; *zdeptać na miazgę* – to tread, to crush into pulp. **12.** *zgliszcze* – scorched, charred ruins. **13.** *podpalić* – to set on fire. **14.** *mścić się* – to take revenge. **15.** *płaczka* – weeper, weeping woman. **16.** *tułaczka* – wandering, homelessness. **18.** *Rzeczpospolita* – Republic, old-established designation of Poland. **21.** *bez orła na czapce* – the Polish Eagle, an emblem worn by Polish soldiers on their caps.

LIST Z WIĘZIENIA. **1.** *córeczka,* dim. from *córka* – daughter. **4.** *dworca,* from *dworzec* – railway station. **5.** *szmatka* – patch. **6.** *ramce,* from *ramka,* dim. of *rama* – frame. **7.** *kruszki* or *okruszki* – crumbs. **18.** *wygnańcy* – Polish deportees to Siberia; *depczę,* from *deptać* – to tread.

ZAMIEĆ (*zamieć* – snow-storm). **2.** *mroźny* – freezing, frosty; *podmuch* – gust. **3.** *wiatr sypie śniegiem* – the wind drives, whips the snow; *orenburski* – from Orenburg, town in Russia. **5.** *zadymka* – blizzard. **6.** *śnieżny,* from *śnieg* – snow; *kurzawa* – dust, here *zamieć, zadymka.* **7.** *sunąć* – to sweep, glide. **9.** *Zygmuntowy miecz* – sword of King Sigismund III on statue in Warsaw. **10.** *zagarniać* – to encompass. **11.** *Pospolita Rzecz* = *Rzeczpospolita* – Poland. **14.** *żarzyć się* – to glow. **18.** *cmentarzysko* – augm. from *cmentarz; idej* – gen. pl. from *idea.*

"BALLADY I ROMANSE" (Title of a part of Adam Mickiewicz's first volume of poetry). **1.** "*Słuchaj dzieweczko! Ona nie słucha...*" – the first lines of Mickiewicz's poem *Romantyczność* (Romanticism) published in the above mentionned volume and dealing with a girl who after the death of her lover has lost her mind and continues to see him in her imagination. **3.** *niema żywego ducha,* expression taken also from Mickiewicz; idiom. – there is not a soul about. **4.** *gruzy* – ruins; ruda – red-haired; *Ryfka* – Jewish girl's name. **8.** *Majdanek* – the ill-famed German concentration camp in Poland during the war. **9.** *zakręcić się* – to whirl about. **10.** *łyk,* derogative name for *mieszczanin* – town dweller, burgher; *Lubartów* – a small town in Eastern Poland. **13.** *tacie,* dat. of *tata, tato* – daddy. **14.** *grosik,* dim. of grosz – penny. **15.** *cosik,* dial. = *coś.* **16.** *luda,* dial. gen. sing. of *lud, ludu* – people. **27.** *anieleli,* neol. from *anieleć, anioł* – to become angel.

PRZYPŁYW. **4.** *przypływ* – high tide. **5.** *na przełaj* – strait across. **6.** *Śródziemne* (*morze*) – Mediterranean. **13.** *gruźlica* – tuberculosis. **15.** *lice* or *lico* = *twarz.* **22.** *głuchoniemy* – deaf and mute. **30.** *tkliwość* – tenderness. **32.** *agonja* – death struggle. **42.** *posmak* – after taste; *cierpki* – sour, tart.

Zofja Nałkowska (1885–1954)

Zofja Nałkowska's literary activity, which began in the period of "Young Poland" and developed richly in the inter-war era, as well as after World War II, is marked by outstanding and original works. Her first short stories and novels showed the world of female psychology in a light new in Poland: a world self-contained, distinct in its age-old manifestations and instincts. Polish criticism called this first period by the name of "estheticism" and "preciosity", which, however, was only justified with regard to the environment presented by the author (the intelligentsia of the nineteenth century) and not in relation to the problem itself. To this category belong such works as *Kobiety* (Women, 1906), *Książę* (The Prince, 1907) and *Narcyza* (1911).

After World War I both problems and style changed. In *Tajemnica krwi* (Secret of Blood, 1917) and *Hrabia Emil* (Count Emil, 1920) war appears as "a terrible evil, regardless of what it is waged for"; in *Romans Teresy Hennert* (Teresa Hennert's Romance, 1923) and *Niedobra miłość* (Evil Love, 1928) we find "a picture of the changes that have occurred in Poland after the war in people and between people... the pressure of passions which had already experience freedom" (Nałkowska's own words). *Ściany świata* (Walls of the World, 1931) is a gloomy book about "people of the prison." In her style—in contrast to the previous sophistication—"authenticity became the supreme postulate of artistic beauty." The author herself called her new method "written reality," which is a variation of the "new objectivism" (*neue Sachlichkeit*), the craving for "authenticity" and "truth," so significant for European literature of that period. This meant a greater economy and concentration of artistic devices, emphasis on an accurate, objective description of reality, sometimes even renunciation of traditional action and plot. *Dom nad łąkami* (The House on the Meadows, 1925) and *Choucas* (1927), an "international novel," are written in this spirit. However, the last prewar novel, *Granica* (Boundary, 1935), combines a thrilling story and the style of "written reality" into an original whole.

Nałkowska's two plays—*Dom kobiet* (Women's Home, 1930) and *Dzień jego powrotu* (The Day of His Return, 1931)—enjoyed well-deserved popularity thanks to the genuinely dramatic treatment of original problems: in the former the reminiscences of women of various ages gathered in one house, in the latter the ramifications of a crime in the moral and emotional life of persons connected with the criminal.

ZŁOCZYŃCY

I

Jedni, jak Ołdak, są wcale niepodobni do tego, co zrobili. Ale znów inni są tacy, że można to odrazu o nich pomyśleć. Cofnięte czoło, nos płaski między oczami – to wystarcza, aby już można było być zbrodniarzem.

5 Tacy są dwaj bracia Kowyle – ci młodzi, prawie jednakowi więźniowie, niemili i okropni, podobni do powiększonych dzieci. Kowyle – tak właśnie dziwnie się nazywają.

Nie dowiadywałam się o to wówczas, ale teraz myślę, że chyba musieli być bliźniakami. Bo żaden nie wydawał się starszy, albo
10 młodszy od drugiego, byli jednego wzrostu, jednej barwy, mieli też podobne twarze i podobne spojrzenia. Właśnie cofnięte czoła, nosy małe i krótkie, zupełnie na wysokości oczu spłaszczone, a odległość od nosa do ust bardzo znaczna. Na pytania odpowiadali krótko i niechętnie, unikając ludzkiego wzroku. Byli nietyle ponurzy, ile
15 może nadąsani, może już na zawsze, może już na całe życie obrażeni.

Dość było raz ich zobaczyć – tu, czy gdzie indziej – aby nie mieć wątpliwości, aby się wcale nie wahać, że to oni musieli popełnić zbrodnię.

Oprócz owych Kowylów, w tej samej sprawie było jeszcze kilku
20 innych skazanych. Tych jednak mniej dobrze zapamiętałam. A znów o jednym, którego zapamiętałam lepiej, nie wiedziałam przez długi czas, że właśnie w tej samej sprawie siedzi.

Wiele razy spotykałam tam, w tem niewielkiem mieście, zjawisko domykających się pierścieni. Zjawisko dziwne i rzadkie gdzie indziej,
25 pozwalające zrozumieć, pozwalające się jakoś uspokoić. Tak było, że rzeczy dalekie sobie przecinały się w jakiemś miejscu, nagle były ze sobą oddawna związane, nagle były czemś jednem i nie dającem się już nigdy rozerwać.

Tak domknął się jakgdyby w moich rękach pierścień tej sprawy
30 Kowylów.

Ten, o którym długo nie wiedziałam, że właśnie za udział w niej był skazany, nazywał się Wapula. Zapamiętałam go ze szpitala więziennego, gdzie często powracał – jego brzydką, malutką twarz, złą i zwykłą twarz chorego, zdenerwowanego człowieka. Bardziej
35 rzeczywiście interesowałam się jego zdrowiem, niż jego sprawą.

Nie był miły, ani wdzięczny. Ale czasami przecież czegoś chciał, na czemś mu zależało. Chociaż to mówił kwaśno i przykro, coś jednak można było dla niego zrobić.

Przez pewien czas powtarzał się w tym szpitalu, na różnych
40 łóżkach, w różnych celach. A potem zniknął na dłużej z mych oczów i z mej pamięci.

Chodziłam do więzienia i z więzienia wracałam do mego tamtejszego domu. I byłam znowu przejęta zgorszeniem wobec niezmiernego szczęścia mego życia. Mego tamtejszego życia, które już minęło.
45 Myślałam: oto wszystko, co jest byle jaką, codzienną, niezauważoną radością, wszystko jest im odjęte.

Zaledwie otwierają się przede mną drzwi domu, już przypada do nóg pies mały, charcię wesołe, taczające się na grubych i miękkich szczenięcych łapach i zapuszczające ostre zęby w pończochę. Mogę

50 nachylić się i wziąć w ręce ten kłębek puchu, kłów i pazurów, mogę przytulić groźny, ruchomy, zębaty pysk do szyi, powąchać nieporównane szczenięce ziewnięcie. Mogę pogłaskać Dianę, matkę ufną, wąską i poważną, czekającą u drugich drzwi swojej kolei. Mogę także iść na balkon i podlać wesołe kwiaty, pokropić ich ciemne, 55 wielkie liście z sitka polewaczki – tak właśnie, jak one lubią. Mogę zatelefonować do stajni – i przyjdzie przed dom duży, żółty koń z białym nosem, żeby mię zabrać za miasto. Znajoma droga schodzi od szosy naukos przez pola zaorane, całe błyszczące od szkieł wywiezionych z miejskich śmietników, głęboko wdół ku niskim gajom 60 nadrzecznym. Tam wjedziemy między żółknące brzozy, kwitnące czerwono trzmieliny, w jary o ciasnych ścianach z mchu i poziomek. Każda tajemna, wąziutka, ciemna od zieloności droga kończy się u rzeki, ma w dole wylot na modrą wodę, polaną różem zachodu. Po drugiej stronie wody jest brzeg wysoki z czarnym murem lasu, który 65 zasłonił już czerwone słońce. Na prawo leży gładka, daleka woda, rozlana szeroko na zakręcie rzeki i mająca nad sobą, pod stromem osypiskiem piachu, płaską, zieloną łąkę z trzema na niej krowami. Blisko, pod wiszącemi gałęziami wierzb, stoi bez ruchu czarna łódka, zmywana zieloną, gasnącą wodą.

70 Tam jest ich kraj. To jest miejsce ich życia i ich śmierci, a także ich zbrodni. Tam dopełniają swych dziwnych losów, tam napadają i mordują. Tam po karczmach, po drogach i dworach konają ich ofiary.

II

Z więzienia wracałam do domu, przejęta zgorszeniem wobec 75 mego tamtejszego życia, które już minęło.

Wydawało mi się zbyt szczęśliwe. Ale przecież już wtedy było w niem coś męczącego, coś niepokojącego.

Przez środek domu przechodziła tam cieniutka linja, dzieląca jakby cały świat na jeden i drugi. Było to tak wyraźne, że mogłabym 80 powiedzieć, iż zaczepiałam o nią głową w powietrzu, że mogłabym prawie narysować ją kredą na podłodze. Pewne drzwi zamykały się właśnie wzdłuż tej linji – i wtedy z brzydkiej, niebiesko pomalowanej ściany osypywało się zawsze trochę tynku.

Jeden świat sięgał tu od ulicy. Przed bramę zajeżdżały powozy 85 i automobile. Po gołych, kamiennych schodach, mijając na dole biura, wchodziły pogodne, miłe kobiety i życzliwi mężczyźni. W małym salonie, na czerwonej kanapie mówiliśmy o tem, co było wspólne – o koniach, o podróżach, czasami także o miłości. Obecność tych ludzi zostawiała w domu na długo wyraźną smugę cudzego

90 życia – na godziny, na całe dni. Powietrze było pełne małych, szybkich myśli o nich i o ich sprawach, myśli, które nie chciały wcale odejść – aż póki nie wymyśliły się do końca, póki sobą nie przezwyciężyłam jakoś ich rzeczywistości – jednak obcej, jednak niechętnej i niedającej się przyjąć.

95 Od tej strony przybywali niekiedy ludzie o wielkich nazwiskach i niezapomnianych czynach. Gdy ciężkie słowa padały pośród ścian, z których słaby tynk osypywał się mąką błękitną, myślałam, że może nastają jeszcze raz rzeczy wielkiej wagi. Myślałam, że może tworzy się tak nowy dzień tego kraju. Że zło staje się niepotrzebne.

100 I od ulicy także przyprowadzano nasze konie, któremi odjeżdżałam w dalekie drogi tego kraju, w dziedzinę jego obojętnej piękności. Urok ziemi jakgdyby odejmował słuszność rozdziałowi świata na dwoje, wszystkiemu przyświadczał, niedbale pochwalając zło i dobro, sprzyjając niesprawiedliwości i cierpieniu.

105 A ten świat drugi nadciągał przez drzwi kuchenne, stromemi, ciemnemi schodami od podwórza. Nie przenikał się wcale ze światem tamtym, stanowił jego przeciwieństwo, a także czasami – niestety! – wytłumaczenie. Ludzie przychodzili tędy po pieniądze, albo po ratunek, przychodzili z nędzy, albo z rozpaczy. Mówili, że byli tu i 110 byli tam, i byli już wszędzie, że już nie mają gdzie pójść. Stali, patrząc mi w oczy oczami, w których już nawet nie było wyczekiwania. Poprostu przyszli jeszcze i tutaj. Słuchałam do końca ich słów i często także nie robiłam nic. A jeżeli coś zrobiłam, to w niczem przez to nie odmieniałam konieczności.

115 Żegnali mię i odchodzili. Ja zaś wracałam przez wiadome drzwi i znajdowałam się po drugiej stronie tej linji, która rozdziela świat na jeden i drugi.

I to i tamto było prawdą, niewątpliwie – choć tak różne, choć tak nie do pogodzenia. I to i tamto było polską rzeczywistością.

120 Kiedyś myślałam, jakie to jest dziwne, że przez każde miejsce ziemi przechodzi południk, który ją dzieli na dwie połowy. Teraz równie dziwnem wydawało mi się to rozłamujące rzeczywistość, głębokie pęknięcie, śmiertelna rysa – bez nadziei, bez możności, aby było inaczej. Bo na każdem miejscu ziemi i o każdej chwili jesteśmy 125 po jednej, albo po drugiej stronie tej linji, która na dwoje rozłamuje świat i która przechodzi przez każdy dom.

III

Tak samo przyszły do mnie dwie one, przyszły, aby szukać ratunku. Usiadły obok siebie w kuchni na dwóch stołeczkach i czekały, aż do nich wyjdę. Związane były jedną troską, jedną najważniejszą

130 sprawą – solenne, milczące, niezwierzające się lada komu. W drugim rogu Emilja, wyniosła i wzgardliwa, robiła obiad, nie uznając za właściwe zstępować aż do tych nizin.

Już po tem uroczystem milczeniu, po takiem odgrodzeniu się od zwyczajnego świata, łatwo było poznać, kto one są. Że to są matki 135 więźniów.

Sprawa ich jest wstydliwa, trudniejsza od tych, z jakiemi przychodzą inni. A przecież jakże pełna wagi, jakże doniosła i wielka, trwająca od lat.

Gdy wchodzę, wstają nieskwapliwie, aby mię przywitać. I dopiero 140 wtedy mówią, mówią jedna i druga. Ale nie śpieszą się, nie przerywają sobie, nie prostują nawzajem swych słów. Jedna czeka, aż druga skończy, i wtedy poważnie mówi swoje.

Żadna nie płacze. Prawie niema skargi w ich słowach. Ich cierpienie dawno już wyszło z okresu łez, dramat życia leży w niem 145 mocno wrośnięty, już otorbiony. Wymaga siły i wytrwania, jak pchanie kamienia, który głęboko zarył się w koleje drogi.

One nic nie chcą, tylko tego jednego: sprawiedliwości.

Jedna jest młodsza, chuda i wysoka, ma fartuch w granatowe paski i gładko uczesaną głowę. Mówi spokojnie i obszernie, że jej 150 syn jest niewinny, że go tylko do tej sprawy zaplątali. Nazywa się Gotowa, ale jej syn nazywa się nie Gotowy, tylko Got. Mówi tak:

– Na sądzie sama ta panienka, ta starozakonna, co się z niemi później w te noc bawiła za rzeką, sama ta panienka mówiła całą prawdę. I każdego zapamiętała, że się z nią bawił, a jego nie zapa-155 miętała. O niem precz mówiła, że jego nie pamięta, tylko tamtych. No więc, jeżeli ona sama tak mówiła, to więc to jest prawda.

Gdy kończy jedna, zabiera głos druga. Jest to dziwna kobieta, czarna, ponura i stara, ubrana w łachmany i przy tem wszystkiem piękna, jak cyganicha z opery, jak teatralna wiedźma. Ma wielkie 160 oczy w brunatnych zmarszczkach, w kosmatych czarnych brwiach i rzęsach nieufnie płonące, cienki nos z garbkiem, całą twarz skupioną od dumy i zaciętości. Mówi powoli i cicho, podnosząc rzęsy i znów je opuszczając. Nie ma kilku zębów, ale to nie jest ważne, gdyż nigdy się nie uśmiecha.

165 Ten, który siedzi już piąty rok w więzieniu, to jest jedynak, to jej jedyny syn, jedyne dziecko. Póki był w domu, utrzymywał ją rybami. On łowił, ona sprzedawała. I z powodu tych ryb się zgubił. Bo nie miał pozwolenia w tę noc, co był na rybach i co był ten napad. Jak przyszła policja, uciekł z domu i krył się u jednych znajomych 170 w przystani. Nie chciał powiedzieć prawdy, co wtedy robił, bo myślał, że go poszukują o te ryby.

Ona też nic innego nie chciała, tylko jednej sprawiedliwości.

Zdziwiłam się, kiedy usłyszałam po raz pierwszy, że nazwisko tego jej jedynego syna jest Wapula. Jej więc dzieckiem, tej wspaniałej, 175 niezwykłej kobiety, był chorowity, wątły więzień o twarzyczce złej i gniewnej, zawsze ze wszystkiego niezadowolony – tak do niej niepodobny, jakby należał do jakiejś odmiennej ludzkiej rasy.

Wtedy też dowiedziałam się, że obaj ci synowie, zarówno Got, którego nie pamiętam, jak ów Wapula w szpitalu, skazani byli za 180 udział w tej samej sprawie. Mianowicie w sprawie Kowylów – dwóch niemiłych braci, którzy wyglądali na urodzonych złoczyńców.

Przypomniałam sobie też, jak w pierwszej zaraz rozmowie Wapula skarżył mi się płaczliwie, że ma staruszkę matkę i że ją zostawił bez utrzymania. Że od małego chłopaka na nią robił, a teraz ona jest 185 żebraczką. I patrząc na Wapulinę, mówiłam sobie: to więc jest ta matka.

O matce zaś Kowylów powiedziała mi Gotowa, która ją znała, że "umarła ze zmartwienia".

Tak zamykały się w tem mieście pierścienie życia – prosto i 190 łatwo. Wszyscy jakoś od siebie nawzajem byli zależni, jakoś ze sobą ściśle powiązani – węzłami winy i odpowiedzialności, miłości i cierpienia.

Te obie matki, Gotowa i Wapulina, przychodziły kilka razy. Słuchałam z uwagą tego, co mówiły – chociaż to było bezcelowe. 195 Sprawę Kowylów poznałam dokładnie. Udział w niej Gota i Wapuli nie podlegał żadnej wątpliwości. Napad na żyda na przedmieściu, za rzeką, rabunek i usiłowanie zabójstwa. Ofiara, po wyleczeniu się z ciężkich uszkodzeń cielesnych, poznała wszystkich napastników.

Cóż mogło znaczyć wobec tego, że Gota nie zapamiętała ta 200 "panienka", z którą się mordercy po udanej wyprawie za rzeką bawili?

Ponadto obaj więźniowie sprawowali się źle, nie było więc nawet tej podstawy do starań o przedterminowe zwolnienie.

Nie miałam się co łudzić. Ani Gotowej, ani Wapulinie nie szło 205 o żadną sprawiedliwość. Szło o zupełnie co innego. Tylko może to inne było ważniejsze od samej sprawiedliwości.

IV

O tym czasie Wapuli jakoś już oddawna nie widziałam. Mówili, że jest mu lepiej, że pracuje w warsztatach. A oto pojawił się znowu.

I tym razem leżał na innem łóżku i w innej szpitalnej celi, ze 210 swoją małą i bladą twarzyczką, po samą szyję okryty kocem.

Gdy go zapytałam, co mu jest, nie odpowiedział mi nic, nie patrzył

na mnie. Był bardziej niechętny, niż zwykle, i jeszcze bardziej zagniewany. Myślałam, że mu się znów pogorszyło, że może miał krwotok, albo zwiększoną gorączkę. Dozorca pogardliwie się skrzywił,
215 i było widoczne, że woli, abym przeszła do następnego chorego.

Wtedy inny więzień powiedział:

– To nie to, tylko on jest zraniony nożem.

Tak, tego doprawdy nie oczekiwałam: zraniony nożem, nie niebezpiecznie, ale jednak w okolicę serca. Jakto, więc się pobili?
220 Więc Wapula brał udział w bójce tu w więzieniu?

Nie odpowiadał, nie wyjaśniał tego nikt. Dopiero dozorca wytłumaczył, że to więzień sam się "pobił". Że usiłował mianowicie popełnić samobójstwo.

Wszyscy chorzy naokoło byli poważni i patrzyli gdzie indziej.
225 Zmora takiego czynu tutaj właśnie stawała się niesamowita, groziła niebezpieczeństwem i paniką, jak na zabłąkanym okręcie.

Nie, nie mogłam tego tak zostawić. Jakże mógł o czemś podobnem pomyśleć ten Wapula. Był przecież jeszcze młody, przecierpi te parę lat, doczeka się wolności, wyjdzie stąd i powróci do matki.
230 Nie wiem, czy cokolwiek z tego, co czekało go jeszcze w życiu, mogło stanowić jakąś ponętę, jakąś przeciwwagę wobec bieżącej rzeczywistości. Jednak spróbowałam mu o tem przypomnieć. Powiedziałam mu też, że widziałam jego matkę i że to jest dzielna, przywiązana do niego kobieta, która nie da mu zginąć.
235 Wtedy zainteresował się trochę i obrócił na mnie oczy, małe oczy chorego, znękanego zwierzątka.

Spytałam, czy może miał jaką przykrość, ale skwapliwie i nawet dość żywo zaprzeczył. Później pomyślał chwilę i nieśmiało poprosił, żebym *tego* nie powtórzyła matce.
240 Zapewniłam go, że nie powtórzę. Więc jakoś się uspokoił i po raz pierwszy chyba podziękował za małą porcję lepszego jedzenia, dostarczoną mu, jak innym chorym.

– Nie, nie miałem żadnej przykrości – powtórzył jeszcze raz. Znowu pomyślał chwilę i dodał: – Tylko że byłem *zdenerwowany*.
245 Nie jestem pewna, nie chciałam zbyt uważnie na niego patrzyć, ale tak mi się wydaje, że miał łzy w oczach. I może wtedy, gdy myślałam, że jeszcze próbuje coś powiedzieć i dlatego tak porusza ustami, to on powstrzymywał się od płaczu.

Właśnie poprzedniego dnia były u mnie znowu one obie, Gotowa
250 i Wapulina. Gotowa mówiła mi jeszcze raz o tem, że ta starozakonna panienka, która się z nimi tej nocy bawiła za rzeką, każdego zapamiętała, a jej syna nie zapamiętała. A Wapulina powtórzyła, że wszystko poszło o te ryby. I powiedziała tak:

– Z niego było zawsze dobre dziecko. Od maleńkości był posłuszny,
255 pracowity, ale tylko zawsze taki bojący. Już miał taką naturę, że się z nikiem nie sprzymierzył, przed każdem się ukrywał – taki już od małego był skryty. Drugie też nieraz za mostem pocichu w nocy łowiły, ale tylko on zawsze najbardziej się bał. Z tego też poszło, że uciekł wtedy z domu przed policją i wziął na siebie takie posądzenie.
260 Mówiła powoli i niegłośno, podnosząc i opuszczając wspaniałe swoje rzęsy – ona, nie bojąca się na pewno niczego. Chociaż ugodzona tak głęboko, była spokojna i nieugięta – ta żebraczka, wyglądająca na przebraną w łachmany czarownicę z teatru.

Taka była jego matka. A cóż miałam myśleć o Wapuli, skoro
265 wiedziałam, że niewątpliwie – pomimo, iż tak "bojący"" – brał udział w napadzie Kowylów na przedmieściu za rzeką? Czy że zrobił to z przerażenia? Ze strachu przed nocami, w które od dzieciństwa musiał łowić ryby, nie mając na to pozwolenia.

Został tam na swojem łóżku w celi szpitala więziennego, wyciąg-
270 nięty nawznak, okryty kocem po samą szyję. A ja odeszłam.

V

W kilka dni później obchodziłam więzienie celkowe, najnowszy z gmachów więziennych, stojący niedaleko od bramy. Dwupiętrowa hala, oświetlona zgóry, była cała odrutowana żelaznemi schodami i gankami.

275 Trzy szeregi drzwi obiegały wkoło tę halę, jeden nad drugim. Drzwi otwierały się pokolei, gdyśmy do nich podeszli.

Tutaj w celach oddzielnych siedzieli ci, którzy jeszcze byli pod śledztwem, albo polityczni, którzy nie mogli być umieszczeni w celach ogólnych, albo niekiedy więźniowie karni, których przenoszono tu
280 z ogólnych cel karnych za złe sprawowanie.

Drzwi otwierały się i w każdej celi pod przeciwległą ścianą, poniżej zakratowanego okienka, stał sztywno na baczność jakiś więzień.

Ale w jednej celi drugiego piętra było inaczej. Więzień nie stał
285 pod ścianą, tylko, jak zwyczajny, zmęczony człowiek, siedział na łóżku. Nie poruszył się, gdyśmy weszli. Zaledwie przelotnie spojrzał, nie podnosząc głowy. Nie chciał wstać.

Poznałam, że to jest Kowyl, jeden z dwóch podobnych do siebie braci, którzy wyglądali jak powiększone dzieci. Zapytałam, dlaczego
290 tu się znalazł, skoro zawsze widziałam ich obu w celi ogólnej.

Dozorca skwapliwie wyjaśnił, że to za nieposłuszeństwo. Ale Kowyl mu przerwał:

– Wsadzili mnie tu za Wapulę, za to, żem go bronił, kiedy go dozorca popychał.

295 Mówił głośno i śmiało – pomimo, że wskutek wady wrodzonej, zacinał się i cokolwiek jąkał. Dozorca napróżno usiłował mu przeszkodzić. Powiedział wszystko.

Właśnie było tak! Doktór nie kazał, żeby Wapula chodził do warsztatów, bo mu kurz szkodzi na kaszel. Więc on nie chciał iść, 300 choć był wyznaczony do roboty, i dozorcy zaczęli go popychać. I wtedy Wapula z tej rozpaczy wbił w siebie nóż, chciał się zabić. A oni z bratem obaj dali za to naukę tym dozorcom, oni i Got. Więc ich wszystkich przenieśli tutaj.

– Za to, żeśmy się za niego zastąpili, że chory – powiedział. I, 305 powiedziawszy to, zamilkł, jak wielkie, obrażone dziecko.

Wapula więc istotnie był bojący w więzieniu, jak był bojący na swobodzie, jak był bojący od dziecka. Nie poskarżył się przecież wcale na dozorcę, że go popychał, nie wyznał, że z tego właśnie powodu chciał się zabić. Jeszcze nawet zapewniał, że nie miał żadnej 310 przykrości.

Obie matki, Gotowa i Wapulina, przychodziły do mnie jeszcze kilka razy. Ale przychodziły napróżno – więc wreszcie przestały przychodzić. Ich synowie nietylko byli winni, ale sprawowali się źle.

To jest wszystko, co wiem o sprawie Kowylów. I gdy dziś myślę o 315 tych złoczyńcach, o nich i o innych, o wszystkich, których zapamiętałam – to widzę ich zawsze, jako tych, którzy podjęli się zła, którzy wzięli je na siebie, jak obowiązek. Niezawsze to jest konieczne, ale tak jednak się stało, że właśnie na nich przypadł ten ciężar, który musi być przecież jakoś między ludzi rozłożony.

320 Kiedy odjeżdżałam stamtąd, Wapula nie opuszczał już szpitala. Leżał teraz na jednem łóżku, wciąż w tej samej celi i co tydzień miewał krwotoki.

ZŁOCZYŃCY (*złoczyńca* – felon, criminal). **2.** *cofnięty* – receding. **4.** *zbrodniarz* – criminal. **6.** *więzień* – prisoner, inmate. **9.** *bliźniak* – twin. **14.** *unikać* – to avoid; *nie tyle, ile* – not as much, as. **15.** *nadąsany* – sullen, sulky; *obrażony*-offended. **17.** *popełnić zbrodnię* – to commit a crime. **19.** *sprawa* – law-suit, trial, case. **20.** *skazany* – sentenced. **22.** *siedzieć* – here, to be detained in prison. **24.** *domykać się* – to be closed in, tighten. **25.** *uspokoić się* – to calm down, be reassured. **26.** *przecinać się* – to cross, intersect. **37.** *zależy mi na czemś* – I am concerned about something. **40.** *cela* – cell. **42.** *tamtejszy* – in that place, located in that town. **43.** *przejęty* – overcome, seized, penetrated; *zgorszenie* – scandal, shame; *wobec* – in view, in the presence of. **45.** *byle jaki* – any, whatsoever; *niezauważony* – unnoticed. **46.** *odjęty*, from *odjąć* – to take away, deprive. **47.** *przypadać* – here, to come running, to cling. **48.** *charcię*, dim. of *chart* – greyhound puppy; *taczać się* – to trundle, roll. **49.** *szczenięcy*, adj. from *szczenię* – puppy; *zapuszczać* – to plunge; *pończocha* – stocking. **50.** *nachylić się* – to lean down; *kłębek* – ball; *puch* – down; *kłów* – gen. plur. of *kieł* – tooth, tusk; *pazur* – claw. **51.** *przytulić* – to press close; *zębaty* – toothed; *pysk* – mouth, snout. **52.** *ziewnięcie* – yawn; *pogłaskać* – to stroke; *ufny* – confident. **53.** *czekać kolei* – to await one's turn. **54.** *podlać* – to water; *pokropić* – to sprinkle. **55.** *sitko* – sieve; *polewaczka* – watering can. **58.** *szosa* – highway; *naukos* – crosswise, diagonally; *zaorany*, from *zaorać* – to plough over; *wywieziony*, from *wywieźć* – to carry, take away. **59.** *śmietnik* – garbage, dump. **60.** *nadrzeczny* – situated on the bank of a river; *żółknący*, from *żółknąć* – to turn yellow. **61.** *trzmielina* – spindle-tree; *jar* – ravine; *mchu* – gen. sing. of *mech* – moss; *poziomka* – wild strawberry. **63.** *wylot* – exit, opening; *modry* – skyblue; *polany*, from *polać* – to sprinkle; *róż* – rouge. **65.** *zasłonić* – to cover, hide. **66.** *rozlany*, from *rozlać* – to spread; *zakręt* – bend. **67.** *osypisko* – scarp; *piach* = *piasek* – sand. **69.** *gasnąć* – to fade, grow dull, dim. **71.** *dopełniać* – to fulfil. **72.** *konać* – to die. **80.** *zaczepiać*, here, – to touch. **83.** *osypywać się* – to drop, fall; *tynk* – plaster. **86.** *pogodny* – serene. **89.** *smuga* – streak, stripe. **92.** *wymyśleć się* – to think oneself out. **93.** *przezwyciężyć* – to overcome. **94.** *niechętny* – reluctant. **98.** *waga* – weight, importance. **102.** *słuszność* – rightness; *rozdział* – division. **103.** *przyświadczać* – to confirm; *niedbale* – carelessly; *pochwalać* – to approve. **104.** *sprzyjać* – to favor. **106.** *przenikać się* – to interpenetrate, permeate. **109.** *ratunek* – help. **119.** *nie do pogodzenia* – impossible to be reconciled. **121.** *południk* – meridian. **122.** *rozłamujący*, from *rozłamywać* – to break apart. **123.** *pęknięcie* – crack; *rysa* – fissure, rent. **130.** *zwierzać się* – to confide; *lada kto* – any one. **131.** *róg* – corner; *Emilja* – a cook; *wyniosły* – haughty; *wzgardliwy* – scornful; *uznawać za właściwe* – to deem proper. **132.** *nizina* – here, depth. **133.** *odgrodzenie się* – shutting oneself off, isolating oneself. **136.** *wstydliwy* – delicate, ticklish. **137.** *doniosły* – important. **139.** *nieskwapliwie* – unhurriedly. **141.** *prostować* – to correct. **145.** *otorbiony*, from *torba* – here, cicatrized: *wytrwanie* – endurance. **146.** *zaryć się* – to get embedded; *kolej* – rut. **148.** *fartuch* – apron; *granatowy* – navy blue; *pasek* – here, stripe. **150.** *zaplątać* – to involve, implicate. **152.** *na sądzie* – at the trial; *starozakonny*, from *Stary Zakon* = Old Testament – Jewish; *z niemi*, dial. = *z nimi*. **155.** *o niem* = *o nim precz mówiła*, dial. – *stale, ciągle*. **157.** *zabierać głos* – to speak, take the floor. **159.** *cyganicha*, augm. of *cyganka* – gipsy woman; *wiedźma* – witch. **160.** *kosmaty* – shaggy; *brew, brwi* – eybrow. **161.** *rzęsa* – eylash; *garbek*, dim. from *garb* – hump, protruberance. **162.** *zaciętość* – stubornness, obstinacy. **169.** *kryć się* – to hide. **170.** *przystań* – harbor. **183.** *płaczliwie* – pitifully. **184.** *utrzymanie* – support, livelihood; *robił* = *pracował*. **194.** *bezcelowy* – serving no purpose, of no avail. **196.** *przedmieście* – suburb. **197.** *usiłowanie* – attempt; *zabójstwo* – murder; *wyleczenie się* – recovery. **198.** *uszkodzenie* – injury; *cielesny*, adj. from *ciało*, body – physical; *napastnik* – attacker. **200.** *morderca* – murderer; *udany* – successful. **202.** *sprawować się* – to behave. **203.** *przedterminowy* – before expiration of term; *zwolnienie* – release. **204.** *łudzić się* – to deceive oneself. **208.** *warsztat* – workshop. **210.** *koc* – blanket. **211.** *co mu jest* – what is the matter with him. **213.** *pogorszyło mu się* – his condition got worse. **214.** *krwotok* – hemorrhage; *dozorca* – warden. **219.** *pobić się* – to have a fight. **220.** *bójka* – fight. **222.** *popełnić samobójstwo* – to commit suicide. **225.** *zmora* – nightmare; *niesamowity* – weird. **226.** *zabłąkany* – lost. **228.** *przecierpieć* – to suffer through. **231.** *ponęta* – attraction, enticement; *przeciwwaga* – counterbalance; *bieżący* – current. **236.** *znękany* – harassed. **248.** *powstrzymywać się* – to restrain oneself, hold back. **253.** *wszystko poszło o ryby* – the whole trouble started with the fish. **254.** *od maleńkości* – since he was a small child. **255.** *bojący = bojący się* – shy. **256.** *z nikiem,* dial. *z nikim; sprzymierzyć się* – to ally oneself, become friendly; *każdem,* dial. *każdym.* **257.** *skryty* – reticent; *drugie,* dial. – *drudzy.* **259.** *posądzenie* – suspicion. **261.** *ugodzony,* from *ugodzić* – to hit, strike. **262.** *nieugięty* – inflexible. **269.** *wyciągnięty* – stretched out; *na wznak* – on his back. **271.** *więzienie celkowe* – prison composed of solitary cells. **273.** *odrutowany* – wired. **274.** *ganek* – passage, corridor. **276.** *po kolei* – in turn, successively. **277.** *oddzielny* – separate; *pod śledztwem* – under investigation. **278.** *polityczny* – political prisoner; *umieszczony,* from *umieścić* – to place, put. **279.** *więzień karny* – inmate sentenced for offense. **281.** *przeciwległy* – opposite. **282.** *zakratowany* – barred; *stać na baczność* – stand at attention. **286.** *przelotnie* – fleetingly. **291.** *nieposłuszeństwo* – insubordination. **295.** *wada* – defect. **296.** *zacinać się* – here, to stutter; *jąkać się* – to stammer. **300.** *wyznaczyć* – to assign. **302.** *dać naukę* – to give a lesson. **304.** *zastąpić się za* – to rise in the defense of. **316.** *podjąć się* – to undertake, assume. **319.** *rozłożyć* – to distribute, spread.

Marja Dąbrowska (1892–)

The book that established Marja Dąbrowska's position in Polish literature was a volume of stories entitled *Ludzie stamtąd* (People from There, 1925), in which she presented the life of one of the most underprivileged classes of Polish society, the rural proletariat, people possessing neither land nor homes of their own, hired men, laborers, farm hands, and so forth. This life she described objectively, calmly, and "authentically," with the force of honest and mature realism, and with perfect knowledge of the people, their work, psychology, and language. The picture is a gloomy and shocking one, but is not without its brighter aspects, even in connection with the life of the humblest characters, with their feelings, actions, dreams, and longings. From the point of view of structure, we find various forms in this collection, but the prevailing type is that of the short story of action combined with that of character. In other short stories—"Ksiądz Filip" (Father Philip), "Panna Winczewska" (Miss Winczewska), and others—published in periodicals before the war and reprinted in the collection *Znaki życia* (Tokens of Life, 1949), the author devotes her main attention to the delineation of character.

Noce i dnie (Nights and Days, 1932–1934), a loosely constructed four-volume chronicle novel, is considered Dąbrowska's masterpiece. The narrative follows a chronological order and presents the life of ordinary, average people in the period from the 1860's to the outbreak of World War I. Both the structure of the novel and its events and characters (including a great number of secondary figures in addition to the central pair) display many characteristics of historical "authenticity" and artistic truth. The style is simple, epic, "Tolstoyan," expressive, and vivid; the narration flows slowly and expansively. Both description and narration are frequently interspersed with profound observations and aphoristic comments. In general, *Noce i dnie* represents the culmination of the traditional novelistic form and an infusion of new life into it.

From LUDZIE STAMTĄD

NOC PONAD ŚWIATEM

[*abridged*]

Nikodem był kiedyś fornalem. Lecz po swoim trzecim powrocie ze szpitala mógł być już tylko stróżem.

Trudno mu wymawiać, że się nie leczył, gdyż leczył się przez piętnaście lat.

5 Znachor Szymandera z dziesięć razy spalił na jego twarzy i po wszystkich wrzodach pakuły na czerwonem suknie – wrzody nie odeszły. Stara Kuczyna smarowała go w różnych latach po kilkakroć takim balsamem zielonym, zrobionym z psiego i kapłoniego sadła na jemiole z leszczyny, – też nic nie pomogło. Wrzody pękły, i

10 uczarowane materje z nich wyciekły – lecz zaraz porobiły się nowe.

Podkurzali go różnościami – też nic. Potem jeszcze leczył go ksiądz Augustyn Gajewski z Tykadłowa. Chory pił wódkę ślazową z witryolejem, pił wywar z kory drzewa gwajakowego z korzeniem skrzypu, z aloesem, z liściem podróżnikowym, z ostem, – wszystko
15 zawsze bardzo pomagające na dworską chorobę – tym razem nic nie pomogło.

Wtedy nakoniec, gdy już zaczął być do ludzi niepodobny, – wysłali go na koszt dworu do szpitala do Kalisza. Wysyłali go tam raz, wysyłali drugi raz, wysyłali trzeci raz. W szpitalu tarli go
20 żywem srebrem, choć Nikodem nie myślał, żeby mogło być lepsze na czary niż prawdziwe. Robili z nim różne rzeczy, a głównie krzyczeli, mówiąc: "Dziki z was człowiek, czemuście nie przyszli dziesięć lat temu?"

Nakoniec wrócił bardzo zmęczony – i straszliwy na twarzy.
25 Między krwawemi powiekami błąkały się jeszcze tylko dawne piękne oczy. Reszta były to szramy i wyrwy, a nawet cieknące rany, otoczone białą pleśnią i sinemi plamami. Ludzie uciekali w przerażeniu, a kto go znał dawniej – płakał. Tak więc odeszły wszystkie nadzieje. Było ich mało. Lecz było ich jeszcze za dużo dla Nikodema. Zostały
30 wszystkie odjęte.

Ani się nie ożeni, ani w służbie do niczego nie dojdzie – ani też nie może w sobie żywić myśli, że na samym końcu życia dojdzie, jak niejeden w tych stronach, do własnego gruntu.

Nadto zaczęły mu gnić palce i kości wychodziły na wierzch.
35 Te palce sam sobie siekierą obcinał.

Co do pierwszego palca, to nikt nie widział, tylko mówili.

Ale drugi – mały palec u lewej ręki – Nikodem obciął sobie na oczach wszystkich i ku wszystkich zgrozie.

Był to piękny poranek majowy, przepojony gorzką wonią młodych
40 liści. Na ziemi leżały brązowe łupinki od kasztanowych pąków i lepiły się do nóg. Śpiewały pokrzewki, śpiewały zięby. Nikodem wstał był jak zawsze ze swego rannego snu około dziesiątej do południa i szedł rąbać drzewo. Gdyż to mógł jeszcze robić. – To – i kosić zielonkę.
45 Minął wielkie lipy koło dworu, pod któremi obok ławek, był też stół okrągły w przyjemnym cieniu. Minąwszy, zatrzymał się jednak i wrócił w to samo miejsce. Powąchał swoje palce. Przypatrzył się blaskom siekiery, i ten cichy stół, zasypany okruchami przekwitającej wiosny i pieniążkami słońca, zamienił sobie na stół operacyjny.
50 Oparł na jego brzegu strzęp tego, co było kiedyś jego małym palcem, zdrowym, jak piękny sęk młodego drzewa, – i owo sobie obciął.

– Co ten Nikodem tam robi, pod lipami? – pytano z okna dworu.

Marynka, która jeszcze wtedy nie kochała się w Słupeckim i widziała, co się dzieje naokoło, odpowiedziała, bledniąc:

55 – Znów sobie palice urzyno.

– Co za ludzie! – wołano z głębi lśniących pokoi, przyciemnionych siatką od much.

Co za ludzie! Co za ludzie! Co za ludzie! – mówiły wszystkie pokoje i zdawały się iść z tchnieniem błyszczącego chłodu i pięknej 60 czystości na pomoc do Nikodema.

Przysłano wodę gulardową, watę, bandaże. Nauczycielka z góry dawała znać, że idzie z apteczką.

– Nacie, owińcie – mówiła Marynka, drżąc. – Mgło mi się robi, jak patrzę. Ady wy litości nad sobą nie macie, chlopie. Ady wy sie 65 Boga nie boicie.

Lecz on wzgardził wszystkiem i krzywiąc swe przeraźliwe oblicze, wołał:

– Żeli jo chłop, to pódź ze mnom spać. Byde ci pachnąć lepi od lasu. Układźma sie ta pod drzewinom.

70 A gdy ona klęła, poszedł dalej, śmiejąc się i wołając: – Oho-ho! Nieco za kuchnią, uderzył siekierą w ziemię i rzekł znowu z urągowiskiem: – Oho-ho-ho-ho!

I jeszcze raz powtórzył: – Oho-ho!

Nie powinni go byli zaczepiać. Naco mu te rany u serca otwierali? 75 Napróżno przychodzą do niego z plastrami tam, z wodami. Ręce się wyciągają, a gęby się odwracają.

Mogli nie wiem jak miłosiernie mówić, albo też milczeć. Jak na niego tak przyszło, to nie słyszał nic, tylko wrzask ludzkich myśli, które mówią do niego: "Ty francowata poczwaro – zapowietrzony dziadu, 80 parszywy pysku – świętą ziemię obrażasz, chodzący po niej".

Choćby kto mówił "Ty bracie nieszczęśliwy" – nie da świadectwa tym słowom i nie pójdzie z tym "bratem" żyć, ani go ustami swemi w krosty nie pocałuje.

Nie wszystkie dnie były takie – lecz ten był dniem zrozpaczonej 85 złości, gorzkiej złości, jadowitej boleści, w której Nikodem napróżno wzywał półgłosem Boga, jęcząc: – O Jezu, Jezu! – O Jezu, Jezu!

Jakże miał mu się Bóg objawić? Którędy miał do niego przejść? Świat był przed Nikodemem zamknięty na wszystkie, wszystkie, wszystkie spusty. Tak rozumiał, stojąc płomienisty od znamion 90 cierpienia na miejscu swojej roboty, koło drwalnika pod wyniosłemi akacjami, całemi w białych pąkach [.....]

[.....] Pochłonięty robotą, stróż wystukiwał jej tonami ubogą, zapobiegliwą piosenkę, niknącą w nieprzytomnej majowej pogodzie.

Czyniąc to, myślał o maślance z rżanemi kluchami, żeby też

była dziś na obiad. Tej zeszłorocznej kiszonej kapusty miał dosyć – bo go już zadość od niej dęło. Był też ciekaw, czy stary Szymandera dużo zje tej maślany. Choć niech tam zje, szak jemu o ile mniej się od życia należy. Nie samej tylko maślanki, ale żeby tak Nikodem co lepszego miał, teżby mu pewno oddał. Bo to jest stary owczarz Szymandera, ojciec znachora, stuletni dziad.

Lecz gdy Nikodem o tym dziadulu miał to i owo pomyśleć – nagle między wiórami wszczął się szelest. Coś zaczęło się toczyć koło nóg, coś zaczęło piszczeć, skomleć i ostrym, płaskim głosem ciawkać. Coś, co było płowe i bure, miękie, wywrotne, kręcące się na tysiąc stron, hycające na miękich łapkach, gnących się pod ciężarem puszystego futerału, w którym był mocno zamknięty malutki czarny nosek i dokładnie otwarte, ciemne jak tarki, szalone z radości oczki.

– Poszoł wont – rzekł stróż Nikodem, i zarazem, podniósłszy głowę, zobaczył, że to pan przyszedł z tym szczeniakiem.

Pan usiadł na dyszlu od beczki z wodą, stojącej pod bzem, lecz dyszel trzasnął złowieszczo.

Wtedy pan rzekł: – Psiakrew, niema nawet na czem usiąść w tym ogrodzie – i usiadł na swej potężnej lasce.

– Jak urąbiesz, to pójdziesz nakosić zielonki, bo tam Pietrek ma po nią przyjechać. Koło wiatraka – rzekł jeszcze pan.

Poczem zadumał się – a psiątko harcowało.

Odskakiwało, wywracając się, gdy siekiera spadała, wracało i szczekało na nią, gdy znajdowała się daleko i wysoko w głębi modrego nieba.

Lecz wtem siekiera zamilkła. Nikodem schylił się i podniósł psiaka wysoko za skórę na grzbiecie. Szczeniak rozdziawił paszczę i pokazał, że ma piękne podniebienie różowe, w czarne plamy. Chciał gryźć i ciskał łeb na prawo i na lewo, żeby dostać do ręki. Nagle dał za wygraną i strasznie zaskowyczał.

– Masz go wziąć i przyuczyć do nocy, rzekł pan... Tamte stare psy są już do niczego, wszyscy je zbałamucili. A to to jest dobry pies. Akurat na złodziei.

– A dy to pewno bydzie ze składów od tego Żyda, on ta ma takom burom suke.

– Wilczycę. To też to po niej. Ma być rasowy. Z takich co wywęszą złodzieja z pod ziemi. Jeżeli nie oszukali...

– Bo to tu som jakie złodzieje? – spytał wyniośle Nikodem.

– A piwnicę kto mi okrada? A konie to kto wyprowadził w kwietniu?

– E, ta takie ta. To ta nie złodzieje.

Pan zapytał gwałtownie: – A może kto?

Wtedy Nikodem po rozważnym namyśle sam zaczął przypominać, jak w samej rzeczy okradli piwnicę w zeszłym roku i wiele razy dawniej. I także jak raz ci złodzieje układli się spać w życie, a potem 140 znaleziono tam słoiki po wyjedzonej ćwikle i po kwaszonych ogórkach. Lecz to nie było za niego.

– No widzisz – pocieszył się pan i dodał: – Wabi się Lord, i już rozumie, jak na niego wołać: Lord! Lord!

Lord nie zwrócił żadnej uwagi na swoje piękne imię. Miał 145 paszczę pełną wiórów i rzucał głową, jakby chciał się jej z karku pozbyć.

Pobiegł dopiero parę kroków, gdy pan odchodził, lecz nagle machnął całym sobą i zawrócił do Nikodema.

Stróż został teraz sam ze szczeniakiem i z jadowitą urazą w sercu, 150 jaką odczuwa każdy prosty człowiek, gdy mówią przy nim o złodziejach.

Oprócz tego jednak było mu przyjemnie, że psiaczek został z nim z dobrej woli, – gdyż miło jest mieć powodzenie, nawet u zwierząt.

Lord usiłował teraz rozgryźć jego buty, a Nikodem podniósł go 155 na swej rozciapanej nodze i ostrożnie odrzucił dalej.

Pies uznał to za początek zabawy; natychmiast powrócił w susach i zaczął rzecz od początku. Lecz oto Nikodem podjął znów siekierę, a szczenię, odsunąwszy się nieco, siadło na puszystym kuperku i patrzyło żartobliwie, wyczekująco, jakby gotowe natych160 miast pęknąć ze śmiechu.

Lecz nic śmiesznego nie wynikało z rąbania. Przeciwnie, było to raczej straszne. Więc psiątko, nazwane Lordem, zaczęło wkońcu skomleć i piskać melodyjnie. Współcześnie przyglądało się ze smutnem zainteresowaniem wiórom, coś wąchało, chodziło tu i tam, 165 znowu siadło.

Wtedy Nikodem się zaśmiał, rzucił siekierę, wziął to małe na ręce i pytał: – Co ci to? Co ci? Co ci to zrobili, – a głos jego brzmiał czystemi, pieszczotliwemi tonami, któremi nie mógł się już zwracać do nikogo na świecie.

170 Uskromiwszy się z rąbaniem, wziął psa w połę kapoty twardej i lśniącej od brudu jak skóra i niósł go ze sobą na pole do koszenia lucerki.

Mały Lord macał strwożoną i zmęczoną mordką po jego piersi, szukając, gdzie spocząć, lecz wszędzie tak mocno biło serce. Nakoniec 175 wsparł się pyszczkiem na nieszczęśliwej dłoni z uciętym palcem.

* * * *

Nikodem nie lubił tamtych starych psów z budy w podwórzu, gdyż zachowywały się podejrzanie. Odwracały się od niego jak ludzie.

– Może to nie som psy – myślał Nikodem.

Gdy otwierał budę, wylatywały natychmiast jak z procy, a ten 180 wielki krostowaty chłop z przeczuleniem, właściwem ludziom, napiętnowanym przez kalectwo i chorobę, rozumiał to jako wstręt do jego wrzodów.

– Wyrywajom – powtarzał – żeby przed padlinom.

Istotnie gnały wręcz w opętaniu. Odrazu zaczynały szczekać, 185 nim cokolwiek poczuły, lub zobaczyły. Hałasowały tu, hałasowały tam, obszczekiwały kolejno wszystkie strony świata, ginęły awanturniczo w chłodnych cieniach nocy – i znowu powracały, dysząc, gryząc się i warcząc.

Czasem spostrzegły zdaleka Nikodema, podbiegały i wąchały 190 go, przytykając nosy do kożucha. Nie było w tem życzliwości, jeno pobieżne stwierdzenie, że to nikt obcy, tylko ten znajomy ktoś, mający zwyczaj spędzać noce, czuwając wespół z psami.

Nikodem nic do nich nie mówił, lecz bolał nad tem skrycie.

Nieżyczliwa obojętność psów czyniła mu gorzkiemi nawet noce, 195 których czarne pióra przyodziewały go w straconą urodę, w piękne złudzenie, że taki jest jak wszyscy.

Lecz teraz nic go to nie obchodziło, skoro tak bardzo polubił go Lord. Bo jeśli się jest z kimś ciągle. Jeśli się komuś patrzy w oczy. Liże ręce. Jeśli się dostaje napadu wesołego szału na czyjś widok – 200 to się chyba kogoś lubi.

Swoją drogą Nikodem drżał, że serce Lorda też się od niego odwróci, i z chytrością nieszczęśliwych udawał, że nie podsyca niczem tej przyjaźni. Był surowy dla Lorda. Rozkazy pana dobrze mu do tego służyły, gdyż kazali psa wcześnie zacząć wiązać.

205 Lord szedł z nim po raz pierwszy do łańcucha w pląsach, skacząc do ręki, dysząc i powarkując.

Z nastawionemi uszami patrzył ciekawie, gdy łańcuchy brzęczały, niezupełnie pewny, czy to się jego dotyczy. Potem chciał odejść za Nikodemem, lecz łańcuch go przytrzymał.

210 W szaleństwie strachu i zdumienia Lord zatańczył na wszystkie strony, miotając się, jęcząc i ściągając silnie ze łba skórę i uszy. Wskoczył na dach budy, obiegł ją bo bokach, ze wstrętem omijając wnętrze. Potem jął natarczywie szczekać, rozpaczliwym szczekiem pełnym wymówek, lęku, gniewu. Tak do południa naprzemian 215 szczekał, skomlał i wył. Jego cierpienie napełniało dojrzałą ciszę wrześniowego dnia osobliwym smutkiem, jaki płynie od miejsc, gdzie skomlą psy.

Nikodem przyniósł mu obiad, sam w rozterce i niemal spłakany. Lord uspokoił się odrazu, i natychmiast weselej zrobiło się wokoło. 220 Młody nieszczęśliwiec odetchnął głęboko, siadł, i bijąc puszystym ogonem w pokłady złocistych liści, patrzył dowcipnie na swego straszliwego pana.

Zeżarł spokojnie mleko, które na powierzchni rozgotowanych kartofli tworzyło swoiście obrzydliwą kaszkę. Skończył, i z lojalną 225 gorliwością liznął jeszcze kilkakrotnie ziemię w okolicach miski. Patrzył teraz na Nikodema, oblizując się nieskończoną ilość razy. Przestępował przytem z nogi na nogę i łopatkami wykonywał nieokreślone gesty zachęcające. Przeciągnął się w nerwowem oczekiwaniu i ziewając szeroko, piszczał.

230 Nikodem z westchnieniem pogłaskał go, a Lord przyjął entuzjastycznie te pieszczoty. Skoczył do góry w całej swej młodzieńczej wysokości, oparł się łapami o pierś, która go tuliła, gdy był mały, lizał krwawe oblicze Nikodema, warczał zalotnie, obejmował go i ściskał pięknemi łapami za kolana. Nikodem zapytał go: – No co 235 chcesz? Budę ci zrobiłem w chłodzie – pod drzewięciem. Ni masz tu chłodu? Czego ci trza? Szak masz chłód – masz żarcie? może nie?

A pies przytulał mordę do kolana i stał tak w niemej boleści.

Kiedy Nikodem odchodził, miał nadzieję, że pies będzie cicho, bo tak nic nie mówił jakoś. Lecz wnet wszystko zaczęło się od 240 początku.

Wkońcu naturalnie, po tygodniach, Lord przestał tak szaleć z rozpaczy. Gdy Nikodem go odwiedzał, pies kładł mu tylko pysk na dłoni i pocichutku jęczał. Nikodemowi trudno było się z nim dogadać, więc pojękiwał tak samo.

245 Tak skarżyli się sobie obaj, spowici w piękną purpurę jesieni.

W tym czasie Lord zaczął knuć przebiegły spisek przeciwko łańcuchowi. Łagodnie i cierpliwie usiłował go w różnych miejscach napocząć.

Oddawał się tej czynności z pogodą i wiarą w przyszłość. Nie 250 krył się wcale przed Nikodemem. Przeciwnie, w jego obecności tem gorliwiej usiłował przegryźć żelazo. Merdał przytem chytrze ogonem, czyniąc miny, jakby łańcuch był wspólnym wrogiem, któremu na sposób fatalny ulegli obaj: pies, nie mogący się urwać, i stróż, wiodący go codzień na miejsce kaźni.

255 Tak przeszła zima, przez którą Nikodem nauczył się też chytrzyć w sprawie łańcucha. Korzystając z krótkości dnia, wiązał Lorda coraz później, a spuszczał go z łańcucha coraz to wcześniej.

Te obyczaje zostały mu się aż do następnej wiosny, gdy Lord stał się dorosłym psem, a przyjaźń ich się wzmogła.

260 Rano, schodząc z czuwania, stróż zabierał psa do siebie i wiązał go dopiero, wracając ze snu. Nad wieczorem już w porze podwieczorku można było zobaczyć Lorda wolnego, jak sadził w lekkich susach przez klomby, jak tańczył koło drzew, na których poczuł kota, jak tarzał się po trawie. Mógł wtedy skoczyć przez okno do pokojów, 265 naszczekać się pięknym głosem po całym dworze – obdarzyć każdego pieszczotą, która spadała jak burza.

W te nadkradzione chwile wolności czynił wszystko, co możliwe, żeby przekonać, kogo należy, że nie jest wcale dobrym psem nocnym. Że jest lekkomyślnym, szalonym przyjacielem wszystkich, że nakoniec 270 najwięcej zaufania ma do wszelkich obszarpańców, łazęgów, obcych włóczykijów, czarnych nędzarzy, ludzi wyglądających, jak złodzieje, podobnych do jego pana.

* * * *

Lord czynił życie Nikodema zajmującem i pełnem celu.

Nikodem lubił teraz naprzykład swoją chałupę, w której spędzał 275 ranki i południa.

Była to komiczna izbuszka na końcu wsi, prawie przy samej figurze. Pokrzywy rosły koło niej bardzo wysoko, aż do samego dachu – lecz dach był też niziuteczko.

Zato z drugiej strony szarzało nieco płonej ziemi popielatki, i 280 rosły macierzanki – tak że w izbie pachniało temi macierzankami, a nie samą zgnilizną i biedą.

Szymandera mieszkał w izbie, a Nikodem w komorze poza izbą. Tak być powinno, gdyż Szymandera miał, jak wiadomo, sto lat. Sześćdziesiąt lat chodził tu za owcami, a od pięciu był na łaskawym 285 chlebie. Wydawali mu życie z czeladnej. Nikodem zabierał dla siebie i dla niego, i dawał mu trochę, a sam zjadał więcej, gdyż robił, a był chory, więc musiał nabierać siły. Mógłby mu nieraz wcale nie dać, lecz mu było żal, więc dał, a sam nie miał znów przez niemoc tak wielkiej smaki do jedzenia.

290 Nikodem wolał, że mieszkał z dziadem, niżby miał z kim drugim. Nie lubił być ze zdrowymi, a jeszcze gorzej nie lubił widzieć mleczarza Doniżego, który zgarbaciał przez chorobę. Tamten był naznaczony, jak i on, i Nikodem nie chciał braterstwa z takim tam. Jego widok mocniej mu urągał niż piękni, zdrowi ludzie.

295 Lecz stary owczarz był w sam raz towarzystwem dla niego. Była to moc i potęga życia nietkniętego żadną zarazą i trzymająca się na umór tego wyschłego pnia. Prawie jakby liść suchy, lecz jeszcze piękny, żółciuchny. A jednocześnie dziad był już taki stary, że nie wzdragał się patrzeć na Nikodema. Przeciwnie, nawet lubił go.

300 Potrzebował go – coś tam z nim gadał. Nikodem codzień brał na ręce i wynosił na dwór starca lekkiego jak garść wiórów.

Nie było więc z nim przykro – ale i nic więcej. Cóż może znaczyć w czyjem życiu obcy stuletni dziad. Znaczy to, że nic po tobie, kiedy tylko tyle możesz mieć, że to truchło za tobą patrzy.

305 Tak było przedtem, lecz teraz, gdy Nikodem miał Lorda, to i staruch stał się miły, potrzebny, ulubiony.

Dwie rzeczy – niewiele to więcej niż jedna. Lecz zawsze dwie.

Tedy Nikodem szedł w południe do domu nie bez chęci [.....]

Tego lata pewnego dnia stary owczarz Szymandera umarł. Niko-310 dem go umył i ubrał do trumny, i płakał nad nim swemi trującemi łzami [.....]

Następnego dnia koło jedenastej godziny Nikodem, kosząc daleko w polu rowy, doznał tego, co się nazywa, że go tknęło.

Nie, żeby kiedy słyszał jakie dźwięki od budy Lorda. Lecz w samej 315 rzeczy dnia tego zanadto nic nie słyszał. Sam nie wiedział, coby miał słyszeć, lecz to, co było, było okropne. Była to śmiertelna cisza. Zeszedł raniej z pola niż było można – i poszedł do budy Lorda. Lorda nie było w budzie.

Nikodem znalazł go wiszącego na starym płocie między dwor-320 skim ogrodem, a drogą do starej wsi.

Pół siedząc i pół leżąc, miał przednie nogi wyprężone, o włos od ziemi. Wisiał na swoim własnym łańcuchu, który mu się okręcił dwakroć koło szyi, a jakiemś ogniwem zaczepił się na kołku płota.

Nikodem najpierw go wołał, potem go szarpał. Wielkie złociste 325 muchy zerwały się od przymkniętych oczu psa i krążyły melodyjnie, lgnąc zarówno do zwłok Lorda, jak do wrzodów Nikodema. Stróż usiadł w pokrzywach przy trupie swego jedynego przyjaciela, swego żarliwego wyznawcy, swego młodego, miłego psa.

Obejrzał łańcuch i przeklinał siebie postokroć, że wiedząc dawno, 330 jaki jest zardzewiały, nie prosił pana o nowy.

Ze zgrozą patrzył na płotek, przez który sam nauczył Lorda skakać, – i przeklinał dwór, że nie postawili tu nowego, pięknego częstokołu.

– Poco ci było skakać, psiuchna, poco ci było skakać? – pytał. I 335 zaraz zrozumiał, poco.

Na drodze opodal siedziała żółta suka młynarza, patrząc z przestrachem na zwłoki kochanka.

Przez nią Lord znalazł siły, żeby nareszcie przerwać łańcuch. Poznawszy jak rzecz była, Nikodem tembardziej cierpiał i podnosząc 340 z drogi kamyszki, rzucał w tę sukę. Za każdy razem odchodziła nieco dalej, i siadała znowu, siadała znowu, siadała znowu.

Nikodem zaraz pochował Lorda cichaczem, w tym samym kącie ogrodu pod krzewiną, ładnie, koło kwitnących wiesiołków.

Na południe, wcale nie idąc na obiad, poszedł do domu. Nic 345 nikomu nie powiedział o Lordzie, tylko zdrzymnął się cokolwiek na kożuchu.

Ale kiedy już dzwonili do roboty, wstał – wziął piękny kij, który został po Szymanderze. Prócz tego jeszcze stare buty – a więcej nic. Kożuch zostawił, bo był dworski. Z temi butami i z kijem poszedł 350 drogą w sam skwar ku Tykadłowu.

Wszyscy widzieli tę postać, kroczącą nieinaczej tylko na stary kościół. Kobiety wybiegały przed chałupy, a ludzie w polu popostawali na mgnienie.

Wszyscy wiedzieli, że się coś zrobiło z Nikodemem.

355 – Teraz – mówili – pójdzie na jakie przepaści, na rzyki, oślep na wszystko – bo go już widać do reszty opętało.

Nikodem szedł przez ten czas coraz dalej, niewiadomo dokąd, ani też do kogo, lecz niewątpliwie w stronę kościoła Tykadłowskiego. Po drodze schylał się, podnosił pacynki i kamyszki, a potem rzucał 360 je to na rów, to przed się, to gdziebądź.

I za każdym razem przemawiał do nich zaczepnie, kłopotliwie, i nadaremnie, mówiąc te słowa:

– Jo tyż jezde człowiekiem – wisz?

Rzucał je mocniej, zaciekle, i znowu mruczał.

365 – Jo tyż jezde człowiekiem. Jo tyż.

Był jaśnisty dzień, lecz Nikodemowi przedstawiało się, że to jest noc, więcej nocna, niźli te wszystkie, które strawił z Lordem na stróżowaniu.

Nie dzień, ale prawa noc rozpostarta szeroko i długo.

370 Noc ponad światem.

LUDZIE STAMTĄD. "NOC PONAD ŚWIATEM." **1.** *fornal* – stableman, ostler. **2.** *stróż* – watchman. **3.** *trudno* – it would be difficult; *wymawiać* – to reproach; *leczyć się* – to undergo, submit to treatment. **5.** *znachor* – medicine man; *z dziesięć razy* – about ten times. **6.** *wrzód* – ulcer; *pakuły* – oakum. **7.** *smarować* – to grease, smear. **8.** *balsam* – balm; *psi*, adj. from *pies* – dog; *kapłoni*, adj. from *kapłon* – capon; *sadło* – fat. **9.** *jemioła* – mistletoe; *leszczyna* – hazel tree. **10.** *uczarowany*, from *uczarować* – to cast a spell upon; *wyciekły*, from *wyciec* – to flow out; *porobić się* – to develop. **11.** *podkurzać* – to fumigate; *różności* – variety, all sorts of things. **12.** *ślazowy*, adj. from *ślaz* – mallow; **13.** *witryolej* – vitriol; *wywar* – brew, extract; *drzewo gwajakowe* – guaiacum. **14.** *skrzyp* – horsetail; *liść podróżnikowy* – chicory leaf; *oset* – thistle. **15.** *dworska choroba* – syphilis. **18.** *Kalisz* – town in Western Poland. **19.** *tarli*, from *trzeć* – to rub. **20.** *żywe srebro* – quicksilver. **21.** *czary* – spell, charms. **25.** *błąkać się* – to stray, wander. **26.** *szrama* – scar; *wyrwa* – pit; *cieknący*, from *ciekn��ć* – to leak, run. **27.** *pleśń* –

mould. **30.** *odjęty*, from *odjąć* – to take away. **31.** *dojść do czego* – to achieve, acquire something. **32.** *żywić* – here, to cherish. **33.** *strona* – here, part, region; *grunt* – land. **34.** *gnić* – to rot; *wierzch* – top, surface. **35.** *siekiera* – axe. **38.** *zgroza* – horror. **39.** *przepojony*, from *przepoić* – to permeate. **40.** *łupinka*, dim. from *łupina* – hull, husk; *kasztanowy*, adj. from *kasztan* – chestnut; *pąk* – bud. **41.** *lepić się* – to stick; *pokrzewka* – garden-warbler, whitethroat; *zięba* – finch. **43.** *rąbać* – to chop. **44.** *kosić* – to mow; *zielonka* – a kind of herb. **47.** *powąchać* – to smell, sniff. **48.** *okruch* – crumb, offal; *przekwitać* – to fade, whither. **49.** *pieniążek*, dim. from *pieniądz* – coin, here, round spot. **50.** *oparł*, from *oprzeć* – to lean, rest; *brzeg* – here, edge; *strzęp* – tatter, shred. **51.** *sęk* – knag, knot; *owo* – neutr. of *ów*. **55.** *palice urzyno*, dial. *palce urzyna; urzynać* – to cut off. **56.** *lśniący*, from *lśnić* – to shine. **57.** *siatka* – screen. **59.** *tchnienie* – breath, breeze. **61.** *woda gulardowa* – eau de Goulard (antiseptic); *wata* – cotton; *z góry* – from upstairs. **62.** *dawać znać* – to let know, send word; *apteczka* – first aid kit. **63.** *nacie*, dial. – here you are, take it; *owinąć* – wrap up; *mgło mi się robi*, dial. for *mdło* – I feel sick, qualmish. **64.** *ady*, dial. – why, truly, indeed; *chłop* – here, man. **66.** *wzgardzić* – to scorn. **68–69.** *Żeli jo chłop, to pódź ze mnom spać. Byde ci pachnąć lepi od lasu. Układźma się ta pod drzewinom*, dial. – *Jeżeli ja chłop, to pójdź ze mną spać. Będę ci pachnąć lepiej od lasu. Ułóżmy się pod drzewiną.* **70.** *klęła*, from *kląć* – to curse. **72.** *urągowisko* – derision, scorn. **74.** *zaczepiać* – to provoke. **77.** *jak na niego tak przyszło* – when such a mood befell him. **79.** *francowaty* – venereal, marked with syphilis, which is called also *francuska choroba; poczwara* – monster; *zapowietrzony* – infected, plagueful; *dziad* – beggar. **80.** *parszywy* – mangy, scabby. **81.** *świadectwo* – evidence, testimony. **83.** *krosta* – scab. **85.** *jadowity* – venomous. **86.** *półgłosem* – in a law voice. **87.** *objawić się* – to reveal oneself. **89.** *spust* – lock, bolt; *płomienisty* – flaming; *znamię* – mark, stigma. **90.** *drwalnik* – woodshed. **92.** *pochłonięty*, from *pochłonąć* – to absorb, engross; *wystukiwać* – to thump, drum; *zapobiegliwy* – provident, thrifty. **93.** *nieprzytomny* – unconscious, here, impassive, imperpetuable, calm. **94.** *maślanka* – buttermilk; *rżany* from *reż* = *żyto* – of rye; *kluchy*, augm. from *kluski* – noodles. **95.** *zeszło-roczny* – last year's; *kiszona kapusta* – sauerkraut. **96.** *zadość* – enough; *dęło*, from *dąć* – to blow; *dęło go* – he felt flatulent. **97.** *maślana* – dial. for *maślanka; szak* = *wszak* – indeed, to be sure. **98.** *należeć się komuś* – to be entitled. **99.** *owczarz* – schepherd; *dziad* – aged man. **101.** *dziadulo* – affect. from *dziad.* **102.** *wióry* – shavings; *wszcząć się* – to start; *szelest* – rustle; *toczyć się* – to roll. **103.** *piszczeć* – to squeak; *skomleć* – to whine; *ciawkać* – neol. to yelp. **104.** *płowy* – fallow; *bury* – dark gray; *wywrotny* – awkward, unsteady. **105.** *hycać* – to leap, *skip*; *łapka*, dim. from *łapa* – paw; *gnący się*, from *giąć się* – to bend. **106.** *futerał* – case, container, here, coat. **107.** *tarka* – sloe plum. **108.** *poszoł wont*, Russ. *poszoł won* – get out. **109.** *pan* – scil. the landlord; *szczeniak* – puppy. **110.** *dyszel* – shaft; *beczka* – barrel. **111.** *trzasnąć* – to crack; *złowieszczo* – ominously. **112.** *psiakrew*, a swear word – damn. **113.** *laska* – cane. **115.** *wiatrak* – windmill. **116.** *zadumać się* – to loose oneself in thoughts; *psiątko*, dim. of pies – doggie; *harcować* – to frolic. **117.** *odskakiwać* – to jump away; *wywracać się* – to turn on one's back. **120.** *zamilknąć* – to grow silent; *psiak*, dim. of *pies* – pup. **121.** *rozdziawić* – to open wide. **122.** *podniebienie* – palate. **123.** *ciskać* – to throw; *dać za wygraną* – to give up. **124.** *zaskowyczeć* – to howl. **125.** *przyuczyć do nocy* – to train as a watchdog. **126.** *do niczego* – good for nothing, *zbałamucić* – to confuse. **127.** *akurat* – exactly, just right. **128.** *bydzie*, dial. = *będzie*; *skład* – warehouse; *takom burom suke* – dial. *taką burą sukę; suka* – bitch. **130.** *wilczyca* – she-wolf; *ma być* – it is supposed to be; *rasowy* – thoroughbred. **131.** *wywęszyć* – to sniff out. **132.** *som*, dial. – *są; wyniośle* – haughtily. **138.** *w samej rzeczy* – actually, indeed. **139.** *w życie*, loc. of *żyto* – rye. **140.** *słoik* – jar; *wyjedzony*, from *wyjeść* – to eat up; *ćwikła* – pickled beets; *kwaszony ogórek* – pickled cucumber. **142.** *wabić się* – to be called (of dogs). **148.** *machnąć* – to brandish, wave; here, to make a sudden turn. **149.** *uraza* – resentment. **155.** *rozciapany* – from *rozciapać* – to torn, split, cleave. **157.** *sus* – leap, bound. **159.** *kuperek*, dim. from *kuper* – the behind, buttocks. **163.** *piskać* = *piszczeć*. **170.** *uskromić się* – to dispose of; *poła* – coat-tail; *kapota* – coat. **172.** *lucerka* – lucern. **173.** *macać* – to grope; *mordka*, dim. from *morda* – snout. **175.** *pyszczek*, dim. from *pysk* – mouth. **176.** *buda* – kennel. **177.** *podejrzanie* – suspiciously. **179.** *proca* – sling. **180.** *krostowaty*, from *krosta* – scab, covered with scabs; *przeczulenie* – oversensitiveness. **181.** *napiętnować* – to mark, stigmatize; *kalectwo* – disability. **183.** *wyrywajom*, dial. *wyrywają*, from *wyrywać* – here, to run away; *żeby* = *jakby; padlina* – carrion; *padlinom*, dial. – *padliną*. **184.** *gnać* – to run; *wręcz* – downright; *opętanie* – madness, possession. **186.** *obszczekiwać* – to bark; *awanturniczo* – adventurously. **188.** *warczeć* – to growl. **190.** *kożuch* – sheepskin coat; *życzliwość* – friendliness. **191.** *pobieżny* – cursory, superficial; *stwierdzenie* – statement, confirmation. **192.** *wespół* – together. **195.** *przyodziewać* – to clothe. **197.** *nic go nie obchodziło* – he was not concerned, he did not care. **199.** *liże*, from *lizać* – to lick. **201.** *swoją drogą* – nevertheless. **202.** *chytrość* – cunning; *podsycać* – to feed. **205.** *pląs* – gambol. **206.** *powarkując*, from *powarkiwać* – to growl a little. **207.** *nastawiony*, from *nastawić* – to prick up. **208.** *dotyczyć się* – to concern. **211.** *miotać się* – to throw oneself. **213.** *natarczywie* – insistently; *szczek* = *szczekanie* – barking. **214.** *wymówka* – reproach. **218.** *rozterka*, perplexity – bewilderment; *spłakany* – in tears. **221.** *pokład* – layer; *dowcipnie* – wittily, ingeniously. **223.** *zeżarł*, from *zeżreć* – to eat up; *rozgotować* – to boil, to pulp. **224.** *swoiście* – peculiarly; *kaszka*, dim. from *kasza* – gruel. **225.** *miska* – bowl. **227.** *przestępować* – to shift; *łopatka* – shoulder blade. **228.** *przeciągnąć się* – to stretch. **233.** *zalotnie* – coquettishly. **235.** *drzewię* = *drzewo; ni*, dial. = *nie*. **237.** *przytulać* – to press. **243.** *dogadać się* – to make oneself understood. **245.** *skarżyć się* – to complain; *spowić* – to envelop. **246.** *knuć spisek* – to hatch a plot; *przebiegły* – shy, shrewd. **248.** *napocząć* – to start, begin (to chew). **249.** *oddawać się* – to devote oneself, indulge in. **251.** *merdać* – to wag. **253.** *ulegli*, from *ulec* – to succumb; *urwać się* – to free oneself. **254.** *kaźń* – punishment. **255.** *chytrzyć* – to act slyly. **259.** *wzmogła się*, from *wzmóc się* – to increase. **260.** *czuwanie* – watch. **261.** *podwieczorek* – afternoon tea. **262.** *sadzić* – here, to run, jump; *klomb* – flowerbed. **264.** *tarzać się* – to roll, wallow. **267.** *nadkradziony*, from *nadkraść* – to pilfer, filch. **270.** *obszarpaniec* – ragamuffin; *łazęga* – tramp, vagabond. **271.** *włóczykij* – vagrant. **276.** *izbuszka*, dim. from *izba* – room. **277.** *figura* – statue, here, of a Saint; *pokrzywa* – nettle. **278.** *niziuteczko*, dim. of *nisko* – low. **279.** *szarzało*, from *szarzeć* – to give a gray appearance; *płony* – barren; *popielatka* – gray soil. **280.** *macierzanka* – thyme. **281.** *zgnilizna* – decay, rottenness. **282.** *komora* – storeroom. **284.** *chodzić za owcami* – to mind the sheep; *być na łaskawym chlebie* – to eat the bread of charity; *życie* – here, food. **285.** *czeladna*, scil. *izba* – servants' hall. **287.** *robił* = *pracował*. **289.** *niemoc* – infirmity, sickness; *smaka*, dial. for *smak* – here, appetite. **291.** *mleczarz* – milkman, dairyman. **292.** *zgarbacieć* – to grow hunchbacked; *naznaczyć* – to mark. **294.** *urągać* – to insult. **295.** *owczarz* – shepherd; *w sam raz* – precisely, just. **296.** *na umór* – idiom. with all one's strength, desperately; *wyschły*, from *wyschnąć* – to dry out. **298.** *żółciuchny* – dim. of *żółty*. **299.** *wzdragać się* – to recoil, shrink. **303.** *nic po tobie* – you are of no use. **304.** *truchło* = *próchno* – rot, decaying body. **313.** *tknęło go*, from *tknąć* – he was struck by a premonition. **317.** *raniej* – carlier. **321.** *wyprężyć* – to stretch out. **322.** *okręcić się* – to twist around. **323.** *dwakroć* – twice; *zaczepić się* – to be caught; *kołek* – stake, pole. **328.** *żarliwy* – fervent, zealous; *wyznawca* – confessor, follower. **329.** *postokroć* – a hundred times. **330.** *zardzewiały* – rusty. **333.** *częstokół* – palisade, fence. **334.** *po co ci było skakać* – what was the use of your jumping; *psiuchna* – affect. for *pies*. **340.** *kamyszek*, dim. from *kamień*. **342.** *cichaczem*, idiom. – in secret. **343.** *krzewina* – bush, shrub; *wiesiołek* – evening primrose. **345.** *zdrzymnąć się*, dial. *zdrzemnąć się* – to take a nap. **349.** *dworski* – belonging to the estate (*dwór*). **352.** *popostawać* = *po* + *postawać* – to stop, stand still; *na mgnienie* – in the twinkling of an eye. **354.** *coś się zrobiło z Nikodemem* – something happened to, went wrong with N. **355.** *rzyka*, dial. – *rzeka; oślep* = *oślepły* – blind. **356.** *opętało go* – he is possesed. **359.** *pacynka* – clod, lump of earth. **360.** *gdziebądź* – anywhere. **361.** *zaczepnie* – provokingly; *kłopotliwie*, adv. from *kłopot* – trouble, grief. **363.** *tyż*, dial. – *też; jezde*, dial. – *jestem; wisz*, dial. – *wiesz*. **366.** *jaśnisty* = *jasny* – bright. **367.** *strawić* – to spend. **369.** *prawa* = *prawdziwa; rozpostarty*, from *rozpostrzeć* – to spread.

Juljusz Kaden-Bandrowski (1855–1944)

The beginnings of Juljusz Kaden-Bandrowski's literary work go back to the years preceding World War I. He then published the novels *Niezguła* (1911) and *Proch* (Dust, 1913, from the life of Polish students in Belgium), and two collections of short stories, of which *Zawody* (Professions, 1911) was distinguished by an original subject—artistic vision of human work in various professions—as well as by independent treatment and style. During the war, in which he took an active part as an officer of Piłsudski's legions, he published *Piłsudczycy* (Piłsudski's Men, 1915), a collection of sketches, impressions, descriptions, and stories from the life of that military unit. To this life and the legions' ideology he returned also in his numerous later works and became their principal and eloquent representative in literature.

After the war he also wrote much, drawing his material from contemporary Polish life. Already in his novel *Łuk* (The Bow, 1919) certain characteristics of his writing method (partly discernible earlier) became more distinctly apparent – characteristics which in the course of time developed into a specific combination of realism with expressionism and a visionary quality, peculiar only to himself and new in Polish literature. This style reached its culmination in the cycle *Czarne skrzydła* (Black Wings), composed of *Leonora* (1928), *Tadeusz* (1929), and *Mateusz Bigda* (1933), the subject of which is the life of various social strata in the coal basin and the activities of parliamentary representatives. Besides a striving for an authentic re-creation of phenomena, for verisimilitude and logical motivation, there prevails in these novels an atmosphere of eerie vision, deformation of shapes, sounds, and colors of the real world, and raucous expression, expression for itself, as it has been called by the Polish critic Leon Piwiński. Another critic, Wacław Borowy, says that Bandrowski's "characters are painted not with a brush, but with a broom, yet the ferocity alone with which he handles it make them startling. And what still enhances the impression is his method of amalgamating processes of the mind with processes of the body."

A separate place is occupied by childhood reminiscences, *Miasto mojej matki* (City of My Mother, 1925), and other kindred stories full of comparative simplicity and doleful sentiment.

From MIASTO MOJEJ MATKI

NIEJAKI KASTALSKI

Było to zaraz po powrocie ze wsi.

– Od jutra będziecie już zawsze, przez kilkanaście lat, wstawać o tej samej godzinie, aby na ósmą być w szkole, – powiedział nam ojciec na dobranoc. – Trudno, już muszę was kształcić.

5 Wstaliśmy o tej samej godzinie, rano o siódmej. Już nie było żadnego innego gadania o niczem.

Na śniadanie wypiliśmy gorącego mleka ze świeżemi bułeczkami i "całym domem" poszliśmy do szkoły.

– Trudno i darmo – rzekł ojciec do naszej matki, która zapiąwszy nam płaszcze pod szyją, całowała jeszcze raz każdego ważnym, urzędowym pocałunkiem w czoło.

Gdyśmy wyszli z naszej bramy, pokazał nam ojciec laską wielki czarny cyferblat na ratuszowej wieży. Serce dużej, złotej wskazówki było już niedaleko ósmej, mała stała prawie na samej godzinie.

– Powinniście zawsze wychodzić o tej samej porze. Nie wolno się spóźniać. – Rzekłszy to, skierował się nasz ojciec ku ulicy Brackiej.

Szliśmy "całym domem", gdyż miałem zdawać egzamin do pierwszej klasy ludowej.

Bałem się napisania litery "f", bo nigdy nie wiedziałem, gdzie ją trzeba przewiązać ogonkiem, i bałem się napisania ósemki. Zdarzało się bowiem, że z górnego kółka robił mi się mały niekształtny bacik. Zresztą wszystko było w porządku: z nowej tabliczki łupkowej zwieszała się na sznurku czysta, nowa gąbka, – rysik dzielnie chrobotał w piórniku...

Co się potem działo – nie wiem. Pamiętam tylko, że wkońcu zdawaliśmy we dwóch, to jest niejaki Kastalski i ja.

Byłem małego wzrostu, i Kastalski wydawał się przy mnie olbrzymem. Staliśmy razem przy tablicy. Moi rodzice siedzieli w pierwszej ławce. Ojcu dzwoniły kluczyki w kieszeni, mama szumiała jedwabiem.

O wiele dalej, prawie w ostatniej ławie, siedział niby jakiś stróż i stróżka. Okazali się potem rodzicami Kastalskiego. Nie wyobrażałem sobie dotąd, że rodzice mogą być "wogóle" tak biedni.

Zdawaliśmy razem z wielkoludem Kastalskim, – a właściwie on zdawał, podczas gdy mnie używano tylko do pomocy. Zaczęło się od drabiny.

Pan nauczyciel kazał Kastalskiemu wyrysować drabinę na dużej szkolnej tablicy. Nie wiem, czy Kastalski się bał, czy co?

W samym rożku tablicy smarował coś kredą bez sensu. Poprostu dłubał.

– No, a ty? – rzekł pan nauczyciel.

Ukłoniwszy się pięknie, machnąłem odrazu dwie wielkie linje równoległe, poczem od dołu, jakbym się miał wspinać, jakbym po nich szedł, jakby niemi biegło do góry moje serce, – kreślić zacząłem stopnie. Jeden, drugi, trzeci, – nie można się było pomylić. Spojrzałem przytem mimowoli na Kastalskiego. W długich butach, w połatanej katance stał z otwartemi ustami i ręce wyciągał po kredę.

Nie miałem ani chwili do stracenia, – kredy mu nie oddałem. Rysowałem stopnie drabiny coraz wyżej, – Kastalski łykał tylko ślinę.

Pytano nas potem z rachunków, – do dwudziestu. Kastalski umiał liczyć tylko do czternastu. Dalej już poplątało mu się wszystko. Matka jego zrzuciła z pleców chustkę i, powstawszy z ławki, szepnęła głośno:

55 – Piętnaście!

Pan nauczyciel zauważył, że nie wolno podpowiadać. Kto wie, może się mylę, ale zdaje mi się, że nawet mój ojciec odwrócił się i zmierzył kobietę w chustce niechętnem spojrzeniem.

Pan nauczyciel zwrócił się do mnie ze słowami:

60 – A ty?

Zacząłem liczyć, jakby znów pod górę, jakby po tych liczbach moje serce wspinało się wysoko, – do dwudziestu, trzydziestu, czterdziestu. Nie wiem dlaczego, ale od trzydziestu nie liczyłem już *do* pana nauczyciela, lecz *do* Kastalskiego, który się rumienił i jak gdyby 65 brzękł od wypowiadanych przeze mnie cyfr.

Gdy zaczerpnąłem oddechu przy "osiemdziesiąt jeden", – głowa Kastalskiego opadła na piersi.

Następnie do dwudziestu, – ale dodawanie i odejmowanie.

Pierwszy odpowiadał Kastalski. Każde pytanie najpierw głośno 70 przełykał. Gdy przełknął, tonęło w nim tak, że już nawet nie wiedział, na co ma odpowiadać.

Z początku czekałem spokojnie. Ale gdy pan nauczyciel zwrócony do Kastalskiego, patrzył odrazu na mnie – wcale już nie czekałem. Popatrzywszy na chudą szyję Kastalskiego, widząc, że dopiero łyka, 75 – odpowiadałem odrazu.

Moi rodzice i pan nauczyciel kiwali chętnie głowami, a ja ostrem spojrzeniem, niby scyzorykiem, śmigałem przez twarz Kastalskiego, – i już wiem, że on nie wie!

I już mówię, – co wiem!

80 I już się uśmiecham, nim Kastalski podniesie do góry swą zbiedzoną głowę.

I już mu nawet ust otworzyć nie dam, bo wszystko wiem! Wiem naprzód, wiem za siebie i za niego, – głupiego. Wiem, tak prędko, głośno, że pan nauczyciel już na mnie tylko patrzy. Wiem tak dobrze, 85 że nawet gdy Kastalski zaczyna odpowiadać, – ja mu słowa wyrywam z ust!!!

Wiem tak prędko, głośno, składnie, wyśmienicie, że Kastalski zakrywa sobie oczy rękawem katany. – Jego ojciec przełożył czapkę z rąk do rąk.

90 Pan nauczyciel gładzi mnie lekko po głowie i mówi do mego ojca:

– No, naturalnie.

Tymczasem Kastalski wybucha głośnym płaczem.

Tego nie powinno być w szkole!

Szukam cię teraz, kochany Kastalski, chcę ci powiedzieć, że to
95 była wielka niesprawiedliwość. Nikt nie miał racji przed tablicą, na
której rysowałem drabinę, nikt, prócz twojej matki, gdy ze łzami
w oczach szepnęła:

"Piętnaście".

Chcę ci powiedzieć, że wszyscyśmy tam oszukali nasz kraj,
100 bośmy tobie powinni byli pomagać, a nie mnie tuczyć twoją krzywdą.

Nie wiem, czy żyjesz, nie wiem, czy pamiętasz tego rumianego
chłopca w granatowej marynarskiej bluzie, który ci słowa wyrywał
z ust, patrząc na nauczyciela nędznym, przypochlebnym wzrokiem.
Ten chłopiec, mój kochany Kastalski, – to ja. Jeżeli jesteś gdzie na
105 świecie sławny i potężny, – dowiedz się, że mi twoja krzywda
w życiu nie wygodziła, bom niczego wielkiego nie dokonał.

Jeżeli nie jesteś ani potężny, ani sławny, jeżeli jesteś prawie byle
kim i mniej jeszcze znaczysz ode mnie, – pociesz się, że jestem zawsze
twym dłużnikiem. Skąd chcesz, kiedy chcesz, – przyjdź do mnie, a
110 gdybym cię nie poznał, powiedz tylko jedno:

*– Jestem ten Kastalski, któremuś wtedy w szkole myśleć i mówić nie dał.
Jestem ten Kastalski, któremu matka podpowiedziała: "piętnaście".*

Do ciebie, Kastalski, należy zawsze połowa mojej pracy. Sądzę
nawet, że więcej: – połowa mego serca.

NAJBIEDNIEJSZY UCZEŃ

Sprawa wychowawczego bicia nie jest wcale tak prosta, jakby
się na pierwszy rzut oka zdawało. Niektórzy uczeni są za biciem,
uważają, że – stosowane w porę i w miarę – wcale nieźle robi kształ-
cącej się młodzieży, inni znów są przeciw biciu i uważają, że można
5 się bez niego doskonale obejść. Gdyby nasz zwykły klaps, którego
dostajemy tu i ówdzie, wiedział, ile wspaniałych prac z pomiarami i
wyliczeniami napisano już o nim, byłby z pewnością dumny.

W moim wstępnym traktacie zająłem i w tej sprawie niejakie
stanowisko, mówiąc, że wogóle niczego nie chcę poprawiać. Jedyną
10 mądrością, jaką nieźle znam i którą mógłbym w rozprawie o biciu
przytoczyć, jest moja własna skóra. Wychowawcy moi nieraz ją
wcale niezgorzej garbowali.

Ale cóż, – żywa skóra zawsze mniej znaczy w świecie naukowym
od drukowanego papieru, nigdy zatem nie uzyska należytej powagi.
15 Nie wiem, czy należy sobie w szkole pomagać biciem, czy nie należy?
Sądzę tylko, że jeżeli wchodzi ono w program naszego wykształcenia,
powinno być robione uczciwie.

Tymczasem stała się swego czasu rzecz taka: –

W drugiej klasie ludowej śpiewaliśmy piosenkę, której tytułu, 20 niestety, już nie pamiętam, o małej myszce. Myszka ta, znęcona zapachem słoniny, weszła na jakąś deszczułeczkę zastawionej pułapki. Tu przychodził taki mniej więcej koniec śpiewanego przez nas utworu:

"*Paf, deszczułka się złamała,*

25 "*I ta myszka się złapała.*

Wystarczy mi powiedzieć sobie w myśli ten wiersz, bym odrazu, – jakby od tego czasu nie minęło trzydziestu kilku lat, – bym odrazu zobaczył całą naszą klasę...

Stoimy w ławkach, jest już prawie ciemno, za oknami pada szary, 30 ciężki śnieg. Nad katedrą widać naszego pana nauczyciela. Wymachuje rękami na trzy. Nie na cztery, bo piosnka o myszy jest, – jak nas pouczył, – mazurkiem. Już wnet przyjdzie miejsce, w którem mamy zaczerpnąć oddechu, by potem razem głośno krzyknąć "paf"! – i dalej już spokojnie "deszczułka się złamała" i t. d.

35 Śpiewamy o słonince, – teraz, jak mysz wylatuje i wącha tę słoninkę, jak ślinka napływa myszy do ust. Już przychodzi miejsce "paf", – ale tu pomyliłem się i z wielkiego rozpędu zamiast "paf" krzyknąłem – "hop"!

Poczem dalej spokojnie, – "deszczułka się złamała" i t. d.

40 Bieniarz, który siedział ze mną w jednej ławce, – wielki obdartus, ale doskonały chłopiec, – Żydek Deyches, który stał przed nami i jeszcze inni wszędzie blisko usłyszeli, że nie śpiewam "paf", tylko "hop"!

Pan nauczyciel przestał machać i zaczął patrzeć na wszystkich 45 pokolei. Ledwośmy mogli wytrzymać ze śmiechu. "Hop"! pokonało "paf"!

Pan nauczyciel kazał nam otworzyć książki na stronicy siedemnastej, gdzie była pod obrazkiem wydrukowana nasza piosenka.

– Proszę przeczytać, czy tam jest "hop", czy "paf"? – Bieniarz, – 50 przeczytaj.

Bieniarz, który się bał pana nauczyciela najwięcej z całej klasy, zmarszczył brwi, podniósł książkę aż do oczu i przeczytał głośno:

– "Paf"!

– No więc proszę, jeszcze raz śpiewamy, – krzyknął pan nauczy- 55 ciel.

Znowu przyszło miejsce o ślince, którą mysz zaczęła łykać, by nastąpiło "paf"!

Już nie połowa, – cała klasa zaśpiewała "hop! deszczułka" i t. d.

Pan nauczyciel odpukał i zrobił się czerwony. Tyle krwi napłynęło

60 mu do twarzy, że się stała purpurowa. Śnieg padał dalej spokojnie za ciemnemi szybami,

– Który to z was wymyślił to głupie "hop"!? – spytał pan nauczyciel, ocierając pot z czoła dużą białą chustką. Wytarłszy także ręce, skrzyżował je sobie na piersiach.

65 Było to zawsze znakiem jakiejś nadchodzącej awantury.

Wszyscy spuścili oczy. Patrzyliśmy, jak najzręczniejsi aresztanci, naraz w dwie strony, niby na ławki – a równocześnie na nauczyciela.

– Któryż to z was wymyślił?

Nikt się nie przyznał. Ja też nie. Nie wymyśliłem przecież 70 *wspólnego* śpiewania "hop"!

Krzepiła nas nadzieja, że jak zawsze tak i teraz wszystko się ostatecznie skrupi na Bieniarzu. Był w szkole za darmo, uczył się nieszczególnie, a pod koniec zeszłego roku matka jego za to, że zgubił podarowane ze szkoły książki, chciała pocałować naszego pana 75 nauczyciela w rękę. Płakała, ale nie pozwolił.

– Pytam się po raz trzeci, który to z was wymyślił?

Nikt się nie przyznał.

Pan nauczyciel zbiegł ze stopni katedry i przyskoczył do Bieniarza, który stał obok mnie. Jak zawsze tak i teraz pachniało od naszego 80 pana nauczyciela ślazowemi cukierkami.

– Bieniarz! Otwórz jeszcze raz na siedemnastej stronicy i przeczytaj głośno, żeby wszyscy słyszeli.

Bieniarz zbladł, otworzył na siedemnastej stronicy i niewiadomo czemu, najpewniej ze strachu, zamiast "paf" przeczytał *właśnie* "hop"! 85 Chciał się zaraz poprawić, ale pan nauczyciel krzyknął:

– Teraz ci okulary sprawię!!

Okulary polegały na tem, że wsadził Bieniarzowi twarz nosem między otwarte stronice i terpał mu silnie włosy za uszami, wołając:

– Masz teraz okulary, żebyś mógł przeczytać, czy "paf"! stoi 90 napisane, czy wasze głupie "hop"!

Bieniarz nie mógł już potem śpiewać. Wsparty na ławce, płakał. Powtórzyliśmy całą piosenkę jeszcze raz od początku. Kiedy przyszło niebezpieczne miejsce, wszyscy razem zaśpiewali zgodnie "paf! deszczułka się złamała" i t. d.

95 Godzina się skończyła, jużeśmy się zaczęli ubierać, do śniegu się nam teraz śpieszyło, pan nauczyciel stał jeszcze ciągle na katedrze, spocony.

Bieniarz płakał, łzy jego ciekły strugami po ławce. Stanąwszy całą kupą przy drzwiach, krzyknęliśmy mu na wszelki wypadek:

100 – Mazgaj, – strachopuda, – beksa!

Opowiedziałem to w domu nie zaraz, – o wiele później, – dopiero na Boże Narodzenie.

Ojciec mój niby się śmiał, – śmiał, – śmiał, – aż nagle wziął mnie mocno za obie ręce i tak blisko popatrzył w oczy, żem się odrazu
105 zaczerwienił.

– Postąpiliście, jak ludzie niegodni, – powiedział, – niema większej hańby, jak odwaga na koszt cudzego cierpienia. Powiedz Bieniarzowi, – zacisnął usta i uderzył mnie mocno w lewe ramię, – że za to "paf"! czy "hop"! tyś też dostał. I to nie od nauczyciela. Że cię za
110 to z wielkim bólem serca uderzył w ramię twój własny ojciec. Pamiętaj, powiedz to Bieniarzowi zaraz jutro.

PROFESOR

Uważam, że mój "*Rozumowany traktat poparty przykładami*" nie będzie zupełny, o ile się w nim nie zajmiemy choćby na końcu sprawą nauczycieli. Mamy w szkole, mówiąc poprostu, dwojakiego rodzaju profesorów: dobrych i złych. Dobrych zazwyczaj nie pamięta się
5 prawie wcale, nie nastręczają bowiem żadnego kłopotu uczniowi. Praca pod rozumnym kierunkiem płynie gładko, i dopiero kiedyś później, po latach, gdy już jesteśmy dorośli, – spotykamy w swem życiu cenne ślady kochanego ich trudu. Trud ów leży na dnie wszystkich naszych umiejętności, a w ciężkich chwilach życia prze-
10 ziera i prześwieca niby złoto przez piach.

O złych kierownikach pamięta się ciągle. Życie raz wraz wytyka nam ich wady. Cierpimy przez nie nieraz bardzo dotkliwie, skazując wzamian pamięć złego kierownika na najcięższą karę, jaką człowiek może człowiekowi wymierzyć, to jest na karę wzgardliwej śmiesz-
15 ności.

Oprócz nauczycieli dobrych i złych bywają jeszcze inni, mianowicie obojętni. Obojętnością swą wznoszą oni między uczniami a sobą jak gdyby mur, po którego obu stronach urasta chłód i niechęć. Zdarza się, że potem nagle ni z tego ni z owego pragną nagle wychylić
20 się z za tego muru i wyciągnąć do nas kochające ręce. Ale wtedy już jest za późno i nie można się porozumieć.

Szkoła powinna być tem jedynem miejscem na świecie, w którem na nic nie jest nigdy za późno.

Taka właśnie rzecz przytrafiła się nam z naszym profesorem greki,
25 Gorzkowskim. Przytrafiło się, że z za szarego muru swej obojętności wychylił się nagle do nas i wyciągnął spragnione ramiona. Odpowiedzieliśmy rykiem bezwzględnego śmiechu, za co Gorzkowski przeklął siebie i nas, – przeklął z katedry naszą wspólną pracę.

Było to tak: –

30 O wszystkich innych profesorach wiedzieliśmy coś, prawie nic, – aleśmy wiedzieli. Coś ludzkiego, zwykłego, osobistego. Nasz przyrodnik bał się szkieletu, profesor niemieckiego był pijakiem, łacinnika odprowadzały zawsze do gimnazjum jego dwie małe córeczki, katecheta był domowym prałatem papieskim, fizykowi nie udawały się 35 nigdy doświadczenia, historyk zwalczał papiestwo, matematyk był synem chłopa, dyrektor chodził w filcowych pantoflach.

O Gorzkowskim – nic. Nawet ubrań na lato nie zmieniał, zawsze w tych samych wysiedzianych spodniach, w tym samym żakiecie, w tej samej czarnej krawatce. Nawet nas z twarzy nie pamiętał, 40 wywołując tylko według nazwisk ze spisu.

Był zawsze taki sam, zawsze tak samo patrzył półprzymkniętemi oczami, czyto gdy "tłukł" z nami aorysty, czy gdyśmy Homera "rozbierali", czy gdy się Xenofontowi zaczynał pokazywać "na piątej parasandze świeży poślad koński". Nawet notes miał Gorzkowski 45 przez parę lat ten sam, tak samo równo obsiany na wszystkich stronicach pokurczonemi "stopniami".

Na wiosnę i w lecie można było jeszcze jakoś wytrzymać na jego godzinach, ale późną jesienią czy w zimie "ludzie się urywali". Był tak nudny, że nie warto było "wyrabiać". Kipieliśmy więc nad 50 cudowną tarczą Achillesa, łykając tak straszne ziewy, że nam od nich szczęki wyskakiwały ze stawów.

Nuda, którą umiał roztaczać Gorzkowski, była tak potężna, powiedziałbym – tak w swoim rodzaju znakomita, że ogarniała nas już zawczasu nawet przed jego przyjściem.

55 Któż nie zna niebywałych wspaniałości tej krótkiej chwili między dzwonkiem a nadejściem profesora?! Wtedy właśnie wymienia się najlepiej pióra, marki, książki. Ale przed nadejściem Gorzkowskiego nic się w tym czasie nie dzieje. "Ludzie" patrzą w mętne, zapotniałe szyby i śpią.

60 Otwierają się drzwi, wstajemy i nawet nie patrzymy na niego. Poco, – nie zmienia się, jest zawsze taki sam, tak samo stąpa, tyle samo kroków daje zawsze od drzwi do katedry.

Dziś – choć był tak samo ubrany i dał tyle samo kroków, – nie siadł. Dalej stoi. Czekamy, aż padnie zwykłe, martwe: – "Siadać"!

65 "Siadać" – nie pada.

Gorzkowski spojrzał w zapocone okna – i wodzi mętnym przepisowym wzrokiem pomiędzy ławkami. Zaczyna od prymusa Barańskiego, wzdłuż pierwszej ławki przeszedł już między średniakami, zlustrował wszystkich dryblasów na szarym końcu sali.

70 Co dalej?

Nic.

Ogląda ściany.

Nagle wyrzucił przed siebie ręce leciutko, jakby łapał motyla, roześmiał się do siebie cichym, bladym śmiechem i rzekł powoli
75 w senną ciszę klasy:

–Mamy syna.

Nikt nie odpowiedział. W pierwszej chwili nie rozumieliśmy poprostu, co to znaczy. Czy "mamy syna" będzie miał zaraz ktoś na grecki przetłumaczyć, czy jest to tytuł zadania, czy początek serji
80 jakichś nowych wyjątków.

Gorzkowski stulił przy sobie ręce i, długą szyję wyciągnąwszy z luźnego kołnierzyka, powtórzył nieśmiało:

– Mamy syna.

Klasa "jako taka" nic jeszcze nie odpowiedziała. Tylko stare
85 dryblasy z szarego końca, którym "i tak wogóle na niczem nie zależało", spytały z ostatnich ław:

– To znaczy, że pan profesor ma syna?

– Tak – odpowiedział Gorzkowski, kładąc ostrożnie swój czarny notes przed sobą. – Mamy syna od dziś, od piątej rano.

90 – Ten ci będzie znał grekę – huknął w zupełnej ciszy najstarszy z dryblasów.

Słowa "ten ci będzie znał grekę" okazały się hasłem dla całej klasy. Nie siadając, stojąc dalej w ławkach, zaczęliśmy teraz na wyrywki pytać Gorzkowskiego "o wszystko". Czy już "odrazu" mówi
95 syn pana profesora, czy ma "wszystkie" włosy na głowie, czy nie ma sześciu palców u ręki, czy już odmienia "pajdeuo", jakie powiedział pierwsze słowo?!?

– Jak mówi? – jak mówi? – huczała cała klasa.

Gorzkowski wyrzucił przed siebie chude, żółte ręce, jakby znów
100 łapał małego motyla. Ucichliśmy natychmiast. Zapatrzył się w ścianę, zmarszczył czoło, podniósł wysoko szare, "zakurzone" brwi, przypominając sobie z ogromnym trudem coś, co należy koniecznie wiernie powtórzyć.

– Jak mówi? Naturalnie, że nie mówi po grecku. Ani wcale po
105 żadnemu. Mówi – "au, – au, – au". – Zapatrzony w ścianę, jął Gorzkowski cicho, nabożnie skrzeczeć, udając kwilenie małego dziecka.

Klasa wybuchnęła żywiołowym rykiem. Tłukliśmy "z radości" w ławy, tupaliśmy, książki spadały z pulpitów, latały w powietrzu. Ktoś przyszedł do tablicy i napisał pośpiesznie: "Niech żyje syn pana
110 profesora Pajdek"!

Nawet Barański śmiał się i ze wszystkimi krzyczał.

Dryblasy biły się po głowach, kurz mieszał się z krzykiem.

Największy z dryblasów Faliszewski stanął nagle na ławce i wrzasnął w imieniu całej klasy na całe gardło:

115 – Prosimy pana profesora, żeby syn pana profesora był także profesorem!!

I wtedy stała się ta straszna a przez nikogo nieoczekiwana rzecz. Gorzkowski porwał z katedry swój notes, cisnął nim o ziemię i ryknął:

120 – Milczeć!!!

Zapatrzony w ścianę, jakby nie do nas, a do tych murów szkolnych wołał, aż mu się w piersiach obrywało:

– Raczej kamienie będzie na drodze łupał, – raczej kamienie!...

Chcieliśmy sobie z tego nic nie robić, już nawet któryś z dry-
125 blasów wrzasnął – "niech żyje kamieniarz"! – gdy drzwi się otwarły, i w cichych, filcowych pantoflach wkroczył sam pan dyrektor.

MIASTO MOJEJ MATKI. NIEJAKI KASTALSKI (*niejaki* – a certain). **4.** *na dobranoc* – saying good night; *kształcić* – to educate. **7.** *bułeczki*, dim. of *bułka* – roll. **8.** *całym domem* – the whole family. **9.** *trudno i darmo*, idiom. – there is nothing else to do. **10.** *zapiąć pod szyją* – to button up; *szyja* – neck. **11.** *urzędowy* – official. **13.** *cyferblat*, Ger. Zifferblatt – face of a watch; *ratuszowa wieża* – the tower of the townhall; *wskazówka* – hand of a watch, clock. **16.** *spóźniać się* – to be late; *ulica Bracka* – street in Cracow. **18.** *pierwsza klasa* – first grade; *ludowej*, scil. *szkoły ludowej* – elementary school. **20.** *przewiązać* – to tie; *ogonek* – here, dash, line; *ósemka* – number 8. **21.** *niekształtny* – illshaped. **22.** *bacik*, dim. of *bat* – whip; *tabliczka łupkowa* – tablet of slate (from *łupek* – slate). **23.** *gąbka* – sponge; *rysik* – slate-pencil; *chrobotać* – to rattle. **24.** *piórnik* – pen-case. **26.** *zdawać* scil. *egzamin* – to take an examination, answer. **27.** *olbrzym* – giant. **28.** *tablica* – board. **31.** *stróż* – janitor. **32.** *stróżka* – his wife. **34.** *wielkolud* – giant. **36.** *drabina* – ladder. **39.** *rożek*, dim. of *róg* – corner; *smarować* – here, to scrawl. **40.** *dłubać* – dawdle, dilly dally. **42.** *ukłonić się* – to bow; *machnąć* – here, to draw with one stroke. **43.** *poczem* – whereupon; *wspinać się* – climb. **44.** *kreślić* – to draw. **46.** *mimowoli* – involuntarily. **47.** *połatać* – to patch; *katanka* – jacket. **49.** *łykać* – to swallow. **50.** *ślina* – saliva. **51.** *pytać* – to question, examine. **52.** *poplątać się* – to get mixed up. **56.** *zauważyć* – to observe, remark; *podpowiadać* – to prompt. **58.** *zmierzyć spojrzeniem* – to transfix with a glance. **65.** *brzękł*, from *brzęknąć* = *puchnąć* – to swell. **66.** *zaczerpnąć oddechu* – to take breath. **70.** *przełykać* – see 49; *tonęło*, from *tonąć* – to sink, drown. **76.** *kiwać* – to nod. **77.** *śmigać* – to lash, swish. **80.** *zbiedzony* – weary, tortured. **82.** *dać* – here, to let, permit. **85.** *wyrywać* – to pull out. **87.** *składnie* – neatly. **88.** *przełożyć* – to shift. **90.** *gładzić* – to stroke. **92.** *wybuchać płaczem* – to burst in tears. **100.** *tuczyć* – to fatten; *krzywda* – wrong, injustice. **102.** *marynarski*, adj. from *marynarz* – sailor's; *bluza* – jacket. **103.** *przypochlebny* – ingratiating. **105.** *dowiedzieć się* – to learn. **106.** *wygodzić* – to serve well, help. **108.** *pocieszyć się* – to console oneself. **109.** *dłużnik* – debtor.

NAJBIEDNIEJSZY UCZEŃ. **2.** *na pierwszy rzut oka* – at the first glance; *być za czemś* – to be in favor of something. **3.** *w porę* – at the proper time; *w miarę*

– moderately. **5.** *obejść się* – to do without; *klaps* – slap. **6.** *tu i ówdzie* – here and then, now and there; *pomiar* – measurement. **8.** *wstępny* – introductory; *traktat* – treatise, tract; refers to the first chapter of the book. **9.** *stanowisko* – attitude. **10.** *rozprawa* – dissertation, study. **11.** *przytoczyć* – to quote. **12.** *garbować* – to tan. **14.** *należyty* – proper; *powaga* – prestige, importance. **19.** *druga klasa ludowa* – second grade of elementary school. **20.** *znęcony*, from *znęcić* – to lure, entice. **21.** *słonina* – lard; *deszczułeczka*, dim. of *deska* – board, plank; *zastawiony*, from *zastawić* – to set; *pułapka* – trap. **22.** *przychodził* = *następował.* **24.** *paf*, interj. – bang, pop. **28.** *klasa* – here, classroom. **30.** *katedra* – here, teacher's desk. **35.** *wylatywać* – to jump out. **36.** *ślinka napływa do ust* – the mouth waters. **37.** *rozpęd* – impetus. **40.** *obdartus* – ragamuffin. **45.** *ledwośmy mogli wytrzymać ze śmiechu* – we could hardly restrain our laughter. **52.** *zmarszczyć brwi* – to knit one's brows. **59.** *odpukać* – to knock, rap. **60.** *purpurowy* – crimson. **62.** *wymyślić* – to invent. **63.** *ocierać* = *wycierać; wytarlszy*, from *wytrzeć* – to wipe. **65.** *awantura* – row, disturbance. **66.** *aresztant* – prisoner. **69.** *przyznać się* – to confess, admit. **71.** *wszystko się skrupi na Bienarzu*, idiom. – B. will have to pay for everything; *za darmo* – gratis. **72.** *uczyć się nieszczególnie* – to be a mediocre student. **79.** *pachnieć* – to smell; *od nauczyciela pachniało* – the teacher smelled of. **80.** *ślazowy*, from *ślaz* – mallow. **83.** *zbladł*, from *zbladnąć* – to turn pale. **86.** *sprawić* – here, to give, procure. **88.** *terpać* – to pull, tear. **95.** *do śniegu się nam spieszyło* – we were in a hurry to get to the snow. **98.** *struga* – stream. **99.** *całą kupą* – in a heap. **100.** *mazgaj, beksa* – cry-baby; *strachopuda* – coward. **106.** *postąpić* – to behave, act; *niegodny* – unworthy, dishonorable. **107.** *hańba* – disgrace. **108.** *zacisnąć* – to tighten.

PROFESOR. **5.** *nastręczać* – to offer. **9.** *przezierać* – to look through; *przeświecać* – to shine through; *piach*, augment. from *piasek* – sand. **11.** *kierownik* – guide, supervisor; *raz, wraz* – again and again; *wytykać* – to point out. **13.** *wzamian* – in return. **14.** *wymierzyć karę* – to mete out punishment; *śmieszność* – ridicule. **19.** *nic z tego ni z owego* – without rhyme or reason. **24.** *greka* – Greek language, Greek. **28.** *przekląć* – to curse. **31.** *przyrodnik* – naturalist, teacher of natural science. **33.** *łacinnik* – teacher of Latin. **34.** *katecheta* – teacher of religion; *prałat* – prelate, monsignor; *papieski* – papal; *fizyk* – physicist, teacher of physics. **35.** *doświadczenie* – here, experiment; *papiestwo* – papacy. **38.** *wysiedziany* – worn out; *żakiet* – swallow-tailed coat. **39.** *wywoływać* – to call up. **40.** *spis* – list, register. **42.** *tłukł*, from *tłuc* – here, to cram. **43.** *rozbierać* – to analyze; *parasanga* – parasang, Persian measure of length, 2–4 miles; *poślad* – here, excrement; *notes* – notebook. **46.** *pokurczony* – shriveled; *stopień* – grade, mark. **48.** *godzina* – here, class; *urywać się* – to go crazy. **49.** *wyrabiać* – to play pranks; *kipieć* – to seethe, boil. **50.** *ziewy* = *ziewanie* – yawns. **51.** *szczęka* – jaw; *staw* – joint. **58.** *zapotniały* – litrally covered with sweat, hazy. **66.** *zapocony* = *zapotniały; wodzić wzrokiem* – to cast one's eyes around; *przepisowy* – prescribed, official. **67.** *prymus* – head boy, best pupil. **68.** *średniak* – average student. **69.** *zlustrować* – to review, inspect; *dryblas* – big fellow, rowdy; *szary koniec* – the rear seats. **84.** *jako taka* – as such. **93.** *na wyrywki* – at random. **96.** *odmieniać* – to conjugate; *pajdeuo* – 1 pers. sing. of Greek *paideuein* – to teach. **106.** *skrzeczeć* – to croak; *kwilenie* – wailing, whimpering. **107.** *tłuc* – to pound; *Pajdek* – a name formed from the Greek verb *paideuein* or from *pais* – child. **113.** *wrzasnąć na całe gardło* – to shout at the top of one's voice. **123.** *łupać* – to split, break. **125.** *kamieniarz* – stonebreaker.

Juljan Przyboś (1901–)

Together with Tadeusz Peiper, the main theoretician of the "avant garde", Juljan Przyboś headed the new poetic current. Before the war he published four volumes of poetry: *Śruby* (Screws, 1925), *Oburącz* (With Both Hands, 1926), *Z ponad* (From Above, 1930), and *W głąb las* (In the Depth of the Wood, 1932).

In his works Przyboś completely broke away not only from romantic expansiveness and impressionistic emotional directness, but also from their modified and modernized forms as represented by the *Skamander* group. Without renouncing lyrical emotion, he wanted it to be many times more powerful, "concentrated," "compressed," condensed in expression to the limit. Obviously, in view of such assumptions, the external world in the poet's emotional reactions undergoes far-reaching deformations and has nothing in common with any "authenticism." Reality is transformed contrary to empirical experience, metaphors create associations possessing no counterpart in the real world, the natural order of things is reversed. Thus, e.g., it is not the grain that is carried to the barn, but the "acres"; it is not the shells that circled the sky, but "the sky rotated with shells"; "the gray cottages" flowed down from the bank of the river; and so on. In connection with this the poet creates new words and phrases, abandons the traditional metric system, and creates a new counterpart to it, employing new rhymes and assonances. This is a difficult, amelodious poetry, quite distinct from the traditional one, but it undoubtedly brings new original values.

NA USKRZYDLONYCH KOŁACH

Na uskrzydlonych kołach w pęd wprawieni potężny,
ku rozpostartej dali szturmem dróg niebosiężnych
prąc w niewstrzymanym trudzie, twardzi i ustawiczni
jedziemy, poruszani oddechem mechanicznym.
5 Przez kamienne gościńce państw, okolic i krajów,
siecią torów żelaznych mkniemy z gwarnych rozstajów
do wędrujących stacji, któremi nas oplata
rozłożona na przestwór olbrzymia kolej świata.
Śmigłe nas wiodą szyny – lejce grzyw atmosfery,
10 wspiętej w dymy obłoków, jak spienione ogiery.
W hali wzniesionych niebios, dudniącej metalicznie,
zapalamy oczami słońca lamp elektrycznych.
Pięście wznosimy w górę jak raptowne sygnały,
– dzwoniąc, giną wiadukty, wzdłuż nagle się urwały.
15 Wsie kładą się pokotem jak progi popod koła.

Prędzej! Natchnijmy ogniem lokomotywy czoło!

Wartkim galopem słupów rwąc kilometry drogi,
kir tętniącej przestrzeni podścieliwszy pod nogi,
wpadniemy jednym rzutem w grzmocie żelaznych kroków
20 w miasto wzniecone nagle, jak pożoga śród mroków.

Na napowietrznych linach z chorągwiami kominów,
powiewając chmurami, które wicher rozwinął,
sunie w tłumnym tramwaju miasto w górę wybiegłe.
Start rozpina nad dachy, nad rusztowania, cegły,
25 weźmie nas samolotem w lot podniebny i chyży.

O dali! Kiedy oczom błękit twój się przybliży
w spiralach awiatyki, w śmig gwałtownym wytrysku,
dokąd wieźć nam tęsknotę, gdy w braterskim uścisku
lotne ramię maszyny kołysze nas i niesie?
30 Już się dłuży, jak szyna, myśl społecznych uniesień,
podbija koła pędu, w tor wtopiona i rącza:
kłaść będziemy w oddale linje nowych połączeń.
Z portu, szybującego na fokżaglach rozsnutych,
wykreślimy przez morze parostatkom marszruty.
35 Przeprowadzimy druty niepomiernej długości.
Nadamy telegramy naglące do szybkości.

Wyprężonym szeregiem, rąk złączywszy ogniwa,
skuci wolą płomienną natchnionego porywu
popłyniemy napięci w prąd radosnej energii:
40 przemienieni w promienie, skry, ampery i ergi.

*
* *

Nie zasnę dziś, jak zawsze,
z gwiazdą w oczach.
Rozpryśnie się w dźwięku dzwonka,
przyjdą po mnie.

5 Wiem, umrę.

Gwieździe ogromnej
co noc zmartwychwstającej w moich oknach
siebie nie przekażę.
Nikomu nie objawi wieczna, nieprorocza
10 nawet mojego spojrzenia w górę.

Lecz ty leżysz z otwartemi oczyma,
drżysz, choć udałaś sen, coraz bledsza.

To ty mnie w swojej źrenicy zatrzymasz,
a nie gwiazda z tej nocy zeszła.

Lwów, 12 października 1941

NOC MAJOWA

Z głębi snu wyniósł mnie na powierzchnię jawy
jakby oddech – niczyj a ogromny.

Gwiazdka stała nad ruiną Warszawy
jak najwyższy, najmniejszy pomnik.

5 Oddychała odrodzona zieleń,
dźwięk był tkliwy i nikły.

Nam, którzyśmy ich śmierć zamilczeli,
śpiewał słowik – z ich ciszy odmilkły.

WIECZÓR

Te same gwiazdy
wyszeptały wieczór jak zwierzenie.

Latarnie wyszły z ciemnych bram na ulicę
i w powietrzu cicho stanęły.

5 Zmrok łagodnie przemienia przestrzenie.

Ogrody opuściły swoje drzewa,
szare domki znad rzeki – spłynęły.

W niskich brzegach wśród olch płynie żal.

Tylko horyzont uchyla nieba
10 księżycem,
i droga długo wiedzie we wspomnienie.

I twoje dłonie sieją między nami dal.

NA USKRZYDLONYCH KOŁACH. **1.** *uskrzydlonych*, from *skrzydło*, wing – – winged; *wprawieni*, from *wprawić* – here, to set in motion. **2.** *szturm*, Ger. Sturm – attack; *niebosiężny* – sky-high. **3.** *prąc*, pres. part. of *przeć* – to press forward; *niewstrzymany* – which nothing can stop; *ustawiczny* – steady, unceasing. **6.** *tor żelazny* – railway; *rozstaje* – crossroads. **7.** *oplatać* – to wreath, wind around. **8.** *na przestwór* = *w przestworze*. **9.** *śmigły* – swift, fleet; *szyny* – rails; *grzywa* – mane. **10.** *wspiętej*, from *wspiąć* (*się*) – here, to rear; *spieniony* – foaming; *ogier* – stallion. **11.** *dudniącej* – from *dudnić* – to rumble. **13.** *raptowny* – sudden. **14.** *wzdłuż* – lengthwise. **15.** *kłaść się pokotem* – to lie side by side; *popod* = *pod*. **18.** *kir* – pall; *tętniącej*, from *tętnić* – to beat, throb; *podścieliwszy*, from *podścielić* – to strew under. **20.** *wzniecone*, from *wzniecić* – to rouse; *pożoga* – fire, conflagration. **24.** *rozpinać* – to strech, spread. **25.** *chyży* – swift. **26.** *O dali*, voc. of *dal* (femin. noun) – distance, yonder. **27.** *śmig* – gen. plur. of *śmiga* – propeller; *wytrysk* – jet, spurt. **30.** *uniesienie* – enthusiasm, extasy. **31.** *podbijać* – to propel, accelerate; *wtopiona*, from *wtopić* – to weld into; *rączy* = *chyży*, see note 25. **33.** *fokżagiel* – a kind of sail. **34.** *marszruta*, Ger. Marschrute – route, itinerary. **37.** *wyprężony*, from *wyprężyć* – to strain, strech out; *ogniwo* – link (of a chain). **38.** *skuci*, from *skuć* – to forge together, to link; *poryw* – élan. **39.** *napięci*, from *napiąć*, to strain – straining. **40.** *ergi* – ergons or ergs.

* * * **3.** *rozpryśnie się*, from *rozprysnąć się* – to burst, be shattered. **8.** *przekazać* – to hand down. **9.** *nieprorocza* – unprophetic. **14.** *z tej nocy zeszła* – which rose from this night.

NOC MAJOWA. **1.** *jawa* – awakening, reality (opposite to dream). **2.** *niczyj* – belonging to nobody. **6.** *tkliwy* – tender; *nikły* – weak. **7.** *ich śmierć* – refers to Poles who died in Warsaw during the German occupation. **8.** *odmilkły* – ceased to be silent, neol. composed of *od* + *milkły*, from *milczeć* (to be still, mute).

WIECZÓR. **2.** *zwierzenie* – confidence. **8.** *olcha* – alder. **9.** *uchyla* – here, *przychyla*, from *przychylać* – to tilt, tip.

Czesław Miłosz (1911–)

Considered a member of the poetic "avant garde" and one of its outstanding representatives, Czesław Miłosz published before World War II two collections of poems: *Poemat o czasie zastygłym* (Poem of the Frozen Time, 1933) and *Trzy zimy* (Three Winters, 1936). In 1940, during the German occupation, there appeared a third volume, mimeographed and not available in the United States, while in 1942 an anthology of his poetry, *Pieśń niepodległa* (Independent Song) was published clandestinely. In 1945 a new volume of his poems (containing also older ones) appeared under the title *Ocalenie* (Rescue). In addition Miłosz has done a number of translations from foreign poets—Milton, Burns, Browning, Wordsworth, T. S. Eliot, Pablo Neruda, Oscar Milosz (his uncle, a noted French poet). During the war he translated Shakespeare's *As You Like It*, which was later played with great success on Polish stages. Finally he is the author of a number of literary sketches, including studies of Defoe, Balzac, Gide, William James, and Tolstoy.

He is linked with the "avant garde" by a controlled, concentrated lyricism, sometimes so deeply concealed in seemingly objective poetic formulations as to be almost invisible. These formulations are often conceived in astonishing visions and weird symbols; whole phenomena are represented by expressive, penetrating details. He does not possess the "magic of words", as he himself declares in the introduction to *Ocalenie;* on the contrary, the words are simple, hard, edgy, the phrases often prosaic but always forceful and expressive and never deformed beyond recognition, as in the case of other "avant gardists." The rhythm is uneven, broken, abrupt, and the line is shortened or lengthened sometimes without regard to uniformity of the metre. The rhymes are diverse, sometimes approaching the traditional ones, more often remote, sometimes completely absent.

*

* *

Ty silna noc. Do ciebie nie dosięga
ni płomień ust, ni chmur przejrzystych cień.
Słyszę twój głos po ciemnych snu okręgach
i świecisz tak, jakby nadchodził dzień.

5 Ty jesteś noc. W miłości leżąc z tobą
odgadłem los i bojów przyszłych zło.
Ominie plebs, a sława przejdzie obok
i pryśnie muzyka jak butem tknięte szkło.

Wrogowie mocni są, a ziemia nazbyt wąska
10 i ty, kochana, jesteś wierna jej.
U ziemskich wód czarnego bzu gałązka,
wiatrem przygnana z niewiadomych kniej.

Ogromna mądrość, dobroć niekobieca
jest w twoich kruchych rękach, o Śmiertelna.
15 I blask poznania na czole prześwieca:
stulony księżyc, nierozwita pełnia.

W MOJEJ OJCZYŹNIE

W mojej ojczyźnie, do której nie wrócę,
Jest takie leśne jezioro ogromne,
Chmury szerokie, rozdarte, cudowne
Pamiętam, kiedy wzrok za siebie rzucę.

5 I płytkich wód szept w jakimś zmroku ciemnym,
I dno, na którem są trawy ciernieste,
Mew czarnych krzyk, zachodów zimnych czerwień,
Cyranek świsty w górze porywiste.

Śpi w niebie mojem to jezioro cierni.
10 Pochylam się i widzę tam na dnie
Blask mego życia. I to, co straszy mnie,
Jest tam, nim śmierć mój kształt na wieki spełni.

CAMPO DI FIORI

W Rzymie na Campo di Fiori
Kosze oliwek i cytryn
Bruk opryskany winem
I odłamkami kwiatów.
5 Różowe owoce morza
Sypią na stoły przekupnie
Naręcza ciemnych winogron
Padają na puch brzoskwini.

Tu na tym właśnie placu
10 Spalono Giordana Bruna
Kat płomień stosu zażegnął
W kole ciekawej gawiedzi.
A ledwo płomień przygasnął
Znów pełne były tawerny
15 Kosze oliwek i cytryn
Nieśli przekupnie na głowach.

Wspomniałem Campo di Fiori
W Warszawie przy karuzeli
W pogodny wieczór wiosenny
20 Przy dźwiękach skocznej muzyki.
Salwy za murem ghetta
Głuszyła skoczna melodja
I wzlatywały pary
Wysoko w pogodne niebo.

25 Czasem wiatr z domów płonących
Przynosił czarne latawce
Łapali płatki w powietrzu
Jadący na karuzeli
Rozwiewał suknie dziewczynom
30 Ten wiatr od domów płonących
Śmiały się tłumy wesołe
W czas pięknej warszawskiej niedzieli.

Morał ktoś może wyczyta
Że lud warszawski czy rzymski
35 Handluje bawi się kocha
Mijając męczeńskie stosy.
Inny ktoś morał wyczyta
O rzeczy ludzkich mijaniu
O zapomnieniu co rośnie
40 Nim jeszcze płomień przygasnął.

Ja jednak wtedy myślałem
O samotności ginących
O tem że kiedy Giordano
Wstępował na rusztowanie
45 Nie znalazł w ludzkim języku
Ani jednego wyrazu
Aby nim ludzkość pożegnać
Tę ludzkość która zostaje.

Już biegli wychylać wino
50 Sprzedawać białe rozgwiazdy
Kosze oliwek i cytryn
Już nieśli w wesołym gwarze.

I był już od nich odległy
Jakby minęły wieki
55 A oni chwilę czekali
Na jego odlot w pożarze.

I ci ginący samotni
Już zapomniani od świata
Język ich stał się nam obcy
60 Jak język dawnej planety.
Aż wszystko będzie legendą
I wtedy po wielu latach
Na nowem Campo di Fiori
Bunt wznieci słowo poety.

* * * **1.** *dosięgać* – to reach. **2.** *przejrzysty* – transparent. **3.** *okręgach,* from *okrąg* – periphery. **7.** *ominie,* from *ominąć* – to pass by, avoid. **8.** *pryśnie,* from *prysnąć* – to burst; *tknięte,* from *tknąć* – to touch, brush. **12.** *kniej,* gen. plur. of *knieja* – forest. **14.** *kruchy* – brittle, frail. **16.** *stulony,* from *stulić* – to close. *nierozwita* = *nierozwnięta; pełnia* – full moon.

W MOJEJ OJCZYŹNIE. **3.** *rozdarte,* from *rozedrzeć* – to tear asunder. **6.** *ciernisty,* from *cierń,* thorn – thorny. **7.** *mewa* – seagull; *czerwień* – redness. **8.** *cyranek,* gen. plur. of *cyranka* – teal; *porywisty* – sweeping. **11.** *...co straszy mnie* – what frightens me. **12.** *nim śmierć mój kształt na wieki spełni* – ere death completes my shape forever.

CAMPO DI FIORI. **3.** *opryskany,* from *opryskać* – to spatter. **4.** *odłamek,* dim. of *odłam* – fragment. **6.** *przekupień* – peddler, hawker. **7.** *naręcza,* plur. of *naręcz* – an armful. **8.** *puch* – down; *brzoskwinia* – peach. **11.** *zażegnął,* from *zażegnąć* (*zapalić*) – to kindle. **12.** *gawiedź* – gaping crowd. **13.** *przygasnąć* – to abate (said of fire). **18.** *karuzela* – merry go-round. **20.** *skoczny,a,* from *skoczyć* – to jump; *skoczna muzyka* – lively music. **22.** *głuszyć* – to drown out. **26.** *latawiec, ce* – kite, here, *płatki* (see next line) – flakes of soot, charred bits. **29.** *rozwiewać* – to blow hither and yon. **44.** *rusztowanie* – here, scaffold. **50.** *rozgwiazdy* – starfish. **52.** *gwarze,* loc. of *gwar* – humming noise. **64.** *bunt* – revolt; *wzniecić* – to arouse.

COLLEGE LIBRARY
ST. JOSEPH'S COLLEGE
1852
Phila., Pa.